रवीन्द्रनाथ त्यागी रचनावली

खण्ड : दो

खण्ड : एक

व्यंग्य-संसार : खण्ड एक से छह

खण्ड : दो

खण्ड : तीन

खण्ड : चार

खण्ड : पाँच

खण्ड : छह

खण्ड : सात

काव्य-संसार

खण्ड : आठ

विविध

रवीन्द्रनाथ त्यागी रचनावली

खण्ड : दो

सम्पादक

कमल किशोर गोयनका

वाणी प्रकाशन

वाणी प्रकाशन

4695, 21-ए, दरियागंज, नयी दिल्ली 110 002

शाखा

अशोक राजपथ, पटना 800 004

फ़ोन : +91 11 23273167 फ़ैक्स : +91 11 23275710

www.vaniprakashan.in
vaniprakashan@gmail.com
sales@vaniprakashan.in

RAVINDRANATH TYAGI RACHNAWALI-2
Edited by Kamal Kishore Goyanka

ISBN : 978-93-5229-515-9
Rachnawali

प्रथम संस्करण 2016

प्रत्येक खण्ड का मूल्य : ₹ 1000
(आठ खण्ड सेट) सेट मूल्य : ₹ 8000

हर्ष प्रिंटर्स, दिल्ली-110 093 में मुद्रित

वाणी प्रकाशन का लोगो मक़बूल फ़िदा हुसेन की कूची से

अनुक्रम

व्यंग्य-संसार

अतिथि-कक्ष (1977)

फूलों वाला कैक्टस (1978)

सुन्दरकली (1978)

ऋतु-वर्णन (1979)

भद्र पुरुष (1980)

इस देश के लोग (1982)

पद-यात्रा (1985)

परिशिष्ट

अतिथि-कक्ष
(1977)

अतिथि-कक्ष

मैं वहाँ काफ़ी देर से बैठा था। वह उनका अतिथि-कक्ष था, जिसे सरल भाषा में वेटिंग चेम्बर कहते हैं। वे एक प्रतिष्ठित राष्ट्रसेवी थे। जो कई बार मन्त्री रह चुके थे और विभिन्न पार्टियों की तरफ़ से रह चुके थे। देश के हितों के सामने उन्होंने अपने व्यक्तिगत सिद्धान्तों की कभी परवाह नहीं की थी। सरल भाषा में वे एक वी. आई.पी. थे। फ़िलहाल वे उस स्थिति में थे जो कि पुराने मन्त्रिमण्डल में से निकाल दिये जाने के बाद और नये मन्त्रिमण्डल में शामिल किये जाने से पहले होती है। अतिथि-कक्ष में काफ़ी लोग विराजमान थे और एक शालीन-सा लगने वाला अधेड़ व्यक्ति उनके नाम वग़ैरह एक काग़ज़ पर लिखता जा रहा था। वह नेताजी का व्यक्तिगत सहायक था, जिसे सरल भाषा में पी.ए. कहकर पुकारा जाता है। क्योंकि मैंने पहले ही कहा, मैं वहाँ काफ़ी देर से बैठा था।

अतिथि-कक्ष में अतिथियों के अतिरिक्त सजावट का और सामान भी था। यह सामान नेताजी के व्यक्तित्व की सार्वजनिकता पर रोशनी डालता था। सामने की दीवार पर बापू का चित्र टँगा था जिसमें उनके हाथ में लाठी नहीं थी। लाठी जो थी वह बाहर बरामदे में रखी हुई थी। गाँधी जी के एक ओर स्तालिन का चित्र टँगा था और दूसरी ओर गौतम बुद्ध का। इन तीनों चित्रों के ठीक नीचे एक तैलचित्र था जिसमें एक आदिवासी युवती कोई अर्धनंगा नाच दिखाने की मुद्रा में थी। बाज़ू वाली दीवार पर ईसा थे– क्रास पर लटके हुए। उनकी अगल-बग़ल मार्लिन मनरो और इंग्रिड बर्गमैन के रंगीन चित्र थे जो काफ़ी मज़बूत क़िस्म की टीक के फ्रेम में सुरक्षित थे ताकि वे सुन्दरियाँ बिना सूचना दिये कहीं चली न जायें। तीसरी दीवार पर ताजमहल का एक बड़ा भव्य फ़ोटो टँगा था जिसके एक ओर गुरु गोलवलकर का फ़ोटो था और दूसरी ओर पण्डित जवाहर लाल नेहरू का। कमर टेढ़ी करने पर आप पिछली दीवार भी देख सकते थे, जिस पर सरदार भगतसिंह, फ़िल्म अभिनेता मोतीलाल और विंस्टन चर्चिल एक साथ दिखाई पड़ते थे। इन तीनों के चित्रों के ऊपर पिकासो की एक पेण्टिंग की अनुकृति टँगी थी।

पिकासो वाली पेण्टिंग ठीक मेरे पीछे थी। इस पेण्टिंग में एक औरत का चेहरा

और वक्ष दिखाया गया था। ज़्यादा ग़ौर से देखने पर लगता था कि वह औरत नहीं बल्कि कटहल थी। साइकिल का पहिया थी या फिर मोतीचूर का लड्डू थी। पेण्टिंग थी कि इसके बाद फिर लड़की का मज़ा देने लगती थी। पेण्टिंग से थोड़ा हटकर एक और चित्र था जिसमें हनुमान जी एक पहाड़ को हाथ पर उठाये पिकासो वाली उस लड़की की दिशा में उड़े जा रहे थे। लगता था काफ़ी जल्दी में थे। अतिथि-कक्ष के पर्दे खादी के थे और सोफ़े चमड़े के थे। हो सकता है, वह चमड़ा इंसान का रहा हो, क्योंकि था वह काफ़ी मुलायम। खादी के उन पर्दों पर जो आकृतियाँ बनी थीं, वे ऐसी थीं कि नाबालिग लोग उस कमरे में न ही जाते तो ठीक रहते। खजुराहो की कला इतनी वाचाल हो सकती है, इसका पता मुझे उसी दिन लगा। कला थी जो कि पर्दों के पीछे से बोल रही थी और हम लोग थे जो कि चुपचाप बैठे थे।

अतिथि-कक्ष में जो लोग बैठे थे वे मुख़्तलिफ़ क़िस्म के थे। इनमें से कुछ को मैं पहचानता भी था। इनमें से एक तो ठेकेदार था जो चुनावों के अवसर पर एक निश्चित संख्या तक मत डलवाने का ठेका लिया करता था। आदमी ईमानदार था। ठेका मिलने के बाद वह वोट ज़रूर डलवाता था, चाहे उसके लिए उसे शराब और चाकू का सहारा ही क्यों न लेना पड़े। उस पर फ़िलहाल फ़ौजदारी के कई मुक़दमे एक साथ चल रहे थे। मगर वह था कि काफ़ी बेफ़िक्री के साथ मूढ़े पर बैठा था और बीड़ी फूँक रहा था।

ठेकेदार की बग़ल में एक संस्कृत के पण्डित थे जो काव्यतीर्थ थे। उनके मस्तक पर तिलक लगा था और जूतों पर गोबर। मंगलवार होने के कारण उन्होंने आज रक्तवर्ण का उत्तरीय धारण कर रखा था जो वाक़ई हनुमान जी का लँगोट लगता था। इधर उन्होंने एक सरल अष्टाध्यायी लिखी थी जिसे पाठ्यक्रम में स्वीकृत करने के लिए एक नौवाँ अध्याय नेता जी पर लिखना पड़ा था। पुस्तक की एक प्रति उनके हाथ में थी—रेशम की जिल्द में बँधी। आदमी वे दूर-अन्दाज़ थे। अगर जाड़ों की ऋतु होती तो पुस्तक की जिल्द वे गाँधी आश्रम की ऊनी खादी में बँधवाते। फ़िलहाल वे समाज में फैले हुए भ्रष्टाचार को लेकर कलियुग की महिमा पर कुछ कह रहे थे, जिसे सामने वाली आराम कुर्सी पर बैठी एक रूपवती महिला बड़े ध्यान से सुन रही थी।

वह रूपवती महिला कुछ सहमी और घबरायी हुई-सी लगती थी। पता लगा कि वह नारी निकेतन से भागकर सीधी चली आ रही थी— नेता जी की शरण में। नारी निकेतन वाले अधिकारी शायद काफ़ी कार्यतत्पर थे, उन्होंने उसके नारी वाले भाग का पूरा-पूरा उपयोग और विकास किया था। परिणाम ज़ाहिर था, जब तक भी वहाँ रही उसकी आँखें पानी से भरी रहीं और आँचल दूध से। नेता जी के यहाँ उसे देखकर पण्डित जी उसे वह कथा सुना रहे थे जहाँ एक मेमना भेड़ियों से जान बचाने के लिए एक बघेरे से सलाह माँगने आया था।

मेरी दूसरी ओर एक अफ़सरनुमा आदमी या आदमीनुमा अफ़सर बैठा था। बहरहाल यह कहना कठिन था कि मूलतः वह अफ़सर था या आदमी। नेताजी के पी.ए. से बातें करते वक़्त वह एकदम इंसान लगता था और इसके बाद फिर वही अफ़सर। ज़िला प्रशासन में बागबानी का महत्त्व उसने ही समझा था। हफ़्ते में छह दिन वह शेष अफ़सरों की जड़ें इस तरह ढीली करता रहता था जैसे वे मूली या शलजम हों और सातवें दिन अपनी जड़ों में खाद और पानी लेने वह शहर आता था और बड़े लोगों से मिलता था। उसके एक हाथ में फ़ाइल थी और दूसरे में पाइप! फ़ाइल जो थी वह शायद उसी रूपवती महिला के बारे में थी। वह थोड़ी देर उस फ़ाइल को देखता था, फिर उस ख़ूबसूरत ग़मगीन औरत को और इसके बाद बाहर पोर्च में खड़ी अपनी शानदार इम्पाला को। इतना सब कुछ कर लेने के बाद वह अपना पाइप फिर सुलगाने लगता था।

कक्ष के एक कोने में एक कविजी बैठे थे। वे कुछ इस मुद्रा में थे कि लगता था जैसे सर्वांग आसन कर रहे हों। उनके बैठने से कभी प्रगति टपकती थी और कभी प्रयोग। मैं उन्हीं की सिफ़ारिश के लिए आया था। वे नारी निकेतन में नौकरी चाहते थे। नेता जी प्रेमी व्यक्ति थे, उनके विभिन्न प्रेमों में साहित्य-प्रेम भी शामिल था। उनकी इस कमज़ोरी का फ़ायदा कभी-कभी मैंने भी उठाया, पर उस बारे में ज़्यादा विस्तार से कहना रहस्यवाद के ख़िलाफ़ होगा।

इन लोगों के अतिरिक्त वहाँ एक चन्दाबहादुर भी मौजूद थे, जिनके मुँह से ठर्रे की सुगन्ध आ रही थी। एक दादा थे जो जेब में चाकू रखते थे। एक और साहब थे जो स्मगलिंग की दिशा में बड़ी प्रतिभा माने जाते थे। एक फटीचर क़िस्म के वकील थे जो बार-बार जँभाइयाँ ले रहे थे और एक कथावाचक थे जो पाल्थी मारकर दीवान पर प्रतिष्ठित थे। उनकी आँखें बन्द थीं। हर पाँच मिनट बाद वे मुँह खोलते थे, 'हे प्रभो' मन्त्र का उच्चारण करते थे, और फिर समाधिस्थ हो जाते थे। कुल मिलाकर वातावरण काफ़ी शान्त था।

हम सब लोग वहाँ उसी तरह बैठे रहे। ठेकेदार मार्लिन मनरो को देखता रहा, वह रूपवती महिला क्रास पर टँगे ईसा को देखती रही और वह अफ़सर अपनी फ़ाइल को देखता रहा। कविजी तम्बाकू खाते रहे, दादा जो थे वह चाकू सँभालते रहे और जो कथावाचक थे वे हर पाँच मिनट बाद 'हे प्रभो' का नारा बुलन्द करते रहे। हनुमान जी पहाड़ उठाये हुए पिकासो की लड़की की ओर भागते रहे और लड़की जो थी वह मोतीचूर का लड्डू लगती रही।

जब तक विरोधी दल के वे नेता जी कहीं से आये तब तक सारा कार्यक्रम इसी तरह चलता रहा।

उन सबके बारे में

वे सरकारी कर्मचारी हैं। सरकारी तो वे हैं ही क्योंकि सरकार से वेतन पाते हैं पर कर्मचारी हैं या नहीं– इस पर एक से ज़्यादा मत हो सकते हैं। कुछ विशेषज्ञों का अनुमान है कि वे सिवाय दफ़्तर जाने और आने के और कोई काम नहीं करते। इस दिशा में अभी अद्वैतवाद की स्थिति नहीं आयी; जितने विशेषज्ञों से आप मिलेंगे, वे उतनी ही तरह की तस्वीर पेश करेंगे। सरकारी कर्मचारियों का मत है कि विशेषज्ञ लोग जो हैं वे न तो खुद काम करते हैं और न करने देते हैं। शायद यह भी ठीक ही हो। बात दरअस्ल यह है कि गीता के अनुसार कर्मों का जो बन्धन है, वह वास्तव में बहुत ही विचित्र है। काम तो प्रकृति द्वारा स्वयं ही सम्पन्न होते हैं और ऐसी स्थिति में वे लोग यदि काम नहीं भी करते तो क्या यह शास्त्र-संगत होता कि प्रकृति के दोषों के लिए पुरुष को दोषी ठहराया जाए? विशेषज्ञों की विशेषता यह है कि वे बेचारे प्रकृति को तो पकड़ नहीं सकते, वे केवल पुरुष को ही पकड़ते हैं। यह उनकी मजबूरी है। आख़िरकार विशेषज्ञ भी तो सरकारी कर्मचारी ही हैं।

वे बड़े अनुशासनप्रिय हैं। वे कभी बिना टिकट सफ़र नहीं करते। तीसरे दर्जे की यात्रा के बाद प्रथम श्रेणी का भत्ता माँगना दूसरी बात है। वे क़ानून का साथ देते हैं। वे कभी बस नहीं जलाते; अलबत्ता कभी-कभी कण्डक्टर को ज़रूर पीट देते हैं जिससे उसकी सेहत भी ठीक रहती है और उनकी भी। वे बस में लटककर दफ़्तर जाते हैं और कभी-कभी तो बस में घूमते भी हैं तो पिछली खिड़की के माध्यम से। वे एक-दूसरे की जेब नहीं काटते; गला काटना अलबत्ता दूसरी चीज़ है। वे सच्चे समाजवादी हैं; कुछ आर्यसमाजवादी तो कुछ ब्रह्मसमाजवादी। अगर कहीं साइकिल, मोटर से टकरा जाती है तो वे हमेशा मोटरवाले को ही पीटते हैं। उनको यही करना शोभा देता है। वे सरकारी कर्मचारी हैं।

वे बड़े न्यायप्रिय हैं। जो कुछ करते हैं वह एकदम क़ानून के और नियमों के अनुसार होता है। वे हमेशा ऐसे नियम और तर्क जेब में रखते हैं जिनसे अगर कोई सही काम हो भी रहा हो तो वह भी रुक जाता है। इस सन्दर्भ में मुझे शरत् सरकार नामक एक कर्मचारी की याद आ रही है जो हर आज्ञापत्र के अर्थ निकालने में इतने पटु थे कि

कभी भी किसी को कुछ नहीं मिलता था। सारे दफ़्तर में यह बात कही जाती थी, भारत सरकार जो कुछ एक हाथ से देती है, वह शरत् सरकार दूसरे हाथ से छीन लेते हैं। शरत् सरकार जैसे न जाने कितने न्यायप्रिय लोग सरकार में हैं जो सरकार के हित को ध्यान में रखते हुए देश और समाज, इतिहास और भूगोल इन सबको एकदम भूल जाते हैं। अगर किसी आदमी के मरने की सूचना मिलती है तो वे हमेशा पूछते हैं कि डॉक्टर ने मरने का प्रमाण-पत्र दिया था या नहीं। अगर डॉक्टर ने प्रमाण-पत्र दे भी दिया तो अगला प्रश्न हमेशा यही होता है कि प्रमाण-पत्र देते समय डॉक्टर स्वयं जीवित था या नहीं। आप प्रमाण देते रहिए और वे पत्र लिखते रहेंगे। वे अपने कर्त्तव्य को निष्ठा के साथ करते हैं, चाहे परिणाम उसका विष्ठा ही हो। वे कर्मों पर ध्यान देते हैं, फलों पर नहीं। फल वैसे भी इतने महँगे होते जा रहे हैं कि वे उसकी कामना नहीं कर सकते। वे सरकारी कर्मचारी हैं।

वे कभी घूस नहीं लेते, हालाँकि वैसा करने की इच्छा कभी-कभी काफ़ी तीव्र होती है। मगर वे इच्छाओं को दबाते हैं, भ्रष्टाचार से दूर रहते हैं, जो लोग काला धन बनाकर अपने कपड़े सफ़ेद कर रहे हैं– वे उन्हें देखते हैं और गाहे-बगाहे एक या दो अदद आहें भी भरते हैं। उनका स्वभाव बड़ा संयत होता है। वे कभी मुस्कराते तक नहीं। अपनी दूरी और शालीनता बनाये रखने के लिए वे अपने साथियों तक को नहीं पहचानते, हाँ अलबत्ता किसी-किसी स्थिति में उनकी पत्नियों को ज़रूर पहचानते हैं। वे अफ़सर को बाप कहते हैं और उसकी पत्नी या रखैल को माता। बाहर आकर दोनों को बेहतरीन क़िस्म की गालियाँ दी जाती हैं। दाम उठते जा रहे हैं पर उनकी कमर जो है वह झुकती ही जा रही है। वे सरकारी कर्मचारी हैं।

वे बड़े विरक्त स्वभाव के हैं। महँगाई के कारण कुछ की देह में रक्त तक नहीं रहा। वे कला या साहित्य, संगीत या नाटक—इन सभी की ओर आँख उठाकर भी नहीं देखते। वे सिर्फ़ फ़ाइल देखते हैं और अक्सर उम्र-भर उसी फ़ाइल को देखते रहते हैं। वे लोग अख़बार तक नहीं पढ़ते, क्योंकि इससे उनकी राजनीतिक निष्पक्षता पर प्रभाव पड़ने का ख़तरा है। उन्हें न दंगों का पता है और न सूखे का। उन्हें सिर्फ़ उस फ़ाइल का पता है जो उनसे खो गयी है। फ़ाइल आगे-आगे है और वे पीछे-पीछे। उनकी इस रेस को सारा देश देखता है और खुश रहता है। वे जानते हैं कि इन लोगों से बस यही आशा की जा सकती थी। जो तकनीकी लोग हैं वे प्रशासक से नफ़रत करते हैं 'और जो प्रशासक हैं' वे तकनीकी लोगों से। परिणाम यह होता है कि रेलें खड़ी रहती हैं, जिससे उनके पहिये और इंजन घिसने से बचते हैं। बत्ती भली रहती है जिससे बिजली व पानी का बिल घटता है। जो लोग तकनीकी और प्रशासक दोनों चीज़ें एक साथ हैं, वे परम्परा निभाने के लिए अपने से ही नफ़रत करते हैं। कितना सुन्दर आदर्श है! वे सच्चे अर्थों में सरकारी कर्मचारी हैं।

महाकवि अकबर के शब्दों में वे बी.ए. पास करते हैं, नौकरी करते हैं, पेंशन लेते हैं और फिर चुपचाप मर जाते हैं। मरने के बाद सिवाय चन्द दुकानदारों के उन्हें हर कोई भूल जाता है। अकबर की बात एकदम सच्ची है, आख़िर वे भी तो सरकारी कर्मकारी ही थे!

मूल्यों का संकट

थोड़ी देर चुप रहने के बाद वे फिर बोले कि शराब बहुत महँगी होती जा रही है।

वे मेरे मालिक-मकान हैं। मैं उनका किरायेदार हूँ। एक महीने में मैं उनसे एक बार मिलने जाता हूँ; किराये का एक अदद चेक देता हूँ और उसके बदले एक अदद रसीद बरामद करता हूँ। इसके बाद वे मुझे अनन्नास का ताज़ा शरबत पिलाते हैं और फिर अपना नया बगीचा घुमाने के लिए निकल पड़ते हैं। इस उपवन से उन्हें बड़ा प्रेम है। इसमें अमरूद, अमलतास, नीबू, अनार और कटहल के जितने पेड़ लगे हैं, वे सब उनकी दूसरी पत्नी ने अपने निजी हाथों से लगाये थे। वन महोत्सव की समाप्ति के कुछ वर्ष बाद वे इस नन्दन कानन का उद्घाटन करने स्वर्ग चली गयीं। इनका विचार है कि स्वर्ग में यदि कभी संवैधानिक सरकार बनी तो वनमन्त्री का पद उनकी पत्नी को ही मिलेगा। इसके बाद वे संगमरमर के एक चबूतरे पर बैठ जाते हैं और सामने वाले फव्वारे को देखने लगते हैं। फव्वारे के बीच एक मूर्ति लगी है जिसमें एक पुरुष एक स्त्री को चूम रहा है। यह मूर्ति भी शाश्वत कला का उत्कृष्ट नमूना है। जागीरदार साहब के पिताजी इसे राधाकृष्ण की मूर्ति समझते थे और इसके सामने विद्यापति के पद गाया करते थे। जागीरदार साहब इसे मतिराम की नायक और नायिका की जोड़ी समझते रहे। उनका जो बड़ा लड़का है वह इसे देखकर सीने पर हाथ मारता है और अपनी गर्लफ्रेण्ड जेनी को याद करता है। जागीरदार साहब पहले मूर्ति देखते हैं, फिर मुझे देखते हैं। लगता है, जैसे मूल ग्रन्थ में कोई क्षेपक आ गया हो। इसके बाद वे पचीसवीं बार फिर कहते हैं कि शराब बहुत महँगी होती जा रही है।

मेरी आज छुट्टी है। मैं उनके साथ बातचीत करने के लिए आज खाली हूँ। मैं उन्हें अपनी परेशानियाँ सुनाता हूँ और, फिर कहता हूँ कि दरवाज़ों पर वार्निश होना बाक़ी है और फ्लश जो है वह फिर ख़राब हो गया है। गराज बुरी तरह चूती है और पानी का मीटर फिर कुछ गड़बड़ हो गया है। वे सुनते हैं, और कहते हैं कि शराब बहुत महँगी होती जा रही है।

मुझे उनके प्रति हमदर्दी उमड़ आती है। मैं उन्हें समझाता हूँ कि आप शराब

रवीन्द्रनाथ त्यागी– अप्रैल, 1956
विवाह के बाद अपनी पत्नी शारदा त्यागी के साथ

रवीन्द्रनाथ त्यागी एवं पत्नी शारदा त्यागी

जम्मू, 1984

की बात कर रहे हैं, बाक़ी लोगों को देखिए जिन्हें रोटी भी नहीं मिल रही। लोग खोलियों में रहते हैं और फ़ुटपाथ पर सोते हैं। स्त्रियाँ वेश्यावृत्ति करने को विवश हो रही हैं और बेकार मज़दूर चोर बनने के लिए मजबूर हो रहे हैं। सरकार के बड़े-बड़े अधिकारी दफ़्तर पैदल जा रहे हैं और फ़ाइलों को भी उसी गति से आगे बढ़ाते जा रहे हैं। सरकार है कि समाजवाद लाना चाहती है और विरोधी दल है कि उसे आने नहीं देता। पंचवर्षीय योजनाएँ खलास होती जा रही हैं और हरित-क्रान्ति जो है वह धीरे-धीरे पीली होती जा रही है। गातन की रीति पीले पातन से जान री। क्या मेवा और क्या बिस्कुट, सभी के दाम बढ़ते जा रहे हैं। बच्चों की फ़ीस इतनी ज़्यादा हो गयी है कि खेद होता है कि हमने शादी के पहले और बाद परिवार-नियोजन क्यों नहीं किया। वे सुनते हैं और कहते हैं कि यह सब ठीक है मगर बड़ी बात यह है, कि शराब बहुत महँगी होती जा रही है।

मैं उनकी दिशा में देखता हूँ। शुभ्र वस्त्र, गौर वर्ण, लम्बा सन्तुलित शरीर, वासना-भरे नेत्र और पतले-पतले ओठ। किसी रोमन सम्राट क्री भाँति रौबदाब वाला चेहरा। आक्सफ़ोर्ड से शिक्षा प्राप्त की और प्रैक्टिकल जो था वह देसी रखैलों और विदेशी मदिरा के सहारे पूरा किया। एक भरा-पूरा लम्बा जीवन। ग़ालिब और शतरंज के शौक़ीन। मगर एक शराब है और उसके बढ़ते दाम हैं कि उनका पूरा का पूरा व्यक्तित्व उखड़ा जा रहा है, एकदम उखड़ा जा रहा है। वे सब समझते हैं और फिर धीमे से कह उठते हैं कि शराब बहुत महँगी होती जा रही है।

शराब के बारे में उन्होंने मुझे अक्सर बताया है और काफ़ी कुछ बताया है। उनका कहना है कि इसके पीने के बाद आसमान ज़्यादा नीला लगता है और फूल ज़्यादा पीले। ग़रीब और अमीर सब एक-से नज़र आते हैं और लगता है कि समाजवाद आने वाला नहीं है बल्कि आ गया। अफ़सर लोग अगर शराब पिएँ तो दफ़्तर भी जल्दी पहुँचेंगे और फ़ाइलें भी जल्दी निबटेंगी। विरोधी दल छाती से लगेगा और जवान बहादुरी से लड़ेंगे। शराब सस्ती हो जाए तो लोग रोटी और कपड़े के बढ़ते मूल्यों को भूल जायेंगे और भूखे भी आराम से सो सकेंगे। एक बार तो वे यहाँ तक कहने लगे कि शराब पीने वालों को वही अधिकार मिलने चाहिए जो अल्पमत वाले शेष वर्गों को मिलते हैं। उनके लिए अलग चुनाव क्षेत्र होना चाहिए और एक या दो अदद मदिरापेयी तो वैसे भी संसद के लिए मनोनीत किये जाने चाहिए। जनता का दुख जानना है तो शराब पीना ज़रूरी है। यही वह रहस्य है जिसके कारण कुछ समाज-सेवक जनता के दुख को जानते हैं और कुछ नहीं। कभी-कभी तो मतदाताओं को भी ठर्रे की बोतलें दी जाती हैं, जो विरोधी दलों के लिए एकदम उचित है। इसके अतिरिक्त यदि शराब न रहेगी तो कवि, गायक और कलाकार को प्रेरणा कहाँ से मिलेगी? कभी सोचा है आपने?

मैं उन्हें फिर समझाता हूँ कि जिस वक़्त को वे जीना चाहते हैं वह कभी का

बीत चुका। मैं मध्य-एशिया के युद्ध की चर्चा करता हूँ और उन दंगों की भी जो गुजरात में अनाज न मिलने के कारण हो गये। मैंने उन्हें उन हरिजनों के बारे में भी बताया जो ज़िन्दा जला दिये गये और उन बच्चों के बारे में भी, जिनके माँ और बाप उनसे भीख मँगवा रहे हैं। वे सब कुछ सुनते हैं और चुप रहते हैं। उनकी गम्भीर मुद्रा सिर्फ़ तभी टूटती है जबकि उनकी नयी रखैल उनके लिए ज़र्दे वाला पान भेजती है। पूरब की है; कचनार की कली की तरह एकदम शोख़ और चटक।

वे उठते हैं। मैं भी उठता हूँ। वे प्रणाम का उत्तर देते हैं और कहते हैं कि और सब तो समझ में आता है मगर सच्चा दुख है तो केवल इस बात का कि शराब बहुत महँगी होती जा रही है। वे बड़े निराश होकर पूछते हैं कि ऐसा कब तक चलेगा? क्या वाक़ई शराब कभी सस्ती नहीं होगी?

वर्षफल

जैसे आम्रफल होता है, कदलीफल होता है, कटहल या बर्छी का फल होता है, ठीक उसी प्रकार वर्षफल भी होता है। अपनी पुश्तैनी आदत के अनुसार यह फल वर्ष में एक बार ही लगता है और इसकी प्रतीक्षा आँखें फाड़-फाड़कर हम लोग उसी भाँति करते हैं जिस प्रकार रीतिकालीन कवियों की नायिका रीतिकालीन कवियों के नायक की किया करती थी। कभी-कभी सोचता हूँ कि यदि रीतिकालीन नायिका किसी भक्तिकाल या वीरगाथाकाल के नायक की प्रतीक्षा करने लगती तो हिन्दी साहित्य का इतिहास कुछ और ही होता। सब-कुछ इतना मिश्रित हो जाता कि स्वयं मिश्रबन्धु भी नौ रत्नों को पकड़ नहीं सकते थे। स्थिति यह होती कि हमें 'मिश्रबन्धुविनोद' के स्थान पर 'मिश्रबन्धुपराक्रम' नाम की गाथा पढ़ने को प्राप्त होती। ख़ैर, यह स्थिति नहीं आयी। पद्माकर और सेनापति की नायिका उन्हीं के नायकों की प्रतीक्षा में द्वार पर खड़ी रहीं; कबीर का अनाहतनाद और भूषण का विजयघोष नहीं सुना। दूसरे शब्दों में एक भयंकर साहित्यिक दुर्घटना होते-होते बच गयी।

मेरा असीम ज्योतिष ज्ञान मुझे विश्वास दिलाता है कि ऐसी कोई दुर्घटना आगामी वर्ष में भी नहीं होगी। कमलेश्वर की नायिका क़स्बे के आदमी का ही इन्तज़ार करेगी; रेणु के हिरामन या परसाई के भैया सा'ब का नहीं। हमारा साहित्य उसी गति से प्रगति करता रहेगा। आलोचना ईमानदार बनी रहेगी और आलोचक प्रवर उन ग्रन्थों की गुण-दोष विवेचना बड़े मनोयोग से करते रहेंगे, जिन्हें उन्होंने कभी नहीं पढ़ा। पुरस्कार वितरित होंगे, कहवाघरों में गोष्ठियाँ होंगी, छोटी-छोटी पत्रिकाएँ क्षुद्र नदियों की भाँति भरेंगी, चलेंगी और उतरेंगी और साहित्यिक आयोजनों में हाथापाई का कार्यक्रम बराबर जारी रहेगा। चर्चा यदि प्रयाग में होगी तो अतिथियों पर जूता अमरूद के साथ फेंका जायेगा और यदि कोई व्यंग्यकार जबलपुर का होगा तो उसे लाठी में केला बाँधकर पीटा जायेगा। औषध की औषध और पथ्य की पथ्य। लाठी में केले की गाछ बाँधने से आंचलिकता का जो मज़ा आयेगा—वह अलग। साहित्य में रोगी कम रहेंगे और डॉक्टर ज़्यादा। रूपवती बालिकाएँ विवाह करेंगी और बदसूरत लड़कियाँ विरहकाव्य रचेंगी। दूसरे शब्दों में, कुछ कन्याएँ बच्चों को

जन्म देंगी और कुछ साहित्य को। जासूसी और कामुक साहित्य सचित्र होकर छपेगा और लाखों में बिकेगा।

संस्कृति और कला के शेष क्षेत्रों में भी समाज आगे बढ़ता जायेगा। लोग नाव खेते रहेंगे, चाहे उसकी रस्सी उसी खूँटे से बँधी रहे जिससे कि वह बँधी थी। नाव उसी ठाँव रुकी रहेगी और सारा गाँव पूछता रहेगा। चित्रकला सचित्र रहेगी। आदमी कछुए की शक्ल में अंकित किया जायेगा, जिसका संस्कारों और परम्पराओं का कवच सदी दर सदी और मज़बूत होता आया। नारी को छिपकली के रूप में चित्रित किया जायेगा, क्योंकि वह तमाम लेखकों के लाख प्रयत्नों के बावजूद फिर भी उसी शैया पर लेटी रही जिस पर वह लेटी थी।

आगामी वर्ष एक धार्मिक वर्ष होगा। लोग-बाग़ धार्मिक इमारतों की मरम्मत करवाएँगे और इस सन्दर्भ में यदि कहीं दंगे हो गये तो भक्तों की मरम्मत भी बखूबी होगी। जुलूस निकलेंगे, बाज़ार लूटे जायेंगे, दुकानदार जला दिया जायेगा, धारा एक सौ चौवालीस चलेगी, गोली चलेगी और अन्त में चलकर बड़े-बड़े लोग एक-दूसरे पर प्रत्यारोप लगायेंगे। स्थिति यह होगी कि मरनेवालों की विधवाओं को इतना अनुदान दिया जायेगा कि यदि उतनी राशि उनके पतियों को दी गयी होती तो वे कभी भी दंगे में भाग नहीं लेते। चन्दा आयेगा और बन्दा खाएगा। अनाथालयों में नाथ नियुक्त होंगे और विधवाश्रमों में कुमारियाँ प्रवेश करेंगी। सब-कुछ उसी तरह होगा जैसा कि होता आया।

शेष लोग भी अपने-अपने धन्धों में लगे रहेंगे। किसान लोग खेती करेंगे और बाक़ी वक़्त में मतदान। यदि फिर भी कुछ समय शेष रह गया तो फ़ौजदारी का कार्यक्रम सम्पन्न किया जायेगा। कुम्हार गमला बनाएगा, माली उसमें रजनीगन्धा रोपेगा और मेम साब जो हैं वो फूल तोड़कर जूड़े में खोसेंगी। जहाँ तक हरिजनों का प्रश्न है, वे उसी प्रकार ज़िन्दा जलाये जाते रहेंगे। चलचित्रों में पुरानी हीरोइन पुराने हीरो के साथ पुरानी कहानी में फिर से पेश की जायेगी। पिटेगा हीरो और मरेगा खलनायक। सब कुछ एकदम शास्त्रसम्मत।

सूखाग्रस्त क्षेत्रों की परेशानियाँ शराब से हल की जायेंगी और बाढ़-ग्रस्त इलाकों की पहाड़ों पर। वोट पड़ेंगे, जूते पड़ेंगे और वोट डालने वाले भी पड़ेंगे। पेटी एक ही रहेगी और वह होगी पुलिस की। पुलिस की पेटी चौड़ी होती है और समाजसेवक का पेट। आयकर बढ़ाया जायेगा, पर जिस आय पर कर लगना है, उसे पूँजीपति लोग फिर कम कर देंगे। राजनीतिक दृष्टि से राष्ट्र स्थिर रहेगा। जहाँ है, वहीं रहेगा; आगे नहीं बढ़ेगा। अधिकारी लोग अलबत्ता ज़रूर आगे बढ़ेंगे, क्योंकि शेष कर्मचारी उन्हें पीछे से धक्का देंगे। देश में दूध मिलना कठिन हो जायेगा, जिसका प्रभाव शायद अदालतों पर भी पड़े। वहाँ दूध का दूध पानी का पानी सदा से अलग किया जाता रहा। जहाँ शान्ति नहीं रहेगी वहाँ क्रान्ति आयेगी। क्रान्ति के उपरान्त खुशहाली की

स्थिति ठीक वही रहेगी जो कि क्रान्ति के तुरन्त पहले थी। संसार में नये राष्ट्र जन्म लेंगे। जो काम भूगोल नहीं कर पाया, वह इतिहास करेगा।

साल गुज़र जायेगा। सुबह और शाम होगी और आप लोगों में से कुछ की उम्र भी तमाम होगी। फूल खिलेंगे, भौंरे मँडराएँगे, अलसी फूलेगी और गंगा की चितकबरी रेती पर धूप की पाजेब फिर सूखेगी। वर्षा में साँझ घिरेगी, शरद् ऋतु में बलाकाएँ पंख फैलाकर आकाश चूमेंगी और अगस्त नाम का नक्षत्र नवम्बर में फिर निकलेगा। इस बार आप उसे अपने बरामदे से भी देख सकेंगे क्योंकि बिजली के कर्मचारी हड़ताल पर होंगे और अस्पताल के कर्मचारी नर्सों पर। शिकायत करने को कोई नहीं मिलेगा; नेता लोग निर्वाचन क्षेत्र के दौरे पर होंगे और अफ़सर लोग विदेश यात्रा पर। काग़ज़ की कमी रहेगी और इस कारण समाचारपत्र समाचार कम छापेंगे और विज्ञापन ज़्यादा। प्रेस की स्वतन्त्रता बड़ी चीज़ ठहरी।

आप लोग कहेंगे कि मैं कुछ नया नहीं कह रहा। आप ठीक बोलते हैं। मैं भी ठीक बोलता हूँ। अगले वर्ष कुछ नया होगा भी नहीं; वही राशियाँ रहेंगी और वही नक्षत्र। स्त्रियों को तुला राशि पसन्द रहेगी और नवयुवकों को कन्या। कन्या राशि सर्वोत्तम होती है; कन्या की कन्या और राशि वाला भाग जो है वह अलग। जहाँ तक सिंह राशि का प्रश्न है, वह इस वर्ष भी चिड़ियाघर में ही मिलेगी। कबीर बेचारा वहीं बीच बाज़ार में खड़ा रहेगा और रोता रहेगा। इस वर्ष कुछ योग ही ऐसा है। चन्द्रमा तीसरे स्थान में जो ठहरा।

समानधर्मा

वह प्रतिभाहीन था और इसी कारण वह साहित्यकार बनना चाहता था। क्योंकि वह नितान्त प्रतिभाहीन था, वह कविता करने की सोचता था। उसे अपने प्रतिभाहीन होने का कोई दुःख नहीं था; उसे कोई दुःख था तो सिर्फ़ एक था और वह यह कि शेष लोग उसे कवि के रूप में स्वीकार क्यों नहीं करते। कवि कहलाने के लिए उसने कहानियाँ लिखीं, मोटे-मोटे जासूसी और कामुक उपन्यास लिखे, दाढ़ी बढ़ाई और अपनी प्यारी पत्नी को ग़ैरक़ानूनी ढंग से तलाक़ तक दे दिया, हालाँकि वैसे वह उसे काफ़ी चाहता था। पिछले काफ़ी वर्षों से वह उसे प्रति वर्ष एक बच्चा बतौर तोहफ़े के पेश करता आया था। स्थिति यह थी कि इधर उसकी नयी किताब निकलती थी तो उधर पत्नी के नया बच्चा होता था। दोनों चीज़ें मौलिक व अप्रकाशित होती थीं। मगर साहित्य की माँग पूरी करने के लिए उसने अपनी पत्नी छोड़ दी। वह दिन-भर सड़कों पर घूमने लगा। काफ्का और कामू को पढ़ने लगा और कहवाघर जाने लगा। कहवाघर में चलती हुई गम्भीर साहित्यिक चर्चा को उसने कभी-कभी गाली-गलौज और हाथापाई के राष्ट्रीय स्तर पर लाने की सफल चेष्टा भी की। मगर इस सबके बावजूद किसी ने उसे कवि नहीं माना। साहित्य आगे बढ़ता गया और वह वहीं कहवाघर में बैठा रहा।

एक दिन उसने देखा कि इस दिशा में वह अकेला नहीं है। उसके कुछ और समानधर्मा भी हैं।

जैसे ही उसने अपने जैसे कुछ और जहाज़ी देखे, उसकी हिम्मत बुलन्द हो गयी। उसकी तक़दीर भवभूति से कहीं ज़्यादा बेहतर थी। भवभूति तो ग़रीब उम्रभर यही सोचता रहा कि उसका भी कोई समानधर्मा कभी न कभी ज़रूर पैदा होगा, मगर यहाँ स्थिति यह थी कि समानधर्मा लोग सीन पर पहले से ही मौजूद थे। इनमें से कुछ अपनी माता को वेश्या कहते थे और कुछ अपने पूज्य पिताजी को कुत्ता। उन्हें ईश्वर में कोई आस्था नहीं थी, हालाँकि प्रत्येक मंगलवार को वे हनुमान मन्दिर जाते थे। वहाँ उन्हें मुफ़्त के बताशे खाने को मिलते थे और मन्दिर की सीढ़ियों पर बैठी हुई एक ग़रीब मगर निहायत रूपवती कन्या देखने को प्राप्त होती थी। वे क़ीमती सिगरेटें

सुलगाते थे और लड़की के नाक-नक्श की तारीफ़ करते थे। इसके बाद वे पास के एक वीरान पार्क में बैठ जाते थे और उदासी की झील में डूब जाते थे। इस गहरी झील में वे तब तक डूबे रहते थे जब तक कि एक चरित्रहीन युवती उन्हें उसमें से निकाल नहीं लेती थी। वे लोग खुशी-खुशी बाहर निकल आते थे और उस दिन को याद करते थे जिस दिन उन्होंने कपड़े उतारकर उस युवती को भी इसी तरह उदासी की झील के बाहर निकाला था। दरअसल, चरित्रहीन वह इस घटना के बाद ही हुई थी।

इसके बाद इन लोगों ने सोचा कि इस तरह काम नहीं चलेगा। झील में इस तरह डुबकियाँ लगाना सेहत के लिए भले ही फ़ायदेमन्द हो, मगर जहाँ तक साहित्य का प्रश्न था, वह शायद तट से काफ़ी दूर पड़ता था।

उन्होंने गोष्ठियाँ कीं, साक्षात्कार किये, परिचर्चाएँ आयोजित कीं और अन्त में चलकर एक विस्तृत कार्यक्रम तैयार किया। कार्यक्रम दीर्घसूत्री था। उन्होंने तय किया कि वे कुछ ठोस काम करेंगे। कार्यक्रम के अनुसार पहला क़दम था प्रतिष्ठित साहित्यकारों की छीछालेदर करना और दूसरा क़दम था टोपी उछालने के इस कार्यक्रम को काफ़ी लम्बा खींचना। गुरिल्ला युद्ध की नियम संहिता के अनुसार, अपना विजयी होना कतई ज़रूरी नहीं, इतना काफ़ी है कि विपक्षी पराजित हो जाए। प्रतिष्ठित साहित्यकारों की पहली हार वहाँ शुरू होती है, जहाँ वे अपने विरुद्ध लगाये गये आरोपों को झूठा साबित करने के लिए वक्तव्य जारी करना शुरू करते हैं। उनकी दूसरी हार तब शुरू होती है जबकि वे अपने इन विरोधियों की दिशा में दोस्ती का हाथ बढ़ाना शुरू करते हैं, क्योंकि विरोधी जो हैं, उनकी दिलचस्पी टाँग खींचने में है न कि पाणिग्रहण करने में। सीनियर साहित्यकार पानीपत की आख़िरी लड़ाई उस वक़्त हारते हैं जबकि थककर वे चुप्पी साध लेते हैं और अपनी आत्मकथा खुद ही लिखने बैठ जाते हैं। इतिहास साक्षी है कि सारे महान् लेखकों की मृत्यु इसी प्रकार सम्पन्न हुई।

आगे चलकर ये विद्रोही युवा साहित्यकार एक छोटी-सी पत्रिका निकालने लगे। पत्रिका का सम्पादक उसे बनाया गया जो अपने और पराये धन में ज़्यादा अन्तर नहीं बरतता था। जहाँ तक गुट के नेतृत्व का प्रश्न है, वह उसे सौंपा गया, जो सबसे बड़ा उलूक पुत्र था। ऐसा करने से कार्यक्रम रात्रिकाल में भी बराबर चलता रहा। इसके बाद इन प्रतिभाहीन कवियों में से कुछ महानगर चले गये और कुछ अण्डर ग्राउण्ड हो गये, यानी कि देहात लौट गये। जो युवाकवि कहीं नहीं गये वे वहीं रह गये और लड़की की उदासी दूर करते रहे।

जो कार्यकर्त्ता देहाती क्षेत्रों की दिशा में गये थे, उन्होंने बड़े दुख के साथ देखा कि पलाश और गुलमुहर अभी भी काफ़ी ख़ूबसूरत लगते हैं। कचनार अब भी उतना ही छबीला है जितना कि छायावाद के युग में था। चाँदनी अब भी उतनी ही प्यारी लगती है जितनी कि पद्माकर के रीतिकालीन समय में लगती थी। पनघटों पर से

भरी गगरी उठाती हुई युवतियों के वक्ष अब भी आगे की ही दिशा में उठते हैं, पीछे की ओर नहीं। अलसायी साँझों में हृदय अब भी ठीक वही हरकतें करता है जो कि वह पन्तजी के काव्य में किया करता था। उन्होंने इन सारी चीज़ों पर बड़ी ईमानदारी से लिखना चाहा, पर हाईकमान के आज्ञापत्र ने उन्हें वैसा नहीं करने दिया। चाँदनी को उन्होंने आकाश का वमन कहा और वसन्त को दिशाओं का अपान। सरसों के पीले-पीले फूल उन्हें किसी साम्प्रदायिक पार्टी के झण्डों जैसे लगे और कीकर के काँटे सर्वहारा के प्रतीक। धूप को उन्होंने आकाश-धेनु का गोबर कहाँ और गाँव की पवित्र कन्या को एक ऐसा कच्चा माल जिसका कि सार्वजनिक उपयोग अभी होना बाक़ी था। शादी करना एक सामन्तवादी परम्परा घोषित की गयी। हाईकमान ने जो कुछ भी कहा, उन्होंने वैसे ही तीर छोड़े। वे बढ़ते गये, बढ़ते गये।

जो कार्यकर्त्ता महानगर चले गये थे वे भी निरन्तर क्रियाशील रहे। उनके आतंक से गुट की प्रतिभा को चार से भी ज़्यादा चाँद लगे। उनका आदर होने लगा। वे दूतावासों में दावतें खाने लगे और क़ीमती गाड़ियों में घूमने लगे। उन्होंने नवीनतम डिजाइन के कपड़े पहने और इसके उपरान्त अपने को निहंग कहना प्रारम्भ कर दिया। वे बॉबकट लड़कियों के कन्धों पर सिर रखकर ऊँघने लगे और सरकार को सरे-बाज़ार गालियाँ देने लगे। सरकार जो थी वह साहित्य के लिए कुछ भी नहीं कर रही थी। यदि किसी लेखक के लिए राज्य ने कुछ किया तो उस लेखक को राज्याश्रयी और शातिर करार दिया गया जो किसी-किसी स्थिति में सम्भवतः ठीक भी था। जिस साहित्यकार के लिए राज्य ने कुछ नहीं किया उससे कहा गया कि वत्स, तुम लेखक हो ही नहीं। किसी-किसी स्थिति में यह बात भी ठीक ही थी। वे बड़े-बड़े उद्योगपतियों से अनुदान इकट्ठे करते रहे और शेष समय में जन्तर-मन्तर में बैठकर दारू पीते रहे।

कुछ दिनों बाद उनमें जो सबसे बड़ा आवारा था, वह मसीहा बन गया।

मसीहा बनने के बाद उसने अक्ल की बातें करनी शुरू कर दीं। बाक़ी दोस्तों ने कहा कि वह प्रतिक्रियावादी है। उन्होंने उसे कसकर पीटा और स्थिति मरणासन्न होने पर उसे एक सरकारी मोटर के सामने फेंक दिया। अगले दिन नगर में इस बात को लेकर दंगे आयोजित किये गये कि पुलिस क़ातिल का पता क्यों नहीं लगा रही। उनमें से एकाध जो अभी भी ईमानदार था, उसे बिका हुआ करार दिया गया। इस आन्दोलन का नेतृत्व उलूक-पुत्र क्रमसंख्या दो ने किया। अन्त में चलकर पार्टी का प्रत्येक सदस्य एक-दूसरे को प्रतिष्ठित कवि कहकर पुकारने लगा। यह उनकी आख़िरी चाल थी जो किसी हद तक कामयाब भी साबित हुई।

इतना सब कुछ सम्पन्न करने के बाद वे फिर कहवाघर में लौट आये और उसी लड़की के उन्हीं गालों को बारी-बारी से उसी तरह फिर चूमने लगे।

पूरब खिले पलाश पिया

मैं काव्यप्रेमी व्यक्ति हूँ। स्थिति यह है कि नित्य लीला से जो कुछ भी समय शेष बचता है, वह काव्यपाठ को ठीक उसी भाँति दिया जाता है जिस प्रकार विनोबा जी को उर्वर धरती दान में दी जाती रही। आज जो एक काव्य-ग्रन्थ खोला तो उसकी एक पंक्ति मेरे मन को काफ़ी गहराई तक छू गयी। पंक्ति थी– पूरब खिले पलाश पिया। कवि के शब्दों में नायिका जो है वह नायक से कहती है कि– आर्यपुत्र, पूर्व नाम की दिशा में पलाश नाम के फूल खिल गये। सोचता हूँ कि इस सूचना के प्राप्त होते ही आर्यपुत्र के सामने वसन्त का चित्र खड़ा हो गया होगा, ठीक उसी भाँति जिस प्रकार उसके सामने नायिका खड़ी थी। पद्‌माकर से लेकर न जाने कौन-कौन-से कवि की पंक्तियाँ उसके दिमाग़ में पलाशों की छवि की भाँति कौंध गयी होंगी। 'बनन में बागन में बगरो बसन्त' से शुरू करके 'राजा-रानी-से ये दिन वसन्त के' तक का सारा माल उसकी निगाहों में झूम उठा होगा। इसके बाद उसने वसन्त की खोज पलाशों में की या कि आर्यपुत्री में–यह बताना आपके हित में भले ही हो, साहित्य के हित में हर्गिज़ नहीं होगा। साहित्य में सस्पेंस का होना सदा से ज़रूरी रहा है। इसी कारण जब तक- आप पलाशों के बारे में कोई निश्चित मत धारण करने की स्थिति में पहुँचेंगे, तब तक कवि आपको वर्षाऋतु के देश में ले जायेगा, जहाँ उसी पुश्तैनी अन्दाज़ में कन्या अपने प्रियतम से कहती होगी–असाढ़ की निशानी, ओ पिया पानी।

कविता का नशा हल्का होता जा रहा है। दिमाग़ ने काम करना फिर शुरू कर दिया। सोचता हूँ कि नायिका पूरब में पलाश खिलने की सूचना नायक को क्यों दे रही है? कहीं यह तो नहीं कि उधर वह ग़रीब इंसान लाठी लेकर पलाश वन की दिशा में प्रस्थान करे और इधर यह कविप्रिया युवती आँगन के पिछले द्वार से कहीं और के लिए गतिशील हो जाए। अगर ऐसा है तो बात पलाशों पर कभी ख़त्म नहीं हो सकती। आज वह कहती होगी कि 'पूरब खिले पलाश पिया' तो कल कहेगी 'पश्चिम सजे अकाश पिया'। थका-माँदा नायक पश्चिम से लौटेगा तो वह पतिव्रता कहेगी कि 'दक्षिण फूले कास पिया' और दक्षिण

से छुट्टी मिलेगी तो इठलाकर और नयन मटकाकर शेष दिशा के बारे में भी सूचित करेगी– 'उत्तर हिलती घास पिया'। नतीज़ा ज़ाहिर है; नायक बेचारा जो है वह हमेशा दौरे पर ही रहेगा। कभी पलाश खिलेंगे तो कभी केतकी। इनके साथ-साथ वह पुष्पप्रेमी कन्या भी खिलती जायेगी। कवि के शब्दों में जो कुछ भी होगा, ठीक ही होगा।

मुझे लगता है कि मैं शायद ग़लती पर हूँ। लड़की शायद वाक़ई पलाशों की प्रेमी थी। उनके माध्यम से वह अपनी बेचैनी कभी-कभी नायक तक पहुँचाती थी– यह दीगर बात है। उधर पलाश खिलते थे, इधर इसका दिल बल्लियों उछलने लगता था। जब दिल का उछलना बन्द होता था तब वह बालिका ख़ुद उछलना शुरू कर देती थी। नायक जो था, वह उसे शान्त करने की चेष्टा करता था और कभी-कभी सफल भी हो जाता था।पर तब तक शायद उस कन्या को किसी दूसरे फूल की गन्ध आ जाती थी और दोनों प्राणी हाथों में हाथ डाले वन की ओर निकल पड़ते थे। कुल मिलाकर ख़ासा अच्छा शगल था।

क्या पुष्पचरित दिन थे जो हर्षचरित की भाँति वहीं समाप्त हो गये! अब न वे पलाश हैं; न वे लड़कियाँ। अब तो जो लड़कियाँ उपलब्ध हैं, वे ऐसी रसहीन हैं कि भोर होते ही पंचम स्वर में कहती हैं कि ओ प्रियतम, कुछ सुना, दुकान पर शायद बासमती आ गयी। जब तक आर्यपुत्र बासमती का रूप धारण करने वाली शकुन्तला को लेकर क्षत-विक्षत घर पहुँचता है, तब तक दूसरा आग्रह सुनने को प्राप्त होता है कि सिगड़ी में प्रज्वलित होने वाला कोयले नाम का रत्न आज फिर प्राप्त हो रहा है; जाओ और ले आओ। हातिमताई है कि सारा दिन बोझा ढोता रहता है और हुस्नबानू के सवाल हैं कि ख़त्म ही नहीं होते। सात समुन्दर पार एक देश में विवाह घट रहे हैं और तलाक़ बढ़ रहे हैं; सन्तानों की उत्पत्ति की दर बहरहाल वहीं है जहाँ थी। मैं चारों ओर देखता हूँ और सोचता हूँ कि इस शस्य-श्यामला धरती पर से कहाँ चले गये वे पलाशों के वन? कहाँ चली गयीं वे रूपप्रेमी युवतियाँ? आपको कोई ऐसी बाई मिले, तो मुझे ख़बर करना।

एक और बात भी है जो समझ में नहीं आ रही। लड़की लोग ऐसी काम की बातें अपने पतियों से ही क्यों कहती थीं? सारे मामलों में उस ग़रीब को ही क्यों तंग किया जाता था? अगर पलाश खिले हैं तो भी पतियों को ही बताया जायेगा। चोली के बन्द ज़रा ढीले हो गये तो उसकी शिकायत भी प्रियतम से ही की जायेगी। अगर किसी दिन दुपहर को लड़की का अंग-अंग टूटता था तो उसका इलाज भी उसी ग़रीब के शफ़ाख़ाने में होता था। यह सरासर अन्याय था। आख़िर ये सारी बातें लड़की अपने बाप से भी तो कह सकती थी! मुझे एक लोकगीत याद आ रहा है, जिसमें कोई कम्बख़्त चिड़िया सुबह-सुबह कूक कर नायिका का नाश्ता हराम कर देती थी और नायिका थी कि उस चिड़िया की शिकायत भी

अपने प्रियतम से ही करती थी :

भिनसारे चिरैया काय बोली?
ताती जलेबी, दूधा के लडुवा
जेंवन न पाये पिया फिर बोली;
पाना पचासी के बीरा लगावे
चाबन न पाये पिया फिर बोली,
काय बोली?

एक छोटी-सी बात

बात बहुत छोटी-सी थी। मुझे बिजली का बिल जमा कराना था। कल उसकी आख़िरी तारीख़ थी; तब तक यदि बिल का भुगतान न होता तो बिजली कटने का ख़तरा था।

बिजली कटने से मुझे बहुत भय लगता है। जिस प्रकार कवि जयदेव की नायिका को अन्धकार प्रिय था, ठीक उसी प्रकार मुझे प्रकाश से प्रेम रहा। मैं तो 'गीत गोविन्द' में जो नाना प्रकार की लीलाएँ वर्णित हैं, उन्हें भी प्रकाश में ही पढ़ पाता हूँ। बिजली भागते ही मैं उसी तरह छटपटाने लगता हूँ जैसे किसी की बीवी भाग गयी हो। यह उपमा मैं अनुमान के आधार पर ही दे रहा हूँ क्योंकि मेरी निजी पत्नी जो है, वह किसी पराये पुरुष के साथ अभी तक नहीं भागी है। आगे की भगवान जाने। बहरहाल, बिजली गुल होते ही सारा का सारा माहौल एक अजब शक्ल अख़्तियार कर लेता है। कभी आप पुराने वार्डरोब से टकराते हैं तो कभी नयी-नवेली नौकरानी से। जब तक लालटेन ढूँढ़ी जाती है तब तक उसकी चिमनी टूट चुकी होती है और जब तक आप नयी चिमनी निकालते हैं, तबतक आपके परम निष्काम प्रयत्नों द्वारा दीवार घड़ी जो है वह दीवार से नीचे गिर जाती है। पत्नी पंचमस्वर में चिल्लाती है कि सब लोग दूर रहना, कहीं घड़ी पर पाँव न पड़ जाए। इस भरतवाक्य के उच्चारण के बाद उनका चरण कमल—क्रमसंख्या एक—जिस पदार्थ पर पहली बार पड़ता है वह दीवार घड़ी ही होती है। इधर आप स्टूल से फिसलते हैं और उधर बिजली जो है वह बाक़ायदा वापस आ जाती है। इसके बाद आप सारे घर का हाल कुछ इस मुद्रा में देखते हैं जैसे कि युद्ध के बाद अवध के नवाब ने बक्सर का मैदान देखा होगा।

मैंने फुर्ती से कपड़े पहने और बिजली का भुगतान लेने वाले दफ़्तर में पहुँच गया। दफ़्तर खुला था। फर्राश क़िस्म का एक अदद इंसान फ़र्नीचर क़िस्म की चन्द अदद चीज़ों को साफ़ कर रहा था और माली क़िस्म का जो एक इंसान था वह बड़ी वीतरागी मुद्रा में एक झाड़ी से फूल क़िस्म की कोई चीज़ तोड़ रहा था। इन दो प्राणियों के अतिरिक्त दफ़्तर में और कोई नहीं था।

मैंने उस फर्राशनुमा इंसान से पूछा कि बाबू लोग कब आयेंगे? मुझे बिजली

का बिल जमा करना है।

पान चबाते हुए उसने मुझे ग़ौर से देखा और इसके बाद वह फिर पान चबाने लगा। काफ़ी देर बाद जब वह बोलने की स्थिति को प्राप्त हुआ तो बोला कि यह काम भोला बाबू करते हैं और वे साढ़े ग्यारह बजे तक ज़रूर आ जाते हैं। जब वे नहीं होते हैं तो सारा काम तिवारी जी सँभालते हैं।

मैं खुश हुआ। मैंने पूछा, "हे आर्य, तिवारी बाबू कब आते हैं?"

"भोला बाबू के आकर चले जाने के बाद।"

"पर दफ़्तर तो दस बजे खुलता है?"

"नाराज़ क्यों होते हैं सरकार; दफ़्तर तो खुला है। दरवाज़े खुले हैं, खिड़कियाँ खुली हैं, सब-कुछ तो खुला है। अगर कोई चीज़ ग़लती से बन्द रह गयी हो तो आप बता दीजिए, मैं उसे भी खोल दूँगा।"

मुझे हँसी भी आयी और क्रोध भी। मैंने पूछा, "बड़े साहब कहाँ हैं?"

"सरकार, वे कहाँ रहते हैं, इसका पता तो उनकी मेम साहिब तक को नहीं चलता। हम क्या खाकर बताएँगे। वैसे कहीं न कहीं रहते ज़रूर हैं। इन दिनों, सरकार, वह जो नयी टाइपिस्ट आयी है, उसे टाइप सिखाने जंगल ले जाते हैं। बड़ी पटाखा लड़की है सरकार; आते ही साहिब को जेब में डाल लिया।"

इसके बाद उसने आँख मारी और फिर से उन फ़र्नीचरनुमा चीज़ों को साफ़ करने लगा। मैं चुप हो गया और सिगरेट सुलगाकर उस दफ़्तरनुमा इमारत का निरीक्षण करने लगा। इमारत काफ़ी पुरानी थी और लगता था कि बारहवीं शताब्दी के आसपास कहीं बनी होगी। प्लास्टर कभी का उखड़ चुका था, दीवारों में दरार आ गयी थी और फ़र्श सीलन से भरा था। पुताई वर्षों से नहीं हुई थी और बाहर की दीवारों पर नाना प्रकार की सूक्तियाँ लिखी हुई थीं जो स्त्री-पुरुषों के पारस्परिक सम्बन्धों पर एक नयी रोशनी डालती थीं। छत में जाले लगे थे। कुर्सियाँ गिनी चुनी थीं, जिनमें एक या दो को छोड़कर किसी की टाँग टूटी हुई थी, किसी की कमर। टूटी हुई टाँगों के नीचे पत्थर के टुकड़े बड़ी चतुरता से फ़िट किये गये थे ताकि सन्तुलन ठीक रहे। दीवार पर एक घड़ी थी जो शायद सतरहवीं शताब्दी में चलना बन्द कर चुकी थी। एक लोहे का सेफ था औरः काउण्टर से कुछ दूर एक बेंच भी पड़ी थी, जिस पर मेरे जैसे बिल अदा करने वाले लोग बैठ सकते थे। इस बेंच के हत्थे ग़ायब थे और नीचे की बुनाई टूटी हुई थी। इसपर बैठने से एक विशेष प्रकार का विश्राम मिलता था। बेंच के ठीक सामने गाँधी जी का एक चित्र और परिवार-नियोजन का एक विज्ञापन— दोनों साथ-साथ टँगे थे। मैं बैठ गया और फिर बैठा ही रहा। वह बेंच इतनी प्रेमी क़िस्म की निकली कि उसपर एक बार बैठकर फिर उठना काफ़ी कठिन साधना लगी।

ग्यारह बज गये; कोई नहीं आया।

साढ़े ग्यारह बजे एक आदमी प्रकट हुआ। मैं उछला कि भोला बाबू आ गये। मगर वे भोला बाबू नहीं थे, वे एक रामदयाल थे जिन्हें मेरी ही तरह अपना बिल जमा करवाना था। एक-दूसरे से मिलकर दोनों को काफ़ी निराशा हुई। इसके बाद हम दोनों उस बेंच पर बैठ गये।

भगवान राम ने वन जाते समय सीताजी से कहा था कि वक़्त गुज़रते देर नहीं लगती। मैं वही चौपाई याद करता रहा और सिगरेट पीता रहा। बहरहाल, धीरे-धीरे वह सुखद स्थिति भी आ गयी जब कि दफ़्तर के बाबू लोग आ गये। कुछ चहल-पहल हुई और हम लोग क़तार बनाकर अपना-अपना बिल अदा करने के लिए खड़े हो गये। हम लोग लगभग चालीस थे, जिनमें मैं सबसे आगे था। सोच रहा था कि, चलो, जीवन में कहीं तो अगली जगह मिली।

बाबू लोगों को, पता नहीं क्यों, हम लोगों में कोई दिलचस्पी नहीं थी। उनमें से एक साहब ने चश्मा लगाया और अख़बार पढ़ना शुरू कर दिया। दो-चार लोग उनके चारों तरफ़ खड़े हो गये और सुर्खियाँ पढ़ने लगे। कोई ख़ास ख़बर होती थी तो वह बोलकर सबको सुनाई जाती थी। किसी को क्रिकेट में दिलचस्पी थी तो किसी को बलात्कार में। एक सज्जन थे जो संसार से इतना विरक्त हो चुके थे कि उन्होंने किसी की ओर दृष्टिपात नहीं किया। उन्होंने छाता टाँगा, सुरती फाँकी और फिर विधिवत् निद्रा लाभ करने लगे। कैशियर जो था, वह भोला बाबू से बातें करता रहा। बात-चीत कुछ गोपनीय क़िस्म की मालूम होती थी क्योंकि दोनों लोग काना-फूसी करते थे और बीच-बीच में चश्मा हटाकर एक अर्थपूर्ण हँसी हँसते थे। साढ़े बारह बजे के क़रीब चाय आ गयी और बाबू लोग चाय पीने लगे। लंच होने में अभी एक घण्टा शेष था। लंच लगभग तीन बजे तक चलता था।

हम लोग बेसब्री के साथ खड़े रहे। चन्द नौजवान लोग, जो क़तार में खड़े थे, चिल्ला-चिल्लाकर कहने लगे कि हम लोग पैसे लिये खड़े हैं, आप लेते क्यों नहीं? मगर भोला बाबू थे जो कि साबित करना चाहते थे कि सरकार जो है, वह पब्लिक का पैसा लेने के लिए कतई उत्सुक नहीं है। पब्लिक भले ही अपना धन देना चाहे, मगर शासन उसे आज नहीं लेना चाहता। ख़ैर, धीरे-धीरे अपनी हनुमानछाप गति से जब वे अपनी गद्दी पर विराजे, तब भी उन्होंने अपनी उसी सात्विक गम्भीरता का परिचय दिया। पहले अपना टूटा हुआ चश्मा पोंछा, फिर उसे पहना, फिर उसे उतारकर दुबारा साफ़ किया, कलमों में स्याही भरी, रबर की मुहरें इकट्ठी कीं, दो-चार छोटे-बड़े साइज़ की जँभाइयाँ लीं और फिर ज़र्दा खाया। इसके बाद काम शुरू हुआ। काम में वे कुशल थे और सीधे-सादे बिलों पर भी कम-से-कम आधा घण्टा ज़रूर लगाते थे। मैंने ज़रा जल्दी करने को कहा तो बीड़ी सुलगाते हुए बड़ी शान्ति से कहने लगे कि बाबू साहब, पौने दो सौ रुपया पगार मिलती है, न ऊपर की आमदनी है और न नीचे की, तीन बच्चे हैं, बस से आना पड़ता है और बस

से ही जाना पड़ता है, दमे का मरीज़ हूँ और तपेदिक होने वाली है। एक पाई की गड़बड़ हो जाए तो आडिटर नहीं छोड़ेगा। इतना काम है और आदमी एक। ऊपर वाले जो हैं उन्हें भ्रष्टाचार से ही फुर्सत नहीं। तीन साल और बचते हैं; इज़्ज़त से कट जायें और बस। मैं तो बाबूजी हर वक़्त यही सोचता हूँ कि इस मुल्क का आख़िर हश्र क्या होगा?

मैंने रसीद हाथ में ली और बाहर निकला। क़रीब दो बजने को थे। बड़े साहब की सेकेण्ड हैण्ड कार दफ़्तर के भीतर प्रवेश कर रही थी। वह माली क़िस्म का इंसान सलाम ठोक रहा था और वह जो फर्राश क़िस्म का आदमी था वह फाटक खोल रहा था। साहब के साथ एक बड़े-बड़े बालों वाला कुत्ता भी बैठा था। मैंने दोनों के चेहरे देखे। साहब के चेहरे की अपेक्षा कुत्ते का जो चेहरा था, वह कहीं ज़्यादा ईमानदार लगा।

कुत्ता-संस्कृति

राजधानी दिल्ली में फ़ीरोज़शाह कोटला के ऐतिहासिक मैदान में हर साल की तरह कुत्ता प्रदर्शनी फिर हुई। कुत्तों के लिए कनातें लगीं और कुत्ता देखने पर टिकट लगा। सड़क पर घूमने वाले आवारा कुत्तों को भीतर नहीं जाने दिया गया। प्रदर्शित किये जाने वाले कुत्ते छोलदारियो में बैठे, उन्होंने जैकेट पहनीं, चमचमाते बर्तनों में खाना खाया और उनके सम्भ्रान्त मालिकों ने उनके साथ सिर्फ़ अँग्रेज़ी या फ्रेंच में ही बात- चीत की। सुन्दर भारतीय युवतियों ने अपने रूमालों से कुत्तों के मुँह पोंछे और जब-जब उनका कुत्ता दौड़ा, वे भी उनके साथ भागीं। पुरस्कार जो दिये गये वे कुत्तों की नस्ल और उनकी आज्ञाकारिता के आधार पर दिये गये। जहाँ जंज़ीर पकड़ने वाली लड़की ज़्यादा ख़ूबसूरत थी, वहाँ कुत्ते की निजी नस्ल पर शायद ज़्यादा ध्यान नहीं दिया गया। ऐसी लड़कियों के फ़ोटो लेने के लिए कैमरे भी काम करने लगे। ज़्यादातर फ़ोटो ऐसे थे जिनमें कुत्ते का मुँह कम दिखाई पड़ता था और लड़की की टाँगें ज़्यादा। कुल मिलाकर नुमायश कामयाब रही। सैकड़ों कुत्तों और हज़ारों आदमियों ने नुमायश में भाग लिया।

इस नुमायश में आदमी की हैसियत से मैं भी शामिल हुआ था। मैं सोफ़े पर नहीं बैठ सका; वहाँ कुत्ते बैठे थे। कुछ कुतिया भी थीं। बात भी ठीक थी; स्त्री लोगों के अधिकार आख़िर कब तक दबाये जा सकते हैं? एक कुतिया थी जिसके चारों ओर लगभग पच्चीस कुत्ते शानदार कपड़ों में सजे बड़े ही स्नेह भाव से खड़े थे। लगता था जैसे कोई स्वयम्वर होने वाला था। इन पच्चीस कुत्तों की दिलचस्पी उस एक कुतिया में ज़्यादा थी, प्रदर्शनी में कम। कुतिया की जो मालकिन थी, वह धूप का चश्मा लगाये चन्द नौजवानों से बातचीत कर रही थी। जब भी वे देखती थीं कि उनकी कुतिया के प्रशंसक कुत्ते इतने हैं, तभी उनके सीने गर्व से और भी ज़्यादा तन जाते थे।

कुत्तों ने कई कार्यक्रम पेश किये। उन्होंने दौड़ में हिस्सा लिया। दौड़ते वक़्त कुत्तों के भारी-भरकम मालिक भी उनके साथ दौड़े। कुत्तों ने टेलीविज़न वालों को इण्टरव्यू दिया और बाक़ी करतब भी दिखाये। इतना सब कुछ करने के बाद वे

अपने-अपने उन घरानों में लौट गये जिनका पट्टा उनके गले में पड़ा था।

प्रदर्शनी से लौटते हुए मैं एक छोटे-से चायघर में बैठ गया, जहाँ ट्रक ड्राइवर या कुली लोग चाय पिया करते थे। मेरी नस्ल और वेशभूषा देखकर दुकानदार ने मुझे ट्रे में चाय पेश की। बाक़ी लोग कुल्हड़ में चाय पीते रहे। सब लोग काफ़ी ग़रीब और परेशान दिखाई पड़ते थे। ग़रीबी, महँगाई और बेकारी की बातचीत जारी थी। वहीं सहसा मुझे कुत्ता प्रदर्शनी के महत्त्व का आभास हुआ। इतने दुख भरे वातावरण में कुत्तों के साथ जो समय बीता था, वह कितना शानदार था! मैंने मन ही मन उन आत्माओं के प्रति कृतज्ञता का प्रस्ताव पास किया, जिन्होंने कुत्तों की प्रदर्शनी आयोजित की थी। कितना अच्छा हो यदि ऐसा कोई सांस्कृतिक कार्यक्रम रोज़ ही चलता रहे। आज कुत्ता प्रदर्शनी तो कल गधा प्रदर्शनी। सारा का सारा वक़्त आराम से गुज़रेगा। प्रदर्शनी से यदि कुछ आय होगी तो वह उन्हीं जानवरों की नस्लें ठीक करने में ख़र्च कर दी जायेगी, ताकि हमारे देश में अच्छी क़िस्म के कुत्ते और गधे हमेशा इसी मात्रा में पैदा होते रहें।

चाय पीकर मैंने सिगरेट सुलगाई और सड़क पर बस की प्रतीक्षा में खड़ी एक किशोरी को उसी स्नेह से देखना शुरू किया जैसे कि कोटला मैदान में कुत्ते कुतिया को देख रहे थे। किशोरी जो थी वह कुछ मुस्कुरायी। उसकी इस दिलचस्प हरकत के होते ही मुझे सहसा इस सत्य का ज्ञान हो गया कि कुत्ते और कुतियों की प्रदर्शनी कोटला ग्राउण्ड पर तो वर्ष-भर में एक ही बार होती है मगर ये जो सड़कें हैं, होटल हैं, हवाई अड्डे हैं, दफ़्तर हैं, स्कूल और कालिज हैं, वहाँ तो यह कार्यक्रम रोज़ ही चलता है। हर जगह कुत्ते हैं जिनके गले में किसी मालिक का पट्टा पड़ा हुआ है। हर जगह कुतिया हैं जिन्हें चाहे-अनचाहे किसी के रूमाल से चेहरा साफ़ करना पड़ता है और रोज़ किसी न किसी के साथ जाना पड़ता है। इन बड़ी-बड़ी इमारतों में न जाने कितने कुत्ते मेज़-कुर्सियों पर बैठे हैं और वे काम कर रहे हैं जो अगर वे आदमी होते तो कभी नहीं कर सकते थे। वे मालिक के कहने पर भौंकते हैं और उसी के कहने पर काटते हैं। वे अपनी ज़ुबान नहीं समझते, उनकी कोई अपनी ज़ुबान है ही नहीं। जो उनका मालिक कहता है, वही किया जाता है, चाहे वह हड़ताल हो या दंगा। कितनी दिलचस्प बात है कि यह नुमायश रोज़ होती है और हम लोगों की नज़र उस ओर नहीं पड़ती।

ज्ञान का आभास होते ही मैंने उस लड़की की दिशा में फिर देखा। वह इस बीच कहीं खिसक चुकी थी। उसके स्थान पर सामने एक मोटर खड़ी थी जिसमें मेरे एक सीनियर अधिकारी की पत्नी बैठी थीं। मुझे देखकर उन्होंने गाड़ी रोक ली थी ताकि मैं भी लिफ़्ट ले सकूँ। मैंने उन्हें धन्यवाद दिया। गाड़ी में बैठकर मैंने महसूस किया कि वह ख़ूबसूरत औरत भी एक कुतिया थी। कितने शर्म की बात है कि मेरी इस पतित आत्मा ने मुझे ठीक इसी समय झकझोरा और मुझे सहसा पता लगा कि मैं ख़ुद भी एक कुत्ता था। सिर्फ़ एक कुत्ता।

पहाड़ों पर

महाकवि कालिदास ने 'कुमार सम्भव' में कहा था कि उत्तर दिशा जो है वहाँ हिमालय नाम का देवतात्मा नगाधिराज स्थित है। इस सूचना को देने के बाद महाकवि तो महाप्रयाण कर गये पर हिमालय है कि पृथ्वी के मानदण्ड की भाँति अभी भी वहीं है जहाँ कि वह वीर विक्रमाजीत के समय में था। कवि कालिदास की वाणी का प्रभाव मेरे जैसे असंख्य भावुक व्यक्तियों पर पड़ना स्वाभाविक था और यही कारण है कि शेष फालतू सौन्दर्य-प्रेमियों की भाँति मैं भी पहाड़ों की यात्रा बराबर करता रहा। मैंने काश्मीर से लेकर शिलांग तक प्रायः सभी दर्शनीय स्थलों के दर्शन किये हैं और इस सन्दर्भ में मेरा मत है कि जो आनन्द गढ़वाल के क्षेत्र में है, वे और कहीं नहीं। गढ़वाल जो है, वह वास्तव में बहुगुणा है। वहाँ का एक ग्रामगीत है जिसमें बताया गया है कि क्या और भी कोई ऐसा पर्वतीय प्रदेश है जहाँ से गंगा और यमुना दोनों निकलती हो? क्या कोई और भी ऐसा अंचल है जहाँ बद्रीनाथ और केदारनाथ दोनों एक साथ स्थित हों? उत्तर है कि ऐसा कोई अन्य प्रदेश नहीं है और न निकट भविष्य में होने की आशा ही है। बद्रीविशाल जाने के दो द्वार हैं; एक हरिद्वार और दूसरा कोटद्वार। कोटद्वार को सदा से शुद्ध हिन्दी के प्रेमी रेलवे विभाग ने स्टेशन पर कोट द्वारा लिखा है, जिससे उनकी भक्ति भावना प्रकट होती है। ख़ैर हक़ीक़त यह है कि मुझे हिमालय पसन्द है और उसमें भी गढ़वाल जो है वह मेरा प्रियतम स्थान है और रहेगा।

गढ़वाल से इस अनन्त प्रेम के और भी कई कारण हैं। एक तो यह कि यह मेरे ज़िले से एकदम लगा हुआ है और इस कारण जाने-आने के लिए यह काफ़ी सस्ता पड़ता है। दूसरी बात यह है कि इसकी तराई में इतिहास ने काफ़ी करवटें ली हैं। नजीबख़ाँ का नजीबाबाद, भरे दरबार में मुग़ल शहंशाह शाह आलम को अन्धा करवाने वाले रुहेले गुलाम कादिर का कोट कादिर, सैयद भाइयों का शेरकोट और अफ़ज़लखान का अफ़ज़लगढ़—ये सब मेरे ज़िले और गढ़वाल की सीमा पर स्थित हैं। यहाँ की प्राकृतिक सुषमा और ऐतिहासिकता को ध्यान में रखते हुए ही सर्वश्री सुलताना डाकू और जिम कार्बेट ने यहाँ ज़िन्दगी गुज़ार दी। एक ने आदमी

मारे, दूसरे ने शेर और बघेरे। एक ने पुरुष पर ध्यान दिया तो दूसरे ने प्रकृति पर। बहरहाल अमर दोनों हो गये। और रहेंगे।

मैं अक्सर पहाड़ जाता रहता हूँ। पहाड़ों से कहीं ज़्यादा दिलचस्प चीज़ है पहाड़ी यात्रा। स्टीवेंसन के शब्दों में चलते जाना पहुँचने से कहीं ज़्यादा चित्ताकर्षक है। पहाड़ी रास्तों के घुमाव, नीचे घाटी में चमकते ढालदार खेत, बाँझ, देवदार, सरू और चीड़ के वन आपका मन उतना ही मोहते हैं जितना कि चक्कर काटती बस के भीतर एक-दूसरे से टकराते वक्ष। बिना किसी पहली पहचान के किस प्रकार ये स्त्री और पुरुष यात्री एक-दूसरे से इतने निकट सम्बन्ध स्थापित कर लेते हैं, यह मेरी समझ के बाहर है। मुझे एक अधेड़ सज्जन की ख़ूब याद है जो बार-बार पास बैठी एक युवती के कपोलों या वक्षों पर इस प्रकार गिरते थे कि दूसरी तरफ़ बैठी उनकी निजी पत्नी का चेहरा अँगीठी की भाँति तमतमा उठता था। वह बेचारी कोट के बटन बन्द करती रही और बस के शीशे से ही टकराती रही। यात्रा का यह आनन्द कभी-कभी और भी ज़्यादा हो जाता है। मैं एक बार ऐसी बस में बैठा हूँ जिसके सामने का शीशा टूटा हुआ था, छत चूती थी, सीटों पर गद्दियाँ बुरी तरह फटी थीं और इंजन का यह हाल था कि धक्के देकर उसे स्टार्ट करना पड़ता था। ड्राइवर बेचारा कोई चार-पाँच तार कहीं लगाता था और तब हार्न बजता था। मुझे अफ़सोस रहा कि इस बस विशेष में मैं कोई तीन घण्टे ही चल पाया। उसके बाद इसके दो पहिये पंक्चर हो गये। ड्राइवर और कण्डक्टर दोनों एक-दूसरे को तसल्ली देते कहीं ऐसी जगह चले गये कि फिर नहीं लौटे।

हिल स्टेशन मोटे तौर पर दो प्रकार के होते हैं; एक तो वे जहाँ ठीक वही वातावरण होता है जो कि मैदानों पर। दूसरे शब्दों में ये स्थल उसी मैदान को, जहाँ से कि आप आये थे, सात हज़ार फ़ीट की ऊँचाई पर प्रस्तुत करते हैं। वही रेस्तराँ, वही भीड़, वही शोर-गुल और वही फ़ैशन। आने वाले लोग भी प्रायः वही होते हैं जो कि पिछले वर्ष आये थे। कारों की आवाज़ें। भारतभूषण अग्रवाल के अनुसार गाड़ियों की गरगराहट, साड़ियों की सरसराहट और नाड़ियों की हरहराहट। यहाँ कभी सौन्दर्य महोत्सव होता है तो कभी कुत्ता प्रदर्शनी। मसूरी में कुछ कुत्ते सालों से मिलने-जुलने के कारण मुझे पहचानते तक हैं। कुछ युवतियों को मैं भी पहचानता हूँ जो प्रतिवर्ष अपने नये पति के साथ गर्मियाँ गुज़ारने यहाँ आती हैं। इन लोगों के पास पहाड़ या उसकी वनमेखला देखने का समय नहीं होता; ये तो मात्र एक-दूसरे की साड़ियाँ, साथी और कुत्तों को देखती हैं। यहाँ जो शानदार होटल हैं, वहाँ मुर्दा गोश्त भी मिलता है और ज़िन्दा भी। ये सारी चीज़ें मालरोड पर मिलती हैं— चाहे वह शिमला या मसूरी हो या नैनीताल। माल तो बहरहाल मालरोड पर ही मिलेगा। कहीं-कहीं कोई भाई घोड़े की लगाम पकड़े पहाड़ी यात्रा पर जाता भी शायद दिखाई दे जाए। इन्हें देखकर मुझे हमेशा यह महसूस हुआ जैसे कि घोड़े पर गधा बैठा हो।

एक बार एक ऐसे भी मोटे-तगड़े सैलानी के दर्शन हुए जो कि अतिरिक्त स्वास्थ्य के कारण चढ़ाई पर अकेले नहीं चढ़ सकते थे। उनकी कमर को धकेलता हुआ उनका वफ़ादार ख़ानदानी खिदमतगार पीछे-पीछे चलता था। अगर कहीं वे शालीन सज्जन फिसल जाते तो वे और उनका वफ़ादार सेवक दोनों बग़ैर टिकट के वहीं पहुँच जाते, जहाँ से कि वे आये थे।

सच्चे पहाड़ी स्टेशन वे हैं जहाँ पहाड़ तो है मगर स्टेशन नहीं है। बाज़ार के नाम पर चन्द दुकानें और ठहरने के लिए किसी मन्दिर का अजिर या धर्मशाला की कोठरी। नाश्ते में स्थानीय फल, जो न जीर्णता आने देते हैं और न अजीर्णता। यहाँ न माल है और न रोड। यहाँ पहाड़ी कुली हैं, चीड़ के सूखे रेशे इकट्ठे करती हुई पर्वतीय स्त्रियाँ हैं, उनके लोकगीत हैं, लोककथाएँ हैं और बेहद मोटा खाना है। मगर यहाँ पहाड़ हैं, वन हैं और फिसलनेवाली पगडण्डियाँ हैं। पर्वतों की श्रेणियों के बाद श्रेणियाँ और वनों के बीच बसे छोटे-छोटे गाँव और खेत। ग़रीबी इस कदर कि पूछिए नहीं। यहाँ आप नन्दादेवी और गौरीशंकर के हिमशिखर देखेंगे, जो कि हिन्दी के आलोचकों की भाँति न जाने कब से इसी मुद्रा में खड़े हैं। इस क्रिया के सम्पादन में यदि आपकी टाँग फिसल जाए तो घबराइए नहीं; किसी चीड़ के वृक्ष को पकड़ लीजिए और धवलगिरि देखिए। पता नहीं, प्रकृति ने शोभा और ऐश्वर्य का यह संसार गढ़वाल में ही क्यों पुंजीकृत किया।

यदि आप पुरुष हैं तो मेरी सलाह है कि अपनी एक छड़ी और मेरी कुछ किताबों के साथ आप पहाड़ पर जाइए। जीवन बीमा करा लें तो और भी उपयुक्त रहेगा। थोड़े-बहुत पुराने अख़बार साथ लेते जाइए, क्योंकि ताज़ा अख़बार पहाड़ों पर कम मिलता है। मैं खुद दो-चार आलोचकों को लेकर हिमालय के भीतर जाना चाहता हूँ ताकि उन्हें वहीं छोड़कर मैं वापस आ सकूँ। हाँ, अलबत्ता यदि आप स्त्री हैं तो पति के साथ जाइए। पहाड़ों पर अकेले ठण्ड ज़्यादा लगेगी। और जैसा कि कविवर पन्त ने कहा है, 'हे लाड्ली, तू उत्तर दिशा को अकेले कभी नहीं जाना। वहाँ गन्धर्वकिन्नर रहते हैं, चाँदनी की मोहित खोहों में दर्पण-से सरोवर हैं जिनके द्वारों पर कुहासों के झीने पर्दे पड़े हैं और शची जो हैं वे रक्त पद्म से हृदय पात्र में स्वर्णिम मधु उड़ेलकर इस भाँति पिलाती हैं कि इन्द्रियों की नींद उचट जाती है। इसी कारण, ओ बावरी, तू वहाँ अपना यह देहमान लेकर कभी अकेले नहीं जाना। अप्सराओं के संगीत से यदि तेरी देह-लाज छूट गयी तो सोच कि तेरे इकलौते पति और सात नाबालिग बच्चों का क्या होगा?'

नयी दिशाओं के बारे में

कवि सैण्डबर्ग ने अपने काव्य में एक स्थान पर एक बड़े मज़ेदार इलाक़े की चर्चा की है। कवि की सूचना के अनुसार इस इलाक़े की इमारतें इतनी ऊँची हैं कि उनके कारण चाँद जो है वह बेचारा पूर्व से पच्छिम को नहीं जा सकता। वह वहीं अटका रहता है। इस प्रदेश की रोटियाँ इतनी पतली हैं कि उनकी एक ही साइड होती है, दूसरी नहीं। इस प्रान्त में हवा इतनी तीव्र गति से चलती है कि एक बार वह एक सम्भ्रान्त व्यक्ति की मूँछें ही उड़ाकर ले गयी थी। शिक्षा का वहाँ इतना प्रसार है कि मुर्गियाँ जब अण्डे देती हैं तो उन पर पेट से ही तारीख़ अंकित हुई आती है। वहाँ मच्छरों का स्वास्थ्य इतना अच्छा है कि एक मच्छर एक कुत्ते को और दो अदद मच्छर एक इंसान को हमेशा के लिए दुनिया छोड़ने के लिए मजबूर कर सकते हैं। तूफ़ान ऐसे शक्तिशाली होते हैं कि रेल के वैगनों को सैकड़ों मील की दूरी पर बिना इंजन की सहायता के ही छोड़ आते हैं। इस इलाक़े में एक बार एक गाय ने एक घड़ी निगल ली थी और एक साल बाद जब वह घड़ी प्राकृतिक मार्ग से गाय के बाहर आयी तो स्थिति यह थी कि वह तब भी चल रही थी। वहाँ रेलें इतनी तेज़ी से चलती हैं कि स्टेशन पर पहले पहुँचती हैं और सीटी की आवाज़ बाद में। इस प्रदेश के प्राणी स्वयं इतने पतले हैं कि पृथ्वी पर उनकी छाया नहीं पड़ती।

जहाँ तक इस इलाक़े के निवासियों की बात है, कवि ने कुछ और ज्ञातव्य आँकड़े भी प्रस्तुत किये हैं। यहाँ के लोग काफ़ी दूरदर्शी, मज़ाक़पसन्द और समझदार हैं। एक आदमी को पता लगा कि नरक में तेल के दाम अचानक घट गये हैं और अगर स्टॉक एकदम ख़रीद लिया जाए तो काफ़ी मुनाफ़ा सम्भव है। यह पता लगना था कि वह तुरन्त नरक चला गया। दो और दोस्त थे जो मोटर चला रहे थे। मोटर रास्ते में रेल से टकराई, चालीस फ़ीट उछली और फिर साठ फ़ीट गहरे गर्त में चली गयी। इसके बाद जब वह फिर सही-सलामत सड़क पर चलने लगी तो दोनों दोस्त नीचे उतर पड़े और बड़ी उदासी से कहने लगे कि ऐसी गाड़ी से भला क्या फ़ायदा? इसी तरह वहाँ एक व्यक्ति आत्महत्या करता हुआ ऊपर से कूदा। उसे नीचे एक पुलिसमैन ने सँभाल लिया। दोनों ने थोड़ी-देर बातचीत की, और इसके बाद दोनों

ने आत्महत्या कर ली।

इस क्षेत्र का हाल पढ़ लेने के बाद मैं अपनी शस्य श्यामला धरती पर ध्यान देता हूँ। काफ़ी मामलों में हमारा देश भी सैण्डबर्ग द्वारा वर्णित प्रदेश से मिलता-जुलता है। फ़र्क़ इतना है कि वहाँ रेल पहले पहुँचती थी और उसकी सीटी बाद में, जब कि हमारे देश में स्थिति यह है कि सीटी काफ़ी पहले पहुँचती है और जहाँ तक रेल का प्रश्न है वह बेचारी शर्म के मारे कभी-कभी स्टेशन तक पहुँचती ही नहीं। तूफ़ान यहाँ भी आते हैं और ऐसी गति से आते हैं कि मूँछें क्या, विधानसभाओं तक को उड़ाकर ले जाते हैं। रोटी और इंसान यहाँ भी पहले से पतलेतर होते जा रहे हैं; चाँद यहाँ भी हैं जो इमारतों में बन्द हैं। लोग यहाँ काफ़ी समझदार हैं। एक प्रदेश के डॉक्टरों का ख़याल है कि यदि किसी को लू लग जाए तो उसे काफ़ी मोटा लिहाफ़ उढ़ाना चाहिए। चिकित्सा इतनी साफ़ और सादी है कि भारतीय लोकसेवा आयोग ने इस नुस्खे को जनसाधारण के भले के लिए अख़बार में छपवाया। मच्छर यहाँ कुत्ता भले ही न मार सकें पर आदमी को ज़रूर हलाल करते हैं। पुलिसमैन की स्थिति यह है कि यदि वह आत्महत्या नहीं कर पाता तो हत्या ज़रूर कर डालता है। जैसा कि मैंने पहले ही कहा, इस देश की धरती शस्य श्यामला है। कहीं-कहीं तो स्थिति यह है कि शस्य न भी हो, धरती फिर भी श्यामला है। शस्य जो है वह व्यापारी वर्ग के गोदामों में जमा है। वे इतने समझदार थे कि उसे ख़रीदने नरक नहीं गये। उन्होंने इसी देश को नरक बना दिया।

जैसा कि ज़ाहिर है, अभी मुल्क को बहुत आगे बढ़ना है। मुझे देश की प्रगति पर सन्तोष है। यदि सारी चीज़ें इसी तरह चलती रहीं तो वह दिन दूर नहीं जब कि समाज का ढाँचा एकदम बदल जायेगा। जिस कहानीकार की रचनाएँ पढ़कर शरीफ़ घरानों की कुमारियाँ और कुलवधुएँ नौकरों के साथ नहीं भागेंगी, उसे साहित्य में कोई स्थान नहीं दिया जायेगा। जिस चिकित्सक के कर कमलों के माध्यम से मरीज़ लोग निर्वाण की प्राप्ति नहीं करेंगे, उनकी उपाधि वापस ले ली जायेगी। जो सुन्दर युवती ज़ेवरात पहने 3 दिन छिपने के बाद सही-सलामत घर पहुँचेगी, उसे बिना किसी और सबूत के चरित्रहीन स्वीकार कर लिया जायेगा। जो प्राध्यापक दिल लगाकर पढ़ाएँगे, उन्हें चौराहे पर पीटा जायेगा। दिल ही लगाना है तो कहीं और लगाइए। गाँधी जी की ऐसी कोई मूर्ति प्रतिष्ठित नहीं की जायेगी जिसमें कसकर मिलावट न की गयी हो। गाड़ी चलानेवालों को वर्ष-भर में कम-से-कम एक हत्या करनी आवश्यक होगी और इसी प्रकार सुखी दम्पती वही स्वीकार किया जायेगा जहाँ कि पति या पत्नी (या दोनों) विवाह के छः माह के भीतर आत्महत्या कर लें। जो अधिकारी सार्वजनिक धन का ग़बन नहीं करेगा, उसे बिना किसी विशिष्ट कार्यवाही के सेवा-मुक्त कर दिया जायेगा। जो अफ़सर अपने हितों की देखभाल नहीं कर सकता वह देश की क्या करेगा? चुनावों में विजेता वही स्वीकार किया जायेगा जिसे

कोई भी मत न मिला हो। जिस विभाग में हड़ताल नहीं होगी, वह विवश होकर बन्द करना पड़ेगा। अनाज खलिहानों में नहीं बल्कि गोदामों में पैदा होगा। दारोग़ा जी थाने पर नहीं मिला करेंगे; वे या तो किसी स्थानीय समाजसेवक के साथ ठर्रे की दुकान पर प्राप्त होंगे या फिर किसी मन्दिर के प्रांगण में, जहाँ कि कीर्तन हो रहा होगा। पतिव्रता स्त्री वह कहलाएगी जो अपने पति से व्रत रक्खे। छात्र लोग दीक्षान्त समारोह के अवसर पर उपकुलपति की दाढ़ी-मूँछ जलायेंगे और इसके बाद अपनी डिग्री पर चौखटा लगवाकर उसे बाथरूम में टाँगेंगे। चाँद के टुकड़े भी खिड़कियों से बाहर सरकेंगे ताकि भावी पीढ़ी का निर्माण हो सके।

भगवान ने चाहा तो वह दिन शीघ्र ही आयेगा जब कि ये सारे स्वप्न पूरे होंगे। क्या आपको इसमें कोई शक है?

रीतिकाव्य में दूध-दही की चर्चा

रीतिकालीन काव्य का अध्ययन करते समय सयाने पाठकों ने यह बात नोट की होगी कि विरह के कारण जो चीज़ दुबली रहती थी, वह सिर्फ़ नायिका ही होती थी। जहाँ तक नायक का प्रश्न है, वह पट्ठा मस्त रहता था। इस मस्ती और स्वास्थ्य का एक कारण था— नायक का नियमित रूप से दूध-दही का सेवन करना। जैसा कि ग्वाल कवि ने कहा है— दिया है ख़ुदा ने ख़ूब, खुसी करो ग्वाल कवि; खाव पियो, लेव देव, यहीं रह जाना है। यह खेद का विषय है कि रीतिकाल के इस पहलू पर समीक्षकों का उतना ध्यान नहीं गया जितना कि अपेक्षित था।

रीतिकाव्य में दूध-दही की चर्चा शायद उतनी ही मात्रा में है जितनी कि नायक-नायिका की। यदि उस कविता का सारा दूध-दही इकट्ठा किया जाए तो लेख क्या, एक वज़नदार ग्रन्थ लिखा जा सकता है। मगर मैं वैसा नहीं करूँगा। मैं तो सिर्फ़ उस दिशा में कुछ इशारे करूँगा, ठीक उसी तरह जैसे नायिकानायक के साथ किया करती थी। बाक़ी काम नायक ख़ुद करता था।

दूध-दही की चर्चा विभिन्न स्थलों पर विभिन्न प्रसंगों में की गयी प्राप्त होती है। एक विरहिणी नायिका है जो प्रियतम के वियोग में सारी वस्तुएँ भूल जाती है, ठीक उसी तरह जिस तरह आजकल की प्रेमिकाएँ विरह की तीव्रता में प्रियतम को भूल जाती हैं। इस नायिका की हरकतों को चित्रित करते हुए कवि कहता है— डारै कहुँ मथनि, बिसारै कहूँ घी को भाँडो, बिकल बिगारै कहूँ माखन मठा दही। इसके विपरीत एक मिलन का चित्र है जिसमें नायिका जब नायक से पूरी तरह मिलकर वापस लौटती है तो स्थिति यह होती है कि उसके अंग क्षत-विक्षत हुए होते हैं, वस्त्र इधर-उधर बिखरे हुए होते हैं, वग़ैरह-वग़ैरह। ऐसी स्थिति में नायिका दही का सहारा लेती है और सास से फ़रमाती है कि वह तो मात्र दही बेचने गयी थी। रास्ते में शेर मिल गया और शेष स्थिति, माताजी, आप देख ही रही हैं। तुम कैसी आयी, मैं तो दधि बेचति आवत ही मरू के बची हौं सास, धरम तिहारे तें। इस उत्तर का उस खुर्राट सास पर क्या प्रभाव पड़ा होगा, यह कहना कठिन है। अगर सास भी अपने यौवन में सुन्दर और उदार रही होगी तो शायद उसने पुत्र-वधू को

क्षमा कर दिया होगा। ऐसी सुन्दर कुल वधुओं के रूप की प्रशंसा करने के बाद कवि प्रायः इसी कारण उनके स्वभाव पर भी प्रकाश डाला करते थे। पहले कहते थे कि 'माखन सो मन, दूध सो जोबन, है दाधि सौं अधिको उर ईठी' जिससे प्रकट होता था कि लड़की अकेले ही दूध-दही और मक्खन तीनों चीज़ों का मज़ा दे जाती थी। इसके बाद उसके उदार हृदय पर प्रकाश डाला जाता थाः 'आई निछावरि कै मन मानिक, गोरस दै, रस लै अधरन को'। कितनी नेक तबीयत की लड़की गोरस देती थी और बदले में सिर्फ़ अधरों का रस माँगती थी। ऐसी ही युवतियों को याद करते हुए कवि आहें भरता हुआ कहता है कि 'दूध वहो जु दुहायो री वाने, दही सु दही जु वही ढरकायौ।'

दूध-दही बेचने वाली ये सारी छोकरियाँ एकदम गऊ होती थीं, सो बात नहीं। छोरटी है गोरटी या चोरटी अहीर की। इनमें से कुछ तो काफ़ी शरारती क़िस्म की होती थीं : ताहि अहीर की छोकरियाँ, छछिया भरि छाछ पै नाच नचावैं। इनकी शरारतों की गिनती करना कठिन है। एक थी जो, 'भृकुटी मटकाई, गुपाल के गाल में अंगुरि ग्वालि गड़ाय गयी।' एक और थी जिससे जब नायक ने अपना नियमित राशन माँगा (चाखन को दाखन दे, माखन दे, रोटी दे) तो छूटते ही कहने लगी, 'तुम कौन-सी पारी पढ़े हौ लला, मन लेहु पै देहु छटाँक नहीं।' (यह पंक्ति घनानन्द की है। वे मुग़ल दरबार में मीर मुंशी थे, जो आजकल एकाउण्टेण्ट जनरल कहलाता है। ऐसे विभाग के व्यक्ति की नायिका के लिए हिसाब-किताब की बात करना वैसे भी स्वाभाविक था।) लगता है, नायक को हिसाब चुकता करना पड़ता था क्योंकि राशन तो अगले दिन भी माँगना था। कहीं-कहीं तो स्थिति यह थी कि लड़की अगर रूठ जाती तो और परेशानियों के साथ-साथ गाय के दुहने की भी कठिनाई हो जाती थी। नायिका थी कि नायक तो नायक उसके जानवरों तक को क़ब्ज़े में रखती थी : मन भावनी देहौं दुहावनी मैं, यह गाय तुही पै दुहावनी री।

दूध-दही का थोक विक्रय करने वाली इन युवतियों में काफ़ी साहस होता था। कभी-कभी यह कहना कठिन होता था कि कौन बड़ा है? वृषभानुजा बड़ी हैं या हलधर के वीर? बहरहाल, जब इनसे रास्ते में छेड़खानी की जाती थी तो प्रतिक्रिया भिन्न-भिन्न प्रकार की होती थी। कुछ होती थीं कि यदि नायक ताककर कुचों के बीच काँकरी मारता था तो वे बेचारी साँकरी गली में न हाँ करती थीं न ना। मगर सारी दूध बेचने वाली ऐसी लजीली नहीं होती थीं। एक लड़की थी कि उससे अगर आपने एक सवाल पूछा तो वह पलटकर आपसे दूसरा प्रश्न पूछती थी; मों सो कह्यो अरी कौन की बेटी है, मैं हूँ कह्यो तू है कौन को बेटा? यह प्रवीण नायिका वेनी प्रवीन कवि की थी। एक और हिम्मतवाली बालिका थी वाली जिसका दही खाकर 'मिटी पथिक की बदन तैं, लगी दृगन में प्यास' स्थिति होती थी। पथिक ने जब लड़की के सामने पवित्र-प्रेम का शारीरिक प्रस्ताव रखा तो लड़की ने अपना पूरा

पोस्टल एडेरस भी दे दिया और अपनी समय सारिणी भी :

द्वारै राम साला है, पिछारै वन माला है
हवेली परी आला है, अकेली मोहिं रहने
कहति हौं पुनि सास ननद झुके न मोपे
आओगे हो जाओगे न भरी दुपहरी में

इसे कहते हैं हिम्मत! एक ये आर्य ललनाएँ थीं (जिन्हें देखकर मतिराम जैसे मतिमान कवि को कहना पड़ा था कि : तावन की बाट, कोऊ संग न सहेली साथ, कैसे तू अकेली दधि बेचन को जात है?) और एक हैं ये आजकल की आधुनिक-स्वतन्त्र विचारों वाली युवतियाँ जो ज़रा-ज़रा सी रियायत के लिए डैडी और ममी की लिखित परमिशन माँगती हैं। भारतीय संस्कृति का कितना ह्रास हो गया है, इस बात पर भी वे लोग ध्यान रखें जो रीतिकाव्य में वर्णित दुग्ध योजना पर शोध-प्रबन्ध लिखने की सोचते हों। मेरे ख़याल से आधा थीसिस गाय पर रखें और आधा लड़की पर। ऐसा करने से जो कुछ भी निकलेगा वह वास्तव में सन्तुलित ही कहा जायेगा।

एक उदास आदमी की कथा

पुरुषों की दो जातियाँ होती हैं; कुछ लोग दास होते हैं और शेष लोग उदास। उदास व्यक्ति जो होता है वह कभी ख़ुश नहीं पाया जाता। उसके दाँतों की आयु उसकी अपनी आयु से भी ज़्यादा होती है क्योंकि वह उन्हें हमेशा अपने ओठों के पैकिंग केस में सुरक्षित रखता है। वह किसी फूल को देखता है तो सोचता है कि ओह, कल तक यह पूरी तरह मुरझा जायेगा। वह किसी सुन्दर कन्या पर दृष्टिपात करता है तो विचारता है कि हाय, इस सुमुखी को क्या पता कि मात्र चालीस वर्षों की क्षुद्र अवधि के बाद यही युवती नाती-पोतों की सेना के चक्रव्यूह में फँसी अभिमन्यु की स्त्रीलिंग हो जायेगी। वह काम पर निकलता है तो लगातार यही सोचता रहता है कि कहीं उसकी ग़ैरहाज़िरी का क़ानूनी लाभ उठाकर उसकी इकलौती नवविवाहिता पत्नी घर के सेवक के साथ कोई ग़ैरक़ानूनी प्रणय लीला न कर रही हो। घर पर यदि नौकर नहीं होता है तो वह इसी मुद्दे को लेकर उदास हो जाता है कि उसकी पत्नी के पास एक नौकर तक नहीं है; यह भी भला कोई ज़िन्दगी में ज़िन्दगी है?

दास और उदास की तर्ज़ पर दासियाँ और देवदासियाँ भी होती हैं। मगर वह अलग विषय है जो विषयी लोगों से सम्बन्ध रखता है। क्योंकि मेरे और आपके विचार पवित्र और आचरण शुद्ध हैं, मैं उनकी चर्चा में फँस कर विषयान्तर नहीं करूँगा।

दास और उदास की चर्चा क्या चली कि मुझे कालिदास की याद आ गयी। कालिदास कवि था। उसकी एक कृति का नाम है रघुवंश। रघुवंश में एक राजा का वर्णन है जिसका नाम था अज। ये रोने के इतने शौक़ीन थे कि एक पूरा सर्ग अज विलाप नाम से ही लिखा गया। अज की पत्नी का नाम था इन्दुमती। वह बेचारी परिवार-नियोजन में बड़ा विश्वास रखती थी। कवि की सूचना के अनुसार इक्ष्वाकु वंश के राजा मात्र सन्तान के लिए ही विवाह किया करते थे; वैसे उन्हें सुन्दर स्त्रियों में कतई कोई दिलचस्पी नहीं थी। इन्हीं सब कारणों को ध्यान में रखते हुए रानी इन्दुमती ने भी एक ही युवराज को जन्म दिया और फिर स्वर्ग सिधार गयी। अज की स्त्री को व्याकरण की दृष्टि से अजा कहना ज़्यादा उचित ठहरेगा। अजा उस जानवर को कहते हैं जिसका दूध गाँधी जी पीते थे। सरल भाषा में इसे बकरी भी

कहा जाता रहा।

जिस व्यक्ति की मैं चर्चा करने जा रहा हूँ वह भी रघुवंश के अज की भाँति उदास था। वह उदास था; बेहद उदास था। वह सुबह को उदास था, दोपहर को उदास था और शाम को भी उदास ही था। उसके सारे इन्द्रधनु रौंदे हुए से ही थे। उदासी उसके शरीर से ठीक इस प्रकार चिपक गयी थी जिस प्रकार एक सफ़र के दौरान सिन्दबाद नाम के एक जहाज़ी के कन्धे पर एक अदद बूढ़ा चिपक गया था। उसकी जकड़ से मुक्ति पाने के बाद सिन्दबाद को काफ़ी दिनों तक अपनी गर्दन की मालिश करवानी पड़ी थी। इस देश के वृद्ध लोग अपने लड़कों से अभी भी ऐसा ही व्यवहार करते हैं। न जाने कितने परिवार हैं जहाँ बूढ़े माँ-बाप अपने लड़कों के कन्धों पर ठीक उसी तरह आसीन हैं। विश्वास न हो तो उन लड़कों की पत्नियों से पूछताछ कर लीजिए। सिन्दबाद की वह कथा हमारे सारे समाज की कथा है जो इस ग्रन्थ के अगले संस्करण तक भी काफ़ी हद तक शायद सच्ची ही रहेगी।

जिस व्यक्ति की मैं चर्चा कर रहा हूँ, उसकी उदासी निर्गुण सम्प्रदाय की न होकर सगुण सम्प्रदाय की थी। वह साकार थी; उसकी भावभंगिमा, उसका उतार-चढ़ाव, उसकी मौलिकता और उसका उद्दाम चरित्र कवियों और अकवियों को दूर से ही दिखाई पड़ जाता था। वह वर्तमान के प्रति उदास था, भूतकाल के प्रति उदास था और जहाँ तक भविष्यकाल का प्रश्न है— वह तो उसकी चिरयौवना उदासी का निरन्तर स्रोत था।

देश था कि काफ़ी ख़ुशमिज़ाजी के साथ पतन के गर्त की ओर प्रस्थान कर रहा था और वह उदास था कि ये कैसे भद्र पुरुष हैं जो भारतमाता को सबके सामने पकड़कर निचोड़ रहे हैं। पकड़ना वह भी चाहता था, पर भारतमाता को नहीं वरन् एक रूपवती बालिका को, जिसका कि बाप नियमपूर्वक व्यायाम करता था। इस उदास व्यक्ति की रीतिकालीन भावनाओं को उस लड़की के बाप की वीर गाथा काल की प्रवृत्तियों ने कुण्ठित कर रखा था। स्थिति यह थी कि वह काफ़ी उदास था।

जिस आदमी की मैं चर्चा कर रहा हूँ वह कोई पुश्तैनी उदास नहीं था। उसके पूर्वज काफ़ी हँसमुख थे। एक ज़माना था कि वह ख़ुद भी ख़ुश-मिज़ाज था। ये वे दिन थे जब कि वह बरसात में कजरी गाया करता था और खुलेआम सड़कों पर फिसला करता था। बाद में वह सुशिक्षित, शालीन, सच्चरित्र और सम्भ्रान्त हो गया। उदासी तो सिर्फ़ इस कुसूर से शुरू हुई कि वह अख़बार पढ़ने लगा और पढ़ने के साथ-साथ सोचने भी लगा। बाढ़, सूखा, बलात्कार, अपराध, काला धन, वेश्यावृत्ति और इन सबके पीछे विभिन्न प्रकार के झण्डे उठाये हुए राष्ट्र के सेवक उसे उन मसखरों जैसे लगने लगे जो कि किसी दुखान्त नाटक में भाग लेने जा रहे हों। सारा का सारा माहौल नौटंकी जैसा लगता या हालाँकि थी वह असलियत। समाज धीरे-धीरे दम तोड़ रहा था और लोग थे कि उसे आगा हश्र काश्मीरी का ड्रामा समझ

रहे थे और शानदार सूटों में अपनी पिछली टाँगों पर खड़े हुए तालियाँ बजा रहे थे।

वह उदास था। वह अपना धन्धा बदलना चाहता था क्योंकि उसमें कृष्णवर्ण लक्ष्मी के प्राप्त होने की सम्भावना शून्य से कुछ कम थी। वह अपनी पत्नी का त्याग करना चाहता था। वह वैसी लड़की चाहता था जो एक छाते के विज्ञापन में कहीं दीवार के सहारे खड़ी हुई दिखाई गयी थी। अगर वह लड़की मिल जाती तो एक अदद नया छाता भी हाथ में आ जाता। एक हाथ में लड़की होती, दूसरे में छाता। सन्तुलन बराबर। वह देश, समाज और जीवन सब-कुछ बदलना चाहता था। वह उन ख़तरों की घण्टियाँ सुन रहा था जो उस स्टेशन के बाद आने वाले थे जहाँ कि उसे उतर जाना था। चारों तरफ़ की हालत कुछ ऐसी थी कि वह तय ही नहीं कर पा रहा था कि हँसे या रोए, हत्या करे या आत्महत्या कर ले। देश के करोड़ों नवयुवकों की भाँति न तो उसमें क्रान्ति करने की क्षमता थी और न स्वयं भ्रष्ट होने की हिम्मत। वह वहीं बीच में खड़ा था। कभी-कभी बैठ भी जाता था। मगर इस सबसे उसकी उदासी पर कोई ठोस अन्तर नहीं पड़ता था। वह निरन्तर उदास था।

वर्षामंगल

वर्षा की ऋतु फिर आ गयी। आकाश काले-कजरारे मेघों से फिर ढक गया। मच्छरों की छापामार कार्यवाही फिर प्रारम्भ हो गयी। मेंढकों ने समवेत स्वर में नयी कविता का पाठ प्रारम्भ कर दिया। विरहिणी युवतियाँ दुखी होने लगीं क्योंकि वर्षा के कारण यातायात कुछ कठिन हो गया। जो कुलवधुएँ समाजवाद में विश्वास रखती थीं, वे बिना छाता लिए राजमार्गों पर चलने लगीं ताकि उनके अंगों की सच्ची छटा प्रत्येक व्यक्ति बराबरी के साथ देख सके। बच्चों ने पानी में काग़ज़ की नावें छोड़ दीं और शासन के वयस्कों ने बाढ़ में डूबती जनता के लिए काग़ज़ की नावें बनानी शुरू कर दीं। रातें अँधेरी हो गयीं जिससे बिना किसी पूर्व निश्चित योजना के एक-दूसरे की बाँहों में लेना सरल हो गया, चाहे वह ऊपर के तल्ले पर रहने वाली सुन्दरी हो चाहे सामने वाले पण्डित जी की भैंस। भीगने के कारण बिजली भाग गयी; एक 'मेघे ढका तारा' बचा है : बस।

इस बार की वर्षा ऋतु कुछ अलग क़िस्म की है। यह पहली बरसात है जिसमें प्रियाहीन न होते हुए भी मेरा मन भयभीत है। इतनी भयंकर झड़ी में बस पकड़कर दफ़्तर जाना कितना कठिन है, यह बात मेरे जैसे वे ही लोग जानते हैं, जो दफ़्तर जाकर सारे अंगों के साथ दफ़्तर से लौटना भी चाहते हैं। तेल के दाम बढ़ने से पहले मोटर चलती थी और ख़ाकसार बैठता था। आजकल स्थिति यह है कि मोटर तो किसी गर्भवती कन्या की भाँति विश्राम करती है और ख़ाकसार दौड़ता है। वर्षा की ऋतु में ख़ाकसार जो है, वह कीचड़सार हो जाता है। बारिश में जो मज़े बस से सफ़र करने में हैं, वे शायद कमलों से लदी झील में डूबने में भी नहीं।

आप छाता लेकर घर से निकलते हैं और बीवी-बच्चों से इस तरह मिलते हैं गोया कि आप लाम पर जा रहे हों और यह आख़िरी मुलाक़ात हो। बाहर निकलते हैं तो पहला क़दम उस गड्ढे में पड़ता है जो पानी के कारण अचानक अदृश्य हो गया है। जब तक आप अपनी आधी टाँग के गन्दे होने पर शोकप्रस्ताव पास करते हैं, तब तक कोई बड़ी-सी शानदार विलायती कार आपके पास से गुज़र जाती है, जो आप पर इतना पानी छोड़ती है कि छाता भी कुछ कर नहीं सकता। सोचता हूँ अब

दो-चार छाते लेकर निकला करूँ ताकि सब दिशाओं से बचाव हो सके। छापामार तो बन नहीं सका; छातामार ही बन लूँ। अब की बार जहाँ कही भी जाऊँगा, दो-चार छाते उठाकर लाऊँगा।

बस मिल गयी। किसी तरह ऊपर की मंज़िल पर बैठने को एक सीट भी मिल गयी। इस सीट पर कभी 'केवल महिलाएँ' लिखा था जिसमें किसी भाषा-शास्त्री ने कुछ सुधार किया। वर्तमान पाठ है 'केवल हिलाएँ'। मैं निःसंकोच बैठता हूँ और सीट को हिलाने की चेष्टा करता हूँ। थोड़ी देर बाद पता चलता है कि मैं इसे क्या हिलाऊँगा, यह सीट ही मुझे हिलाकर छोड़ेगी। लगता है ड्राइवर पहले सरकस में काम करता था। बस क्या है, हवाई जहाज़ है। अगली सीट का डण्डा तीन बार चश्मे में लगा, खिड़की का शीशा हाथ पर आकर ऐसा बैठा कि उठने का नाम ही नहीं लेता और बुशर्ट कहीं ऐसी फँसी कि जैसे गोपियाँ कृष्ण से फँसती थीं। मैं बस में काफ़ी पक्के क़िस्म से बैठा हूँ और बाहर के दृश्य देख रहा हूँ।

कहीं राशन की दुकान, जो कभी नहीं खुलती थी, आज खुली है। औरतें, बच्चे और बूढ़े क़तार में खड़े हैं और भीग रहे हैं। राशन मिलने के बाद ये अस्पताल जायेंगे और वहाँ क़तार में खड़े होंगे। ज़िन्दगी का कितना वक़्त क़तारों में कट रहा है, इसका अभी पूरा-पूरा ब्यौरा इकट्ठा करना बाक़ी है। आगे किसी बस के लिए क़तार लगी है जो बस के प्रकट होते ही टूट जायेगी। एक साहब हैं जो दूसरे साहब की कमर पर चढ़कर बस के भीतर प्रवेश कर रहे हैं। वे घुस गये और वे कमर वाले शालीन सज्जन फिर क़तार में लौट गये। एक वृद्धा थी जो शायद किसी के पदाघात से गिर पड़ी। मैं वहाँ से निगाह हटा लेता हूँ और बादलों की क़तारें देखने लगता हूँ। काले-काले मेघ और उनके नीचे उड़ते सफ़ेद पक्षियों की पाँत। काश...

टूटी हुई झोंपड़ियाँ, आलीशान महल, साइकिल पर घिसटते बूढ़े कुली, और इम्पाला में जाती हसीन लड़कियाँ– ये सारी चीज़ें बरसात के सफ़र में एक नयी सिहरन देती हैं। बरसात है और उसकी हवाएँ हैं कि तमाम परेशानियों के बावजूद आपको एक ताज़गी देती हैं। इधर अभी-अभी एक कॉलेज की कोई छात्रा मेरे पास आकर बैठ गयी है। मैंने बाहर से निगाहें हटा लीं। ग़रीबी और परेशानी तो रहती ही है, उसके कारण कविप्रिया वर्षा ऋतु का आनन्द क्यों छोड़ दूँ? मैं लड़की को देखता हूँ। अच्छी है। मुझे देश का भविष्य उज्ज्वल लगने लगता है। सोचता हूँ कि बस के मोड़ लेने से, जब तक मैं और वह टकराएँ तब तक जयदेव का कोई पद ही क्यों न गुनगुना लूँ?

सहयात्री

ए.जी. गार्डिनर ने सहयात्री के रूप में एक मच्छर की चर्चा की है। यह मच्छर उनकी रेलगाड़ी के डिब्बे में बग़ैर टिकट प्रवेश कर गया था और उन्हें लगातार उसी भाँति तंग करता रहा था जैसे कि विरह नाम का पदार्थ नायक-नायिकाओं को तंग किया करता था। परिणाम वही हुआ जो कि होना था; गार्डिनर ने सहयात्री नामक एक प्रसिद्ध प्रबन्ध लिख डाला। मच्छरों का साहित्य में जो योगदान है, वह हम सबके लिए उजागर हो गया। अपने देश का जो मच्छर-मार-विभाग है, उससे मैं नम्र निवेदन करना चाहूँगा कि मच्छरों का एकदम संहार न करें; जो साहित्यप्रेमी मच्छड़ हैं उन्हें छोड़ दें। इससे बहुतों का भला होगा।

मेरे भी कुछ सहयात्री हैं। आपको सूचित करना उचित ही होगा कि मेरे इन सहयात्रियों में से मच्छर कोई भी नहीं है। इन सबके बाहरी रूप इंसानों के हैं चाहे गुणों में वे मच्छर से भी ज़्यादा विषैले हों। ये प्राणी मेरे मुहल्ले में रहते हैं, मेरे साथ बस या रेल से दफ़्तर जाते हैं और कुछ वहाँ मेरे साथ काम भी करते हैं। सरकार में वैसे कोई किसी के साथ काम नहीं करता; कोई किसी के नीचे काम करता है तो कोई किसी के ऊपर। सरकार में सहयात्री हैं; साथी नहीं। साथी की जगह वहाँ हाथी हैं। हाथी एक शालीन, स्वामिभक्त, शाकाहारी और रौब-दाब का जानवर होता है। यह जानवर दस घण्टे सोता है, दो घण्टे भोजन करने में व्यतीत करता है, दो घण्टे नहाने व मेकअप़ में बिताता है और बाक़ी दस घण्टे नयन मूँद कर विश्राम करता है। बाक़ी जितना वक़्त बचता है, वह नितान्त ईमानदारी के साथ सरकारी कामकाज को समर्पित किया जाता है। कभी-कभी एकाध हाथी पागल हो जाता है और अक्ल की बातें करने लगता है। उसे जंज़ीर बाँधकर अस्तबल के दरोग़ा की देखरेख में छोड़ा जाता है। दरोग़ा जी हाथी को ठीक तथा सफ़ेद रंग का कर देते हैं और ख़ुद पागल हो जाते हैं। सरकार में गज़ भी है और ग्राह भी, और तारीफ़ यह है कि इनकी सहायता करने के लिए क्षीर सागर में शेषनाग की स्प्रिंगदार शय्या पर सोने वाले लक्ष्मीपति भगवान अभी भी उसी तत्परता से आते हैं, जैसे कि वे पहले आया करते थे। वैसे भी शायद विष्णुजी पर इन दिनों समय काफ़ी है; लक्ष्मीजी तो

परेशान करने को रहीं नहीं। वे बेचारी तो विदेशी मुद्रा, स्वर्ण बिस्कुट, रत्न, अफ़ीम और न जाने क्या-क्या शक्लें अख़्तियार करके सेठों के यहाँ चली आयीं। लक्ष्मीजी को काले धन के रूप में रहना पसन्द आ गया, जो ठीक भी था। कहाँ वह क्षीर सागर और शेषनाग का नीरस वातावरण और कहाँ ये पाँच सितारों वाले होटल, स्विमिंग पूल, विदेशी मदिरा और देशी लड़कियाँ। क्षीर सागर में सिर्फ़ खीर ही खीर मिलती थी और यहाँ हैं सारे स्वर और व्यंजन। वहाँ सिर्फ़ एक पालतू शेषनाग ही था, यहाँ हैं सब क़िस्म के दुर्दान्त भेड़िये और कीड़े। कैबरे नृत्य, और अफ़ीम के धुएँ के पीछे बजता रंगीन आर्केस्ट्रा। लक्ष्मीजी तो रूपवती महिला हैं; वे कोई पागल हैं जो अपने इतने प्रशंसकों को छोड़कर फिर उसी सदियों पुराने पति के पास जायेंगी? पुरुष पुरातन की वधू क्यों न चंचला होय?

मैं आज बुरी तरह बहक गया। पाँच सितारे वाले होटलों की याद आते ही ऐसा हो जाता है। एक बार गया था एक ऐसे होटल में किसी और के ख़र्चे पर। वाणी के नयन और नयन के वाणी, कुछ नहीं रहा। वहाँ का बटलर मुझे इस तरह देख रहा था जैसे मैं भी या तो बटलर हूँ या चटलर की जगह नौकरी पाने की कोशिश करने आया हूँ। उसका कोई कसूर नहीं—मेरी शक्ल-सूरत ही इतनी भव्य है। अपने इसी शानदार व्यक्तित्व के कारण एक बार एक हवाई अड्डे पर एक विदेशी ने मुझे कुली समझा था और एक बार एक पुलिसमैन को काफ़ी गहरा सन्देह हुआ था कि वह युवती और मोटर जिनके साथ मैं जा रहा था, चोरी की हैं। वह युवती उन दिनों मेरी पत्नी थी। इन दिनों भी है।

सहयात्री से मेरा अभिप्राय यहाँ उस व्यक्ति से था जो मेरे ही भीतर रहता है, मेरे ही साथ सोता है, मेरे ही साथ नाश्ता करता है, मेरे ही साथ दफ़्तर जाता है पर कमाल देखिए कि सोचता कम्बख़्त ठीक दूसरी तरह से है। चालीस वर्ष से ऊपर हो गये कि यह सहयात्री क़ब्ज़े में नहीं आया; पालतू नहीं बना। वह अभी भी बच्चों की तरह हँसना चाहता है, ईमानदारी की बात सोचता है, समाजवाद में विश्वास रखता है, ग़रीबी मिटाना चाहता है, वग़ैरह वग़ैरह। मगर मैं हूँ कि उसे दबाये हुए हूँ। मैं सस्ती सिगरेट ख़रीदता हूँ और फिर क़ीमती सिगरेट केस में उन्हें बन्द करता हूँ ताकि लोग रौब में रहें। मगर वह है कि कहता है तुम पाखण्डी हो। मैं केले के छिलके पर फिसलता हूँ और चौराहे पर मूसलाधार वर्षा के कारण बने अस्थायी जलाशय में प्रवेश कर जाता हूँ। मैं सोचता हूँ कि झटपट उठूँ और इससे पहले कि कोई देखे, यहाँ से खिसक लूँ। मगर यह मेरा भीतरी दोस्त कहता है कि पड़े रहो इसी सागर मुद्रा में। क्या शानदार मौसम है, उठना ही है तो थोड़ी देर बाद उठना। मैं शरीफ़ इंसान की भाँति मुहल्लों में चलता हूँ तो यह मेरा पिट्ठू जो है यह हर आँगन के पार किसी द्वार पर खड़ी रूपवती लड़की से प्रणय निवेदन करना चाहता है। क्या पता किसी-किसी हालत में लड़की भी यही सोचती हो?

जब से तेल के दाम बढ़े हैं, मैं और मेरा यह सहयात्री—दोनों पदयात्री भी हो गये हैं। पैदल सफ़र करना अब बड़ा अच्छा लगता है। बड़े-बड़े अधिकारी पैदल जा रहे हैं। पैदल चलने से सेहत ठीक रहती है, लोगों से जान-पहिचान बढ़ती है, और कलात्मक प्रवृत्तियों को बल मिलता है। आप जनता को विभिन्न मुद्राओं में निहारते हैं; कोई बस का पहिया पकड़कर कहीं पहुँचने की कोशिश में लगा है, कोई आम्रफल के छिलके के सहारे अपना सफ़र पूरा कर रहा है और कोई दूरदर्शी व्यक्ति किसी लड़की के पीछे-पीछे उसके रूप की डोरी से बँधा अनायास ही इस भाँति खिंचा-खिंचा चला आ रहा है कि उसे थकान का अनुभव ही नहीं होता। कभी-कभी ऐसे होनहार व्यक्ति उस स्थान से भी आगे पहुँच जाते हैं जहाँ कि वे पहुँचना चाहते थे। रास्ते के दोनों ओर जो विज्ञापन लगे हैं, वे बड़े परिश्रम से इस प्रकार के बनाये गये हैं कि दुर्घटनाओं को पूरा-पूरा बल मिले। जहाँ इमारतें ख़त्म हुईं, वहाँ आप नीला-नीला आकाश और हरे-हरे वृक्ष देखिए। ये ही वे आकर्षण हैं जिनके कारण विनोबा भावे ने पदयात्रा करनी प्रारम्भ की थी।

विनोबा जी की पदयात्रा में एक बार मैं भी शामिल हुआ था। बात काफ़ी पुरानी हो गयी पर उसकी याद अभी ताज़ा है। एक हरा-सा शिरस्त्राण धारण किये आचार्य आगे-आगे चलते थे और उनके सैकड़ों भक्त उनके पीछे-पीछे। जिस गाँव में वे पहुँच जाते थे, वहाँ उनका हार्दिक स्वागत होता था। गाँव का मुखिया उन्हें सबसे मोटी बकरी का दूध पिलाता था और बाद में सबसे निकृष्ट भूमि भूदान में दी जाती थी। कहीं-कहीं ऐसी-ऐसी भूमि दी गयी जिस पर वर्षों से मुक़दमेबाज़ी होती चली आ रही थी और जिसके ख़त्म होने की कोई आशा नहीं थी। विनोबा जी प्रार्थना करते थे, थोड़ा-बहुत प्रवचन देते थे और फिर आगे निकल पड़ते थे। उनके पीछे चलने वाले मदरसे के छोकरे गाँव की औरतों से कहते थे कि बुड्ढे की उम्र चार सौ तिरपन साल, सात महीने और इक्कीस दिन है। कोई-कोई जिज्ञासु माई हमसे पूछती थी कि इस आयु में यह इत्ती भूमि का करेगा क्या? और वाक़ई विनोबा जी ने उसमें से काफ़ी भूमि का कुछ नहीं किया। गाँव के सरपंच ने काग़ज़ पर वह ज़मीन हरिजनों को दे दी और हरिजन जो थे, उन्हें पुलिस को दे दिया। कहीं सरकारी योजना की कोई इमारत बन गयी जिसमें स्थानीय नेताजी की रखैल रहने लगी। कहीं मुर्गों का बाड़ा खुल गया जिसमें सरपंच जी की भैंस बँधती रही। कहीं-कहीं भूमि का उपयोग कन्या पाठशाला बनाने के लिए किया गया। पाठशाला बनने के बाद कन्याओं का भी उपयोग हुआ। सर्वोदय को गाँव के नेता ने बहुजन हिताय के नाम पर स्वान्तः सुखाय का ऐसा रूप दिया जो गोस्वामी तुलसीदास की शक्ति से भी बाहर था।

मैं विनोबा जी की पार्टी में होने के कारण शुद्ध घी की पूड़ियाँ और खीर खाता था और मज़े में रहता था। आज भी चारों ओर जो भ्रष्टाचार है, उससे मुझे क्या

लेना-देना? मैं सुख से हूँ तो देश सुख से है। मुझे यदि बस मिल जाती है तो सारे राष्ट्र का यातायात ठीक है। मुझे थोड़ी-सी जान-पहिचान से डबलरोटी प्राप्त हो जाती है तो देश में अन्न का कोई संकट नहीं। मगर मेरा यह सहयात्री है कि मुझे कचोटता रहता है। यह मुझे कर्त्तव्यों की याद दिलाता है, जब कि बड़े-बड़े लोग शराब याद कर रहे हैं। यह मुझे पत्नी-प्रेम सिखाना चाहता है और वह भी अपनी ही पत्नी से। समझ में नहीं आता कि ऐसे पिछड़े हुए साथी के साथ कब तक पदयात्रा करता रहूँ?

डिनर

कल रात मैं एक डिनर में गया। डिनर काफ़ी शानदार था और उसमें विभिन्न प्रकार के लोग निमन्त्रित थे। आगन्तुकों की विविधता देखकर मैं सहसा सोचने लगा कि तुलसीदास ने जो 'तुलसी इस संसार में भाँति-भाँति के लोग' वाली पंक्ति लिखी है उससे ज़ाहिर है कि वे भी कभी ऐसे ही शानदार डिनर में गये होंगे।

यह डिनर कृष्णवर्णा लक्ष्मी और श्वेतवर्णा वस्त्रों का ऐसा आकर्षक सम्मिश्रण था कि वहाँ गाँधी जी के लाठी वाले चित्र को देखकर कभी हत्या करने की इच्छा होती थी तो कभी आत्महत्या। अतिथि काफ़ी थे और सब बड़े आदमी थे। कुछ को मैं जानता था; बाक़ी लोगों को नहीं। एक सज्जन थे जिनका सारा मुखमण्डल व्यभिचार की रेखाओं से दीप्त हो रहा था। ये गीता पर खोज कर रहे थे और वह भी पिछले एक दशक से। कर्मों पर उनका अधिकार था, फलों पर नहीं। एक मेजर जनरल थे जिनकी मेम साहब उन्हें कुत्ते की तरह बुलाती थीं। एक और सज्जन थे जो अपनी पिछली टाँगों पर खड़े होकर सिगार पी रहे थे और वह भी बुझा हुआ। ये इण्डियन सिविल सर्विस के भूतपूर्व सदस्य थे और हालाँकि थे वे मेहमान ही, पर हर एक को देख इन निगाहों से रहे थे कि तुम सबके ख़िलाफ़ एक्शन लिया जायेगा। एक स्थानीय समाज-सेवक थे जो देखने में बैरा लगते थे। बड़े नम्र। हाथ मिलाने के लिए इतना झुकते थे कि उन्हें फिर सीधा करने के लिए बाक़ी लोगों को श्रमदान करना पड़ता था। एक ठेकेदार थे जो ज़मानत पर जेल से छूटे हुए थे। बड़े हँसमुख, मिलनसार और वक़्त पर काम आने वाले। एक नौजवान अमीरज़ादे भी थे जो शायरी करते थे। शायरी करने में वे जितने कच्चे थे, इश्क़ करने में उतने ही पक्के। हाल में इकट्ठी आधी सुन्दरियाँ उन्हें पहचानती थीं।

थोड़ी देर बाद मैं मेज़बान से मिला। मैं पहले से उन्हें कतई नहीं जानता था। दरअसल, मुझे तो एक सम्भ्रान्त महिला अपने साथ खींचकर ले गयी थीं क्योंकि उनके पति थे दौरे पर और निमन्त्रण था पति-पत्नी दोनों के लिए। ऐसे में वे करतीं भी तो क्या करतीं? हाल में पहुँचकर मैंने महसूस किया कि काफ़ी जोड़े हमारी ही तरह के थे। हाँ, अलबत्ता वे जो कुछ उदास जोड़े थे. वे शायद असली पति-पत्नियों

के ही रहे होंगे।

मैं दीवार पर लगे मनोरम चित्रों और झाड़-फानूसों को देखता रहा। कहीं राजा रवि वर्मा लटके थे तो कहीं हेब्बर। एक दीवार पर बया का घोंसला टँगा था तो एक पर उस बन्दर की तस्वीर थी जिसने लोक-कथाओं के अनुसार उस घोंसले को तोड़ने की कभी कोशिश की थी। और न जाने क्या-क्या देश-विदेश की विचित्र वस्तुएँ दीवार पर टँगी थीं या फ़र्श पर रखी थीं। एक क़ीमती कालीन के सहारे अपनी सिगरेट बुझाते हुए मैंने महसूस किया कि विभिन्न अतिथियों के साथ वह हाल अजायबघर का मज़ा भी दे रहा था और चिड़ियाघर का भी। कोई-कोई चिड़िया तो वाक़ई बुलबुल थी।

मैं इस चिन्तन-अनुचिन्तन में डूबा हुआ ही था कि सहसा किसी दिशा से सूचना आयी कि डिनर शुरू हो गया। मैं चौंक गया—ठीक उसी तरह जैसे महावत खाँ के सहसा आ जाने पर कभी शहज़ादा खुर्रम बहावलपुर में चौंका था। डिनर का पता मुझे कोई तीन दिन से था और तब से मैं आधे खाने पर ही अपने को रखे हुए था। विवाह से पूर्व का ब्रह्मचर्य। खड़े होने पर पता लगा कि खाना मेज़ों पर लगा है और खड़े होकर खाना है। खड़े होकर खाने से मुझे बड़ी चिढ़ है। पता नहीं कौन धूर्त था जिसने यह रिवाज़ शुरू किया। मेरा ख़याल है कि खड़े होकर आप मात्र एक काम कर सकते हैं, और वह है खड़े होना। बाक़ी सारी क्रियाएँ या तो बैठकर सम्पन्न की जाती हैं या लेटकर।

मेजों पर लोग इस तरह टूटने वाले थे जैसे कि मरे हुए गधे पर गिद्ध, पर तभी एक नवयुवक ने कहा—लेडीज़ फ़र्स्ट। मैं क्रोध से भुन उठा। हर बात में लड़कियाँ ही पहले। इन्द्र था तो वह भी ऋषि-मुनियों के तप भंग करने हमेशा उर्वशी, मेनका या तिलोत्तमा को ही भेजता था। अगर एक बार भी किसी लठैत नौजवान को भेज देता तो इलाक़े के सारे आश्रम काँजीहाउस हो जाते। वही हाल अब भी है। दिल्ली का एक शिक्षा-संस्थान है जहाँ लड़कियाँ कुछ भी पहनें या न पहनें, बरामदे में सिगरेट पिएँ और लड़कों से छेड़खानी करें—सब चलता है। हाँ, अलबत्ता लड़का लोग कुछ नहीं कर सकते। वह नीची निगाह रखेंगे और झुग्गी में जाकर चाय पियेंगे। कैण्टीन जो है वहाँ तो पहले से ही सौन्दर्य स्वयम्वर चालू है। नार्यस्तु यत्र पूज्यन्ते रमन्ते तत्र देवताः।

कोई एक घण्टे बाद महिलाएँ कुरुक्षेत्र से हटीं। इसके बाद मैंने मेज़ रूपी संयोगिता के वरण करने के प्रयास किये, जो विफल रहे। पूर्व दिशा से घुसना चाहा तो देखा वहाँ किसी बुज़ुर्गवार का जबड़ा और चश्मा गिरा पड़ा है। पश्चिम दिशा से प्रयास किये तो देखा कि वे बुज़ुर्गवार ख़ुद गिरे पड़े हैं। उत्तर दिशा से हिम्मत की तो वहाँ एक अदद इंसान को हटाना था, जिसके बारे में यह कहना कठिन था कि वह स्त्री थी या कि पुरुष। दक्षिण दिशा से कुछ क़िला जीतने की आशा थी,

मगर उधर सिवाय खाली प्लेटों के और कुछ नहीं था। हाँ, चम्मचें ज़रूर थीं। मैंने एक चम्मच उठायी और एक कोने में उपेक्षित-से रखे गुलाबजामुनों के एक डोंगे पर अपना ध्यान केन्द्रित किया। मुझे यह देखकर वाक़ई हार्दिक अफ़सोस हुआ कि ऐसी सुन्दर चीज़ को छोड़कर यह सारी सम्भ्रान्त भीड़ सलाद और सूप से निकट सम्बन्ध क्यों स्थापित कर रही थी। मैंने उन सबके पापों के प्रायश्चित्त करने का निश्चय किया और डोंगा उठाकर एक ऐसी दिशा में बैठ गया जहाँ मेरे और गुलाबजामुनों के बीच सिवाय चम्मच के और कोई नहीं था।

मैं बैठा रहा और गुलाबजामुनें खाता रहा। एक से एक बढ़िया थी। प्रत्येक से किसी सच्चे कलाकार की साधना का अनुभव होता था। मैं खाता गया और खाता गया। बीच-बीच में मैं उन शराब की बोतलों को भी देखता रहा जो कि डिनर टेबुल की दिशा में ले जायी जा रही थीं। उनकी संख्या और गति देखकर मैं सोचता रहा कि देश के सूखाग्रस्त क्षेत्रों में शराब से सिंचाई क्यों नहीं की जाती? अगर शराब अफ़सर, समाज सेवक और कलाकार पैदा कर सकती है तो क्या वह बाजरा और चावल पैदा नहीं कर सकती? मैं इन उदात्त विचारों में खोया ही हुआ था कि सहसा मुझे पता लगा कि गुलाबजामुनों का डोंगा खाली हो गया। मैंने उसे उठाया और कानस पर फूलदान की तरह रख दिया।

खाना खाकर सब लोग एक-दूसरे कमरे में चले गये और सोफ़ों और दीवानों पर बैठ गये। शराब का दौर अभी भी जारी था। एक सीधे-सादे सज्जन थे जिन्होंने रूमाली चपाती का नाम सुनकर उसे रूमाल की तरह इस्तेमाल करने के लिए अपनी जेब में रख लिया था। ठेकेदार साहिब इतने ज़्यादा ख़ुश थे कि देह की दोनों तरफ़ से पटाखे छोड़ रहे थे। मेजर जनरल ने कुछ फ़ौज के चुटकुले सुनाये जिन पर सिवाय उस आई.सी.एस. अफ़सर के सब लोग दिल खोलकर हँसे। हँसते तो वे भी मगर उनके साथ एक हादसा हो गया था। वे एक कैक्टस के गमले को मूढ़ा समझकर शायद उस पर बैठ गये थे और इस प्रक्रिया में उनका जो सिगार था, वह उनके गले में चला गया था। ऐसी स्थिति में उनका हँसना मुश्किल था।

काफ़ी पीने के बाद डिनर ख़त्म हुआ। मेज़बान की पत्नी ने सबसे हाथ मिलाया और उनके पति ने सबकी मोटरों के दरवाज़े ख़ुद खोले। एक नौजवान ने मेज़बान की पत्नी को 'किस' भी किया। लड़का क्वारा लगता था। शायद उसका बाप भी क्वारा ही था। ख़ैर, डिनर जो था वह समाप्ति को प्राप्त हुआ। मुझे अभी तक यह पता नहीं था कि डिनर किस उपलक्ष्य में दिया गया था। मगर जब मैंने देखा कि मेहमानों को घर से निकलते देख मेज़बान और उनकी पत्नी बेहद ख़ुश थीं तो मैंने सहसा महसूस किया कि शायद यह डिनर गृह-प्रवेश के उपलक्ष्य में था।

भारतमाता ग्रामवासिनी

एक दिन पढ़ा कि भारतमाता नाम की जो मुसम्मात हैं, वह गाँवों में रहती हैं। बस इतना पढ़ना था कि मैंने छड़ी उठायी और गाँव की दिशा में निकल पड़ा।

देहात जाने का यह मेरा पहला अवसर नहीं था। इसके पहले भी मैं कई बार गाँवों तक जा चुका था। पर तब कोई न कोई लेखक या कवि हमेशा मेरे साथ लगा रहता था जो मुझे अपनी आँखों से कभी नहीं देखने देता था। कभी मुंशी प्रेमचन्द अपना 'गोदान' उठाये मेरे साथ होते थे तो कभी कविवर पन्त अपनी 'ग्राम्या' लिए होते थे। कभी रेणु के साथ गया तो उन्होंने 'मैला आँचल' उठाकर ऐसी 'परती परिकथा' सुनानी शुरू की कि मैं फिर शहर लौट आया और इसके बाद यदि कभी भाई श्रीलाल शुक्ल के साथ 'बैलगाड़ी से' वहाँ गया भी तो 'स्वर्ण ग्राम में वर्षा' के कारण प्रवेश नहीं हो सका। इसी कारण इस बार मैं अकेला ही गया। एकला चलो रे—वाली पैदल चलने की शैली। छड़ी अलबत्ता ज़रूर साथ में ले ली।

देहात की दिशा में अपने चरण कमल गतिशील करते हुए मेरे मस्तिष्क में नाना प्रकार के विचार उठने लगे। ऐसा मेरे साथ पहले भी हो चुका था। मैं सोचा करता था कि यदि किसी व्यक्ति को अपने मस्तिष्क में उच्च विचारों को जन्म देना हो तो वह बस इतना कष्ट करे कि छड़ी उठाये और गाँव की दिशा में निकल जाए। फिर देखिए, कितने आला क़िस्म के ख़यालात आपके दिमाग़ में पुदीने की भाँति लहलहाते हैं। वैसे यह सम्भव है कि कोई कटखना कुत्ता, कोई शरारती क़िस्म का गड्ढा, दलदल, कीचड़ या साँड़ की क़िस्म का कोई जानवर आपके विचारों में कुछ व्याघात पहुँचाए पर उनसे डरना बेकार है। समाधि में तो बाधाएँ हमेशा से आयीं और हमेशा आती रहेंगी। छड़ी साथ रखने से ये बाधाएँ कम ज़रूर हो जाती हैं पर ख़त्म नहीं होतीं। ये तिलोत्तमा और उर्वशी क़िस्म की जो बाधाएँ हैं, उनके सम्मुख छड़ी जो है वह भी काम नहीं करती। मुझे ठीक याद है कि एक बार एक गँवई कुत्ता मेरे पीछे ठीक मेनका छाप शैली में केवल इसलिए पड़ गया था क्योंकि मेरे हाथ में जो छड़ी थी वह उसे भी शायद उतनी ही पसन्द थी। मुँह खोलकर जब उसने मुझ पर पूरी फ़ोर्स के साथ हमला किया तो मैंने उसके मुख में वही छड़ी दे

दी। वह बदमाश छड़ी को दाँतों में दबाकर पीछे की दिशा में भागने लगा। कुत्ता कई हार्स पावर का था और वह छड़ी और मुझे, दोनों को काफ़ी दूर तक घसीटता ले गया। 'सर्वनाशे समुत्पन्ने' वाली पंक्ति याद करते हुए मैंने छड़ी छोड़ दी। मैं पीछे एक काँटेदार झाड़ी में गिरा। कुत्ता जो था वह छड़ी लेकर अन्तर्धान हो गया। वह छड़ी उसने अभी तक नहीं लौटायी। शायद किसी छोटे ख़ानदान का था। ख़ैर!

छड़ी घुमाते-घुमाते मैं सोचने लगा कि हिन्दी साहित्य नाम का जो पदार्थ है, वह कुल मिलाकर आउटडोर क़िस्म का ज़्यादा रहा। दूसरे शब्दों में आदिकाल से लेकर अब तक जो कुछ भी लिखा गया, उसमें महकमा जंगलात को काफ़ी स्थान दिया गया। वीरगाथा काल था तो वह हमेशा मैदानों में ही रहता था। सिपाही जो खेत होते थे वे खेतों में ही होते थे। उन दिनों कुछ रिवाज़ ही ऐसा था कि युद्ध वनों में लड़े जायें और सन्धियाँ जो लिखी जायें वे महलों में लिखी जाएँ। कवि जो होते थे वे भी आँखों देखा जैसे ही हाल प्रस्तुत करने के लिए अपने आश्रयदाता के साथ-साथ लाम पर जाते थे। पृथ्वीराज चौहान ने तलवार के दो-चार वार किये, वैसे ही चन्दवरदाई ने कान पर से कलम उतारकर दो-चार छन्द और लिख लिये। सनद रही और वक़्त-ज़रूरत काम आयी। भक्तिकाल आया तो पहला काम यह किया गया कि राम और सीता वन को प्रस्थान करें ताकि अरण्यकाण्ड लिखा जा सके। यदि तुलसीदास जी से कहा जाता कि वर्षा और शरद ऋतु का इतना ही अनुपम वर्णन आप 'राम लला नहछू' में भी कर सकते थे तो बहुत मुमकिन था कि रामचरित मानस में वे राम और सीता को उतने भयंकर वनों में न ले जाते और उन्हें अयोध्या के आस-पास ही कहीं रहने देते। जहाँ तक रीतिकाल की रीतियों का प्रश्न है, वहाँ स्थिति यह है कि जब तक कदम्बों के वन का या मालती मण्डप का समुचित प्रबन्ध नहीं हो जाता था तब तक राधा और कृष्ण एक-दूसरे से मिलते ही नहीं थे और कवि जो होता था, उसे चुप रहना पड़ता था। हाँ, जैसे ही साँझ के समय राधाकृष्ण वन की दिशा में चरण उठाते थे वैसे ही कवि फ़ौरन कवित्त लिखने शुरू कर देता था। "मेघैर्मेदुमम्बरम् वन भुवः श्यामा तमाल द्रुमः" वाला वातावरण। बिहारी और देव ने ज़रूर कुछ इनडोर शूटिंग की, पर उससे उस सत्य पर कोई प्रभाव नहीं पड़ता जो विद्यापति से लेकर पद्माकर तक ने उजागर किया। जहाँ तक वर्तमान युग का प्रश्न है, स्थिति यह है कि पन्त, प्रसाद और निराला ही नहीं वरन् भारती, अज्ञेय और बच्चन तक ने वन का आश्रय लिया। इनकी इस नियति का कारण यह है कि वर्तमान काल के शुरू में ही कोई डेढ़ सौ वर्ष पूर्व यह घोषणा कर दी गयी थी कि– जंगल में अब रहते हैं, दिल बस्ती से घबराता है; मानुष गन्ध न भाती है, संग मर्कट मोर सुहाता है। यह कविता किसने लिखी यह तो याद नहीं आ रहा, पर यह निश्चित है कि कवि जो था वह नागरीदास, नज़ीर, शाह कुन्दनलाल और फुन्दनलाल 'ललित माधुरी' में से ही कोई एक था। जैसे ही उसने कहा कि बस्ती से दिल घबराता है, वैसे ही सारे

हिन्दी कवि उसी भाँति महसूस करने लगे।

अपने उदात्त चिन्तन में डूबा मैं चला ही जा रहा था कि मुझे सहसा महसूस हुआ कि गाँव आ गया। चार्ल्स डिकिन्स की भाँति मैं भी महसूस कर लेता हूँ कि शहर की गन्ध कौन-सी है और गाँव की गन्ध कौन-सी। मैंने सोचा कि अब भारतमाता के दर्शन होंगे। कैमरा ले आता तो एक-आध चित्र भी खींच लेता। पता नहीं बेचारी से अब फिर कब भेंट होगी या नहीं। मगर तभी मुझे कुछ ऐसा लगा कि गाँव के बजाय मैं शायद किसी और स्थान पर पहुँच गया हूँ। जहाँ सेमल के फूल खिलते थे वहाँ चीनी बनाने की मशीन लगी थी जिसमें से निकली पों-पों-पों की अनवरत ध्वनि आकाश को हिला रही थी। जहाँ अमलतास के वृक्ष हुआ करते थे वहाँ डाकख़ाना लगा था। थोड़ी दूर पर एक पुलिस चौकी खुल गयी थी और स्थिति यह थी कि दरोग़ा जी क़िस्म का एक इंसान मुझे घूर-घूर कर देख रहा था।

मेरा भाग्य अच्छा था। सामने की सड़क पर एक सज्जन प्रकट हुए जिन्होंने धोती के ऊपर बुशर्ट धारण कर रखी थी। एक हाथ में ट्रांजिस्टर था और दूसरे में काशीफल। संक्रमणकाल के सच्चे प्रतिनिधि। हम दोनों ने एक-दूसरे को पहचान लिया। मिडिल स्कूल में हम दोनों दोस्त पेड़ों पर चढ़कर जामुन खाया करते थे। पूछताछ के बाद पता लगा कि वे यहीं एक विद्यालय में हिन्दी के अध्यापक हो गये हैं। मैंने उन्हें कन्धे से जकड़कर पकड़ा और प्रश्न के बाद प्रश्न पूछना शुरू किया!

"क्यों दोस्त, वह यहाँ की अमराई कहाँ गयी?"

"उसमें कॉलेज बन गया।"

"और वह कदलीवन और ढाक वनी?"

"वे ग्राम-पंचायत को चले गये। अब वहाँ चकबन्दी के मुक़दमो तक होते हैं।"

"प्रेमचन्द का होरी कैसा है?"

"ठीक है। बम्बई गया है; सुना है वहाँ किसी फ़िल्म में काम कर रहा है। धनिया को उसने छोड़ दिया।"

"नागार्जुन वाली रतिनाथ की चाची क्या करती है?"

"कुछ पता नहीं; वह बाबा बटेसरनाथ के साथ भाग जो गयी।"

"रेणु का हिरामन कैसा है?"

"एकदम भला चंगा। हीराबाई से शादी कर ली है और वह शहर के परिवार-नियोजन केन्द्र में नौकरी करती है। हफ़्ते में एक दफ़ा आती है। कहती है, ऐसा करने से परिवार-नियोजन करने में कुछ सुविधा रहती है।"

"और उस कन्या की क्या स्थिति है जिसके उरोज पन्तजी की सूचना के अनुसार काफ़ी पुष्ट रहा करते थे?"

"स्थिति ठीक है। उरोज अब भी उतने ही पुष्ट चल रहे हैं।"

"वे उड़हल, कुँई, कनेर, लोध, पाटल, हरसिंगार मौलश्री और कुन्द-काँस कहाँ

गये? वह नदी कहाँ गयी जिसकी रेती पर बालू के साँप अंकित रहते थे? वे अमलतास, सहजन और पलाश कहाँ छिप गये?"

"वे ख़त्म हो गये। नहर निकल जाने से नदी सूख गयी। आलू और सेब की खेती के सिलसिले में वन कट गये। इस चिमनी के धुएँ और पों-पों की आवाज़ ने चीलों के दलों को डरा दिया। वे अब इधर नहीं मँडराते।"

"ग्रामनिवासिनी और तरुतलनिवासिनी वह भारतमाता कहाँ गयीं?"

"वह? वह एक विकासखण्ड अधिकारी के साथ कहीं चली गयी। ऐसी गयी कि फिर कभी नहीं लौटी।"

मैं चुप हो गया। मैं निराश हो गया। गाँव ख़त्म हो गया और भारतमाता कहीं चली गयी। ये जितने लोग आंचलिक उपन्यास लेखक होने का दावा कर रहे हैं, ये वे हैं, जो कभी गाँव नहीं गये। ये साहित्य में मात्र इस कारण जमे हैं कि पाठकगण जो हैं उन्होंने भी कभी गाँव जाने की तकलीफ़ नहीं की। सारी स्थिति भाँपकर मैंने दो-चार अदद आहें भरीं, छड़ी उठायी अपना रिवर्स गीयर लगाया और लौट पड़ा।

तैलचित्र

मेरा ड्राइंग रूम काफ़ी शालीन, सुन्दर और भरा हुआ लगता है। शालीन इस कारण कि पर्दे खादी के हैं और चारों दिशाएँ जो हैं वे किताबों से सजी हैं। जो काम की किताबें हैं जैसे कि वात्स्यायन का कामसूत्र, उनपर कवर चढ़ा हुआ है ताकि उन्हें देखकर न तो किसी को काम या क्रोध ही सताए और न लोभ या मोह। ड्राइंग रूम सुन्दर इस कारण है कि दीवारों पर भाँति-भाँति के पदार्थ टँगे हैं। मेरा यह दस्तूर है कि जब भी कहीं दौरे पर गया तो बतौर यादगार के वहाँ की कोई न कोई चीज़ ज़रूर लेता आया। इस दिशा में मैं इतना ईमानदार हूँ कि एक स्थान पर जब ख़रीदने को कुछ भी नहीं मिला तो ख़ाकसार डाकबँगले की सिगरेटदानी ही उठाता लाया। हिन्दी के कुछ लेखकों ने तो राजभवन तक की सिगरेट दानियाँ उठायी हैं और उनके सामने मेरा यह प्रयास अत्यन्त तुच्छ है। प्रशंसा करके मुझे लज्जित न कीजिएगा।

मैंने कहा था कि मेरा ड्राइंगरूम भरा हुआ भी है। यह बात एकदम सच है। मेरा और मेरी पत्नी का स्वास्थ्य पिछले कई वर्षों से इतना उम्दा चल रहा है कि हम दोनों जहाँ कहीं भी साथ-साथ बैठ जाते हैं वह स्थान पता नहीं क्यों, अनायास भरा-भरा-सा लगने लगता है। स्थिति यह है कि जिस सिनेमाघर में हम दोनों साथ-साथ घुस गये, पब्लिक कहती है कि हॉल फुल है; एकदम फुल। मैं तो ख़ैर मजबूरी में स्वस्थ हो गया, पर जहाँ तक मेरी पत्नी का प्रश्न है, उनके वंश में स्वस्थ होने की एक विशिष्ट परम्परा रही है। इनके परिवार के एक व्यक्ति थे जिनके अंग-अंग से एक दैवी छटा फूटती थी। दो आदमियों की सहायता से वे आसन ग्रहण करते थे और चार भाइयों की सहायता से खड़े होते थे। जिस मोटर को बैठकर एकबार पवित्र कर दिया, उसका सदा के लिए कल्याण हो गया। एक बार चिड़ियाघर गये थे तो कहते हैं कि इन्होंने पशु-पक्षियों को इतनी उत्सुकता से नहीं देखा जितना कि पशु-पक्षियों ने उन्हें। एक गैण्डे ने तो शायद उनके आटोग्राफ़ भी लिये।

ख़ैर, असलियत वही थी जो कभी महामहोपाध्याय डॉ. सर गंगानाथ झा ने बतायी थी। मेरा ड्राइंगरूम भी वास्तव में एक ऐसा स्थान था जिसको सबसे अधिक सुन्दर रखा जाता था और जिसका सबसे कम उपयोग होता था। सारी सुन्दर वस्तुओं के

साथ ऐसा संयमित व्यवहार करना सम्भव नहीं है; कम से कम मेरे लिए। संयोगवश एक दिन ऐसा हुआ कि मुझे भी हीनभावना का दौरा पड़ गया। एक कलाकार मित्र पधारे और कहने लगे कि वत्स, यह भी कोई ड्राइंगरूम है? ड्राइंगरूम को यदि ड्राइंगरूम की भाँति रखना है तो उसमें किसी पेण्टिंग या तैलचित्र का टाँगना ज़रूरी है। अगर तैलचित्र न हो तो ड्राइंगरूम और बेडरूम में कोई विशेष अन्तर नहीं रह जाता। बात को और खुलासा करते हुए उन्होंने बताया कि जहाँ तक बेडरूम का प्रश्न है, स्थिति यह है कि यदि वहाँ आपकी कोई संगिनी न हो तो उसमें (यानी कि बेडरूम में) और बाथरूम में कोई अन्तर नहीं बचता। उन्होंने कहा कि कलाकारों का यह नैतिक दायित्व है कि वे एक-दूसरे की कला को प्रदर्शित करें। चित्रकारों को उचित होगा कि वे अपनी दीवारों पर लेखकों और कवियों की कृतियाँ टाँगें और लेखकों को उचित होगा कि वे लोग अपनी दीवारों पर गुलमेख के सहारे या तो किसी समीक्षक को टाँगें और यदि वह सम्भव न हो तो फिर वहाँ किसी तैलचित्र को ही स्थान दें। ऐसा करने से बहुतों का भला होगा।

बात मेरे मन को छू गयी। मैं पेण्टिंग ख़रीदने निकल पड़ा। काफ़ी खोज और छानबीन के बाद एक शानदार दुकान का पता लगा, जहाँ कि भाँति-भाँति के चित्र और चित्रकार—दोनों बिकते थे। मैंने जैसे ही प्रवेश करने का प्रयास किया, मेरा चश्मा एक शालीन सज्जन की दाढ़ी में फँस गया। आदमी शरीफ़ थे, चश्मा मुझे वापिस दे दिया। मैंने ग़ौर से देखा तो महसूस हुआ कि उनकी जो दाढ़ी थी वह नाना प्रकार के रंगों में रंगी हुई थी और मेरे चश्मा से मुक्ति पाने के बाद किसी रौंदे हुए इन्द्रधनु की भाँति चमक रही थी। पता चला कि वे एक पेण्टर थे और वह भी एक्सपेरिमेण्ट-लिस्ट क़िस्म के। वे अपनी दाढ़ी से ब्रश का काम लेते थे। परिचय हो जाने के बाद उन्होंने मुझे उस आर्ट एम्पोरियम में जमा कुछ और कलाकारों से भी मिलवाया। एक या दो को छोड़कर सबके कपड़े रंगों से रंगे थे और कुछ के मुँह से ताड़ी की बू आ रही थी। सबके चश्मे और जूते क़ीमती थे और कपड़े साधारण। कुछ लड़कियाँ भी थीं जो पेण्टिंग करती थीं। यह रहस्य उन्होंने मुझे खुद ही बतलाया क्योंकि बाहर से वे एकदम लड़का थीं। कहीं-कहीं उनके भी कपोल रंगीन थे। एक कलाकार थे जो कलाकक्ष के स्वामी से एक पेण्टिंग के बदले मिली मुद्रा को लेकर पानीपत की चौथी लड़ाई लड़ना चाहते थे। वे चिल्ला-चिल्ला कर कह रहे थे कि कला का जो पतन हो रहा है, वह ऐसे ही पूँजीपतियों के माध्यम से हो रहा है। इतना कहने के बाद वे बड़े तैश में आकर बाहर निकले और भीतर प्रवेश करती किसी थ्री-टनर महिला से टकराकर वहीं फ़र्श पर बिछ गये। कला का पतन मैंने इतनी सफ़ाई से इससे पहले कभी नहीं देखा था।

मैंने पेण्टिंग देखनी शुरू कीं। पोर्ट्रेट भी देखीं, लैण्डस्केप भी। राजस्थानी बाटिक पर भी चन्द अदद दृष्टिपात किये और मिथिला की रामवनी शैली का जायज़ा भी

लिया। पुरानी शैली के चित्र भी देखे और नये पुराने का फ़र्क़ भी महसूस किया। पुरानी शैली के चित्रों में नायिका के नेत्र कानों तक फैले हुए थे और नाक जो थी, वह तोते की नाक जैसी थी। नयी शैली के चित्रों में नेत्र मुँदे थे और नायिका के जो ओठ थे वे कानों तक फटे हुए थे। उसकी नाक ख़तरनाक लगती थी। पूछताछ के बाद पता लगा कि नायिका हँस रही थी। पुरानी नायिकाओं की गर्दन सुराही जैसी थी और नयी नायिकाओं की घड़े जैसी। एक चित्र में एक बालिका के वक्ष इतने उभरे हुए थे कि मुझे दीवार से हटकर खड़ा होना पड़ा। एक चित्र में तो यही पता लगाना कठिन हो गया कि यदि उसमें कोई नायिका थी तो थी कहाँ? शायद कोई ज़्यादा चंचल क़िस्म की कन्या थी जो अपने प्रेमी से मिलने के लिए निगाह बचाकर थोड़ी देर के लिए फ्रेम से बाहर निकल गयी थी।

कोई एक घण्टे के भीतर मैंने यह महसूस कर लिया कि तस्वीरों के जो फ्रेम हैं, वे तस्वीरों से कहीं ज़्यादा सुन्दर हैं। पर क्योंकि मुझे पेण्टिंग ख़रीदनी थी और वैसे भी वे लोग खाली फ्रेम नहीं बेचते थे, मैंने एक युवती कलाकार की सहायता से एक पीस छाँटना शुरू किया। उस लड़की ने जो भी पेण्टिंग छाँटी, वही मैंने ख़रीद ली। मजबूरी थी : वह श्यामा युवती उन सब तैलचित्रों से कहीं ज़्यादा सुन्दर थी। सृष्टिसाधैव धातुः।

घर आने के बाद मैंने पत्नी की सहायता से वह चित्र दीवार पर टाँग दिया। जेरोम के जेरोम को जो परेशानी इस सन्दर्भ में पड़ी थी, वह मुझे नहीं पड़ी। चित्र टाँग कर जब मैं नीचे उतरा तो हम दोनों ने एक सौन्दर्य-पारखी की दृष्टि से उस कलाकृति को देखना शुरू किया। पत्नी कहती थी, यह एक लैण्डस्केप है और मैं कहता था कि वह एक पोर्ट्रेट थी और वह भी किसी मज़दूर की। मगर पत्नी थी कि नहीं मानी। जिसे मैं मज़दूर की पगड़ी कहता था, उसे वह डूबता हुआ चन्द्रमा कहती थी और जिन लकीरों को मैं एक मेहनतकश की पसलियाँ बताता था, वे उसे नदी के कछार लगते थे। हम दोनों कुछ पीछे हट गये। पीछे हटना था कि तस्वीर ने एक दूसरी ही शक्ल अख़्तियार कर ली। अब वह न चाँद वाली सन्ध्या लगती थी और न पसलियों वाला मज़दूर। अब फ्रेम जो था वह एक काँजीहाउस का मज़ा देता था जिसमें कि एक अदद भैंस बन्द होने की सम्भावना साफ़ प्रकट होती थी। और भैंस भी कोई साधारण कुल की नहीं बल्कि ठीक हरियाणा छाप। हम लोग चित्र का अवलोकन कर ही रहे थे कि एक और कला-प्रेमी आ गये। उन्होंने काफ़ी देर देखने के बाद एक विशेषज्ञ की हैसियत से अपना मत प्रकट किया कि या तो यह किसी हलवाई का चित्र है जो कि जलेबियाँ छान रहा है और अगर वह नहीं है तो यह कोई मोची है जो जूते गाँठ रहा है। उनकी वाणी का सुनना था कि हम लोग सहसा चुप हो गये और उसके बाद हम चुप ही रहे।

उस दिन से वह तस्वीर वहीं टँगी है और हर एक देखनेवाले को एक नया

मज़ा देती है। एक अकेली पेण्टिंग है जो पूरी पेण्टिंग गैलरी की ज़िम्मेदारी सँभाल रही है। कोई सज्जन आते हैं। वे इसमें लंकादहन की छवि देखते हैं और दूसरे आते हैं जिन्हें इसमें आदिवासियों के नृत्य की छटा दिखाई पड़ती है। कोई बाला आती है तो इसमें मार्लिन मनरो की झलक पाती है और कोई अधेड़ बाई आती है तो वह सबसे पहले चित्र को प्रणाम करती है; बाक़ी काम बाद में। इस बाई नम्बर दो को इस पेण्टिंग में महावीर हनुमान दिखाई पड़ते हैं जो एक हाथ पर संजीवनी बूटी वाला पहाड़ उठाये हैं और दूसरे हाथ से पूँछ को सन्तुलित करते हुए चिरंजीव लक्ष्मण जी की फ़र्स्टएड के लिए एम्बुलेंस की रफ़्तार से चले जा रहे हैं। इस बाई की इस दैनिक दण्डवत् से तंग आकर एक दिन मैंने वह चित्र उल्टा टाँग दिया। जब इस भक्तिकालीन महिला ने बजरंगबली के विषय में मुझसे पूछताछ की तो मैंने बता दिया कि जिस तीव्र गति से वे जा रहे थे, उसको देखते हुए क्या वे अब तक इसी चित्र में दिखाई दिये जाते? वे जल्दी में थे; चले गये।

इस तैलचित्र को आये साल से ऊपर हो गया। मैं इसे पलट-पलटकर हर तरफ़ से टाँगता रहता हूँ। अपनी यह क्रिया और कला-प्रेमियों की प्रतिक्रिया मुझे काफ़ी सुख देती है। सोचता हूँ कि धर्मवीर भारती के 'सात गीत वर्ष' की तर्ज़ पर कभी मैं भी पेण्टिंग के 'सात चित्र वर्ष' मनाऊँगा। उस शुभ अवसर पर यदि इस महान् कलाकृति का कलाकार कहीं रात के वक़्त किसी सुनसान सड़क पर खाली हाथों प्राप्त हो गया तो उसे भी बटोरूँगा और पेण्टिंग के पास एक दूसरी कील पर उसे भी इसी तरह टाँगूँगा।

लेखक के नाम पाँच पत्र

पुत्र का पत्र

माई डियर डैड,

तुम्हारा ख़त मिला। मनीऑर्डर की प्रतीक्षा रहेगी। कितना सुन्दर हो यदि तुम ख़त कम भेजा करो और मनीऑर्डर ज़्यादा। वे दिन लद गये जब तुम रंगीन खादी के एक जोड़ी कुर्ते-पायजामे में अपनी उच्च शिक्षा समाप्त करके चले गये। अब तो बिना टैरीकॉट की बेलबाटम के मस्तक ही नहीं वरन् बाटम भी शर्म के मारे झुकी जाती है। इस बार पूरी किट फिर बदलनी पड़ेगी।

आपने अपने पत्र में छात्र-जीवन में साधना पर बड़ा बल दिया है। मैं आपसे सहमत नहीं हो सकता। साधना के दिन तो कभी के लद गये; अब तो मौसमी चटर्जी का मौसम है। इस बार आओगे तो साथ-साथ तस्वीर देखने चलेंगे और उसके बाद बीयर पिएँगे। अब तो छात्रावास में ही बार खुल गया है। आबदार की जगह एक ख़ासी हसीन लड़की नियुक्त की गयी है; मिलनसार और वक़्त पर काम आने वाली। नया उपकुलपति दूर-अन्दाज़ है; ज़रूरत की सारी चीज़ें देने की कोशिश कर रहा है। लगता है, टिकेगा।

मैं गर्मियों में शायद घर न आ सकूँ। वह जो लड़की थी न, विभा, जिसका साथ देने के लिए मैंने गत वर्ष अपनी परीक्षा छोड़ी थी, वह अल्मोड़ा जा रही है। मैं उसी के साथ जा रहा हूँ। उसके माता-पिता भी एकदम दक़ियानूसी हैं; जवान लड़की को पहाड़ पर अकेले नहीं भेज सकते। ख़ैर मजबूरी है। क्या करूँ।

और सब ठीक। मॉम को प्यार। और हाँ, आपकी आया वही है या फिर बदल दी? आपके टेस्ट का भी वाक़ई जवाब नहीं।

आलोचक का पत्र

प्रिय भाई,

आपका पत्र मिला। आभार। मैंने तो समझा था कि यह पुस्तक आप के नाम से किसी दूसरे ने लिख दी है। मुझे क्या पता था कि यह वाक़ई आपकी है? बड़ी

भूल हो गयी; सचमुच। आप भी उसी क्षेत्र के निवासी निकले जहाँ का मैं हूँ—यह जानकर तो गर्दन शर्म से और भी झुक गयी। और जब यह पता चला कि हम दोनों की जाति और गोत्र भी एक ही है, तब तो अपनी ग़लती के कारण और भी लज्जाधीन होना पड़ा।

पहली बार आपका काव्य ग्रन्थ पढ़ा था तो लगा था कि 'वाक्यम् रसात्मकं काव्यम्' के अनुसार आपके पास वाक्य तो था पर रस की कमी थी। पुस्तक दुबारा पढ़ी तो लगा कि रस तो पर्याप्त मात्रा में है पर वाक्य नहीं है। यह मेरी भूल थी। आप सरीखा उच्चपदाधिकारी व्यक्ति घटिया कविता लिख ही नहीं सकता। मैंने काव्य संग्रह फिर पढ़ा; एकदम उत्कृष्ट है। आपका गद्य क्योंकि एक विशेष क़िस्म का होता है, मैंने कविता भी उसी पूर्वाग्रह के साथ पढ़ी थी। मगर यह तो वाक़ई बड़ी सीरियस निकली। बन्धु, मुझे तो 'मैकबेथ' और 'मर्डर इन कैथेड्रल' की याद सताने लगी। अब दुबारा समीक्षा लिखूँगा। फ़िलहाल तो ख़ैर गर्दन शर्म से इतनी झुक गयी है कि एकदम छाती से ही लग गयी है पर स्थिति में जैसे ही सुधार होगा, मैं आप पर विस्तार से लिखूँगा।

आपने पूछा है कि इधर मैं क्या कर रहा हूँ। समझ में नहीं आता कि क्या उत्तर दूँ। कई प्रोजैक्ट हाथ में हैं। सबसे पहले तो 'जयशंकर प्रसाद में जासूसी तत्त्व' वाला ग्रन्थ छपाना चाहता था पर उसमें शायद समय लगेगा। विषय बड़ा विस्तृत है।

शेष मिलने पर। जहाँ तक आपके गद्य का प्रश्न है, मैं तो वही कहूँगा जो शायद कॉलरिज ने कहा था : 'पोइट्री इज़ ग्रेट बट प्रोज़ इज़ डिवाइन।' इस बार उधर आया तो आपके पास ही ठहरूँगा। आपके पास ठहरना और आपको निकट से देखना मेरे लेखे एक उपलब्धि होगी।

भूतपूर्व प्रेमिका का पत्र

डियर रवि,

रात सपने में मैंने तुम्हें फिर देखा और मैं यह ख़त लिखने का लोभ सँवरण नहीं कर सकी। सपना क्या था, पुराने दिन और बीती रातों का सचित्र संस्करण था। देखा, जैसे हम-तुम दोनों ठीक पहले की भाँति आत्महत्या करने के हेतु रेल की पटरी पर लेट रहे हैं और वक़्त काटने के लिए 'निशा निमन्त्रण' की पंक्तियाँ गा रहे हैं। मेरी प्रिय पंक्ति थी 'कोई पार नदी के गाता' और तुम्हारी थी 'रात-रात भर श्वान भूँकते'। इसके बाद रेल की सीटी सुनाई पड़ने लगती थी। पहली सीटी पर हम दोनों एक-दूसरे का हाथ पकड़ते थे ताकि प्रेम के यज्ञ में आहुति देने के क्षण हममें से किसी की हिम्मत न टूट जाए। दूसरी सीटी सुनने पर हम समाज को गाली देते थे, जो हमें एक नहीं होने देता था। तीसरी सीटी सुनाई देने पर और गाड़ी की लाइट दीख जाने पर हम दोनों अचानक ही उठ खड़े होते थे और उसके बाद

कुछ दूर बनी एक झोंपड़ी-नुमा दुकान पर बिस्कुटों के साथ चाय पिया करते थे। आत्महत्या करने के बाद हमेशा भूख ज़्यादा लगती थी। याद है न?

उसके बाद तुम विदेश चले गये और वहाँ किसी और से प्रेम करने लगे। तुम बेकार कभी नहीं बैठे; हाऊ स्वीट। हम दोनों ने एक-दूसरे को भाई-बहन कहना शुरू कर दिया। तुम्हारी नेक सलाह पर मैंने इस अमीर घराने में शादी कर ली। हज़ार तरकीबों के बावजूद माँ बन गयी और फिर बनती ही चली गयी। फ़िलहाल आधा दर्जन बच्चे-बच्चियाँ हैं। आगे जो स्थिति होगी वह अगले पत्र में सूचित कर दी जायेगी।

ईश्वर का दिया सब-कुछ है; सब-कुछ। अच्छा-ख़ासा पति है, आलीशान मकान, शानदार फ़र्नीचर और छह बच्चे हैं, और भी सब कुछ है मगर फिर भी तुम्हारे बिना कभी-कभी सब-कुछ अधूरा-अधूरा-सा लगता है। मैं बुरी तरह सुखी हूँ पर मैं तुमसे पूछती हूँ कि क्या सुखी होना ही नारी की नियति है?

इधर ये विदेश जाने की सोच रहे हैं। मैं भी शायद साथ आऊँ ताकि तुमसे मिल सकूँ और उस मुसम्मात को भी लगे हाथों देख लूँ जो मेरे इलाक़े पर क़ब्ज़ा ज़माने की कोशिश में है। मौक़ा लगा तो फिर साथ-साथ आत्महत्या करने निकलेंगे। अस्त दिशाएँ, मस्त समीरण ऊपर अम्बर, नीचे हम-तुम। इस बार रेल की पहली ही सीटी पर उठ जायेंगे, क्योंकि मेरा वज़न कुछ बढ़ गया है। विवाह के पूर्व 'डेटिंग' और विवाह के बाद 'डायटिंग' अबला जीवन की तो हाय, अब यही कहानी शेष रह गयी। न आँचल का दूध रहा और न नेत्रों का जल। मेरी तरफ़ से, हजामत बनाने के शीशे में अपने-आपको चूमना मत भूलना। और हाँ, शीशा ही चूमना, शेविंग ब्रश या रेजर नहीं।

प्रकाशक का पत्र

मान्यवर,

आपका दिनांक तेईस का पत्र मिला। पता लगा है कि आपको अपनी रॉयल्टी का हिसाब अभी तक नहीं मिला और इस मुद्दे को लेकर आप काफ़ी परेशान भी रहे। इस सन्दर्भ में हम यह निवेदन करना चाहते हैं कि हिसाब आपको अभी तक यूँ नहीं मिला क्योंकि वह अभी तक हमारे यहाँ से भेजा ही नहीं गया। हम लोग इधर एक प्रेस लगाने में व्यस्त हो गये; कोई पचास लाख का ख़र्चा आया। सब लेखकों की कृपा। अब आपकी किताबें इस शान से छपा करेंगी कि समीक्षा के लिए उनका पढ़ना ग़ैर-ज़रूरी हो जायेगा। सिर्फ़ देख लेना ही काफ़ी होगा। ख़त का मजमूँ भाँप लो तुम अब लिफ़ाफ़ा देखकर।

यह साल ठीक नहीं गया। आप जैसे लोकप्रिय लेखक की पुस्तकें भी कोई ज़्यादा नहीं बिकीं। हालत इतनी ख़राब हो गयी कि कुछ प्रतियाँ जो पिछले वर्ष बिक चुकी थीं, वे भी वापस आ गयीं। एक तरफ़ तो यह स्थिति रही और दूसरी ओर दीमक

ने काफ़ी साहित्य खा डाला। पाठक निष्क्रिय रहे और दीमक सक्रिय।

तीस रुपये दस पैसे का चेक संलग्न है। रसीद भिजवाना न भूलें। हम स्वीकार करते हैं कि यह राशि आपकी प्रतिष्ठा को देखते हुए कुछ कम है पर उन लेखकों के बारे में भी तो विचार कीजिए जिन्हें हमने तीस रुपये भी कभी नहीं दिये। एक बात और। आप इस कविता और व्यंग्य वग़ैरह के जाल में कब तक उलझे रहेंगे? अपराध, सेक्स, जासूसी और अनैतिक प्रेम--इन विषयों पर क्यों नहीं कुछ लिखते? हमारे इस सुझाव को आप गम्भीरता से लें और वक़्त का फ़ायदा उठाएँ। आपने शायद उस इंसान के बारे में सुना हो जिसके हाथ से एक बार वक़्त ऐसा निकला था कि फिर कभी वापस नहीं लौटा; ठीक वैसी ही स्थिति जैसी कि एक बार आपकी पाण्डुलिपि के साथ हुई थी।

शेष कृपा।

एक गधे का पत्र

मेरे अज़ीज़ बिरादर

मैं वही गधा हूँ, जिसकी आत्मकथा कभी किशन चन्दर ने लिखी थी। उसके बाद वे और मैं—दोनों पहले फ़िल्मों में गये और फिर नेफा में। हम दोनों की अच्छी गुज़री। थोड़े दिनों बाद कुछ मनमुटाव-सा हो गया। किशन चन्दर मुझे विदेश ले जाना चाहते थे और मैं था कि अपने ही देश की सेवा करना चाहता था। किशन चन्दर ने शायद किसी दूसरे गधे को फँसा लिया। ख़ैर, ख़तोकिताबत बराबर चलती रहती है। पिछले ख़त में फिर लिखा था कि यूरुप चलो; वहाँ तुम्हें और भी आला क़िस्म के पढ़े-लिखे गधे देखने को मिलेंगे। मगर मैं ठहरा दमे का पुश्तैनी मरीज़; मैंने फिर मना कर दिया।

यह ख़त मैं इसलिए लिख रहा हूँ, ताकि आप मेरे बारे में भी कुछ लिख सकें। गधों में कोई-कोई आदमी भी होता है जैसे कि आदमियों में कोई-कोई गधा। बतौर मिसाल के बन्दा परवर आप। पता नहीं, पिछले पन्द्रह वर्षों से आप क्या-क्या लिखते रहे और मैं नज़र नहीं आया? जिस लेखक की गधे में कोई दिलचस्पी नहीं होगी, उसे भला आदमियों में क्या दिलचस्पी होगी?

मुझ नाचीज़ के ख़याल में आपको मेरे या किसी और गधे के ऊपर एक महाकाव्य या एक मोटा उपन्यास लिखना चाहिए। पाण्डुलिपि इतनी भारी होनी उचित होगी कि वह गधे के ऊपर ही लादकर प्रेस तक ले जायी जाए। प्रकाशक के यहाँ जाने पर बन्दा बाहर ही खड़ा रहेगा। प्रकाशक कभी गधा नहीं होता। अगर वह पुस्तक के प्रकाशन में कुछ दुविधा बताये तो डरना कभी नहीं। अपने ऊपर लिखी हुई पुस्तक का ख़र्चा तो कोई भी गधा उठा लेगा।

तो, आप लिखिए कि आप मेरे निवास स्थान को कब पवित्र कर रहे हैं। मेरी

नयी पत्नी आपकी प्रशंसिका है। असलियत तो यह है कि गधों की जमात में आप काफ़ी लोकप्रिय लेखक हैं। दोपहर को आयें तो सुविधा रहेगी। रेत पर लेटकर रेकूँगा; आपके लिए विशेष प्रोग्राम। एकदम शास्त्रीय धुन पर। अपने व्यक्तित्व के कुछ और नये आयाम भी पेशे-खिदमत करूँगा।

मेरी दास्तान एक बार सुनने के बाद आप ख़ुद-ब-ख़ुद मेरे ऊपर लिखने को तैयार हो जायेंगे। मैं आपके गुट में शामिल हो जाऊँगा और जिस समीक्षक की दिशा में इशारा करेंगे उसी को दुलत्ती लगाऊँगा। यही तो वजह है कि बड़े-बड़े नेता और कलाकार अपने गुट में दो-चार गधे ज़रूर पाले रहते हैं; पता नहीं कब ज़रूरत पड़ जाए। मैं पूछता हूँ कि ऐसे हालात में आप ही पीछे क्यों रहें?

साक्षात्कार के नये आयाम

पिछले कुछ वर्षों के भीतर हिन्दी साहित्य में एक नयी गति आयी। एकदम अपूर्व व आकर्षक। इस गति के दो कारण मेरी पकड़ में आये। पहला कारण तो यह कि साहित्य में अब तक जो चर्चाएँ हुआ करती थीं, उनके स्थान पर अब परिचर्चाएँ होने लगीं। दूसरा कारण यह है कि साहित्यकारों के साथ साक्षात्कार करने का और बाद में उसे छपाने का रिवाज़ चल पड़ा। इन दोनों विधाओं के कारण हमारा साहित्य भले ही आगे न बढ़ा हो, कुछ साहित्यकार अवश्य आगे बढ़े।

परिचर्चा का कुटीर व्यवसाय धीरे-धीरे अब बड़े धन्धे की शक्ल अख़्तियार करता जा रहा है। रोज़ डाक खोलता हूँ और एक न एक नयी परिचर्चा को अपने सामने खड़ा पाता हूँ। किसी दूरदेश में कोई सज्जन या दुर्जन निवास करते हैं जिन्होंने किसी शुभ मुहूर्त में परिचर्चा का विषय निश्चित कर लिया और उसके बाद मेरे जैसे तथाकथित दस-बीस लेखकों को पत्र डाल दिया। पत्र के भीतर एक नितान्त निरीह प्रार्थना छिपी है— एकदम भक्तिकालीन—कि आप कृपा करके नीचे लिखे विषय पर एक सौ पचास शब्दों में अपना मत प्रकट कर दें। यदि अपना चित्र भी भेज दें तो स्थिति और भी स्पष्ट हो जायेगी। उत्तर के लिए लिफ़ाफ़ा संलग्न। अब बताइए कि ऐसी स्थिति में यशःप्रार्थी कवि करे तो क्या करे? जहाँ तक परिचर्चाओं के विषयों का प्रश्न है, स्थिति यह है कि वे दिन-प्रतिदिन और विषयी होते जा रहे हैं। एक परिचर्चा में पूछा गया कि आपकी राय में कुल मिलाकर भक्तिकालीन नायक ज़्यादा परिश्रम करता था या कि रीतिकालीन नायक? एक दूसरी परिचर्चा के काग़ज़ात सामने पड़े हैं, जिनका विषय है कि जब आप युवावस्था के प्रथम चरण में थे, तब सुन्दर बालिकाओं को देखकर आपके मन में किस भावना का संचार विशेष रूप से होता था? कृपया सारी स्थिति निःसंकोच होकर साफ़-साफ़ बताएँ। इसमें तकल्लुफ़ कैसा; जिहि बिन जागे न नींदहु जीवसि, तिहि किय एतो भय, लाज? एक और ख़त आया है, एक बहुत बड़े पेशेवर परिचर्चा-संयोजक का। पूछा है कि क्या आप अपनी पत्नी को विवाह के दस वर्ष बाद वाक़ई तलाक़ नहीं देना चाहते थे? समझ में नहीं आता कि क्या उत्तर दूँ। तलाक़ तो सम्भवतः सन्तुलित क़िस्म का प्रत्येक पति पाँच

वर्ष बाद ही देना चाहता है, पर जब तक पत्नी, क्रमसंख्या एक, स्वस्थ और जीवित है और जिस पत्र-पत्रिका में यह परिचर्चा छपेगी, उसकी उनके द्वारा पढ़े जाने की प्रत्येक सम्भावना है, तब तक कम-से-कम मैं तो यही कहूँगा कि पत्नी जो है, वह जीवनसंगिनी होती है, कोई फ़र्नीचर नहीं। विवाह एक पवित्र संस्था है, कोई पंचवर्षीय योजना नहीं कि एक समाप्त हुई तो दूसरी शुरू हो गयी। तलाक़ एक पाप है, एक प्रायश्चित्त है और इसकी तो चर्चा तक करना भी अपनी शालीनता के ख़िलाफ़ है। इसी तरह एक परिचर्चा जैनेन्द्र कुमार ने शुरू की थी कि लेखक को प्रेरणा के लिए प्रेयसी रखना ज़रूरी है या नहीं? और अगर ज़रूरी है तो कितनी? ओषधि की मात्रा जानना बड़ा ज़रूरी ठहरा। बहरहाल, मैं रोज़ ऐसी चिट्ठियाँ बटोरता हूँ और कवि की पंक्तियाँ याद करता हूँ : नित नित ऐसेहि करत विलास, नित नित हेरत गोविन्द-दास।

परिचर्चा की ऋतु कुछ उतरने लगी तो साक्षात्कार के आकार और प्रकार बढ़ने लगे। साक्षात्कार की प्रथा कब से प्रारम्भ हुई, यह तो कहना कठिन है मगर इतना ज़रूर है कि यह कभी न कभी शुरू ज़रूर हुई थी। जहाँ तक मेरी याददाश्त काम करती है, सूरदास, चण्डीदास, तुलसीदास और केशवदास इत्यादि किसी भी कला के दास का कोई भी साक्षात्कार मेरे दृष्टिपथ से नहीं गुज़रा। यही बात पुराने विदेशी लेखकों के साथ रही। मगर पिछले कुछ वर्षों में कुछ ऐसी हवा चली कि जिस कलाकार को देखिए वही सर्दी, तेज़ धूप या भयंकर वर्षा की बिना कोई परवाह किये या तो साक्षात्कार लेने भाग रहा है या देने। गोया कि ज़िन्दगी में और कोई दिल्लगी ही नहीं रही। कुछ कवि और लेखक हैं जो इस दिल्लगी को और ज़्यादा खींचते हैं। एक वरिष्ठ लेखक हैं जिन्हें साक्षात्कार शब्द से सख़्त चिढ़ है और इस मुद्दे को लेकर वे प्रायः कुछ कटुवाक्य भी कह डालते हैं। मगर लंकाकाण्ड की इस समाप्ति के बाद वे शीतल पाटी लेकर आपके द्वार पर इस मुद्रा में लेटते हैं कि जब तक आप उनका इण्टरव्यू नहीं लेंगे, वे उठेंगे ही नहीं। मैं इन्हें देखता हूँ और स्थिति का जायज़ा लेता हूँ। एक ज़माना था कि साक्षात्कार जो हुआ करते थे, वे या तो युद्धबन्दियों, जादूगरों, खिलाड़ियों और घूसाबाजों के साथ होते थे या फिर रीता हैवर्थ और प्रिंस अली खान के साथ। हमारा कितना बड़ा सौभाग्य है कि धीरे-धीरे हिन्दी के लेखक भी इन लोगों के समकक्ष स्वीकार कर लिये गये। आगे क्या होगा, उसपर निगाह रखी जायेगी। वैसे हिन्दी का भविष्य जो है, वह सदा से उज्ज्वल रहा है; परेशानी जो रही वह तो हमेशा वर्तमान को लेकर रही।

जब और सहधर्मियों के साक्षात्कार प्रकाश में आने लगे तो धीरे-धीरे मुझे भी लालसा हुई कि कोई साक्षात्कार लेने वाला मेरी दिशा में भी आये। जहाँ घण्टी बजती, मैं द्वार की ओर दौड़ता। आँगन के पार लगा द्वार खोलने के बाद पता लगता कि साक्षात्कार वाला नहीं वरन् कोई विधवाश्रम वाला है। कहता है कि या तो इतनी राशि बतौर दान के दे दीजिए या फिर कोई सुन्दर और युवती विधवा घर में हो

तो उसी को आश्रम की सेवा के लिए भेंट कर दीजिए। दुबारा घण्टीवादन होता तो बरामदे में या तो घण्टी दुरुस्त करने वाला ख़ुद ही मिलता या फिर सामने की कोठी वाली अधेड़ मेमसाहब, जो जानना चाहती थीं कि पिछले चौबीस घण्टे की अवधि में उनके पति या कुत्ते में से मैंने किसी को देखा है या नहीं। बहरहाल, सब आये और चले गये; साक्षात्कार करने वाला जो था वह नहीं आया। आगे चलकर तो स्थिति इतनी ज़्यादा नाज़ुक और दर्दनाक हो गयी कि कुछ दिनों बाद जब वही विधवाश्रम के स्वयंसेवक आये तो मैं कहने लगा कि घर में अभी तो विधवा क़िस्म की कोई स्त्री है नहीं– जिसका कि मुझे खेद है– पर यदि कोई विशेष आपत्ति न हो तो साड़ी पहनकर मैं स्वयं विधवाश्रम में भरती होने को तैयार हूँ। इससे बहुतों का भला होगा।

ख़ैर, धीरे-धीरे वे दिन भी आये जबकि लोग मेरा भी साक्षात्कार करने लगे। कुछ ऐसे जिज्ञासु निकले कि मेरी पूरी पुस्तकों का सेट माँगकर ले गये ताकि उन्हें पढ़ सकें और उनके आधार पर प्रश्नावली तैयार कर सकें। इसके बाद न वे मिले, न मेरी किताबें। मेरे विचार में जहाँ भी होंगी, दोनों चीज़ें साथ-साथ होंगी। कुछ लोग ऐसे मिले जिन्होंने शरीर भरकर फल खाये, सिगरेटदानी भरकर धूम्रपान किया, मेज़ भरकर डिनर लिया और फिर आने का वायदा करके ऐसे अन्तर्धान हुए कि स्थिति का वर्णन करना कठिन हो गया। एक और साक्षात्कार-कर्त्ता प्रकट हुए; बड़े सुन्दर। किशोर वय, लड़कियों जैसे केश, विरही देह और मिलने को अधीर आँखें। वे एक तरफ़ से मेघदूत के यक्ष लगते थे और दूसरी ओर से यक्षिणी। इन्होंने वास्तव में मेरी कृतियाँ पढ़ी थीं और उनके प्रश्न भी मुझे प्रासंगिक लगे। ख़ैर, उनके सारे प्रश्नों का उत्तर मैंने अपनी कलम से ठीक-ठीक दे दिया। पर मुझे यह सूचित करते हुए खेद होता है कि वह साक्षात्कार कहीं नहीं छपा। कुछ दिनों बाद उनसे भेंट हुई तो पता लगा कि आजकल न वे यक्ष हैं और न यक्षिणी। आजकल वे कालिदास चल रहे हैं। एक महाकाव्य पर जुटे हैं और इतनी तन्मयता से जुटे हैं कि काव्यग्रन्थ की समाप्ति के कहीं पूर्व ये स्वयं ही समाप्त हो जायेंगे। जैसी बुद्धि भगवान ने इन्हें दी, ऐसी सब नये कवियों को दे। इससे अपनी स्थिति मज़बूत होगी।

अन्त में चलकर एक दिन ऐसा भी आया कि मेरे स्नेही मित्र सुदर्शन नारंग ने मेरा इण्टरव्यू ले ही लिया और वह नयी कहानियाँ में छप भी गया। जो कॉपी प्रेस को जा रही थी, उसमें विख्यात, प्रतिष्ठित इत्यादि कुछ विशेषण अपने लिये मैंने ख़ुद ही जोड़ दिये। बाद में महसूस हुआ कि मैंने ठीक नहीं किया। अपनी प्रशंसा स्वयं करने से साहित्य में मेरा स्थान कुछ बढ़ जायेगा? हर्गिज़ नहीं। मेरा भविष्य तो मेरी(और मेरे समकालीनों की) रचनाओं पर टिका है, न कि किसी की गालियों या अभिनन्दन पर। मेरी यह आत्मग्लानि काफ़ी दिनों चलती रही। ख़ैर, एक दिन ऐसा आया कि मैं अनायास ही इस ग्लानि से मुक्त हो गया। एक नितान्त

वरिष्ठ लेखक का स्नेहपूर्ण पत्र मिला, जिसमें उन्होंने मुझसे अपना साक्षात्कार लेने का अनुरोध किया था। उन्होंने बताया था कि उन्होंने प्रश्न भी खुद ही लिख लिये हैं और उत्तर भी, मेरा तो सिर्फ़ नाम जाना था, ताकि यह न प्रकट हो कि इतनी ऊँची विभूति अपना इण्टरव्यू ख़ुद ही ले रही है। मैंने पत्र पढ़ा और मौन हो गया। कितना अच्छा होता कि ये लेखक-प्रवर अपने भीतर झाँकते, अपने को आँकने के लिए, न कि प्रदर्शित करने के लिए। मगर ये तो उनमें से हैं जो अपनी नाव हमेशा उसी ठाँव बाँधेंगे जहाँ कि सारा गाँव पूछने की मुद्रा में आ जाए। इनको किसी भाँति नहीं बचाया जा सकता।

इधर पता चला कि साक्षात्कार के कुछ नये आयाम भी विकसित होते जा रहे हैं। कल एक कॉलेज की लड़की आयी थी। एकदम लड़की, शतप्रतिशत। उसने इतने महीन वस्त्र पहन रखे थे कि उसके लड़की होने में किसी क़िस्म के सन्देह की कोई गुंजाइश बचती ही नहीं थी। वह इस प्रश्न को लेकर खोज कर रही थी कि साक्षात्कार-साहित्य भी एक स्वतन्त्र विधा बन सकता है या नहीं। मैंने कुछ नहीं सुना। मैं तो बस उसे देखता ही रहा। काफ़ी देर बातें करने के बाद जब वह उठी तो मुझे होश आया। विदा माँगती हुई वह तो कोठी के लॉन पर से बाहर की ओर जाने लगी और मैं अनायास ही रवीन्द्रनाथ का वही पुराना पद फिर गुनगुनाने लगा : से आसे धीरे, जाय लाजे फिरे, रिनिकि रिनिकि रिनि रिनि रिनि मंजु मंजीरे।

एक शिक्षाप्रद कथा

वह बड़ा दुखी था। वह जीवन से ऊब गया था और इसी कारण वह आत्महत्या करने जा रहा था।

उसका दुख यह था कि वह समाज को बदल नहीं पा रहा था। वह अपने चारों ओर देखता था कि भूख और ग़रीबी के मारे लोग कीड़ों की ज़िन्दगी व्यतीत कर रहे हैं, मगर वह था कि उनके लिए कुछ भी नहीं कर सकता था। मुहल्ले की लड़कियाँ सरासर जवान होती जा रही थीं और उनके माँ-बाप उनकी शादियाँ करने में असमर्थ थे। जिन लड़कियों की शादियाँ हो चुकी थीं, उनके बच्चे नहीं हो रहे थे। कुल मिलाकर हालत ऐसी थी कि देखकर तरस आता था। खुले-आम सार्वजनिक शोषण, खोखला अर्थतन्त्र, झूठी नारेबाज़ी और व्यापक भ्रष्टाचार को देख-देखकर उसकी ईमानदार आत्मा क्रान्ति करने को विवश हो गयी थी। परिणाम ज़ाहिर था; वह आत्महत्या करने जा रहा था।

रास्ते में उसे एक और दुखी व्यक्ति मिला जो उसी की भाँति सुन्दर, कुँवारा और जवान था। वह भी आत्महत्या करने जा रहा था। उसका दुख यह था कि उसकी प्रेमिका ने उससे शादी करने को इनकार कर दिया था। प्रेमिका अविवाहित रहना चाहती थी, पत्नी बनकर पुरुष की दासी नहीं। और प्रेमी था कि उसे अपना बनाये बग़ैर साँस तक लेने में असमर्थ था। बादल भरी साँझ, चाँदनी भरी रात और बासन्ती फूलों से भरा क्षितिज उसे विरह में पागल बना देते थे। वह बिना उसे अपनी बीवी बनाये ज़िन्दा नहीं रह सकता था। इस दिशा में उसने वशीकरण कवच बाँधे, सूट सिलवाये, कसीदे कहे, मगर लड़की थी कि प्रेमिका से पत्नी की स्थिति पर आने को रज़ामन्द नहीं हुई। ऐसी दर्दनाक हालत में उस ईमानदार इंसान के लिए सिवाय ख़ुदक़ुशी करने के और चारा ही क्या था?

थोड़ी दूर चलने पर उन्हें एक और हज़रत मिले। मालूम हुआ कि वे भी आत्महत्या ही करने जा रहे थे। वे एक सम्पादक थे, मगर उनका जो प्रकाशक था, वह उन्हें पर्चा निकालने में पूरी आज़ादी नहीं देता था। वह उनकी कलम को, उनकी प्रतिभा को और कहानियाँ जो हों, वे घरेलू क़िस्म की हों। उनके चरित्र को ख़रीदना चाहता

था। वह चाहता था कि पूँजीपतियों के ख़िलाफ़ कुछ न लिखा जाए। कविताएँ जो हों वे तुकवाली हों और अख़बार में तस्वीरें छपें तो केवल सावित्री सत्यवान् की, राजा हरिश्चन्द्र की और सीता स्वयम्वर की। सम्पादक था कि द्रौपदी चीर हरण की तस्वीर छापना चाहता था और वह भी राजा रवि वर्मा वाली नहीं, बल्कि उस स्थिति की जब चीर तीन-चौथाई से ज़्यादा हरा जा चुका हो। प्रेस की स्वतन्त्रता के प्रति अपनी आस्था प्रकट करने के लिए उसने और अख़बारों में अपना 'देश के नाम आख़िरी बयान' छपाया था, भरपेट नाश्ता किया था और इसके बाद जैसा ज़ाहिर है, वह आत्महत्या करने जा रहा था।

मेरा ख़याल है कि वह दिन शायद आत्महत्या करने के लिए विधाता की ओर से विशेष रूप से निश्चित किया गया था, क्योंकि थोड़ी ही दूर और चलने पर उन्हें कुछ और व्यक्ति भी मिले जो इसी शुभ कार्य को सम्पन्न करने हेतु यात्रा पर निकले थे। एक कवि थे जिनकी प्रगति से छाया, छाया से रहस्य, और रहस्य से प्रयोग टपकता था। वे थे कि बिना कविता लिखे रह नहीं सकते थे और सम्पादक लोग थे कि उनकी रचनाएँ लगातार वापस करते जा रहे थे। रचनाएँ लौटाने की दिशा में काम इतनी तीव्र गति से किया जा रहा था कि कभी-कभी तो उनकी कविता भेजने से पहले ही वापस कर दी जाती थी। ऐसी स्थिति में यशःप्रार्थी कवि करे तो क्या करे? सिवाय आत्महत्या के उनके लिए कोई और रास्ता शेष ही नहीं रह गया था। वह कवि अपनी यात्रा पर बढ़ता जाता था और उन साहित्यकारों की जय-जयकार बोलता जाता था जिन्होंने उससे पहले आत्महत्या की थी।

एक कन्या थी जो इस कारण आत्महत्या करने जा रही थी कि उसके प्रेमी ने उसे ठुकरा दिया था। लड़की जवान और ख़ूबसूरत थी। उसकी कच्ची उम्र को देखकर कचनार की कली की छवि आँखों के सामने नाचने लगती थी। वह गाजर के हलवे की भाँति मुलायम थी, नाशपाती की तरह सुडौल थी और फूलगोभी की भाँति खुली थी। ऐसी शाकाहारी क़िस्म की युवती को मृत्यु की ओर बढ़ते देख बाक़ी लोग रुक गये। मगर तभी एक हादसा वहाँ और हो गया। एक बूढ़ा आदमी वहाँ और प्रकट हो गया। वह आदमी एक सौदागर था और जैसा कि ज़ाहिर है, वह भी ख़ुदक़ुशी ही करने जा रहा था।

सौदागर बूढ़ा था। मरते वक़्त भी वह अपनी बही और बस्ता बग़ल में दबाये था और थैली की अशर्फ़ियाँ गिन-गिनकर देखता जाता था। उसका दुख यह था कि उसे हुकूमत ने बुरी तरह दबोच रखा था। जो भी सरकार बनती थी वह उससे रुपया माँगती थी और रक़म मिल जाने पर उस पर भारी टैक्स लगाती थी। उसने रिश्वतें दीं, डालियाँ दीं और दावतें दीं, मगर हाकिम थे कि उसे छोड़ते ही नहीं थे। क्या कोतवाल और क्या क़ाज़ी—सभी उसके ख़ून के प्यासे थे। वह ज़िन्दगी से ऊब गया था, क्योंकि काला-बाज़ार और सट्टा —इन दोनों में आमदनी कम

रह गयी थी। वह दुखी था। करोड़ों की दौलत उसके लिए बेकार थी। वह परम दुखी था।

उसे अपना अगुवा बनाकर वे सबके सब लोग आत्महत्या के लिए रवाना हो गये। थोड़ी ही दूर पर एक नदी थी, और इसी नदी के जल को ये लोग अपनी लाशों से पवित्र करना चाहते थे। थोड़ी देर के सफ़र के बाद वे सबके सब एक-दूसरे को हिम्मत बँधाते नदी तक पहुँच गये।

नदी पर पहुँचकर इन लोगों ने एकदम आत्महत्या नहीं की। वे खड़े हो गये और नदी का प्रवाह देखने लगे। पहले नौजवान को नदी शोषण का प्रतीक लगी। तटों पर मात्र बालू छोड़कर सारा पानी स्वयं ही रखना कहाँ का न्याय है? दूसरे नौजवान को नदी देखकर अपनी प्रेमिका की याद सताने लगी और वह तरन्नुम के साथ जिगर मुरादाबादी का कलाम पढ़ने लगा। जो सम्पादक थे, उन्होंने कहना शुरू किया कि काश, मैं भी इस नदी की भाँति ही स्वतन्त्र होता। जो कुछ चाहता, अख़बार में छापता। कवि महोदय ने नदी की तरंगें देखकर एक पलायनवादी कविता पढ़नी शुरू कर दी और लड़की जो थी वह पानी के दर्पण में अपना रूप निहारने लगी। सौदागर ने इस तरह का कोई बेवकूफ़ी का काम नहीं किया, उसने अपनी अशर्फियाँ निकालीं और उन्हें पानी में धोना शुरू किया। जैसा कि उसे सन्देह था, एक अशर्फी खोटी निकली।

सौदागर ने आत्महत्या का इरादा बदल दिया। वह बोला कि पहले मैं उस कमीन इंसान से बदला लूँगा जिसने मुझे नकली अशर्फी पकड़ायी। मैंने सारी चीज़ों में सारी उम्र मिलावट की, मगर झूठे सिक्के कभी नहीं बनाये। अगर ऐसे देशद्रोही व्यक्ति को फाँसी दिलाये बग़ैर मैं मर गया तो यह जीबन भी बेकार जायेगा और यह मृत्यु भी। उसने अशर्फियाँ सँभालीं, जूते पहने, पगड़ी ठीक की और इसके बाद वह बाक़ी लोगों की ओर मुखातिब होकर बोला :

"मैं बूढ़ा हूँ मगर एक छोटा-सा बदला लिये बग़ैर मैं मर तक नहीं सकता और तुम लोग हो कि भरी जवानी में ज़रा-ज़रा-सी बात पर जान देना चाहते हो। लानत है तुम लोगों की बुजदिली पर! याद रखो कि ख़ुदा ने हमें जिस हालत में रहने को कहा है, उसी हालत में हम सबको रहना है। उसकी मर्ज़ी के बग़ैर हम ख़ुदक़ुशी तक नहीं कर सकते। ज़ाहिर है कि यह नकली अशर्फी मेरे नामाकूल गुमाश्ते ने ख़ुदा की मर्ज़ी से ही इस थैली में रख दी थी ताकि वह अपने किये की सज़ा पा सके। मेरे अज़ीज़ दोस्तो, आओ और मरने का इरादा छोड़कर मेरे साथ कूच करो।"

शहर पहुँचने पर उस क्रान्तिकारी व्यक्ति को सौदागर ने एक बड़ी तनख़्वाह पर अपना मुंशी रख लिया। ठुकराई हुई प्रेमिका लड़की ने उससे शादी कर ली। इसके बाद वे दोनों ख़ुशी-ख़ुशी एक महल में रहने लगे और कुत्तों को जलेबियाँ

खिलाने लगे। कविजी सौदागर के गुमाश्ते हो गये और सम्पादकजी सौदागर की मालिश करने लगे। दोनों को जागीरें दी गयीं। जो नौजवान अपनी प्रेमिका के विरह में प्राण देना चाहता था, उसका एक हसीन बाँदी के साथ निकाह हो गया। कहने का मतलब यह कि वे सबके सब सुख से रहने लगे। असलियत यह थी कि पहले वे दुखी तो ज़रूर थे मगर उन्हें इस बात का कतई पता नहीं था कि दुख था तो किस चीज़ का था।

❑

फूलों वाले कैक्टस
(1978)

जब मैं दौरे पर गया

जैसा कि आप में से समझदार लोग जानते होंगे, दौरे जो होते हैं वे कई तरह के होते हैं। एक दौरा तो बीमारी की क़िस्म का होता है जैसे कि मिरगी का दौरा और एक दौरा वह होता है जो किसी शायर के तनहा दिल में अपनी तनहा ग़ज़ल दूसरों तक पहुँचाने के लिए उठता है। और हाँ, उस इकलौती ग़ज़ल को सुनने के बाद सुनने वालों के दिल में जो दौरा उठता है वह भी कभी-कभी काफ़ी ज़बर्दस्त क़िस्म का होता है और हालत यह होती है कि उस दौरे के दौरान जो कुछ भी हो जाए वह कम है। कभी शायर का गरेबाँ चाक किया जाता है तो कभी उसके चाँद जैसे मुखड़े पर जूते और चप्पल फेंके जाते हैं जो कि महबूबा की निगाहों की अपेक्षा कहीं ज़्यादा तीखे, वफ़ादार और पुरअसर साबित होते हैं। कवि की प्रेयसी तो सिर्फ़ उसके दिल की ही देखभाल करती है, जब कि ये भौतिक पदार्थ शरीर के शेष अंगों की सेवा भी उसी तत्परता के साथ करते हैं। मुझे अच्छी तरह याद है कि एक मुशायरे में अपनी एक आँख खोने के बाद एक बुज़ुर्गवार शायर ने अपनी दूसरी आँख की सेहत का ख़याल रखते हुए कविता करना ही छोड़ दिया था। कविता और आँख से मुक्ति पाने के बाद वे समीक्षा लिखने लगे क्योंकि समीक्षक को दो तो क्या, एक आँख की भी ज़रूरत कभी नहीं पड़ी। एक और शायर थे जो एक मुशायरे में इतने घायल हुए थे कि उस दिन से उन्होंने अपना उपनाम ही 'घायल' रख लिया। ख़ैर, अन्त में चलकर एक दौरा वह भी होता है जो कि सरकार के आला अफ़सर गाहे-बगाहे करते रहते हैं। गर्मियों में वे पहाड़ जाते हैं और सर्दियों में दक्षिण। जिस दौरे की चर्चा मैं कर रहा था, वह इस आख़िरी क़िस्म का ही था।

गर्मी ज़्यादा होने के कारण मैंने पहाड़ों पर ही जाना तय किया। कई छोटे-मोटे दफ़्तर थे जिनका निरीक्षण न जाने कब से नहीं हुआ था। जहाँ मैं जा रहा था, उसी क्षेत्र में एक संन्यासी भी रहते थे जो न जाने कब से मौन व्रत धारण किये हुए थे। उनकी आयु का पता किसी को नहीं था। एक बार बहुत आग्रह करने पर बाबा ने स्वयं ही यह सूचना दी थी कि गोस्वामी तुलसीदास ने जो भण्डारा किया था, उसमें वे गये थे और इसके अलावा उन बेचारों को ख़ुद भी कुछ पता नहीं था। इतना

बताने के बाद बाबा फिर मौन हो गये थे जैसा कि वह पिछले सैकड़ों वर्षों से चले आ रहे थे। एक मित्र ने बताया कि पर्वतों पर कभी-कभी काफ़ी ठण्ड हो जाती है। बहरहाल, सारी बातें मद्देनज़र रखते हुए मैंने बीवी को भी अपने साथ ले लिया।

स्टेशन तक छोड़ने दफ़्तर के लोग गये। उन्होंने डिब्बा तलाश किया, सीट तलाश की, बिस्तर खोले, सुराही भरी और उसके बाद गाड़ी चलने तक हाथ बाँधे वे लोग वहीं प्लेटफ़ार्म पर ही खड़े रहे। काफ़ी ख़ुश दिखाई देते थे। सोच रहे होंगे कि चलो, इस नामाकूल के बाहर जाने से अब हफ़्ता दस दिन तो आराम से कटेगा। मैंने उनसे चले जाने के लिए कई बार कहा मगर वे थे कि कोई भी जोखिम लेने को तैयार नहीं थे। वे तो यह तय करके ही जाना चाहते थे कि मैंने वाक़ई स्टेशन छोड़ दिया। वे वहीं अपने पिछले पैरों के सहारे खड़े रहे और सिगनल की दिशा में देखते रहे। गाड़ी जो थी वह भी काफ़ी नियमित आदतों की थी; बाक़ी दिन भी लगभग एक घण्टा लेट चलती थी, आज भी लगभग एक ही घण्टा लेट चली। और क्योंकि यह डाकगाड़ी थी, इसकी गति तीस किलोमीटर से कम कहीं नहीं हुई। हाँ, अलबत्ता बड़े स्टेशनों पर इस ग़रीब को भी रुकना पड़ा। मजबूरी जो ठहरी। और जब रुक गयी तो फिर आधा घण्टे से पहले चलना भी क्या? प्रेमिका चाहे कैसी भी हो, अपने पुराने प्रेमियों को पूरी तरह कभी नहीं भूल सकती। और इस गाड़ी की तो उन स्टेशनों से बरसों पुरानी जान-पहचान थी। एक परिचित स्टेशन पर तो यह पतिव्रता गाड़ी कोई एक घण्टा रुकी। ठीक आधी रात का समय, हल्की-सी बूँदाबाँदी और बत्तियाँ एकदम गुल। ऐसे वातावरण में तो इसे विद्यापति या जयदेव की अभिसारिका बनना ही था।

मेरे डिब्बे में चार बर्थ थीं। दो हमारी थीं और दो सामने वाले प्राणियों की। इन प्राणियों में से एक पुल्लिग था और एक स्त्रीलिंग। पुरुष जो थे वे काफ़ी अधेड़ थे और सेहत की स्थिति यह थी कि बिना किसी संकोच के एक स्वस्थ हाथी की छटा देते थे। अन्तर बस इतना ही था कि जहाँ हाथी के केवल दो दाँत ही मुँह के बाहर निकले होते हैं, वहाँ इनके कोई पन्द्रह दाँत बाहर निकले हुए थे और इस चराचर सृष्टि की शोभा निहार रहे थे। जहाँ तक स्त्री-रत्न का प्रश्न है, उसके बारे में निश्चित रूप से कुछ भी कहना मुश्किल था। वे उस अधेड़ सज्जन की बहन भी हो सकती थीं, कन्या भी और पत्नी भी। बहरहाल वे उनकी अम्मा हर्गिज़ नहीं थीं। उन्होंने अपने उस हाथी रूपधारी साथी को बहुत कम देखा; वे या तो खिड़की के बाहर पीछे भागता फूलों भरा क्षितिज ही देखती रहीं या फिर अपने ओठ और लिपस्टिक ही ठीक करती रहीं। उनका मुखड़ा यदि सेर भर का था तो पाउडर उस पर इतना पुता हुआ था कि सेर पर सवा सेर वाली कहावत एकदम मज़ा दे जाती थी। वैसे मज़ा उस वक़्त भी कम नहीं आया जब कि वे स्थूलकाय सज्जन डिब्बे से बाहर जाते समय फिसले और अपने पन्द्रह दाँतों के साथ काफ़ी तबीयत के साथ

धराशायी हो गये। मैं तो सोचता था कि अब कोई क्रेन वग़ैरह ही आकर इन्हें सीधा करेगी, पर डिब्बे में कुछ सर्वोदयी क़िस्म के यात्रियों के सामूहिक प्रयत्नों से वे उठ गये। उनको उठाने की उस प्रक्रिया में डिब्बे के दो-चार यात्री जो फिसल गये— वह एक दीगर बात ठहरी।

मैं उस मनुष्य-रूपी हाथी को देखता रहा और मन-ही-मन प्रणाम करता रहा। इतिहास साक्षी है कि पोरस, अनंगपाल, पृथ्वीराज चौहान, इब्राहीम लोदी और दारा शिकोह— इन सबका पतन मात्र हाथियों के कारण ही हुआ था। मगर यह महान् आत्मा थी कि गजगामी और गजानन होने के बावजूद सिर्फ़ अपना ही पतन करती थी, किसी दूसरे का नहीं। और हाँ, इनके पतित होने का उस रूपवती स्त्री पर कोई असर नहीं पड़ा, वे उसी भाँति बैठी रहीं और रूप सँवारती रहीं। हम लोगों को तो वे इस भाँति देखती रहीं जैसे कि फिसलना तो उन हज़रत का ख़ानदानी शौक़ था और हम तो उसमें बिना बात दख़ल दे रहे थे। कभी-कभी तो वे इस अन्दाज़ में देखती थीं कि सीधा करना है तो मुझे करो; इस ग़रीब और बूढ़े इंसान से छेड़छाड़ करने से क्या फ़ायदा?

रेल से उतरकर हम दोनों ने सरकारी गाड़ी में सफ़र किया। कोई पचास कर्मचारी हमारे स्वागत को आये थे। किसी के हाथ में फूलमाला थी तो किसी के हाथ में ताज़ा अख़बार और ताज़े फल। फूलमालाएँ मेरे गले में पड़ीं और फल वग़ैरह मेरी पत्नी को दिये गये। एक होनहार नौजवान मेरी पत्नी के गले में भी फूलमाला डालना चाहते थे, पर पता नहीं क्यों, मुझे देखकर सहसा सहम गये। मुझे अपनी शादी का दिन याद आ गया, जब मैं भी अपनी पत्नी के गले में माला डालना चाहता था पर उनके अब्बाजान को देखकर सहसा सहम गया था। यादों की शहनाई बजनी शुरू हुई ही थी कि हमारा अगला सफ़र शुरू हो गया और बिसमिल्ला खान जो थे, वे अपनी शहनाई के साथ चुप हो गये। एक राजपत्रित अधिकारी और एक चपरासी हमारे साथ गाड़ी में बैठे और बाक़ी लोग पता नहीं कैसे वापस लौटे। पत्नी जो थी वह रास्ते भर फल खाती रही। आज उसका व्रत का दिन था; आज तो फल क्या, यदि फलों का वृक्ष भी मिल जाता तो उसकी भी खैरियत नहीं थी। आर्य ललनाएँ व्रतों के सन्दर्भ में सदा से चरित्रवती होती आयीं।

कोई चार घण्टे में हम लोग अपने मंज़िले-मकसूद तक पहुँच गये। काफ़ी जनसंख्या हमें रिसीव करने को खड़ी थी। डाकबँगले का एक कक्ष हमारे लिए सजाया गया था और चन्द चपरासी गुलदस्तों की अदा में अपनी वर्दी में हाज़िर थे। चपरासी तमीज़दार क़िस्म के थे; उन्होंने मेरी पत्नी को भी 'सर' ही कहकर पुकारा, जिसे सुनकर अपना तो कलेजा ही दहल गया। इस उम्र में पत्नी यदि यौन परिवर्तन कर जाए तो काफ़ी दिक्कत पड़ती है। कमरे के भीतर ढेर सारी पत्र-पत्रिकाएँ रखी थीं— ख़ासकर वे जिनमें कि मेरी रचनाएँ छपी थीं। साबुन, सिगरेट और मेवे का प्रबन्ध

था। कुछ लोगों की बीवियाँ भी बरामदे में खड़ी थीं। सारा माहौल कुछ ऐसा था कि मेरी बीवी को भी रोब लेने का मूड आना शुरू हो गया। इसी मूड के दौरान एक बार उसने मुझे भी ईडियट कहा जो इत्तफ़ाक से मेरे अतिरिक्त किसी ग़ैर ने नहीं सुना।

इसके बाद मैं वहाँ कोई हफ़्ता भर दफ़्तर की फ़ाइलें देखता रहा, वाउचर लिंक करता रहा, सम्बन्धित अधिकारियों से मुलाक़ातें करता रहा और बीवी की आँख बचाकर डाकबँगले में ठहरी एक मेम साहब के सौन्दर्य को भी निहारता रहा। इस दौरान मेरी बीवी जो थी, वह सरकार के ख़र्चे पर आसपास के पर्वतों की सैर करती रही, मौन रहने वाले उन बाबा के आश्रम में जाती रही और दावतें खाती रही। उस व्यस्त कार्यक्रम के दौरान अगर कुछ वक़्त मिला तो उसमें उसने कुछ तोहफ़े बटोर लिये। हफ़्ते भर बाद जब हम लौटे तो महसूस हुआ कि उन तोहफ़ों की वजह से सामान जो था वह कई गुना बढ़ गया था। मेरी भावुक पत्नी ने बताया कि इन तोहफ़ों को अस्वीकार करने से छोटे कर्मचारियों की पत्नियों के हृदय को ठेस पहुँचती। इसके अतिरिक्त स्थानीय हस्तशिल्प-कला को यदि हम लोग ही प्रोत्साहन न देंगे तो फिर कौन देगा? आख़िर इन लोगों को कुछ अतिरिक्त आय होती ही होगी जो इतने तोहफ़े दे रहे हैं वरना तंगी के दिनों में कौन इतनी हिम्मत करता? मैंने पत्नी की बात की क़द्र की और डाकबँगले के बिल के भुगतान का भार भी अपने एक नायब पर ही छोड़ दिया। और हाँ, डाकबँगले की चम्मचें बहुत बढ़िया थीं; खानसामा की निगाह बचाकर हम लोग दो अदद चम्मच भी उठा लाये। वैदिकी हिंसा हिंसा न भवति। मैं तो ख़ैर एक ही चम्मच से सन्तुष्ट था पर पत्नी ने बड़ी संवेदनशीलता के साथ कहा कि लेना है तो जोड़ा ही लो; अकेली चम्मच को विरह सताएगा।

हम लोगों के वापसी टिकट भी वहीं के लोगों ने ख़रीदे। लौटते वक़्त शानदार विदाई दी गयी। बेवकूफ़ होने के नाते मैं बराबर यही सोचता रहा कि अधीन कर्मचारियों के साथ यह व्यवहार करना ठीक था कि ग़लत, और इसके लिए ज़िम्मेदार वे थे या कि मैं? मेरी समाधि तब टूटी, जब कि गाड़ी ने गति ले ली और स्टेशन काफ़ी पीछे छूट गया। मैंने नेत्र खोले। फूलमालाओं और तोहफ़ों के डिब्बों से दबी मेरी पत्नी ने बड़ी मासूमियत के साथ मुझे अरसे बाद देखा और एक निहायत ईमानदार मुसकराहट के साथ पूछा कि हे आर्यपुत्र, तुम दौरे पर हर महीने क्यों नहीं जाते?

अतिथि दुख

संस्कृत में मेहमान को अतिथि कहते हैं क्योंकि उसके प्रकट होने की तिथि कभी निश्चित नहीं होती। मेरे विचार में उसे अतिथि होने के साथ-साथ 'असमय' भी कहना अनुचित न होगा, क्योंकि तिथि के साथ-साथ रंगमंच पर उसके प्रवेश करने का कोई समय भी निश्चित नहीं होता। गहराई से सोचने पर आपको शायद इस ऊँची बात का एहसास भी होगा कि अतिथि और असमय के सम्बोधनों के स्थान पर मेहमान को कुतिथि और कुसमय कहना और भी अधिक युक्ति-संगत होगा। प्रायः होता यही है कि वे ऐसे ग़लत समय पर प्रकट होते हैं कि आपको उनका आना उतना ही खलता है जितना कि हिन्दी चलचित्रों में नायिका के बच्चा पैदा होने से पूर्व नायक के ज़मींदार बाप का गाँव से आना। ख़ैर, कवि के शब्दों में अभी तो स्थिति वही है कि– 'पिनहा दिले बेताब में अरमान बहुत हैं : घर अपना सलामत रहे, मेहमान बहुत हैं।'

प्राचीन संस्कृति के अनुसार अतिथि का आना बड़ा शुभ और आनन्ददायक स्वीकार किया जाता था। जब वह आता था तो उसके चरण धोये जाते थे और कहीं-कहीं तो उसकी आरती भी उतारी जाती थी। इसी कारण नीतिकारों ने उसे देवता तक कहा। कुछ जातियाँ तो अतिथि की सेवा के लिए अपनी पत्नियों तक की सेवाएँ अर्पित किया करती थीं। कितने अफ़सोस की बात है कि इस लेख के लेखक और पाठकों का जन्म ऐसे प्यारे रीति-रिवाज़ों के समाप्त होने के बाद सम्पन्न हुआ। वैसे इस स्थिति के कुछ अपवाद भी थे। 'शुक सारिका संवाद' में ऐसी कई कथाएँ हैं जिनमें कि सराय की भठियारिनें सुन्दर होने के साथ-साथ जादूगरनी भी होती थीं। वे अतिथि की सम्पत्ति छीन लेती थीं और उसे बकरा या मेंढा बना देती थीं। जो दयालु भठियारिनें होती थीं, वे बकरे या मेंढे को रात भर के लिए फिर इंसान का चोला दे देती थीं जिससे उनकी थकावट भी मिटती थी और अतिथि की भी। सन्तोष का विषय है कि इससे मिलता-जुलता रिवाज़ किसी हद तक कुछ सम्भ्रान्त परिवारों में अब भी पाया जाता है जो उचित ही है। पुरातन संस्कृति में जो ठीक है, उसे एकदम लोप करना ठीक नहीं।

प्राचीन काल की चर्चा छोड़ दें तो महसूस होगा कि फ़िलहाल कम-से-कम अब ऐसा समय ज़रूर आ गया है कि अतिथियों के आने पर कुछ क़ानूनी प्रतिबन्ध लगाये जाएँ। अब यह भी कोई बात हुई कि इधर आप दफ़्तर से आकर लेटने की मुद्रा में हुए और उधर किसी ने द्वार खुलवाने के लिए घण्टी-वादन प्रारम्भ कर दिया। आप इस शास्त्रीय संगीत (राग : मियाँ की मल्हार) को सुनते हैं, द्वार खोलते हैं, 'दस्तक' फ़िल्म के कुछ दृश्य याद करते हैं और देखते हैं कि अतिथियों की ऑल इण्डिया टीम बाक़ायदा सलामी देने के लिए बरामदे में हाज़िर है। बैण्ड की कमी को पूरी करने के लिए मेहमानों के बच्चे होते हैं जो कपाट खुलते ही फ़ौजी धुन बजाना प्रारम्भ कर देते हैं। आप अपना पता कितना ही ग़लत क्यों न बताएँ, यह अतिथि नाम का जो पक्षी होता है, वह कोलम्बस की भाँति आपका नीड़ ढूँढ़ ही निकालता है। द्वार खुलते ही कोलम्बस कहता है कि प्रेम की डोर को देखिए, हम बिना किसी निमन्त्रण के खिंचे-खिंचे यहाँ तक चले ही आये। यह डोर ठीक वैसी ही बुनी हुई रस्सी होती है जिसके कारण भवानी प्रसाद मिश्र को अकादमी पुरस्कार दिया गया। आप दण्ड-संहिता के कुछ अनुच्छेदों को याद करते हैं, और अतिथिगण जो हैं वे सचिनदेव बर्मन के 'मुसाफ़िर जायेगा कहाँ' वाले विशिष्ट अन्दाज़ में आपको देखते हुए क़िले के भीतर प्रवेश करते हैं। इसके बाद क़िला उनका हो जाता है और आप सन्त कबीर की स्थिति में आ जाते हैं जो रात को अँधेरे में चुपचाप रोया करता था। मेरे यहाँ तो एक बार ऐसे अतिथि-रत्न पधारे कि उनके आने की तीन दिन की अवधि के भीतर ही हमारी नौजवान महरी ने काम करना छोड़ दिया। इस महरी विशेष के सामने गन्धर्व-विवाह का प्रस्ताव रखने का इरादा तो मेरा भी कई महीनों से चला आ रहा था मगर इनका साहस देखिए कि जो क्रिया मैं महीनों से नहीं सम्पन्न कर पाया था, वह इन्होंने तीन दिन में ही कर दी। 'हिम्मते मरदाँ, मददे ख़ुदा'।

हरिशंकर परसाई के शब्दों में प्रत्येक नगर के कुछ दुख होते हैं। आगरा का दुख ताजमहल है तो प्रयाग का दुख संगम। जबलपुर के दो दुख हैं— एक तो मेड़ाघाट और दूसरे परसाईजी ख़ुद। मैं इन दिनों दिल्ली में रहता हूँ, जहाँ के दुख इतने हैं कि उनके कारण कभी इन्द्र ने भी यहाँ से प्रस्थान किया था। इस नगर को इन्द्रप्रस्थ बेकार ही नहीं कहा जाता। यहाँ के प्रमुख दुख हैं— पुराना किला, चिड़ियाघर, ख़ूनी दरवाज़ा, कुतुबमीनार, सूरजकुण्ड, तुग़लकाबाद, कोटला फ़ीरोज़शाह, राष्ट्रीय संग्रहालय, सरकार के अधिकारी और मन्त्री, लालकिला, बिड़ला मन्दिर और न जाने क्या-क्या। अतिथिगण हैं कि इन दुखों को देखते हैं और सुख पाते हैं। वे कुतुब का चित्र खींचते हैं और मैं सोचता हूँ कि फ़िरोज़शाह, तुग़लक और अल्तमश ने इस मीनार की मरम्मत करायी तो क्यों करायी? अतिथिगण चिड़ियाघर या संग्रहालय में घुसते हैं और मैं सोचता हूँ कि शायद कला का कोई पारखी इन्हें वहीं रोक ले। मैं उन्हें हुमायूँ का ग्रन्थागार दिखाता हूँ— ख़ासकर वह सीढ़ी जहाँ से फिसलकर वह शरीफ़

इंसान मरा था— मगर अतिथि हैं कि सब ख़तरों में से सही-सलामत निकलकर फिर वापस आ जाते हैं। अंग तक भंग नहीं होता। पता नहीं मैंने कौन से पाप किये थे जिनके कारण मेरे परम पूर्वजों ने निरोध का प्रयोग नहीं किया।

कभी-कभी तो स्थिति यह हो जाती है कि सोचता हूँ कि राजधानी छोड़कर राजस्थान चला जाऊँ। अतिथि को वहाँ अभी भी मोतीचूर के लड्डू खिलाये जाते हैं और वह भी दक्षिणा दे-देकर। मैं तो जाति का भी ब्राह्मण हूँ मेरे पिताजी तो अपने नाम के साथ शर्मा शब्द का प्रयोग भी करते आये, जिसे देखकर कई ज़िम्मेदार व्यक्तियों को उनके मेरा असली बाप होने के बारे में कुछ बुनियादी शक भी पैदा हुआ। असलियत यह है कि संशय तो कभी-कभी मुझे भी हुआ पर मैं यही सोचता रहा कि गड़े मुर्दे उखाड़ने से फ़ायदा क्या?

हमेशा स्वस्थ रहने का पाप

गीता में आत्मा नाम के एक पदार्थ विशेष की चर्चा बड़ी तबीयत के साथ की गयी। उसके लक्षण बताते हुए कहा गया कि यह एक ऐसी चीज़ है जिसे न आग जला सकती है और न पानी जो है वह गला सकता है। न इसे शस्त्र ही छेद सकते हैं, और न यह गिरकर ही टूट सकते हैं। इतना मज़बूत सामान बनाने के बाद पता नहीं क्यों इसे अस्थि-चर्ममय देह में पैक किया गया और फिर धरती पर भेजा गया। बिड़ला मन्दिर की तर्ज़ पर शरीर को व्याधि-मन्दिर बताया गया और नतीजा यह रहा कि आत्मा के स्थान पर शरीर की रक्षा पर पूरा-पूरा बल दिया गया। इसे धर्म का प्रथम साधन घोषित किया गया और गौतम बुद्ध तक को कहना पड़ा कि आरोग्य जो है वह परम लाभ है। इतना बताने के बाद बुद्ध ने दूसरी बात जो बतायी वह और भी ज़्यादा काम की थी। उन्होंने बताया कि हालाँकि आरोग्य रहना परम लाभ है पर परम सुख जो है वह मृत्यु में ही है। ये जो अधकचरे चिकित्सक इतने प्राणियों की आत्मा को उनके शरीर से मुक्त करने में लगे हैं, ये सच्चे बौद्ध हैं। आरोग्यं परमं लाभं, निर्वाणं परमं सुखम्—बुद्धजी की इस वाणी को सच्चा करने की ज़िम्मेदारी सदा से इन्हीं बेचारों पर रही।

डॉक्टरों की चर्चा क्या चली, न जाने कितनी महान् आत्माओं की सूक्तियाँ मुझे एक साथ ही याद आने लगीं। जैसे बिना अण्डे दिये भी आप लोग आमलेट के बारे में मुर्गी से कहीं ज़्यादा जानकारी रखते हैं, ठीक उसी प्रकार डॉक्टर भी बिना बीमार पड़े दुनिया की सारी बीमारियों के बारे में जानते हैं। असफल डॉक्टर वह है जो यक्ष्मा का इलाज करता है जब कि मरीज़ गठिया से मरता है और सफल डॉक्टर वह है जो यदि गठिया का इलाज करता है तो रोगी जो होता है वह गठिया से ही मरता है। अच्छा मरीज़ वह होता है जो एक योग्य डॉक्टर पाने के बाद फिर उसे मरते दम तक नहीं छोड़ता और सम्भ्रान्त युवती वह है जिसकी विशिष्ट वेशभूषा देखकर आप यह कभी नहीं बता सकते कि वह किसी ऑपेरा में भाग लेने को निकली है या कि किसी ऑपरेशन के लिए। दवा जो है वह जीवन को आगे बढ़ाती है और मृत्यु जो है वह डॉक्टर को पीछे खींचती है। डॉक्टर उस इंसान को कहा जाता है जो न रोगी

से परिचित होता है, न उसके रोग से और न उस दवा से जो वह उसे पीने को देता है। बीमारियाँ कभी ख़त्म नहीं होतीं और होती हैं तो इंग्लैण्ड की सर्दी की तरह होती हैं। इंग्लैण्ड की सर्दियाँ जुलाई में इसलिए ख़त्म होती हैं ताकि वे अगस्त में फिर शुरू हो सकें। ख़ैर, नेक सलाह यही है कि आप ज़िन्दगी को गम्भीरता से कभी न लें क्योंकि उसमें से ज़िन्दा रहकर कभी कोई बाहर नहीं निकला। एक गुजराती सेठ ने बीमार होने पर विस्तृत आँकड़े तैयार करवाये थे और उसने ख़ुशी-ख़ुशी मरना स्वीकार किया था क्योंकि मुनीमजी के हिसाब के अनुसार जीते रहना मर जाने से कहीं ज़्यादा महँगा बैठता था।

कुछ लोग रात-रातभर इसलिए सोते हुए बोलते हैं कि दिन में उनकी पत्नी उन्हें बोलने का अवसर नहीं देती। कुछ लोग इतने मोटे हो जाते हैं कि जब आँखें बन्द करते हैं तो चमड़ी खिंच जाने के कारण उनका मुँह खुल जाता है जिसका कि कोई इलाज नहीं। सबसे अच्छा डॉक्टर वह होता है जिसके पीछे आप भागते हैं पर जो आपको मिलता कभी नहीं। डॉक्टर वह है जो अपने दोस्तों को सेहतमन्द देखकर कभी ख़ुश नहीं होता। मार्क ट्वेन एक डॉक्टर को इस कारण जानता था क्योंकि उसने उसके उन दो दोस्तों का इलाज किया था जिनकी कि शव-यात्रा में वह शामिल हुआ था। फ्रांसिस क्वार्ल्स के अनुसार डॉक्टर बड़ा भाग्यवान् व्यक्ति होता है; यदि वह सफल रहता है तो सारा जग उसके गुण गाता है और यदि वह ग़लतियाँ करता है तो उन्हें धरती ढक लेती है। विलियम गिलबर्ट एक ऐसी डॉक्टरनी को जानता था जिसने दूसरों को न जाने कितने बच्चे दिये मगर उनमें से एक भी इस उम्र का न निकला जो कि ख़ुद उसका पति बन सकता। इस डॉक्टरनी के बारे में उसने दो दिलचस्प बातें और बतायी हैं; एक तो यह कि शाम के धुँधलके में, ख़ासकर जब कि रोशनी उसके पीछे होती थी, वह सिर्फ़ तैंतालीस वर्ष की कन्या लगती थी और दूसरी यह कि उसके अनुसार जुड़वाँ बच्चे जो होते हैं, वे कभी अकेले नहीं आते। यह डॉक्टरनी बड़ी चतुर थी; एक प्रसव के केस में बच्चा मर गया, उसकी माँ मर गयी पर उसका जो पति था, उसे उसने बचा लिया। उसकी शिकायत किसी मरीज़ ने कभी नहीं की क्योंकि मुर्दे जो होते हैं वे कभी बोलते नहीं। उसके मरीज़ आमतौर पर एक हफ़्ते के भीतर ही मर जाया करते थे क्योंकि वह दयालु महिला उनका दुख ज़्यादा नहीं देख सकती थी। किसी हद तक वह ख़ुद भी बीमार थी; वह रोज़ रात को सपने देखती थी कि वह सुन्दर नवयुवकों से घिरी किसी वन-मेखला में पिकनिक मना रही है मगर इल्लत यह रहती थी कि उन बदनसीब सपनों में वह भी एक लड़का ही होती थी, लड़की नहीं। इसी तरह एक और दयालु और परोपकारी डॉक्टर था। उसके पास पहुँचकर यदि कोई दुखी प्राणी पूछता था कि मैं कष्ट से इतना पीड़ित हूँ कि मरना चाहता हूँ और अब आप ही बताइए कि मैं क्या करूँ तो ये डॉक्टर हमेशा यही कहते थे कि अब तुम मरने के लिए ख़ुद कुछ नहीं करो;

रवीन्द्रनाथ त्यागी-1963

पत्नी शारदा तथा पुत्र अशोक के साथ

रवीन्द्रनाथ त्यागी एवं पत्नी शारदा त्यागी
देहरादून में अपने बँगले के लॉन में धूप का आनन्द लेते हुए

सब काम मुझ पर छोड़ दो।

इतनी बीमारियाँ हैं और इतने डॉक्टर हैं मगर हम लोगों में से कुछ फिर भी इतने अभागे और गद्दार क़िस्म के इसान हैं कि फिर भी कभी बीमार नहीं पड़ते। हिम्मतवर इंसान वे हैं जो ठीक समय पर ऐसा सही रोग पकड़ते हैं जिसे कि डॉक्टर भी नहीं पकड़ पाता। वे एक पलक मारते ही यक्ष्मा से ग्रसित हो सकते हैं तो दूसरी पलक मारते ही प्रसवपीड़ा से। एक हज़रत को मैं बखूबी जानता हूँ जो कि इस क्षेत्र में इतनी प्रतिभा रखते थे कि वह शब्दातीत थी। एक बार जब दफ़्तर में कुछ निहायत ज़रूरी क़िस्म का काम अचानक आ गया तो ये दो अदद ताज़े टूटे हुए दाँत लेकर बड़े साहब के कक्ष में दाखिल हुए और कहने लगे कि काम की घबराहट में कुछ ऐसे फिसले कि दन्तमुक्ति प्राप्त हो गयी। बड़े साहब ने दो स्वस्थ दाँतों के शव को देखा, एक छोटा-सा शोक-प्रस्ताव पास किया और उन्हें छुट्टी दे दी। जैसा कि बाद में पता चला, वे दोनों दाँत नकली थे और वक़्त ज़रूरत कभी भी इसी तरह अदालत में पेश किये जा सकते थे। इसी तरह हिन्दी के एक वरिष्ठ लेखक हैं जिनकी सेहत का पर्दा अकसर उठता और गिरता रहता है। पुस्तकों के विक्रय व उनकी स्वीकृति के समय इन्हें दमा रहता है और लेखकों का हिसाब देते या सरकारी अनुदान लेते समय भयंकर रक्तचाप। बाक़ी वक़्त ये नयी पीढ़ी की विवाहिता या अविवाहिता कहानी-लेखिकाओं के साथ गुज़ारते आये जिससे इनकी सेहत चमकी और युवतियों की कला। एक बार एक राजदूत की सिफ़ारिश से एक सेनेटोरियम में ये भर्ती जो हुए तो यह तय-सा ही कर लिया कि शेष जीवन यहीं गुज़ारा जायेगा। उम्दा खाना मिलता था, ख़ूबसूरत और शोख़ क़िस्म की नर्स थी और बीमारी कोई थी नहीं। थोड़ी-बहुत बीमारी थी भी तो वह कुछ ऐसी सूक्ष्म क़िस्म की थी कि दर्दे-कमर से शुरू होती थी और उस ख़ूबसूरत नर्स की देह का स्पर्श होते ही वह बारीक बीमारी उनकी और नर्स की टाँगों के रास्ते गुज़रकर दर्दे-जिगर हो जाया करती थी। केश सहलाते-सहलाते, सहलाने लगते थे हाथ। इन्होंने तो लगभग तय-सा ही कर लिया था कि जीवन का शेष भाग उसी अस्पताल में गुज़ार देंगे। पर एक दिन एक हादसा हो गया। इत्तफ़ाक से एक दिन इन्हें एक ऐसा वार्ड मिला जिसमें कि ठीक उनकी शैया के सामने अस्पताल से लाश बाहर ले जाने का समय लिखा था। उस तख़्ती का पढ़ना था कि ये इतनी तत्परता से अन्तर्धान हुए कि नर्स तो नर्स, अपनी चप्पल तक वहीं छोड़ आये।

सच्ची बात तो यह है कि स्थिति यह आ गयी है कि कभी-कभी मैं भी बीमार पड़ना चाहता हूँ। अख़बारों में ख़बर छपेगी, प्रशासन से अपील की जायेगी, और कोई हसीन क़ातिलअदा नर्स मेरी भी कमर सहलाएगी। साहित्य अकादमी और ज्ञानपीठ पुरस्कार वालों को पत्र लिखा जायेगा ताकि बाद में यह इलज़ाम न लगे कि हमें ख़बर नहीं की गयी। मर गये तो मुक्तिबोध के समकक्ष बैठेंगे और बच

गये तो फिर से घोर और विशुद्ध आदर्शवादी रचनाएँ लिखी जायेंगी ताकि समाज में जो कुछ भी भ्रष्टाचार आ गया है, उसका पूरा-पूरा पर्दाफ़ाश किया जा सके। मेरे विचार से तो स्थिति वाक़ई यह आ गयी है कि हिन्दी के कुछ वरिष्ठ साहित्यकार अब मर ही जायें तो उचित होगा वरना बहुत सम्भव है कि हत्या का अभियोग किसी पाठक पर लग जाए।

लेख डॉक्टरों से शुरू किया था और नर्सों और मरीज़ों के ऊपर से गुज़रता हुआ यहाँ तक आ गया। इसकी साँस ख़त्म करने से पूर्व यह उचित ही होगा कि कुछ चर्चा सर्जनों की भी की जाए। कहते हैं कि हीरा-मोती उगलने वाली हमारी इस धरती पर चरक और सुश्रुत जैसे महान् शल्यकार पहले ही हो चुके हैं और फ़िलहाल जो सर्जरी की जा रही है वह तो सिर्फ़ नक़ल है। क्योंकि मेरे माता-पिता ने शादी बहुत देर से की और मेरा जन्म काफ़ी देर से हुआ, मैं न तो चरक से ही मिल पाया और न सुश्रुत से ही। मैं तो मात्र एक सर्जन को जानता हूँ जो अपने धन्धे में इतने ज़्यादा सतर्क हैं कि हर ऑपरेशन के वक़्त मरीज़ के पेट में कुछ न कुछ छोड़कर ही आते हैं। उस ग़रीब का पेट खाली रखने से इन्हें कष्ट होता है। एक बार एक बीमार का तीन बार ऑपरेशन किया गया था; पहली बार सर्जन उसमें अपनी कैंची छोड़ आये थे, दूसरी बार चश्मा और तीसरी बार अपना तौलिया, डेटॉल की बोतल और हैट। इस तमाम हादसे के पीछे इनकी कुछ अपनी भी मज़बूरियाँ थीं। व्यक्तिगत सामान रखने के लिए मरीज़ के पेट के अलावा सुरक्षित स्थान अस्पताल में और कौन-सा हो सकता था? जिन अस्पतालों से दवाइयाँ और औज़ार तो क्या, नर्सें और सुन्दर स्त्री डॉक्टर तक अन्तर्धान हो रही हैं वहाँ भला हैट, तौलिये और धूप के चश्मे का पता लगता?

शास्त्रीय संगीत, कबीर और पानीपत

बचपन में एक कहावत सुनी थी जिसमें दी गयी सूचना के अनुसार प्राचीन काल में जड़मति नाम का कोई युवक था जो कि निरन्तर अभ्यास करते-करते सुजान नाम की बाई में परिवर्तित हो गया था। 'करत-करत अभ्यास के जड़मति होत सुजान'। मात्र तपस्या और अभ्यास द्वारा ही यौन परिवर्तन प्राप्त करने की यह शायद सबसे पहली घटना थी। अभ्यास से वास्तव में क्या सिद्ध नहीं होता? शास्त्रों के अनुसार तो वैराग्य तक की प्राप्ति के लिए अभ्यास अपेक्षित है। यह निरन्तर अभ्यास का ही सुखद परिणाम था कि पृथ्वीराज चौहान अपने शत्रुओं को बन्दी बनाकर उन्हें बार-बार छोड़ दिया करता था। यह भी सम्भवतः अभ्यास का ही परिणाम था कि राय पिथौरा और उनके गाथागायक चन्द बरदाई– दोनों एक ही दिन पैदा हुए और एक ही दिन पंचत्व को भी प्राप्त हुए। आल्हा और ऊदल युद्ध लड़ने का अभ्यास करते थे, और लाला मटरूमल अत्तार उन युद्धों के विवरण लिखने का। मध्ययुग में युद्ध जो होते थे वे प्रायः दो वस्तुओं की प्राप्ति के लिए ही लड़े जाते थे; एक वस्तु होती थी किसी दूसरे राजा की रूपवती कन्या या पत्नी और दूसरी वस्तु होती थी वीरगति। जिन अभागों को न स्त्री मिली और न वीरगति, उन्हें वीरगाथा काल में विवशतः कवि बनना पड़ा।

वीरगाथाकाल की भाँति रीतिकाल भी अभ्यास के लिए काफ़ी प्रसिद्ध रहा। नायिका जो थी वह अपने नेत्र कानों तक फाड़-फाड़कर नायक की प्रतीक्षा का अभ्यास करती थी और नायक जो था वह उस बेचारी को विरह की अग्नि में लगातार जलने देने का अभ्यास करता था। विरह की आग में जलकर लड़की जो होती थी वह सोने जैसी निखर जाती थी। ज़्यादा जानकारी देने के लिए मैं आपको नेक सलाह दूँगा कि आप 'ग्वाल कवि' को कहीं एकान्त में बैठकर पढ़ें। इस कवि ने रीतिकाल में भी वीरगाथाकाल को कुछ ऐसे हुनर के साथ निभाया है कि कुछ कहा नहीं जा सकता। कहीं-कहीं तो ग्वाल कवि बिहारी से भी आगे निकल जाता है। बिहारी को तो शायद इस कारण भी बड़ा माना गया कि कुछ समीक्षक उन्हें बिहार क्षेत्र का निवासी समझते थे। हिन्दी का शाश्वत साहित्य प्रान्तीयता की परिधि से कभी बाहर नहीं

निकला।

राजा दक्ष की कन्या पार्वती अभ्यास करते-करते एक दिन ऐसी स्थिति में आ ही गयी थी कि वह शिव की आँखों से तिजारत कर सके। 'व्यापारयामास विलोचनानि।' उपमा ढूँढ़ने का अभ्यास करते-करते कालिदास महाकवि हो गये और उन्हीं उपमाओं का रस लेते-लेते न जाने कितने काव्य-प्रेमी इस असार संसार से कूच कर गये। 'माघे मेघे गतं वयः'। शेख़सादी ने वृद्धावस्था में ही वर्ण परिचय पढ़ा था और वह भी किसी बावड़ी के पत्थरों को देखकर जो कि बर्तनों के लगातार रखे जाने से घिस गये थे। शेख़सादी ने सोचा कि अगर इतना मज़बूत पत्थर घिस सकता है तो फिर निरन्तर अभ्यास से शेख़ की सादी बुद्धि क्योंकर प्रखर नहीं हो सकती? कितना अच्छा रहा कि शेख़सादी किसी नलकूप पर पानी पीने नहीं गये। उन्होंने अभ्यास किया और 'गुलिस्तां' और 'बोस्तां' नाम की दो अमर कृतियाँ रचीं। इनके पढ़ने के लिए फ़ारसी नाम की भाषा का अभ्यास इस कारण आवश्यक है क्योंकि ये दोनों कृतियाँ फ़ारसी में ही लिखी गयी हैं। उत्तम काव्य की परिभाषा सदा से यह रही कि जितना अभ्यास कवि करे, उतना ही पाठक भी। कभी-कभी कवि स्वयं भी पाठक होता है, जैसे श्रीधर पाठक। हिन्दी की काफ़ी कविता सदा से ऐसी रही कि उसके लिखने के लिए प्रेरणा की ज़रूरत कभी नहीं पड़ी। मात्र अभ्यास से ही काम चल गया। छन्द, तुक, मात्रा और अलंकारों ने इतना समय ले लिया कि उतना समय यदि नायक नायिका को वैसे दे देता तो शायद उस काव्य के रचने की ज़रूरत ही नहीं रहती।

कवियों में मुझे कबीर बहुत प्रिय हैं। जैसा कि हम सब लोग जानते ही हैं, ये हज़रत भी अभ्यास करते-करते एक साधारण बुनकर की स्थिति से उठकर एक सन्त और कवि की स्थिति को प्राप्त हुए थे। सन्तों की बात यह है कि इतना सबकुछ हो जाने पर भी इन्होंने अपना पुश्तैनी धन्धा नहीं छोड़ा; चुनाव जीतने के बाद भी अपना चुनाव-क्षेत्र नहीं बिसराया। इनका जीवन और विचार दोनों इतने सादे थे कि जवाब नहीं; पुत्र का नाम कमाल रखा तो पुत्री का कमाली! पढ़ने-लिखने से इन्हें भी हिन्दी के समीक्षकों की भाँति विरक्ति थी : 'मसि कागद तो छुओ नहीं, कलम गही नहिं हाथ।' इस दिशा में उन्हें कोई उचित सलाह देने वाला मिला भी नहीं; 'ऐसा कोई ना मिला हमकौ दै उपदेस, भी सागर में डूब के कर गहि काढ़ै केस।' कबीर का कहना था जीवन का जो स्वाभाविक विकास है, वह पतन की ओर है; एकदम वही बात जो कभी एक नाशपाती को देखकर न्यूटन ने कही थी। न्यूटन का सिद्धान्त कुल मिलाकर बड़ा दुःखदायी साबित हुआ। न यह सिद्धान्त होता, न हम वर्षा ऋतु में फिसला करते।

कबीर के काव्य में भक्ति के अतिरिक्त और बहुत-सी ऐसी अमूल्य सामग्री छिपी है जिसपर अभी तक पूरा ध्यान नहीं दिया गया। उनका प्रेम काव्य काफ़ी मार्मिक है; 'चलि-चलि रे भँवरा कमल पास, तेरी भँवरि बोले अति उदास।' इसी

प्रकार उनकी कविता से यह निश्चित सूचना मिलती है कि सिकन्दर लोदी के काल में चोर-डाकू काफ़ी सक्रिय रहते थे। कितने खेद की बात है कि कबीर की साखियों को बैसाखियों की भाँति प्रयोग कर आगे बढ़ने वाले समीक्षकों का ध्यान इस दिशा में नहीं गया। कवि के अनुसार, 'पंच चोर गढ़ मंझा, गढ़ लूटै दिवस रै संझाः जो गढ़पाँत महुकम होई, तो लूट सकै न कोई।' उन्होंने रमैया नामक एक मुसम्मात का ज़िक्र काफ़ी खुलासा तौर पर किया है जो कि राहगीरों को सरेबाज़ार लूटा करती थी। इस मुसम्मात से कबीर बड़ा भय खाते थे और साधो नाम के सज्जन को इस बारे में प्रायः सचेत करते रहते थे। कहत कबीर सुनो भाई साधो, इस ठगिनी से बचना। जागते रहो।

काव्य-चर्चा में क्या फँस गया कि जड़मति और सुजान दोनों को भूल गया। अभ्यास करते-करते जड़मति जो था वह सुजान नाम की रानी रूपमती में परिवर्तित हो गया था। उन दिनों अभ्यास का दर्ज़ा वाक़ई हाकिम परगना से भी ऊँचा था। पुराने चित्रों को देखिए— नायिका लजाने का अभ्यास कर रही है तो नायक उसे मनाने का। चित्र यदि कुमायूँ शैली का है तो नायक और नायिका दोनों के मध्य एक पक्षी दिखाई पड़ता था जो कि उड़ने का अभ्यास करता था। नायक और नायिका की निगाह बचाकर जैसे ही वह पक्षी विशेष उड़ जाता था, वैसे ही चित्र जो होता था वह कुमाऊँ शैली का न रहकर काँगड़ा शैली का हो जाता था। चित्रकला की भाँति संगीत के साथ भी यही स्थिति थी। पुराने दिनों में गाने-बजाने वाले तड़के ही उठ जाया करते थे और गला फाड़-फाड़कर चीख़ना-चिल्लाना शुरू कर देते थे। जो अनाहतनाद उनके कण्ठ से निसृत होता था, उसे सुनकर भगवान भैरव की नींद भी उचट जाती थी। इसी कारण उस राग को भैरवी कहा गया। इसके गाने के कोई आठ घण्टे बाद कलाकार जो होता था, वह देश पर उतर आता था— ठीक उसी भाँति जैसे कि हमारे समाज-सेवक उतनी ही अवधि में विदेश से आकर देश में उतर पड़ते हैं। देश पर उतरने के बाद लंच। यानी कि मुर्गा हलाल करने का वक़्त। उसके बाद राजा साहब आराम फ़रमाते थे, हुक़्क़ा पीते थे और ठण्डाई पीते थे। शाम हुई तो श्यामकल्याण की तरंग उठी जो चलते-चलते मालकोश पर ख़त्म हुई। मालकोश वह राग था जिसे सुनने के बाद साज़िन्दों को माल दिया जाता था ताकि कुँवर साहिब और बाईजी काँगड़ा शैली के किसी चित्र के नीचे बैठकर ग्वाल कवि के काव्य का अभ्यास कर सकें। डॉक्टर जॉनसन का कहना था कि मैं जानता हूँ कि शास्त्रीय संगीत अत्यन्त कठिन है; मैं तो मात्र यह कहता हूँ कि यदि यह असम्भव होता तो और भी अच्छा रहता।

पिछले दशकों में तो मात्र एक ही पदार्थ का अभ्यास चला और वह था राष्ट्रसेवा का। जिसे देखो वही देसी शराब पिये राष्ट्रसेवा के सामने जीवन अर्पित करने चला जा रहा था। आन्दोलन के नाम पर कहीं दफ़्तर जलते थे तो कहीं छात्रावास। कोई

राष्ट्रसेवी उपवास पर उतरता था तो कोई अज्ञातवास के लिए निकलना चाहता था। कितनी सुखदायक स्थिति थी कि एक ओर नेता चलता था, दूसरी ओर जूता। जूता इतनी तेज़ी से चलता था कि उतनी तेज़ी से उसे पहनकर नेता नहीं चल सकते थे। इन लोगों का विचार था कि नायिका को भाँति भारत माता भी आँच में जलकर रीतिकालीन नायिका की भाँति निखरेगी। सारा-का-सारा देश पानीपत बनाया जा रहा था क्योंकि न पानीपत, बक्सर और प्लासी होते और न हमारा कोई इतिहास होता। यह आपत्कालीन स्थिति क्या गयी कि ज़िन्दगी का काफ़ी मज़ा हलाल हो गया।

सात से अगले स्वर

हमारा सारा संगीत मात्र सात स्वरों पर ही टिका रहा। इससे हमारे पूर्वजों की मितव्ययिता पर प्रकाश पड़ता है– 'सादा जीवन, उच्च विचार।' ख़ैर, वास्तविकता यह है कि स्वर जो हैं वे सात से आगे भी हैं और काफ़ी हैं। सुमित्रानन्दन पन्त की बात छोड़ दीजिए जिन्होंने सात स्वरों का भी पूरा-पूरा उपयोग नहीं किया। 'पल्लव' में वे 'सा' को पकड़े रहे और गुंजन में 'रे' को। इसके बाद उन्होंने रश्मिपदी काव्य लिखा और उसके बाद इन महान कवि की अलौकिक प्रतिभा का बूढ़ा चाँद महाकाव्य नाम की नदी में डूब गया। हिन्दी में महाकाव्य उस काव्य-नद को कहा जाता रहा जिसके ऊपर प्रशंसा के पुल बाँधे जायें और जिसके नीचे पुरस्कार की धाराएँ बहती रहें। इस काव्य-नद के तट पर साहित्य की चिता के अतिरिक्त और कुछ नहीं जलता।

इस प्रबन्ध के परम विद्वान् लेखक का यह निश्चित मत है कि स्वर जो हैं, वे सात से कहीं ज़्यादा हैं। परम विद्वान शब्द का प्रयोग मैं इस कारण कर रहा हूँ क्योंकि 'भामिनी विलास' के कवि के अनुसार विद्वानों के मुख से या तो बात निकलती ही नहीं और यदि कहीं निकल पड़ती है तो फिर हाथी के दाँतों की भाँति निकली ही रहती है, भीतर फिर प्रवेश नहीं करती। मैं फिर कहता हूँ कि स्वर जो हैं वे सात से कहीं ज़्यादा हैं। एक स्वस्थ गधा किसी स्वतन्त्र विचारों वाली कुमारी गधी से जब प्रणय निवेदन करता है तो वह आठवें स्वर में करता है। रेल का इंजिन– जिसकी गलेबाज़ी के क़ायल महाकवि अकबर भी थे– जो स्वर निकालता है, वह आठवें स्वर से भी कहीं आगे है। कवि सम्मेलनों में कवयित्रीजी जो प्रणयगीत पढ़ती हैं, उसका स्वर भी शास्त्रकारों की पकड़ में कभी नहीं आया। कवयित्री स्वयं पकड़ में आ गयी हों, यह दीगर बात है। पूरा पारिश्रमिक न मिलने पर कुछ बकरी छाप कवि जिस प्रकार का आर्तनाद और तुमुल घोष करते हैं वह भी सात स्वरों की सीमा के बाहर होता है। किसी परोपकारी परपुरुष के साथ अपनी निजी भार्या के पलायन कर जाने के बाद, विवेकी पति सन्तोष की जो साँस लेता है वह हमारे समस्त संगीत से कहीं अधिक मधुर और सच्ची होती है। इसी प्रकार कुछ शालीन और भद्रपुरुष भरपेट भोजन कर लेने के बाद अपनी अस्थि-चर्ममय देह के विभिन्न भागों से ऐसी

दिशा-भेदक ध्वनियाँ निकालते हैं जैसी कि उनके मुखश्री से कभी नहीं निकलीं। ये सारी ध्वनि योजनाएँ ऐसी हैं कि सात स्वरों की लक्ष्मण रेखा के भीतर कभी नहीं रहीं। इनके आलापों और आरोहावराहों के सामने ओंकारनाथ ठाकुर और दिलीप कुमार राय भी कभी नहीं ठहर सके।

मेरे विचार में हमारे पूर्वजों ने स्वरों को सात की सीमा के भीतर इस कारण रखा क्योंकि उन दिनों शोरगुल जो था, वह वैसे भी कम ही होता था। कुल मिलाकर शायद दो-चार अदद चीज़ें होती थीं जो शोर करती थीं। पपीहा पी-पी करता था और कोकिल कूहु-कूहु। दादुर महाराज तो सदा से वेदपाठी ही रहे। हंस को तो कभी बोलने का अवसर ही नहीं दिया गया। वह ग़रीब या तो नल के पत्र दमयन्ती तक पहुँचाता रहा था या फिर छुट्टी के दिन वही नीर-क्षीर विवेक वाला पुश्तैनी धन्धा सँभालता रहा। इस क्रिया-कलाप में वह इतना तत्पर था कि संस्कृत के एक कवि की नायिका ने उससे एक बार पूछा था कि हे हंस, यदि तुम्हीं नीर-क्षीर का विवेचन करने में आलस्य करने लगोगे तो इस संसार में अपने कुलव्रत का पालन कौन करेगा? अर्थात् कोई भी नहीं। वहाँ अलबत्ता मोर ज़रूर कुछ शोर करता था पर केवल पावस-ऋतु में। मयूर की चर्चा क्या छिड़ी कि मुझे फिर मेघदूत की याद आ गयी। कालिदास की सूचना के अनुसार यक्ष की जो पत्नी थी वह काफ़ी खुशमिज़ाज थी। उसके आँगन के पार द्वार नहीं था, वहाँ वृक्षों के मध्य एक सोने का खम्भ था जिस पर बिल्लौर की चौकी रखी थी। उसकी जड़ में पन्ने जड़े थे जो ऐसा प्रभाव डालते थे कि लगता था कि वहाँ हरे-हरे बाँसों की झाड़ी थी। इसी चौकी विशेष पर साँझ के समय मयूर आकर बैठा करता था और विरहिणी यक्षिणी कंकड़ बजाती हुई ताल देकर उसे नचाया करती थी। जैसा कि ज़ाहिर है, उन दिनों विरहिणी युवतियों का समय काफ़ी मज़े से कटता था।

पापी पपीहा, काली कोयल, दुर्जन दादुर, दूध की जाँच-पड़ताल करता हुआ हंस और जंगल में नाचता मोर– इन सबको यदि छोड़ दें तो शोर मचाने वाली सिर्फ़ एक चीज़ बचती थी और वह होती थी कन्या। जैसे कवि के अनुसार न जाने कितने सहस्त्र वर्षों से समुद्र में डूबा हुआ रहने के बाद भी मैनाक-पर्वत कभी मृदु नहीं बना, ठीक उसी प्रकार स्त्री जाति का भी कोई ऐसा मॉडल अभी तक नहीं बना, जिसे चुप किया जा सके। हाँ, इतनी गनीमत ज़रूर थी कि उन दिनों कोई-कोई बालिका मधुर भी बोल देती थी। ऐसी युवतियों को कवियों ने प्रियम्वदा कहकर पुकारा।

स्थिति यह नहीं है कि मैं कोई संगीत का दुश्मन हूँ; यह तो आजकल का संगीत है जो कि मेरा दुश्मन बनता जा रहा है। मैं जानता हूँ कि गाना सुनकर गायें ज़्यादा दूध देती हैं और यही वह रहस्य था जिसके कारण कृष्ण सदा वंशी बजाया करते थे। मैं जानता हूँ कि पागल लोग नर्सों का मधुर संगीत सुनकर थिरकने लगते हैं, जब कि जहाँ तक मेरा प्रश्न है, मैं तो किसी भोली सूरत वाली नर्स को देखकर

ही थिरकने लगता हूँ; उसे गाना गाने की तकलीफ़ भी नहीं देता। मैं उस संगीत के विरुद्ध नहीं हूँ जो पागलों को ठीक करते हैं; मैं तो मात्र उस शोर के ख़िलाफ़ हूँ जो भले-चंगों को पागल बनाने की कोशिश में लगा है। आप विश्वास कीजिए कि इन दिनों स्थिति इतनी दर्दनाक हो गयी है कि कभी-कभी लगता है कि आज़ादी के बाद हमने स्वरों के अतिरिक्त और किसी वस्तु का उत्पादन किया ही नहीं। प्रजातन्त्र का प्रथम लक्षण शायद चीख़ना-चिल्लाना ही होता है; मंच पर नेता चिल्लाता है, नीचे जनता। बात भी ठीक है, हरेक की अपनी अलग-अलग मजबूरियाँ हैं। बकौल ग़ालिब के– 'कौन है जो नहीं है हाज़तमन्द, किसकी हाज़त रफ़ा करे कोई?' जहाँ तक मेरी बुद्धि काम करती है, 'हाज़त' शब्द से कवि का अभिप्राय यहाँ सम्भवतः 'इच्छा' से था।

सात से आगे संगीत के ये जो शेष स्वर हैं, इनसे मैं वाक़ई बेहद परेशान हूँ। सड़क के साथ बलात्कार करने वाले जो ठेले हैं, उनका तो कोई जवाब ही नहीं। शरद जोशी ग़लत हैं; भोंपू बजाने की शास्त्रीय कला अभी एकदम लुप्त नहीं हुई। कुछ घराने हैं जो अभी भी इसके विकास में लगातार जुटे हैं। संगीत नाटक अकादमी को उचित होगा कि वह इन कलाकारों की दिशा में ध्यान दे। इसी प्रकार वे कीर्तन हैं, जो रात-रात भर लाउडस्पीकर पर होते हैं। लगता है, परमपिता परमात्मा शायद अब वृद्ध हो गये हैं और उनकी जो श्रवण-शक्ति थी वह समाप्त हो गयी। इन सबसे अतिरिक्त मेरे ऊपर के तल्ले पर रहने वाली एक तीस वर्षीय कन्या है जो रात-रातभर घुँघरू बाँधकर नृत्य का अभ्यास करती है। मेरे ख़याल में यदि कबीर भी आज होते, तो इस अनाहत नाद के सामने वे भी हौसले छोड़ देते। प्राप्त समाचारों के अनुसार इंसान तो इंसान, जानवरों तक की यह स्थिति है कि बिना गाना सुने वे भी नहीं रह सकते। उत्तर प्रदेश में एक गधा है जो तब तक गतिशील नहीं होता जब तक कि उसका स्वामी रेडियो ऑन नहीं कर देता। आजकल का संगीत गधों में कितना ज़्यादा लोकप्रिय हो गया है, वह इस दृष्टान्त से प्रकट हो जाता है। मैं पूरी ईमानदारी के साथ आपके सामने आज यह स्वीकार करता हूँ कि हालत इतनी नाज़ुक हो गयी है कि दफ़्तर के अतिरिक्त और कोई ऐसा स्थान ही शेष नहीं बचा जहाँ कि निश्चिन्त होकर निद्रालाभ किया जा सके।

पत्नी प्रसन्न राघव

इस असार संसार के पुरुषों को मोटे तौर पर दो वर्गों में विभाजित किया जा सकता है। कुछ पुरुष सुखी होते हैं और बाक़ी विवाहित। विवाहित वर्ग स्वयं कभी सुखी नहीं रहता— हाँ, अलबत्ता उनकी पत्नियाँ ज़रूर किसी-किसी स्थिति में सुखी पायी जाती हैं। विवाहित आर्यपुत्रों का सारा समय आर्यपुत्रियों अर्थात् उनकी पत्नियों को सुखी रखने में ही व्यतीत हो जाता है हालाँकि सच यह है कि इन तमाम प्रयत्नों के बावजूद नायिका जो थी वह प्रायः रूठी ही रहती रही। पुरानी शैली के चित्र और रीतिकालीन कविता इस सत्य की उतनी ही पुष्टि करते हैं जितना कि आज की ऋतु में निरन्तर बढ़ते हुए तलाक़। विशेषज्ञों का कहना है कि पिछले दस वर्षों में विवाहों की दर बेहद घट गयी और तलाक़ों की दर जो थी वह बेहद बढ़ गयी। विवाहों के घटने पर भी तलाक़ों की दर कैसे बढ़ी— यह एक ऐसा रहस्य है जो बेचारे विशेषज्ञ स्वयं भी नहीं जानते; या जानते हैं तो पत्नी के भय से बताना नहीं चाहते। पत्नी का जो भय है वह बाक़ी सारे भयों से ऊपर है। पत्नी अपनी हो या परायी; इस सत्य पर उससे कोई अन्तर नहीं पड़ता। पत्नी को प्रसन्न करने की क्रिया में वीर विक्रमाजीत एक बार पत्थर के हो गये थे। उपनिषदों में जिस 'असिधाराव्रत' की चर्चा की गयी है वह इस सन्दर्भ में सही बैठता है। असिधाराव्रत की शैली पर एक पतिव्रत भी होता है जिसको पालन करने वाली आर्य ललनाएँ प्रायः पतिव्रता कहलाती हैं। पतिव्रता का शास्त्रीय अर्थ उन पत्नियों से है जो अपने निजी पति से व्रत रखें। इस सन्दर्भ में हाल ही में एक घटना विलासपुर में घटी जहाँ विलास की प्रथम रात्रि के बाद ही पत्नी ने पति को इस मुद्दे पर छोड़ दिया क्योंकि उसी रात्रि में उस बेचारे के केश यकायक सफ़ेद हो गये थे। कितने उदात्त चरित्र की कन्या थी; उसे पति से कहीं ज़्यादा उसके केश प्यारे थे। धन्य हैं वे भाग्यशाली माता-पिता जिन्होंने ऐसी होनहार सन्तान को प्रकाश में लाने की चेष्टा की। धन्य है वह पति जिसने विवाहित जीवन की सारी ज़िम्मेदारियों को पहली रात में समझ लिया और बूढ़ा हो गया। धन्य है वह बालिका जिसने अपने सौन्दर्य-प्रेम के सामने पति को भी छोड़ दिया। सभी लोग इतने धन्य हैं कि मुझे हिन्दी के प्रसिद्ध अनुवादक धन्यकुमार

जैन की याद आने लगी जिन्होंने कि रवीन्द्रनाथ ठाकुर के सारे साहित्य को हिन्दी में पहली बार इतने कलात्मक रूप में प्रस्तुत किया था।

पत्नी को प्रसन्न रखने से पहले यह ज़रूरी हो जाता है कि आप एक अदद पत्नी प्राप्त करें। पत्नी प्राप्त करने के युद्ध या अभियान को विवाह की संज्ञा दी जाती रही। हमारे शास्त्रों के अनुसार विवाह की कई क़िस्में होती थीं जिनमें गन्धर्व और राक्षस विवाह जो होते थे वे अपेक्षाकृत काफ़ी सरल होते थे। गन्धर्व विवाह में तो कभी-कभी वर-वधू को भी पता नहीं चलता था कि विवाह कब हो गया। यह हमारा सौभाग्य है कि यह प्रथा समय के साथ समाप्त नहीं हुई; वरन् सभ्यता और संस्कृति के विकास के साथ-साथ इसका प्रचार कुछ ज़्यादा ही बढ़ा। मालद्वीप में एक ही पति अपनी उसी पुरानी घिसी-पिटी पत्नी से बार-बार शादियाँ करता रहा जबकि भारत के वीरों ने स्त्री को पैर की जूती माना और जब चाहा उसे बदल दिया। इण्डोचीन में विवाह को सन्तानोत्पत्ति के बाद ही स्थायी माना जाता था जबकि अमेरिका में विवाह तभी तक स्थायी रहता है जब तक कि पत्नी के बच्चा न हो। गोंड जाति में विवाह के अवसर पर दूल्हा और दुल्हन एक-दूसरे पर कीचड़ उछालते हैं जबकि शेष भारत में इस ज़िम्मेदारी को नातेदार और बाक़ी लोग निभाते हैं। नाईजीरिया में महिला जो है वह महिला के साथ ही शादी करती है, जो मेरे विचार में काफ़ी सात्विक और पवित्र क़िस्म की प्रथा है। ऐसी शादियाँ परिवार-नियोजन में भी शायद कुछ मदद करती हों। एक देश है जहाँ कन्या को विवाह योग्य हो जाने पर पिंजड़े में बन्द कर दिया जाता है और यह पिंजड़ा तब तक बन्द ही रहता है जब तक कि वर उसे आकर खोल न दे। इसके बरख़िलाफ़ हमारा देश है जहाँ कन्या जो है वह विवाह के बाद पिंजड़े में बन्द होती है और कभी-कभी तो ऐसी कसकर बन्द की जाती है कि वह बेचारी फिर कभी मुक्त ही नहीं होती।

संज्ञा और सर्वनाम की भाँति पत्नियों के भी अनेक प्रकार हैं। दूसरे की पत्नी आपकी अपनी पत्नी से हमेशा अच्छी होती है, यह सत्य आज भी उतना ही सच्चा है जितना कि वीरगाथा काल में था। कुछ पत्नियाँ हैं जो चाहती हैं कि उनका पति दाढ़ी रखे ताकि फ़र्नीचर की सफ़ाई आसानी से हो सके। कुछ देवियाँ हैं जो कपड़े शरीर पर कम रखती हैं और अलमारी में ज़्यादा। कुछ पत्नियाँ इतनी दुबली होती हैं कि पृथ्वी पर उनकी छाया तक नहीं पड़ती और कुछ देवियों का स्वास्थ्य इतना भव्य होता है कि जब वे रेल के डिब्बे में प्रवेश करती हैं तो बाक़ी जो यात्री हैं वे बाहर निकलने लगते हैं। कुछ पत्नियाँ हैं जो डायटिंग करती हैं और कुछ ऐसी हैं कि जो कुछ भी मिले, जितना भी मिले, सब गोदाम में गप्प। पत्नियों की जो नयी क़िस्में इधर प्रकाश में आयी हैं उनमें तीन प्रमुख हैं और वे हैं चश्मावती, कलावती और दयावती। चश्मावती पत्नियाँ बौद्धिक क़िस्म की होती हैं, वे किताबें पढ़ती हैं, किताबें लिखती हैं और न जाने कितनी संस्थाओं की सदस्या होती हैं। इन्हें बच्चों

से नफ़रत होती है, चाहे वे शादी से पहले हों या बाद में। निगाह कमज़ोर हो जाने के कारण कभी-कभी ये किसी पराये पुरुष को भी अपना पति मान लेती हैं मगर वह एक दीगर और साधारण-सी बात है जिस पर ज़्यादा वक़्त बर्बाद करना उचित नहीं। कलावती नाम की जो कन्या होती हैं, वे वे हैं जिनका कि प्रकाश विवाह के बाद भी चन्द्रमा की कलाओं की भाँति दिन-प्रतिदिन या रात्रि-प्रति-रात्रि बढ़ता ही जाता है। वे मुक्त होती हैं और सारी दिशाओं और सारी दशाओं में वे मुक्त ही रहती हैं। ये ही वे प्रतिमाएँ है जिन्हें देखकर कवि ने कहा था कि– 'नाचे दुल्हन ख़ुशी से अपनी बरात में'। दयावती क़िस्म की जो पत्नियाँ हैं वे अपने पति के प्रति उतनी ही दयावान होती हैं जितनी कि अपने कुत्ते के प्रति। कुत्तों की तरह पतियों के गले में भी पट्टा पड़ा रहता है और जंज़ीर जो होती है वह उनके हाथ में रहती है। कुत्तों की तरह वे कभी-कभी अपने पतियों की सामूहिक प्रदर्शनी भी आयोजित करती हैं जिस पर टिकट नहीं लगता। किसी-किसी स्थिति में पति भी उसी तरह बदला जाता है जिस तरह कुत्ते। उम्र और नस्ल की बात जो ठहरी। ख़ैर, स्थिति कुछ भी हो, यह सच है कि बीवी होनी एक ही चाहिए। भर्तृहरि ने कहा था कि पत्नी की मात्रा हमेशा एक हो, चाहे वह रूपवती हो चाहे गुफ़ा की भाँति भयानक। 'एको भार्या सुन्दरी वा दरी वा'। चूँकि मेरी अपनी बीवी गुहा की भाँति– या किसी भी और पदार्थ की भाँति– भयानक नहीं है, मैं भर्तृहरि से असहमत नहीं हो सकता।

पत्नी को प्रसन्न रखने की पैंसठवीं कला काफ़ी क्लिष्ट है। बर्नार्ड शा का कहना था कि लड़कियों को उचित होगा कि वे जितनी जल्दी हो सके किसी युवक से विवाह कर लें और युवकों को उचित होगा कि जहाँ तक सम्भव हो, वहाँ तक अविवाहित रहने की ही चेष्टा करते रहें। बात यह है कि शादी के बाद रिश्ता बदल जाता है। प्रेमी और प्रेमिका की भूमिका अलग है और शादीशुदा लोगों की किताब अलग। शादी की पहली ही रात में पति को पत्नी परी-जैसी लगती है और पत्नी को पति भूत-जैसा। 'तअल्लुक आशिको माशूक का जो लुत्फ़ रखता था; मज़े अब वो कहाँ बाक़ी रहे बीवी-मियाँ होकर'। शादी होने के बाद पहला हादसा जो होता है वह यह होता है कि कन्या बोलना शुरू कर देती है। कहाँ वह कचनार पेड़ के नीचे का अभिसार, जहाँ सिर्फ़ लड़का ही सारा डायलॉग बोलता था और कहाँ यह शादी के बाद का लंकाकाण्ड, जिसमें उसी बेज़ुबान कन्या की सरस्वती रुकती ही नहीं। एक प्रख्यात चिकित्सक का यह निश्चित मत था कि पुरुष को मुर्दा तब मान लो जब वह साँस लेना बन्द कर दे और स्त्री को तब जब उसकी साँस ही नहीं वरन् वाणी भी शान्त हो जाए। यह एक ऐसा निदान है जो कभी धोखा नहीं देता।

ख़ैर, स्थिति कुछ भी हो, यह सच है कि पत्नी भी हो और उसे प्रसन्न भी रखा जाए। 'नार्यस्तु यत्र पूज्यन्ते रमन्ते तत्र देवताः'। शास्त्रों के अनुसार 'यावज्जाया न विद्यते, असर्वो हि तावद् भवति'। जब तक घर में बहू नहीं आ जाती, आँगन

जो है वह कुछ-कुछ सूना-सा लगता ही है। और भवभूति के शब्दों में स्नेह की जो परमोच्च सीमा है, वह है सन्तान। असली तरह जो आँगन भरता है वह उनसे भरता है। अश्वघोष के अनुसार उदारता के बिना रूप वैसा ही होता है जैसा कोई पुष्पविहीन वन। इस निन्दा से बचने के लिए युवतियों को उदार होना ही पड़ता है ताकि वंशवृक्ष आगे चल सके। जहाँ तक पुरुषों का प्रश्न है उनकी तो विवशता है कि पत्नी को प्रसन्न रखा जाए। श्रृंगारविलास नामक काव्य में कवि कहता है कि उपनिषद् भली-भाँति पढ़े थे, गीता भी बुद्धिमानी से परिशीलित की थी मगर वह चन्द्रवदना क्या दीख गयी कि मैं सब कुछ भूल गया।

कुछ लोग होते हैं जिन्हें बीवी को ख़ुश रखने में सचमुच कमाल हासिल होता है। आख़िर बीवी इतने काम आती है, उसके कारण आयकर में छूट मिलती है, वह वार्डरोब हटवाने में आपका हाथ बँटाती है, वह घड़ी में चाबी भरती है तो फिर उसे सुखी ही क्यों न रखा जाए? आदर्श पति वही है जो अपनी पत्नी को हर हालत में सुखी रखता है। मगर दिक्कत यह है कि इस दिशा के सारे रहस्य कोई भी नहीं जान पाया। डॉ. जानसन, डिजरायली और अब्राहम लिंकन जैसे सफल पति भी इस क्षेत्र में कोई सिद्धान्त निश्चित नहीं कर पाये। जानसन और डिजरायली की पत्नियाँ तो आयु में भी उनसे बहुत बड़ी थीं। श्रृंगार रस जब वात्सल्य रस से मिलता होगा तो कैसा लगता होगा?

आदर्श पति वही है जो पत्नी को प्रसन्न रखने के सारे उपायों का सम्पूर्ण ज्ञाता हो। वह जानता हो कि पत्नी मूँछें पसन्द करती है या कि दाढ़ी। वह जानता हो कि एक पत्नी को दूसरे की पत्नी कभी नहीं भाती। वह जानता हो कि पत्नी को अतिथि, तर्क, गंजा सिर, मरे चूहे और जीवित पति कभी अच्छे नहीं लगते। वह जानता हो कि पत्नी को जो चीज़ें अच्छी लगती हैं वे कुछ और हैं, जैसे ज्योतिष, टेलीफ़ोन, बच्चे, शादियाँ, बुनाई, मातम, जूते, गहने, ताज़ी हवा, पर्स, दुखान्त नाटक, मूर्च्छा, छुट्टी और लम्बी-चौड़ी पार्टी के बीच सबसे कम खाना। वह जानता हो कि दफ़्तर से देर से लौटने के कितने बहाने हो सकते हैं। वह अपनी चिट्ठियाँ दफ़्तर ही में फाड़ डालता है, बीवी के सामने कभी किसी सुन्दर लड़की को आँख उठाकर नहीं देखता और उसके माँ-बाप की कोई बुराई कभी नहीं करता। पत्नी हमेशा चन्द्रवंशी होती आयीं। वह जानता है कि अगर रहना है तो इसी तरह रहना है। वह जानता है कि उसकी इज़्ज़त और स्थिति एक अवैतनिक खिदमतगार से ज़्यादा कभी नहीं होगी। मगर वह यह स्थिति स्वीकार कर लेता है और गोस्वामी तुलसीदास का भक्त होते हुए भी पत्नी को ढोलक की भाँति नहीं पीटता। हाँ, अलबत्ता गाहे-बगाहे पत्नी उस पर दो-चार हाथ ज़रूर चला लेती है। 'मैम ने शेख़ को डाँटा तो पुकारा वो ग़रीब, देखिए तोप को लाठी ने दबा रक्खा है।' वह जानता है कि घर बीवी का है, उसका नहीं। उसकी हालत वही होती है जो दिल्ली दरबार के समय महाकवि अकबर की

हुई थी। 'महफ़िल उनकी, साकी उनका; आँखें मेरी, बाक़ी उनका।'

संसार के सफलतम पति वही रहे जिन्होंने पत्नी के विरोध में मुँह नहीं खोला। वे जानते थे कि सुखी दाम्पत्य जीवन का रहस्य मात्र इस बात में छिपा है कि स्थितियों से समझौता कर लिया जाए। उदाहरण के तौर पर आधा वक़्त पति वह काम करे जो पत्नी चाहती है और आधा वक़्त पत्नी वह काम करे जो वह करना चाहती है। वह घर में बच्चे सँभालता है और बाज़ार में सामान। वह रात को जागता है और दफ़्तर में सोता है। वह रविवार को तसवीर देखने नहीं जाता, उस दिन वह ड्राइंगरूम साफ़ करता है, मकान के जाले हटाता है और उन दिनों को याद करता है जबकि वह अविवाहित था। मगर अब वह कुछ कर नहीं सकता। तीर जो था वह कमान से निकल गया। अब वह कभी वापस नहीं आयेगा।

पत्नी है कि बोलती जाती है और वह है कि सुनता जाता है। वह जानता है कि उसकी यही नियति है। स्थिति कुछ भी हो, उसका जो अंग निरन्तर काम करेगा वह उसका कान ही होगा। कान है तो जहान है। जो समयसिद्ध पति हैं, वे दोनों कानों का इस्तेमाल साथ-साथ करते हैं; एक कान से सुनते जाते हैं और दूसरे कान से निकालते जाते हैं। पत्नी कुछ भी कहे, उनकी आत्मा उतनी ही पवित्र रहती है जितनी कि पहले थी। कहो जो चाहो सुन लेंगे मगर मुतलक न समझेंगे, तबीयत तो ख़ुदा जाने कहाँ है, कान हाज़िर है। असलियत यह है कि तबीयत कहाँ है, यह दफ़्तर की दो-चार लड़कियों के अलावा ग़रीब ख़ुदा भी नहीं जानता। जो और भी ज़्यादा पहुँचे हुए पति हैं वे सुनते भी हैं, डाँट भी खाते हैं, और यदि धर्मपत्नी सुडौल शरीर की गजगामिनी क़िस्म की होती हैं तो यह भी जानते हैं कि किस समय वहाँ से उनका अन्तर्धान हो जाना उनके हित में होगा। इस सन्दर्भ में अकबर इलाहाबादी का एक शेर आपकी खिदमत में पेश करता हूँ जिसमें कुछ संशोधन करने के कारण स्थिति यह हो गयी कि वह भी पतियों की भाँति शेर के बजाय गीदड़ के स्तर पर उतर आया–

हों मुबारक हुज़ूर को शौहर,
ऐसे शौहर नसीब हों किसको
कि पिटें ख़ूब और सर न उठाएँ
और खिसक जायें जब कहो खिसको

एक अधार्मिक व्यक्ति का वक्तव्य

कभी-कभी मेरे मित्र मुझसे इस बात पर एतराज़ करते हैं कि उनके विचारों में मैं धार्मिक व्यक्ति नहीं हूँ। मैंने कई बार इस विषय पर ठण्डे दिमाग़ से सोचा है और दिमाग़ को ज़्यादा ठण्डा रखने के लिए मैं इस सन्दर्भ में दो-चार बार पहाड़ों पर भी गया हूँ। मेरी समझ में आज तक यह बात नहीं आयी कि आज के युग में कोई व्यक्ति धर्मात्मा बने तो क्यों बने?

साहित्य की भाँति धर्म भी समाज का दर्पण रहा और समाज की स्थिति के साथ-साथ बदलता गया। एक ज़माना था कि सब दिशाओं में वन ही वन थे। वनों में नदियाँ बहती थीं, नदियों में पानी बहता था और पानी में मगरमच्छ बहते पाये जाते थे। नदियों के दो तट होते थे और उन तटों पर शकुन्तला पायी जाती थी। पिछड़े ज़माने की बात ठहरी; न कहीं नगर थे, न रंगीन रेस्तराँ, न बोटिंग क्लब और न मिस रूना-लैला। ऐसी दर्दनाक स्थिति में 'सादा जीवन, उच्च विचार' वाला नारा यदि राष्ट्रीय स्तर पर न अपनाया जाता तो और किया ही क्या जाता? महामति मनु ने एक जगह दूसरों की पत्नियों को– चाहे वे कितनी भी रूपवती, युवा और 'मिलनसार' क्यों न हों– माता के तुल्य मानने का आदेश दिया। यह आदेश उचित था। दरअसल जिन दिनों मनु ने यह अध्यादेश जारी किया था उन दिनों प्रायः एक गाँव की आबादी वैसे भी एक ही परिवार होती थी और वास्तविक स्थिति यह थी कि अपनी निजी पत्नी के अतिरिक्त जो कोई दूसरी बाई आसपास होती थी, वह वैसे भी अपने बाप की ही मुसम्मात होती थी। अब यदि उस बाई को मनु ने माता कहने को बोल दिया तो कौन-सा तीर मार दिया? बात तो तब है जब मनु कनॉट प्लेस में दो-चार शाम गुज़ार लें और फिर अपना पुश्तैनी नारा दुहराएँ। हज़रतगंज पहुँचकर अच्छे-अच्छे हज़रतों के चरित्र गन्दे हो गये। मनु यदि कहीं मुझे मिल जायें तो बात साफ़ करूँगा।

इसी तरह सादे जीवन के एक और प्रेमी थे; पेशे से गणितशास्त्री और नाम से उमर ख़ैयाम। अपनी सादगी का बयान करते हुए ये कहते हैं कि यदि मुझे कविता की एक पोथी, शराब का एक प्याला, रोटी का एक टुकड़ा और एक अदद हसीन

लड़की मिल जाए तो मेरे लिए वन की ये मेखलाएँ और बियाबान जंगल ही स्वर्ग है। पहली निगाह तो आप इनकी सादगी पर डालिए। ज़रूरत की सारी चीज़ें भी ले लीं और सूफ़ी होने का रोब जो था वह भी ले लिया। इनकी जगह हम होते तो चार में से दो चीज़ों से ही काम चला लेते; काव्यग्रन्थ और शराब को भी छोड़ देते। दूसरी निगाह इनके अरण्य-प्रेम पर फेंकिए। अगर जिस छोकरी का ज़िक्र उमर ख़ैयाम ने किया है, उसका बाप पहलवान छाप था और आसपास ही कहीं पाया जाता था तो यह उचित ही था कि कविवर उमर ख़ैयाम को शहर की बनिस्बत जंगल पसन्द आता। जंगल और लड़कियों का वैसे भी घनिष्ठ सम्बन्ध है। कृष्ण भी राधा को पकड़कर कदम्बों के वनों की दिशा में ही ले जाया करते थे। अँधेरी रात्रियों में इस कार्यक्रम को विशेष रूप से निश्चित किया जाता था और यदि वें रात्रियाँ वर्षाऋतु की होती थीं तब तो फिर कहना ही क्या!

धर्म के बारे में चिन्तन-अनुचिन्तन करते-करते मैं सदा इस निष्कर्ष पर पहुँचा कि धर्मात्मा बनने के ज़माने दरअसल अब गुज़र गये। वरना जनाब, क्या-क्या धर्म इस देश में आये और चले गये। वाममार्गियों का नाम तो आपने सुना ही होगा; ये वामपन्थियों से भिन्न होते थे। शराब इनका चुनाव-चिह्न था : 'पीत्वा-पीत्वा पुनर्पीत्वा यावत्पतति भूतले; पुनरुत्थाय वै पीत्वा, पुनर्जन्म न विद्यते।' पियो और पियो और जब पीते-पीते गिर पड़ो तो होश में आने पर फिर पियो। पीना हराम है, न पिलाना हराम है; पीकर के होश में आना हराम है। वाम-मार्ग के अनुसार ऐसा कर्म करने से मनुष्य पुनर्जन्म के बन्धनों से सर्वथा मुक्त हो जाता था। मेरे ख़याल में इतनी शराब पीने से पुनर्जन्म क्या, आदमी इस जन्म से भी जल्दी ही मुक्त हो जाता है। वे दिन नशाबन्दी के नहीं थे, और स्थिति यह थी कि लड़कियों की आँखें, अधर और शेष अंग भी मदिरा से लबालब भरे रहते थे। चौबीस घण्टों की सर्विस। मदिरा के अतिरिक्त वाममार्गियों की जो और ज़रूरतें थीं, वे ज़्यादा नहीं थीं— मदिरा के साथ-साथ वे सिर्फ़ मांस, मुद्रा, मछली और मैथुन चाहते थे। 'एते पंच मकाराः स्युः मोक्षदा हि युगे युगे।' प्लेटो ने जो पत्नियों के राष्ट्रीयकरण की बात छेड़ी थी, वाममार्गी उसी का पालन करते थे। 'मातृयोनि परित्यज्य विहरेत् सर्वयोनिषु'। आजकल के शिक्षा संस्थानों के वार्पिक कार्यक्रमों की भाँति ये लोग भी एक सालाना जलसा करते थे जो आज की सांस्कृतिक सन्ध्याओं की भाँति पूरी तरह कामयाब रहा करता था। सारे स्त्री-पुरुष अपनी आँखों पर पट्टी बाँधकर अपने कपड़े उतार देते थे और फिर जो भी साथी मिल जाता था, उसी के माध्यम से इष्टदेव की प्राप्ति की जाती थी। अपने-पराये का भेद ही मिट जाता था। 'अहं भैरवः त्वं भैरवी, ह्यावयोरस्तु संगमः।' जो काम ये लोग आँखों पर पट्टी बाँधकर करते थे, आजकल के बड़े लोग बिना पट्टी बाँधे ही कर लेते हैं। सभ्यता का विकास तो होगा ही। रुद्रयामल तन्त्र के अनुसार निचली जाति की युवतियों से निकट सम्पर्क स्थापित करना तीर्थयात्रा के

बराबर होता था। इस तीर्थयात्रा पर भी श्रद्धालु लोग हमेशा निकलते रहे।

इसी प्रकार बाद में चलकर सदा सोहागिन नामक सम्प्रदाय प्रकट हुआ। इस सम्प्रदाय के सारे सदस्य स्त्रियों की वेशभूषा में रहते थे। सब चूड़ियाँ धारण करते थे और साड़ियाँ पहनते थे। विशुद्ध अद्वैतवाद का सर्वश्रेष्ठ उदाहरण। और जो नीलपट सम्प्रदाय होता था उसका तो कहना ही क्या! इन भक्तों का तो एकमात्र दुख यही था कि नदियों में पानी के स्थान पर मदिरा क्यों नहीं बहती, पहाड़ मांस क्यों नहीं बन जाते और ये जो पेड़; झाड़ी और मेज़-कुर्सी जैसे पदार्थ हैं, ये सुन्दर युवतियों का रूप क्यों नहीं धारण कर लेते? इन लोगों का धन्धा ख़ासी अच्छी तरह चल रहा था मगर इन्होंने राजा भोज की कन्या को इष्टदेव के दर्शन करा दिये। इसके बाद राजा ने इनकी समाप्ति काफ़ी मुकम्मिल ढंग से की। अब आप ही सोचिए, यदि धर्मात्मा बनना था तो उन दिनों बनना था, आजकल बनने से लाभ?

एक बार हमारे यहाँ खाखी सम्प्रदाय आया जो कि निश्चित तौर पर कोई छात्र आन्दोलन था। छात्र आन्दोलन मैं यूँ कह रहा हूँ क्योंकि इनका प्रमुख सिद्धान्त भी शिक्षा का बहिष्कार करना ही था। पढ़ना है, फिर भी मरना है तो फिर बेमतलब दाँत किटकिटाने से क्या फ़ायदा? 'पठितव्यं तदपि मर्तव्यं, दन्तकटाकटेति किं कर्तव्यम्?' खाखी लोगों का जीवन काफ़ी सादा था; ये दीक्षा लेने के लिए जिस मन्त्र विशेष का सहारा लेते थे वह 'तूम्बा मन्त्र' कहलाता था। सर्वसाधारण की सुविधा के लिए इस मन्त्र की भाषा काफ़ी सरल और मुहावरेदार रखी गयी थी– 'जल पवितर, थल पवितर और पवितर कुआ; शिव कहें सुन पारबती, तूम्बा पवितर हुआ।' इस मन्त्र के श्रवण करते ही इन लोगों के मन पवित्र हो जाते थे, पापों की परतें कट जाती थीं और पुनर्जन्म की इल्लत से छुट्टी मिल जाती थी। इतना कर लेने के बाद मात्र एक काम बच जाता था और वह था साधु-सन्तों को तम्बाकू पिलाने का। 'रंग है कलिया कन्त को, जिसने हुक़्क़ा पिलाया सन्त को।'

और फिर याद आती है चार्वाक दर्शन की, जिससे ज़्यादा ईमानदार और व्यावहारिक दर्शन इस शस्य-श्यामला धरती पर कभी उगा ही नहीं। जब तक रहो, चैन से रहो, कर्ज़ा लेकर घी का सेवन करो। एक दफ़ा चिता में जल जाने के बाद यह देह फिर थोड़े ही वापस मिलेगी? ये लोग मिष्ट भाषी होते थे क्योंकि यदि कड़वा बोलते तो घी पीने के लिए ऋण कौन देता? चार्वाक् शब्द शायद चारुवाक् का अपभ्रंश रहा। चार्वाक् के अनुसार आत्मा की उत्पत्ति भी शरीर इन्द्रिय और विषय के संयोग से ही होती है; आत्मा का अलग से अपना कोई अस्तित्व नहीं। जीव अनित्य है, जीवन पानी के बुलबुले की भाँति है और क्योंकि पुनर्जन्म जैसी कोई चीज़ नहीं होती, इस कारण परलोक जैसे स्थान होने का प्रश्न ही नहीं उठता। 'परलोकिनोभावात् परलोकाभाव– सुमित्रानन्दन पन्त की कृति 'लोकायतन' की तर्ज़ पर ये लोग अपनी देह को 'भोगायतन' कहते थे। वेदों को धूर्तों का प्रलाप कहा

जाता था। पुरुषार्थ एक था और वह था 'काम'। समाज की व्यवस्था में डण्डे को काफ़ी तगड़ा स्थान दिया जाता था और स्थिति यह थी कि शत्रु की भली-भाँति ठुकाई करने के उपरान्त ही उसके पास सन्धिपत्र भेजने की व्यवस्था थी। 'दण्डनीतिरेव विद्या, अत्र वार्ता अन्तर्भवति।'

कितना दुर्भाग्य है कि ये सारे धर्म और सम्प्रदाय इस पवित्र भूमि से अन्तर्धान हो गये। विदेशों में अलबत्ता अब भी कहीं-कहीं सच्ची भारतीय संस्कृति के दर्शन होते हैं पर उसके लिए विदेशी मुद्रा चाहिए। अपनी हालत वही है जो पहले थी—विदेशी मुद्रा क्या, देशी मुद्रा की भी कमी ही रहती है। सोचता हूँ कि अधार्मिक ही रहना पड़ेगा। हाय री विवशता, तेरा ही तो दूसरा नाम चरित्र ठहरा।

विचित्र यात्रा-वृत्तान्त

मैं उस महिला के साथ बिना किसी पूर्व-निश्चित योजना के अनायास भाग रहा था। वास्तविकता तो यह थी कि हम दोनों ही एक-दूसरे के साथ भागे जा रहे थे। कारण कोई रोमाण्टिक कतई नहीं था; वह सिर्फ़ तकनीकी था। स्थिति मात्र इतनी थी कि हम दोनों डाकगाड़ी के प्रथम श्रेणी के एक कूपे में साथ-साथ बैठे थे और बिना किसी इच्छा के एक-दूसरे के साथ-साथ भागे चले जा रहे थे। ऐसी हालत में एक भूतपूर्व युवती का एक भूतपूर्व युवक के साथ भाग जाना तर्क की दृष्टि से एक सच्चा कथन ही माना जायेगा जब कि न्याय की दृष्टि से भले ही वह असंगत स्वीकार किया जाए। बहरहाल।

वह नारी विशेष सुन्दर क़िस्म की हर्गिज़ नहीं थी। ज़रूरत से ज़्यादा सेहतमन्द, एक आँख दूसरी से कुछ छोटी मगर कहीं ज़्यादा पैनी, ताम्बूल से रंजित होठ और अधर और गति में गजगामिनी क्या, एकदम गजग्राह-गामिनी। मगर इस सबके बाबजूद एक मासूमियत और शालीनता थी जो कि पान के साथ-साथ उनके विशाल चेहरे से काफ़ी मात्रा में टपकती थी। वे एक पत्रिका खोले थीं और परसाईजी का व्यंग्य कॉलम पढ़ते-पढ़ते मुसकराती जाती थीं। स्थिति जब ज़्यादा विकट हो गयी तो वे हँसने लगीं। जब उनके हर्ष की सीमा अट्टहास की परिधि छूने को हुई तो उन्होंने सहसा महसूस किया कि डिब्बे में उनके अतिरिक्त एक मुसाफ़िर और भी बैठा है। उन्होंने ख़ाकसार को पहले पान पेश किया और उसके बाद यह व्यंग्य लेख। लेख का शीर्षक था : जिसकी छोड़ भागी है। मैंने लेख पढ़ा, चुप रहा, पत्रिका वापस कर दी और फिर उसी बुद्ध-मुद्रा में बैठ गया।

मेरा यह नीरसपन, जैसा कि ज़ाहिर था, उन्हें कतई पसन्द नहीं आया। काफ़ी दुःख और विस्मय के साथ उन्होंने पूछा– "क्या आपको हिन्दी व्यंग्य से नफ़रत है? क्या आप भी उसे लगातार नहीं पढ़ते?"

"जी नहीं। मैं हिन्दी व्यंग्य को लगातार क्या, कभी भी नहीं पढ़ता। मैं उसे लिखता हूँ। हिन्दी का लेखक कभी कुछ नहीं पढ़ता। यहाँ तक कि कभी-कभी तो अपना ख़ुद का लिखा भी नहीं पढ़ता।" मैंने उत्तर दिया।

"अच्छा तो जनाब लेखक हैं। मैं तो ख़ैर तभी कुछ-कुछ समझ गयी थी जब कि आपने चाय पीने के बाद गाड़ी खुल जाने पर चाय वाले को दस रुपये के नोट की हरी झण्डी काफ़ी दूर से दिखाई थी। चलो, बात साफ़ हो गयी। आपका इस्मशरीफ़?"

"नाम तो ख़ैर भगवान् का ही होता है पर वैसे सेवक को हरिशंकर परसाई कहकर पुकारते हैं।"

"अरे, तो आप ही हैं परसाईजी? यानी कि यह शानदार रचना आपकी ही लिखी हुई है? मगर आप तो शायद अविवाहित हैं; आपको कैसे पता लगा कि घरवाली के भाग जाने पर कैसा और कितना कष्ट होता है?"

"जी, क्षमा कीजिएगा, आपको देखकर।"

"खी... खी.. खी। देखिए जनाब, मज़ाक़ बन्द कीजिए। आपको तो हर वक़्त हँसने का ही दुःख लगा रहता है। मगर यह तो बताइए कि परसाईजी की आयु तो पचास के ऊपर है और आप अभी काफ़ी नौजवान नज़र आते हैं। यह कैसे? मैं ग़लत तो नहीं कह रही?"

"हर्ग़िज़ नहीं।" मैंने तपाक से जवाब दिया, "आप ठीक फ़रमाती हैं। मेरा जन्म सन् उन्नीस सौ चौबीस में ही हुआ था और कुछ वर्ष पहले मैं कुछ बूढ़ा भी हो गया था मगर फिर प्राणायाम, योगाभ्यास और नियमित ओषधि-सेवन से यौवन जो था, उसे फिर से प्राप्त किया। एक पत्नी को छोड़कर और कोई चीज़ ऐसी नहीं जिसे मैंने न पकड़ा हो। चाहें तो आप भी च्यवनप्राश का नया नुस्खा लिख लें।"

"आप झूठ बोल रहे हैं और वह भी सरासर। परसाईजी का चित्र मैंने बहुत बार देखा है। जब किसी ने उन्हें एक दफ़ा कुछ पीटपाट दिया था तो उनके काफ़ी क्लोज़-अप छपे थे। उनके नाकनक्श तो बेहद तीखे थे। इसके अलावा परसाईजी आपकी जैसी बेहूदा बातें कभी नहीं कर सकते। अच्छा तो जनाब, सच-सच बताइए कि आप कौन हैं और क्या करते हैं?"

"तो लीजिए मैडम, सच ही सुन लीजिए। मैं शरद जोशी हूँ। कोई एतराज़!"

"आप और शरद जोशी?"

"जी, ठीक वही शरद जोशी जो कि नाज़ुक सवालों पर भूत-प्रेतों से बातें करता है, मेघदूत की पुस्तक-समीक्षा लिखता है और जीप पर इल्लियाँ इकट्ठा करता है। अब तो आ गया यक़ीन?" मैंने अर्ज़ किया।

"यक़ीन आने का सवाल ही नहीं उठता।" उन्होंने बड़ी दर्द-भरी आवाज़ में कहा, "परसाई के तो मैंने चित्र ही देखे हैं पर जहाँ तक शरदजी का प्रश्न है, स्थिति एकदम अलग है। उन्हें तो मैं सालों से इतना जानती हूँ, इतना जानती हूँ कि कह नहीं सकती। दरअसल... दरअसल, एक बार तो उन्होंने मुझसे शादी करने का प्रस्ताव भी किया था मगर बस बात ही कुछ ऐसी बनी.."

"कि बिन आये न बने!" मैंने चुटकी ली। वे शरमा गयीं।

"तो फिर शादी क्यों नहीं की?" मैंने बात आगे बढ़ायी।

"शादी कैसे होती? अनायास हम दोनों पहले से ही शादी-शुदा निकले। यह रहस्य मेरे पति ने मुझे एक दिन बताया। उन्होंने जोशीजी की पत्नी को भी कहीं दूर से देखा था। अब तो शरद मेरे लिए सगे भाई की जगह है। मैं हर साल उसे राखी भेजती हूँ और वह भी सवा रुपया भेजना नहीं भूलता! बड़ा प्यारा बच्चा है।"

"बहुत ख़ूब।"

"ख़ैर, यह तो दीगर बात हुई। मगर आपने अभी तक यह नहीं बताया कि आपका अपना नाम क्या है?" उन्होंने हँसी और पान दोनों की अगली किश्त एक साथ मुँह से निकालते हुए दरयाफ़्त किया।

"मैं रवीन्द्रनाथ त्यागी हूँ।"

"ओह! आपने पहले ही क्यों नहीं बता दिया? मैं प्रायः आपकी रचनाओं से बाथरूम में ही निवृत्त हो लेती हूँ। आप कविता-वविता भी तो लिखते हैं शायद?"

"जी, ज़रूर। चार काव्यग्रन्थ प्रकट हो चुके हैं। पाँचवाँ प्रेस में है और इंशा अल्लाह, प्रेस में ही शायद वह रहेगा भी।" मैंने उत्तर दिया।

"चलो, यह भी ठीक रहा। लगे हाथों आपको भी देख लिया। कुछ साल पहले मुलाक़ात हो जाती तो शायद एक-दूसरे के कुछ काम भी आ सकते थे। ऐनी वे, बैटर लेट दैन नेवर।" उन्होंने बातचीत ख़त्म की और इस उपलक्ष में एक छोटी इलायची पेश की।

इसके बाद हम दोनों चुप हो गये। उन्होंने नेत्रों को निमीलित कर लिया और कुछ ऐसी मुद्रा ग्रहण कर ली जैसा कि सावित्री और यम के संवाद के अवसर पर यम के भैंसे ने ग्रहण की होगी। इसके बाद कोई स्टेशन आ गया और गाड़ी जो थी वह आउटर पर रुक गयी। उनके नेत्र-रूपी कमल खिल गये। बोरियत के उस घनघोर आलम में मैंने उनसे यों ही पूछ लिया कि देवीजी, क्षमा कीजिएगा, आपका शुभ नाम क्या है?

"शुभ लाभ?"

"जी नहीं, शुभ नाम।"

"ओह, नाम। सच बताऊँ या आपकी तरह झूठ?"

"सच ही बता दीजिए। नाम ही तो पूछ रहा हूँ, कोई उम्र तो नहीं।"

"अच्छा तो सच सुनिए और पूरा सच सुनिए। मुझे पण्डित रामचन्द्र शुक्ल कहते हैं। मैंने कभी हिन्दी साहित्य का इतिहास लिखा था। उसके लिखने के बाद बाक़ी जीवन मैंने भी कुछ नया नहीं पढ़ा था।"

"आप और आचार्य पं. रामचन्द्र शुक्ल?"

"क्यों, कोई ख़ास एतराज़? आप शायद मुझे मिश्रबन्धु कहना चाहें क्योंकि फ़िलहाल मैं तीन व्यक्तियों की शोभा एक साथ देती हूँ मगर ऐसा विनोद मुझे पसन्द

नहीं। शायद आपको पता हो, मैं गम्भीर प्रकृति की प्राणी है।"

'नहीं-नहीं, मेरा मतलब कुछ और था।" मैं बोला, "बात यह है कि शुक्लजी तो कभी के मर चुके।"

"साहित्य में कोई बड़ा कलाकार कभी मरता है? शुक्लजी अमर हैं।" उन्होंने जवाब दिया।

"ओफ़, आप तो फिर ग़लतफ़हमी का शिकार हो गयीं। मेरा मतलब उनके शरीर छोड़ने से था। अमर तो वे हैं ही, ठीक उसी भाँति जिस भाँति कुछ लेखक शरीर से जीवित हैं पर साहित्य में कभी के मर चुके। ख़ैर। पर बात कुछ और भी गहरी है। जहाँ तक मेरी याददाश्त काम करती है, शुक्लजी तो हाथ में डण्डा और मुख पर मूँछें पालते थे। यानी कि वे थे पुल्लिंग और आप हैं..."

"आप कैसे व्यंग्यकार हैं? आप इतनी सीधी-सी बात भी नहीं जानते कि हिन्दी में आज तक कोई आलोचक कभी पुरुष हुआ ही नहीं। सब-के-सब औरत थे— औरत। पुरुष होते तो वे सौन्दर्य को पकड़ते, न कि सौन्दर्य-शास्त्र को। पुरुष तो बस निराला था जो कवि बना। आलोचक तो सदा से स्त्रैण ही रहे— शत-प्रतिशत स्त्रैण। यही तो उनकी वफ़ादारी का रहस्य रहा; औरत जात जिसकी एक बार हो गयी, बस उसकी हो गयी। हाँ, अलबत्ता यह एक दीगर बात है कि हिन्दी के आलोचक इधर स्त्रैण भी नहीं रहे; अब वे नपुंसक हो गये हैं नपुंसक। यौन-परिवर्तन कुछ चीज़ ही ऐसी है। हिन्दी साहित्य ही भला इससे कब तक और कैसे बचता?"

मैं चुप हो गया। मैं निरुत्तर था। जैसे ही रेल ने पुल पार करना शुरू किया, मैंने अपनी सिगरेट जला ली। थोड़ी देर बाद मैंने अगला कारतूस फिर छोड़ा।

"देखिए मदाम, आप ठट्ठा कर रही हैं और वह भी काफ़ी बड़े क़िस्म का। रामचन्द्र शुक्ल तो आप हो ही नहीं सकतीं, और कुछ चाहे भले ही हों। बता दीजिए न सच?"

"ठीक है, रामचन्द्र शुक्ल नहीं लगती तो भारतेन्दु हरिश्चन्द्र, सैयद इंशा अल्ला खाँ या जो तबीयत हो वह समझ लीजिए। आपके ख़याल से मैं किस विभूति से मेल खाती हूँ?"

"आप? मुझे तो आप बाबू जगन्नाथदास रत्नाकर का स्त्री-संस्करण दिखाई देती हैं। ठीक या ग़लत!"

"ग़लत और एकदम ग़लत। मैं न शुक्लजी हूँ और न मिश्रबन्धु; न नामवर सिंह हूँ और न नगेन्द्र। मैं कोई व्यक्ति विशेष नहीं हूँ। मैं हिन्दी भाषा हूँ जिसके न जाने कितने पति और प्रेमी रहे पर जो फिर भी रोज़-रोज़ आप जैसे थर्डरेट लफ़ंगों के साथ कथा की दिशा में भागती रही तो कभी काव्य के वन की ओर। रात यहाँ गुज़रती है तो दिन वहाँ। राज्य भाषा विभाग मेरे लिए एक तरफ़ वस्त्र ख़रीदता है और लेखक लोग दूसरी तरफ, मगर मैं हूँ कि फिर भी काफ़ी नंगी

हूँ। सरकार समझती है कि वह मेरी शक्ल बदलेगी और आपकी ग़लतफ़हमी है कि यह काम आप लोग करेंगे। असलियत यह है कि भाषा का निर्माण सिर्फ़ जनता करती है, कोटि-कोटि जनता। सत्य वचन कुछ कटु होते हैं; बुरा लगे तो क्षमा कीजिएगा।"

मैं फिर बुद्ध-मुद्रा में आ गया। अजीब हालत थी। ख़ैर, असलियत कुछ भी रही हो, यह सच था कि इतनी बुद्धिमती और मुँहफट महिला कम-से-कम मुझे अपने जीवन में प्रथम बार मिली थी। मैंने चश्मा साफ़ किया और उसे देखने लगा।

पैंसठवीं कला

हमारी पुराने ज़माने की किताबों में चौंसठ कलाओं की बड़ी चर्चा है। भोजन पकाना, चौसर खेलना, नायिका के पैरों पर महावर लगाना– इन सब को कला का स्तर दिया गया। गौरवर्ण युवती के महावर लगाने की महान् कला पर ज़ोर देते हुए एक रसशास्त्री ने तो लगभग यही साबित करने की कोशिश की जैसे कि इस कला में और 'मेघदूत' या 'गीत गोविन्द' की रचना करने में कोई विशेष अन्तर न हो। पर देश का दुर्भाग्य देखिए कि इन गौर-वर्ण युवतियों और चित्रकला जैसी फालतू और चरित्र गिराने वाली वस्तुओं के सामने एक इतनी महान् कला को नज़रअन्दाज़ कर दिया गया जिसके बग़ैर कभी-कभी बाक़ी चौंसठ कलाएँ बेकार हो जाती थीं। यह कला है पराये धन को अपना बनाने की, जिसे सरल भाषा में ऋण लेना भी कहा जाता रहा। इस कला को उचित स्थान क्यों नहीं मिला, यह संस्कृति के विशेषज्ञों के लिए जाँच का विषय होगा और उचित होगा कि वे इस पर खोज या शोध करें, चाहे इसके लिए उन्हें ऋण ही क्यों न लेना पड़े। ख़ैर, इतना निश्चयपूर्वक कहा जा सकता है कि ऋण लेने और ऋण देने की परम्परा प्राचीन भारत में काफ़ी सुव्यवस्थित थी।

प्राचीन ग्रन्थों में ऋण लेने और देने की प्रथा का वर्णन अनेक प्रसंगों में प्राप्त होता है। एक नीतिकार ने बड़े दुखी स्वर में कहा था कि वीणा, पुस्तक और नारी– ये यदि किसी दूसरे के पास चली गयीं तो बस गयीं। 'परहस्ते गताः गताः'। वीणा और पोथी– इनका अनुभव तो मुझे भी है। नारी के बारे में अभी कोई प्रयोग नहीं किया पर सोचता हूँ कि वह भी कर ही लूँ। इल्लत सिर्फ़ इतनी है कि उस क्रियाक्षेत्र में अपनी पत्नी का सहयोग उतना ही ज़रूरी है जितना कि परायी पत्नी का। यह मामला उस मामले से कुछ ज़्यादा गम्भीर है जो चार्वाक् के साथ था। ये हज़रत ऋण लेने के बड़े शौक़ीन थे और ऋण लेने के बाद घी पिया करते थे। सादा जीवन, उच्च विचार। ज़्यादा घृत-पान करने से अन्त में चलकर वे दार्शनिक हो गये थे। सच बात तो यह है कि जिस सज्जन से ये घी पीने के लिए लगातार ऋण लिया करते थे, अन्त में चलकर वह बेचारा भी दार्शनिक ही बना होगा।

पुराने ज़माने में कुछ ऋण तो ऐसे होते थे जो कि जन्म लेते ही बच्चे के सिर

पर थोप दिये जाते थे, जैसे देवऋण, पितृऋण और गुरुऋण। बाक़ी ऋण जो होता था वह अलग था। गुरुऋण के सन्दर्भ में ही तो एकलव्य ने अपना अँगूठा काटकर द्रोणाचार्य को पेश किया था। द्रोणाचार्य ने उसके बाद क्या किया यह तो पता नहीं मगर हिन्दी के एक कवि ने इस छोटी-सी घटना को लेकर एक महाकाव्य ज़रूर लिख डाला। इस महाकाव्य के पढ़ने में कम-से-कम मुझे तो उतना ही कष्ट हुआ जितना कि चिरंजीव एकलव्य को अपना अँगूठा काटने में हुआ होगा। गुरुऋण की भाँति पितृऋण की स्थिति भी काफ़ी भयानक थी और कभी-कभी तो उसके उतारने के लिए एक अदद धार्मिक प्राणी को बीस-बीस अदद बच्चों का सम्मानित पिता बनना पड़ता था क्योंकि जब तक पुत्र-रत्न की प्राप्ति नहीं होती थी तब तक पितृऋण बरकरार रहता था। भारत का किसान क़र्ज़ लेकर ही पैदा होता था, क़र्ज़ में ही जीता था और क़र्ज़ ही में मरता था। आदमी आता-जाता रहता था और क़र्ज़ था कि ईश्वर की भाँति नित्य, अनादि और अनन्त रूप में अपने भक्तों को महाजन की दुकान पर दर्शन देता रहता था।

इतिहास साक्षी है कि साहित्य और कला के क्षेत्र में ऐसी अनेक विभूतियाँ हुईं जिन्होंने अपनी सर्वश्रेष्ठ कृति का सृजन केवल ऋणदाताओं के दबाव में ही किया। प्रख्यात नाटककार शेरिडन पर बेतहाशा क़र्ज़ था। ऋणदाताओं से बचने के लिए वे प्रायः सुबह-ही-सुबह घूमने निकल जाया करते थे। ऐसा करने से सेहत की सेहत बनती थी और ऋणदाताओं से जो मुक्ति मिलती थी सो अलग। बड़ा उदार कलाकार था; क्या दूधवाला, क्या अण्डेवाला और क्या डबलरोटीवाला, मकान-मालिक या दर्ज़ी—सब उसकी कृपा के समान अधिकारी थे। एक बार एक आशावादी क़िस्म के महाजन ने कहा कि यदि आप मूल नहीं दे सकते तो फ़िलहाल केवल सूद ही दे दीजिए। महाजन की वाणी सुनते ही शेरिडन ने अपनी नाटकीय शैली में उत्तर दिया--इट इज़ नाट माई इण्टरेस्ट टु पे दी प्रिंसिपल एण्ड इट इज़ नाट माई प्रिंसिपल टु पे दी इण्टरेस्ट। उनकी इस मौलिक वाणी को सुनकर महाजन जो था, छड़ी उठाकर बाहर चला गया और उसके जाने के बाद शेरिडन भी उसी मार्ग से दिनभर के लिए निकल गये। 'महाजनो येन गतः स पन्थाः'। दोस्तोएव्स्की ने तो ऋण के कारण अपना देश ही छोड़ दिया था।

अलेक्ज़ेण्डर ड्यूमा अपने कर्ज़ों के लिए उतने ही विख्यात थे, जितने कि बाल्जाक। दोनों ने काफ़ी परिश्रम किया और बेतहाशा लिखा, पर सूरदास द्वारा वर्णित 'जहाज़ के पंछी' की भाँति ऋण ने उन दोनों का पीछा कभी नहीं छोड़ा। ड्यूमा तो क़र्ज़े लिये गये धन में से दूसरों को भी क़र्ज़ दिया करते थे। उनकी दैनिक डाक में न जाने कितने अदालत के समन और वकीलों के धमकी भरे पत्र आते थे जिन्हें वे पढ़ते तक नहीं थे। लॉर्ड बायरन की हालत भी काफ़ी खस्ता रहती थी हालाँकि अपनी सामाजिक स्थिति के कारण वे कभी जेल नहीं जा पाये। कॉपर काफ़ी

किफ़ायतशार था और तीन महीने में सिर्फ़ उतना ख़र्च करता था जितना वह साल भर में कमाता था। गोल्डस्मिथ भी बराबर क़र्ज़े से दबा रहता था। एक बार तो वह गिरफ़्तार ही होने वाला था मगर डॉक्टर जानसन को पता लग गया और उन्होंने एक ऐसी किताब एक प्रकाशक को देकर स्थिति सँभाली जिसे गोल्डस्मिथ कचरा समझता था। वह कचरा उपन्यास बाद में 'दी विकार ऑफ़ वेकफ़ील्ड' के नाम से छपा और विश्व-साहित्य में एक क्लासिक कृति माना गया। मैं हिन्दी के लेखकों से ख़ासकर उनसे जो सीनियर हैं– निवेदन करूँगा कि वे अपना 'कचरा' भी प्रकाशित करें। सम्भव है कि उसमें से कोई रत्न निकल आये, ठीक उसी भाँति जैसे अपनी जिन कृतियों को ये लोग रत्न समझते हैं, उनमें से काफ़ी कचरा है। सिर्फ़ कचरा।

ग्रीन भी इसी भाँति हमेशा क़र्ज़ से लदा रहा। मरते वक़्त भी उस पर दस पौण्ड का ऋण था जिसके कारण वह चिन्तित था और जिससे उसके चरित्र की दुर्बलता प्रकट होती है। कुछ-कुछ ऐसी ही चारित्रिक दुर्बलता महामति सुकरात में थी, जिन्होंने विषपान करने से पूर्व अपने एक शिष्य को बताया था कि एक मुर्गी का पैसा देना अभी बाक़ी था। ब्रिटेन के प्रधानमन्त्री पिट पर इतना ऋण था कि उसकी मृत्यु के बाद संसद ने चालीस हज़ार पौण्ड की राशि केवल उस ऋण को उतारने के लिए ही स्वीकृत की। मार्क ट्वेन पर भी काफ़ी ऋण था और उसके उतारने के लिए उन्हें काफ़ी परिश्रम करना पड़ा। चैटर्टन पर इतना ऋण था कि उसे आत्महत्या करनी पड़ी। डैनियल डिफ़ो भी अन्तिम दिनों में दिवालिया ही हो गया था। रिचार्ड स्टील और रॉबर्ट बर्न्स भी हमेशा ऋण से दबे रहते थे। और सर वाल्टर स्कॉट का तो कहना ही क्या? वे ऋण देने वालों से कुछ विशेष स्नेह रखते थे और नेपोलियन की जीवनी के नौ खण्ड मात्र तेरह महीने की अवधि में उन्होंने इसी कारण लिखे थे। हर्बर्ट स्पेंसर पर इतना क़र्ज़ था कि यदि वह उसे जोड़ पाता तो पागल हो जाता मगर क्योंकि उसका गणित कमज़ोर था, वह पूरा कर्ज़ा कभी जोड़ ही नहीं पाया और चार्ल्स फ़ाक्स ने अपने कर्ज़ा के बारे में अपने पिता से बड़े पते की बात कही थी। उसने कहा था कि अगर मुझे क़र्ज़ देने वालों को नींद आ सकती है तो मुझे क्यों नहीं? ऊपर दिये गये उदाहरणों के बावजूद यदि कोई हिन्दी का लेखक कर्ज़ा नहीं लेता और लेकर उसे हजम नहीं करता तो उसे धिक्कार है। ख़ैर, मेरा जो फ़र्ज़ था, वह मैंने पूरा कर दिया।

प्रभु की प्राप्ति की भाँति ऋण की प्राप्ति भी सरल नहीं। एक विशिष्ट लेखक की कृतियाँ केवल इस कारण दुखान्त रहीं क्योंकि उसे कभी ऋण नहीं मिला। अब्दुर्रहीम ख़ानख़ाना ने– जिन्हें संक्षेप में रहीम भी कहा जाता रहा– एक स्थान पर कहा था कि जो लोग दूसरों के घर जाकर ऋण माँगते हैं, उनको धिक्कार है। 'वे रहीम नर मर चुके, पर घर माँगनि जाँहि।' रहीम पराये लोगों के घर पर कर्ज़ा माँगने ख़ुद कभी नहीं गये; वे उन्हें अपने घर पर बुलाते थे और फिर कर्ज़ा वसूल

करते थे। इंग्लैड का किंग जॉन भी यही करता था। वह शहर के अमीरों को दावत पर बुलाता था और फिर उनसे ऋण माँगता था। अगर वे नहीं देते थे तो वह उनके दाँत निकलवा देता था। अन्त में चलकर स्थिति यह रही कि न उसकी तिजोरी में अशर्फियाँ रहीं और न उसके अमीरों के मुँह में दाँत।

ऋण लेने की कला कठिन होने के बावजूद अभी भी उसी शान और अदा से चली आ रही है। इस रूप-यात्रा की झाँकियाँ अनन्त हैं। कोई कलाकार है जो ऋण इस प्रकार लेता है गोया कि वह आप पर कोई एहसान कर रहा हो। एक और सज्जन हैं जो आपके सामने बड़ी-बड़ी योजनाओं के ब्योरे रखते हैं, तराई में पाँच हज़ार एकड़ का फ़ार्म खोलने के फ़ायदे समझाते हैं और अन्त में चलकर आपकी दस-बीस मुद्रा लेकर अन्तर्धान हो जाते हैं। एक और विभूति मिलीं जिन्होंने एक निरीह विधवा की तुरन्त सहायता के लिए कुछ ऋण माँगा। क्योंकि विधवा अभी युवा ही थी, मैंने वह ऋण बड़ी खुशी के साथ दे दिया। बाद में पता चला कि वह विधवा उन्हीं सज्जन की सगी पत्नी थीं। इसी प्रकार एक और महात्मा हैं जो जब भी मिलते हैं, बस यही कहते हैं कि हे बन्धु, संसार असार है, जीवन क्षणभंगुर है और न कुछ तेरा है न कुछ मेरा। अन्त में चलकर जब वे मदिरापान के लिए मुझ ही से कुछ रुपये लेकर चले जाते हैं, तो संसार जो है वह मुझे वाक़ई असार लगने लगता है। ऐसे पहुँचे हुए पुश्तैनी कलाकारों को मात देना आसान नहीं।

सौन्दर्य स्वयम्वर : कुछ प्रश्न

कल अख़बार में पढ़ा कि एक विशिष्ट युवती विश्व की सबसे सुन्दर युवती चुन ली गयी। वह लड़की कभी इतनी निरीह थी कि आजीविका की खोज में मारी-मारी फिरती थी। इत्तफ़ाक से जब वह सौन्दर्य-प्रतियोगिता में भाग लेने खड़ी हुई तो सुन्दरतम युवती स्वीकार कर ली गयी। प्रभु ने उसे ऐश्वर्य तो प्रदान किया मगर छप्पर फाड़कर नहीं। यहाँ ऐश्वर्य ब्लाउज़ फाड़कर दिया गया। कहा जाता है कि उसके फटे वस्त्रों में उसका सौन्दर्य सौ गुना होकर चमक रहा था।

सौन्दर्य-प्रतियोगिता के मुद्दे को लेकर मैं अनेक प्रश्नों में उलझ जाता हूँ। इस सन्दर्भ में मेरा पहला एतराज़ तो यह है कि युवतियों का रूप नापने के मापदण्ड क्या हैं? जो स्त्री आपको सुन्दर लगती हो, हो सकता है उसे देखकर मेरे हृदय में मातृ-प्रेम की हिलोरें उठने लगें। सौन्दर्य की परिभाषा आख़िर है क्या? चीन में स्त्रियों का सौन्दर्य उनके पैरों की लम्बाई से नापा जाता रहा जो कि ठीक भी था। लड़की के पैर ज़्यादा छोटे होंगे तो वह वयस्क होने पर भी अपने या पराये, किसी भी पुरुष के साथ अन्तर्धान तो नहीं हो सकती। आदिवासी युवतियाँ अपनी सारी देह गुदवाने में विश्वास रखती हैं क्योंकि ये ऐसे आभूषण हैं जो मरने के बाद भी शरीर के साथ ही रहते हैं। न इन्हें चोर चुरा सकता है और न इन्हें शत्रु ही छीन सकता है; ठीक वही स्थिति जो कभी विद्या नाम की वस्तु के साथ हुआ करती थी। बोर्नियो की युवतियाँ हैं जो अपने वक्ष को धातु की मज़बूत जाकेट से ढकती हैं। इससे उनका रूप भी बढ़ता है और सर्दी भी असर नहीं करती। सर्दी तो क्या, बेचारा प्रेमी भी कुछ नहीं कर सकता। यह एक ऐसा कवच है जिसे न पानी गला सकता है और न अग्नि ही जला सकती है। गीता में वर्णित आत्मा वाली स्थिति। न्यूगिनी की युवतियाँ अपने केशों में कोयला, शहद और सब्ज़ियाँ रखती हैं ताकि जब और जहाँ चाहें वहीं पाकशाला का उद्‌घाटन किया जा सके। ऐसी युवतियाँ सच्चे अर्थों में मधुमती कही जा सकती हैं। बिहारी की नायिका तो अपने सौन्दर्य के भार के कारण ही अचल सम्पत्ति गिनी जाती थी पर वास्तविकता यह है कि समुद्रदायक जाति की युवतियाँ वाक़ई गतिशील नहीं हो पातीं। उनके चरणों को पीतल के तारों से बाँधा

जाता है। ऐसा करने से युवतियों का सौन्दर्य बढ़ता है और प्रेमियों का विश्वास।

कांगो का तो कोई जवाब ही नहीं। वहाँ तो जब तक कन्या का एकाध दाँत टूटा हुआ न हो, तब तक वह कुमारी ही रहती है; सच्ची कन्या कुमारी। लड़की को लेकर दाँत तो हमारे यहाँ भी टूटते हैं— दाँत ही क्या, कभी-कभी शेष अंग भी टूटते हैं— पर यह हादसा युवकों के साथः होता है, युवतियों के साथ नहीं। एक दूरदर्शी देश है जहाँ लड़की की सारी देह बेलबूटों से चित्रित की जाती है। परिणाम ज़ाहिर है; वह लड़की का काम भी देती है और वक़्त ज़रूरत कालीन का भी। आस्ट्रेलिया में युवतियाँ निजी सौन्दर्य में सच्ची वृद्धि करने के लिए नकली या असली दाढ़ी रखती हैं और फिलीपीन में लड़की लोग कानों में बुन्दों के स्थान पर सूखे कद्दू लटकाती हैं और दाँत भी तुड़वा डालती हैं ताकि प्रेमी जो है वह निडर होकर पास आ सके। दाँतों को पत्थर पर घिसा जाता है जिसके कारण वे शेष शरीर से इस भाँति मिल जाते हैं जैसे वैदिक-धर्म के अनुसार कभी आत्मा परमात्मा से मिला करती थी। सौन्दर्य के इतने मापदण्डों को छोड़कर अस्थि-चर्ममय इस देह को मात्र शक्ल और सूरत के ही आधार पर विश्व में सुन्दरतम स्वीकार कर लेना कहाँ की ईमानदारी है?

मेरा अगला एतराज़ और भी तन्दुरुस्त क़िस्म का है। प्रतियोगिता केवल सुन्दरियों की ही क्यों की जाती है, बदसूरत स्त्रियों की क्यों नहीं? क्या यह तय करना उचित नहीं होगा कि संसार की सबसे कुरूप स्त्री-रत्न कौन है? यदि इस प्रकार की रमणी का चुनाव किया जाए तो बाद में उसका जीवन-चरित भी प्रकाशित किया जा सकता है ताकि उसके पवित्र आचरण को देखकर शेष नारी जाति भी एक या दो अदद प्रेरणा ग्रहण कर सकें। यदि बदसूरत पुरुषों की प्रतियोगिता आयोजित की जाए तो प्रथम पुरस्कार का हक़दार शायद मैं भी निकल सकूँ।

अन्त में चलकर मैं पूछता हूँ कि प्रतियोगिता केवल सौन्दर्य और शरीर तक ही क्यों सीमित रखी जाती है? उन महान् और मौन साधकों को पुरस्कार क्यों नहीं दिया जाता जो कि शेष ललित कलाओं में अपनी स्थिति मज़बूत कर रहे हैं? ऐसा प्रकाशक जो लेखक को सबसे कम मुद्रा देता हो, अकादमी पुरस्कार का हक़दार क्यों नहीं माना जाता? साहित्य में जो करुण-रस शेष है, वह प्रकाशक के ही कारण शेष है— ठीक उसी तरह जैसे वीर-रस जो है, वह आलोचकों के कारण बचा है। जो लोग खुले आम आयकर देने से बचते आ रहे हैं, उन्हें ताम्रपत्र क्यों नहीं दिया जाता? वे सारे सरकारी वकील और दारोग़ा जिनके सारे मुक़दमे सरकार के ख़िलाफ़ जाते हैं; विशिष्ट सेवा-पदक के अधिकारी क्यों नहीं स्वीकार किये जाते? जो अफ़सर सरकारी फ़ाइलों को प्रेमिका की भाँति वर्षों तक अपने सीने से चिपकाये रहते हैं वे पद्मश्री से वंचित क्यों हैं? जो कन्या अपने मंगेतरों को या पतियों को फ़र्नीचर की भाँति एक हफ़्ते में दो बार की दर पर बदलती है, उसे पतिव्रता पुरस्कार क्यों नहीं दिया जा रहा? जो कवि हर कवि-सम्मेलन में पिटने के बाद भी काव्यपाठ करना

नहीं छोड़ता, क्या वह महावीर चक्र का अधिकारी नहीं है? मतदान के अवसर पर जिस प्रत्याशी की कसकर मरम्मत की जाती है, उसे बिना किसी मतगणना के ही निर्वाचित क्यों नहीं मान लिया जाता? जो अधिकारी सबसे ज़्यादा रिश्वत लेता है और सरकारी समय में प्रणयलीला भी रचा लेता है, क्या वह अतिरिक्त प्रमोशन का हक़दार नहीं ठहरता? जो सम्पादक सबसे ज़्यादा रचनाएँ वापस करता है उसे महावीरप्रसाद द्विवेदी की उपाधि क्यों नहीं दी जाती?

मेरा विचार है कि इन प्रश्नों को हमें गम्भीरता से लेना चाहिए और ऐसी प्रणाली निश्चित करनी चाहिए जिसके द्वारा इन सब राष्ट्र-सेवकों को समुचित सम्मान दिया जा सके। जिन शिक्षा-संस्थानों में सबसे ज़्यादा हड़ताल होती है, वहाँ सरकार को उचित होगा कि अनुदान की मात्रा में वृद्धि घोषित करे। जिस राज्य में सबसे अधिक भुखमरी हो, सबसे ज़्यादा हरिजन जलाये जायें या हत्याए हों, उन्हें केन्द्रीय परिवार-नियोजन विभाग की ओर से अतिरिक्त प्रोत्साहन दिया जाना उचित होगा ताकि जनता इन अभियानों को और भी आगे ले जा सके। इसी भाँति जो ठेकेदार सबसे ज़्यादा कमज़ोर इमारत बनवाएगा और जो ईमानदार इंजीनियर उसे पास करेगा वह भी विशिष्ट सम्मान का अधिकारी स्वीकार किया जायेगा। आश्चर्य की बात तो यह है कि इन महत्त्वपूर्ण प्रश्नों पर देश का ध्यान अब तक क्यों नहीं गया?

बीच का आदमी

प्राचीन काल में यदि किसी व्यक्ति को कोई वस्तु प्राप्त करनी होती थी तो वह उसके लिए तप करता था, यज्ञ करता था और शेष पुण्य-कर्मों में रुचि लेता था। राजा रघु ने इन्द्र से धन की प्राप्ति के लिए यज्ञ किया था और शिव को पति के रूप में पाने के लिए दक्ष की कन्या पार्वती ने हिमालय पर तपस्या की थी। कहीं अकेली तपस्या ही कम न पड़ जाए, यह सोचकर सदा के चतुर इन्द्र ने वसन्त, रति और कामदेव को भी विशेष संवाददाता के रूप में साथ-ही-साथ भेज दिया था। इसका जो परिणाम रहा वह सब साहित्य-प्रेमी जानते ही हैं; कवि कालिदास को विवश होना पड़ा कि वे 'कुमारसम्भव' लिखें। बड़ी ईमानदार काव्यकृति है। मैंने न जाने इसके कितने विभिन्न संस्करण पढ़े हैं पर मुझे यह कहते हुए हर्ष होता है कि आनन्द जो है वह सब में एक-सा ही आया।

इसके बाद हालात कुछ तबदील हो गये। जो काम पहले तप इत्यादि से होते थे वे अब बाहुबल से होने लगे। राजकुमारियों को प्राप्त करने के लिए स्वयम्वर में भाग लेना ज़रूरी हो गया और राज्य प्राप्त करने के लिए युद्ध करना। स्वयम्वर कभी-कभी इतने कठिन होते थे कि कुछ भोली राजकुमारियाँ तो अविवाहित ही रह जाती थीं और जहाँ तक युद्ध का प्रश्न है, उसमें और कुछ नहीं तो कम-से-कम प्राण जाने का ख़तरा तो रहता ही था। इसी ख़तरे को ध्यान में रखते हुए सन्धि की प्रथा प्रारम्भ हुई। जैसे ही सन्धि की प्रथा आयी वैसे ही उसे सम्पन्न कराने के लिए मध्यस्थ भी प्रकट हो गये।

अब मैं भाषा से परिभाषा पर उतरता हूँ। पार्किन्सन होता तो इस प्रक्रिया को 'डेफ़िनोलॉजी' कहकर पुकारता। मध्यस्थ की परिभाषा के अनुसार वह व्यक्ति जो मध्य में रहता है, मध्यस्थ कहलाता है। वह न वामपन्थी होता है और न दक्षिणपन्थी; वह केवल मध्यस्थ होता है। वह न ग़रीब के साथ होता है और न पूँजीपति के। वह तो मात्र बीच में रहता है और वहीं रहना पसन्द करता है। पूँजीपति जो होता है वह भी सभापति और कुलपति की भाँति एक प्रकार का पति ही होता है। उसके मरने पर पूँजी जो है वह विधवा हो जाती है। पर स्थिति कुछ ऐसी है कि पूँजी

ज़्यादा दिनों विधवा चलती नहीं; वह देर-सवेर किसी न किसी के घर बैठ ही जाती है। कभी-कभी मैं भी आशा करता हूँ कि पूँजी नाम की यह बालिका मेरी दिशा में भी चरण बढ़ाएगी– ठीक उसी तरह जैसे दुष्यन्त के प्रति शकुन्तला ने बढ़ाये थे। मगर मैं दुष्यन्त की भाँति गधा नहीं हूँ कि उसे पहचानने से इनकार कर दूँ। मैं तो उसे देखते ही कहूँगा कि हे सुमुखि, चल और मेरा वरण कर। यदि तेरी जैसी दुखी कन्याएँ कहीं और हों तो जा, उन्हें भी ले आ।

यूँ तो मध्यस्थ बनने की प्रथा काफ़ी पुरातन है पर जो आयाम इसे पिछले कुछ वर्षों में प्राप्त हुए हैं, वे शायद पहले नहीं थे। पुरानी बात अलग थी। कृष्ण ने कौरवों और पाण्डवों के मध्य शान्ति स्थापित करने की पूरी-पूरी चेष्टा की मगर जब स्थिति नहीं सँभली तो अर्जुन को युद्ध के लिए प्रेरित भी किया। रासलीला वाला जो कार्यक्रम था वह अलग; नवलकिशोर नवल नागरिया, अपनी भुजा स्याम भुज ऊपर, स्याम भुजा अपने उर धरिया। विष्णु ने इसी प्रकार गज़ और ग्राह दोनों को एक-दूसरे से बचाया था और ख़ुद फिर भी सही-सलामत हैडक्वार्टर्स तक पहुँच गये थे। ये सुख इन दिनों नहीं रहे। इन दिनों तो जो बीच में पड़ता है, वह दो पाटों के बीच चने के दाने वाली स्थिति में होता है। कलकत्ता के नगर सेठ अमीचन्द ने क्लाइव और मीर जाफ़र के बीच मध्यस्थ का जो पार्ट किया था, उसकी गाथा हमें ज्ञात है। कुल मिलाकर स्थिति यह है कि मैं तो धनी और सुन्दर विधवाओं को छोड़कर और किसी के लिए भी मध्यस्थ नहीं बनना चाहता।

मगर इस संसार में मैं अकेला तो नहीं हूँ। परिवार-नियोजन के प्रचार के पूर्व की काफ़ी पैदावार देश में खड़ी है और मध्यस्थ बनने को उत्सुक है। कवि और कलाकार तक इसके अपवाद नहीं हैं। वे अभी भी महाकवि केशवदास का पार्ट अदा करना चाहते हैं जिन्होंने टोडरमल की सहायता से बीस करोड़ का वह जुर्माना माफ़ करवाया था जो अकबर ने राजा इन्द्रजीत पर यूँ लगाया था क्योंकि अबुल फ़ज़ल की हत्या की साजिश में जहाँगीर के साथ वह भी शामिल था। मध्यस्थ बनने के लिए कवि केशवदास को क्या मिला था, यह पता नहीं। 'रामचन्द्रिका' से लेकर 'जहाँगीर जसचन्द्रिका' तक की सारी कृतियाँ इस विषय पर मौन हैं। ख़ैर, उन दिनों उन्हें जो मिला हो वह मिला हो, पर यदि वे ऐसे नाज़ुक मामले में इन दिनों हाथ डालते तो जेल जाते। आगे होते राजा टोडरमल, बीच में केशवदास और सबसे पीछे राजा इन्द्रजीत। तीनों का शानदार चित्र खिंचता और अख़बारों के प्रथम पृष्ठ पर छपता।

मेरे अनेक मित्रों में से एक मित्ररत्न की जीवनगाथा यह स्पष्ट करती है कि आजकल मध्यस्थ बनने वालों की स्थिति इतनी दर्दनाक हो गयी है कि उसे शब्दातीत कहना कहीं अधिक उपयुक्त होगा। मेरे ये मित्ररत्न कहानियों को जन्म देते हैं। ऐसा करने में इन्हें कोई विशेष प्रसव-पीड़ा नहीं होती। स्थिति यह है कि प्रायः रोज़ ही एक या दो अदद कहानियाँ लिख लेते हैं। इनकी प्रेरणा के स्रोत अनन्त हैं। चौराहे तक

निकले कि इतने प्लॉट उठा लाये कि महीने भर का काम निकल आये। एक बार तो एक ही औरत को लेकर इन्होंने पचीस कहानियाँ लिखी थीं। वह तो उस स्त्री विशेष का पति इन्हें पीटने की तैयारियाँ करने लगा नहीं तो ये उस नारी-रत्न को लेकर एक महान् उपन्यास की सृष्टि भी कर डालते। दुर्भाग्य बस यही रहा कि उसके पति को उपन्यास की विधा में इतनी दिलचस्पी नहीं थी जितनी कि हाथापाई करने में। उसके असहयोग के कारण हमारा साहित्य एक विशिष्ट उपन्यास से वंचित रह गया।

जैसा कि होना था, एक दिन ऐसा भी आया कि इन कहानीकार के पास कोई पाँच सौ के क़रीब कहानियाँ इकट्ठी हो गयीं। इनका पूरा घर कहानियों से लद गया। ड्राइंगरूम में यथार्थवादी कथाएँ रखी थीं तो बाथरूम में ऐतिहासिक कथाएँ। रसोईघर में पारिवारिक जीवन की कहानियों का बण्डल पड़ा था और सोने के कमरे में दुखान्त प्रेम-कथाओं का। ख़ैर, यूँ तो सारी ही कहानियाँ विश्व-साहित्य की अमर निधि थीं पर फिर भी हम लोगों ने उनके प्रथम संग्रह को प्रकाश में लाने के लिए कोई पचीस अदद कहानियाँ छाँटीं। मेरे कहने से एक प्रकाशक ने उन्हें छाप भी दिया। यहाँ तक तो सब ठीक रहा मगर इसके बाद जो कुछ गुज़रा वह प्लासी की लड़ाई से ज़्यादा दर्दनाक रहा। प्रकाशक को पता लगा कि कोई भी कहानी मौलिक नहीं थी। वे या तो विदेशी कहानियों के अनुवाद थे या अन्य क्षेत्रीय भाषाओं की कथाओं के। उसका कहना था कि पुस्तक की भूमिका तक जेम्स जायस से चोरी की गयी थी। फ़्लैप पर जो मैटर था—वह बालज़क का था। कहीं-कहीं ऐसा किया गया था कि कहानी का प्रारम्भ वुडहाउस का था, मध्य भाग गोर्की का और अन्तिम भाग प्रेमचन्द का। अपने ढंग की अनोखी कृति थी जो एक ही साथ न जाने कितने लेखकों का मज़ा देती थी।

ख़ैर, एक दिन इस सूचना को कहानीकार तक पहुँचाया गया। यह कष्टप्रद क्रिया मुझे ही सम्पन्न करनी पड़ी। कहानीकार ने सारी दास्तान बड़ी शान्ति और संयम के साथ सुनी। उसके बाद सिगरेट सुलगाकर कहने लगे कि वत्स, तुम मेरी कहानियों की बात छोड़ो और विश्व के शेष साहित्य पर ध्यान दो। तब तुम्हें पता चलेगा कि सब कुछ अनुवाद ही अनुवाद है; मौलिक तो शायद बस लेखक होता है। कालिदास को ही पकड़ लो। सारा का सारा काव्य पुराणों से या वाल्मीकि से चोरी किया गया है। एक वही कथा है राम और सीता की जिसे वाल्मीकि से लेकर मैथिलीशरण गुप्त तक सब खींचते रहे और महाकवि बनते रहे। गोस्वामी तुलसीदास ने लगे हाथों थोड़ा-बहुत माल आर्य-सप्तशती से भी उड़ा लिया। ऐसी स्थिति में केवल मुझे ही दोषी ठहराने से क्या लाभ। साहित्य के हित में चोरी की परम्परा को उतनी गम्भीरता से नहीं लेना चाहिए। 'वैदिकी हिंसा हिंसा न भवति'।

मैंने उनकी वाणी सुनी और गद्गद हो गया। काफ़ी देर गद्गद हो लेने के बाद मैंने निश्चय किया कि जीवन में कुछ भी बनना पड़े, बनूँगा, पर मध्यस्थ नहीं

बनूँगा। वैसे मैं जानता हूँ कि कभी-कभी मध्यस्थ जो होता है वह इतना चतुर होता है कि सारा का सारा माल लेकर ख़ुद ही ग़ायब हो जाता है पर मेरे लिए वह शायद कठिन हो। यहाँ मुझे मलिक मुहम्मद जायसी की याद सताती है जिसके नायक राजा रत्नसेन ने अपने और अपनी प्रेमिका रानी पद्मिनी के बीच जो मध्यस्थ रखा था, वह इंसान न होकर हीरामन नाम का एक सुग्गा था। राजा रत्नसेन कितने दूरदर्शी थे। पद्मिनी कहीं थी और वे कहीं; ऐसी स्थिति में यदि ऊपर वर्णित कहानीकार जैसा होनहार कोई मध्यस्थ होता तो रानी पद्मिनी को बग़ल में दबाकर सिंहलद्वीप से ऐसा अन्तर्धान होता कि पता भी नहीं चलता।

विवशता का घोषणा-पत्र

पिछले दिनों यूरोप के समुद्र-तट पर बसे एक नगर में नंगे युवक-युवतियों का सम्मेलन फिर शुरू हुआ। इस मेले में भाग लेने विश्व के लगभग बाईस देशों के निवासी इकट्ठे हुए। यूँ तो इस मेले में सभी प्रकार के ऐसे व्यक्तियों ने भाग लिया जो कि सभ्यता के वर्तमान नंगेपन को लेकर चिन्तित थे पर विशेष उत्साह जो था वह रूपवान युवकों और रूपवती युवतियों तक ही सीमित रहा। दोनों एक-दूसरे को पूरी तरह नंगा होने के लिए प्रेरित करते रहे और बाद में जब कि स्थिति ज़रा ज़्यादा ही स्पष्ट हो गयी तो नौबत यहाँ तक आ गयी कि एक देह को दूसरी देह ढकने लगी। यह कितने दुःख की बात है कि सारे जहाँ से अच्छा यह हिन्दोस्ताँ और इसकी बुलबुलें इस नग्न नगर का नागरिक बनने नहीं गयीं। नंगा रहना कभी हमारा ही एकाधिकार था पर स्थिति देखिए कि हम लोग पीछे छूट गये और कितने ही देश वस्त्रों की माया से मुक्ति पाकर दिगम्बर हो गये। अब तो हम नंगा रहने से इतना ज़्यादा डरते हैं कि बिना जुराबों तक के नहीं रह सकते चाहे उन जुराबों के लिए हमें क्रिकेट खेलने के बहाने विदेश ही क्यों न जाना पड़े। इस सन्दर्भ में मैं एक बात और स्पष्ट कर दूँ। ऊपर बताये नंगे मेले में युवतियाँ एकदम नंगी नहीं थीं। नारी-सुलभ शालीनता की रक्षा करने के लिए प्रायः सभी ने या तो चप्पल और घड़ी पहन रखी थीं या फिर आँखों पर धूप का चश्मा ही लगा रखा था। लज्जा करना युवतियों का स्वभाव ही जो ठहरा।

जहाँ तक मैं पीड़ित हूँ वह नंगेपन के कारण नहीं हूँ। मैं तो इस कारण दुखी हूँ कि एक युवती विशेष वस्त्रों की अधिकता में इतनी आस्था रखती है कि उसका कोई अंग दिखाई ही नहीं पड़ता। सारी की सारी देह वस्त्राधीन रहती है और यदि मेरे जैसा कोई आशावादी कलाकार उसके मुख की परिधि देखने के लिए आँखें ऊपर उठाता है तो उसका जो पल्ला होता है वह और नीचे सरक जाता है। लड़की है कि परिधानों में छिपी है और देश है कि उसका चेहरा देखने को पागल हो रहा है। इस पागलपन का एक कारण यह भी है कि यह युवती अपना यातायात अपने ही चरणों द्वारा उस मार्ग पर करती है जो कि मेरे निवास-स्थान के ठीक सामने है। कितना

अच्छा रहता यदि यही कन्या क़ीमती कपड़े इतनी मात्रा में पहन कर सुन्दरवन या बंगाल की खाड़ी में चहलकदमी करती।

मेरे मित्रों में से एक मित्र मैथिल प्रदेश का है। उसे देखते ही विद्यापति पदावली जैसे नेत्रों के सामने घूम जाती है। इस मित्र का कहना है कि उसने इस युवती के मुखचन्द्र को एक बार देखा था और स्थिति यह हो गयी थी कि उसकी तो आँखें ही उसके रूप से चिपक गयी थीं। आँखों ने जितना देखा था वह वाणी से कहना असम्भव था। 'जत देखल तत कहए न पारिअ, छओ अनुपम एक ढामा।' ज़ाहिर है कि मेरे इस कवि मित्र ने भी विद्यापति की भाँति उस बालिका में कुछ काम की चीज़ देखी होगी, वरना वह उसके गीत न गाता; विद्यापति कवि गाओल सजनि गे गुन पाओल अवधारी। इस मित्र विशेष के विपरीत मेरा एक दूसरा मित्र है मगर वह ज़रा कुछ ज़्यादा यथार्थवादी है। यदि पहले मित्र को देखकर विद्यापति पदावलि की याद आती है तो इस दूसरे मित्र को देखकर शिवराज भूषण की स्मृतियाँ जागृत हो जाती हैं। जाति का क्षत्रिय और वह भी ऐसे वंश का जिसमें हत्या और डकैती कुटीर व्यवसाय की तरह फले-फूले। बुज़ुर्गों के साथ वह धन्धा ज़रूर ख़त्म हो गया पर प्रतिभा अभी भी शेष है और प्रशासन यदि कुछ ठोस प्रोत्साहन दे तो यह मित्र पुरानी हस्तकला को फिर से जीवित कर सकता है। इस क्षत्रिय मित्र का कहना है कि सब धोखा है। वस्त्रों में दबी वह आत्मा या तो कन्या है ही नहीं और यदि है भी तो या तो किसी संगीन जुर्म में फँसी है और या फिर इतनी कुरूप है कि शक्ल दिखाने की हिम्मत ही नहीं रखती। पता नहीं क्यों, मेरे विचार इस क्षत्रिय मित्र के विचारों से मेल नहीं खाते।

मेरी स्थिति वास्तव में बड़ी करुण है। बरामदे में बैठकर मैं काले कजरारे मेघों को देख ही रहा था कि वस्त्रों के नीड़ में छिपा वह पक्षी सड़क पर फिर धीरे-धीरे उड़ने लगा। समझ में नहीं आता कि क्या कहूँ। न जाने कितने कवियों की पंक्तियाँ याद आने लगी हैं : कुछ ऐसी ही बात जो चुप हूँ; वरना क्या बात करनी नहीं आती? मुद्दतें हो गयी हैं चुप रहते, कोई सुनता तो हम भी कुछ कहते। पहले सौ बार इधर-उधर देखा, जब उसे डर से एक नज़र देखा। आँचल ढला रहे तेरे मस्ती शबाब का, ओढ़ा गया न कभी दुपट्टा सँभाल के। बात तो करने में शरमाते हैं आप, ज़ुल्म करने में आता नहीं लिहाज़? चार दिन के हुस्न पर इतना ग़रूर, चाँदनी होती है कै दिन के लिए? शर्म बेज़ा है, बुरा करते रहो; अच्छी सूरत को छिपाया न करो। शाम ही से बुझा-सा रहता है, दिल हुआ है चिराग़ मुफ़लिस का।

उर्दू शायरी का काफ़ी पाठ कर लेने के बाद सोचता हूँ कि एक दिन इसका पर्दा ज़बर्दस्ती उतार दूँ ताकि सच्चाई जो है वह सामने आ सके। बुत को बुत और ख़ुदा को ख़ुदा जो कहते हैं, हम भी देखें कि तुझे देखकर क्या कहते हैं। ख़याल मेरा बुलन्द है– ठीक उस व्यक्ति की भाँति जिसने कुछ दिनों पहले बुलन्दशहर की एक

भरी अदालत में एक गवाह की जेब काटने की कोशिश की थी। बंगलौर में सयाने लोग एक ऐसा लेटर-बॉक्स बनाने की मुद्रा में हैं जो कि देखने-भालने में इंसान जैसा लगे। इधर यह युवती है कि बंगलौर से इतना दूर होने पर भी पत्र-पेटी का मज़ा दे रही है और पता नहीं कि यदि मैंने वक़्त पर कोई सही क़दम नहीं उठाया तो डाक-तार विभाग इसे कब अपने क़ब्ज़े में कर ले।

मगर ठीक इसी क्षण मेरे भीतर एक दूसरे क़िस्म की मानसिक प्रतिक्रिया जन्म लेती है। मैं गम्भीर हो जाता हूँ और सोचने लगता हूँ कि जिस पर्दे के कारण इतनी जिज्ञासा, इतनी उत्सुकता पैदा हो जो कि अपराध तक करने की प्रवृत्तियाँ जाग्रत करने लगे, तो क्या उसकी अपेक्षा नंगा रहना ही तो कहीं ठीक नहीं? ये जितने नारा लगाने वाले और गले में पट्टा डालकर सार्वजनिक कोष का ग़बन करने वाले राष्ट्रसेवी हैं, क्या इनकी अपेक्षा ग़रीब मगर बेनक़ाब कबीर अच्छा नहीं था? यह दुर्भाग्य की बात है कि अभी तक कबीर के जितने भी चित्र प्रकाश में आये हैं, उनमें से किसी भी चित्र में उसे पूरी तरह नंगा नहीं दिखाया गया। यह सरासर ग़लत है और उस समय की कला के पिछड़ेपन का सूचक है। कबीर जो था, वह एकदम नंगा था। देश के कृष्णवर्ण धन में से कुछ सफ़ेद भाग यदि मेरे हाथ लग जाए तो मैं भी इस सामने गुज़रने वाली सुन्दरी के साथ फ्रान्स के समुद्र-तट पर जाना चाहता हूँ ताकि उसे निर्वसना बनाकर उसके साथ कबीर के काव्य पर चर्चा कर सकूँ। चारों दिशाओं में लगे इन झूठे मुखौटों के बीच यह घोषणा मुझे बड़ी विवशता के साथ करनी पड़ रही है कि यदि मैं विदेश नहीं जा पाया तो मैं यहीं 'नंगा' हो जाऊँगा और साथ में तुम्हें भी नंगा करूँगा। इस दिशा में मैं एकाकी नहीं हूँ। कविवर सुमित्रानन्दन पन्त भी मेरे साथ हैं। उनकी वाणी इस बात की गवाह है : "देश व्यक्ति और समाज/इन वस्त्रों को उतारो/मेरे स्वप्नकक्ष में सँवरो/मैं तुम्हें नग्न देखता चाहता हूँ।"

अपना-अपना शौक़

शौक़ से हमारा अभिप्राय प्रायः बागबानी करने, मुर्गी पालने या मुक़दमेबाज़ी करने से होता है। कुछ लोग बतौर शौक़ के कसरत करते हैं और कुछ सम्भ्रान्त व्यक्ति इस सन्दर्भ में अफ़ीम भी खाते हैं। शराब पीना, घोड़ों पर पैसा लगाना, शायरी करना, नौकरानी से छेड़छाड़ करना, कुत्ते पालना या हारमोनियम बजाना भी कभी-कभी शौक़ कहा जाता रहा हालाँकि ख़ुदा गवाह है, ये काम ज़रूरत के लिए ज़्यादा और शौक़ के लिए कम किये जाते हैं। ख़ैर, सच्ची बात तो यह है कि कुछ लोगों के शौक़ ऐसे भी हैं जो इन दक़ियानूसी और घिसे-पिटे शौक़ों से सर्वथा अलग रहे। मिसाल के तौर पर कवि शेली जो थे वे अब प्रकाश के क्षणों में बैंक ऑफ़ इंग्लैण्ड के नोटों से काग़ज़ की किश्तियाँ बनाकर टेम्स नदी में छोड़ा करते थे।

मेरे इलाक़े में एक बुज़ुर्ग जागीरदार थे जिन्हें पुरानी चीज़ें बटोरने का विचित्र शौक़ था। पुरानी चिट्ठियों, दस्तावेज़ों और पोथियों को इकट्ठा करने की चर्चा तो मैंने सुनी थी पर पुरानी अचकनों, पुरानी छतरियों और पुरानी कुर्सियाँ को इकट्ठा करने का शौक़ मैंने इन्हीं के साथ देखा। नयी वस्तुओं के बीच अपने को पाकर इन बुज़ुर्गवार को हार्दिक कष्ट होता था। पुरातत्त्व के प्रति अपने प्रेम को जो नया आयाम इन्होंने दिया था वह शायद अपनी युवावस्था में ही देना शुरू कर दिया था जिसका कि पता इनकी पत्नी को देखकर लगता था। यूँ तो ये बुज़ुर्गवार ख़ुद भी इतने पुराने थे कि फटी अचकन और फटी छतरी के साथ ख़ुद ही अपने बाप लगते थे पर इनकी जो पत्नी थी, वह तो वाक़ई ऐसी थीं कि देखकर लगता था कि कोई पन्द्रहवीं शताब्दी की हैं और खुदाई में से निकली है। उस महिला के दर्शन कर स्त्री जाति के प्रति मेरी जो श्रद्धा जागी वह कभी किसी दूसरी देवी को देखकर नहीं जागी। इन बुज़ुर्गवार की जुराबें ऐसी थीं कि देखकर लगता था कि जैसे ये इन्हें पहनकर ही पैदा हुए थे और इनके जूते ऐसे कि उन्हें देखकर लगता था कि उन्हें पहनकर इनके पिताजी पैदा हुए थे। जूता पालिश करने का जो ब्रुश था वह भी एक ही अजीबोग़रीब चीज़ थी क्योंकि उसमें सिर्फ़ लकड़ी ही लकड़ी थी; बालों वाला जो हिस्सा था वह तो निरन्तर सेवा करने के कारण इस असार संसार से पता

नहीं कब कूच कर चुका था। हजामत बनाते थे तो ऐसे शीशे की मदद से जिसको कि खड़ा करने के लिए उसके पीछे एक लालटेन रखनी पड़ती थी और लालटेन की अपनी हालत यह थी कि उसे सन्तुलित रखने के लिए उसके नीचे पत्थर का एक टुकड़ा रखना पड़ता था। हजामत का शीशा ऐसा था कि निहायत मुश्किल के साथ उसमें शायद एक आँख की परछाईं प्रतिबिम्बित होती थी। सन्त कबीर ने 'मुखड़ा क्या देखे दरपन में' वाली जो पंक्ति लिखी थी वह शायद किसी ऐसे ही दर्पण को देखकर लिखी होगी।

इन शालीन बुज़ुर्गवार के यहाँ जो भी सामान था वह इतना पुराना था कि पूरा-का-पूरा घर एक अजायबघर का पार्ट बड़ी तबीयत और ईमानदारी के साथ अदा करता था। इनके बड़े सुपुत्र की आयु कोई पैंसठ वर्ष की थी हालाँकि बाप के न मरने की वजह से बेचारे कहलाते 'कुँवर साहिब' ही थे। उस हवेली में लोटा जहाँगीर के वक़्त का प्रयोग होता था और कालीन इब्राहीम लोदी के ज़माने का। दीवानखाने में चन्द किताबें थीं जो ईसा से कोई सौ वर्ष पूर्व की थीं। वस्त्रों की स्थिति यह थी कि अदालत जाते हुए जागीरदार साहिब एक बार ईस्ट इण्डियन रेलवे के किसी प्रतीक्षालय में ठहर गये और चलते वक़्त अपना कोट वहीं भूल गये। उस क्षेत्र में वह स्टेशन चोरियों के लिए काफ़ी विख्यात था पर उस ऐतिहासिक वस्त्र को किसी ने नहीं छुआ। एक वर्ष तक वह कोट उसी खूँटी पर आदरपूर्वक वैसे ही टँगा रहा। इसी तरह उनका हुक़्क़ा जो था वह शायद वह था जिसे अलाउद्दीन ख़िलज़ी का हज़्ज़ाम पीता था। ये बुज़ुर्गवार ख़ुद भी देखने में रणजीतसिंह के बावर्ची लगते थे।

मेरा यह निश्चित मत है कि ज़्यादा दिलचस्प आदमी जो हैं वे अभी भी ग्रामीण क्षेत्र में ही पाये जाते हैं। (औरतों की बात अलग है; वे हमेशा से नगरों में ही ज़्यादा दिलचस्प होती आयीं।) इन नगरों और महानगरों में इतना समय कहाँ कि आदमी दिलचस्प बन सके। सुबह सोकर उठे, ठण्डी चाय से हजामत बनाई, नाश्ता किया, एक बार चोरी-चोरी सामने वाली खिड़की की ओर झाँका और इसके बाद लगे बस पकड़ने के लिए भागने। दफ़्तर पहुँचे तो वही पुराने चर्चे और चरखे किये, बड़े साहब को गालियाँ दीं, सुरती वाला पान खाया और अन्त में सीट से सिर टिकाकर सो गये। लंच के वक़्त उठे तो देश की स्थिति और दफ़्तरों की सुस्ती पर चिन्ता प्रकट की, उन लोगों को गालियाँ दीं जो बड़े साहब की ख़ुशामद के कारण प्रोमोशन पा गये थे, एकाध चिट्ठी फ़ाइल की, चाय का एक कप मँगाया गया और पान की दूसरी किश्त के साथ फिर वहीं बस के क्यू में आ गये। दो घण्टे में सवारी घर पहुँची। वहाँ फिर वही बीवी, बच्चे और बजट का छेकानुप्रास। खाना खाया, कॉलेज के दिनों की मुहब्बत याद की और फिर लगे सिंहलद्वीप की आकाशवाणी के सहारे नींद की लहरों में तैरने। अब आप ही बताइए कि इतने व्यस्त कार्यक्रम में कोई व्यक्ति कैसे कोई शौक़ पाल सकता है! देहात में अलबत्ता अभी भी यह स्थिति है

कि जब तक मुर्गा नहीं बोलता, तब तक सुबह नहीं होती। काफ़ी ग्रामीण भाई ऐसे हैं जिनके पास समय है, बैठक है, डण्डा या बन्दूक है और गवाह हैं। इसी कारण देहात में जितने होनहार क़िस्म के इंसान पाये जाते हैं, उतने नगर में कभी हो ही नहीं सकते। देहात की दिशा में कुछ लोग तों इतने होनहार हैं कि यदि फ़ौजदारी की अदालतें न हों तो बेचारे आत्महत्या कर लें।

कहते हैं कि पुराने ज़माने में एकाध दिलचस्प आदमी कभी-कभी शहरों में भी हो जाया करता था। नया क़ानून आने पर पुराना मज़ा जाता रहा। अब या तो दूसरी शादी ही कर लो या सरकारी नौकरी ही। तबीयत करती है पहला काम करने को मगर करना पड़ता है दूसरा। देहात के क्षेत्र में ऐसा कोई बन्धन नहीं। मैथिलीशरण गुप्त ने 'अहा ग्राम्य जीवन भी क्या है, ऐसी सुविधा और कहाँ है?' वाली जो पंक्तियाँ लिखी हैं वे इसी सन्दर्भ में लिखी हैं। एक लोकगीत है जिसके अनुसार एक धोबी को चार पत्नियाँ अपेक्षित हैं। एक पत्नी तो वह जो घाट तक कपड़े ले जाए, दूसरी वह जो खाना बनाये, तीसरी वह जो कपड़े धोए और चौथी कुलवन्ती वह जो पलँग ठीक-ठाक करे। धोबी मियाँ खुद क्या करते होंगे, यह उस लोकगीत में नहीं बताया गया। हमारे यहाँ एक ठाकुर थे जो धोबी न होते हुए भी पत्नियाँ काफ़ी रखते थे। उन्होंने कितने और कितनी क़िस्म के विवाह किये– इसका प्रामाणिक ब्योरा मिलना मुश्किल होगा। स्वयम्वर से शुरू करके गन्धर्व और राक्षस विवाह तक कुछ भी तो नहीं छोड़ा। जूता और जोरू– इन दो पदार्थों के बदलने का जो शौक़ था, उसे उन्होंने एक नितान्त कलात्मक रूप दिया था। बड़े सिद्धान्तों के व्यक्ति थे; प्रेम और विवाह के सन्दर्भ में जाति, आयु, लेन-देन, समाज के आक्षेप और क़ानून– इन छोटी-मोटी चीज़ों की कतई कोई परवाह नहीं करते थे। इनका प्रथम विवाह इनके बचपन में ही हो गया था और वह पहली पत्नी अब, इनकी माता लगती थी– दूसरी पत्नी इनकी अपनी भौजाई थी। तृतीया जो थी वह ज़रूर कुछ जँचती थी मगर वह एक नौकर के साथ तीर्थयात्रा पर जो गयी तो मन-मन्दिर में प्रेम की घण्टियाँ कुछ ऐसी बजीं कि न वह लौटी और न नौकर। ठाकुर को नौकर के चले जाने का बड़ा दुख हुआ; वह बड़े काम का आदमी था। फ़िलहाल जो पत्नी चल रही है वह ठाकुर की अपनी लड़की की उम्र की है। दोनों की शादियाँ भी शायद एक ही दिन सम्पन्न हुई थीं और कुल मिलाकर स्थिति यह है कि दोनों बच्चे भी लगभग साथ ही साथ देती हैं। बड़ा सुखी गृहस्थ है। पितृपक्ष में ब्राह्मणों का बड़ा आदर-सत्कार किया जाता है। मतिमान पुरुष इस लोक का ध्यान करने में परलोक को कभी नहीं भूलते।

जैसा कि ज़ाहिर है, लोगों को तरह-तरह के शौक़ होते आये। नूरजहाँ खाली वक़्त में कबूतर उड़ाया करती थी और यूरोप की एक रानी दुकानों से सामान चुराने की शौक़ीन थी। स्तालिन शतरंज का प्रेमी था तो अकबर पोलो का। मगर इस सबके बावजूद जो मज़ा गप्प हाँकने के शौक़ में है वह और शायद कहीं नहीं। इस

क्रिया से जो तृप्ति और सुख प्राप्त होता है वह अन्यत्र कहीं नहीं मिलता। मैं इस बात को अधिकार के साथ इस कारण कह रहा हूँ क्योंकि मैं एक ऐसे नरपुंगव को जानता हूँ जो कि इस दिशा में काफ़ी समयसिद्ध महात्मा हैं। संसार की ऐसी कोई वस्तु नहीं जिसे ये 'हस्तामलकवत्' न देख सकें और अब तो हालत इतनी नाज़ुक हो गयी है कि यदि वे चाहें भी, तव भी सच नहीं बोल सकते। आप कुतुबुद्दीन ऐबक का नाम लीजिए और ये फ़ौरन कहेंगे कि मिडिल स्कूल में वह इनके साथ पढ़ता था। अगर कहीं इब्नबतूता का ज़िक्र आ गया तो ये तुरन्त सूचना देंगे कि जब वह बच्चा था तो इनकी भेड़-बकरियाँ तराई के वनों में चराया करता था। एक बार ग़लती से मैंने मेघदूत या टाम सायर का नाम ले दिया और इन्होंने छूटते ही फ़रमाया कि पढ़ना क्या इन्होंने तो उन किताबों को लिखा तक है। पिछली भेंट के अवसर पर पता नहीं कैसे बातचीत में अलीवर्दी खान का ज़िक्र आ गया। नाम का आना था कि ये हज़रत एकदम उछलकर बोले कि वह तो बड़ा पाजी आदमी है; एक बार मुझसे पौने चार रुपये ले गया था जो अब तक नहीं लौटाये।

इस विशाल देश की कोटि-कोटि जनता के इतने शौक़ हैं कि उन पर थीसिस लिखी जा सकती है। जिन लोगों को थीसिस लिखने का शौक़ है, वे इस काम को तुरन्त हाथ में ले लें। नहीं तो स्थिति इतनी दुखदायक होगी कि सेवानिवृत्त होने के बाद इस दिशा में मैं खुद ही कुछ ठोस काम करूँगा। हिम्मते मरदाँ, मदद खुदा।

छुट्टी

छुट्टियाँ कई तरह की होती हैं। एक छुट्टी वह होती है जो चाय का नया सेट तोड़ने पर मेम साहब नौकर को देती हैं। एक छुट्टी वह होती है जो बच्चा हो जाने पर जनाने अस्पताल से मिलती है। सज़ा पूरी हो जाने पर ज़िला जेल से जो मुक्ति प्राप्त होती है उसे भी छुट्टी ही कहा जाता है। ख़ैर, यहाँ मैं इन छुट्टियों का ज़िक्र नहीं करूँगा। यहाँ मैं उस छुट्टी का ज़िक्र भी नहीं करूँगा जो मिडिल स्कूल में डिपुटी साहब के मुआयने के बाद मिला करती थी। आज तो छुट्टी से मेरा अभिप्राय मात्र उस ख़ास क़िस्म की छुट्टी से है जो दफ़्तर, बैंक, अदालत और कारख़ानों वग़ैरह में कामकाज करने वाले लोगों को रविवार के दिन तथा कुछ अन्य विशिष्ट अवसरों पर गाहे-बगाहे मिलती रहती है। 'गाहे-बगाहे' शब्द के मैंने अनेक प्रयोग देखे मगर जो कमाल भारतेन्दु ने हासिल किया, वह और कहीं अभी तक नज़र नहीं आया। उनका चनेवाला एक स्थान पर कहता है– चना खाएँ मियाँ जुलाहे दाढ़ी हिलती गाहे बगाहे। छुट्टी के दिन को छोड़कर मैं प्रायः 'अँधेर नगरी' पढ़ता आया।

छुट्टी बिताने के हम सभी के अपने अलग-अलग ढंग होते हैं। मेरे विचार से यदि यह पता लग जाए कि श्रीयुत अमुक अपनी छुट्टी किस भाँति गुज़ारते हैं तो हमें उनके व्यक्तित्व और चरित्र दोनों के बारे में काफ़ी पता लग सकता है। आजकल का नागरिक जीवन कुछ ऐसा हो गया है कि हफ़्ते के छह दिन तो सारे के सारे लोग लगभग एक ही भाँति गुज़ारते हैं और नतीजा यह होता है कि ये सिर्फ़ छुट्टियों के ही दिन होते हैं जो आदमी और आदमी के (और औरत और औरत) के बीच का अन्तर स्पष्ट करते हैं। बात को और खुलासा करने के लिए मैं कुछ दृष्टान्त दूँगा– ठीक उसी प्रकार जैसे मेरे बचपन में आर्यसमाज के भजनीक दिया करते थे। आर्यसमाज के ये भजनीक कुल मिलाकर नितान्त कर्तव्यपरायण, सज्जन और सेवावृत्ति वाले लोग होते थे। इनके प्रवचन उस विद्या के अन्तर्गत आते थे जिसे हमारे रसशास्त्रियों ने चम्पू-काव्य कहकर पुकारा था। थोड़ी-सी बातचीत और फिर हारमोनियम। अगर कभी किसी कारणवश हारमोनियम काम करना बन्द कर देता था, तो उसकी जगह ये लोग अपने गले से काम लेना शुरू कर देते थे। कला और

गला— इन दोनों का सम्बन्ध प्रकट हो जाता था। अब तो न ये भजनीक दिखाई पड़ते हैं और न हारमोनियम।

मैं कुछ दृष्टान्त देने जा रहा था और क्योंकि मैं ईमानदार लेखक हूँ— वैसा मैं करूँगा भी। मेरे एक मित्र हैं जो छुट्टी के दिन शरीर की सेवा करते हैं, और कुछ नहीं। मालिश करवाते हैं, पुट्ठों को दबवाते हैं, हफ़्ते भर बाद पानी में इत्र डालकर स्नान करते हैं और अन्त में चलकर जुलाब लेते हैं ताकि देह जो है वह बाहर से ही नहीं वरन् भीतर से भी पवित्र रहे। उनके इस जुलाब के कारण, छुट्टी की जो अवधि होती है वह कभी-कभी बढ़वानी भी पड़ती है। एक दूसरे मित्र हैं जिनका मैं नाम नहीं दे सकता क्योंकि यदि मैंने वैसा किया तो मुझे ये उसी तरह बजायेंगे जैसे आर्यसमाजी भजनीक अपने हारमोनियम को बजाया करते थे और मैं हूँ कि चम्पू-काव्य हर्गिज़ नहीं बनना चाहता। ये मित्र भी शरीर पर ही ध्यान देते हैं पर परमार्थी होने के कारण वह शरीर जिस पर ये ध्यान देते हैं, किसी दूसरे का होता है। दूसरे शब्दों में छुट्टी के दिन वे उन सब इंसानों की ठुकाई करते हैं जिनसे पिछले हफ़्ते कोई मनमुटाव हुआ था। हालाँकि छुट्टियाँ काफ़ी होती हैं पर मेरे ये मित्र इस क्रिया के सम्पादन में इतने तत्पर हैं कि हमेशा व्यस्त ही मिलते हैं और कभी-कभी तो ऐसा हुआ कि ये पूरे सीज़न के लिए पहले से ही बुक पाये गये। एक बार एक व्यक्ति का दाँत तोड़ने के लिए ये बीस कोस पैदल चले थे। दूरदर्शी होने के कारण ये कुछ लोगों को यूँ ही बिना बात अग्रिम तौर पर भी पीटते रहते हैं ताकि यदि भविष्य में कोई हादसा हो जाए और तब वे लोग इन्हें पीटने को न मिलें, तो अफ़सोस न हो।

एक और मित्र हैं, बुद्धिजीवी क़िस्म के। सुबह ही सुबह डायरी, पेंसिल तथा मेग्निफ़ाइंग ग्लास वग़ैरह लेकर निकल जाते हैं और न जाने कौन-कौन से कीड़े-मकोड़ों के सेक्स जीवन का अध्ययन करते हैं। एक और हज़रत हैं जो इतने होनहार हैं कि जब तक वे जंगल में कीड़ों-मकोड़ों की सेक्स लाइफ़ देखते हैं, तब तक ये उसी क्रिया को उन्हीं बुद्धिजीवी मित्र की ख़ूबसूरत बीवी के साथ सम्पन्न करते हैं। प्रख्यात लेखक सी.ई.एम. जोड इतवार को बग़ैर टिकट यात्रा किया करते थे, ग्लैडस्टन छुट्टी के वक़्त लकड़ियाँ फाड़ा करते थे और स्तालिन जो थे वे खाली वक़्त में शतरंज खेलते थे। इसके अलावा डेल कार्नेगी ने अपनी छुट्टियाँ हमेशा यह जानने में गुज़ार दीं कि बाक़ी लोग अपनी छुट्टियाँ कैसे गुज़ारते हैं। नरक की परिभाषा करते हुए जॉर्ज बर्नार्ड शा ने कहा था कि 'अन्तहीन छुट्टी' को नरक कहते हैं। हो सकता है, वे ठीक ही कह रहे हों। जितने भी दाढ़ी वाले लोग होते हैं उनकी वाणी को मैं कभी ग़लत नहीं मानता। सत्य अकसर दाढ़ी में ही छिपा रहा। दाढ़ी हटा दीजिए, सत्य उजागर हो जायेगा।

ऊपर जितने भी व्यक्तियों का ज़िक्र किया गया है, वे सब के सब— जैसा कि शायद ज़ाहिर भी है— मुझसे अलग हैं। इस बात का नतीजा यह निकला कि छुट्टी

बिताने का मेरा ढंग भी अलग क़िस्म का होना चाहिए। वास्तविकता यह है कि वह है भी अलग ही। छुट्टी का दिन गुज़ारने का मेरे पास एक निहायत सरल नुस्खा है। मैं सारे दिन को तीन भागों में विभाजित करता हूँ— सुबह का वक़्त, दोपहर का वक़्त और दोपहर के बाद का वक़्त। पहले मैं सुबह को सोता हूँ यानी कि छह से बारह तक। फिर दोपहर को सोता हूँ यानी कि साढ़े बारह से पाँच तक। इसके बाद शाम को सोता हूँ यानी कि पाँच से दस तक। दस के बाद तो सोना ख़ैर वैसे भी ज़रूरी है क्योंकि सारे वैज्ञानिक शरीर को पूरा-पूरा विश्राम देने पर सदा से बल देते आये। और फिर वैसे भी रात के बारह बजे से पहले की नींद रजतनिद्रा कहलायी। क़िस्सा कोताह, सचाई यह है कि मैं छुट्टी का सारा दिन नींद को देता हूँ। सारे मित्रों, घर के और लोगों और इतने काम-काज के बीच इतना समय निद्रा को देना एक बड़ा त्याग है जिसे कोई त्यागी ही सम्पन्न कर सकता है। वैसे मेरे-जैसे क्रियाशील व्यक्ति से यदि आप सारे दिन सोने को कहें, तो बहुत सम्भव है कि मैं वैसा कभी भी न कर सकूँ। मगर चूँकि मैं दिन को तीन हिस्सों में बाँट लेता हूँ, मुझे सारा दिन निद्रालाभ करने में कोई विशेष असुविधा नहीं होती।

निद्रालाभ करने की क्रिया काफ़ी सरलता से सम्पन्न हो सकती है बशर्ते कि जहाँ तक हो सके वहाँ तक आपका जो हैडक्वार्टर है वह पलँग पर ही रहे। लेटे-लेटे अख़बार की सुर्खियाँ पढ़िए, चाय का प्याला लीजिए, पत्नी को प्रातःकाल घूमने के फ़ायदे बताइए और इसके बाद फिर सर्वांग आसन में आ जाइए। रह गया बाथरूम वग़ैरह जाना, तो एक दिन के लिए गोली मारिए इन मामूली चीज़ों को। क्या लिखा है कहीं इतिहास में कि कबीर, नेपोलियन या मोपासां रोज़ बाथरूम जाते थे? अलैग्ज़ेण्डर ड्यूमा पूरे साल में एक दफ़ा नहाता था। और अगर विपत्ति आ ही जाए और बाथरूम वग़ैरह जाना ही पड़े तो ख़याल रखिए कि एक आँख ही खुले। दूसरी आँख में खुमारी का बरकरार रहना ज़रूरी है। वापस आये तो फिर बिस्तर में। दोपहर के वक़्त एकाध आँख थोड़ी देर के लिए अवश्य खोलिए क्योंकि सूर्योदय का सच्चा आनन्द बारह बजे के क़रीब ही प्राप्त होता है। थोड़ा-बहुत नाश्ता कीजिए, धर्मपत्नी को पतिव्रता रहने के फ़ायदे और नुक़सान समझाइए, बच्चों को होमवर्क दीजिए और कमान के तीर की भाँति फिर अपने अड्डे पर वापस आ जाइए। इस दफ़ा जो चादर तनेगी तो शाम को ही हटेगी। शाम के वक़्त कुछ देर के लिए उठिएगा, हाथ-मुँह धोइएगा और चाहे तो नाइट सूट भी पहन लीजिएगा। थोड़ी-बहुत सुस्ती उतरने का ग़म न करें— भरपेट खाना खाने के बाद वह फिर वापस लौट आयेगी। इस बार सोये तो अगले दिन उठे। छुट्टी जो थी वह कितनी आसानी से गुज़र गयी। एक नीग्रो कवि ने कहा था कि जीवन में सोने और प्रेम करने के अलावा और है ही क्या? मैं तो कहता हूँ कि प्रेम भी तभी कीजिए जब कि नींद न आ रही हो, नहीं तो प्रिये, प्रेम की याद अगले वसन्त पर दिला देना, आज तो जी भरकर सोने दो।

शायद आपने मेरी ऊपर लिखी बातों पर यक़ीन कर लिया। काश, मैं दिनभर सोने का स्वप्न पूरा कर सकता! भगवान् साक्षी है, यदि उसे कभी भी मेरे पूरे दिन निद्रालाभ करने का प्रोग्राम सहन हुआ हो। बात यह है कि मेरे अलावा कुछ दूसरे लोग ऐसे भी हैं जो सारी की सारी छुट्टी आँखें पूरी-पूरी तरह फाड़कर जागने में गुज़ारना चाहते हैं। ये ही वे लोग हैं जो मुझे सोने नहीं देते। मेरे साथ वाली कोठी में रहने वाले साहित्य के एक डॉक्टर हैं जो वैसे तो एकदम ठीक हैं मगर बस एक ही इल्लत है कि चुप नहीं रह सकते। प्रसवकाल से लेकर अब तक शायद चन्द घण्टे ही ऐसे गुज़रे होंगे जबकि इनकी सरस्वती ने विश्राम किया हो। कॉलेज जाने से पहले बच्चों को वेद पढ़ाते हैं, नौकर को भुरता बनाने की शास्त्रीय विधि समझाते हैं और पत्नी को मैके जाने की नेक सलाह देते हैं। रास्ते भर रिक्शावाले को व्याकरण का सही प्रयोग समझाते हैं और इसके बाद कॉलेज पहुँचकर इतने ऊँचे स्वर में भाषण देना प्रारम्भ करते हैं कि छात्र लोग यदि चाहते तो घर पर ही बैठे-बैठे नोट ले सकते थे। छुट्टी के दिन इनका दौरा मेरे यहाँ होता है। मैं कितना भी छिपूँ, कितना ही भागने की चेष्टा करूँ मगर ये हैं कि मुझे पकड़ ही लेते हैं। मुझे पकड़कर मूढ़े पर बिठाएँगे और इसके बाद और कुछ नहीं तो ब्रह्मचर्य की महिमा ही समझाने लगेंगे। तंग होकर यदि मैंने कभी कह दिया कि इन चीज़ों का कहना आसान है, पर करना कठिन तो ये निःसंकोच अपना सीना फुलाकर फ़रमाएँगे कि मुश्किल इसमें क्या है; आख़िर हमने भी तो तेरह वर्ष की आयु तक पूर्ण ब्रह्मचर्य का पालन किया था या नहीं? हिम्मते मरदाँ, मददे ख़ुदा। पिछले इतवार को मुझे समझा रहे थे कि हालाँकि उनके सम्बन्ध अपनी पत्नी से कोई ग्यारह वर्षों से ख़राब हैं और कभी-कभी तो हाथापाई तक की नौबत भी बजने लगती है पर इस सब का बच्चे होने पर कोई प्रभाव नहीं पड़ा। जर्मनी और इंग्लिस्तान में कितनी खौफ़नाक जंग हुई पर उस युद्ध के दौरान क्या वहाँ बच्चे पैदा होने बन्द हो गये? हर्गिज़ नहीं। और जो स्थिति महायुद्धों में होती है वही गृहयुद्ध में होगी।

गर्ज़ यह कि विशुद्ध निद्रा के मार्ग में कोई न कोई बाधा हमेशा पड़ती आयी। कभी कविता सुनाने कोई कवि-मित्र आ गये तो कभी बाल काटने वाला हज़्ज़ाम। और कुछ नहीं तो पालतू क़िस्म का कोई कुत्ता या बिल्ली आपके बिस्तर पर चढ़ गया और हालीवुड के चलचित्रों के स्टाइल में आपसे प्यार करने लगा। जब आपको पता लगता है कि प्यार करने वाला सिर्फ़ कुत्ता या बिल्ली ही है, तो कितना सन्तोष होता है। यह सोचकर कि यदि इस कुत्ते या बिल्ली की जगह कोई और होता तो फिर क्या हादसा होता– आपको सन्तुष्ट होकर फिर सो जाना चाहिए। मैं तो यही करता हूँ। छुट्टी आख़िर है किसलिए?

पत्नी-पीड़ित सम्प्रदाय

संसार जो है वह दुःखो का समुद्र है। यह बात गौतम बुद्ध ने कही थी और अधिकार के साथ कही थी। महात्मा बुद्ध को विवाहित होने का भी व्यक्तिगत अनुभव था और गृहस्थ छोड़ने का भी। उन्हें जो परम ज्ञान की प्राप्ति हुई थी वह पत्नी का त्याग करने के बाद ही हुई थी। यह एकदम सच्ची बात है कि यह संसार जो असार है, वह मात्र इस कारण है कि पत्नियाँ जो हैं वे पतियों को पीड़ा पहुँचाती हैं। पति कभी अपना होता है तो कभी पराया। जितनी हृदयद्रावक स्थिति पत्नी-पीड़ित पतियों की है, उतनी सम्भवतः किसी और की नहीं। जिस पति को भी सच्चे ज्ञान की पिपासा है, मेरी सलाह है कि वह अपनी पत्नी को तुरन्त छोड़ दे। इतिहास साक्षी है कि जितने भी बड़े दार्शनिक या धर्मोपदेशक इस पृथ्वी पर प्रकट हुए वे या तो ब्रह्मचारी थे या फिर वैसे पत्नी-मुक्त। संसार की भव-बाधाओं से मुक्ति प्राप्त करने के लिए यह ज़रूरी रहा कि पहले अपनी निजी पत्नी से मुक्ति प्राप्त कर ली जाए।

पत्नी की जो पीड़ा है वह नाना प्रकार की होती है और नाना प्रकार के पतियों को नाना प्रकार के अवसरों पर नाना प्रकार के कष्ट पहुँचाती है। कुछ लोग इस कारण दुखी हैं कि उन्हें अभी तक किसी प्रकार का पत्नी-लाभ हुआ ही नहीं। इन होनहार लोगों की स्थिति यह होती है कि जहाँ कहीं भी कोई ख़ासे नाक-नक्श वाली बालिका देखने को मिली, वहीं इनके मन-मन्दिर में प्रेम के घण्टे बजने प्रारम्भ हो गये। हालत ज़्यादा बिगड़ जाने पर इन लोगों की यह स्थिति कन्या क्या, उसकी माता को देखकर भी होने लगती है। इस क़िस्म के भावी पतियों में जो अपेक्षाकृत ज़्यादा प्रतिभावान होते हैं वे फुटकर समय में इधर-उधर पिटते भी रहते हैं, जिससे कभी-कभी स्थिति में सुधार होता भी देखा गया। शारीरिक पीड़ा यदि घनीभूत हो जाए तो वह बदली बनकर दुर्दिन में मानसिक यातना को ढक लेती है। इसके बरख़िलाफ़ काफ़ी लोग इस कारण पीड़ित हैं कि उनके पास पत्नी या पत्नियाँ हैं। चार्ल्स लैब ने कहा था कि विवाहित समझते हैं कि अविवाहित लोग सुखी हैं और अविवाहित लोग समझते हैं कि विवाहित सुखी हैं। चार्ल्स लैब और गोल्डस्मिथ ने ख़ुद कभी शादी नहीं की। और प्लेटो तो पत्नी नामक चल सम्पत्ति से इतना भय

खाता था कि उसने तो पत्नियों के राष्ट्रीयकरण का ही सुझाव पेश किया था। एक और मतिमान् व्यक्ति थे जिन्होंने कहा था कि यदि दार्शनिक बनना हो— जिसको सरल भाषा में पागल कहा जाता रहा— तो पत्नी से उत्तम माध्यम और कोई नहीं। ये हज़रत ख़ुद जो दार्शनिक बने थे, वह इसी भाँति बने थे।

जैसा कि मैं पहले भी कहीं कह चुका हूँ, संसार के कुछ लोग सुखी होते हैं और कुछ विवाहित। सृष्टि के इतिहास में ऐसे व्यक्ति बहुत कम हुए हैं जो कि विवाहित थे और जिनकी मृत्यु न हुई हो। यूँ मरते अविवाहित भी हैं पर उनकी संख्या सदा से कम होती आयी। इस प्रकार मृत्यु और विवाह का जो प्रत्यक्ष सम्बन्ध है वह स्थापित हो जाता है। अविवाहित लोग जो हैं वे स्त्री जाति के बारे में विवाहित लोगों की अपेक्षा हमेशा ज़्यादा जानते होते हैं; उनका अविवाहित रहना ही इस सत्य की पुष्टि करता है। विवाहित लोगों का इतिहास पढ़ा जाए तो सारे का सारा क़िस्सा दुखान्त ही मिलेगा। ट्राय की हेलन से लेकर अब तक न जाने कितनी हत्याएँ सिर्फ़ पत्नियों के कारण ही हुईं। राजा रामचन्द्र जैसे शान्तिप्रिय और रावण जैसे विद्वान्— सिर्फ़ एक सीता के कारण ऐसे जम कर लड़े कि वाल्मीकि से लेकर मैथिलीशरण गुप्त तक न जाने कितने कवि उसी गाथा को कहते-कहते मृत्यु को प्राप्त हो गये। भर्तृहरि की पत्नी इतनी होनहार निकली कि उसके कारण उन्हें वह पत्नी भी छोड़नी पड़ी और अपना राज्य भी। तुलसीदास जैसे होनहार और कार्यतत्पर पति को भी अपनी पत्नी के कारण सिर घुटवाना पड़ा और सरकण्डे की कलम से सहस्रों पृष्ठ लिखने पड़े। अच्छी-ख़ासी गृहस्थी चल रही थी, सब चौपट हो गयी। मैं अपने घरेलू जीवन के बारे में भी कुछ कहना चाहता था पर वह शायद ठीक नहीं होगा।

पत्नी-पीड़ा के भेद और प्रकार इतने ज़्यादा हैं कि यदि सारे समुद्र दवात बनें और सारे बाँस़ कलम तो स्वयं सरस्वतीजी भी शायद यह काम पूरा न कर सकें। सरस्वतीजी तो स्त्री होने के नाते शायद वैसे भी इस काम को हाथ में न लेना चाहें पर गणेशजी भी शायद एकदम रज़ामन्द न होंगे। अपनी आदत के मुताबिक पहले ये आपका प्रस्ताव सुनेंगे, फिर 'मोदक-प्रिय मंगलदाता' होने के कारण इक्यावन लड्डू मोतीचूर के खाएँगे और फिर चूहे से उतरकर गद्दी पर सो जायेंगे। अगर कोई मोदक शेष रह गया था, उसे चूहा खा जायेगा। बहरहाल इतना निश्चित है कि कुछ पत्नियाँ हैं जो अपने पतियों को मात्र मानसिक कष्ट ही पहुँचाती हैं जब कि कुछ और चरित्रवती और स्वस्थ पत्नियाँ हैं जो अपने पति से नियमित रूप से हाथापाई तक करती हैं। ऐसी कितनी ही पतिव्रताएँ हैं जो अपने पति से व्रत रखती हैं या जिनके कारण पति जो है वह व्रत यानी कि उपवास रखता है। मैं न जाने कितने ऐसे शालीन और ज़िम्मेदार लोगों को नज़दीक से जानता हूँ जो दिनभर सैमसन की भाँति लड़कियों के साथ एकदम निःसंकोच रहते हैं, शेर की भाँति दहाड़ते हैं, बीयर पीते हैं और जब रात को घर में घुसते हैं तो जूते बग़ल में दबाकर घुसते हैं। इनमें

से कई तो इतने आदर्श पति हैं कि जूतों को तकिये के नीचे ही दबाकर सोते हैं। यह बात दीगर है कि इतनी सतर्कता के बावजूद कभी-कभी उनकी वह निष्ठुर पत्नी उन जूतों का और इनके सिर का इस प्रकार प्रयोग करती हैं कि 'मियाँ की जूती मियाँ का सिर' वाली कहावत शत-प्रतिशत सार्थक हो जाती है। जूता कभी-कभी किसी ग़ैर का हो सकता है पर सिर जो है वह हमेशा मियाँ का ही रहता है। शादी के बाद सालों तक मैं ख़ुद कैनवास के ही जूते पहनता रहा।

कुछ भी करने से पहले यह उचित होगा कि पति लोग पत्नियों के बारे में ज्ञातव्य आँकड़े इकट्ठे करें। यूँ, तो पुरुष का भाग्य और स्त्री का चरित्र स्वयं ब्रह्माजी भी नहीं बता सकते। पर फिर भी जो कुछ बातें इस दिशा में मतिमान् लोग कह चुके हैं, उनकी अवहेलना करना अनुचित होगा। इन लोगों के अनुसार विवाह वह दिन है जब से औरत आज़ाद होती है और आदमी ग़ुलाम। स्त्री को कभी मज़बूत तर्क की कोई ज़रूरत नहीं पड़ी क्योंकि उस कमी को वह अपनी ऊँची आवाज़ से पूरा करती आयी। अपने लड़के को आदमी बनाने में आपको बीस वर्ष लगते हैं जब कि उसे बेवकूफ़ बनाने में एक लड़की सिर्फ़ बीस मिनट लेती है। एक आदमी इस बात से पहचाना जाता है कि वह क्या करता है जब कि औरत इस बात से पहचानी जाती है कि वह क्या नहीं करती। पति होना पूरे समय का काम है जब कि पत्नी होने के लिए कहीं कम वक़्त से काम चल जाता है। रात को जल्दी सोना और सुबह देर से उठना– पति के लिए अवगुण हैं मगर पत्नी के लिए उसकी सफलता के लक्षण। कोई भी पत्नी जुआरी पति से कभी निभाव नहीं कर सकती जब तक कि वह लगातार जीतता ही न हो। हमारे यहाँ द्रौपदी इसका उदाहरण है। शादी से पहले लड़की को सिवा पति के किसी और चीज़ की ज़रूरत नहीं होती। हाँ, अलबत्ता जब पति मिल जाता है तब तो उसे सब कुछ चाहिए। पतियों से पत्नियों को इतना प्यार होता है कि अपने तीसरे पति के मरने पर एक पत्नी के केश शौक़ के कारण सुनहरे हो गये थे। विवाह जो है वह प्रेम का स्मारक है। स्त्री को उचित होगा कि जितनी जल्दी सम्भव हो, वह किसी से शादी कर ले और पुरुषों को उचित होगा कि जब तक सम्भव हो तब तक शादी से बचे रहें। विवाह करना लड़की के लिए गम्भीर बात है; विवाह न करना और भी गम्भीर। विवाह में मिलने वाले उपहारों का सवाल न होता, तो लड़की को भगा ले जाना कहीं बेहतर रहता। यदि आप एकाकीपन से डरते हैं तो विवाह न करें। प्रेम-रहित विवाह का मात्र एक ही समाधान है और वह है विवाह-रहित प्रेम। विवाह की बेड़ी इतनी भारी होती है कि उसे उठाने के लिए दो व्यक्तियों की ज़रूरत होती है, कभी-कभी तो तीन की। जो व्यक्ति विवाह की इच्छा रखता है, उसे या तो सब कुछ जानना चाहिए या फिर कुछ भी नहीं। यह कहना कठिन है कि विवाहित दम्पती को ज़्यादा सुख कौन देता है– शादी कराने वाला पादरी या तलाक़ देने वाला जज। आदर्श दम्पती वे हैं जहाँ पति बहरा है

और पत्नी अन्धी। पत्नी शादी के बाद उसी आदमी को घर न रहने पर मजबूर कर देती है जिसे शादी से पहले घर जाने के लिए मजबूर करना पड़ता था। विवाह एक चमत्कार है जो चुम्बन को आनन्द से कर्तव्य में बदल देता है और जीवन को एक आरामदेह चीज़ की ज़रूरत में। एक स्त्री पहली बार विवाह प्रेम के लिए करती है, दूसरी बार मित्रता के लिए, तीसरी बार सहारे के लिए और उसके बाद आदतन। पत्नी पाना ही एक ऐसा साहसिक कार्य है जो कि कायरों को उपलब्ध है। दूसरे विवाह का अर्थ है अनुभव पर आशा की विजय। स्त्रियों के विचार प्रायः ज़्यादा साफ़ होते हैं; वे उन्हें बदलती जो रहती हैं। एक पत्नी जो खाना बना सकती है मगर बनाती नहीं, उस पत्नी से बेहतर है जो खाना बनाना जानती तो नहीं मगर बनाती है। पत्नियों के प्रेम का कारण है शाम को बढ़िया खाना खाना। उसकी पत्नी एक ऐसी लड़की निकली जो अपनी माँ के बग़ैर कहीं जाती ही नहीं थी और उसकी माँ थी कि कहीं भी जाने को हमेशा तैयार थी। पत्नी के साथ जो झगड़ा होता है वह तो इंग्लैण्ड की सर्दी की भाँति होता है। इंग्लैण्ड की सर्दी जुलाई में ख़त्म हो जाती है ताकि अगस्त से फिर शुरू हो सके।

ऊपर जितने भी सुभाषित दिये गये हैं वे विश्व के महान लेखकों के हैं जिन्होंने दुनिया मुझसे ज़्यादा देखी थी। वैसे भी लड़कियों के बारे में कहे गये सुभाषित मुझे कभी ज़्यादा अच्छे नहीं लगे। मुझे तो सिर्फ़ लड़कियाँ ही अच्छी लगीं।

ख़ैर, फ़िलहाल सवाल जो है वह लड़कियों का नहीं, पत्नियों का है। हम सब पतियों को कुछ ऐसे क़दम उठाने हैं कि एक अवैतनिक ग़ुलाम के स्थान पर हम लोग भी इज़्ज़त की ज़िन्दगी जी सकें। इस सन्दर्भ में हमें कुछ ठोस क़दम उठाने होंगे। पहला क़दम तो यह होगा कि हम स्त्री के सही दुर्गामाता वाले स्वरूप को पहचान लें और उसे अबला मानना छोड़ दें। 'शृंगारशतक' के अनुसार जिन युवतियों ने चंचल पुतलियों वाले अपने नेत्रों से ही इन्द्र इत्यादि देवताओं को जीत लिया, भला उन सुन्दरियों को अबला कैसे कहा जा सकता है? कवि आगे कहता है– सुन्दर स्त्री से बढ़कर और दुखदायी वस्तु अभी तक ईजाद नहीं हुई। जो रूपसि स्मरण मात्र से सन्ताप देती है, देखने पर पागल बना देती है, स्पर्श कर लेने पर मोहित कर लेती है, वह आपकी या मेरी प्रिया कैसे हो सकती है? दूसरा क़दम यह होगा कि स्त्री को सुन्दर रहने ही न दिया जाए। 'भार्या रूपवती शत्रु' वाली उक्ति एकदम ठीक है। इसके अतिरिक्त सारे पतियों का कर्तव्य है कि तुलसीदास की वाणी को ध्यान में रखकर अपनी या दूसरों की पत्नियों को ढोलक की भाँति दोनों दिशाओं से पीटते रहें। इससे उसका मोटापा भी घटेगा। मारपीट में कभी कोई अंग भंग भी हो जाए तो भी क्या? चिरंजीव लक्ष्मण ने भी तो कुमारी शूर्पणखा का नासिका छेदन संस्कार सम्पन्न किया था। राजा रत्नसेन जो थे वे रानी पद्मिनी को देखते ही उसके रूप के प्रभाव से मूर्च्छित हो गये थे। यह बात कहाँ तक सच है, कहना कठिन है क्योंकि

मलिक मुहम्मद जायसी को सिर्फ़ एक ही आँख से दिखाई पड़ता था पर फिर भी यह ठीक ही होगा यदि कम-से-कम अपनी पत्नी सुन्दर न रहे। अगला क़दम यह होगा कि हमें चाहिए कि पुरुषों के विवाह पर एकदम पाबन्दी लगा दें; औरतों की शादियाँ अबलत्ता बदस्तूर होती रहें। पाँचवाँ क़दम यह होगा कि पत्नी को जानवर वग़ैरह पालने की अनुमति हर्गिज़ न दी जाए। रानी सारन्धा ने घोड़ों के कारण राज्य व पति दोनों खोये थे और आजकल की देवियाँ हैं जो कुत्तों को अपने पति से कहीं ज़्यादा तरजीह देती हैं। छठा क़दम यह होगा कि बहुविवाह की प्रथा को फिर से वापस लाया जाए। पत्नियाँ कई होंगी तो गृहयुद्ध होगा, पतियुद्ध नहीं। सातवाँ क़दम होगा परिवार-नियोजन न करना। जितने ज़्यादा बच्चे होंगे, ज़ाहिर है कि धर्मपत्नी उतनी ही ज़्यादा व्यस्त, आज्ञाकारिणी, मितव्ययी और पति पर आश्रित होंगी। सो इस दिशा में जो कुछ भी कर्म करना सम्भव है, उसका करना उचित होगा। कर्म पर अपना अधिकार है, फल जो है वह तो भगवान के हाथ में है। वे चाहें तो एक ही बार में सात बच्चे दे दें। ऐसी दो वारदात भी हो गयीं तो आपकी आल इण्डिया टीम तैयार हो गयी। शतपथब्राह्मण के अनुसार पुरुष जब तक पत्नी नहीं पाता, वह अपूर्ण रहता है। यह ग़लत है। पुरुष अपूर्ण तब तक है जब तक कि उसके काफ़ी बच्चे न हो जाएँ। और लड़के हो जायें तब तो फिर कहना ही क्या! वेदव्यास के शब्दों में पुत्रस्पर्श से बढ़कर सुख देने वाला कोई और स्पर्श अभी तक इस संसार में नहीं निकला। भवभूति के अनुसार सन्तान जो है वह स्नेह की सर्वोच्च सीमा है। मेरा विचार है कि इन हज़रत के बाल-बच्चे काफ़ी रहे होंगे वरना ये करुण रस के कवि न बनते। अन्तिम क़दम यह होगा कि शादी का कोई चित्र सबूत, गवाह इत्यादि छोड़ना ही नहीं चाहिए। जो कुछ हो एकदम आपस में और मौखिक। अगर ये क़दम लिये गये तो आप देखेंगे कि पत्नियाँ शास्त्रों के अनुसार रहना प्रारम्भ कर देंगी। वे फिर से वही आर्यललना हो जायेंगी जो वाल्मीकि रामायण की बात मानती थीं कि– 'भर्ता नाम परं नार्यः भूषणः भूषणादपि।' फिर वे उदार हो जायेंगी और अश्वघोष की बात भी मानेंगी कि उदारता के बिना रूप वैसा ही है जैसा फूलों से विहीन कोई वन। 'दाक्षिण्यरहितं रूपम् निष्पुष्पमिव काननम्।'

बस, एक बात और कहूँगा और बात ख़त्म। यह उचित ही होगा कि संसार के सारे पति मिलकर एक संगठन बनाएँ। अगर मोची, तम्बोली, दर्ज़ी और पुताई करने वाले अपनी-अपनी जमात बना सकते हैं तो फिर हम पति लोग अपनी एक यूनियन क्यों नहीं बना सकते? कार्ल मार्क्स ने कहा था कि संसार के श्रमिको, संगठित हो जाओ। तुम्हारे पास, सिवा तुम्हारी बेड़ियों के, खोने को और कुछ नहीं रहा। ठीक वैसी ही आवाज़ मैं लगाता हूँ कि संसार भर के पतियो! संगठित हो जाओ; तुम्हारे पास सिवा तुम्हारी बीवी के खोने के अब और कुछ नहीं बचा।

गाड़ी चलाने वालों के वास्ते

पहिये का इतिहास संक्षेप में मानव जाति की प्रगति का इतिहास है। आप यदि मनुष्य जाति की प्रगति पर एक या दो अदद दृष्टिपात करें तो आप देखेंगे कि जैसे ही पहिये का आविष्कार हुआ, वैसे ही लोगों ने गाड़ियों का निर्माण प्रारम्भ कर दिया। 'मृच्छकटिक' नामक प्रख्यात संस्कृत नाटक में कवि शूद्रक ने मिट्टी की गाड़ी का वर्णन करके अपना नाम सार्थक किया। घर में अगर विवाह-योग्य कन्या हो तो जिस प्रकार विवाह के लिए अयोग्य लड़के पदार्पण करते हैं, उसी प्रकार जैसे ही गाड़ियाँ आयीं वैसे ही सड़कें आ गयीं। जहाँ पहले वनप्रान्तर होते थे वहाँ समय के साथ-साथ राजपथ और जनपथ ने जन्म लिया। सड़कें आयीं तो नगर निगम भी प्रकट हो गये और नगर निगम आये तो टैक्स भी लगने प्रारम्भ हुए। नेपोलियन ने कभी काफ़ी बीयर पीने के बाद फ़रमाया था कि यह नामुमकिन नाम का जो शब्द है इसे कोश से निकालना कहीं ज़्यादा उचित होगा। दूसरे शब्दों में असम्भव जैसी कोई चीज़ नहीं। इसके बरख़िलाफ़ मैं कहता हूँ कि असम्भव जैसी चीज़ है और हमारे बीच मौजूद है। मैं देखना चाहता हू कि क्या यह सम्भव है कि नगर निगम बने और टैक्स न लगाये? मैं कहता हूँ कि यदि टैक्स न लगाने होते तो नगर निगम बनाये ही क्यों जाते? नेपोलियन अपने सनकीपन के कारण सैंट हिलेना नाम के द्वीप में बन्दी रहा और मैं अपनी समझदारी के कारण इस महाद्वीप में स्वतन्त्र हूँ। ख़ैर, टैक्स लगे तो सड़कें और चौड़ी हुईं और सड़कें चौड़ी होने पर मोटरगाड़ी आयी। फ़ुटपाथ पर सामान वेचने वाले हॉकर प्रकट हुए और जब ये सारी की सारी सामग्री प्रकट हो गयी तो चौराहे पर एक अदद हट्टा-तगड़ा पुलिस कांस्टेबुल ठीक उसी भाँति प्रकट हो गया जैसे कभी नगाधिराज हिमालय पर पार्वती, वसन्त और मदन देवता के इकट्ठा होने पर शिव का आपतकालीन नेत्र प्रकट हुआ था। चौराहे का पुलिसमैन हमेशा से दुहरे बदन का होता आया। अगर कभी कोई विरही क़िस्म का कृशकाय सिपाही आ भी गया तो दो हफ़्ते के अन्दर वह भी स्वस्थ होता देखा गया। पुलिस आयी तो क़ानून आया, अदालत आयी, जज और वकील आये और इन सब सामूहिक विकास योजनाओं का परिणाम यह रहा कि एक ओर तो ज़िला

जेल की स्थापना हुई और दूसरी ओर मेरी यह रचना प्रकाश में आयी।

मैं जो हूँ वह वर्षों से मोटर चलाता आ रहा हूँ। दुर्भाग्यवश यह मोटर मेरी अपनी ही है। सामने वाली कोठी की मालकिन की भाँति मेरी यह मोटर भी दिन में चल सम्पत्ति रहती है और रात्रि को अचल। सामने वाली कोठी इतनी बड़ी है कि यदि उसे कोठे की संज्ञा भी दे दी जाए तो अनुचित न होगा। निजी अनुभव के आधार पर मैं मोटर चलाने वालों के लिए कुछ सुझाव निहायत नम्रता के साथ पेश करता हूँ। इनके पढ़ने से बहुतों का भला होगा। वैसे मैं महत्त्वाकांक्षी हमेशा एक सीमा तक ही रहा। यदि एक पाठक ने भी इस रचना से फ़ायदा उठा लिया तो मैं अपने परिश्रम को सफल समझूँगा। ये सुझाव इस प्रकार है :

(अ) अपनी कार को आप अपनी ख़ूबसूरत पत्नी की भाँति स्वीकार कीजिए। उसका आदर कीजिए, उसमें हवा भरिए, उसकी ज़िद, शोर और ख़र्चे को मुहब्बत के साथ देखिए और वह किसी और से निकट सम्पर्क स्थापित कर भी ले तो भी मन मैला न कीजिए। मोटर औरत है और उसे उसी भाँति अंगीकार करना है। उसके सेकण्डहैण्ड होने से भी इस स्थिति पर कोई प्रभाव नहीं पड़ता। इस सन्दर्भ में हेनरी फ़ोर्ड की यह उक्ति भी सदा याद रखिए कि ऐसी पत्नी और ऐसी कार कम-से-कम अभी तक नहीं बनी जिसे वक़्त-बेवक़्त मरम्मत की ज़रूरत न पड़ती हो।

(ब) याद रखिए कि गाड़ी को आपकी ज़रूरत सिर्फ़ उसके चलाने भर के लिए है, रोकने के लिए नहीं। जहाँ तक गाड़ी रोकने का प्रश्न है, वह ख़ुद भी रुक सकती है और ऐसी रुक सकती है कि फिर बिहारी की नायिका की भाँति लाख मनाने पर भी न माने। ऐसी स्थिति प्राप्त करने के लिए सामने के पेड़, मकान, पैदल जाने वाले मुसाफ़िर या किसी दूसरी मोटर का घनिष्ठ सहयोग हमेशा प्राप्त किया जा सकता है। जैसे दिल को दिल से राहत होती है वैसे ही पता नहीं क्यों एक मोटर को दूसरी मोटर से प्रेम होता है। वैसे, पैदलों की सहायता से गाड़ी रोकना देश के ज़्यादा हित में होगा। जान आपकी जाए या उसकी, जनसंख्या तो अपने ही देश की घटेगी। यह दुर्भाग्य है कि परिवार-नियोजन के पण्डितों ने सड़क पर दुर्घटना करने वालों की कला और त्याग और बलिदान का सही मूल्यांकन कभी नहीं किया।

(स) सदा यह सोचकर गाड़ी निकालिए कि सड़क जो है वह आपके बाप की है और आपके अतिरिक्त और किसी को उसके प्रयोग का अधिकार नहीं है। हाँ, अलबत्ता जहाँ तक आपका प्रश्न है, आप सड़क का प्रयोग किसी भी प्रकार कर सकते हैं। चाहें तो किसी कुत्ते को बचाने के लिए किसी मनुष्य को निर्वाण का सुख दे दें और चाहें तो पीछे की गाड़ी में बैठी युवती को छोटे शीशे में देखते-देखते सड़क से सीटी बजाते हुए फिसल जाएँ। यक़ीन मानिए कि तेज़ गाड़ी से फिसलने में जो आनन्द है वह शायद ही किसी दूसरी क्रिया में हो। वैसे भी क्षण-भंगुर जीवन में ऐसा अवसर एक ही बार आता है; दूसरी बार नहीं।

(द) दोस्तों से मिलने का बेहतरीन ढंग आपके मोटर चलाने की कला में ही निहित है। सामने वाली सुमुखि गाड़ी से निकट सम्पर्क स्थापित कीजिए, दायीं तरफ़ का हाथ देकर बायीं ओर मुड़िए और फिर देखिए पुराने दोस्त कितनी आसानी से मिलते हैं। कुछ सड़क पर मिलेंगे, कुछ शायद अस्पताल में और बाक़ी जेल में।

(क) गाड़ी का बीमा कराना फ़िजूल है। बीमा ही कराना है तो अपनी प्रिय पत्नी का कराइए और फिर अपनी गाड़ी और डॉक्टर की मदद लीजिए। ये दोनों मिलकर बाक़ी सब कुछ सँभाल लेंगे।

(ख) यातायात के नियमों का पूरी तरह पालन कीजिए ताकि शास्त्रों में बताये आवागमन में कोई बाधा न आये। सामने की बत्ती यदि लाल है तो गाड़ी को पूरी स्पीड से आगे ले जाइए और फिर वापस लाइए। इस प्रकार दो-तीन बार करने पर भी यदि आप जीवित रह जायें तो आँख मूँद कर फ़िल्मों में चले जाइए। वहाँ ऐसे होनहार इंसानों की बेहद ज़रूरत है।

(ग) सड़क पर यदि कोई लड़की दिखाई दे तो हो सके तो गाड़ी की एक बत्ती बार-बार जलाइए और बुझाइए। आँख मारने का यह बेहतरीन तरीका है। मगर शर्त यही है कि बात आँख मारने तक ही सीमित रहे। अनजान सुन्दरियों को गाड़ी में न बिठाइए। वैसा करने में सम्भव है कि कन्या आपको शायद मिल जाए पर गाड़ी शायद हमेशा के लिए हाथ से निकल जाए। और गाड़ी जाने के बाद वह लड़की आपके पास टिकेगी, इसमें मुझे शक है।

(घ) गाड़ी यदि पुरानी हो तो मित्रों को हमेशा लिफ़्ट दीजिए। पता नहीं वह पुरातन गाड़ी कहाँ विश्राम ग्रहण कर ले और उसकी शव-यात्रा के लिए चार भाइयों की कहाँ ज़रूरत पड़ जाए। डॉ. धर्मवीर भारती जब प्रयाग विश्वविद्यालय में प्रोफ़ेसर थे तो धर्मात्मा होने के कारण प्रायः ऐसा ही किया करते थे। उनकी वह परम ऐतिहासिक मोटर जो शायद तैमूर की समकालीन थी– सचमुच 'सूरज का सातवाँ घोड़ा' थी। उसकी बत्तियाँ 'अन्धा युग' मनाती थीं और उसकी बॉडी का लोहा किसी को भी 'गुनाहों का देवता' बनाने की शक्ति रखता था। चलने पर लगता था जैसे किसी 'ठेले पर हिमालय' चला जा रहा हो। वह एक गाड़ी उनकी सारी कृतियों का मज़ा अकेले ही दिये जा रही थी कि एक हादसा हो गया। हुआ यह कि उसमें एक दिन जगदीश गुप्त बैठ गये। बैठ तो गये, मगर निकला न गया। पूरी छत हटाने पर काफ़ी श्रमदान किया गया और तब कहीं गुप्तजी तो प्रकट हुए और भारतीजी की वह गाड़ी गुप्त हुई।

(च) दुर्घटनाओं से हर्गिज़ नहीं घबराइए। हिम्मते मरदाँ मददे ख़ुदा। दुर्घटनाओं के कारण ही तो लाखों लोगों को रोटी मिलती है। क्या आप चाहते हैं कि बीमा के दफ़्तर, गराजें और अदालत काम करना बन्द कर दें? और वह भी सिर्फ़ इसलिए कि आपकी और आपकी गाड़ी की सेहत जो ठीक है वह ठीक रहे।

(छ) कभी हो सके तो अपनी मोटर के साथ किसी ठेले या बस के नीचे से निकलने की कोशिश कीजिए। ओवरटेक करने की अपेक्षा अण्डरटेक करना अच्छा है। इसमें आराम की बात यह है कि बाक़ी सारे काम अण्डर-टेकर यानी कि क़ब्र खोदने वाला सँभालता है। आपको उसकी क्या फ़िक्र? आपका तो नाम अगले दिन अख़बार में छपेगा।

(ज) जहाँ तक हो सके, गाड़ी नशा पीकर चलाइए। ऐसा करने से देसी रम भी विलायती व्हिस्की का मज़ा दे जाती है। हॉर्न का प्रयोग निःसंकोच और बेतकल्लुफ़ होकर कीजिए। भोंपू बजाने की शास्त्रीय कला लुप्त होती जा रही है और उसको फिर से प्रतिष्ठित करना आपका कर्तव्य है। थोड़े से अभ्यास से आप बड़े गुलाम अली खान का मज़ा देने लगेंगे– इसमें कोई सन्देह नहीं।

आमीन

ऊपर लिखे सुझावों में से कुछ मैंने एक विदेशी बुलेटिन से लिये हैं। मेरा विश्वास है कि वे इस देश में भी उतने ही कारगर साबित होंगे जितने कि कहीं और। सच्ची कला देश या काल का बन्धन कभी स्वीकार नहीं करती।

एक नये हीरो के बारे में

आन्दोलन चाहे कोई भी हो, उसमें तीन चीज़ें ज़रूर देखने को मिलती हैं। एक अदद मसीहा, एक अदद हीरो और एक अदद शहीद– इन तीन पदार्थों के बिना कोई आन्दोलन सफल नहीं हो सकता। सच्ची बात तो यह है कि इन तीन चीज़ों के बिना आन्दोलन आन्दोलन होता ही नहीं– वह मात्र हाथापाई रहता है। जहाँ तक शहीद होने का प्रश्न है, स्थिति यह है कि कुछ लोग बिना आन्दोलन के भी शहीद होते रहते हैं। ये लोग इस काम को इस सफ़ाई से करते हैं कि पता भी नहीं चलता। जहाँ कहीं जूता चलता देखा, वहीं चुपचाप गये और शहीद हो गये।

हिन्दी कविता के नाम पर पिछले दस वर्षों में जो कुछ नवीनतम लिखा गया है, उसका भी एक हीरो है। भिन्न-भिन्न कवियों या अकवियों द्वारा रचित काव्य में जाने-अनजाने इस हीरो के बारे में बहुत कुछ बतलाया गया है और कुल मिलाकर इस हीरो की जो तसवीर हमारे सामने उभरती है, वह काफ़ी दिलचस्प है। सारी बात शुरू से ही शुरू करने के लिए सबसे पहले मैं इस नगर का वर्णन करता हूँ जहाँ यह धीर और उदात्त नायक निवास करता है :

एक विशाल सर्प की गिरफ़्त में क़ैद है सारा शहर
उगल रहा है पिस्सू, गुबरीले और ऊदबिलाव
बाँझ देश में एक ट्यूब लगा दिया गया
जहाँ जाकर गदराई औरतें बच्चा जनती हैं
और नपुंसक पति ढोल बजाते लौटते हैं,
एक विष उग़लती पूँछ में लिपटे लोग
बन्दरों को देते हैं गालियाँ
और अपनी पत्नियों को नींद की गोलियाँ बाँटते हुए
बाजू पर ताबीज़ बाँधते हैं

जैसा कि ज़ाहिर है, यह शहर काफ़ी रौनकदार है। यहाँ पिस्सू और ऊदबिलाव बहुतायत से पाये जाते हैं। औरतें जो हैं वे गदराई क़िस्म की हैं और सन्तोष की बात यह है कि उनके पति नपुंसक हैं। नपुंसक पतियों का पता भी आसानी से लग

जाता है क्योंकि वे लोग ढोल बजाने का शौक़ रखते हैं। सबसे बड़ी बात यह है कि इस नगर में बन्दर निवास करते हैं। बिना बन्दर के नगर में इस कविता का नायक नहीं रह सकता। जैसा कि सभी काव्यप्रेमी जानते हैं, बन्दर संसार का अकेला ऐसा जानवर है जिसकी पृष्ठभूमि उसके मुखारविन्द से कहीं ज़्यादा तेजस्वी और प्रभावान् होती है। अब प्रश्न यह उठता है कि ऐसे दिलचस्प शहर में रहने वाला अकविता का यह हीरो करता क्या है। प्रेम में डूबी हुई नायिका को सान्त्वना देती हुई उसकी सखी इस प्रकार कहती है :

झाड़ियों के पीछे एक बौना आदमी
पेशाब करते हुए गुनगुनाता है
और सपने में देखे तेंदुए के लिए आहें भरता हुआ
वापस चला जाता है,
वह लुकमान अली है
जिसके जानने के लिए
मशीन में चवन्नी नहीं डालनी पड़ती

सखी की बात सुनकर नायिका घबराती है। उस ग़रीब का ख़याल था कि शेष नायकों की भाँति उसका नायक भी शुभ्र परिधान पहनकर सलीके का कोई काम करेगा। इधर स्थिति जो है वह यह है कि पर्दा उठते ही रंगमंच पर एक ऐसे हज़रत नज़र आते हैं जो किसी शरीफ़ आदमी की कोठी की हैज के ख़िलाफ़ खड़े हुए मूत्रदान कर रहे हैं और उस पर भी तुर्रा यह कि साथ ही साथ कुछ गुनगुना भी रहे हैं। जो लोग गाना गाते हुए पेशाब करते हैं वे जानते हैं कि यह कितनी कठिन और श्रमसाध्य क्रिया है। यह एक ऐसी कला है जिसमें वर्षों के निरन्तर अभ्यास के बाद ही सफलता प्राप्त होती है। इस कला की कामयाबी इस बात में छिपी है कि गाना और पेशाब दोनों चीज़ें एक साथ शुरू हों, उनका आरोहावरोह भी साथ-ही-साथ हो और साथ-ही-साथ दोनों शास्त्रीय कलाएँ समाप्ति को प्राप्त हों। अगर पहला काम चलता रहा और गाने की कड़ी कहीं बीच में ही टूट गयी तो तबीयत बड़ी कोफ़्त होती है। स्थिति स्पष्ट करती हुई नायिका की सखी आगे बढ़ती है :

वह तीन लिखता है
और लोग उसे गुर समझने लगते हैं
प्रशंसा में अमूल्य चीज़ें भेंट देने आते हैं
मसलन गुप्तांगों के बाल, बच्चों के बिम्ब
चाय के खाली डिब्बे :
वह इन्हें सँभालकर रखता है
और फिर इन्हें कबाड़ी के हाथ बेचकर
उसकी अफ़ीम बकरी को खिला देता है

यह उसका शौक़ है

सखी की इस बात से नायिका के हृदय में प्रेम का प्रथम अंकुर स्फुटित होता है। कितना प्यारा है यह अकविता का हीरो! सुबह-शाम गुनगुनाते हुए वह किसी झाड़ी के पीछे लघुशंका दूर करता है और सन्ध्या समय रद्दी सामान बेचकर अपनी बकरी को अफ़ीम खिलाता है। बकरी को अफ़ीम खिलाना भी कितना हसीन शौक़ है! इस शौक़ के लिए सिर्फ़ दो चीज़ों की दरकार है— एक अफ़ीम और दूसरे बकरी। ये दो सामान इकट्ठा कर लीजिए और शौक़ पूरा हो गया। सादा जीवन, उच्च विचार। मगर हमारा यह हीरो जो है वह कुछ और धन्धे भी करता है जिससे ज़ाहिर होता है कि वह काफ़ी चुस्त और फुर्तीला भी है :

उसने पुल के ऊपर से
चलती रेलगाड़ी पर लगाई छलाँग
कोकशास्त्र में छपे चित्रों को पीठ पर लादा
तमाम जवान लड़कियों के कानों पर
साँप और बिच्छू लटका दिये
शर्म से मुँह छिपाते हुए
वेश्यालय में घुसकर कर दिये दो क़त्ल
वह बनजारों की बस्तियों में घुसकर
तमाम युवतियाँ भगा लाया
और उनकी टाँगों को
पोस्टर की जगह लटका दिया,
उसने तमाम विदेशी स्त्रियों की
नाक, हाथ और पाँव की उँगलियाँ कटवा दीं
एक बौने को चुनाव में खड़ा होने को तैयार किया
इण्डिया गेट पर काली बिल्ली को बाँधा
गन्दे नाले का खारा पानी पिया
और उसके बाद
वह अजायबघर में दाखिल हुआ
और गौतम बुद्ध के बुत में प्रवेश कर गया

सखी की वाणी सुनकर नायिका जो थी वह गद्गद हो गयी। कहाँ कवि बिहारीलाल का वह गुलाबछाप नायक और कहाँ बकरी को अफ़ीम खिलाने वाला यह हीरो! उसके बाद सखी ने जो कुछ कहा वह नायिका ने नहीं सुना। सखी अलबत्ता लुकमान अली का चरित बराबर पढ़ती रही। उसने बताया कि लुकमान अली अपना पाजामा उतारकर भीड़ इकट्ठी कर लेता है और इसके बाद अकेला ही दुआएँ माँगता हुआ कोरस करता है। वह सरकस में कुत्ते की तरह कूदता है

और एक गुफ़ा में दाखिल हो जाता है। वह गुप्तांगों पर मोमबत्तियाँ जलाता है और पाजामा उतारकर सोता है। वह सेंध लगाकर अपने माँ और बाप को रातभर देखना चाहता है। वह अपने कान का मैल तीतरों को खिलाता है। उसके पिता की जेबें ताक़त की दवाओं और बालसफ़ा साबुन की टिकियों से फूल रही हैं। वह अपना पाजामा खेतों में टाँग देता है। वह रेल के स्टेशनों पर बेकार खड़ा नहीं होता, वह वहाँ दीवारों पर गुप्तांगों के चित्र बनाता है। वह बुधवार के दिन काठ बाज़ार में लालटेन लेकर घूमता है और सड़क पर एक गर्भवती स्त्री को बच्चा जनते हुए देखने की प्रतीक्षा में घण्टों खड़ा रहता है। इस लूप लगी शताब्दी के साथ सिवा बलात्कार के वह और कुछ नहीं कर सकता। वह हाथी की लीद है। इसके बाद सखी जो है वह फिर मूल पाठ पर आ जाती है :

वह बूढ़ी मोनालिसा की झुर्रियों में
लोशन लगाते हुए
उसे सुर्खाब के परों से हवा करता है
वह नकली मूँछें लगाकर
उसकी चूचियों में गिलहरी छोड़ देता है
और इतना करने के बाद
उसकी मुसकराहट को बारीकी के साथ देखता है

सदियों से संसार के कला-प्रेमी मोनालिसा की मुसकराहट जानने की जो कोशिश कर रहे थे, वह मसला अब हल हो गया। उस मुसकान का रहस्य मात्र यह था कि उस सम्भ्रान्त महिला की चूचियों के बीच एक अदद गिलहरी छोड़ दी गयी थी। हिन्दी की इस नवीनतम कविता का नायक वाक़ई कितना खुशदिल है। जहाँ शेष महाकाव्यों के नायकों ने युद्ध लड़े और अपने प्राणों का बलिदान दिया वहाँ अकविता का यह हीरो नकली मूँछें लगाकर लड़कियों के वक्ष में गिलहरियाँ छोड़ता रहा।

मैं इस अजीबोग़रीब हीरो से बुरी तरह प्रभावित होता हूँ। मैं जानना चाहता हूँ कि उसकी इस चुस्ती, बुलन्दख़याली और ज़िन्दादिली का रहस्य है तो क्या है। उसके भोजन के मीनू का वर्णन करते हुए कवि सारे रहस्य को इस प्रकार खोलता है :

वह नालियों के गन्दे कीड़े निकाल
उन्हें देता है पनाह अपने सिर पर
खाता है अपनी टट्टी
तिलिस्मी साँपों के फनों को
बाँधता है पसलियों पर ताबीज़ की तरह
मुर्दा घोड़ों का पीता है पेशाब

खानपान की ऊपर लिखी पद्धति वैज्ञानिक दृष्टि से कदाचित् ठीक है। हम लोग खाना खाते हैं, फिर बाथरूम जाते हैं और उसका खाद बनता है। कवि कहता

है कि इस लम्बी प्रक्रिया में मल-मूत्र के जो पौष्टिक तत्त्व हैं वे नष्ट हो जाते हैं। इसी कारण नये काव्य का यह नायक भोजन की अन्तिम परिणति को कच्चे रूप में ही ग्रहण करता है। खाने की समस्या का काफ़ी बड़ा समाधान इस काव्य में छिपा है। काव्य में क्या, हमारे पेट में ही छिपा है। कस्तूरी मृग की भाँति हम लोग भूख से बिलबिलाते इधर-उधर दौड़ रहे हैं जबकि हमारी जो सच्ची खुराक है, वह हमारे अपने पेट में ही छिपी है। इतना सात्विक और सन्तुलित भोजन करने के बाद हमारे नायक के मन और मस्तिष्क कैसे होंगे, इस पर भी विचार किया जा सकता है। हमारे हीरो की इच्छाएँ सचमुच बड़ी पवित्र और उदात्त हैं। वह उस दिन की प्रतीक्षा में आँखें खोले खड़ा है जबकि नगर की सारी सुन्दर युवतियाँ सड़कों पर कुतियों की भाँति बिछ जायेंगी। वह समस्त स्त्रियों के गुप्तांगों पर मदिरा डालकर उन्हें चाटना चाहेगा। यह एक ऐसी सम्भावना है जिस पर कवि उमर ख़ैयाम ने भी कभी विचार नहीं किया था। सेक्स के सन्दर्भ में नये काव्य के हीरो ने जो कमाल दिखाये हैं वे ऐसे हैं कि उनके सामने वात्स्यायन का कामसूत्र भी वर्ण परिचय (भाग एक) का स्थान ग्रहण कर लेता है। वाममार्गी अलबत्ता इस दिशा में ज़रूर कुछ उदार थे पर उनकी दृष्टि भी परायी पत्नी तक ही गयी थी। अकविता का नायक सेक्स को एक ऐसी सार्वजनिकता प्रदान करता है जो हमारे साहित्य में अभूतपूर्व है :

कल रात
मुझे रतिक्रिया में एक नया आनन्द आया
मैं उकड़ूँ बैठ,
एक मुर्गी से व्यभिचार की कल्पना करता रहा।

जहाँ तक मेरा विचार है, आपने मुर्गी ज़रूर देखी होगी। यह एक छोटा-सा पक्षी होता है जो विशेषज्ञों के अनुसार कभी-कभी अण्डे भी देता है। इसकी सेक्स अपील की चर्चा प्रख्यात पशु-पक्षी-शास्त्री और मेरे मित्र बाबू राजेश्वरप्रसाद नारायणसिंह व कुँवर सुरेशसिंहजी ने भी कभी नहीं की जिसके लिए देश की कोटि-कोटि जनता उन्हें कभी माफ़ नहीं कर सकती। मुर्गी में सेक्स अपील होती है और ज़बर्दस्त क़िस्म की होती है। पहले इस अपील का शिकार केवल मुर्गा होता था पर अब इंसान भी होने लगा। मैं इसे मनुष्य के सौन्दर्य-बोध का विकास ही कहूँगा।

यह सन्तोष का विषय है कि इस तरह की अतियथार्थवादी कविता अभी भी लिखी जा रही है और परिणाम यह होता है कि उसके कारण जो सच्चे कवि हैं उनकी वाणी पर किसी का ध्यान ही नहीं जाता। कवि के अनुसार :

हसीनों की सभी सुनते
मुखातिब हो के सब बातें,
न शर्मीलों का सुनता है
कोई दास्तान आलम में

मेरे हमदम : मेरे दोस्त

आज काफ़ी दिनों बाद मैं अपने कुछ अन्तरंग मित्रों के बारे में लिखने बैठा हूँ। यह 'अन्तरंगता' कहीं ज़्यादा रंग न दे जाए– इस बात को ध्यान में रखते हुए मैं इस प्रबन्ध का प्रारम्भ सैयद इंशा अल्लाह खाँ के मंगलाचरण से करता हूँ। लेखक कहता है कि "नाक रगड़ता हूँ अपने बनाने वाले के सामने जिसने कि हम सबको बनाया।" यहाँ सैयद साहिब ने यह नहीं बताया कि नाक किसकी रगड़ी, कितनी रगड़ी और बाद में चलकर उसकी क्या स्थिति रही। चिरंजीव लक्ष्मणजी ने कुमारी शूर्पणखा की नाक के साथ जो व्यवहार किया था—वह हम सब लोग जानते ही हैं। उस हादसे के बाद कुमारी शूर्पणखा के बाक़ी प्रणय-निवेदनों का क्या रहा, इस पर खोज होनी अभी बाक़ी है।

मित्रों के बटोरने की दिशा में मैं उतना ही भाग्यशाली हूँ जितना कि कुछ लोग छाते बटोरने की क्रिया में होते हैं। घर से जब भी निकलेंगे, खाली हाथ निकलेंगे और जब भी लौटेंगे तो ज़रूर किसी-न-किसी का छाता लेकर लौटेंगे। ख़ाकसार के भी न जाने कितने दोस्त हैं और कितने तरह के हैं। कुछ अगर वकील या जज हैं तो कुछ ऐसे भी हैं जो उन्हीं की कृपा से जेल में लम्बी सज़ा काट रहे हैं। लोहे की भाँति दोस्त को भी दोस्त ही काटता है। ख़ैर, कुछ मित्र ऐसे हैं जो अभी तक नितान्त मौलिक व अप्रकाशित हैं और यह उचित ही होगा कि उनके बारे में थोड़ा-बहुत कहा जाए।

सर्वप्रथम मैं अपने पहले मित्र को पकड़ता हूँ। इन्हें पकड़ने वाला पहला इंसान मैं हर्गिज़ नहीं हूँ क्योंकि वर्षों पहले जब सेहत बढ़ाने (या घटाने) के लिए ये रात के चार बजे अण्डरवियर पहनकर माल रोड पर दौड़ा करते थे तो थाना लालकुर्ती के दारोग़ा ने इन्हें काफ़ी कसकर पकड़ा था। काफ़ी दौड़-धूप के बाद बात जो थी वह रफ़ा-दफ़ा हुई थी और पिछले चन्द महीनों में जो भी इन्होंने सेहत हासिल की थी वह फिर अपनी जगह पहुँच गयी थी। बेताल जो था वह फिर डाल पर जा लटका। मेरे ये मित्र अपनी अमित मितव्ययिता के लिए सारे क्षेत्र में प्रख्यात थे। खाना केवल एक वक़्त खाते थे और वह भी आमतौर पर किसी दूसरे के घर।

शहंशाह जलालुद्दीन अकबर की भाँति एक ही समय में इतना ग्रहण कर लेते थे कि एक होटल के स्वामी ने तो इन्हें तीन ही दिन के बाद पूरे सम्मान के साथ विदा कर दिया था। बाद में चलकर जब इनकी शादी हुई तब भी वही ठाठ रहे। इतनी सस्ती शादी मैंने कभी नहीं देखी। न बैण्ड था, न आतिशबाज़ी। बाराती भी कुल मिलाकर शायद पाँच थे जिनमें ये ख़ुद भी शामिल थे। रोशनी न होने के कारण ये हज़रत शायद किसी भैंस जैसी ठोस चीज़ से टकरा भी गये थे पर जैसा कि विशेष संवाददाता ने बाद में ख़बर दी, वह भैंस नहीं वरन् दुलहन थी।

परमपिता परमात्मा की कृपा से पत्नी भी ऐसी प्राप्त हुई जो इन्हीं की भाँति कृपण थी। दोनों ने मित्रों से चन्दा बटोरकर फ्रिज ख़रीदा तो उसके साथ ऐसी उदारता बरती कि कॉलोनी के सारे निवासी किराया देकर अपना सामान उसके भीतर रख सकते थे। 'परोपकाराय सतां विभूतयः'। साहित्य के स्थान पर इनके यहाँ रेलवे की समय सारणियाँ और टेलीफ़ोन की डाइरेक्टरियाँ हमेशा मौजूद रहती थीं, भले ही वे दस साल पहले की हों। अतिथि-सत्कार का तो यह हाल कि कुछ कहा ही नहीं जा सकता। एक बार मैं पहुँच गया तो स्थिति यह रही कि पहले तो किसी ने द्वार ही नहीं खोला। अन्त में चलकर इनकी कुटिया के जब कपाट खुले तो एक बच्चा प्रकट हुआ और मुझे देखकर 'हा हा हा' करता हुआ भीतर चला गया। इसके बाद दूसरी बच्ची आयी जो 'ही ही ही' का मन्त्र पढ़ती हुई उसी भाँति अन्तर्धान हो गयी। तीसरी सन्तान आयी तो 'हू हू हू' का जाप करने लगी। शादी के बाद मेहनत शायद काफ़ी की गयी थी क्योंकि घर में घुसने से पूर्व मुझे पूरी बारहखड़ी सुनने का सौभाग्य प्राप्त हुआ। मेरे ये दोस्त इतने होनहार हैं कि नकली दाढ़ी लगाकर छुट्टी के दिन अपनी गाड़ी को भाड़े पर भी चला लेते हैं। उस दाढ़ी को हासिल करने के लिए इन्होंने एक बार रामलीला में बड़ी भक्ति-भावना के साथ कोई पार्ट अदा किया था। अभी तक हालत यह है कि नाश्ते के वक़्त यदि कोई अपरिचित आ जाए तो ख़ुद नौकर बन जाते हैं और कहते हैं कि साहिब जो थे वे तो दौरे पर चले गये। आपने यदि मेम साहब के बारे में पूछताछ की तो बड़ी अदा और हया के साथ कहेंगे कि सरकार, मेम साहब का पता तो साहब को ही नहीं रहता; हमें क्या रहेगा?

एक-दूसरे मित्र हैं जिनमें सिर्फ़ एक ही दोष है और वह यह कि ये ज़रूरत से कुछ ज़्यादा मस्त और ख़ुशदिल हैं। दौरे पर जाना होता है अजमेर और पहुँचते हैं अहमदाबाद। एक बार सन्ध्या समय दफ़्तर के लोगों के साथ नदी तक गये तो मन कुछ ऐसा मचला कि चपरासी की लुंगी पहनकर पानी में कूद पड़े। इसी प्रकार जब एक बार सारे का सारा सब-ऑफ़िस इनकी प्रतीक्षा में स्टेशन पर खड़ा था, तब ये एक पुलिया पर बैठे अमरूद खा रहे थे। और यह स्थिति तो तब है जब कि ये कोई नशा नहीं करते। इनकी दूसरी विशेषता है इनका प्रेमी होना।

शायद ही कोई स्त्री ऐसी हो जिससे ये मिले हों और जिसे प्रेम के ढाई अक्षर पढ़ाने की कोशिश किये बिना ये लौटे हों। यह दीगर बात है कि इनके इतने अध्यवसाय के बावजूद काफ़ी युवतियाँ इस क्षेत्र में निरक्षर रह गयीं। एक बार तो हालत यह हो गयी कि एक ही परिवार की कोई सात स्त्रियों के साथ इनकी यह स्थिति साथ-साथ चल रही थी। भुलक्कड़ होने के कारण जो बात कन्या को बतानी होती थी वह कभी-कभी उसकी अम्मा को बता दिया करते थे। हरिऔध ने जैसे 'रसकलश' में देशसेविका इत्यादि नायिका-भेद किया है, उसी तर्ज़ पर इन्होंने भी 'नौकर नायिका', 'अफ़सर सेविका' इत्यादि नामों से एक नया रीतिशास्त्र रचने की कोशिश की। मैं इसे साहित्य का दुर्भाग्य ही कहूँगा कि इनका यह नया नायिका-भेद कभी पूरा नहीं हुआ। ज़्यादा प्रेमिकाओं के कारण इन्हें शहर हमेशा छोड़ना पड़ा। वैसे शहर छोड़ने में भी मस्ती वही रहती थी; टिकट लेते थे गया का और पहुँचते थे जौनपुर। जब इनकी शादी हुई तो ग़लती से सड़क पर जाती एक और बारात में शामिल हो गये। वह तो वक़्त पर पता लग गया नहीं तो शादी भी शायद किसी दूसरी लड़की के साथ हो जाती।

एक और मित्र हैं जिनका आकार इतना संक्षिप्त है कि जब ये अपनी निजी पत्नी के साथ बाहर निकलते हैं तो उसकी सन्तान लगते हैं। शक्ल ऐसी है कि लगता है– बजाय भगवान् के, इन्हें आबिद सुरती ने बनाया है। इनका शौक़ सिर्फ़ एक है और वह है गप्प मारना। तिल का ताड़ बना देना इनके लिए बायें हाथ का काम है और अगर वह तिल किसी लड़की के गाल पर हो तब तो फिर कहना ही क्या? हालाँकि ये कभी अमेरिका नहीं गये पर इनका कहना है कि मार्लिन मनरो ने सिर्फ़ इनके इश्क़ में आत्महत्या की। इसी तरह हालाँकि इनका जन्म उन्नीस सौ अड़तालीस या उसके कुछ बाद हुआ पर इनका कहना है कि ये हिटलर से मिले थे। और शिकार का तो कहना ही क्या? एक बार एक हाथी को इन्होंने सिर्फ़ गुलेल से ही ढेर कर दिया था। अँग्रेज़ी का ज्ञान कुछ कम है और इसी कारण 'फैलोशिप' को प्रायः 'तुफैलो-शिप' कह जाते हैं जो ठीक भी है क्योंकि एग्रीकल्चर जो है वह कल्चर से पहले आती है। बड़े घर के सपूत हैं और इस कारण प्रायः बीमार रहते हैं। उस सन्दर्भ में स्थिति यह है कि संसार की ऐसी कोई बीमारी नहीं जो इन्हें न हुई हो। जो रोग मात्र नारियों को ही होते हैं, इन्हें वे भी हुए हैं। कभी-कभी सोचता हूँ कि पिछले जन्म में 'आल्हाखण्ड' इन्होंने ही लिखा था वरना उसमें ऐसी मार्मिक पंक्तियाँ न होतीं कि 'भैंस बियानी गढ़ मोहबे में, पड़रा गिरो फ़रक्काबाद'।

मेरे चौथे अज़ीज़ हैं जो जब तक नगर के सारे चलचित्रों से दिशाकर्म की भाँति निबट नहीं लेते तब तक उन्हें नींद ही नहीं आती। और इल्लत यह है कि चित्र देखकर जो भी मिलेगा, उसे पूरी कहानी सुनाएँगे, अभिनय का नमूना देंगे और इसके बिना सीन से कभी नहीं हटेंगे। पहलवान ख़ैरातीलाल ने एक दिन कह ही जो दिया

कि "बाश्शाओ, कहानी और डॉयलाग तो तुमने सुना ही दिये, अब बस गाने और सुना दो और लो ये साठ पैसे टिकट के।"

मेरे दोस्तो, ये सारी चीज़ें काफ़ी दिनों से मैं अपने तक ही रखता आया था पर अब स्थिति वही आ गयी है जो सैयद इंशा अल्लाह खाँ के साथ आयी थी। उन्होंने कहा था कि "तुम्हारी जो कुछ अच्छी बात होती तो मेरे मुँह से जीते-जी न निकलती पर यह बात मेरे पेट में पच नहीं सकती"। ख़ैर, क़ानून से बचने के लिए इतना और जोड़ देता हूँ कि इस प्रबन्ध के सारे पात्र काल्पनिक हैं। हालाँकि वे जीवित हैं और घटनाएँ सब झूठी हैं हालाँकि वे घटी हैं। बस।

मृत्युबोध के कुछ और क्षण

अपनी एक पिछली रचना में मैं बता चुका हूँ कि मेरे प्राण लेने की सारी व्यवस्था एक बार कितनी तत्परता के साथ पक्की की गयी थी। स्थानीय चिकित्सकों के अतिरिक्त बाहर के विशेषज्ञों ने भी इस महायज्ञ में हार्दिक और शारीरिक सहयोग दिया था। मगर ठीक ऐन वक़्त पर कुछ ऐसा हादसा हो गया कि फिर मैं ज़िन्दा रहने के लिए मजबूर छोड़ दिया गया। उर्दू कवि के शब्दों में– है कुछ ऐसी ही बात जो कि ज़िन्दा हूँ, वरना हमको क्या मरना नहीं आता?

उर्दू कवि की जो पंक्ति ऊपर दी गयी है, उसका मूल रूप कुछ और ही था– ठीक उसी तरह जैसे अस्पताल में प्रवेश करने के पूर्व मेरा रूप एकदम अलग था। अस्पताल जाकर जीवित लौट आने का सारा रहस्य एक ऐसी बात में छिपा है जो कि निहायत छोटे क़द की थी मगर बाद में चलकर मेरी ज़िन्दगी बन गयी। यानी कि इसकी शुरुआत उस प्यार की तरह हुई जो कि बाद में अफ़साना बन गया था। प्यार का इस घटना से वैसे भी कुछ घरेलू सम्बन्ध रहा। अस्पताल में जो नर्स थी वह उस डॉक्टर से एकदम भिन्न थी जो मेरा इलाज करता था। पहला अन्तर तो यह था कि डॉक्टर था पुल्लिग और नर्स थी स्त्रीलिंग। दूसरा अन्तर यह था कि नर्स तो थी रूपवती, चंचल और तिलोत्तमा क़िस्म की चीज़ और डॉक्टर था भीमकाय, खुरदरा और घटोत्कच की क़िस्म का माल। स्थिति यह थी कि डॉक्टर को देखकर तुरन्त देह त्याग करने की इच्छा होती थी और नर्स को देखकर जनम-जनम जीने की। बड़ी प्यारी नर्स थी। बाद में चलकर जब उसने अस्पताल छोड़ा तो वहाँ की आबादी आधी हो गयी। काफ़ी बीमार तो जिगर मुरादाबादी का कलईदार कलाम पढ़ते-पढ़ते दम तोड़ गये और बाक़ी जो थे वे वैसे ही बिस्तरा-बोरिया समेटकर अस्पताल छोड़ गये। नर्स के प्रति मेरे इस आकर्षण का पता मेरी निजी पत्नी को भी था। हालाँकि उसके सामने मैं उसे हमेशा सिस्टर ही कहता था। मगर पत्नी थी कि मेरे स्वास्थ्य-लाभ के सन्दर्भ में सत्यनारायण की कथा और महामृत्युंजय के जप के बीच ताजीराते हिन्द का भी ज़िक्र कर बैठती थी। उस नर्स के साथ मेरे सम्बन्ध जो पवित्र रहे, उसका श्रेय मेरी पत्नी को ही गया।

हाँ, तो मैं यह बता रहा था कि अस्पताल में जाकर भी मैं ज़िन्दा कैसे निकल आया। हुआ यह कि चित्रगुप्त ने मेरी आत्मा ग्रहण करने के लिए ज्यों ही अपने हाथ फैलाये, मेरे विभाग के एक कर्मचारी ने एक नुक्ता निकाल दिया। ये सज्जन हमारे कर्मचारी संघ के नेता थे और वह भी विशुद्ध क़िस्म के। झूठ बोलने से कभी नहीं हिचकिचाते थे और स्थिति यह थी कि बिना किसी ज़रूरत के भी गाहे-बगाहे झूठ बोलते रहते थे। जूता ऐसा पहनते थे जिसके उतारने में देर न लगे। ये होनहार सज्जन चित्रगुप्त से बोले कि देखिए, त्यागीजी काफ़ी बड़े अफ़सर हैं और इस कारण इनके मरने पर कई बड़े-बड़े दफ़्तर बन्द होंगे। यदि इनके प्राण आज न लेकर आप शनिवार को लें तो स्थिति यह रहेगी कि दफ़्तर दो दिन लगातार बन्द रह सकेगा और उस हालत में आसपास के इलाक़े के बाबू लोग अपने घर जा सकेंगे और दफ़्तर की लड़कियों ने काफ़ी दिनों से पिकनिक का जो प्रोग्राम बना रखा है, वह भी पूरा हो जायेगा। इस भाषण के बाद उस नेता ने मुझे देखा और पूछा कि मैं शनिवार तक जीना चाहता हूँ या नहीं। मैंने उस नर्स को एक नज़र देखा और हाँ भर दी।

चित्रगुप्त ने उसकी सूझ-बूझ की दाद दी, बिना फ़ीते के जूते पर एक अदद दृष्टिपात किया और मुझे एक दिन की छुट्टी दे दी। मैं तकिये के सहारे पड़ा रहा और नर्स का हाथ अपने हाथ में लिये सोचता रहा कि एक बार देश के महान् नेता को हमने केवल इसी कारण हज़ारों गालियाँ दी थीं क्योंकि वे किसी और दिन न मरकर रविवार को मरे थे। उनकी इस हरकत से हमारी एक अदद छुट्टी मुफ़्त में हलाल हो गयी थी। छुट्टी का मरना उनके मरने से कहीं ज़्यादा भयानक था। मुझे अपनी उस पुरानी भावना पर कुछ ग्लानि-सी हुई और अब मैं नर्स का हाथ छोड़कर उसका बाक़ी ज़िस्म मलने लगा।

अगले दिन जब चित्रगुप्त अपनी ड्यूटी अंजाम करने आये तो फिर एक हादसा हो गया। अस्पताल के निहायत मरियल क़िस्म के मुंशी ने चित्रगुप्त को सूचित किया कि मेरे प्राण (या अस्पताल से कोई भी सामान) ले जाने से पूर्व उन्हें एक फ़ार्म भरना है जो कि दस पैसे देने पर बड़े बाबू के दफ़्तर से मिलता है। बिना उस फ़ार्म के भरे कोई नहीं मर सकता। हाँ, अलबत्ता फ़ार्म के भरते-भरते दो-चार ऐसे भी इंसान शायद मर सकते हैं जो वैसे दो-चार साल अभी और खींच जाते। दूसरे शब्दों में, बड़ी चीज़ जो है वह फ़ार्म है; आदमी तो आता-जाता रहता है। एक गया, दूसरा आया। चित्रगुप्त ने इस 'वैष्णवन की वार्ता' को श्रवण किया और आर्यावर्त के निवासियों की समझदारी पर दंग होना शुरू किया। आज़ादी के पहले तो कोई फ़ार्म-वार्म नहीं भरना पड़ता था; कोई यूँ ही दंगे में मर जाता था या फिर भुखमरी से। सारा धन्धा बिना किसी लिखा-पढ़ी के चलता था। भूल-चूक लेनी-देनी। ख़ैर, उन्होंने उस मरियल क़िस्म के मुंशी को देखा और फिर फ़ार्म लेने के लिए क्यू में जाकर खड़े हो गये। नर्स कहीं चली गयी थी। शृंगार-रस की स्थितियाँ कम होते

ही मैं फिर वैराग्यरस में डूब गया और कबीरदास की 'ठगिनी क्यों नैना झमकावै' वाली साखी सस्वर पढ़ने लगा।

उस फ़ार्म विशेष के प्राप्त करने में श्रीयुत् चित्रगुप्त को पूरा एक दिन लग गया। इस बीच हम अपने मित्रों, सगे-सम्बन्धियों, ऋणदाताओं और भूतपूर्व प्रेयसियों से फूल के गुलदस्ते बटोरते रहे और उन्हें उस शोख़ और शर्मीली नर्स को देते रहे। इतने में चित्रगुप्त को कहीं से वह फ़ार्म मिल गया। फ़ार्म मिलने पर उन्हें महसूस हुआ कि सरकारी फ़ार्मों की आठ प्रतियाँ सही-सही भरना उन फ़ार्मों के प्राप्त करने की अपेक्षा कहीं अधिक भयानक क्रिया है। वैसे तो सुविधा के लिए फ़ार्म जो थे वे हिन्दी और अँग्रेज़ी दोनों भाषाओं में छापे गये थे पर साइक्लोस्टाइल करने की प्रक्रिया में काफ़ी अंश छपने से एकदम छूट गया था। बहरहाल सरकारी काम था। और रुक तो वह सकता ही नहीं था। ड्राइवर हो या न हो, रेल तो अपने वक़्त पर खुलेगी ही। ड्राइवर क्या, इंजिन भी न हो, तब भी इस सत्य पर कोई आँच नहीं आती। चित्रगुप्त ने एक दानिशमन्द इंसान की मदद ली और फ़ार्म को किसी भाँति भरा। मरने वाले का नाम, पेशा, सकूनत, ऊँचाई-चौड़ाई, वल्दियत और वज़न– इस क़िस्म की सारी जानकारी उसमें इतनी ईमानदारी से दर्ज़ की गयी कि हमारे स्वर्ग जाने पर यदि कोई हमारी आत्मकथा लिखना चाहता तो उसे वह आसानी से लिख सकता था। फ़ार्म में दर्ज़ किये गये मेरे वेतन और सम्पत्ति के ब्योरे को देखकर नर्स ने मुझे कुछ ऐसी प्यार भरी निगाहों से देखा कि मैं तो क्या, बेचारा चित्रगुप्त तक मूर्च्छित होते-होते बचा।

फ़ार्म भरने के बाद चित्रगुप्त जब बड़े बाबू के पास गये तो वे बोले कि इस फ़ार्म को किसी ऐसे सम्भ्रान्त व्यक्ति द्वारा काउण्टरसाइन कराना है जो कि आपको जानता हो। यह एक ऐसी स्थिति थी कि चित्रगुप्त भी घबरा उठे क्योंकि जान-पहचान तो उनकी बहुत विस्तृत थी और बड़े-बड़े लोगों से थी मगर वे सब-के-सब उस क़िस्म के थे जो कि मर चुके थे। ज़िन्दा इंसान से उनका कोई घनिष्ठ परिचय कभी भी नहीं रहा था। बेचारे कई घण्टों तक सदर और दरीबे की दिशा में घूमते रहे मगर हाथ कुछ नहीं लगा। जान-पहचान का संसद सदस्य तो क्या, कोई पोस्टमास्टर या काँजी हाउस का मुंशी तक उन्हें नहीं मिला।

एक ओर तो वह स्थिति थी जो ऊपर बतायी गयी और दूसरी ओर हालत यह थी, सिवा उस शोख़ नर्स के, मेरे सारे मित्र और आत्मीय मेरी इस 'अंगद के पाँव' वाली स्थिति से तंग होते जा रहे थे। अज़ब इंसान है कि इतने डॉक्टरों के बावजूद फिर भी ज़िन्दा है। न मरता है और न अस्पताल ही छोड़ता है। कुछ भले लोग तो खुलासा ही पूछने लगे कि बोलो बन्धु, सवारी कब बढ़ा रहे हो? अगर इसी तरह खींचते रहे तो तुम्हारे साथ शायद हम में से भी किसी को चलना पड़े। चित्रगुप्त बेचारे इतनी भयंकर परेशानी में पड़ गये थे कि कुछ कहा ही नहीं जा सकता। सारे

माहौल पर दया खाते हुए उस फ़ार्म पर हमने ख़ुद ही दस्तख़त कर दिये। कृतज्ञता से चित्रगुप्त का मस्तक नत हो गया। कहने लगे कि प्राणों को छोड़कर मैं उनसे कुछ भी माँग सकता हूँ। उनका स्नेह देखकर मैं दंग रह गया। मैंने तो सोचा कि मैं तो उनसे यूँ ही डरता था; चित्रगुप्त तो एकदम जगदीश गुप्त को भाँति सरल, सहृदय और कला-प्रेमी निकले। ख़ैर, मैंने उनसे कुछ नहीं माँगा; सिर्फ़ यह विनती की कि वे उस नर्स को उस तरह न देखा करें जिस तरह वह देखा करते थे। चित्रगुप्त मान गये।

बड़े बाबू को कन्यादान की तर्ज़ पर फ़ार्मदान करने के उपरान्त चित्रगुप्त ने मेरी आत्मा जैसे ही टटोलनी शुरू की, अस्पताल का एक कर्मचारी वैसे ही दौड़ता हुआ आया और रंगमंच पर प्रकट हुआ। पलायनवादी इस व्यक्ति ने हाँफते-हाँफते बताया कि यह जो मरनेवाला उम्मीदवार है, इसकी क़ीमत बीस रुपये से ज़्यादा है और इस कारण आपको रसीदी टिकट लगा हुआ एक फ़ार्म और भी भरना है जो मैं अपने साथ लाया हूँ। अगर आप इस फ़ार्म को नहीं भरेंगे या रसीदी टिकट नहीं लगायेंगे तो स्थिति यह होगी कि आप तो सामान लेकर लम्बे हो जायेंगे और हमें आडिट पकड़ेगा। मैंने उसकी वाणी सुनी और नर्स के केश सहलाते-सहलाते सोचने लगा कि स्वाधीनता के बाद जितना विकास आडिट और भ्रष्टाचार का हुआ उतना किसी और पदार्थ का नहीं हुआ। कहीं-कहीं तो शायद एक से दूसरे को बल भी मिला! मैं उदास हो गया और केशों के साथ-साथ नर्स की सुराहीदार गर्दन भी सहलाने लगा।

चित्रगुप्त ने रसीदी टिकट की बात सुनी तो उनके होशहवास उड़ गये। तहसील और डाकख़ाने बन्द हो चुके थे और अगले दिन रविवार था। रविवार के उपरान्त चित्रगुप्त रुक नहीं सकते थे क्योंकि उनका दौरा रविवार तक का ही था। उनके भत्ते के कुछ बिल यमराज के दफ़्तर में पहले से ही अटके हुए थे। वे उदास होकर रोने लगे। पब्लिक की वजह से पहले तो कुछ संकोच किया और धीमे-धीमे रोये पर हम लोगों के प्रोत्साहन देने पर वे खुल गये और फूट-फूटकर रोते रहे।

बड़े बाबू को उनकी स्थिति पर दया आ गयी। उन्होंने एक रुपया बतौर दस्तूर के तलब किया और सलाह दी कि वे किसी और ऐसे व्यक्ति के प्राण क्यों नहीं ले जाते जिसकी क़ीमत बीस रुपये से कम हो। न फ़ार्म का झंझट और न रसीदी टिकट का। चित्रगुप्त की हालत इस समय ऐसी हो गयी थी कि सिवा रसीदी टिकट लाने के, वे कुछ भी करने के लिए तत्पर थे। उन्हें बड़े बाबू की सलाह जँच गयी और जनरल वार्ड का एक ख़ासा बाँका नौजवान बिना किसी विशेष बीमारी के, इस दुनिया से कूच कर गया। रसीदी टिकट का प्रताप देखिए, कि कज़ा हमारी आयी थी, मगर गया कोई और।

बाबर के जाते ही हुमायूँ जो था वह ठीक होने लगा। कोई हफ़्ता भर बाद मैंने उस नर्स-रूपी सुन्दर बालिका से विदा ली। इसके बाद हुमायूँ पानीपत पहुँचा और फिर उसने इस दस्तावेज़ को लिखना शुरू कर दिया।

फूलों वाले कैक्टस

आज सुबह क्या हुई कि मेरा दिमाग़ अचानक फिर से अपनी स्वाभाविक स्थिति में आ गया। सरल भाषा में यदि बात कही जाए (ताकि एक औसत बुद्धि का मर्द और तीव्र बुद्धि की औरत उसे आसानी से समझ सके) तो स्थिति यह हो गयी कि दिमाग़ जो था वह फिर से कन्फ़्यूज़्ड हो गया। बुरी तरह कन्फ़्यूज़्ड, वैसे कन्फ़्यूजन कोई बुरी चीज़ नहीं होती क्योंकि सारे ज्ञान की शुरुआत हमेशा वहीं से होती आयी। यह कन्फ़्यूज़न का ही प्रताप था कि जिसके कारण चीन देश का एक महान् दार्शनिक अन्त में चलकर कन्फ़्यूशियस कहलाया। परन्तु यदि कन्फ़्यूज़न इतना बढ़ जाए कि यह भी याद न रहे कि आख़िरकार कन्फ़्यूज़न शुरू किस बात पर हुआ था, तो ज़रूर कभी-कभी कुछ परेशानी पड़ जाती है। मेरे साथ आज ठीक यही स्थिति है। मैं कन्फ़्यूज़्ड हूँ, शत-प्रतिशत कन्फ़्यूज़्ड हूँ और सचाई यह है कि इसका क्या भूत और क्या भविष्य, कुछ भी तो मेरी पकड़ में नहीं आ रहा। बस, इतना याद है कि कल रात मैं काफ़ी देर गये तक जागा था और कोई महीने भर के दैनिक समाचारपत्रों से एक ही साथ निवृत्त होता रहा था। यहाँ मैं यह बता दूँ कि यह मेरी पुरानी आदत ठहरी कि मासिक पत्र-पत्रिकाएँ मैं रोज़ पढ़ता हूँ और दैनिक पत्र महीने में एक या दो बार। दूसरे शब्दों में पन्द्रह दिन या तीस दिन के अख़बारों का सेवन एक साथ। ऐसा करने में एक अलौकिक सुख प्राप्त होता है। काफ़ी ख़बरें जो एक अख़बार में रिपोर्ट की गयी थीं वे अगले दिन झूठी बता दी जाती हैं और काफ़ी लोग जिन्हें महीने के शुक्लपक्ष में कोई आदर-सम्मान मिला था, वे उसी महीने के कृष्णपक्ष में गिरफ़्तार हो जाते हैं। 'कभी कश्ती, कभी बतख, कभी जल; सियासत के कई चोले हुए हैं', यह शेर दुष्यन्त कुमार की एक ग़ज़ल से है। और हाँ, अख़बारों से निवृत्त होने के बाद मैं दुष्यन्त की ग़ज़लें पढ़ता रहा। पहले तो ज़ालिम की याद आयी और फिर चन्द कतरे आँसू भी निकले। कुछ और ग़ज़लें पढ़ीं तो ज़िस्म के कई हिस्सों से 'वाह-वाह' की आवाज़ निकली। मगर इसके बाद मुझे उससे ईर्ष्या होनी शुरू हो गयी। आख़िर इसने इतना अच्छा कलाम कहा तो क्यों कहा? हम क्या मर गये थे कहने के लिए? सच्ची बात तो यह है कि यह ईर्ष्या तो दुष्यन्त के बहुत से दोस्तों

को हो रही है मगर इसका इजहार सिर्फ़ मैं ही कर रहा हूँ। 'हिम्मत से सच कहो तो बुरा मानते हैं लोग; रो रो के बात करने की आदत नहीं रही'।

जैसा कि आन्दोलनों के साथ होता है, कुछ-कुछ वैसा ही इस मनःस्थिति के साथ हुआ। आन्दोलन की भी शुरुआत और उसके कारण– इन सब चीज़ों को भद्र लोग उस वक़्त भूल जाते हैं जब कि गोली चलने लगती है; 'लहूलुहान नजारों का ज़िक्र आया तो, शरीफ़ लोग उठे, दूर जाकर बैठ गये'। आन्दोलनों की बात चल पड़ी तो अज्ञेय की याद सताने लगी। इतने प्रतिभावान् व्यक्ति की याद सताती है तो कई तरफ़ से सताती है : 'सिर से सीने में कभी पेट से पाँवों में कभी, एक जगह हो तो कहें दर्द किधर होता है!' अज्ञेय ने न जाने कितने आन्दोलन चलाए और अब हालत यह हो गयी कि लोग अज्ञेय के बारे में आन्दोलन शुरू कर रहे हैं। एक तो इस ग़रीब इंसान ने कम-उम्र लड़कियों से वक़्त निकालकर तार-सप्तक निकाले और अब शरद जोशी हैं कि इस आन्दोलन की तुलना शहर भोपाल की दर्ज़ी एसोसिएशन से कर रहे हैं। शरद जोशी हों या ग्रीष्म जोशी हों या किसी और मौसम के जोशी हों, मुझे ऐसी हरकतें कतई पसन्द नहीं। अज्ञेय अभी युवा हैं। वे चौथा सप्तक भी निकाल सकते हैं और उसमें ख़ाकसार को भी शामिल कर सकते हैं। ऐसी हालत में उनकी तुलना भोपाल के किसी दर्ज़ी से– चाहे वह कितना भी बड़ा उस्ताद क्यों न हो– मैं कभी नहीं करने दे सकता। हाँ, अलबत्ता अगर उन्होंने चौथा सप्तक निकाला और मुझे उसमें भी शामिल न किया तो मामले को दर्ज़ियों तक क्या, मोचियों तक भी ले जाऊँगा। इस देश का इतिहास साक्षी है कि सिद्धान्तों के सन्दर्भ में मैंने अपने हथियार कभी नहीं डाले। वैसे भारत के इतिहास में आपको ख़ाकसार का नाम ही शायद न मिले मगर वह दीगर बात है। बात यह है कि असली तवारीख मिलती ही कहाँ है? दुष्यन्त के शब्दों में– 'दुकानदार तो मेले में लुट गये यारो, तमाशबीन दुकानें लगा के बैठ गये।'

दुष्यन्त की याद आयी तो फिर आती ही चली गयी। पहले उसकी याद सुबह को आयी, फिर दोपहर को आयी, फिर तीसरे पहर आयी और शाम क्या हो गयी कि उसकी याद फिर सताने लगी। एक ज़माना था, हम दोनों एक ही मदरसे में पढ़ते थे। लेट हो जाने की वजह से दुष्यन्त जो था वह खिड़की के रास्ते आया करता था। क्लास जब अपनी असली बुलन्दगी पर होती थी तो मास्टर की मेज़ पर मेंढक फेंकने की ज़िम्मेदारी भी अकसर वही निभाता था। मगर वैसे वह काफ़ी सयाना था, फ़ेल कभी नहीं होता था। किताबें उसने कभी नहीं ख़रीदीं। कबीर के शब्दों में लोगों ने पोथियों के ऊपर पोथियाँ ख़रीद डालीं मगर पण्डित भया न कोय। वह कबीर का सच्चा अनुयायी था, एकदम फक्कड़ और नंगा। मगर नंगेपन का जो अर्थ आजकल होता जा रहा है, उन दिनों वह नहीं था। उन दिनों नंगा उस आदमी को कहते थे जो बेलौस होता था, बेतकल्लुफ़ होता था, और सच्ची बात कहने में

किसी से डरता नहीं था। इन दिनों नंगा उसे कहते हैं जो कपड़े उतार दे। गुलबर्ग के एक मन्दिर के चारों ओर लगभग चालीस (पुल्लिग और स्त्रीलिंग दोनों प्रकार के) भक्त नंगे होकर एक मन्दिर की परिक्रमा करते रहे। जो कम हॉर्सपॉवर के भक्त थे उन्होंने अपने कुछ अंग-विशेषों को नीम की पत्तियों से ढक रखा था। और हाँ, ऐसा नहीं कि यह नंगापन भक्तिकाल के सन्दर्भ में ही हो। एलजियर्स में बीस वर्ष की एक सुन्दर षोडशी ने वहाँ के राजा का चित्र तोड़ा और जनपथ पर फेंक दिया। वीरगाथाकाल के इस माहौल में पुलिस आ गयी और उसने एक निगाह टूटे हुए चित्र पर डाली और दूसरी उस कन्या पर। कन्या ज़्यादा 'प्रोमिज़िंग' लगती थी। थाना ले जाने की प्रक्रिया में वक़्त बचाने के लिए उस सुन्दरी ने अपने वस्त्र एक-एक कर उतारने शुरू कर दिये और अन्त में स्थिति यह निकली कि सारी सचाई पुलिस के सामने पूरी तरह आ गयी। दुष्यन्त सीन पर हाज़िर होता तो ज़रूर कहता 'खुदा नहीं, न सही, आदमी का ख़्वाब सही; कोई हसीन नजारा तो हो नज़र के लिए।'

मैं खाना खाता हूँ। काफ़ी खाता हूँ। साथ-साथ दुष्यन्त को याद भी करता जाता हूँ। दोस्त तो मरते ही रहते हैं, उनके लिए क्या खाना-पीना छोड़ दें? कल शोकसभा थी, सबसे उम्दा स्पीच मेरी थी। सभापति तक रोने लगा। अरसे बाद मुफ़्त की बढ़िया सिगरेट और अनन्नास पीने को मिला। और जो वाक़ई सच्चे दोस्त थे, वे एक मोटी किताब निकालेंगे, वज़ीरों से मिलेंगे और सरकारी रक़म को एक ऐसी शक्ल देंगे जो सरकार खुद कभी नहीं दे सकती थी। 'तुम्हारी ज़ुबान से निकली तो सिर्फ़ नज़्म बनी; उनके हाथों में गयी तो मशाल हुई।'

रात गहरा रही है। सोचता हूँ थोड़ी-बहुत पदयात्रा कर लूँ। इन दिनों फ़ैशन ही दो रह गये— एक परिवार-नियोजन और दूसरा पदयात्रा। जितना समय एक अभियान से बचे, उतना दूसरे को दे दो। मेरी पत्नी आजकल मैके गयी हुई है और इस कारण ख़ाकसार परिवार-नियोजन तो कर नहीं सकता, अलबत्ता पदयात्रा के लिए हाज़िर है। मैं छड़ी लेता हूँ और निकल पड़ता हूँ। कोठी का दरवाज़ा बन्द किया ही था कि पासवाले बँगले में रहने वाले मेजर जनरल की धर्मपत्नी अपनी पूरी रफ़्तार से पास से गुज़र गयीं। दुष्यन्त के शब्दों में स्थिति यह हो गयी कि 'तू किसी रेल-सी गुज़रती है, मैं किसी पुल-सा थरथराता हूँ।" जनरल साहब चाहें तो वह भी यह मिसरा याद कर सकते हैं : "मैं जिसे ओढ़ता-बिछाता हूँ, अपनी वह बीवी आपको दिखाता हूँ। एक बाज़ू उखड़ गया जब से, और ज़्यादा वज़न उठाता हूँ। उसको भूलने की कोशिश में, उसको कितना क़रीब पाता हूँ।"

दुष्यन्त की याद आये और लड़कियों की याद न आये तो कुछ-कुछ ऐसा लगेगा जैसे बिना मेघों के वर्षा ऋतु। मुझे भी एक लड़की की याद आ गयी जिसका प्रेमी रोम में है और लगभग बीस हज़ार की नकद राशि उस व्यक्ति को देने को तैयार है जो उस लड़की से उसे मुक्त कर सके। उसका कहना है कि वह गैण्डे की शक्ल

वाली उस भोली सूरत के साथ एक बिस्तर पर नहीं सो सकता जबकि कन्या कहती है कि अपने रूप में वह भैंसे से ज़रूर मिलती-जुलती है पर गैण्डे से हर्गिज़ नहीं। बस, इतनी-सी बात और हालत हो गयी दर्दनाक। इस सन्दर्भ में यह अच्छा क़दम लिया जा रहा है कि तलाक़ सरल किये जा रहे हैं। अब भला बीवी भी कोई वार्डरोब या महागनी का सोफ़ा हो गयी कि आ गयी तो पचास साल चलेगी। बीवी बदलेगी तो तबीयत बदलेगी, माहौल बदलेगा, दोस्त बदलेंगे, बच्चे बदलेंगे और ऋतु जो है वह भी बदलेगी। ऋतु का लड़की से बड़ा घनिष्ठ सम्बन्ध होता है। रानी रूपमती तक ऋतुमती थी। तो लोगों को चाहिए कि बीवी बदलें ताकि ताज़गी आये। 'अब तो इस तालाब का पानी बदल दो, ये कँवल के फूल कुम्हलाने लगे हैं; वौ सलीबों के क़रीब आये तो हमको, क़ायदे-क़ानून समझाने लगे हैं।'

दूर कहीं घण्टा बज गया। रात आधी हो गयी। यह वह वक़्त है जिस वक़्त अगर मैं अकेला घर के बाहर होता हूँ तो महापुरुषों के जीवन-चरित याद करता हूँ। हनुमान और नेपोलियन— इन दो महान् आत्माओं पर विशेष ध्यान दिया जाता है। 'रोज़ जब रात को बारह का गजर होता है, मेरे बाथरूम जाने का वक़्त होता है।' ख़ैर, मन को धीरज दिलाता हूँ। चारों तरफ़ मकान ही मकान हैं। कितना अच्छा होता कभी इनकी भी खिड़कियाँ खुलतीं, इनमें भी चिराग़ जलते। मगर ऐसा कभी नहीं होगा। ये अदालतों की इमारतें हैं जिनके ठीक सामने डिस्ट्रिक्ट जेल है। यहाँ दिन-भर भीड़ रहती है; मुजरिम, उनके रोते हुए नातेदार, वकील, जज और मजिस्ट्रेट, पुलिस और गवाह। रात को आइए तो लगता है कि यहाँ सदियों से कोई नहीं रहता। 'यहाँ तो सिर्फ़ गूँगे और बहरे लोग बसते हैं, ख़ुदा जाने यहाँ पर किस तरह जलसा हुआ होगा।' दुष्यन्त ने ठीक ही कहा कि 'कहाँ तो तय था चिराग़ाँ हर एक घर के लिए; कहाँ चिराग़ मयस्सर नहीं शहर के लिए। यहाँ दरख़्तों के साये में धूप लगती है, चलो यहाँ से चलें और उम्र भर के लिए।'

मगर ठीक इसी जगह एक प्रश्न उठता है कि मुसाफ़िर जायेगा कहाँ? सारी बस्ती में एक मकान है जहाँ जाने को तबीयत करती है मगर उसका जो पति है वह प्रख्यात मुक्केबाज़ मुहम्मद अली का पेपरबैक संस्करण है। मैं उसकी पत्नी को देखता हूँ जो कभी मेरे साथ पढ़ती थी और वह मुझे देखता है क्योंकि बीवी वह उसकी है। हम ठहरे अहिंसावादी प्रेमी और वह है कैनिबल टाइप का पति। जब भी देखता है तो उसी 'तेरा भुरता बनाकर रख दूँगा' वाली मुद्रा में देखता है। उदारता नाम की कोई चीज़ है ही नहीं। यह नरभक्षी उस रूपवती कन्या के पन्द्रह पल्लवित वर्ष कोई छह महीने में ही खा गया। कुल मिलाकर चौदह बच्चों का निर्माण किया। एक साल किसी तरह बेकार निकल गया जिसका कि उसे हार्दिक अफ़सोस है। चारों ओर हैजा फैलता है, दुर्घटनाएँ होती हैं, दिल के दौरे पड़ते हैं मगर यह है कि दिन-ब-दिन तगड़ा ही होता जा रहा है। एक दिन मुझे किसी अवसर पर निमन्त्रण

देने आया था मगर तब भी स्थिति यह थी कि एक हाथ में निमन्त्रण-पत्र था और दूसरे में एक अलसेशियन कुत्ते की जंज़ीर। हमने तो वही कहा जो दुष्यन्त बता गया था– 'चीड़ वन में आँधियों की बात मत कर, इन दरख़्तों के बहुत नाज़ुक तने हैं; आपके कालीन देखेंगे किसी दिन, इस समय तो पाँव कीचड़ में सने हैं।'

कभी-कभी सोचता हूँ कि कुछ किया जाए। 'कैसे आकाश में सूराख़ हो नहीं सकता; एक पत्थर तो तबीयत से उछालो यारो।' मगर जैसे ही यह शेर याद आता है, सामने खड़ी जेल की इमारत जैसे इशारे कर-करके बुलाने लगती है। लगता है कि कह रही हो– हे मूर्ख, तू कहाँ जीवन बर्बाद कर रहा है? तू तो मेरे अन्दर रहने के लिए पैदा हुआ था। मैं उसके स्नेह के सामने गद्गद हो उठता हूँ। वैसे शायद इतना डरना बेकार है; गोआ में जेल इतनी शानदार हो गयी हैं कि पाँच सितारे वाले होटलों को मात करती हैं। आदरणीय जेल-मन्त्री ने विरोधी पक्ष के नेताओं से आग्रह किया कि वे जल्दी से जल्दी इन जेलों का फ़ायदा उठाएँ। फिर न कहना कि हमने ख़बर नहीं दी। अगर हिन्दी के बाक़ी व्यंग्यकार भी चलने को राज़ी हों तो मैं वहाँ जाने का बन्दोबस्त कर सकता हूँ। शादी और विवाह क्या, अब तो दाह संस्कार भी सामूहिक स्तर पर होन लगे हैं, ऐसी स्थिति में संकोच कैसा? दिल्ली में तो कुत्तों का क़ब्रगाह भी भर गया। आइन्दा कोई पालतू कुत्ता मरेगा तो उसकी लाश मालिक की बीवी के साथ ही दफ़नाई जायेगी।

इस लेख में जितने मिसरे हैं वे सब दुष्यन्तकुमार के हैं। कहीं-कहीं कुछ शरारत मैंने ज़रूर की है। दुष्यन्त ग़ज़लें कहता था, वह ग़ज़लगो था। सैयद इंशा अल्लाह खाँ क़िस्से कहते थे, वे क़िस्सागो कहलाते थे। हमारे मुहल्ले में मुंशी ख़ैरातीलाल ने और चूँकि वे क़ानून बहुत जानते थे, सरकार ने उन्हें क़ानूनगो बनाया था। ऐसे प्यारे दोस्त और ग़ज़लगो दुष्यन्त को लेकर मैं यह हास्य लेख लिख रहा हूँ और पढ़ते हुए आपको शर्म नहीं आती? मगर बात कुछ और है। मैं जब भी तड़पा, मुसकराहटों में तड़पा, जब भी रोया तो हँसी में रोया। बात ज़रूर कुछ ऐसी है जो इतनी अजीब लगती है जैसे कि कैक्टस पर लाल-लाल फूलों के गुच्छे लटक गये हों मगर हक़ीक़त यही है। पहले सुन्दर युवतियाँ अशोक के पेड़ों पर पदाघात किया करती थीं तो उन पर फूल निकल आते थे। अब वे ऐसा काम नहीं करतीं। पदाघात तो होता है पर वह पति पर होता हैं जिससे अशोक नहीं फूलता वरन् शोक फलता-फूलता है। मेरी आपको यह अन्तरंग सलाह है कि आप भी किसी दिन अक्षत, चन्दन, नारियल वग़ैरह लेकर किसी कैक्टस के पेड़ पर पदाघात कीजिए और करते जाइए। इंशा अल्लाह काफ़ी सुर्ख़ी नज़र आयेगी। और दुष्यन्त भी तो एक फूलों वाला कैक्टस ही था वरना वह ऐसी क़ातिल लाइनें कैसे लिखता :

चाँदनी छत पर चल रही होगी
अब अकेली टहल रही होगी,

कल का सपना बड़ा सुहाना था
ये उदासी न कल रही होगी;
सोचता हूँ कि बन्द कमरे में
एक शमा-सी जल रही होगी,
शहर की भीड़-भाड़ से बचकर
तू गली से निकल रही होगी,
जिन हवाओं ने तुमको दुलराया
उनमें मेरी ग़ज़ल रही होगी

❑

सुन्दरकली
(1978)

उनका कुत्ता मर गया था

जब मैं मातमपुर्सी के लिए उनकी कोठी पर पहुँचा तो देखा कि शनील का शाल ओढ़े वे चमड़े के क़ीमती सोफ़े पर बैठी थीं और अपने हीरों के हार को हाथ में सँभाले ज़ार-ज़ार रो रही थीं। उनके आँसू मोतियों की भाँति उनके कमलनयनों से लगातार गिरते जा रहे थे और उनका एक अन्तरंग दोस्त अपने रेशमी रूमाल से उन्हें पोंछता जाता था। उनके उस रूप को देखकर, उनके कपोल पोंछने की इच्छा तो मुझे भी होती थी पर वातावरण इतना शोकपूर्ण था कि उसमें किसी रोमाण्टिक तत्त्व के समावेश करने की गुंज़ाइश काफ़ी कम थी। बाक़ी लोगों की भाँति मैं भी एक गार्डन चेयर पर बैठ गया और बड़ी ग़मगीन निगाहों से उनकी छवि निहारता रहा। बात काफ़ी नाज़ुक थी। उनका कुत्ता मर गया था।

मैं उन्हें कोई दस वर्ष से जानता था। इन दस वर्षों में उन्होंने पता नहीं, पति तो कितने बदले पर कुत्ता वही रखा। वे प्रायः कहा करती थीं कि (पति और कुत्ते का कोई मुक़ाबला नहीं किया जा सकता क्योंकि जितना वफ़ादार एक कुत्ता होता है उतना वफ़ादार पति कभी नहीं पाया गया। पति अगर कहीं उलझ गया तो बस उलझ गया मगर कुत्ता है कि दिन में चाहे कितनी भी लूसी, ज्यूसी, पिंकी, डिंकी, निम्मी, नरगिस और लैला से प्यार कर ले, शाम को वह मालकिन के पास ही लौटता है। वे खुद भी पति के न लौटने पर कभी व्याकुल नहीं होती थीं पर अगर कुत्ते के आने में कुछ देर हो जाती थी तो उनकी साँस उखड़ जाती थी। जब तक उनका कुत्ता नहीं लौटता था, वे खाना नहीं खाती थीं और अपने सगे पति से भी उखड़ी-उखड़ी बातें करती थीं। पति तो आता-जाता रहता है पर इतनी उम्दा नस्ल का मुलायम बालों वाला ख़ूबसूरत कुत्ता रोज़-रोज़ नहीं मिलता।

वह कुत्ता उनके जीवन का अभिन्न अंग था। वह उन्हीं के साथ बिस्तर छोड़ता था, वह उन्हीं के साथ चाय पीता था, रेडियो पर ख़बरें सुनता था, नाश्ता करता था, घूमने जाता था, और उन्हीं के साथ बाल डान्स करता था, खाना खाता था और सोता था। उन दोनों की डॉक्टरी जाँच भी साथ-साथ होती थी और दोनों का रोमांस भी प्रायः साथ ही साथ चलता था। जैसे ही मालकिन जो थी वह बाल्टीवाला साहब

की मरम्मत करके उन्हें बाहर निकालती थी और उनकी जगह रज़ाईवाला साहिब से आँखें लड़ाना शुरू करती थी, ठीक वैसे ही वह वफ़ादार कुत्ता भी कर्नल साहब की कुतिया कुमारी लूसी के स्थान पर चीफ़ इंजीनियर की कुतिया श्रीमती ज्यूसी के सामने प्रणय निवेदन करने की स्थिति में आ जाता था। दोनों एक ही समय सारणी काम में लाते थे। इत्तफ़ाक देखिए कि दोनों स्थानों पर बच्चे भी प्रायः साथ ही साथ होते थे। उनकी और सामने वाली कुतिया मिस लैला की टाँग साथ ही साथ भारी होती थी। दस साल की लम्बी अवधि में दिन-रात साथ देने वाला कुत्ता आज भगवान को प्यारा हो गया था और स्थिति यह थी कि उस युवती के भूतपूर्व, पति, वर्तमान पति और होनेवाले पति—सब के सब उस अबला को बराबर ढाढस बँधा रहे थे पर वे थीं कि रोते ही जाती थीं। उनके आँचल में दूध हो या न हो, पर उनकी आँखों में पानी काफ़ी था।

मैं गार्डन चेयर पर बैठा उस रूपसि को देखता रहा। शोक की मुद्रा में किसी ग्रीक ट्रेजेडी के समान वे और भी ज़्यादा रूपवती लग रही थीं। मैं सोच रहा था कि कुछ भी कहो, औरत जात से ज़्यादा नर्म दिल और किसी का नहीं होता। यही वह औरत थी जो रानी लक्ष्मीबाई की मुद्रा में अपने पतियों पर टेलीफ़ोन फेंक कर मारा करती थी, रानी दुर्गावती की शैली में पतियों के माता-पिता के मुँह पर प्लेट फेंकती थी और रानी सारन्धा के स्टाइल में बावर्ची के मुँह पर डबलरोटी उछालती थीं और यही वह स्त्री थी जो ठीक एक स्त्री की भाँति आज सामने बैठ कर इतनी स्वाभाविकता के साथ विलाप कर रही थी। बात ही कुछ ऐसी थी। उनका कुत्ता मर गया था।

एक पत्रकार क़िस्म के इंसान को देखकर उनका विलाप कुछ धीमा हो गया और वे बड़ी ग़मगीन आवाज़ में उस कुत्ते का जीवन-परिचय देने लगीं। पत्रकार ने नोट लेने शुरू किये ताकि सनद रहे और वक़्त ज़रूरत काम आये। जैसे कि पता चला वह कुत्ता शायद सूर्यवंश का था। वह हमारे पूर्वजों की भाँति ब्रह्ममुहूर्त में ही उठ जाता था, स्तोत्र पढ़ता था और इसके बाद मालकिन के गाल चाट-चाट कर उन्हें उठाता था। उसके चाटने के कारण उस सम्भ्रान्त महिला के गाल इतने साफ़ हो जाते थे कि दिन भर उन्हें धोने तक की ज़रूरत नहीं पड़ती थी। उनकी सुन्दरता का रहस्य यही था। वह कुत्ता शास्त्रीय संगीत का प्रेमी था और इसी कारण मालकिन के नितम्बों पर बड़ा बढ़िया तबला बजाता था। वह कुत्ता भूतपूर्व पतियों से अपनी मालकिन की रक्षा करता था और यह उसी का प्रताप था कि कोई ग़रीब या भिखारी कोठी के भीतर घुस नहीं सकता था। किशनचन्दर के गधे की तरह वह कुत्ता शायद अख़बार भी पढ़ता था। यह वही प्रतिभावान् कुत्ता था जो आज वीरगति को प्राप्त हो गया था। देश के इतिहास में यह एक दुखद घटना थी।

उस महिला ने कुत्ते की बीमारी की चर्चा शुरू की। उन डॉक्टरों के नाम बताये

जिन्होंने उसका इलाज किया था, दवाई की वे शीशियाँ दिखायीं जो फ्रिज में रखी थीं, वह स्थल दिखाया जहाँ कि उस महान आत्मा का अन्तिम संस्कार सम्पन्न हुआ था और उसके बाद वे फिर रोने लगीं। वे वास्तव में बड़ी दुखी थीं। जयप्रकाश नारायण के स्वास्थ्य, जनता पार्टी की जीत या इजरायल की स्थिति में उनकी कोई दिलचस्पी नहीं थी। उनकी आत्मा इन छोटी चीज़ों से काफ़ी ऊपर थी और कुत्ते के दुख में अटकी थी। उनकी बातों को सुनकर लगता था कि इतना परोपकारी, समाजवादी और साहसी कुत्ता कभी पहले कहीं पैदा नहीं हुआ। मेरे ख़याल में अपने पिछले जन्मों में कुत्ता शायद हातिमताई का बाप रहा होगा।

मैं उन्हें देखता रहा और पता नहीं क्या-क्या फ़िज़ूल की बातें सोचता रहा। जिस मुल्क में करोड़ों आदमी कुत्ते से भी बदतर ज़िन्दगी बसर करते हैं, वहाँ यह सौभाग्यशाली प्राणी दस साल कितनी ऐश और आराम से खींच गया। इंसान के मरने पर लोगों के आँसू तक मुश्किल से निकलते हैं और इधर यह कुत्ता था जिसकी शोकसभा में हम कोई पचास शरीफ़ बुद्धिजीवी बैठे थे। और वह रूपवती स्त्री थी कि रोये ही जा रही थी। आँसुओं की बूँदाबाँदी ने धीरे-धीरे मूसलाधार वर्षा का रूप धारण कर लिया था। शोक के आवेग में उन्होंने पहले शाल फेंका, फिर धूप का चश्मा उतारा और फिर साड़ी भी काफ़ी उतर गयी। जब उनके वर्तमान पति ने कुछ सान्त्वना देने की कोशिश की तो जूते जो थे वे भी उतरने की स्थिति में आ गये। दूसरे शब्दों में उनका मन ही नहीं बल्कि तन भी हम लोगों के लिए अब तक काफ़ी खुल चुका था। मगर वे थीं कि रोती रहीं।

एक बैरिस्टर साहब ने हिम्मत बँधाने के लिए उनकी कमर सहलानी शुरू की। कमर सहलाते-सहलाते उनका हाथ कभी-कभी ज़िस्म के चन्द और हिस्से भी सहलाने लगता था। एक स्वामी जी थे जो शायद कुत्ते को योगाभ्यास सिखाते थे। वे शरीर की क्षणभंगुरता और आत्मा की अनश्वरता पर अपना प्रवचन देने लगे। एक मातहत था जो हाथ जोड़कर हम लोगों को यह सूचना बार-बार देता रहा कि ऐसी मालकिन और कुत्ता उसने ज़िन्दगी में कभी नहीं देखा। उसकी निगाह में वे दोनों हस्तियाँ बराबर थीं और मेरी निगाह में वह ग़रीब नौकर उन दोनों से ऊपर था।

हम लोग काफ़ी देर बैठे रहे। एक फ़ोटोग्राफ़र ने उस कुत्ते के कुछ कलात्मक चित्र प्रस्तुत किये। एक शायर ने उसके अफ़सोस में एक मरसिया पढ़ा। स्वामी जी ने कुत्ते की आत्मा की शान्ति के लिए प्रभु से प्रार्थना की। मैंने अलबत्ता कुछ नहीं किया। मैं तो उस गदराती युवती के यौवन और रूप को देखता रहा। मैं उनकी आधी नंगी देह और उदास चेहरे में ऐसा खो गया कि भूल ही गया कि असली मुद्दा क्या था। असली मुद्दा यह था कि उनका कुत्ता मर गया था।

'व' से वज़ीर

कल जब मैं उस छोटे से मदरसे के पास से होकर गुज़रा तो फिर वही आवाज़ आयी। सत्यकाम अपने छात्रों को वर्णमाला पढ़ा रहा था और वह भी ठीक उसी तरह जैसे वह पिछली सरकार के दिनों में पढ़ाया करता था। उसकी वाणी मैं उसी भाँति सुनता गया जैसे कि सुना करता था। वह पढ़ा रहा था– 'क' से कमीना, 'ग' से गधा, 'स' से सरकार और 'व' से वज़ीर...

पिछली सरकार की मुझे उसी तरह याद आने लगी जैसे किसी को अपनी पहली पत्नी की याद आती है। बिना बताये गिरफ़्तारियाँ, बस्तियों को रौंदते बुलडोजर, अनुशासित प्रजा और डरा हुआ दुकानदार। वक़्त पर चलती रेलें, दफ़्तरों में ठीक समय पर आने वाले बाबू और वज़ीरों की तारीफ़ में सेहरे पढ़ते हुए प्रगतिशील कवि। एक सन्त ने तो उसे अनुशासन पर्व की वेला ही उद्घोषित कर दिया था। शानदार पार्टियाँ, अपराधों में अचानक कमी, क़ानून में परिवर्तन और देश में न जाने किन-किन नवीन प्रतिभाओं का उदय। सत्यकाम को इस सबसे कोई सरोकार नहीं था। वह तो अमलतासों की बगिया के बीच उस खुले मदरसे में उन ग़रीब बच्चों को बस वर्णमाला ही पढ़ाता रहा; 'स' से सरकार 'व' से वज़ीर और 'ग' से गधा। वह इन चीज़ों के अर्थ भी नहीं बताता था। उसके विचार में ये वे शक्तियाँ थीं जो सर्वविदित थीं, चिरन्तन थीं, नित्य और अनश्वर थीं– ठीक उसी प्रकार जैसा कि उपनिषदों में ईश्वर का स्वरूप वर्णित किया गया था।

मैं सुनता गया और आगे बढ़ता गया। पिछली सरकार कभी की बदल चुकी थी। नयी सरकार आ गयी थी, नया राष्ट्रपति आ गया था; हाँ अलबत्ता राष्ट्र वही पुराना था। जनता से नये-नये वादे किये गये, पहिली गिरफ़्तारियों को ग़ैरक़ानूनी साबित करने के लिए नयी गिरफ़्तारियाँ क़ानूनी ढंग से की गयीं, सादगी के वादे किये गये जिन्हें बेशक़ीमती मोटरों में बैठकर पत्रकारों को समझाया गया। अनुशासन घटता गया, चीज़ों के दाम बढ़ते गये और उस सरकारी सन्त ने इस बार इसे मुक्तिपर्व की वेला कहकर पुकारा। जो लेखक और कवि पिछली सरकार के पीछे दौड़ते थे, वे अब नयी सरकार के पीछे दौड़ने लगे। इस भाग-दौड़ में एकाध की धोती भी खुल गयी पर उससे न साहित्य की गति रुकी न साहित्यकार की। पिछली सरकार की छीछालेदर करने के सिलसिले में वरिष्ठ पत्रकारों ने

विशेषांक निकाले, बुद्धिजीवियों ने अपने पुराने बयान बदले और ज्ञानियों ने पोथियाँ लिखीं। सब कुछ हो गया पर सत्यकाम अपने मदरसे में आने वाली पीढ़ी को वही चिरन्तन सवक पढ़ाता गया—'स' से सरकार 'ग' से गधा और 'व' से वज़ीर...

आम आदमी को न पिछली सरकार से कुछ लेना-देना था न कुछ नयी सरकार से। सब शासक खादी पहिनते थे और मदिरा पीते थे। सब मोटरों में घूमते थे और बड़े-बड़े बँगलों में रहते थे। आधे के क़रीब तो नेता ऐसे थे जो पिछली सरकार में भी वज़ीर थे और नयी में भी या तो वज़ीर थे या राजदूत थे। न उनका कुछ बदला था न पब्लिक का। वज़ीर अब भी वज़ीर था, राजा अब भी राजा और विदूषक अभी भी विदूषक। विदूषक उस मतिमान् चिन्तक का नाम था जो पहले तो यह समझता था कि कभी कुछ बदलेगा ही नहीं और अब यह समझ रहा था कि सब कुछ बदल गया। विदूषक वह था जो समझता था कि आम आदमी को सरकार की क़िस्म में कोई दिलचस्पी होती है। विदूषक वह था जो इस ग़लतफ़हमी का शिकार था कि शासन के तन्त्र कई प्रकार के होते हैं या कोई तन्त्र ऐसा भी होता है जो प्रजा का वाक़ई ख़याल रखता है। ऐसे लोग अभी भी थे।

जैसी कि मेरी आदत है, मैं उदास हो गया और घर लौट आया। एक पत्रिका खोली तो पढ़ा कि डेनमार्क नामक देश में एक नयी जनता पार्टी का गठन किया जा रहा है। इस पार्टी का मैनिफैस्टो है कि पुरुष जो है वह स्त्री का दास बनकर रहे। वह स्त्री के पास जाए तो पूर्वाज्ञा प्राप्त करके जाए। उसे सम्पत्ति रखने का अधिकार न हो, न उसे कोई सम्पत्ति विरासत में ही मिले। पुरुष तीन प्रकार के हों, एक वे जो मज़दूरी करें, दूसरे वे जो गर्भाधान कराने मैं सक्रिय सहयोग दें और तीसरे वे जो मनोरंजन के काम आयें। शहद की मक्खियों की भाँति डेनमार्क की युवतियाँ भी अब मधुमती होंगी। लेख पढ़ने के बाद मैंने सोचा कि मैं कितना भाग्यशाली हूँ कि डेनमार्क में पैदा नहीं हुआ। हाँ अलबत्ता कभी यौन परिवर्तन हो गया तो वहाँ ज़रूर जाऊँगा। बाद में यह भी सोचा कि इस नयी पार्टी के बनने से बदलेगा क्या? वर्ग तो फिर भी दो ही रहेंगे, एक ख़ून देने वाला और दूसरा ख़ून चूसने वाला। इसके बाद मैंने पत्रिका फेंक दी और एक प्रख्यात व्यंग्यकार का व्यंग्य पढ़ने लगा। कभी पहले ये हज़रत राजनीतिक व्यंग्य लिखने वालों के मसीहा थे पर पिछली सरकार ने इन्हें भी मेरी तरह सांस्कृतिक व साहित्यिक विषयों पर ला छोड़ा था। मैं जन्मजात कायर था, राजनीतिक व्यंग्य के चक्कर में कभी पड़ा ही नहीं।

मैं बाहर निकला। राजपथ पर शाही सवारी निकलने वाली थी। फ़ौज की टुकड़ी सलामी देने को हाज़िर थी। प्रजा थी कि शाही सवारी देखने के लिए रात को ही आकर घास के लॉन पर चिपक गयी थी। स्कूल छूट गये थे। मैं सब कुछ देखता रहा और सत्यकाम की चिरन्तन वर्णमाला याद करता रहा : 'क' से कमीना, 'ग' से गधा, 'ह' से हरामी, 'स' से सरकार, 'प' से पब्लिक, 'अ' से अफ़सर और 'व' से वज़ीर'...

भारत के लोकनृत्य

हमारे धर्मशास्त्रों के अनुसार संसार की सृष्टि ब्रह्मा के नृत्य से हुई थी। न ये हज़रत नाचते और न यह चराचर जगत्-मंच पर प्रकट होता। नृत्य आया तो वाद्ययन्त्र भी आये और जब ढोलक और घुँघरू का इन्तज़ाम हो गया तो देवदासियाँ भी चली आयीं। शास्त्रकारों ने नृत्य के दो भेद किये; एक लास्य और दूसरा ताण्डव। इसी आधार पर देवदासियाँ भी दो वर्गों में बाँटी गयीं : एक तो वे जो मात्र ईश्वर की भक्ति में रसविभोर होकर नाचती ही रहती थीं और दूसरी वे जो नाचनेगाने के साथ-साथ कुछ और ज़िम्मेदारियाँ भी सँभालती थीं। धर्म के साथ-साथ कर्म भी चलता था। रूपवती युवतियों के शोषण की जो शानदार परम्परा देवदासियों द्वारा डाली गयी, उसका भी शायद कोई जवाब नहीं।

शास्त्रीय नृत्यों में भरतनाट्यम बहुत महत्त्वपूर्ण रहा। कहा जाता है कि भरत जब चित्रकूट से लौटे थे तो इसी नृत्य को करते-करते लौटे थे। इसी वजह से बाद में चलकर इसे भरतनाट्यम की संज्ञा मिली। मुझे इस किंवदन्ती में कुछ भी असंगत नहीं लगता। उन दिनों नाटक या थियेटर तो थे नहीं; बेचारे उदास भरत पादुका बजाते और इस नृत्य को करते-करते ही ज़िला बाँदा से ज़िला फ़ैज़ाबाद तक पहुँचे होंगे। ख़ैर, भरत जी तो मात्र अयोध्या तक ही गये, पर यह जो भरतनाट्यम था वह दक्षिण तक पहुँच गया और दसियात्तम् के रूप में पल्लवित हुआ। इस नृत्य की बड़ी विशेषता यह रही कि इसमें हाथ, गर्दन, आँखें, भौं और सिर नामक अंगों का संचालन उतना ही महत्त्वपूर्ण रहा जितना कि चरणरूपी कमलों का। मगर फिर भी जिस नृत्य में मुद्राओं का सबसे अधिक प्रयोग किया गया वह था कत्थकलि। इसके देखने के लिए लोग अब भी मुद्राएँ ख़र्च करते हैं। कत्थकलि के लिए मात्र बीस अभिनेता, चार गायक और चार वादकों की ज़रूरत होती है। दर्शक न भी हों तो भी कोई हर्ज़ नहीं। कत्थकलि के विपरीत कत्थक नृत्य की परम्परा उन लोगों ने डाली जो कथा कहते थे। राधेश्याम कथावाचक शायद इसी घराने में आते थे। यह घराना स्वामी हरिदास ने खोला। इसी प्रकार मणिपुरी नृत्य सदा से सामूहिक नृत्य रहा। समूह एकत्रित करने के लिए लहँगों में खपच्चियाँ लगायी गयीं और मुख पर

ऐसा झीना उत्तरीय डाला गया जो कि हावभावों के प्रदर्शन में बाधा न डाल सके। लहँगा और उत्तरीय के मध्य में जो काम की चीज़ होती थी वह चोली कहलाती थी। इसी प्रकार आन्ध्र प्रदेश में कुचिपुडि नृत्य प्रकट हुआ तो उड़ीसा में ओडिसी। कुचिपुडि नृत्य मुझे बेहद पसन्द है। कुच के कुच और पूड़ी की पूड़ी। सम्पूर्ण कार्यक्रम साथ-साथ। दक्षिण में यक्षगान पनपा तो बुन्देलखण्ड में राई नृत्य। मध्य प्रदेश के आदिवासी तो बेचारे हमेशा नाचते ही रहे। और भी न जाने कितने नृत्य इस धरती पर पनपे पर वे सबके सब उस रासलीला और अनन्त फाग के सम्मुख फीके पड़ गये जिनका विकास भारत में आज़ादी आने के बाद हुआ। सच्ची कला सदा से स्वाधीन धरती पर ही पनपती आयी है।

आज़ादी के बाद जो नये नृत्य विकसित हुए उनमें जनतानृत्य और नेतानृत्य कला की दृष्टि से काफ़ी ऊँचा स्थान रखते हैं। कला के क्षेत्र में धीरे-धीरे इन्हें समुचित प्रतिष्ठा भी प्राप्त होती जा रही है क्योंकि शायद ही कोई ऐसा रिसाला हो जो इन नृत्यों का सचित्र विवरण न छापता हो कभी-कभी तो इन विवरणों का प्रभाव तात्कालिक होता है और जिन स्थानों पर ये नृत्य अभी तक नाचे जा रहे थे, इन विवरणों को पढ़कर वे वहाँ भी नाचे जाने लगते हैं। सच्ची कला देश और काल का बन्धन भी स्वीकार नहीं करती।

जनतानृत्य एक प्रकार का सामूहिक नृत्य होता है जिसमें आबालवृद्ध सभी स्त्री पुरुष समान रूप से भाग लेते हैं। इस नृत्य का प्रथम आकर्षण यह है– कि इसका असली निर्देशक किसी और जगह होता है और नृत्य कहीं और। यह सामूहिक नृत्य प्रायः लास्य से प्रारम्भ होता है और समाप्त होते-होते ताण्डव की स्थिति तक पहुँच जाता है। आर्ष परम्परा को ध्यान में रखते हुए इस नृत्य के साथ-साथ यज्ञ का भी समुचित प्रबन्ध रखा जाता है और आहुति देने के लिए रेलगाड़ियों के डिब्बे तथा डाकघरों की इमारतों का खुलकर उपयोग किया जाता है। नाचने वाले कलाकार जब थक जाते हैं तो उन्हें राहत देने के लिए पुलिस जो है वह आँसू गैस छोड़ती है; हवाई फ़ायर करती है और कभी-कभी तो सचमुच की गोली भी चला बैठती है। यह सब होता रहता है पर जो सच्चे कलाकार हैं, वे नृत्य को फिर भी बन्द नहीं करते।

जनतानृत्य के बरख़िलाफ़ नेतानृत्य जो है, वह एक प्रकार का सोलो डान्स है। आजकल के नेता, अभिनेताओं से भी बीस क़दम आगे हैं; वे बिना किसी मेकअप के ही न जाने कितने पार्ट अदा कर सकते हैं। इस नृत्य से देश आगे बढ़ा या नहीं बढ़ा, नेता लोग ज़रूर आगे बढ़े। यह नृत्य अनेक प्रकार की भावभंगिमाओं के साथ सम्पन्न किया जाता है; मतदाताओं के सामने चुनाव के पहले कुछ और मुद्रा पेश की जाती है और चुनाव के बाद कुछ और। इस नृत्य में चरण कभी आगे करने पड़ते हैं तो कभी पीछे। सिर पर टोपी धारण की जाती है जो सब कुछ ढक लेती है। इस नृत्य विशेष में कभी-कभी एक-दूसरे पर कुछ ठोस पदार्थ भी फेंके जाते हैं

रवीन्द्रनाथ त्यागी– 1968

रवीन्द्रनाथ त्यागी– 1978

जो राष्ट्र प्रेम को ध्यान में रखने के कारण प्रायः स्वदेशी ही होते हैं। एक सम्भ्रान्त जन-नायक के पास फेंकने को जब और कुछ नहीं बचा तो अपने प्रतिपक्षी के ऊपर वे स्वयं ही कूद गये। आत्मदान की इस मुद्रा ने इस नृत्य को एक नया आयाम प्रदान किया। आशा है, इसका शेष विकास आगे भी होगा।

कविनृत्य नाम की एक नयी कला का विकास भी पिछले कुछ वर्षों में ही हुआ। कवि लोग मंच पर खड़े होकर और माइक को छाती से चिपका कर इस नृत्य को आरम्भ करते हैं। इन अवसरों पर उनके केश खुले हुए और वस्त्र फटे हुए पाये जाते रहे। विवशता के कारण यदि कोई कवि साबुत कपड़ों में प्रस्तुत किया गया तो उसके परिधानों को क्षतविक्षत करने की ज़िम्मेदारी श्रोताओं पर रही। नृत्य का समापन वहाँ होता है, जहाँ काव्य पाठ करने वाले सुकवि को उठाकर मंच से नीचे फेंक दिया जाता है। इसके बाद कविजी तो पर्दे के पीछे सोमरस पीने लगते हैं और कोई दूसरा समान धर्मा मंच पर आकर शोकगीत गाने लगता है। इसी प्रकार पतिपत्नी नृत्य का भी पिछले दशक में काफ़ी विकास हुआ। पहले यह नृत्य घरों की सीमाओं के भीतर ही सम्पन्न किया जाता था पर इन दिनों यह चौराहों और अदालतों तक में काफ़ी सफलता के साथ प्रस्तुत किया जाता है। जो ज़्यादा सुसंस्कृत युगल हैं, उनमें तो यह भी पहिचान करना कठिन हो जाता है कि पत्नी कौन है और पति कौन। वैसे इस युगल नृत्य में थक कर जो भी फ़र्श पर पहले गिरा वह पति ही निकला।

यात्रीनृत्य और रूपनृत्य भी आज़ादी के बाद ही विकसित हुए। यात्रीनृत्य के कई घराने हैं। बसों में सफ़र करने वाले कलाकार इस नृत्य को एक प्रकार से करते हैं और रेल के यात्री दूसरी प्रकार। बस वाले यात्रीवृन्द इस नृत्य को कभी बस के भीतर करते हैं तो कभी सड़क पर या पायदान पर लटक कर। कभी-कभी इस नृत्य में घण्टों तक एक ही टाँग पर खड़ा होना पड़ता है। बस का जो भोंपू होता है वह पार्श्व संगीत देता है और कण्डक्टर जो होता है वह इस नृत्य का निर्देशक होता है। रेलयात्रियों का जो नृत्य है वह और भी ज़्यादा रोमांचक और दिलचस्प होता है। इस घराने के कलाकार अपनी कला का प्रदर्शन करने के लिए स्टेशन नामक स्थान पर प्रकट होते हैं। नृत्य का आयोजन कुछ इस प्रकार होता है कि जैसे ही कोई यात्री डिब्बे के द्वार से भीतर प्रवेश करता है, उसी क्षण उनका बिस्तरबन्द, जो पहले ही अन्दर प्रविष्ट हो गया था, गवाक्ष मार्ग से बाहर की दिशा में आता हुआ प्रकट होता है। यदि यात्री स्वयं गवाक्ष मार्ग से भीतर जाने की चेष्टा करता है तो उसका जो बिस्तरबन्द होता है, वह दरवाज़े के रास्ते बाहर आता है। काफ़ी समय तक यह नृत्य इसी ताल और गति पर चलता रहता है; कभी सामान बाहर और यात्री अन्दर तो कभी सामान अन्दर और यात्री बाहर। सिगनल गिरते ही नृत्य की गति तीव्र हो जाती है और अन्त में चलकर गाड़ी की गति के साथ-साथ क्षिप्र होती जाती है। जो सिद्धहस्त कलाकार होते हैं वे अपने बिस्तरबन्द को बाहर फेंकने

के लिए ख़ुद ही डिब्बे में घुसने के लिए गाड़ी के पीछे भागते हैं। ठीक इसी समय स्टेशन की बत्ती गुल कर दी जाती है और कुली लोग जो हैं, वे तालियाँ बजाते हैं। प्रशासन कितनी ही नयी गाड़ियाँ चलाए और उनमें कितने ही डिब्बे जोड़े यह नृत्य है कि चलता जाता है। इस पर किसी भी क़दम का कोई प्रभाव कभी नहीं पड़ता।

रूपनृत्य एक विशेष प्रकार का नृत्य है जिसे विभिन्न रूपों में सम्पन्न किया जाता है। इस नृत्य में भाग लेने वाली देवियों के लिए आयु की कोई सीमा कभी निश्चित नहीं की जा सकी। कोई बाई जूड़े में बाल्टी खोंसती है तो कोई रूपसी अपने बालों को कटवा कर एकदम किसी आश्रम की तपस्विनी बाला जैसी दिखाई देती है। यदि कोई बाला इतने नीचे वस्त्र पहिनती है कि राजपथ भी साफ़ होता चला जाए तो कोई सुन्दरी इतने ऊँचे वस्त्रों में विश्वास रखती है कि उन्हें पहिनकर यह पता ही नहीं चलता कि बेचारी की टाँगें कहाँ समाप्त हुईं और कटि प्रदेश कहाँ से प्रारम्भ हुआ। यह नृत्य सन्ध्या समय सार्वजनिक मार्गों पर या शानदार बाज़ारों के बरामदों में सम्पन्न किया जाता है। इस नृत्य को देखकर छोटी आयु के लोग हाय हाय क़रते हैं और ज़्यादा उम्र के लोग आहें भरते हैं। नृत्य में भाग लेने वाली बालाएँ अपनी चोली कुछ इस तरह बाँधती हैं कि लगता है जैसे उनमें काफ़ी सामान छिपा है। इस नृत्य के साथ यही रिवाज़ ठहरा। ब्रज का एक गीत है जिसमें एक बार सदा के नटखट कृष्ण की क्रिकेट खेलते हुए गेंद खो गयी थी। जब वह कहीं नहीं मिली तो अन्त में चलकर उन्होंने एक गोपी की चोली की तलाशी ली। कवि कहता है कि हाथ डालते ही कृष्ण को वहाँ एक गेंद क्या, दो गेंदें हाथ लगीं। बस ठीक वैसी ही स्थिति इन रूपनर्तकियों के साथ भी रही।

और भी कई नृत्य हैं जैसे छात्रों का नृत्य, नौकरशाही का नृत्य और खिलाड़ियों का नृत्य। सोचता हूँ इन सब पर बाद में अलग से लिखूँगा। ब्रज की होली का वह पद क्या याद आ गया, किसी और काम में मन ही नहीं लग रहा।

उदासी की एक शाम

वे एकदम उदास थे। शाम होते ही उन पर न जाने क्यों ठीक वही उदासी छा गयी थी जिसे लेकर कविवर नरेन्द्र शर्मा कभी 'प्रवासी के गीत' लिखा करते थे। क्योंकि वे नरेन्द्र शर्मा नहीं थे, उन्होंने गीत नहीं लिखे; वे केवल उदास ही होते रहे। पहले वे कम उदास हुए, फिर ज़्यादा उदास और उसके बाद किसी धारावाहिक उपन्यास की अन्तिम किश्त की भाँति वे उदासी के चरम गर्त में डूब गये। उस सीमा को प्राप्त करते ही उनका मौन टूट गया और उनकी देह के उस स्थान से जिसे बोलचाल की भाषा में मुख कहा जाता है– गालियाँ निःसृत होने लगीं। क्या धाराप्रवाह वाणी थी– ठीक वही जिसमें आर्य लोग कभी ऋचाएँ पढ़ा करते थे। ये गालियाँ हे सखि, उन नीच लोगों को दी जा रही थीं जिन्होंने उन्हीं का नमक खाकर उन्हीं को चुनाव टिकट पाने से रोका था। कलिकाल के इस घोर पतित पहलू से ही उन्हें उदासी का दौरा पड़ा था। उन्हें देखकर मुझे कबीर का वह भजन फिर याद आने लगा जिसमें उसने कहा था कि फल के बिना वृक्ष सूना होता था और राजा के बिना देश। रहीम जो था वह ग़लत थाः वह कहता था कि 'बिन पानी सब सून।' पानी का और चुनाव टिकट का भला क्या मुक़ाबला? वह तो अच्छा रहा कि ख़ानख़ाना साहिब उस वक़्त कहीं आस-पास थे नहीं वरना अगर इस वक़्त कहीं हाथ पड़ जाते तो उनकी वह मरम्मत की जाती कि सारी कविता लिखना भूल जाते।

चुनाव-टिकट न मिलने से उनका सारा जीवन ही बदल गया था। वैसे असलियत यह है कि जीवन उनका चुनाव-टिकट मिलने से भी बदला था। यह एक लम्बी कथा है पर, हे सखि, तू उसका संक्षिप्त संस्करण ही सुन। मुझे पता है कि तू जल्दी में है; तेरा नया प्रेमी किसी नये कुंज में तेरी प्रतीक्षा में मुर्गा बना बैठा होगा मगर तू शान्ति रख, उसके अण्डे देने की स्थिति से पूर्व ही यह कथा समाप्ति को प्राप्त हो जायेगी।

चुनाव-टिकट मिलने से पहले 'उन्हें', 'दादा' कहकर पुकारा जाता था। वे लुंगी पहिनते थे और कव्वाली गाते थे। वे जेबकतरों' के उस्ताद थे, जुआघरों के मालिक थे, कोठे चलाते थे और देसी शराब को देसी ढंग से (यानि कि ग़ैरक़ानूनी ढंग से) बनाते थे। मगर एक बार एक गुणग्राहक संस्था ने उन्हें चुनाव का टिकट क्या

दिलवा दिया कि वे दादागीरी से समाज सेवा पर उतर आये और इसके बाद जब एक सरकार ने उन्हें मन्त्रिमण्डल में शामिल कर लिया, तब तो वे एकदम नेता की स्थिति को प्राप्त हो गये। अब वे सुन्दर युवतियों को खुले आम बहिन जी कहने लगे, हरिजनों को गले लगाने लगे, ग़रीबों की बस्तियों का दौरा करने लगे और हिन्दोस्तान को अपना 'मुलुक' बोलने लगे। प्रातःकाल प्रार्थना होने लगी, दुपहरी को विधवाश्रमों का सूक्ष्म निरीक्षण होने लगा और सन्ध्या समय संस्थाओं का उद्घाटन किया जाने लगा। जितनी संस्थाएँ उनके कर-कमलों से उद्घाटित हुईं, उतनी किसी और नेता के हाथों द्वारा कभी नहीं हुईं। उन्होंने कभी सूखे का उद्घाटन किया तो कभी दंगों का। उनके क्षेत्र में तो सैलाब भी अगर आता था तो उनसे समय निश्चित करके आता था। ऐसे त्यागी और कार्य तत्पर व्यक्ति को बीच भँवर में छोड़ देना हाई कमान की भूल थी। उनके सामने फ़िलहाल कोई प्रश्न था तो केवल यही था कि ऐसी दर्दनाक स्थिति में वे करें तो क्या। जायें तो जायें कहाँ। क्या फिर अपने उसी दादागीरी के पुश्तैनी पेशे पर वापिस चले जायें या फिर किसी और विपक्षी दल से साँठ गाँठ शुरू करें। हे सखि, यही वह उलझन थी जो उदासी की बदली बनकर इस दुर्दिन में उन पर बरस रही थी। ज़्यादा दुख की बात यह थी कि इस स्थिति में उनको भीगने से बचाने के लिए छाते की जगह सिवा मेरे वहाँ और कोई नहीं था।

उन्होंने मुझे पकड़ा और अन्दर ले गये। कमरा क्या था, अजायबघर था। इसमें उनके नेताकाल के सारे स्मारक संग्रहीत थे। कहीं पाषाण काल दृष्टिगोचर होता था तो कहीं लौहकाल। अगर उन पर कोई पत्थर फेंका गया था तो वह भी सज़ा हुआ मेज़ पर रखा था। पत्थर के नीचे लिखा था कि वह किस ऐतिहासिक तिथि को उनके कटि प्रदेश के निचले भाग की दिशा में फेंका गया था और उतना हादसा होने पर भी पत्थर ही टूट गया था जबकि वे जो थे, वे माइक को सीने से लगाये हुए वहीं मंच पर उतनी ही मात्रा में उसी तरह प्रकट होते रहे थे। पाषाण काल को लौहकाल ने हरा दिया था। दीवारों के सहारे कहीं-कहीं जूते लटके थे, जो भावुक जनता ने उन्हें विभिन्न अवसरों पर सादर भेंट किये थे। भेंट जो थी वह काफ़ी दूर से आकाश मार्ग द्वारा भेजी हुई लगती थी और इसी कारण कुछ जूतों के कुछ अंग नेताजी तक पहुँचते-पहुँचते वीरगति को प्राप्त हो चुके थे। न जाने कितने फूलों के हार थे जो सूखकर उन दिनों की याद ताज़ा कर रहे थे, जब उनका मुँह बोलने और गर्दन माला पहिनने के काम आती थी। दूसरी तरफ़ न जाने कितने चित्र ऐसे लगे थे जो उनके शासन कौशल की झाँकी प्रस्तुत करते थे। एक चित्र था जिसमें एक ग़रीब व्यक्ति बड़े ही कलात्मक ढंग से अपना दम तोड़ रहा था। यह कलाकृति उस काल की थी जब वे खाद्यमन्त्री थे। एक चित्र में एक बस जो थी वह सड़क के नीचे पड़ी थी और उन दिनों की याद दिलाती थी जबकि वे यातायात का विभाग सँभालते थे। बिना इंजन की बसों को परमिट देने की प्रथा प्रदेश में उन्हींने प्रारम्भ

की थी। एक और छायाचित्र था जिसमें एक अदद नौजवान एक अदद छोकरी को छेड़ रहा था। दोनों प्राणी काफ़ी ख़ुश नज़र आते थे। यह घटना उस युग की थी जब वे गृहमन्त्री थे। वे पहले गृहमन्त्री थे जिन्होंने घर और बाहर का अन्तर ख़त्म कर दिया था। उन दिनों हत्या, बलात्कार और लूटमार की वारदातें जितनी सड़कों पर होती थीं उतनी घरों के भीतर होती थीं। ऐसे कुशल प्रशासक को चुनाव-टिकट न देना, हे सखि, किसी हद तक मुझे भी खला।

इसके बाद वे मुझे अपनी पोशाकें दिखाने लगे। एक शेरवानी थी जिसे पहिन कर वे कभी विधान सभा जाते थे। एक जोड़ी धोती-कुर्ता था जिसे पहिन कर वे कभी पदयात्रा करते थे और एक कोपीन था जिसे धारण करके कभी वे स्नान करते थे। धोती पहिन कर वे कभी भी जीप में नहीं बैठते थे क्योंकि एक बार ऐसा हुआ था कि जीप से उतरते समय उनकी धोती कहीं अटक गयी थी। परिणाम यह रहा कि गये थे किसी कन्या पाठशाला का उद्घाटन करने और हो गया अपना उद्घाटन। रेशमी धोती भी ऐसा विश्वासघात करेगी, हे सखि, यह उन्होंने कभी नहीं सोचा था।

इसके बाद वे एक स्टूल पर बैठ गये और रोने लगे। जब वे प्रदेश की सरकार में मन्त्री थे तो सरकारी टेलीफ़ोन इसी स्टूल पर रखा रहता था। भाग्य की करतूत देख कि सरकार ने मन्त्रिपद तो छीना ही, वह टेलीफ़ोन भी छीन लिया। छीनना तो लोग स्टूल को भी चाहते थे पर वे उससे लिपटकर रोने लगे ठीक उसी प्रकार जैसे कि हे सखि, शादी के बाद तेरा पति मुझसे चिपट कर सारी उम्र रोएगा। परिणाम यह रहा कि स्टूल को यहीं छोड़ना पड़ा।

ख़ैर स्थिति यह रही कि कोई घण्टा भर अज विलाप करने के उपरान्त उन्होंने शराब निकाली, पद्मासन ग्रहण किया और मदिरापान प्रारम्भ कर दिया। काफ़ी मदिरा पीने के बाद उन्होंने आँखें बन्द कर लीं और फिर वे हाथ जोड़कर प्रभु की प्रार्थना में मीराबाई का कोई पद गाने लगे। जहाँ तक मेरा प्रश्न था, मुझे एक ग़ज़ल की वे पंक्तियाँ याद आने लगीं जिन्हें मैं कभी उनकी वजारत के वक़्त गुनगुनाया करता था—

लोगो मुझे सलाम करो, मैं वज़ीर हूँ
गर्दन के साथ ख़ुद भी झुको, मैं वज़ीर हूँ;
गर्दन में हार डाल दो मैं झुक सकूँ अगर
नारे भी कुछ बुलन्द करो, मैं वज़ीर हूँ;
लिक्खे हैं शायरों ने कसाइद मेरे लिए
एकाध नज़्म तुम भी कहो, मैं वज़ीर हूँ।

शिक्षा संस्थानों के लिए एक नया क़ानून

प्रस्तावना

पिछले काफ़ी दिनों से देखा जा रहा है कि शिक्षा संस्थानों को लेकर समाचार-पत्रों में काफ़ी समाचार और काफ़ी पत्र छापे जा रहे हैं। कभी किसी राज्य में दी गयी उपाधियाँ वापिस ली जा रही हैं तो कहीं लड़का लोग राजकीय बसों की ही मदद से अश्वमेध यज्ञ करने में संलग्न हैं। एक राज्य तो इतना विकासशील निकला कि वहाँ कॉपियाँ देखे बग़ैर ही छात्रों को पास कर दिया गया। कॉपियाँ बटोरने कोई स्टेशन गया ही नहीं। स्थिति यह रही कि एक ओर तो रेलवे विभाग उन सारी उत्तर-पुस्तिकाओं को बतौर रद्दी के नीलाम करता रहा और दूसरी ओर विद्यार्थी लोग उन कॉपियों की जाँच के बिना ही उत्तीर्ण या अनुत्तीर्ण होते रहे। मेरा नम्र सुझाव है कि समाज की बदलती हुई मान्यताओं को ध्यान में रखते हुए शिक्षा संस्थानों के प्रति हमें अपना दृष्टिकोण अब बदलना होगा। प्रशासन को उचित होगा कि वह वास्तविकता को स्वीकार करे और शिक्षा संस्थानों के इन जीर्ण-शीर्ण मन्दिरों को पुनर्जीवित करने के लिए क़ानून बनाये। सरकार की सुविधा के लिए इस क़ानून की मोटी रूपरेखा नीचे प्रस्तुत की जाती है :

मसौदा

(अ) राज्य इस मुद्दे पर गम्भीरतापूर्वक विचार करेगा कि कपास और जूट मिलों, बिस्कुट और जूतों की फ़ैक्टरियों और सिनेमाघरों के राष्ट्रीयकरण के बाद वह शिक्षा-संस्थानों का राष्ट्रीयकरण करेगा या नहीं। जैसा कि ज़ाहिर है, इन संस्थानों के बीच वैसे भी अब कोई मौलिक अन्तर रह नहीं गया है।

(ब) क़ानून इस बात को स्पष्ट करेगा कि शिक्षा संस्थान उनको दिये गये अनुदान का लेखा विवरण किसी को भी पेश नहीं करेंगे और न उनके आय और व्यय का आडिट ही होगा। शिक्षा संस्थानों के आय और व्यय का आडिट करना, आडिट का अपमान समझा जायेगा।

(स) सरकारी व ग़ैरसरकारी दोनों प्रकार के संस्थान इस बात का पूरा-पूरा

ध्यान रखेंगे कि भाई-भतीजावाद के विकास को पूरा-पूरा अवसर प्रदान किया जाए। इस लक्ष्य को ध्यान में रखते हुए इन शिक्षा संस्थानों में ऐसा कोई भी शिक्षक या पदाधिकारी नियुक्त नहीं किया जायेगा जिसके भाई-भतीजे न हों।

(द) ग़ैरसरकारी शिक्षा संस्थानों में प्रबन्धकों व शिक्षकों के बीच ठीक वही सम्बन्ध होंगे जो कि एक मालिक और कुत्ते के बीच पाये जाते हैं।

(क) प्रत्येक व्यक्ति या संस्था को ऐसा कालिज या स्कूल खोलने का पूरा-पूरा अधिकार होगा, जिनमें न तो शिक्षक हों और न ब्लैक बोर्ड। किसी-किसी स्थिति में तो छात्रों का होना भी ज़रूरी नहीं समझा जायेगा।

(ख) सरकार के शिक्षा विभाग के अधिकारियों को ये निश्चित आदेश दिये जायेंगे कि वे शिक्षकों के मुक़दमों पर शिक्षकों के जीते जी कोई ध्यान नहीं देंगे। निष्पक्ष और न्यायसंगत निर्णय के लिए यह आवश्यक होगा कि ऐसी सारी फ़ाइलें शिक्षक की मृत्यु के बाद ही निबटायी जाएँ।

(ग) शिक्षकों की नियुक्ति के समय, उनकी योग्यता, जाति पहुँच और स्वास्थ्य पर विशेष ध्यान दिया जायेगा। ज़रूरत इस बात की है कि और चीज़ों के साथ-साथ शिक्षक एक ऐसा व्यक्ति हो जो जीवन की शेष सारी दिशाओं में असफल हो चुका हो और जिसकी सेहत भी औसत आदमी की सेहत से कमज़ोर हो। ऐसे शिक्षक मात्र स्थायी ही नहीं साबित होंगे बल्कि साथ ही साथ स्थिति यह होगी कि ऐसे दुर्बल शिक्षक को पीटने से छात्र भी घबराएँगे। शिक्षा संस्थानों में शान्ति स्थापना की दिशा में यह एक महत्त्वपूर्ण और क्रान्तिकारी क़दम होगा।

(घ) ग़ैरसरकारी संस्थाओं के शिक्षक अपना शेष समय कार्यकारिणी के सदस्यों और प्रबन्धकों की जी-हुज़ूरी में गुज़ारेंगे। वे लड़की की शादी में नौकर की तरह काम करेंगे और वक़्त ज़रूरत सेहरा भी पढ़ेंगे।

(च) छात्रों की जो परीक्षाएँ होंगी, वे पुस्तकों के साथ होंगी। ऐसा करना नक़ल करना नहीं माना जायेगा क्योंकि अन्ततोगत्वा संसार में मौलिक तो कुछ भी नहीं है। गोस्वामी तुलसीदास तक ने आर्यासप्तशती से काफ़ी सामग्री आयात की है। इसके अतिरिक्त जहाँ तक कार्यकारिणी के सदस्यों के बच्चों का प्रश्न है, उन्हें तो बिना परीक्षा के भी उत्तीर्ण स्वीकार किया जायेगा और सरकार को इस पर कोई आपत्ति नहीं होगी।

(छ) छात्रों की उपस्थिति को रोज़ नहीं चेक किया जायेगा। छात्रों को जेल के क़ैदियों की भाँति रोज़-रोज़ गिनना छात्रों का अपमान करना है। जब तक छात्रों की फ़ीस स्कूल में पहुँचती रहेगी, तब तक उन्हें उपस्थित ही स्वीकार किया जायेगा।

(ज) क़ानून इस सत्य को स्पष्ट करेगा कि दरिद्र और असहाय छात्रों की कोई सहायता नहीं की जायेगी। जिसे भगवान ने ही भाग्यहीन बनाया है, उसकी सहायता करने का हमें क्या अधिकार है?

(झ) छात्र और छात्राओं को इस बात का पूरा-पूरा अधिकार होगा कि वे भावी जीवन के लिए अपने को पूरी तरह तैयार कर सकें। सफल और सुखी विवाहित

जीवन के लिए छात्र और छात्राएँ एक-दूसरे से पूरी तरह खुल कर मिलजुल सकेंगे और उनके इस अभियान में शिक्षक लोग भी यदि भाग लेना चाहें तो प्रशासन को उस पर कोई आपत्ति नहीं होगी। इस प्रकार के सांस्कृतिक कार्यक्रमों में यदि किसी युवक या युवती का शील-भंग भी हो जाए तो उसे शिव के धनुषभंग की भाँति एक पवित्र क्रिया ही स्वीकार किया जायेगा।

(प) छात्रों को अधिकार होगा कि वे किसी भी क़द का चाकू जेब में रखें, बिना टिकट यात्रा करें और राजनीति में निःसकोच होकर भाग लें। भविष्य के राष्ट्रनायकों का निर्माण रोका नहीं जा सकता। इस सन्दर्भ में यदि किसी क़िस्म की कोई वारदात भी हो जाए तो उसे रचनात्मक कार्यक्रम के ही रूप में स्वीकार किया जायेगा और उस पर कोई आपत्ति नहीं उठायी जायेगी।

(फ) छात्रों, छात्राओं और अध्यापकों को यह पूरा अधिकार होगा कि वे मादक द्रव्यों का खुलेआम प्रयोग कर सकें। ज़्यादा उचित तो यह रहेगा कि ऐसे पदार्थों की बिक्री की ज़िम्मेदारी शिक्षा संस्थान अपने ऊपर ही ले लें ताकि सारे सदस्यों को विशुद्ध माल हर समय प्राप्त हो।

(ब) शिक्षा संस्थानों के गृहयुद्ध में पुलिस हस्तक्षेप नहीं करेगा। शिक्षा संस्थानों की चहारदीवारी के भीतर सम्पन्न की गयी हत्या को बिना किसी सुबूत के हर हालत में स्वाभाविक मृत्यु ही स्वीकार किया जायेगा।

(भ) अन्त में चलकर क़ानून इस बात को भी स्पष्ट करेगा कि देश की विभिन्न राजनीतिक पार्टियाँ शिक्षा संस्थानों की स्थिति से पूरा-पूरा लाभ उठाने को स्वतन्त्र होंगी। क़ानून इस बात को भी मद्दे नज़र रखेगा कि जिस किसी शिक्षा संस्थान में पाँच वर्ष की अवधि तक कोई दंगा, फ़िसाद, बलात्कार या हत्या नहीं होगी, उसे बिना किसी कारण बताये बन्द कर दिया जायेगा। जो संस्था या व्यक्ति युग के साथ नहीं बदलता उसे जीवित रहने का क्या हक़ है?

उपसंहार

ऊपर जो कुछ भी कहा चुका है वह तो सिर्फ़ संकेत मात्र है। ये तो वे मोटी-मोटी बातें हैं जो सरे राह चलते-चलते ख़ाकसार के दिमाग़ में आ गयीं इस काम को जब सयाने लोग सम्पन्न करेंगे तो वह एक आला चीज़ होगी। हाँ अलबत्ता, अपने देशवासियों से यह प्रार्थना मैं ज़रूर करूँगा कि ऐसा क़ानून जितनी भी जल्दी बनाया जा सके, उतना ही श्रेयस्कर रहेगा। छात्र लोग बड़ी तीव्र गति से आगे बढ़ रहे हैं। पहले वे सिर्फ़ रजिस्टर ही जलाया करते थे पर अब वे रजिस्ट्रार को भी जलाना चाहते हैं। ऐसी तीव्र प्रगति के क्षणों में अगर वक़्त पर कुछ नहीं किया गया तो लड़का लोग आगे निकल जायेंगे और क़ानून पीछे छूट जायेगा। ऐसा होने देना, देश के साथ विश्वासघात करना होगा।

अब्दुल्ला दीवाना

मेरी एक पुरानी अलबम में एक पुराना चित्र है। यह चित्र उस समय का है जब मैं प्रयाग विश्वविद्यालय का छात्र था और जबकि परिमल का एक विशेष उत्सव हुआ था। चित्र में सुमित्रानन्दन पन्त, ओंकार शरत्, सर्वेश्वर दयाल सक्सेना, रमानाथ अवस्थी, इलाचन्द्र जोशी, अज्ञेय, डॉ. हरदेव बाहरी, सुरेन्द्र चतुर्वेदी, ओंकारनाथ श्रीवास्तव, गिरिधर गोपाल, केशवचन्द्र वर्मा, डॉ. रघुवंश, लक्ष्मीकान्त वर्मा, दुष्यन्त कुमार, डॉ. धर्मवीर भारती, अजितकुमार, गंगाप्रसाद पाण्डेय, जगदीश गुप्त, रामावतार चेतन और ख़ाकसार उर्फ़ रवीन्द्रनाथ त्यागी—सभी शामिल हैं। बड़ा ऐतिहासिक चित्र है। सौ वर्ष बाद कम-से-कम एक लाख में बिकेगा। फ़िलहाल मेरे लिए तो करोड़ों का है क्योंकि इतने सारे दोस्त और सहधर्मी कभी एक साथ बिना हाथापाई किये इतनी देर नहीं बैठे। एक बार जब यह फ़ोटो खो गया तो मैं फिर प्रयाग गया। वड़ी कोशिशों के बाद फ़ोटोग्राफ़र की दुकान मिली मगर फ़ोटोग्राफ़र जो था वह फिर भी नहीं मिला। वह शायद मर गया था। एक बुज़ुर्गवार ने मुझे ढाढस बँधाते हुए बताया कि फ़ोटोग्राफ़र प्रायः मरते पाये जाते हैं। उनका यह शौक़ होता है। मैं चुप हो गया। इसके बाद दोस्तों की याद बराबर रखने के लिए मैंने यह चित्र एक दोस्त की एलबम में से चोरी कर लिया। निगाह तो उनकी पत्नी पर थी पर हाथ लगा यह फ़ोटो। यही वे कारण हैं जो करोड़ों रुपयों के बदले में भी मुझे इस चित्र को नहीं बेचने देते। वैसे असलियत यह है कि कोई ख़रीदने वाला मिला भी नहीं। मिलता तो शायद पाँच सौ रुपये में ही सौदा तय हो जाता। वैसे पचास रुपये भी कम नहीं होते।

डॉ. लक्ष्मी नारायण लाल की खुशक़िस्मती देखिए कि इस फ़ोटो में वे भी शामिल हैं। लाल साहिब को पहिली बार परिमल में ही देखा था, उनकी लाली बाद में ही देखने को मिली। बाद में चलकर न जाने कितने लाल देखे— डॉक्टर लाल, बीमार लाल, प्रयाग के एक बड़े कालिज में साइकिल पर पढ़ाने को भागते लाल, गोष्ठियों में सबको चौंकाते हुए लाल, प्रयाग छोड़कर दिल्ली में मेरे मुहल्ले में बसते लाल और फिर अचानक दिल्ली विश्वविद्यालय छोड़कर फ्री लैंसिंग करने वाले डॉक्टर लाल।

सरजू तट के पपीहे से 'अब्दुल्ला दीवाना' होने तक के अनन्त रूप। मुझे यह ख़ुशी है कि जैसे ही वे मेरे मुहल्ले में आये, मेरा दिल्ली से तबादला हो गया। वे प्रयाग से दिल्ली गये, मैं दिल्ली से प्रयाग। उनके चले आने से प्रयाग की साहित्यिकता को जो क्षति पहुँची थी, वह मुझे पूरी करनी पड़ी। परोपकाराय सतां विभूतयः।

लक्ष्मीनारायण लाल ने उपन्यास भी लिखे, कहानियाँ भी लिखीं, नाटक भी लिखे और पारसी थियेटर तथा जयप्रकाश नारायण पर भी लिखा। यानी बहुमुखी प्रतिभा के मामले में वे जयशंकर प्रसाद के समकक्ष उतरते हैं। अपने हावभाव, पात्रों के संवाद और रहने-सहने के स्टाइल में वे आगा हश्र काश्मीरी के हम वतन हैं। कड़ुए तेल की मालिश, दातुन और बोल-चाल के सन्दर्भ में वे 'अहा ग्राम्य जीवन भी क्या है' लिखने वाले मैथिलीशरण गुप्त की भाँति प्रकट हैं और 'ग्राम्य' होना, सुन्दर चीज़ों से प्रेम करना और फिर उनके लिए तड़पना– इन सब मामलों में वे मेरे साथ बैठने के हक़दार हैं। अश्लील बातों को जितने भोलेपन से वे कह जाते हैं उतना शायद आपके लिए सम्भव नहीं। क्या सादगी है– ठीक वही जिसे देखकर कभी किसी शायर की मरने की इच्छा हुई थी। जहाँ तक दातुन का प्रश्न है, मेरे ख़याल से वे पहले व्यक्ति हैं जिन्हें मैंने गुलाब की दातुन करते देखा है। ठीक वही निराला का–'अबे सुन बे गुलाब' वाल अन्दाज़।

गुजराती के प्रख्यात साहित्यकार चन्द्रवदन मेहता के अनुसार साहित्य में भी वर्ण व्यवस्था है। कवि ब्राह्मण है। उपन्यासकार क्षत्रिय है और नाटककार शूद्र है। मैं कवि होने के नाते इस वर्ण-व्यवस्था के ख़िलाफ़ नहीं हूँ। मगर डॉक्टर लाल ने हमारे रंगमंच को जो रूप देने की कोशिश की है, यदि वह शूद्रता है तो कम-से-कम मैं तो हरिजन ही होना चाहूँगा। वैसे भी आजकल जो सुविधाएँ हरिजनों को प्राप्त हैं, वे ब्राह्मणों को कहाँ? उनके सारे नाटक ऊँचे दर्जे के होते हैं और मुझे इस बात के कहने का हक़ इस कारण है कि उनमें से अधिकांश को मैंने कभी नहीं पढ़ा। हाँ अलबत्ता जब उन्होंने पण्डित रंगीलाल द्वारा रचित अत्यन्त रोचक और प्राचीन असली क़िस्सा तोता-मैना को लेकर "औरत मर्द की बेवफ़ाई की दिलचस्प दास्तानों" को नाटक के रूप में वर्तमान सन्दर्भों को लेकर प्रस्तुत किया तो मैं मन्त्रमुग्ध रह गया। ऐसा लगा कि मदनसेन, चन्द्रप्रभा, अंगध्वज और चम्पकलता अभी भी जीवित हैं और अपना पुश्तैनी धन्धा अभी भी उसी ज़िम्मेदारी से सँभाल रहे हैं। नाटक देखते-देखते लक्ष्मीनारायण लाल की ओर जो निगाह उठायी तो सहसा इस परम तत्त्व का भी अहसास हुआ कि 'असली क़िस्सा तोता-मैना' के प्रणेता पण्डित रंगीलाल भी अभी ज़िन्दा हैं। इस नाटक को देखते-देखते मेरे मन्त्रमुग्ध हो जाने का एक कारण यह भी था कि नाटक में भाग लेने वाली अभिनेत्रियों में से एक लड़की वाक़ई बहुत सुन्दर थी। औरतों की बेवफ़ाई की दास्तान देखते हुए भी मुझे वह बेहद अच्छी लगी। क़िस्सा तोता-मैना की भाँति एकदम असली सौन्दर्य।

पर्ल बक कहती थी कि जो कुछ लिखा जाता है वह बस अनायास ही लिखा जाता है। अर्नेस्ट हेमिंग्वे कहते थे लेखक एक कूप है जो धीरे-धीरे सूखता जाता है। सामरसेट माम के अनुसार लेखक को सनकी होना ज़रूरी है। टेनेलीज विलियम्स अपने अधूरेपन को दूर करने के लिए लिखता था और हेनरी मिलर का कहना था कि दुःख की स्थितियाँ ही किसी को लेखक होने के लिए विवश करती हैं। मैं देखता हूँ कि मेरे मित्र लक्ष्मीनारायण लाल इन सब महान लेखकों की वाणियों को सच्चा साबित करते हैं। नहीं तो कौन होता है ऐसा पागल जो पूरे परिवार की ज़िम्मेदारी अपने कन्धों पर सँभाले हुए एकदम नौकरी छोड़ दे और आस्कर वाइल्ड के शब्दों में आवारगी को जीवन का चरम विकास मान बैठे? और फिर परिवार भी ऐसा जिसका एक सदस्य मानसिक रूप से काफ़ी हद तक अपंग है और जिस 'पंगु' को डॉक्टर लाल मात्र अपने वात्सल्य और स्नेह से 'गिरि' लँघवाना चाहते हैं? मगर बात सिद्धान्त की है। या तो नौकरी कर लो या इज़्ज़त के साथ जी लो। लाल साहिब ने इज़्ज़त को तरजीह दी। पण्डितराज जगन्नाथ की सूचना के अनुसार कुछ हंस हैं जो गंगा के पवित्र जल तक को नहीं पीते यदि वह गन्दा होता है। गंगा नीरमपि त्यजन्ति मलिनम्, ते राजहंसाः वयम्।

लक्ष्मीनारायण लाल नाटक लिखते हैं, खेलते हैं, खिलाते हैं, देखते हैं और कभी-कभी नाटक पढ़ते भी हैं। ज़ाहिर है कि उनका व्यक्तित्व सचमुच में नाटकीयता से भरा है। वे कभी सूत्रधार का अन्दाज़ अख़्तियार करेंगे तो कभी मध्यान्तर का। कभी-कभी अच्छी-ख़ासी गुफ़्तगू के बीचो-बीच वे पटाक्षेप कर देंगे और चुप हो जायेंगे। कोई हसीन चेहरा दीख गया तो भरतवाक्य की याद आ गयी वरना छुट्टी। उनके 'मन वृन्दावन' की राधा उनसे वह रास-लीला करवाती है, जिसकी शोभा और छवि विद्यापति के अनुसार शब्दातीत रही। नाटक के विभिन्न दृश्यों की भाँति उनके व्यक्तित्व के भी अनेक धरातल हैं, अँधेरे बन्द कमरे हैं, चक्रव्यूह हैं पर कुल मिलाकर नाटक एक ही रहता है और लक्ष्मीनारायण लाल नाम के इस नाटक को तीन घण्टे आप ज़रूर देख सकते हैं। हो सकता है, दूसरे दिन भी देखना चाहें।

यह लेख मैंने अपने पूरे होशो हवास में डॉ. लाल की पचासवीं वर्षगाँठ पर लिखा है और इस खुली शर्त पर लिखा है कि जब मैं पचास वर्ष का हो जाऊँगा तो वे भी मुझ पर एक नाटक लिखेंगे। मैंने उनके सन्दर्भ में जयशंकर प्रसाद की चर्चा की है और मुझे विश्वास है कि मेरे ऊपर लिखते हुए वे कम-से-कम भारतेन्दु हरिश्चन्द्र का हवाला ज़रूर देंगे। कितना अच्छा हो कि बाक़ी नाटककारों की आयु भी लाल साहिब को लग जाए ताकि वे हमारे रंगमंच का रंग बदल सकें। इस शुभ कामना के व्यक्त करने का प्रमुख कारण यह है कि मैं खुद नाटक नहीं लिखता।

पत्नी-प्रसंग

आज मैं पत्नियों के बारे में कुछ सोच-विचार करूँगा। पत्नियों के बारे में सोचना हमेशा सुखदायक होता आया और जहाँ तक परायी पत्नियों का प्रश्न है, स्थिति यह है कि उनका चिन्तन करना तो सदा से सुख की चरम सीमा होता आया। पत्नियाँ आम तौर पर उन स्त्रियों को कहा जाता है जिनके कि पति होते हैं। विवाह के बाद पत्नी जो है वह पति का आधा भाग हो जाती है। शतपथ ब्राह्मण में लिखा है कि 'अर्द्धो हवा एष आत्मनः यत्पत्नी' जो कि एकदम ग़लत है क्योंकि पत्नी पति का आधा भाग नहीं बनती वल्कि पूरे इलाक़े की मालिक हो जाती है। पति बेचारा तो कहीं बचता ही नहीं। मैंने ऊपर पत्नी की परिभाषा दी थी और अब यह ज़रूरी हो गया है कि ग़रीब पति की परम्परागत परिभाषा भी दे दी जाए। मोटे तौर पर यह कहा भी जा सकता है कि जो ग़लती करके न माने, वह मूर्ख है; जो ग़लती करके मान ले वह इंसान है और जो बिना ग़लती किये ग़लती मान ले वह पति है।

पुराने ज़माने बड़े अच्छे थे। वाल्मीकि रामायण में अनार्य और चरित्रहीन पति की भी सेवा करने का आदेश दिया गया है और जहाँ तक दुष्टा पत्नियों का प्रश्न है, उनके परित्याग की तो खुली अनुमति दी गयी है। ये ही तो वे कारण हैं कि ये महान् ग्रन्थ आज भी हमारी संस्कृति के स्तम्भ माने जाते हैं। अहल्या ने इन्द्र के साथ गुप्त रूप से प्रेम किया था और इस कारण उसे पत्थर होना पड़ा। इस तरह का ख़तरा आजकल की पत्नियों को नहीं है क्योंकि वे तो पहले से ही पत्थर हैं। राजा रामचन्द्र के स्नान के लिए विभीषण ने शृंगार क्रिया में निपुण कमलनयनी युवतियों का मुकम्मिल बन्दोबस्त किया और लगे हाथों नारी को नरक का द्वार भी घोषित किया गया। प्राचीन ग्रन्थ 'लाठी संहिता' (इस नाम की एक पुरानी पोथी है और मैं कोई मज़ाक़ नहीं कर रहा। और हाँ, पोथी के नाम पर ध्यान दीजिए क्योंकि पत्नियों के सन्दर्भ में यह एक विशेष सन्देश देता है) के अनुसार समाज में अनेक पत्नियाँ रखने वाले व्यक्ति की ही प्रतिष्ठा होती थी। और इस सब के बावजूद पति जो था, वह हर हालत में स्त्री का परम आभूषण माना जाता था। भर्ता नाम परं नार्या भूषणं भूषणादपि। इन सब बातों को पढ़कर शरीर के मुख नामक अंग से यह पंक्ति बरबस निकल पड़ती है– वे दिन

भी कितने सुन्दर थे। और फिर बच्चन की दूसरी पंक्ति याद आती है– जो बीत गयी, सो बात गयी। पतियों का वह स्वर्णयुग वाक़ई बीत गया।

इसके बाद हालत बदली और बदलती ही चली गयी। बहुपत्नी के स्थान पर बहुपति की प्रथा आ गयी जिसे कुमारी द्रौपदी ने विशेष प्रतिष्ठा दी। कन्याओं ने अपने पति स्वयं ही चुनने शुरू कर दिये और स्वयम्वर नाम के टेस्ट मैचों की शुरुआत हुई। आल्हा, ऊदल और मलखान वग़ैरह ने रूपसियों की प्राप्ति के लिए बावन युद्ध लड़े। परिणाम यह निकला कि एक ओर तो देश कमज़ोर हुआ और दूसरी ओर लाला मटरूमल अत्तार ने सारी लड़ाइयों का आँखों देखा हाल लिखकर लाखों रुपये पैदा किये। इन सब सूरमाओं में से किसी की पत्नी ने उसे सुख दिया हो, इसका कोई प्रमाण सारे वीरगाथा काल के साहित्य में कहीं नहीं मिलता। रानी सारन्धा ने एक घोड़े को लेकर अपने पति को औरंगज़ेब आलमगीर से भिड़वा दिया था। घोड़ा बड़ी चीज़ है, पति तो आता-जाता रहता है। मैकबेथ की धर्मपत्नी ने अपने पति से अपने ही राजा की हत्या करवा दी थी और वह भी तब जब कि राजा उनका अतिथि था। अतिथि-सत्कार का इससे बेहतरीन नमूना शेक्सपियर भी पेश नहीं कर सके। सुकरात की बीवी यदि इतनी मधुरभाषिणी न होती तो वह ग़रीब चौराहों पर बातचीत न किया करता जिसके कारण उसे तो ज़हर का प्याला पीना पड़ा और ग़म ग़लत करने के लिए उसकी पत्नी को शायद शराब पीनी पड़ी। ज़्यादा तार्किक पत्नी होने के कारण ही सर टामस मूर की देह के हेनरी अष्टम ने दो अध्याय करवाये थे। अद्वैतवाद से द्वैतवाद वाली स्थिति। लिंकन की पत्नी मक्खन की इतनी शौक़ीन थी कि कैबिनेट मीटिंग के बीच मक्खन की प्याली राष्ट्रपति के मुँह पर फेंक कर मारा करती थी। निशाना आम तौर पर ठीक ही बैठता था जैसा कि लिंकन के चित्रों से भी प्रकट होता है। मक्खन की प्यालियाँ जो टूटी होंगी सो अलग।

समय के साथ-साथ वाक़ई सब कुछ बदलता चला गया। हालत यह आ गयी कि घर में यदि पत्नी है, तो अब आप को ख़ुद आत्महत्या करने की ज़रूरत ही नहीं रही। पत्नी का प्रेमी आयेगा जो आपकी आत्महत्या कर देगा। जहाँ तक वक़्त के बदलने का प्रश्न है, एक लोक कवि की वाणी याद आती है जो आपकी खिदमत में अर्ज़ करता हूँ। सतयुग में सत सेइया, द्वापर में कृष्ण कन्हैया, फिर हाथी से पार जवइया, अब तो झूलत है नइया....

मेरे विचार में अब समय आ गया है जब कि 'घड़ियाल बचाओ अभियान' के स्थान पर 'पति बचाओ अभियान' शुरू किया जाना चाहिए। सब कुछ सुधरता जा रहा है मगर पत्नियाँ हैं कि हर मॉडल से ख़राबी ही निकल रहा है। आस्ट्रेलिया में ऐसी कार ईजाद कर ली गयी जो मालिक की आवाज़ पर चलती है मगर अभी तक ऐसी बीवी नहीं बनी जो मियाँ के कहने के मुताबिक चलती हो। शादी चीज़ ही ऐसी है कि अच्छे-अच्छे शोहदे शहीद हो गये। इंग्लैण्ड में नैपोलियन का वह कोट नीलाम हो रहा

है जो उसने वाटरलू के युद्ध में पहिना था। यहाँ पतियों के कोट तो ख़ैर पहले ही उतर चुके सिर्फ़ उनकी पतलून उतरनी बाक़ी है। वैसे भी जहाँ तक वाटरलू की लड़ाई का प्रश्न है, वह तो वे शरीफ़ इंसान उसी वक़्त हार गये थे जब कि फेरे फिरे थे। अब तो बेचारा पति घर में बैठता है, बच्चों को दूध पिलाता है और क़िस्मत को रोता है और क़िस्मत जो है वह जार्जेट की नयी साड़ी पहिन रेलवे इंजनों की ब्यूटी परेड देखने स्टेशन जाती है या उस महान् ब्रिटिश कलाकार को याद करती है जिसने अभी-अभी यह घोषणा की है कि युवतियों के भविष्य के बारे में यदि कोई सटीक भविष्यवाणी की जा सकती है तो वह केवल उनके उरोजों को ही देखकर की जा सकती है। मैंने ऊपर रेलवे इंजनों की सौन्दर्य प्रतियोगिता की चर्चा की थी। इत्तफ़ाक देखिए कि उनमें भी जो इंजन सबसे ज़्यादा ख़ूबसूरत चुना गया, उसकी उम्र कोई पन्द्रह या सोलह साल से कम ही थी। यानि कि जिस उम्र में लड़की की ख़ूबसूरती निखरती है, उसी में रेलवे इंजन भी अपने शवाब पर आया है। दूसरे शब्दों में लड़की में और रेल के इंजन में कोई ख़ास फ़र्क़ नहीं। अब ये अबला नहीं; बला हो गयीं।

मगर ख़ेद की बात यह है कि इस पति नाम के गधे को कोई नहीं बचा सकता। बद्रीनाथ धाम के कपाट दुबारा खुल सकते हैं क्योंकि महन्तजी की चाँदी की छड़ी भीतर रह गयी थी पर पति जो है उसकी स्थिति कोई नहीं सुधार सकता। वैज्ञानिकों ने प्रयोग के बाद बतलाया है कि युवतियों के अधरों में कभी-कभी संक्रामक रोगों के कीटाणु होते हैं और उन्हें चूमना उन रोगों को अलिखित निमन्त्रण देने के बराबर है मगर इससे क्या? गढ़वाल के गाँव में एक बकरा है जो बीस सेर दूध रोज़ देता है और इस कारण श्वेतक्रान्ति का अग्रदूत कहलाने का उतना ही हक़दार है जितना कि रक्तक्रान्ति के सन्दर्भ में स्तालिन पर पति नाम के पशु या पक्षी से आप किसी क्रान्ति की आशा नहीं कर सकते। आदमी पति बना और हाथ से गया। चार्ल्स लैब और ओलिवर गोल्डस्मिथ गधे नहीं थे जो सारी उम्र अविवाहित रहे। डिजराइली और डॉक्टर जानसन ने शादी ज़रूर की मगर उनकी पत्नियाँ उनसे इतनी ज़्यादा उम्र वाली थीं कि शृंगार रस के स्थान पर वात्सल्य रस का ही मज़ा देती थीं। बीवी की बीवी और अम्मा की अम्मा। ऐसे लोगों की बात मैं नहीं करता। आम पति जो होता है वह पिटेगा, फटेहाल रहेगा, गुलामी भुगतेगा, बेकार करेगा मगर बीवी को नहीं छोड़ेगा। औरों की क्या कहूँ, मेरी अपनी हालत कभी-कभी इतनी नाज़ुक हो जाती है कि कही नहीं जा सकती। बात ही कुछ ऐसी है, वरना क्या बात करनी नहीं आती? कवि के शब्दों में सब कुछ होते हुए भी स्थिति वही है जो शायद हज़ार साल पहले मेरे जैसे किसी दूसरे पति के साथ रही होगी:

चाँदनी में जब गधा गाने लगा
मुझको फिर तेरा ख़याल आने लगा?

बीसवीं सदी का जिन्न

प्राचीन काल में यदि किसी व्यक्ति को कोई चीज़ प्राप्त करनी होती थी तो वह उसके लिए तप या यज्ञ करता था और पुण्य कार्यों में रुचि लेता था। राजा रघु ने इन्द्र से धन-प्राप्ति के लिए यज्ञ किया था और शिव जैसे वर की प्राप्ति के लिए राजा दक्ष की कन्या पार्वती ने तपस्या की थी। केवल तपस्या कहीं कम न पड़ जाए, इस डर से सदा के चतुर इन्द्र ने उसकी सहायता के लिए वसन्त और कामदेव को भी साथ ही भेज दिया था। कामदेव अपनी ड्यूटी बजाने में सदा से तत्पर रहते आये। जहाँ शिव समाधि में संलग्न थे और कुमारी पार्वती उनकी सेवा में संलग्न थीं, वहाँ ये हज़रत किसी समाचार-पत्र के विशेष संवाददाता की भाँति आम की एक डाल पर बैठ गये और तीर कमान सँभाल कर निशाना साधने लगे। जैसे ही शिव के नेत्र खुले और उन्होंने पार्वती के रूप को निहारा, उन्हें एहसास हो गया कि आसपास कहीं कामदेव ज़रूर है। उनका तीसरा नेत्र, जो केवल आपत्कालीन स्थिति में ही प्रयोग किया जाता था, सहसा खुला और जब तक देवताओं ने महादेव से क्रोध शान्त करने की अपील जारी की तब तक कामदेव जो थे वे बेचारे भस्म हो गये। भस्मावशेषं मदनं चकार। रति ने अपने पति के वियोग में इतना विलाप किया कि बाक़ी काम छोड़कर कवि कालिदास को एक पूरा सर्ग वैतालीय छन्द में उस विलाप पर ही लिखना पड़ा। जैसा कि ज़ाहिर है, रति जो थी, वह पिछड़े क़िस्म की मुसम्मात थी। अगर आजकल की कोई सम्भ्रान्त सुन्दरी होती तो पति के दिवंगत होते ही विदेश चली जाती और वहाँ किसी अधेड़ करोड़पति से शादी कर डालती।

शुरू-शुरू में जो काम तप और यज्ञ वग़ैरह से होता था, वह बाद में बाहुबल से होने लगा। लड़कियों के लिए स्वयम्वर और राज्यों के लिए युद्ध आयोजित होने लगे। पद्धति में यह मौलिक परिवर्तन क्यों आया– इस मुद्दे को लेकर पण्डितों में मतभेद है। कुछ विद्वानों का मत है कि यज्ञ और तप में बाधा डालने के लिए महाराज इन्द्र सदा मेनका, तिलोत्तमा या उसी तरह की दो-चार गिनी-चुनी अप्सराओं को ही भेजा करते थे जिसके कारण हमारे ऋषि-मुनियों के जीवन में बड़ी एकरसता आ गयी थी। कुछ विशेषज्ञों का मत है कि अप्सरा भेजने में कभी-कभी काफ़ी देरी

होती थी जबकि बाहुबल से स्त्री जल्दी मिल जाती थी। बाहुबल से इच्छित पदार्थ प्राप्त करने की परम्परा हज़ारों वर्ष तक चलती रही और किसी हद तक अभी भी जीवित है। मगर बीसवीं सदी में एक ऐसा जिन्न प्रकट हुआ कि उसने बाक़ी सारी शक्तियों को निर्मूल कर दिया।

जो काम सतयुग में तपोबल से और त्रेता और द्वापर में बाहुबल से होते थे, वे इस युग में सिफ़ारिश से होने लगे। यों थोड़ी-बहुत सिफ़ारिश पहले भी चलती थी। कुमारी शूर्पणखा जो लक्ष्मण जी से 'डेट' लेने गयी थीं, वह रामचन्द्रजी की सिफ़ारिश पर ही गयी थीं हालाँकि इस क्रिया के सम्पन्न होने में उन्हें जो सुख मिला, उसे देखते हुए हम लक्ष्मण जी को एक कुशल प्रेमी नहीं कह सकते। पवनपुत्र हनुमान को राजा रामचन्द्र की सेवा करने का जो अवसर मिला था वह भी सुग्रीवराज की सिफ़ारिश पर ही मिला था। धीरे-धीरे ऐसे प्रसंग वृद्धि को प्राप्त होने लगे। शिव-पार्वती की तो न जाने कितनी कथाएँ इस सन्दर्भ में प्रचलित हैं। ये दोनों पति-पत्नी सेहत का बड़ा ख़याल रखते थे और इसी कारण प्रायः सुबह-सुबह ताज़ी हवा का सेवन करने वन की दिशा में जाया करते थे। पार्वती जी को रोज़ कोई-न-कोई दुखी या दरिद्र मिलता था जिसकी सिफ़ारिश वे शिवजी से किया करती थीं। जितनी देर ये पति-पत्नी दुखियों का दुख दूर करते थे, उतनी देर इनका साँड़ या तो इधर-उधर खेतों में फ़सल खाता था या फिर वह बेचारा भी किसी दुखी गाय का दुख दूर करता था।

शिव-पार्वती के सन्दर्भ में राजा रत्नसेन की कथा का संक्षिप्त वर्णन करना एकदम प्रासंगिक होगा। ये वे हज़रत थे जिन्होंने मलिक मुहम्मद जायसी की सूचना के अनुसार अपनी प्रेमिका को बज़रिये हीरामन तोते के अपने पास बुलवाया था और कुल मिला कर स्थिति यह रही कि जब इनकी प्रेयसि इनके पास पहुँची तो ये हज़रत मूर्च्छित हो गये। रानी पद्मावती ठहरी एक व्यस्त महिला, उसे किसी और प्रेमी का उद्‌घाटन करना था। जब राजा रत्नसेन के निकट भविष्य में होश में आने के कोई लक्षण नहीं दिखाई दिये तो उसने राजा की छाती पर चन्दन से लिखा कि जब मिलन की वेला आयी तो आप मूर्च्छित हो गये। अब मैं जाती हूँ क्योंकि जहाँ तक मेरा ख़याल है, भेंट जो होती है वह जाग्रत अवस्था में होती है न कि मूर्च्छा की स्थिति में। शिलालेख को अंकित करने के बाद वे चली गयीं। पद्मावती काफ़ी होनहार क़िस्म की रूपसि थी; वह जब कभी भी किसी प्रेमी से मिलने जाती थी तो 'थोड़ा-सा चन्दन अपने पास ज़रूर रखती थी। मूर्च्छा टूटने पर राजा रत्नसेन ने प्राण देने चाहे पर पार्वती जी की सिफ़ारिश पर शिव ने उसे सिंहलगढ़ में प्रवेश करने का द्वार बतलाया। पुराने ज़माने में और तो और, कवि लोग तक सिफ़ारिश किया करते थे। जहाँगीर ने अबुलफ़ज़ल की जो हत्या की थी, उसमें उसकी सहायता करने के कारण सम्राट अकबर ने राजा इन्द्रजीत पर सिर्फ़ एक करोड़ रुपये का ज़ुर्माना किया था। इस ज़ुर्माने को माफ़ कराने के सिलसिले में कवि केशवदास आगरा गये थे और

राजा टोडरमल से मिले थे। टोडरमल की तगड़ी सिफ़ारिश पर बादशाह ने ज़ुर्माना जो था वह माफ़ कर दिया था। इसी प्रकार कविवर बिहारीलाल का मुग़ल सम्राटों से जो परिचय हुआ था वह महात्मा नरहरि दास की सिफ़ारिश पर हुआ था। इन सब उदाहरणों के बावजूद सिफ़ारिश का दर्जा उन दिनों विशेष ऊँचा नहीं था और अधिकतर लोग दूसरे का राज्य या उसकी पत्नी अपने प्रयत्नों से ही प्राप्त किया करते थे। यक़ीन न हो तो आप लाला मटरूमल द्वारा रचित आल्हे की बावन लड़ाइयाँ पढ़ें।

इन दिनों तो स्थिति यह है कि सिफ़ारिश जो है वह बच्चे के जन्म या उसके माँ-बाप की शादी के समय से शुरू हो जाती है और उसके उपरान्त अन्त समय तक सारा कार्यकलाप उसी के आधार पर होता है। कभी-कभी तो मरने के बाद श्मशान में जगह मिलने के लिए भी सिफ़ारिश का सहारा लेना पड़ता है। हालत यह है कि बिना सिफ़ारिश के आगे बढ़ने की बात तो दूर रही, आप शायद वहाँ भी खड़े नहीं रह सकते जहाँ कि अब तक खड़े थे। कुछ होनहार लोगों ने क्या कला और क्या विज्ञान—दोनों दृष्टि से इसका ऐसा विकास किया है कि अपने दाँतों तले उनकी उँगली दबाने की तबीयत होती है कि इन दिनों सिफ़ारिश की सुविधा क्षेत्रीय आधार पर उपलब्ध है और आवश्यकता के अनुरूप भी। कुछ सिफ़ारिशकार तो जयशंकर प्रसाद की भाँति इतनी बहुमुखी प्रतिभा वाले है कि डिपार्टमेण्टल स्टोर का काम करते हैं और कहीं-कहीं तो चौबीस घण्टे की सर्विस चलती है। इस सन्दर्भ में मैं स्वयं एक ऐसे व्यक्ति को जानता हूँ जिनके पास से कभी कोई निराश होकर नहीं लौटा। हमारे परिचितों में से एक हकीम साहब को इन्होंने चौथी पत्नी रातों-रात दिलवा दी और एक और सज्जन जो अपनी पत्नी से निजात पाना चाहते थे, उन्हें रुपया दिलवा दिया। एक और हज़रत को किसी क़ानूनी केस में फँसवाना था और वह शुभ कार्य भी इसी सन्दर्भ में पूरा कर दिया गया। वह मुसम्मात कुछ दिनों तो हकीम साहब के यहाँ रही पर उसके बाद इन्हीं के हरम में भरती हो गयी। इनकी प्रतिभा देखिए कि एक पत्थर से तीन चिड़ियों का शिकार किया और पत्थर जो था, उसे उठाकर फिर जेव में रख लिया।

एक और सज्जन थे— सिफ़ारिश और मदद करने के क्षेत्र में सच्चे कलाकार। सिफ़ारिश और चन्दा— इन दो सार्वजनिक सेवाओं के प्रति पूर्ण समर्पित जीवन। चन्दे की राशि हमेशा विधवा स्त्रियों और अनाथ बच्चों के हित में लगायी जाती थी। यह दीगर बात है कि गोगिया पाशा की भाँति विधवा का अर्थ इनका अपनी पत्नी से होता था और अनाथ का अभिप्राय इनके अपने बच्चों से। सिफ़ारिश के लिए मेज़ पर हमेशा दो टेलीफ़ोन रखते थे। किसी का काम हो, कोई वक़्त हो, ये हमेशा मुख्यमन्त्री से बात किया करते थे। सिर्फ़ चन्द लोगों को पता था कि सिफ़ारिशी टेलीफ़ोन का कनेक्शन सिर्फ़ बाथरूम तक था। इसी प्रकार एक और पहुँचे हुए कलाकार से भी मेरा साबका पड़ा। ये हज़रत उन लोगों में से थे जो सिफ़ारिश तो करते ही थे मगर

साथ में खुद आपके घर आकर पूछते थे कि ज़रूरत हो तो अपने गण छोड़ें। दूसरे शब्दों में एकदम होम डिलेवरी सर्विस। एक बार आये तो कहने लगे कि बन्धु, तुम अपनी किताबें विदेश में क्यों नहीं छपवाते? अगर ऐसा करो तो एक साल में अमीर हो जाओगे। एक मोटर आगे होगी और एक पीछे। मैंने अर्ज़ किया कि उन मोटर के आगे पीछे होने से कुछ नहीं होता, मज़ा तब आता है जब कि मोटर आपके पास हो। रही प्रकाशन की बात तो स्थिति यह है हम अपने देसी प्रकाशकों से ही खुश हैं। हाथापाई, गाली-गलौज और मुक़दमोबाज़ी की जो सुविधा देसी प्रकाशक देते हैं, वह सुविधा विदेश के शालीन सम्भ्रान्त और ईमानदार प्रकाशक कैसे दे सकते हैं? मेरी इस वाणी को सुनकर ये बन्धु कहने लगे कि अच्छा यदि ऐसा ही है तो एक शादी और कर लो। वह लेखक भी कोई लेखक है जिसके पास मात्र एक पत्नी ही हो? पत्नी तो मकान की तरह है, आज यहाँ रहते हैं, कल वहाँ। रह गये बच्चे सो वे फ़र्नीचर की भाँति हैं। मकान के साथ फ़र्नीचर भी बदलता जाता है, हाँ अलबत्ता कोई पीस ज़्यादा पसन्द हो तो साथ लेते जाना। मैंने चमककर कहा कि मित्र तुम तो सच्चे शुभचिन्तक निकले मगर स्थिति यह है कि ऐसा करने से पुरानी पत्नी को बड़ा कष्ट होगा। इन्होंने तुरन्त एक सिद्ध विचारक की भाँति उत्तर दिया कि तुम तो यार एकदम दक़ियानूसी निकले। पहले तो यही क्या पता कि उसे दुःख होगा? क्या मालूम कि वह असहाय स्त्री इस क्षण की प्रतीक्षा ही कर रही हो। स्त्री के चरित्र और पुरुष के भाग्य का किसे पता? दूसरी बात यह है कि इस असार संसार में दुख किसे नहीं है? अफ्रीका और एशिया के करोड़ों लोग नंगे और भूखे घूमते हैं, क्या वे दुखी नहीं हैं? जो दुखी हैं वे भाग्यवान हैं। उनके लिए स्वर्ग का सिंहासन सुरक्षित है। तीसरी बात यह है कि जिस कन्यारत्न की बात मैं तुमसे कह रहा हूँ वह भी तो तुम्हारे वियोग में रात-दिन जली जा रही है। उसका दुख क्या कुछ कम है? वह बेचारी तो रेत पर पड़ी मछली की भाँति एकदम समर्पिता है। तीन लेखकों से शादी कर चुकी है, चार-पाँच लेखकों के साथ बिना शादी किये रह चुकी है, मगर उसकी आत्मा है कि फिर भी शान्त नहीं होती। आत्मा क्या है, छोटी लाइन का इंजन है जो हमेशा जलता रहता है। ज़रा सोचो, आख़िरकार वह भी तो एक इंसान है, उसे क्या इस तरह निराश करोगे?

उनकी वाणी सुनकर मुझे वाक़ई हार्दिक दुख हुआ। हिन्दी का कौन ऐसा लेखक होगा जो ऐसी कष्ट में पड़ी हुई बालिका का उद्धार करने से मुँह मोड़ ले। यह तो एक ऐसी ज़िम्मेदारी है जिससे कि हम चाहते हुए भी नहीं बच सकते। हमारा कोमल हृदय द्रवित हो गया। अपना पैतृक चरित्र ध्यान में रखते हुए मैंने कहा कि अच्छा ज़रा पत्नी से परामर्श कर लूँ, कल जवाब दूँगा। इतना सुनने पर इस कलाकार ने मुझे बड़ी हिक़ारत के साथ देखा, शायद नपुंसक भी कहा, एक चारमीनार सुलगाई और चला गया।

इस प्रबन्ध में ऊपर जो कुछ भी कहा गया है उस सबके बावजूद इस संसार में ऐसे पुरुषरत्न भी हैं, जो सिफ़ारिश करते हुए सकुचाते हैं। एक ही सज्जन, जिनके अपने सारे काम मात्र सिफ़ारिश के ही आधार पर सम्पन्न हुए हैं, वक़्त पड़ने पर मुझ से काफ़ी ऊँचे आसन से कहने लगे कि सिवाय सिफ़ारिश के बाक़ी सारे काम कर सकता हूँ। सिफ़ारिश अलबत्ता नहीं कर सकता क्योंकि इससे देश का पतन हो जाता है। इसके बाद इन्होंने मुझे दो-चार देशों के नाम भी बताये जिनका पतन इनकी सिफ़ारिश के कारण हुआ था।

चर्चित होने का सुख

चर्चित होने का सुख शायद सबसे बड़ा सुख होता आया। कवि जो थे वे सदा से यशः प्रार्थी रहे। एक लोककथा के अनुसार वीर विक्रमाजीत एक बार घोड़ा फेंकते हुए पता नहीं किस इलाक़े में पहुँच गये और काफ़ी दिनों तक सही रास्ते की खोज में विभिन्न क्षेत्रों में अपने घोड़े को पदयात्रा कराते रहे। मगर उनकी सारी थकान, सारी ग्लानि और सारी उदासी उस क्षण दूर हो जाती थी जब वे यह प्रश्न करते थे कि मैं कहाँ हूँ और यहाँ किस राजा का राज्य है और उत्तर देने वाला स्थानीय बेताल हमेशा यह उत्तर देता था कि यह वीर विक्रमाजीत का राज्य है। राजा तो उज्जैन में प्राप्त होगा मगर उसका राज्य जो है वह सारी दिशाओं में प्राप्त है। इसी प्रकार डॉक्टर जानसन भी एक बार एक सराय में दो कोचवानों के मुखद्वय से अपनी चर्चा सुनकर आह्लादित हुए थे। और यही हादसा कभी-कभी बाबर के साथ भी होता था। बाबर की यह बहुत ख़राब आदत थी कि वह अपने केन्द्रीय जाँच ब्यूरो पर पूरा विश्वास नहीं रखता था; वह प्रायः अपना वेश बदलकर रात को सरायों में जाया करता था और वहाँ अपने राज्य की और अपनी चर्चा सुना करता था। आगरे में एक बार ऐसा हुआ कि ठीक ऐसी ही स्थिति में शाही फीलख़ाने का एक हाथी बिगड़ गया और कुछ वैसी ही हरकतें करने लगा जैसी कि कुछ व्यक्ति चुनाव हारने के बाद अब करते हैं। तोड़फोड़ के उस माहौल में जब वह हाथी सराय की दिशा में आया तो बाबर को देखते ही उसने सलाम की और सिर झुकाकर एक बाज़ू में खड़ा हो गया। उनके साथ बैठे जो हज़रत गप्पें मार रहे थे, उन्होंने बादशाह सलामत को अपना आदाब अर्ज़ किया और माफ़ी माँगी। मेरा ख़याल है कि उसके बाद सराय की भटियारिन ने भी बादशाह से कबाब के पैसे नहीं माँगे होंगे।

चर्चित होने के महान् सुख को ध्यान में रखते हुए यदि किसी ऐसे व्यक्ति या वस्तु की चर्चा न हो जिसकी कि चर्चा होनी चाहिए तो उस स्थिति में संवेदनशील व्यक्ति का दुखी होना स्वाभाविक है। यह दुख काफ़ी गहरा होता है और उस दुख से कहीं ज़्यादा होता है जो मुझे उस वक़्त होता है जबकि एक रूपवती लेखिका मुझसे बातें न कर अज्ञेय से बातें करती है। वात्स्यायन जी हैं कि उसकी बातों को सुनते

जाते हैं और ख़ाकसार है कि खड़ा हुआ या बैठा हुआ मशाल की भाँति जलता रहता है। ठीक इसी प्रकार के दुख से मैं इस कारण सदा से जलता आया कि बहुमुखी प्रतिभा वाले मेरे ज़िले की चर्चा क्यों नहीं होती। वह ज़िला जिसमें कण्व ऋषि का आश्रम था, जहाँ विदुर निवास करते थे जिनसे भेंट करने भगवान कृष्ण स्वयं आये थे, जहाँ सुल्ताना डाकू और नज़ीब खाँ जैसी हस्तियाँ प्रकट हुईं और जहाँ पण्डित पद्मसिंह शर्मा और दुष्यन्त कुमार ने जन्म लिया, उस ज़िला बिजनौर की यदि चर्चा न हो तो वहाँ के निवासियों को कैसा लगेगा? जिस ज़िले ने उत्तर प्रदेश सरकार को मन्त्री, केन्द्रीय सरकार को वज़ीर और पंजाब सरकार को गवर्नर दिया हो, यदि उसकी भी उपेक्षा की जाए तो क्या आपको सचमुच कोई ग्लानि नहीं होगी?

यह एक विचित्र संयोग रहा कि ऊपर बताये गये तीनों सरकारी पद एक ही व्यक्ति को दिये गये थे और वे थे हाफ़िज मुहम्मद इब्राहीम। कमाल के ईमानदार, शालीन और नम्र। नम्रता तो इतनी मात्रा में थी कि कभी-कभी परेशानी का सबब बन जाती थी। मना तो कभी किसी को किया ही नहीं। एक दिन उनके व्यक्तिगत सचिव ने देखा कि कल उन्हें एक एम्पोरियम का उद्घाटन करने जाना है। पूछताछ पर पता चला कि वह एक ऐसे दर्ज़ी की किसी गली में निहायत छोटी-सी एक दुकान थी जो कि सिलाई की एक अदद मशीन शायद कहीं से चोरी करके लाया था। व्यक्तिगत सचिव ने सिर पर हाथ रखा, हाफ़िज जी को रोका और स्वयं जाकर दुकान का उद्घाटन किया। दुकान जो थी वह शायद उसी हफ़्ते बन्द हो गयी। हाफ़िज जी नगीने के थे, ठीक वही नगीना जहाँ डाकगाड़ी से उतर कर अकबर इलाहाबादी ने पानी पीने की कभी कोशिश की थी और फिर भी प्यासा ही रहना पड़ा था। कवि के प्यासे कण्ठ से जो पुकार निकली थी वह इस प्रकार थी— यह पहला नगीना है कि जिस पर आब नहीं।

बिजनौर एक ऐसा ज़िला है जहाँ सब कुछ है। वहाँ भूगोल है, इतिहास है, आदमी और औरतें हैं, पशुपक्षी हैं, जलवायु है, लोकगीत हैं और तराई की प्राकृतिक सुषमा है। वहाँ ताजपुर का शानदार गिर्जाघर है, नजीबखान का क़िला है और फ़ैज़ी मकबरा है। पुराने ज़माने में यहाँ कितनी ही छोटी-मोटी रियासतें थीं जो अब ख़त्म हो गयीं। ख़ैर स्थिति यह है कि रियासतें चली गयीं मगर रईस बाक़ी हैं, बग्घियाँ बिक गयीं मगर साईस अभी तक ज़िन्दा हैं। हालत खस्ता है। रईस हैं मगर रण्डियाँ नहीं, खिजाब है मगर बाल नहीं, नदियाँ हैं जिनमें पानी नहीं और जिन नदियों में पानी है उन पर पुल नहीं। पुराने गजेटियर के अनुसार बिजनौर की बालू से कभी स्वर्णकण निकला करते थे पर ज़माने के साथ-साथ हालत बदलती गयी। अब वे स्वर्णकण तो क्या, पुराना गजेटियर तक नहीं मिलता। कुछ वर्ष पहले तक यह ज़िला उत्तर प्रदेश का सबसे छोटा ज़िला माना जाता था मगर जैसे-जैसे उरई और जालौन जैसे नये ज़िले बनते गये, बिजनौर से यह सम्मान भी छिनता गया। समय की गति

शायद सदा के लिए रुक गयी। वैसे भी विजनौर शायद सारे संसार में एक ऐसा अकेला नगर है जहाँ घण्टाघर तो है मगर उसमें घड़ी कभी नहीं लगायी गयी। ख़ैर।

कल सुबह अख़बार जो खोला तो ऐसा लगा कि मेरी उदासी की झील में किसी ने सहसा एक अदद पत्थर फेंक दिया। तबीयत बगीचा-बगीचा हो गयी। अख़बार के सबसे पहले पन्ने पर ही बिजनौर का ज़िक्र था और वह भी काफ़ी स्वस्थ अक्षरों में किया गया था। ख़बर थी कि मेरे छोटे ज़िले में एक छोटी-सी सड़क बनाने के सन्दर्भ में कुछ लोगों ने एक लाख से ऊपर कोई छोटी-सी राशि ग़बन कर ली। ख़बर का पढ़ना था कि गर्व से मस्तक ऊँचा हो गया। इत्तफ़ाक देखिए कि ठीक ऐसी ही घटना आज सुबह फिर हो गयी। आज अख़बार में मेरे ज़िले की चर्चा फिर की गयी थी हालाँकि सन्दर्भ दूसरा था। आज जो चर्चा थी वह इस मुद्दे को लेकर थी कि कण्व ऋषि का आश्रम जो था वह बिजनौर में न होकर गढ़वाल में था। मैंने ख़बर तो पढ़ ली मगर बात गले नहीं उतरी। कुछ ऐसा महसूस हुआ कि गढ़वाल के निवासी शकुन्तला को तो ले नहीं जा सके और अब और कुछ नहीं बचा तो कण्व ऋषि के आश्रम पर ही क़ब्ज़ा करना चाहते हैं। शिकार खेलने का जितना उम्दा इलाका मेरे ज़िले में है उतना कोटद्वार के इलाक़े में शायद नहीं है। राजा दुष्यन्त जो था वह शिकार खेलने ज़रूर मेरे ही ज़िले की तराई में आया होगा। क्या रत्नगर्भ भूमि निकली कि राजा दुष्यन्त चले थे हिरन के पीछे और मिल गयी शकुन्तला। कालिदास के शब्दों में किसी अनाविद्ध रत्न और अनाघ्रात पुष्प की भाँति ताज़ी और सुन्दर। ख़ैर, अच्छा ही होगा यदि कण्व ऋपि के आश्रम को लेकर कुछ वाद-विवाद चले और तूल पकड़े। वैसा करने से ज़िला बिजनौर की प्रतिभा और प्रकट होगी। भवभूति की भाँति कोई समानधर्मा ज़रूर निकलेगा जो इस ज़िले की सही क़ीमत आँक सकेगा।

आप कुछ भी हों या न हों, मैं आपको एक नेक सलाह देने से नहीं कतरा सकता। और वह सलाह यह है कि आप आइए और मेरे ज़िले की प्रतिभा से लाभ उठाइए। कवियो, आओ; मेरे पैर की छाप पर पैर रखते चले आओ। यहाँ आकर चाहे काव्य लिखो, चाहे महाकाव्य लिखो और चाहो तो कुछ न लिखो। चाहे भक्ति पर लिखो, चाहे शृंगार पर लिखो और चाहो तो फिर से वीरगाथा काल पर उतर आओ। मेरे ज़िले में गंगा की पवित्रधारा, गाँव की सुन्दरियाँ और फ़ौजदारी करने वाले सम्भ्रान्त ग्रामीण लोग तुम्हारी प्रतीक्षा में दोनों आँखें खोलकर खड़े हैं। आओ, इन्हें निराश न करो। चित्रों और चलचित्रों के बनाने वालो! तुम भी आओ। यहाँ तराई हैं, वन हैं, नदियाँ हैं, पर्वत हैं और हँसती-गाती बालिकाएँ हैं और तुम हो कि इस क्षेत्र का उपयोग ही नहीं करते। बड़े लोगो, तुम भी आओ। यह क्षेत्र अभी काफ़ी पिछड़ा है, सड़कें काफ़ी कच्ची हैं और ग़बन करने की सम्भावनाएँ काफ़ी पक्की हैं। गन्ना और त्यागी लोगों की उपज करने वाले इस इलाक़े को इस तरह न छोड़ो। बाद में नहीं कहना कि मैंने वक़्त पर ख़बर नहीं दी।

मुझे अपने ज़िले पर बड़ा गर्व है। भूतपूर्व राज्यपाल श्री धर्मवीर की भाँति मैं भी यहीं पैदा हुआ। खुशी और गर्व के इस दौरे में कभी-कभी मैं सोचता हूँ कि भविष्य के इतिहासकार मेरा वर्णन कुछ इस प्रकार करेंगे :

"श्री रवीन्द्रनाथ त्यागी का जन्म उत्तर प्रदेश के ज़िला बिजनौर में हुआ था। बिजनौर को कभी-कभी विजयानगरम् भी कहा जाता रहा। यह उसी पवित्र भूमि का प्रताप था कि इतना महान् कलाकार वहाँ पैदा हुआ कि जिसे सारा देश ही नहीं बल्कि उनका ज़िला भी जानता था? यहाँ के प्राकृतिक सौन्दर्य ने उनके काव्य को प्रेरणा दी और यहाँ के निवासियों ने उनके हास्य व्यंग्य को। हाल ही में मिले कुछ शिलालेखों और कालपात्रों से पता लगा है कि इस व्यक्ति का जन्म बीसवीं शताब्दी (ईसवी) के पूर्वार्ध में हुआ था और मृत्यु जो थी वह उसी सदी के उत्तरार्ध में सम्पन्न हुई थी। इसी कारण इन्हें बीसवीं शताब्दी का प्रतिनिधि साहित्यकार माना गया। उनके ज़िले का भूगोल उनके अपने भूगोल से काफ़ी मिलता था; वे भी अपने ज़िले की भाँति ऊपर से पतले थे, बीच में आगे निकले हुए और नीचे से लगभग चौरस। वे एक ओर पवित्र पुण्य-सलिला भगवती भागीरथी की भाँति चंचल थे तो दूसरी ओर पर्वतों की भाँति गम्भीर। वे सारी उम्र वहीं खड़े रहे जहाँ थे; कभी आगे नहीं बढ़े। साहित्य के इतिहास के सन्दर्भ में उनको भुला देना कठिन होगा क्योंकि वे पहले ऐसे कलाकार थे जो साहित्य को अन्तर्राष्ट्रीयता, राष्ट्रीयता और प्रान्तीयता की सीमा से मुक्त करके उसे ज़िले के स्तर पर लाये। खेद है कि उनकी मृत्यु कुछ जल्द हो गयी; अगर वे कुछ और वर्ष खींच जाते तो साहित्य को ज़िला क्या, तहसील और परगने के स्तर पर ले आते।"

मूँछों को लेकर

मैं पुलिसवालों से बहुत घबराता हूँ। बिना किसी कुसूर के भी पता नहीं क्यों, इस महकमे से मुझे काफ़ी डर लगता है। शास्त्रों में बतायी गयी 'आहार निद्रा और भय' वाली वाणी को अपने सन्दर्भ से विश्लेषण करते-करते मैं इस निष्कर्ष पर पहुँचा कि मेरे इस भय का मूल कारण यह है कि मैंने कभी किसी पुलिस वाले को हँसते नहीं देखा। क़ानून की ज़िम्मेदारी और घनी मूँछों के भार से ये बेचारे मासूम लोग इतना दबे रहते हैं कि इनसे हँसते नहीं बनता। इलाहाबाद हाईकोर्ट के जस्टिस मुल्ला ने पुलिस के बारे में बड़ा कड़ा निर्णय दिया था जिससे इस महकमे की ज़िम्मेदारी पर काफ़ी प्रभाव पड़ता था। मगर कल जो अख़बार में पढ़ा कि पुलिस के एक कर्मचारी ने किसी एक शालीन सज्जन की आधी मूँछें साफ़ करा दीं तो तबीयत बगीचा-बगीचा हो गयी। तबीयत का बाग़-बाग़ होना मैं नहीं कहूँगा : यह मैं उस वक़्त कहता जब कि वे उसकी पूरी की पूरी मूँछें साफ़ करा देते जो कि सम्भवतः न्याय संहिता के विरुद्ध होता। वैसे यह भी सम्भव है कि वह विशिष्ट पुलिसमैन कुछ मज़ाक़ पसन्द क़िस्म का इंसान था।

मूँछ दरअसल कुछ चीज़ ही ऐसी है कि इसे देखकर मज़ाक़ का मूड बन ही जाता है। फ़ौज के एक ब्रिगेडियर की याद आती है जिनकी कि मूँछों में सिगरेट सुलगाते समय ऐसी भयंकर आग लगी कि फ़ायर ब्रिगेड बुलानी पड़ी थी। ब्रिगेडियर के लिए भी यदि ब्रिगेड न आती तो फिर किसके लिए आती? एक बार रामलीला में हनुमान जी की पूँछ ने कुछ ऐसी जयशंकर प्रसाद वाली बहुमुखी प्रतिभा दिखाई कि रामायण पढ़ने वाले पण्डित जी की दाढ़ी और मूँछ—दोनों लंका के साथ-साथ दहन हो गयीं। इसे कहते हैं यथार्थवादी मंच। मुझसे ख़ुद एक बार काम करते-करते अपनी सिगरेट से कुछ सरकारी काग़ज़ात जल गये थे। माफ़ी माँगने जब मैं अपने सीनियर' के पास गया तो उन्होंने मेरी क्षमा याचना स्वीकार करते हुए और सिगरेट अपने पास से पेश की ताकि बाक़ी फ़ाइल का निपटारा भी उसी तत्परता के साथ किया जा सके।

मूँछों के सन्दर्भ में अपने देश का इतिहास काफ़ी याद आता है। राणा प्रताप,

छत्रपति शिवाजी और सारे मुग़ल शहंशाह मूँछें रखते थे। महाकवि भूषण को ऐसे कवित्त कहने आते थे कि जिन्हें सुनकर आपका हाथ कहीं भी हो, वहाँ से हटकर मूँछों पर पहुँच जाता था। मूँछों तक हाथ पहुँचाने में कविता का प्रयोग करने वाले सम्भवतः वे अकेले कवि थे। नाना फड़नवीस की मूँछें इतनी विकसित थीं कि उनके कारण वे स्वयं अपने नाना लगते थे। जिस प्रकार सैमसन की शक्ति उसके केशों में निहित थी, उसी प्रकार राजपूतों का शौर्य उनकी मूँछों में छिपा था। राय पिथौरा उर्फ़ सम्राट पृथ्वीराज की मूँछों को लेकर चन्द बरदाई ने चन्द कविताएँ लिखीं। मूँछें वास्तव में मध्ययुग का प्रतीक थीं और इसी कारण वे प्रायः चेहरे के मध्य में ही पाली जाती थीं।

समाजवाद और प्रजातन्त्र इत्यादि के आने के साथ-साथ मूँछों की हुकूमत ख़त्म हो गयी। कर्ज़न ने मुल्क को जन कर दिया। कवि के शब्दों में इन्तज़ामे सफ़ाई के सिलसिले में चेहरे के बाल खोने पड़े। कुछ पुरातन पन्थी हिन्दू लोग जो कहते कि रामराज्य में सच्चा प्रजातन्त्र था, एकदम ठीक है। गीता प्रेस से अभी तक राम या लक्ष्मण का कोई ऐसा चित्र नहीं छपा जिसमें उन्होंने मूँछें धारण कर रखी हों। वही ज़माना फिर आ गया। इतिहास तो अपने को दुहराएगा ही। यह उसकी पुश्तैनी आदत जो ठहरी। और हाँ सीता जी की भाँति मूँछें अब वन से फिर लौट रही हैं और गलमुच्छे बनकर इलाक़े की हवा बन्द कर रही हैं। सीता की भाँति एक दिन ये फिर से वन को जायेंगी और उत्तर रामचिरत जो है वह फिर लिखा जायेगा।

मूँछों के सन्दर्भ में और भी बहुत-सी बातें याद आ रही हैं। एक बार एक रईस एक गवर्नर से मिलने गये। मूँछों पर मोम लगा लिया ताकि वे यूनियन जैक टाँगने के लिए सीधी तनी रहें। इत्तफ़ाक की बात कि गवर्नर कुछ व्यस्त था और इन्हें वेटिंग चेम्बर में बैठना पड़ा। घबराहट में कुछ पसीने जैसे क़िस्म की चीज़ भी आ गयी। अन्ततोगत्वा स्थिति यह रही कि जब ये लाट साहब के कक्ष में प्रविष्ट हुए तो एक मूँछ तो 'स्टेच्यू ऑफ़ लिबर्टी' के हाथ की भाँति ऊपर को तनी थी और दूसरी मूँछ जो थी वह कालका मेल के सिगनल की भाँति नीचे को गिरी थी (गवर्नर ख़ुशदिल इंसान था, उसने उन्हें वहीं आनरेरी मैजिस्ट्रेट बना दिया) आप कुछ भी कहें, अँग्रेज़ लोग वैसे बड़े गुणग्राहक होते थे। कहीं-कहीं तो यह बात पण्डित सुन्दरलाल तक ने मानी।

एक दफ़ा एक मुशायरे में 'दिलदार की आँखें' की जगह 'दिलदार की मूँछें' को लेकर काफ़ी फ़ौजदारी हुई थी। बात रिसालों तक पहुँची। काव्य मर्मज्ञों ने लिखा—इंसान की मूँछें, शैतान की मूँछें, रावण के लबों पर हैं हनुमान की मूँछें। हनुमान जी की पूँछ का जीवन-चरित तो आप ने सुना ही है, आज उनकी मूँछों की चर्चा भी सुन लीजिए। वैसे देखा जाए तो मूँछ और पूँछ—इन दोनों में मौलिक अन्तर तो बस एक ही है। एक आगे होती है और दूसरी पीछे। मैंने एक बार ऐसा पंचतन्त्र छाप बन्दर

भी देखा है जो अपनी पूँछ से अपनी मूँछ खुजला रहा था। कालिदास ने इसी स्थिति को सम्भवतः 'मणि कांचन संयोग' कहकर पुकारा।

मूँछों की अनेक क़िस्में हैं। कुछ मूँछें तितली जैसी होती हैं जिनका रिवाज़ अब सिर्फ़ रेल के महकमे में रह गया है। बड़ी मूँछें रखने से गार्डों पर वज़न पड़ता है। इसके बाद सन्तुलित मूँछें होती हैं जैसी विद्यानिवास मिश्र या विनोदचन्द्र पाण्डेय की। इससे अगली स्थिति होती है मुच्छड़ होने की। ऐसे लोग जो कुछ भी पीते हैं, छान कर ही पीते हैं। इनका सम्बन्ध अपनी (या किसी दूसरे की) पत्नी के साथ कभी पूरी तरह निकट नहीं हो पाता। एक साहब थे जो अपनी मूँछों से जूते साफ़ किया करते थे। एक ओर बूट साफ़ करते थे और दूसरी ओर मूँछें। मैंने उन्हें एक बार इस पवित्र क्रिया को जूता पहिने-पहिने भी सम्पन्न करते देखा था। कुछ मूँछें हैं जो अभी भी ऊपर को तानी जाती हैं। एक सज्जन थे जिनकी मूँछें सुबह का सवा दस बजाती थीं और शाम को आठ बज कर बीस। उन्हें देखकर लोग अपनी घड़ियाँ मिलाया करते थे। हिन्दी साहित्य के क्षेत्र में रामचन्द्र शुक्ल की मूँछों से विशुद्ध आचार्यत्व टपकता था, महावीर प्रसाद द्विवेदी की मूँछें और उनके हाथ का डण्डा लगभग बराबर क़द और आयु के थे और अज्ञेय जी की मूँछ मुद्रा प्रायः बदलती ही रही। प्रयोगवाद के प्रवर्तक के लिए यही उचित था।

मुझे आपको यह सूचना देते हुए हार्दिक सुख होता है कि इधर स्त्रियाँ भी मूँछें रखने लगी हैं। हाजी लकलक ने जो लिखा था कि 'मकसदे हज़्ज़ाम है औरत बनाना मर्द को' वह अब ग़लत साबित हो गया। औरतें आदमी से हर क्षेत्र में बराबर हैं तो फिर वे मूँछें ही क्यों न उगाएँ? पिछली बार तो रेल में कई रूपसियाँ ऐसी दृष्टिगोचर हो गयीं कि जिन्हें देखकर लगता था कि कोई वनमहोत्सव मनाया जा रहा था। उन्होंने मेरे मूँछ-विहीन मुखचन्द्र को देखा और लज्जा से अभिभूत होकर अपने नयनकमल नीचे कर लिये।

शेष स्मृतियाँ

काफ़ी दिन हुए जब महाराजकुमार रघुवीरसिंह की लिखी 'शेष स्मृतियाँ' नाम की कलात्मक कृति पढ़ी थी। हालाँकि वक़्त काफ़ी हो गया फिर भी उस हादसे की स्मृतियाँ शेष हैं। जहाँ तक याद पड़ता है, इस पोथी में भावुक लेखक ने मुग़लकालीन इमारतों और उनके शानदार खण्डहरों को लेकर काफ़ी प्रांजल भाषा में बड़ी कल्पना के साथ कुछ ऐसा कलापूर्ण विलाप किया था जो कि प्रायः एक मतिमान व्यक्ति उस समय करता है जबकि अपने से परिचित किसी रूपवती विधवा की दूसरी शादी किसी और के साथ की जा रही हो। यह उस रोने की ही दर्दभरी आवाज़ है जो रति-विलाप और अजविलाप की भाँति उस पोथी की याद अब तक बरकरार रखे हुए है। वरना किताब और ख़ाकसार को याद रह जाए? उम्दा से उम्दा कृति को बड़ी लगन से पढ़ने के पन्द्रह मिनट बाद मुझे कभी यह याद नहीं रहा कि लेखक कौन था और पुस्तक क्या थी। आज पढ़ी, कल दूसरा दिन।

रघुवीरसिंह जी की भाँति और भी अनेक बड़े लेखक हुए जो युवतियों के बजाय पत्थरों से दिल लगाते रहे। रवीन्द्रनाथ ठाकुर की 'क्षुधित पाषाण' और सर आर्नोल्ड की कृतियाँ इस बात का सबूत हैं। कुछ होनहार इंसान हैं जिन्हें यह देखने में मज़ा आता है कि अकबर और जहाँगीर कहाँ सोते थे, कैसे सोते थे और किसके साथ सोते थे। विलायत में लोगों की भीड़ अभी भी उस पलँग को देखना चाहती है जिस पर कभी वहाँ की रानी एलिज़ावेथ (प्रथम) अपने प्रेमी अर्ल ऑफ़ एसेक्स के साथ एक सराय में सोयी थी। जिन चारपाइयों पर वाशिंग्टन, जैफर्सन और लिंकन बिना किसी रानी के यूँ ही थककर सो गये थे, उनके देखने वाले भी सीन पर मौजूद हैं। स्थिति यह है कि तमाशा हो या न हो, तमाशबीन आपको हमेशा मिलेंगे।

मेरे ख़याल में कितना उचित हो यदि इन पर्यटकों को एक रात के लिए उस काल कोठरी में बन्द कर दिया जाए जहाँ कि टीपू सुल्तान वल्द हैदरअली ने कभी चन्द अँग्रेज़ों को बन्द कर रखा था। इतिहास के अनुभव को यथार्थवादी बनाने के लिए इन अतीत प्रेमियों को शायद लोहे की ज़ंज़ीरों की मदद से दीवार से भी बाँधना पड़ेगा जैसा कि टीपू ने अपने अँग्रेज़ बन्दियों के साथ किया था। देवगढ़ में उत्सुक

पर्यटकों को उस कुएँ जैसे कारागार में रहने की सुविधा भी प्रदान की जानी चाहिए जिसे मुहम्मद तुग़लक ने बनवाया। कोई अमेरिकन सुन्दरी चाहे तो अशोक की लाट के ऊपर अकेले या अपने किसी मित्र के साथ रात गुज़ार सकती है और इस बात का पता सच्ची तरह लगा सकती है कि हमारी संस्कृति कितनी चिकनी और कितनी ऊँची थी। जो लोग बुद्ध गया का पूरा आनन्द लेना चाहते हैं उचित होगा कि उन्हें वटवृक्ष के नीचे कम-से-कम एक वर्ष तक बोधिसत्त्व की मुद्रा में बैठने को विवश किया जाए। जो दर्शकगण फतेहपुर सीकरी जायें उन्हें सुन्दरियों को गोटी के स्थान पर प्रयोग कर चौसर खेलने की अनुमति दी जानी चाहिए और हो सके तो इस पुनीत कार्य के लिए सुन्दरियों का इन्तज़ाम भी करना चाहिए। इसी प्रकार जो लोग ग्वालियर का क़िला देखने जायें उन्हें पोस्त का एक प्याला ज़रूर पेश किया जाना चाहिए क्योंकि जब तक यह क़िला शाही क़ैदख़ाना रहा, क़ैदियों को और कुछ मिला या न मिला, मगर पीने के लिए पोस्त का शाही नाश्ता बेनागा मिलता रहा। झाँसी के क़िले में गाइड को यह उचित होगा कि वह दर्शकों को उस स्थल पर बिना बताये धक्का दे दे, जहाँ से कि रानी लक्ष्मीबाई अपने दत्तक पुत्र को सँभाले घोड़ा लेकर कभी कूदी थीं। सिकन्दरा या ससराय में क़ब्र में दफ़न होने का इन्तज़ाम भी हो जाए तो कुछ बुरा नहीं। अकबर और शेरशाह के बग़ल में दफ़न होना हर किसी की क़िस्मत में थोड़े ही लिखा होगा? जो इतिहास के और भी सच्चे आशिक हैं, उनके लिए तो शायद एकाध जल्लाद भी रखना मुनासिब हो। अब यह भी कोई बात हुई कि आप लन्दन का टावर देखने जाएँ, सैकड़ों रानी, राजा, राजकुमार और सामन्तों के प्राणदण्डों की विशद चर्चा सुनें और उसके बाद एक हाथ में एयरबैग सँभाले और दूसरे हाथ से अपनी धर्मपत्नी की मटका छाप या किसी दूसरी युवती की सुराहीछाप गर्दन सहलाते-सहलाते बाहर निकल आयें। इतिहास का इतना अपमान? क्या आपको पता नहीं कि इतिहास सदा से अपने को दुहराता आया?

'शेष स्मृतियों' में डूबे रहने वाले अतीत प्रेमियों को जो शिकायतें हैं वे अनन्त हैं। उनको दुख है कि जिस आलीशान क़िले को अकबर या शाहजहाँ ने इतने शौक़ से बनवाया, उसमें अब उल्लू बोलते हैं, चिमगादड़ें अपने पंख फड़फड़ाती हैं और कबूतर जो हैं वे मौसम आने पर अण्डे देते हैं। उनको दुख है कि जिस शानदार तख़्त पर बैठकर कभी शहंशाह शाही फ़रमान जारी किया करते थे, वहाँ अब चपरासी बैठते हैं और बीड़ी फूँकते हैं। उन्हें दुख है कि जिन रनिवासों में रूपवती किशोरियाँ सिर्फ़ जबरदस्ती ही लायी जाती थीं, वहाँ वे अब अपनी मर्ज़ी से बिना किसी रोकटोक के मूँगफली खाती हैं और मटरगश्ती करती हैं। उन्हें दुख है कि जिन दरबारों में कभी अमीर उमरा अपनी शानदार पोशाकों और ऐंठी हुई मूँछों में बामुलाहिजा बाअदब होशियार खड़े रहा करते थे वहाँ अब देहाती पाठशाला के बच्चे बन्दर का नाच देखते हैं। दिनकर ने लिखा है : कितनी द्रुपदा के बाल खुले/कितनी कलियों का

अन्त हुआ/कह हृदय खोल चित्तौड़ यहाँ/कितने दिन ज्वाल वसन्त हुआ? रघुवीरसिंह भी गाइड की टूटी-फूटी अँग्रेज़ी की चर्चा करने के बाद कवि हो गये और कहने लगे कि "ताज में दफ़नाये मुग़ल सम्राट के तड़पते हुए युवाहृदय की धुकधुकाहट से यमुना के वक्षस्थल पर छोटी-छोटी तरंगें उठती हैं और दूर-दूर तक उसके निश्वासों की मर्मर ध्वनि आज भी सुनाई देती है।" पता नहीं कैसे, निराला को भी एक बार कुछ ऐसी ही उदासी का दौरा पड़ गया था और उन्होंने लिखा था– लीन हो गया है रव/शाही अंगनाओं का/निस्तब्ध मीनार/मौन हैं मकबरे/शाही दीवान आम स्तब्ध हो रहा/दुपहर को पार्श्व में उठता है झिल्ली रव/बोलते हैं स्यार रात यमुना कछार में।

मेरे विचार में ऊपर दी गयी शिकायतें बेबुनियाद हैं और बीमार मनोवृत्ति का परिचय देती हैं। मैं तो कहता हूँ कि अच्छा हुआ कि बादशाह लोग मर गये और इन इमारतों को हमारे लिए यहीं छोड़ गये। इनसे ज़्यादा आरामदेह स्थान और ख़ूबसूरत लॉन आगरा और दिल्ली में अन्यत्र कहीं नहीं मिलते। जिन झरोखों से हसीन लड़कियों को कभी सिर्फ़ शहंशाह ही देखा करते थे, वहाँ से अब उन्हें सारी पब्लिक देखती है और उसी दिलफेंक अन्दाज़ से देखती है। प्रजातन्त्र जो ठहरा। जितनी रौनक उदयपुर, गोलकुण्डा और कोटला फ़िरोज़शाह में अब रहती है उतनी उन खूसट और क्रूर बादशाहों और महाराजाओं के जीवनकाल में कभी नहीं रह सकती थी। और जहाँ तक ताजमहल का प्रश्न है, स्थिति यह है कि टिकट की दर बढ़ जाने के बावजूद जितनी भीड़ आजकल वहाँ रोज़ रहती है, शाही ज़माने में उतनी भीड़ शायद सिर्फ़ उस दिन रही होगी जिस दिन कि बेग़म मुमताज़ महल उसमें दफ़न की गयी थीं। और हाँ, कुतुबमीनार का तो कहना ही क्या। चाहो तो घूम फिरकर निठल्लों की तरह खाली हाथ चले आओ और चाहो तो आत्महत्या करके यह लोक भी ठीक कर लो और परलोक भी सुधार लो। आत्महत्या की इतनी सुविधा यहाँ न अल्तमश के ज़माने में थी और न फ़िरोज़शाह तुग़लक के। बुद्धगया की स्थिति यह है कि पिछली बार मैं जब वहाँ गया तो दूसरी शादी की सोचने लगा। यह उस पवित्र स्थल का ही प्रताप था कि एक बालिका को देखा और अपनी इक्कीस साल पुरानी पत्नी से सहसा विरक्ति होनी शुरू हो गयी। यदि गौतम बुद्ध ने अपनी पत्नी छोड़ी थी तो हम क्यों नहीं छोड़ सकते? जहाँ तक गाइड लोगों का प्रश्न है, सच्चाई यह है कि वे अँग्रेज़ी भले ही न जानते हों पर बाक़ी काम की चीज़ें कहाँ मिलती हैं, यह बात वे बखूबी जानते हैं। मोती मस्जिद की उम्र उन्हें भले ही न मालूम हो पर छोकरी की उम्र वे कभी नहीं भूलते। दिल्ली में तो एक गाइड इतना होनहार निकला कि एक विदेशी महिला को ताजमहल दिल्ली में ही दिखा दिया। उसने उन्हें हुमायूँ का मकबरा दिखाया और बताया कि यह है ताजमहल। विदेशी महिला थी विदुषी और चतुर; वह इतनी आसानी से बेवकूफ़ बनने वाली नहीं थी। उसने दो बुनियादी सवाल किये। एक तो यह पूछा कि ताजमहल सफ़ेद है और

यह इमारत लाल ऐसा क्यों? और दूसरा सवाल यह पेश किया कि इसकी मीनारें कहाँ गयीं? गाइड भी समय-सिद्ध था। कहने लगा कि हे भद्रे, इस इमारत की यही तो खूबी है कि यह लाल पत्थर की है पर फ़ोटो में हमेशा सफ़ेद रंग में ही आती हैं। हाँ अलबत्ता यदि आप कभी रात को आयें तो सारी इमारत वैसे भी सफ़ेद ही नज़र आयेगी। बड़े बेशक़ीमती पत्थर हैं जो एक शहंशाह ने ग़रीबों की मुहब्बत का मज़ाक़ उड़ाने के लिए अपनी बीवी के साथ-साथ काबुल से मँगवाये थे। और रहा मीनारों का सवाल तो उनकी हालत यह है कि लार्ड कर्ज़न नाम का एक फ़िरंगी था जो ताजमहल नीलाम कराना चाहता था। ख़ैर ताजमहल तो नहीं बिका पर उसकी मीनारें बिक गयीं। फ़िलहाल वे हैदराबाद में हैं और चारमीनार के नाम से मशहूर हैं। उधर जायें तो उन्हें ज़रूर देखें।

मकबरों वग़ैरह को लेकर कवियों ने जो कुछ कहा है– जिनमें से कुछ का ज़िक्र ऊपर किया जा चुका है उसके बारे में कोई सफ़ाई पेश करना बेकार है। अज्ञेय के शब्दों में 'व्यर्थ है कवि की बानी।' मैं पूछता हूँ कि यदि यह पता लग भी जाता कि कितनी द्रुपदाओं के केश खुले तो भी उपराष्ट्रपति क्या कर लेते? रघुवीरसिंह जी की यह सूचना भी एकदम ग़लत है कि यमुना के वक्ष पर जो तरंगें उठती हैं वे मृत सम्राट के युवा हृदय के कम्पन के कारण उठती हैं। मैंने ताज को देखते हुए यमुना का पुल डाकगाड़ी से कई बार पार किया मगर यमुना की तरंगों का और ताजमहल का कोई सम्बन्ध मुझे कभी नज़र नहीं आया। हाँ, अलबत्ता एक बार ज़रूर पानी में कुछ हलचल देखी थी पर वह इस कारण थी कि एक गधा एक गधी से बीच नदी में प्रणय निवेदन कर रहा था जो उस रोमाण्टिक माहौल को देखते हुए एकदम उपयुक्त था। न जाने कितने गधे हैं जो अपनी-अपनी गधी के साथ चाँदनी रात में ताज देखने जाते हैं। जहाँ तक निराला का प्रश्न है, मेरी समझ में सिर्फ़ एक बात नहीं आती और वह यह कि वे गीदड़ से इतना स्नेह क्यों करते थे? ऊपर जो उद्धरण दिया, उसमें तो स्यार है ही मगर उसके अतिरिक्त और भी कुछ प्रसंग हैं, जहाँ गीदड़ जो है वह रंगमंच पर प्रवेश करता है। 'जागो फिर एक बार' जैसी उदात्त कविता तक में कवि ने कहा– शेरों की माँद में आया है आज स्यार, जागो फिर एक बार। मैं सलाह देता हूँ कि 'निराला के साहित्य में गीदड़ का स्थान'– इस शीर्षक को लेकर कुछ शोध करनी चाहिए। शोध जैसी पवित्र क्रिया के सम्पादन के लिए दिल्ली के पुराने क़िले से बेहतर जगह और कोई नहीं। वहाँ हुमायूँ का पुस्तकालय है जहाँ से फिसलकर वह ग़रीब मरा था। शोध करनी हो तो वहीं कीजिए। साथ में कोई शोध छात्रा हो तो और भी सुविधा रहेगी।

मैं अतीत प्रेमियों से अपील करूँगा कि प्राचीन को भूल जायें और अर्वाचीन पर ध्यान दें। महाराजा तो एयर इण्डिया में चला गया। अभी-अभी एक देश में एक विमान में सिंहासन फ़िट किया गया है ताकि बादशाह तो हवा में उड़ ही गये,

उनका सिंहासन भी आकाशगामी हो सके। इन मुर्दा चीज़ों के बजाय, उचित होगा कि हम ज़िन्दा चीज़ों पर ध्यान दें। उदाहरण के लिए चूहा। मिज़ोरम में जो कोई भी व्यक्ति चूहे की पूँछ काटकर ज़िला विकास अधिकारी के पास ले जायेगा वह बीस पैसे का क़ानूनी हक़दार होगा। इस सम्पत्ति को प्राप्त करने के लिए बस एक शर्त है और वह यह कि आपके साथ एक गवाह जाए जो बता सके कि जो चीज़ पेश की जा रही है वह पूँछ ही है– मूँछ नहीं–और पूँछ भी चूहे की है न कि स्यार की। ये चूहे हैं जो लाखों टन अनाज खा रहे हैं और ज़रूरत से ज़्यादा बड़े बिल बनाकर हमारे पुलों को कमज़ोर बना रहे हैं। पुलवाली बात का पता शायद तब लगा जब एक इंजीनियर चूहे के बिल में ऐसे गिरे कि काफ़ी खुदाई के बाद फिर प्रकाश में आये। जब निकले तो स्थिति यह थी कि एक हाथ में दौरे का प्रोग्राम था और दूसरे में एक चूहे की बलवती पूँछ। मुझे ऐसे चूहों के दर्शनों का सौभाग्य प्राप्त है जो ताजमहल से चिकने, अशोक की लाट से लम्बे, आगरे के क़िले की भाँति सुदृढ़ और फतेहपुर सीकरी के दरवाज़े की भाँति बुलन्द थे। हमें चाहिए कि मुर्दा बादशाहों को भूल जायें और ज़िन्दा चूहों पर ध्यान दें। कविवर पन्त ने ठीक ही कहा था और जो कुछ कमी रह गयी थी उसे मैं पूरी करता हूँ। युगान्त की वही पुरानी कविता जो अब कभी पुरानी नहीं होगी:

हाय, मृत्यु का ऐसा अमर अपार्थिव पूजन?
जब विषण्ण निर्जीव पड़ा चूहे का जीवन!
मानव! ऐसी भी विरक्ति क्या जीवन के प्रति?
चूहे का अपमान, प्रेत और छाया से रति!

उनकी तकलीफ़

अरसे बाद मैं अख़्तर शीरानी का दीवान पढ़ने बैठा ही था कि वे मेरी स्टडी में ठीक उस प्रकार प्रवेश कर गयीं जिस प्रकार राजधानी एक्सप्रेस जो है वह किसी रेलवे स्टेशन को पार करती है। गाड़ी रोकने के बाद वे पास पड़े सोफ़े पर बैठ गयीं और काफ़ी बेतकल्लुफ़ी के साथ अपने आँसुओं को बज़रिए आँखों के बाहर निकालने लगीं। मेरी दयावान् पत्नी ने स्वेटर में फन्दे डालने बन्द कर दिये और उन पर डोरे डालने शुरू किये। उसकी संवेदना पाकर उनका रोना और भी गति पकड़ गया। वे अग्निशामक यन्त्र का मज़ा देती रहीं और विलाप करती रहीं। मैं सोचता रहा कि कविकुलकमल शिरोमणि कालिदास कहीं इस समय आस-पास होते तो अजविलाप और रतिविलाप की तर्ज़ पर सौ पचास छन्द इन पर भी रच देते पर वे वहाँ नहीं थे। वहाँ सिर्फ़ ख़ाकसार था। मैं उनके लावण्यपूर्ण चेहरे को देखता रहा और विचारता रहा कि इनके रूप पर ध्यान केन्द्रित करूँ या इनके कष्ट पर इन्हें सलाह दूँ? अजब-सा माजरा हो गया। कवि के शब्दों में यह सवाल उठ खड़ा हुआ कि 'फूलों की कहानी कहिए या झोलों का बयाँ लिखिए'। ख़ैर, क्योंकि मैं ज़रूरत से ज़्यादा होनहार इंसान था, मैंने दोनों काम एक साथ ही करने शुरू कर दिये। मैं बीवी की निगाह बचा कर उनके रूप को भी पीता रहा और उनकी तकलीफ़ भी सुनता रहा।

तकलीफ़ उनकी वही चिरन्तन थी और वह यह थी कि उनकी वृद्धा सास मृत्यु को प्राप्त नहीं हो रही थीं। दुनिया जहान है कि मरती जाती है पर यह बूढ़ी है कि दम तोड़ने का नाम ही नहीं लेती। रोज़ रेलगाड़ियाँ लड़ती हैं, भूकम्प आते हैं, आग लगती हैं, दंगे होते हैं, हैजा फैलता है पर यह कुलवन्ती वृद्धा है कि नब्बे वर्ष के ऊपर होने की आयी पर कोई ऐसा जुगाड़ नहीं करती कि इसकी आत्मा शरीर रूपी वस्त्रों को बदल सके और परमपिता परमात्मा से निकट सम्पर्क स्थापित कर सके। ईश्वर की कृपा से दमा है, गुर्दा बेकार हो गया है, फेफड़े जवाब दे चुके हैं पर काठी है कि बिना लाठी की सहायता के टूटने की कोई सम्भावना प्रस्तुत ही नहीं करती। सारा घर सर पर उठाये हुए हैं, नौकर चाकर भागते फिरते हैं, डॉक्टर आता है और जाता है पर इस बेशर्म सास के प्राणपखेरू ऐसे जम कर बैठे हैं कि उड़ने का नाम ही नहीं लेते। उनकी यह ज़िम्मेदार पुत्रवधू है जो हर डॉक्टर से काफ़ी खुलासा ढंग से पूछ लेती है कि बुढ़िया

कितने दिन और खींचेगी पर डॉक्टर हैं कि काफ़ी मोटी फ़ीस लेकर भी कोई निश्चित तिथि नहीं बतलाते। वे वही कहते हैं जो एक उर्दू कवि ने ठीक ऐसी ही स्थिति में कभी पहले कहा था— अपनी खुशी न आये न अपनी खुशी चले। रोज़ सुबह-सुबह पुत्र-वधू अपनी सास को देखती है और उसे फिर से ज़िन्दा पाकर मेरे यहाँ दौड़ी चली आती है। शायद फिर उस मन्दिर का पता पूछेगी जहाँ का प्रसाद बोल देने से बीमार जो है वह ज़रा जल्दी दम तोड़ सके। या फिर भारतीय दण्डसंहिता की कॉपी माँगेगी ताकि धारा तीन सौ दो का एक बार फिर अध्ययन किया जा सके।

उनका कष्ट महान् था; उनकी वेदना शब्दातीत थी। बीमार सास के कारण उनके पति उन्हें उतना ध्यान नहीं दे पाते थे जितना कि उनके यौवन और रूप को ध्यान में रखते हुए अपेक्षित था। पिछले दो वर्षों से घर में कोई नया बच्चा नहीं आया था। सैर सपाटे और दावतें भी कम हो गयी थीं। नयी साड़ियाँ पहिनने का अवसर भी कम मिलता था। और सबसे बड़ा कष्ट यह था कि कम्बख़्त सास के कारण उन्हें अपने मैके जाने का अवसर नहीं मिलता था। मैके से उन्हें बड़ा इश्क़ था। ज़िन्दगी में जो कुछ भी खुशगवार था वह मैके के ही कारण था। हवा जो गाँव को महका रही है, मेरे मैके से शायद आ रही है। मैके में एक बड़ा सुख तो यह था कि वहाँ कोई सास नहीं थी। मैंने उनकी परेशानियाँ रोज़ की भाँति आज भी सुनीं और फिर इस कदर उदास हो गया कि मुस्कराने लगा। उन्होंने मेरी हिमाकत देखी और आँखों ही आँखों में यह शेर पढ़ा : सोगवार अपनी जवाँ मौत का होने दो मुझे; मुस्करा तू, मगर इस हाल में रोने दे मुझे।

मैंने उनके तेवर देखे और उपदेश देने की मुद्रा ग्रहण की। मैंने मानव जीवन में सास के होने की उपयोगिता समझानी शुरू की। सबसे पहले तो इस बात को काफ़ी खुलासा तौर पर समझाया कि अगर दुनिया में सास न हुआ करती तो पति का होना भी कुछ मुश्किल ही था। इसके अलावा बीमार से बीमार सास भी घर की चोरों व कुत्तों से रक्षा करती है और उसकी उपयोगिता के इस पहलू पर अभी काफ़ी अनुशीलन होना है। युधिष्ठिर ने यक्ष को जो बताया था कि माता पृथ्वी से भी बड़ी होती है, वह इसी कारण बताया था। पति का संग कम प्राप्त होने के प्रसंग को उठाते हुए मैंने बँगलादेश की उस सौभाग्यवती युवती की चर्चा की जिसने नौ बच्चों का उत्पादन एक ही शिफ़्ट में किया था। यह ग्रामबाला खुलना ज़िले के वग़ैरहाट नामक स्थान की नागरिक थी। बातचीत ख़त्म करते-करते मैंने यह भी अर्ज़ किया कि ज़्यादा रोने से कभी-कभी डिहाइड्रेशन भी हो जाता है जिसके कारण शायद सास तो वैसे ही ज़िन्दा रह जाए और ये पहले प्रस्थान कर जाएँ। और फिर एक दिन ऐसा भी आ सकता है कि ये खुद भी बीमार और बूढ़ी क़िस्म की सास बन जायें और इन्हें भी कोई काव्य प्रेमी पुत्रवधू मिल जाए।

उन्होंने मेरी ज्ञानवार्ता सुनी। एक ओर जहाँ वे मेरे तर्क से प्रभावित हुईं, दूसरी ओर उन्होंने इस परम सत्य की ओर भी इशारा किया कि खुबानी और आलूबुख़ारे की

भाँति मुहब्बत और ज़िन्दगी का भी एक मौसम है, और मौसम के उतर जाने पर न ज़िन्दगी में कुछ मज़ा रहता है और न मुहब्बत में। उन्होंने बताया कि अब तो गोदान और मृत्युभोज की ऋतु है न कि साँस लेने की और तंग करने की। उन्होंने मुझे यह सूचना भी सहर्ष प्रदान की कि इस शुभ अवसर के लिए उन्होंने एक ऐसी सर्वगुण सम्पन्न धेनु ख़रीद रखी है जो सिवा दूध देने के शेष सारी क्रियाएँ करती है और जहाँ तक मृत्युभोज का प्रश्न है, वह तो ऐसा मनाने का प्रबन्ध किया गया है कि न भूतो न भविष्यति। उस दिन बड़ा खाना होगा, ग़रीबों को कपड़े बँटेंगे और सारा काम इतनी शान से होगा कि इलाक़े के बाक़ी लोग भी मरने की सोचने लगें। उस दिन तो वे इतना रोएँगी कि शायद ही कोई बहू अपनी सास के मरने पर इतना खुलकर और इतनी तबीयत के साथ रोयी हो। आख़िरकार लोकलाज भी तो कोई चीज़ होती है या नहीं?

हमारी यह रचनात्मक बात चल ही रही थी कि उनका नौकर भागा-भागा आया। वह हाँफ रहा था। उसकी यह दशा देखकर उन्हें कुछ हिम्मत बँधी और उन्होंने उसकी दिशा में कुछ-कुछ इस प्रकार देखना शुरू किया जिस प्रकार कभी जानकी जी ने चिरंजीव बजरंगबली को देखा था। मगर उनके उत्साह का गुब्बारा उस क्षण बुरी तरह फटा जिस क्षण उस नीच नौकर ने यह कहा कि माताजी ने पाँच टोस्ट तो खा लिये हैं और दो टोस्ट और माँग रही हैं। दूँ या न दूँ?

भृत्य की वाणी सुनकर उनके धीरज का जो बाँध था वह टूट गया। वे सिर घुटनों पर रखकर बैठ गयीं और फूट-फूट कर रोने लगीं। आँसुओं से उनका मेकअप इस तरह धुलने लगा जिस प्रकार वर्षा में कोई पेण्टिंग धुलती है। मैं उनकी तकलीफ़ समझता था पर कुछ नहीं कर सकता था। मैंने अख़्तर शीरानी का दीवान खोल लिया और उनका कलाम पढ़ना शुरू किया। इत्तफ़ाक से जो ग़ज़ल सामने आयी वह ऐसी थी जो शायद शायर ने इसी ख़ूबसूरत मुसम्मात को ही देखकर लिखी थी।

कवि ने कहा था कि अठखेलियों की उम्र है, हँस बोलने के दिन हैं लेकिन वे हैं कि बस आँसू ही बहाये चली जा रही हैं। उनकी ग़मगीन नवाइयों से ऐसा समाँ बँधा है जैसे कि फितरत जो है वह रो-रो कर कोई तूफ़ान उठा रही है। कवि ने आगे चलकर कहा था कि उनके हर लफ़्ज़ में वहशत की एक दुनिया छिपी थी और वे थीं कि दिल की हर आरज़ू को मजनूँ बनाने पर तुली थीं। उनके बयाँ में कुछ ऐसा सोज था और उनकी दास्तान में कुछ ऐसा दर्द था कि लगता था जैसे कि वे कोई छुरियाँ चला रही हैं और शोले उगल रही हैं। अन्त में चलकर कवि ने कहा था कि उनकी हस्ती दुनिया से इतनी बेजार हो रही थी कि दिल जो था वह हाथों से निकला जा रहा था और जान जो थी वह लबों पर आ रही थी। जंगल महक रहा है, कलियाँ चटख रही हैं, हर तान में इलाही क्या गुल खिला रही हैं...

मैंने आमीन कहा और दीवान बन्द कर दिया। वे अब भी काफ़ी हद तक खुली हुई थीं और वहीं मेरे सामने बैठी थीं।

तीन मिनी कथाएँ

एक

एक राजा था। उसके एक सुन्दर कन्या थी। वह परियों जैसी सुन्दर थी। उसके सुन्दर मुखड़े की एक झलक पाने के लिए नौजवान लोग दूर-दूर से आया करते थे। महल की खिड़की के नीचे कई मील लम्बी क़तार लगी रहती थी। राजकुमारी जो थी वह झरोखे में बैठी रहती थी और अपने रूप के प्रशंसकों को देख-देख मन-ही-मन फूली नहीं समाती थी।

एक दिन अचानक बड़ी विचित्र घटना हुई। राजकुमारी फूलों जैसी नयी पोशाक पहनकर खिड़की में बैठी रही पर उस दिन उसे देखने कोई भी तो नहीं आया। वह पहले निराश हुई और फिर उदास। इसके बाद वह रोने लगी। उसकी यह स्थिति देखकर रानी घबरायी और उसने चारों दिशाओं में दूत भेजे ताकि पता लग सके कि इलाक़े के सुन्दर नवयुवक राजकुमारी को देखने आज क्यों नहीं आये।

हरकारों ने आकर अर्ज़ किया कि मिट्टी के तेल पर कण्ट्रोल लग गया है। जनपद के सारे नवयुवक एक हाथ में राशन कार्ड सँभाले और दूसरे हाथ में काँच की बोतल या टीन का कनस्तर लिए कैरोसीन की दुकान पर क्यू लगाये खड़े हैं। जब तेल मिल जायेगा तो शायद इधर आयें। रानी और राजकुमारी ने बात सुनी और चुप हो गयीं।

निष्कर्ष : मिट्टी का तेल एक ख़ूबसूरत लड़की से ज़्यादा काम की चीज़ है। रात में यदि डिबरी नहीं जलेगी तो लड़की की सुन्दरता दिखेगी कैसे?

दो

शुक सारिका संवाद (उर्फ़ क़िस्सा तोता-मैना का जो पाठ आजकल उपलब्ध है, वह सही नहीं है। काफ़ी जाँच-पड़ताल के बाद पता लगा है कि सारी कथा एक और ही ढंग से समाप्त हुई थी। वास्तविकता यह है कि काफ़ी क़िस्से सुनने-सुनाने के बाद मैना जो थी वह सहसा मर्दों की प्रशंसा करने लगी और स्त्रियों की निन्दा।

उसके इस विचित्र रुख को देख तोता जो था वह पहले तो घबराया पर बाद में उसने हिम्मत बटोर पूछ ही लिया कि मैना के दृष्टिकोण में अचानक यह परिवर्तन आया तो क्यों आया?

मैना पहले तो चुप रही। फिर वह कुछ शरमायी। इसके बाद वह बोली कि क़िस्सा सुनते-सुनाते उसका यौन-परिवर्तन हो गया है। तोते ने यह बात सुनी तो पहले तो वह हँसा और फिर वह रोया।

निष्कर्ष : इस कथा से यह सिद्ध हो जाता है कि मनुष्य जो कुछ भी कहता है वह न तो उसके अनुभव पर आधारित होता है, न उसके विश्वासों पर। वह जो कुछ भी कहता है, परिस्थितियों के अनुसार कहता है।

तीन

एक राजा था। वह वाक़ई बड़ा नेक और ईमानदार इंसान था। वह हर समय प्रजा की भलाई के बारे में सोचा करता था। उसने प्रजा के हित को ध्यान में रखते हुए सिंचाई की योजनाएँ प्रारम्भ कीं, सड़कें बनवायीं, इस्पात के कारख़ाने खुलवाये और युद्ध जीते। मगर उस देश की प्रजा बड़ी विचित्र थी; वह हमेशा कुछ गड़बड़ करती रहती थी। वह कभी बस जलाती थी तो कभी रेल। कभी डाकख़ाने लूटती थी, तो कभी बैंक। राजा भी जो था वह इन बातों को लेकर काफ़ी चिन्तित रहता था।

एक दिन राजधानी में इस बात को लेकर एक विशाल जुलूस निकाला गया कि काफ़ी दिनों से सरकार कोई ग़लत काम क्यों नहीं कर रही थी– जिसको लेकर विरोधी दल कोई आन्दोलन शुरू कर सकता। यह स्थिति देखकर राजा का धीरज टूट गया। उसके सयाने वज़ीरों ने सलाह दी कि देश में यदि समाजवाद आ जाए तो सारे झगड़े-फ़िसाद ख़त्म हो जाएँ। राजा बड़ा प्रसन्न हुआ और उसने अपने एक विश्वस्त सीनियर अधिकारी को बुलवाया और कहा कि जाओ और जहाँ से भी मिले वहाँ से समाजवाद लेकर आओ। जितनी ज़्यादा मात्रा में प्राप्त हो उतना ले आओ। और हाँ, यदि पाँच वर्षों के भीतर तुम समाजवाद नहीं ला पाये तो तुम्हारी गर्दन उतरवा ली जायेगी।

अधिकारी बेचारा चक्कर में पड़ गया। वह यह तो जानता था कि छायावाद जो है वह प्रयाग और वाराणसी में पाया जाता है और हालावाद जो है यह अभी-अभी दिल्ली से बम्बई और बम्बई से दिल्ली आया है, मगर समाजवाद कहाँ मिलेगा, यह वह कतई नहीं जानता था। ख़ैर, उसने शाही ख़ज़ाने से काफ़ी बड़ी रक़म ली और सफ़र पर निकल पड़ा। रास्ते में जो कोई भी मिलता, वह उसी से समाजवाद के बारे में बात करता। वह यह भी बताता कि समाजवाद एक ऐसी चीज़ है जिसके प्राप्त हो जाने पर सब एक समान हो जायेंगे। न किसी की पत्नी बदसूरत रहेगी और न

किसी का पति रोगी या ग़रीब। सब लोग सौ वर्ष तक जिएँगे और सबके पुत्र प्रथम श्रेणी के अधिकारी होंगे। प्रजा बड़ी ख़ुश हुई और उसने भी अधिकारी को खुले हाथों दान दिया। चलते-चलते वह अधिकारी सात समन्दर पार गया और वहाँ एक हसीन लड़की के इश्क़ में गिरफ़्तार हो गया। वह फिर कभी वापस नहीं आया। गाहे-बगाहे वह अपने राजा को लिखता रहता था कि समाजवाद काफ़ी वज़नी चीज़ है और उसके ले जाने के लिए एक बहुत बड़े जहाज़ की ज़रूरत है जो कि बनवाया जा रहा है। राजा उसे लगातार विदेशी मुद्रा भेजता रहा।

जब वह आला अमीर लौटकर नहीं आया तो बादशाह ने एक-एक करके बाक़ी अफ़सर भेजे। मगर उनका भी वही हाल हुआ जो पहले अफ़सर का हुआ था। देश ग़रीब हो गया। राजा रोते-रोते अन्धा हो गया पर समाजवाद था कि नहीं आया।

निष्कर्ष : इस कथा से कई प्रकार के निष्कर्ष निकलते हैं। पहली बात तो यह कि यदि प्रजा सीधी और अधिकारी भ्रष्ट होते हैं, तो राजा चाहे कितना भी ईमानदार क्यों न हो, देश में सुख और शान्ति कभी स्थापित नहीं हो सकती। दूसरा निष्कर्ष यह है कि समाजवाद यदि लाना हो तो विदेश से कभी न आयात किया जाए। उसे अपने ही देश में बनाना चाहिए। आख़िरी निष्कर्ष यह निकलता है कि यदि कोई राजा अपने अफ़सरों को बहुत कठिन काम देता है तो उन बेचारों के लिए किसी हसीन लड़की के इश्क़ में फँस जाने के अलावा और कोई रास्ता नहीं बचता।

क़िस्सा कुर्सी का

कुर्सी के क़िस्से को लेकर एक फ़िल्म बनी थी जो रिलीज नहीं की गयी। फ़िल्म शायद ज़्यादा तगड़ी थी। यह लेख शायद कुछ कमज़ोर था और इसी वजह से रिलीज कर दिया गया।

कुर्सी से मेरा मतलब उन सब चीज़ों से है जिन पर बैठते ही इंसान जो है वह बदल जाता है। वह हो जाता है राजा और बाक़ी पब्लिक हो जाती है प्रजा। धीरे-धीरे प्रजा जो होती है, वह ख़ुद हो जाती है कुर्सी और करने लगती है राजा की मिज़ाजपुर्सी। राजा जो है वह प्रजा के ऊपर पल्थी मार कर बैठता है। वह प्रजा के नाम पर, प्रजा के हित के लिए, प्रजा के ऊपर करता है अत्याचार; और प्रजा जो होती है वह फिर करती है उसका जयजयकार। क़ानून तोड़ना सिखाते हैं आला वकील, और पुलिस का डण्डा ठण्डी कर देता है बाक़ी सब दलील। राजा गद्दी पर बैठकर हुक़्क़ा पीता है जिसके धुएँ से बादल बनते हैं, वर्षा होती है और फ़सलें उगती हैं। उन बादलों को देखकर वफ़ादार कवि लिखते हैं मेघदूत, और हुक्के के नीचे की पेण्टिंग बनाने वाले चित्रकार हो जाते हैं राजदूत। ईश्वरी प्रसाद लिखते हैं इतिहास और बड़े-बड़े ज्ञानी हो जाते हैं दासानुदास। राजा के खाँसने से निकलती हैं राग और रागनियाँ, और उसके महलों से निकलती हैं हसीन और शोख़ लड़कियाँ। दार्शनिक लगाते हैं मस्का, अख़बार नवीस जिसका डालते हैं राजा को चस्का। नेता करते हैं मालिश और अभिनेता करते हैं उसके जूतों पर पालिश। बैंकों में खुलता है आम पब्लिक का खाता, पर रुपया जो है राजा जी की जेबों में जाता। राजा निकल जाता है आगे, मुल्क छूट जाता है पीछे। और सबसे बड़ी बात तो यह है हुज़ूर, कि कुर्सी रहती है हर हालत में बेकुसूर। अगर ऐसे तिलस्म से आज़ाद कोई कुर्सी किसी भाई को नज़र आये तो ख़ाकसार को ख़बर करना। बन्दा ता उम्र आपका ग़ुलाम रहेगा।

कुर्सी जो होती है वह आदमी से बड़ी होती है। वह रखती है चार टाँग जबकि इंसान की होती हैं सिर्फ़ दो टाँग। कुर्सी होती है जड़ और पुरुष होता है चेतन, पर फिर भी सारा वेदान्त पड़ता है कुर्सी से कम। कुर्सी पर गधा भी बैठ गया तो सुकरात का बाप हो गया। कुर्सी के प्रताप को देखकर लोगबाग राणा प्रताप को

भूल गये। सिंहासन बत्तीसी में कही गयी थी यही कथा, जिसमें छिपी थी कुर्सी की सारी व्यथा। और अदालत की कुर्सी का तो कहना ही क्या? अभी-अभी छपी थी एक ख़बर, कि अदालत ने तलब किया था एक शेरे बबर। दूध का दूध और पानी का पानी; हुस्न के अलावा और सब फ़ानी।

सच्ची बात तो यह है कि मनुष्य जाति का सारा इतिहास सिर्फ़ कुर्सी का ही क़िस्सा कहता है। उसी के बनाने के लिए इंसान ने पहले जंगलात काटे और फिर लोहा गलाया। इसके बाद उसने कुर्सी बनायी, जिसके लिए छिड़ती रहीं हमेशा लड़ाई। किसी को मिला तख़्त तो किसी को तख़्ता, और औरंगज़ेब ने बाँध दिया था अपने भाइयों का बस्ता। राजा वृहद्रथ को मारा सेनापति पुष्यमित्र ने, और उसके वंश को नष्ट किया मन्त्री वसुदेव काण्व ने। कुर्सी को न छोड़ा सेना ने और न वज़ीरों ने; चीज़ एक है यह बेनज़ीरों में। कुर्सी के सिलसिले में याद आ गया रिचार्ड थ्री, जिसने करा दी थीं सैकड़ों गरदनें फ्री। शेक्सपियर जैसे आलिम को भी उस ज़ालिम पर लिखना पड़ा एक डिरामा जो कभी नहीं हुआ पुराना। कुर्सी पर बैठते ही भूतकाल आपके पूज्य पिताजी का, वर्तमान आपका और दरबारियों का और भविष्यकाल आपके चिरंजीव सुपुत्र का। जो जी में आये वह करो। अपनी करो रोज़ सेहराबन्दी और दूसरों की करवाओ नसबन्दी। और हाँ, तुकबन्दी कभी नहीं होती गन्दी। हिन्दी के तो राष्ट्रकवि इसी के सहारे जमे रहे। कविता की कभी ज़रूरत ही नहीं पड़ी।

कुर्सी में बस एक है किल्लत; और वह है काफ़ी संगीन इल्लत। बात यह है कि महल हो कितना ही पहरेदार; यह कुर्सी कभी होती नहीं वफ़ादार। यह हरज़ाई कभी न कभी आपको ज़रूर गिराती है; पब्लिक को कितना भी अफ़ीम खिलाओ, वह कभी आँख ज़रूर खोलती है। मगर एक बात याद रखिए मेहरबान, आप हों चाहे किशनचन्दर पहलवान। कुर्सी आपको गिराती है, ख़ुद नहीं गिरती, जैसे देसी फ़िल्मों में सिर्फ़ हीरो मरता है, हीरोइन कभी नहीं मरती। पलट जाता है तख़्ता, उड़ जाती है आपके हाथों की फाख़्ता। जो लोग राजा को पहले अपनी हसीन बीवी दिखाया करते थे, वे बाद में उसे मोटे तले वाला जूता दिखाते हैं। जो दरबारी हर सौदे में अपना कमीशन लेते थे, अब उनके ख़िलाफ़ कमीशन बैठता है। अरी ओ बेवफ़ाई, तेरा ही तो दूसरा नाम पब्लिक है...।

अब आ गया मुझको अपनी कुर्सी का ख़याल, और बन्द करता हूँ ये सारे सवाल। मगर हाय री कुर्सी, लोगों ने तेरे लिए क्या-क्या किया मगर तू है कि अपनी आदत कभी नहीं बदलती। तू शायद बदलेगी भी नहीं।

हिन्दी सिनेमा : कुछ सुझाव

मैं हिन्दी फ़िल्मों का काफ़ी पुराना मरीज़ हूँ। दोस्तों का ख़याल है कि इतने बिगड़े हुए केस का अब कोई इलाज नहीं। वैसे पिछले कुछ सालों में मेरी हालत कुछ सुधरी है क्योंकि इस बीच मेरी शादी और बच्चे हो गये। ग़लतफ़हमी दूर करने के लिए यह साफ़ कर दूँ कि बच्चे जो हुए हैं, वे शादी के बाद ही हुए हैं। फ़िल्में कुछ ऐसी आने लगी हैं कि बच्चों के साथ तो क्या, अपनी निजी बीवी के साथ भी उन्हें देखने में शर्म आती है। ख़ैर, कहने का मतलब है कि देसी फ़िल्मों का मैंने कसरत के साथ सेवन किया है। बचपन की स्टण्ट फ़िल्मों से लेकर आज तक जैसी भी फ़िल्में इस देश में बनीं, कम या ज़्यादा मात्रा में मैंने उन्हें हमेशा लिया। यूनिवर्सिटी के दिनों में तो यह बीमारी इतनी ज़्यादा बढ़ गयी थी, जब तक नगर के सारे सिनेमाओं से निबट नहीं लेता था, तब तक अर्थशास्त्र के सिद्धान्त और शिवराज भूषण समझ में ही नहीं आते थे। आज 'मस्तकलन्दर' देख रहे हैं तो कल 'मस्तकलन्दर का लड़का'। 'मस्तकलन्दर की लड़की' शायद नहीं आयी थी वरना उसे भी सँभालते। कहने का अभिप्राय संक्षेप में यह है कि जहाँ तक देसी फ़िल्मों का प्रश्न है, मेरे व्यक्तिगत अनुभव की रील लाखों फुट लम्बी है और उसी के बूते पर मैं यहाँ कुछ सुझाव प्रस्तुत करने जा रहा हूँ।

भाइयो और बहनो, मैं न तो कोई वैद्य हूँ और न कोई हकीम। मैं तो आपकी ही तरह का एक मामूली इंसान हूँ और सिर्फ़ अपने तजुरबे के आधार पर कुछ नुस्खे पेश करना चाहता हूँ ताकि फ़िल्म बनाने वाले उनसे फ़ायदा उठा सकें। ऐसा करने से देश की प्रगति चाहे हो या नहीं, उनकी अपनी प्रगति अलबत्ता ज़रूर होगी। इंसान की प्रगति में ही देश की प्रगति भी छिपी है और जो व्यक्ति देश और इंसान की प्रगति के बीच में खड़ा होता है, उसे एक आज़ाद मुल्क में रहने का कोई हक़ नहीं।

फ़िलहाल जितनी फ़िल्में बनती हैं उनकी शुरुआत मुहब्बत से होती है और अन्त शादी से। मुहब्बत और शादी के बीच काश्मीर आता है, उटकमण्ड आता है, प्राण और साहिर लुधियानवी से लेकर सचिनदेव बर्मन तक जो और नामी और मशहूर बाधाएँ हैं, वे भी आती हैं मगर ये बेचारे अपना पुश्तैनी धन्धा करते-करते थक कर

एक ओर खड़े हो जाते हैं और लड़का जो होता है वह सबके सामने लड़की को लेकर खिसक जाता है। कभी-कभी ऐसे अवसर पर लड़की जो होती है, वह भी काफ़ी ख़ुश दिखाई देती है। संक्षेप में कहने का अभिप्राय यह है कि प्रेम जो होता है वह अविवाहित क़िस्म का होता है। इधर शादी हुई और उधर हाल की बत्तियाँ जलीं।

मेरा पहला सुझाव यह है कि पिक्चर की शुरुआत बजाय मुहब्बत के शादी से ही क्यों न की जाए। उस अफ़ीमची की कहानी से फ़ायदा उठाया जा सकता है जिसका कि लोटा चूता था और जो इसी बुनियादी परेशानी के कारण बाथरूम जाने से पहले ही आबदस्त ले लिया करता था। आबदस्त का वही मौलिक सिद्धान्त सुखाकर फ़िल्मों में इस्तेमाल किया जा सकता है। शादी के बाद प्रेम के सीन होंगे तो उन्हें कोई भी अश्लील नहीं कह सकता। माँ, बेटी, पिता और पुत्र—यानी कि परिवार के सारे लोग ऐसी तस्वीरें साथ-साथ देख सकेंगे। शिव और पार्वती का प्रेम देखकर भक्तों को कितने सात्विक क़िस्म का सन्तोष होता है, यह सर्वविदित है। प्राण साहिर और आगा वग़ैरह अपना काम शादी के बाद भी बखूबी कर सकते हैं क्योंकि ज़िन्दगी जो है वह शादी पर ख़त्म नहीं होती, बल्कि वहाँ से शुरू होती है। मेरा पहला सुझाव इस कारण यही है कि फ़िल्म की शुरुआत प्रेम के बजाय शादी से हो। जहाँ तक फ़िल्म के ख़त्म होने का प्रश्न है, वह काम पहले या दूसरे बच्चे के पैदा होने पर सरलता से किया जा सकता है। इससे आगे जाना राष्ट्रीय नीति के विरुद्ध होगा।

मेरा दूसरा सुझाव यह है कि हमारी फ़िल्में कुछ ज़्यादा यथार्थवादी होनी चाहिए। अभी तक तो स्थिति इतनी नाज़ुक है कि फ़िल्मों के नाम तक रखने में ईमानदारी नहीं बरती जाती। फ़िल्म का नाम है 'शिकार' पर उसमें शेर है एक औंस और आशा पारीख है एक सौ तीस पौण्ड। इसी तरह 'ग्यारह हज़ार लड़कियाँ' नाम की एक फ़िल्म थी जिसमें कुल मिलाकर शायद डेढ़ लड़की थी। यह सरासर बेईमानी है जो ख़त्म होनी चाहिए। आप 'क़िस्सा साढ़े तीन यार' या 'क़िस्सा साढ़े तीन परी' पढ़ लीजिए और मजाल है जो आपको सवा तीन यार या सवा तीन परियाँ मिल जाएँ। वही पूरी साढ़े तीन की साढ़े तीन। इसी बुनियादी ईमानदारी के कारण हज़ारों साल बाद भी ये किताबें क्लासिक मानी जाती हैं और बदस्तूर पढ़ी जाती हैं। चाहता तो इन पोथियों का प्रणेता भी पुस्तक का नाम 'क़िस्सा साढ़े सात यार' रख सकता था पर उस शरीफ़ इंसान ने वैसा नहीं किया उसके गोदाम में साढ़े तीन यार ही थे, जो उसने पेश कर दिये। इसी कारण मैं कहता हूँ कि फ़िल्मों के नाम सच्चे होने चाहिए। यह नहीं कि चित्र का नाम तो है 'कंचनजंघा' और आप देखते हैं एक अदद चिड़ीबाज। कम-से-कम सत्यजित राय को तो असत्य नहीं बोलना चाहिए। नाम के साथ-साथ फ़िल्में वैसे भी सच्ची होनी चाहिए। अब यह कोई बात हुई कि प्राण को कोई पचास बार मरते हुए मैंने खुद फ़िल्मों में देखा है मगर एक साहब हैं जो अभी-अभी बम्बई में उसे सही सलामत देखकर आये हैं। अरे, कोई पिक्चर ऐसी भी तो बने जिसमें खलनायक जोहै

वह सचमुच में मरे। वह फ़िल्म यदि हिट न हो जाए तो आप मेरा नाम बदल दीजिएगा।

विदेशी फ़िल्मों की शूटिंग में हज़ारों आदमी मरते और घायल होते हैं जबकि हमारे यहाँ सिवा श्याम के कोई घोड़े तक से नहीं गिरा। अगर मरने के सीन सच्चे कर दिये जायें तो फ़िल्में भी अमर होंगी और नये चेहरों को भी मौक़ा मिलेगा। इस सबसे कितनी ताज़गी आयेगी, उसका अनुमान आप लगा सकते हैं। फ़िल्म 'टैक्सी ड्राइवर' के हिट होने का परम रहस्य यह था कि पिक्चर में शादी होने के साथ-साथ देवानन्द और कल्पना कार्तिक की असली जीवन में शादी हो चुकी थी और यह बात खुले आम पब्लिक को बता दी गयी थी। काश, देवानन्द अपनी हर पिक्चर में हीरोइन के साथ ऐसा ही करता।

हमारी फ़िल्मों में पात्रों को स्टीरोटाइप कर दिया गया है जो एकदम ग़लत है। इससे एक ओर तो कलाकार की प्रतिभा का ह्रास होता है और दूसरी ओर कहानी का जो ससपेंस होता है, वह ख़त्म होता है। जीवन की शक्ल देखते ही मैं समझ जाता हूँ कि बेचारे को मरना तो है ही, देखो कितना वक़्त लेता है। जानी वाकर आये हैं, चलो इनकी शायरी पर हँस ही लें हालाँकि कलाम वे ग़ालिब का पढ़ रहे हैं। मेरा तीसरा सुझाव है कि यह धन्धा अब ख़त्म होना चाहिए। मैं वाक़ई ऐसी पिक्चर की प्रतीक्षा में हूँ जिसमें अशोक कुमार हलवाई का पार्ट अदा करें और धूमल हाईकोर्ट के जज का। क्या यह जन्मकुण्डली में लिखा है कि अशोक कुमार हमेशा नवाबजादे ही बनें और धूमल बेचारा हमेशा नौकर ही। कभी-कभी पात्रों से स्त्री पात्रों का काम भी लिया जा सकता है जो हमारे नाट्यशास्त्र के सर्वथा अनुकूल होगा। अभी तक दो-चार फ़िल्मों को छोड़कर इस पुरातन शास्त्रीय परम्परा पर विशेष ध्यान नहीं दिया गया, जो ग़लत है। राजशेखर के अनुसार पुरुष जो है वह स्त्री का अभिनय कहीं बेहतर कर सकता है। शशि कपूर पहले दर्जे की हीरोइन बन सकता है और विद्या सिन्हा एक शानदार नवयुवक। जब असलियत में ही सेक्स तब्दील हो रहे हैं तो फिर तीन घण्टे के लिए ही क्या तकल्लुफ़?

मेरा अखिरी सुझाव यह है कि सिनेमा के क्षेत्र में सरकार को कुछ क़ानूनी क़दम भी उठाने होंगे। ताजीराते हिन्द में एक सेक्शन होना चाहिए कि फ़िल्म देखकर कोई भी उसकी कहानी किसी दूसरे को नहीं सुनायेगा। इन दिनों तो स्थिति इतनी दर्दनाक है कि लोग कहानी क्या, गाने तक सुनाने को तैयार रहते हैं। यह ग़लत है; इससे बाक़ी लोगों का मज़ा चला जाता है। इसके अलावा कुछ ऐसा भी प्रबन्ध किया जाना चाहिए कि फ़िल्म चलते समय हाल में हलकी-हलकी रोशनी ज़रूर रहे ताकि दर्शक लोग एक-दूसरे की हरकतों को देख सकें। कभी-कभी ऐसा होता है कि हाल में जो कुछ चलता है वह परदे से ज़्यादा सुनहरा होता है। आमतौर पर हाल का यह कार्यक्रम फ़िल्म के साथ-साथ ही प्रारम्भ हो जाता है और धीरे-धीरे गति पकड़ता जाता है। कवि के शब्दों में जब पतझर आ गया तो वसन्त क्या ज़्यादा देर पीछे रहेगा?

प्रसंगवश

यूँ तो अख़बार पढ़कर मैं सदा से ही दुखी होता आया पर आज का जो अख़बार था उसने हृदय को कुछ विशेष ही कष्ट पहुँचाया। देश के एक प्रशासन ने एक ब्रह्मचारी जी से अचानक वह साँड़ वापिस माँगना शुरू कर दिया जो कभी बतौर अमानत के उन्हें दिया गया था। उस अधिकारी को जिसने कभी उस साँड़ को बतौर अमानत के दिये जाने की सिफ़ारिश की, निलम्बित कर दिया गया। यह सारी परेशानी इस कारण उठ खड़ी हुई क्योंकि वह जो साँड़ था, वह विदेशी होने के कारण कुछ ऐसा धूर्त निकला कि वक़्त ज़रूरत वरामद ही होने में नहीं आ रहा। कुछ सयानों का ख़याल है कि साँड़ के वेश में शायद वह कोई विदेशी जासूस था जो इस तरह चुपचाप अन्तर्धान हो गया। मैंने जबसे यह समाचार पढ़ा है, मुझे वैसा ही दुख हो रहा है जैसाकि रीतिकाल की एक नायिका को उस समय हुआ था जब कि एक दिन उस मुसम्मात ने अपने निजी प्रेमी को अपनी निजी कन्या के साथ साँझ की वेला में वनों की ओर जाते देखा था। साँड़ और धेनु को उस भाँति एक साथ देखकर वह तुच्छ विचारों वाली स्त्री काफ़ी रोयी थी। मुझे भी यही दुख है कि यदि वह साँड़ इतना गुणी था, तो वह मुझे क्यों नहीं दिया गया। अगर वैसा किया गया होता तो साँड़ तो क्या, मैं स्वयं भी बरामद नहीं होता। मगर प्रशासन का निकम्मापन देखिए कि साँड़ एक लेखक को नहीं दिया गया और योगाश्रम भेज दिया गया। लगता है कि घोर कलिकाल बस अब आन ही पहुँचा।

हमारी संस्कृति में साँड़ का सदा से एक निश्चित स्थान रहा है। एक कृषि प्रधान देश में लोग खेती पर निर्भर होते आये, खेती हलों पर निर्भर होती आयी, हल जो थे वे बैलों पर निर्भर होते आये, बैलों का जन्म गायों पर निर्भर होता आया और गाय जो रहीं वह बेचारी बछड़ों की प्राप्ति के लिए साँड़ पर निर्भर होती आयीं। उसकी यह मजबूरी कुछ तकनीकी कारणों की वजह से रही। सन्तोष की बात यह है कि साँड़ ने इस पवित्र कर्त्तव्य की ओर से अपना मुँह कभी नहीं मोड़ा। आज़ादी के बाद तो चुनाव भी बैलों की जोड़ी के सहारे ही जीते गये और सरकारी क्षेत्र में भी साँड़ की नियुक्ति को विशेष तरजीह दी गयी। पर जो भी हो साँड़ की सच्ची

कला और मौलिक प्रतिभा की जितनी क़द्र भगवान् शिव ने की, उतनी किसी और ने नहीं। उन्होंने हंस, मयूर और गरुड़ जैसी आरामदेह सवारियों को लेने से इनकार कर दिया और साँड़ को प्रश्रय दिया जो केवल शक्तिशाली ही नहीं था वरन् अपनी सारी शक्ति का प्रयोग केवल दूसरों के भले के लिए ही करता था। गाय आपकी हो या मेरी—साँड़ के लिए सदा से एक ही सेवा की वस्तु रही। आगे-आगे साँड़ पर मृगछाला बिछाकर शिव और पार्वती चलते थे और पीछे-पीछे अपने चूहे पर बिराजते गणेशजी। एक हाथ में शायद लड्डू होता था और दूसरे में चूहे की पूँछ ताकि उसकी गति पर नियन्त्रण रखा जा सके। सादा जीवन, उच्च विचार। पीछे से गराज में चूही ही पुकार कर चूहे से कहती होगी कि हे आर्यपुत्र, ज़्यादा विलम्ब न करना, ड्यूटी ख़त्म होते ही सीधे घर चले आना। संस्कृत के महान् कवि भारवि ने अपने काव्य में साँड़ की चर्चा की और उसे साहित्य में भी समुचित स्थान दिया। भारवि के काव्य के अर्थ गौरव को देखकर लगता है कि सम्भवतः वे स्वयं भी साँड़ जैसे ही मस्त रहे होंगे और हाँ, हरियाणा के साँड़ तो सदा से ही विशिष्ट रहे। जितनी धेनुओं का उन बेचारों ने उद्धार किया, उतना शायद और किसी ने नहीं। और यह सेवा भी एकदम निःशुल्क रही; कभी किसी धेनु या धेनुकन्या से पारिश्रमिक नहीं माँगा। ठीक वही 'परोपकाराय सतां विभूतयः' वाला आदर्श। यह गौरव की बात है कि ऐसे परमार्थी साँड़ मानव-समाज में भी होते आये। इस परम्परा को पिछले कुछ वर्षों में काफ़ी प्रोत्साहन मिला।

मेरे ख़याल में जो कुछ किया था वह उचित ही था। साँड़ को योगाश्रम में ही प्रश्रय देना ठीक था; एक ब्रह्मचारी यदि दूसरे ब्रह्मचारी के पास नहीं जायेगा तो कहाँ जायेगा? ब्रह्मचारी से मेरा अभिप्राय ग़ैर शादी शुदा से है जो कि तर्क-संगत है। इस भद्र ब्रह्मचारी ने साँड़ विशेष का इतना ध्यान किया कि गर्मी की ॠतु आने पर वह ग़रीब ख़ुद तो मैदान में ही रहा पर उस साँड़ को उसने पहाड़ पर भेज दिया। साँड़ के सहारे राजधानी के बीचोबीच एक योगाश्रम खोलने की भी व्यवस्था की गयी जो आर्ष संस्कृति के सर्वथा अनुकूल थी। नगरों में यदि विधवाश्रम खुल सकते हैं तो फिर साँड़ाश्रम क्यों नहीं? मुझ नाचीज़ के ख़याल में तो इन दोनों को एक-दूसरे के आस-पास ही खुलना चाहिए ताकि विधवाओं को भी सुविधा रहे और साँड़ों को भी। साँड़ और विधवाओं को साथ-साथ रखने पर क्या पब्लिक सेक्टर और क्या प्राइवेट सेक्टर, दोनों फले-फूलेंगे। जिस किसी बाई की तबीयत हो वह अपने पति को साँड़ों के आश्रम में भर्ती करा दे और ख़ुद विधवाश्रम में चली जाए। यह लोक भी सुधरेगा और परलोक भी। इससे ज़्यादा एक इंसान को और क्या चाहिए?

योगी ने साँड़ जो स्वीकार किया, वह कोई वैसे ही नहीं किया। यदि साँड़ उच्चकुल का था तो आश्रम की गाय भी केवल सेब ही खाती थी। जैसी धेनु, वैसा उसका साँड़ : रत्नं समागच्छतु कांचनेन। और हाँ, हालाँकि साँड़ रहता तो आश्रम में

था पर योगी जी ने यह शर्त भी स्वीकार कर ली थी कि वक़्त ज़रूरत आश्रम के बाहर की धेनुएँ भी उसका सत्संग प्राप्त कर सकती हैं। यदि धेनुएँ आश्रम तक आ जाएँ, तो वह ग़रीब सवकी यथाशक्ति सेवा करेगा। दूसरे शब्दों में एक का होते हुए भी सबका; वही महात्मा गाँधी की ट्रस्टीशिप वाली बात। कितना बड़ा त्याग है उस योगी का और साथ ही साथ उस साँड़ का जो ऐसी व्यवस्था रखी गयी। भगवान्, ऐसी बुद्धि हर साँड़ और ब्रह्मचारी को दे।

मैं प्रशासन से अपील करता हूँ कि इस मुद्दे को लेकर योगी जी को तंग करना फ़िजूल है। साँड़ के सन्दर्भ में जो दस-बीस लाख रुपये आश्रम को चले गये, उनकी चिन्ता करना बेवकूफ़ी है। अगर आश्रम की धेनु सेब खाती थीं तो साँड़ भी कम-से-कम अंगूर तो खाएगा? इसके अलावा यदि गाय हमारी माता है, तो साँड़ हमारा बाप हुआ। बाप के ख़र्चे को लेकर कहीं चौराहे पर लड़ते हैं? मेरा तो विचार है कि साँड़ बेचारा जो अन्तर्धान हुआ वह इन्हीं दुःखों को लेकर हुआ। भगवान् उसकी आत्मा को शान्ति दे।

विश्वस्त सूत्रों से ज्ञात होता है कि जब से वह साँड़ ग़ायब हुआ है तब से उस क्षेत्र की चन्द धेनुएँ काफ़ी व्याकुल हैं। वे बेचारी आश्रम के बाहर जाती हैं और रँभाती हैं। ठीक वही कृष्ण और गोपियों वाली रीति। मगर साँड़ ने आश्रम में रहकर कुछ ऐसा वैराग्य शतक पढ़ा कि अन्तर्धान ही हो गया। अब धेनुएँ जो हैं वे योगी को घेरेंगी– ठीक वैसे ही जैसे कि अप्सराएँ कभी इन्द्र को घेरा करती थीं। कोई उनकी दाढ़ी में पूँछ डालेगी कोई अपना प्रेम से पगा सींग उनकी नाभि में देगी और कोई-कोई ज़्यादा विरहवती बाला तो उनके गले में अपनी बाँहें यानी कि अगली दो टाँगें भी डालेगी। प्रेम में अन्धी प्रेमिका को योगी और साँड़ में कभी कोई अन्तर नज़र नहीं आया। मगर ऐसी स्थिति में योगी जी बेचारे करेंगे तो क्या करेंगे? इतनी प्रेमिकाओं की एक साथ सेवा भी तो करना कठिन ही है। मैं 'सेवाधर्मो परम गहनः योगिनामप्यगम्यः' वाली सूक्ति याद करता हूँ कि भर्तृहरि ने जो कुछ कहा था वह ठीक ही कहा था।

काव्य-चर्चा

मुझे कविता से बड़ा गहरा प्रेम है। संस्कृत, हिन्दी व अँग्रेज़ी– इन तीन भाषाओं का काव्य तो मैंने पढ़ा ही है, स्थिति यह है कि संसार की शेष जितनी भाषाएँ हैं, उनका काव्य भी किसी न किसी तरह पढ़ने की मैंने बराबर कोशिश की है। कविता से बड़ी चीज़ शायद कोई दूसरी नहीं। शास्त्रों में कहा गया है कि मूर्ख लोग जो होते हैं वे अपना समय व्यसन, निद्रा और कलह– इन तीन चीज़ों में बरबाद करते हैं जबकि बुद्धिमान लोग जो होते हैं वे अपना बहुमूल्य समय काव्य, शास्त्र और विनोद–इन तीन चीज़ों में गुज़ारते हैं। बुद्धिमान होने के नाते इस लेख में मैं कुछ ऐसे काव्यांशों की चर्चा करूँगा जिन्होंने मेरे मर्म को छुआ है और मेरे जीवन दर्शन को प्रभावित किया है। अच्छी चीज़ों को दूसरों तक पहुँचाने में मुझे सदा से हर्ष होता आया।

काव्य-चर्चा का प्रारम्भ मैं भगवान् की भक्ति से करूँगा। सारे महान् काव्य मंगलाचरण से ही प्रारम्भ होते हैं। भगवान की भक्ति का काव्य सूर, तुलसी व कबीर इत्यादि सभी बड़े कवियों ने लिखा है। सूरदास की 'चरन कमल बन्दौं हरि राई' वाली पंक्तियाँ मुझे बराबर याद रहती हैं। इस पद में आगे चलकर एक ऐसे लँगड़े व्यक्ति की भी कहानी कही गयी है जो किसी ग़लतफ़हमी में एक पहाड़ पार कर गया था। इस सबके बावजूद जिन पंक्तियों ने मेरी प्रभु-भक्ति को बार-बार झकझोरा है, वे इस प्रकार हैं :

ख़ुदा मन मेहरबान होता है
तो गधा पहिलवान होता है

(अज्ञात)

कितनी सादगी और बुलन्दख़याली है! साथ ही साथ भाषा की चुस्ती और कसावट जो है वह भी देखते ही बनती है। और चीज़ों के साथ-साथ इसमें यह भी बताया गया है कि पहिलवान जो होता है वह प्रायः गधा होता है। मुझ पर जब भी कोई विपत्ति पड़ती है, मैं इस पद को याद करता हूँ और परमपिता परमात्मा के सामने नतमस्तक हो जाता हूँ। जब कोई गधा दिखाई पड़ता है, तब भी यह शेर याद आ जाता है। गधे का ज़िक्र क्या छिड़ा कि एक शेर और याद आ गया :

गर गधे के कान में कह दूँ, कि हूँ तुम पर फ़िदा
तो यकीं कामिल है कि वह खेत खाना छोड़ दे

(अज्ञात)

इस शेर में सांसारिक प्रेम के एक बड़े ही नाज़ुक पहलू पर निगाह डाली गयी है। प्रेयसि तो प्रेयसि, अगर गधे के कान में भी कह दिया जाए कि मैं तुझ पर आसक्त हूँ तो वह भी बिदक जायेगा। खेती को गधों से बचाने के लिए भी इस शेर पर अमल किया जा सकता है। गधे का काव्य में सदा से महत्त्वपूर्ण स्थान रहा।

ऊपर वाला शेर शृंगार रस का था। जहाँ तक शृंगार रस का प्रश्न है, उस पर काफ़ी परिश्रम किया जा चुका है। कालिदास ने इस सन्दर्भ में एक बड़ी पते की बात कही थी जिसकी चर्चा मैं यहाँ करूँगा। मालविकाग्निमित्र में राजा को उसकी प्रेयसि से मिलाती हुई रानी कहती है कि जिस प्रकार नदियाँ जो होती हैं वे समुद्र के पास जाते-जाते दो-चार और नदियों को भी ले जाती हैं, ठीक उसी प्रकार पतिव्रता कुलवधुएँ अपने पतियों को सुखी रखने के लिए उन्हें शेष सुन्दरियों से भी मिलाती रहती हैं। कितना अच्छा हो कि आजकल की पत्नियाँ महाकवि कालिदास की इस सलाह पर अमल करें।

शृंगार रस का प्रारम्भ सदा से नखशिख वर्णन से होता आया। रीतिकालीन काव्य इसका प्रमाण है। एक प्राचीन पोथी का तो नाम ही 'नखशिख प्रेम वर्णन' है। इस सन्दर्भ में एक शेर अर्ज़ है जो नायिका के साथ-साथ कवि के प्रकृतिप्रेम पर भी प्रकाश डालता है:

तुम वह फूल हो जिसमें ख़ुशबू नहीं
तुम मेरी जाँ गोभी का फूल हो

(अज्ञात)

लड़कियों के साथ ख़ूबसूरती की शर्त सदा से रही। ख़ूबसूरती पर कभी-कभी सन्तान होने का काफ़ी प्रभाव पड़ता आया। इस स्थिति पर प्रकाश डालते हुए कवि कहता है :

औलाद ने लीद बना दी उसकी
लड़की वरना वह ख़ूबसूरत थी

(अज्ञात)

और नातों के साथ-साथ इस शेर में अनुप्रास की छटा कितनी निखर कर आयी है— औलाद ने लीद बना दी उसकी। नायिका को औलाद से बचाने के लिए कुछ लोग कोशिश भी करते थे। एक होनहार सज्जन ने एक सन्दर्भ में कुछ खोज भी की थी पर स्थिति यह रही कि:

जब तक उसे पता लगा सारे सुराग़ का
घर में चंद और आ गये तब तक

(अज्ञात)

संयोग शृंगार पर मुझे हमेशा चिरकीन की याद सताती है। मिलन के कुछ चित्र प्रस्तुत हैं :

वो आगे-आगे वस्ल का वादा किये हुए
हम पीछे-पीछे हाथ में खटिया लिये हुए

या :

ख़ुदाया मुश्किलें आशिक को कैसी-कैसी आती हैं
उधर है वस्ल का मौक़ा, इधर कुछ और हाज़त है

मुझे इतिवृत्तात्मक काव्य बेहद पसन्द हैं। संसार के जितने भी क्लासिक हैं वे प्रायः सभी इतिवृत्तात्मक हैं। एक बार एक लोकगीत मेरी निगाहों से गुज़रा था जिसमें एक सेठजी की धोती में एक चूहा घुसने की परम ऐतिहासिक कथा प्रस्तुत की गयी थी। बड़ी मार्मिक कथा थी। जिन लोगों की धोती में कभी चूहा घुसा है वे इस कथानक की पीड़ा समझ सकते हैं। प्रायः ऐसा होता है कि चूहे से मुक्ति पाने के लिए आप अपने सारे वस्त्र उतार देते हैं पर चूहा है कि फिर भी बाहर नहीं निकलता। इस लोकगीत की टक्कर का दूसरा लोकगीत मेरी निगाहों से फिर कभी नहीं गुज़रा।

जैसा कि ऊपर दिये गये उद्धरणों से प्रकट होगा, इनमें से काफ़ी कवि श्री अज्ञात जी के हैं। कवि अज्ञात ने संसार की शेष भाषाओं में भी काव्य रचना की है। इनके जन्म, स्थान और बाक़ी विवरण जानने के लिए अभी तक पूरा-पूरा प्रयत्न नहीं किया गया। आशा है सहृदय साहित्य प्रेमी इस दिशा में ध्यान देंगे। सरकार यदि लम्बा-चौड़ा कोई अनुदान दे, तो शायद मैं ख़ुद ही इस काम को हाथ में ले सकूँ। साहित्य प्रेम के सामने मैंने कभी किसी परेशानी की परवाह नहीं की।

आज मौसम बड़ा प्यारा है– ठीक वही ऋतु जिसमें कवि बच्चन 'मधु पी लो मौसम आज बड़ा प्यारा है' कहकर ख़ुद अनन्नास का शर्बत पिया करते थे। शाम को आँधी और वर्षा आ गयी तो गर्मी कुछ कम हो गयी। बच्चे नदी की दिशा में खेलने निकल गये। आज की रात भी यदि काव्य-चर्चा न हुई तो फिर कब होगी?

पिछली बैठक में मैंने एक ऐसे कवित्त की चर्चा की थी जिसमें कि एक सेठजी की धोती में चूहा घुसने की कथा कही गयी थी। मूल काव्य का उद्धरण मैं उस समय नहीं दे पाया था क्योंकि कवित्त मुझे याद नहीं था। मुझे यह बताते हुए असीम सन्तोष का अनुभव होता है कि वह कवित्त मुझे मिल गया है और सहृदय काव्य-प्रेमियों के हित को ध्यान में रखते हुए उसे मैं यहाँ प्रस्तुत करता हूँ। मिश्रबन्धुओं के अनुसार इस कवित्त के कई पाठ प्राप्त होते हैं पर उससे कवित्त के भावार्थ पर कोई विशेष अन्तर नहीं पड़ता। कवित्त इस प्रकार है :

एक चूही न मन में डरी
उछरि सेठ की धोती परी
चूँ चूँ चूँ चूँ धोती करै
बनिया धोती पकरे फिरै
जब बनिये ने दई दुहाई
घर तें दौड़ बनैनी आयी
हुआ घोर कोलाहल भारी
भीर भई बनियन की सारी
कोई लेते सेर दुसेरी
कोई ले पक्की पंसेरी
सबने मिल पंचायत कीनी
वार फेर चूही को दीनी
आ चूही तू बाहर आ
घी शक्कर का भोग लगा
तब चूही ने दाँत दिखाये
सात पाँच बनिये लुढ़काये
जब चूही ने दिया झटोका
खुल गयी धोती चले पिटोका
कूद फाँद बिल में गयी चूही
कहन लगे अब हारी तू ही

ऊपर लिखे काव्य को मैंने अनेक बार पढ़ा है और प्रत्येक बार मैं इस निष्कर्ष पर पहुँचा हूँ कि इतिवृत्तात्मक काव्य के प्रत्येक मापदण्ड के अनुसार यह कविता उच्चकोटि की ठहरती है। इसमें कथा का रस है जो इसे प्रियप्रवास या जयद्रथवध के समकक्ष ले जाता है। इसमें अनेक रसों का परिपाक है जैसे अद्‌भुत, वीर, करुण और थोड़ा-बहुत हास्य। इसमें नायक व नायिका अर्थात् सेठजी व कुमारी चूही दोनों के चरित्र का विकास ठीक उस तरह दिखाया गया है जिस प्रकार कामायनी में मनु और श्रद्धा का। इस सबके अतिरिक्त भाषा और शिल्प का तो कहना ही क्या—वे तो इस कविता की विशिष्ट शक्तियाँ हैं। उदाहरण के लिए ये पंक्तियाँ :

चूँ चूँ चूँ चूँ धोती करै
बनिया धोती पकरे फिरै

इन पंक्तियों में ओटोनोमोपोइया अलंकार का प्रयोग बड़ी कुशलता से किया गया है जैसे कि सुमित्रानन्दन पन्त की कुछ कविताओं में मिलता है। इसके अतिरिक्त और भी गुण इस कविता में होंगे जिनका पता रसज्ञ पाठकों को लगेगा। एक शास्त्रकार के अनुसार, अधरों की मधुरता, कुचों की दृढ़ता और कविता का

परिपाक—इन्हें केवल अनुभवसिद्ध रसिक ही जानते हैं, बाक़ी लोग नहीं। जहाँ तक हमारा प्रश्न है, हम तो ख़यालों की बुलन्दगी, भाषा की सादगी, शिल्प की काटछाँट और रस का परिपाक—इन चार वस्तुओं के अतिरिक्त और कुछ नहीं देखते। एक उर्दू कवि के अनुसार :

हम तो मरते हैं इन चार पर
नाज़ पर, अन्दाज़ पर, रफ़्तार पर, गुफ़्तार पर

आजकल अख़बारों की हड़ताल चल रही है। बड़ी मुश्किल है। और चीज़ की हड़ताल तो इंसान शायद बर्दाश्त कर ले पर अख़बार पढ़ने वाले को अगर अख़बार न मिले तो उससे बड़ा दुखी और कोई नहीं। मगर शायद मैं ग़लती पर हूँ। हड़ताल पर एक नज़्म याद आयी जिससे साबित होता है कि भंगियों की हड़ताल सबसे ज़्यादा क़ीमती होती है। सैयद मुहम्मद जाफ़री का कलाम हाज़िर है :

भंगियों की आजकल हड़ताल है
कहतरो मेहतर का पतला हाल है
गर्दिशे दौराँ ने साबित कर दिया
रफ़अ-हाज़त भी बड़ा जंजाल है
ज़स्त की हद पर खड़े हैं शेख़ ज़ी
साँस खींचे हैं मगर मुँह लाल है
पेट पकड़े फिर रहे हैं सेठजी
उनकी धोती में बहुत सा माल है
आ गयी रोके से रुक सकता नहीं
अपना अपना नामा-ए-एमाल है

हड़ताल पर लिखी गयी कविताओं में यह कविता कदाचित् सर्वश्रेष्ठ है। इसका अन्त कितना मार्मिक है— कर्मों का फल सामने आ गया, उसे कोई नहीं रोक सका। कविता में एक शब्द आया है— 'हाज़त'। इस शब्द के कई अर्थ हैं। एक अर्थ तो वही है जो आप जानते हैं। दूसरा अर्थ है इच्छा अर्थात् ख़्वाहिश। ग़ालिब कहते हैं :

कौन है जो नहीं है हाज़तमन्द
किसकी हाज़त रफ़ा करे कोई।

एक और अन्तिम रचना

हिन्दी में व्यंग्य लेख लिखते-लिखते तंग आ गया। और किसी भाषा में लेखनी को प्रसवपीड़ा देना इस कारण सम्भव नहीं क्योंकि और कोई भाषा मुझे उतनी आती ही नहीं। एक बार उर्दू सीखने की बड़ी जी जान से कोशिश की थी मगर वहाँ एक भूल हो गयी। मेरे जो उस्ताद थे वे बहुत बूढ़े थे और उस ग़म को भुलाने के लिए वे शराब बेहद पीते थे। नतीजा यह रहा कि जैसे ही मैं 'गोपाल ने एक बुलबुल पाली थी, जो देखने भालने में एकदम काली थी' वाले पाठ तक पहुँचा, वैसे ही मेरे अध्यापक के प्राणों की बुलबुल उनकी अस्थिचर्ममय देह के पिंजरे से ऐसी निकली कि फिर कभी हाथ नहीं आयी। इसी प्रकार जब मैं पटना में नियुक्त था तब एक बंगाली भद्र पुरुष की सहायता से बँगला सीखने की चेष्टा की और ईश्वरचन्द्र विद्यासागर तक की रचना पढ़ने का ज्ञान भी हो गया। इस रचना विशेष का नाम था 'वर्ण परिचय : भाग एक'। मैं इस प्राइमर को पढ़ ही रहा था कि उन भद्र पुरुष का तबादला हो गया। मैं फिर वहीं का वहीं रह गया। संस्कृत का थोड़ा-बहुत ज्ञान है पर इतना नहीं कि राघवपाण्डवीयम् या भामिनीविलास लिख सकूँ। अँग्रेज़ी के कोई डेढ़ सौ गिने चुने शब्द आते हैं जो सरकारी काम के लिए ज़रूरत से कहीं ज़्यादा हैं। अँग्रेज़ी में दस्तख़त भी कर लेता हूँ और कई तरह से कर लेता हूँ । कभी-कभी तो ये हस्ताक्षर इतने मौलिक होते हैं कि मैं खुद भी इन्हें नहीं पहिचान पाता। सरकार में उच्च अधिकारी सदा उसे ही स्वीकार किया गया जिसके दस्तख़त कोई नहीं पढ़ पाया। ऊपर लिखी स्थिति में सोचता हूँ कि कोई ठोस रचनात्मक काम कर डालूँ जैसे कि अनैतिक प्रेम या फिर आत्महत्या। यहाँ इन्हीं दो पवित्र क्रियाओं पर विचार करूँगा।

आत्महत्या करने की प्रवृत्ति इस कारण ज़ोर मार रही है क्योंकि मुझे सहसा यह आभास हो गया है कि मैं कायर हूँ। वैसे आत्महत्या न कर पाने का कारण भी यह कायरता ही है पर वह दीगर बात है। काश, हममें वह हिम्मत होती जो अभी-अभी एक शालीन व्यक्ति ने यह कहकर दिखायी कि वे महाराष्ट्र के नये मनोनीत गवर्नर हैं और उनकी इस झूठी वाणी को सत्य मानकर कुछ नारियों ने उनसे प्रार्थना की

कि वे उन्हें अपने पतियों से तलाक़ दिलवा दें। मेरा दुर्भाग्य कि मैं इस विभूति से नहीं मिल सका। यदि मिल लेता तो इनकी आत्मकथा लिखता। मध्ययुग में जो गद्दी के झूठे दावेदार या 'प्रिण्टेडर्स' निकला करते थे वे कितने वीर और ख़ुशमिज़ाज होते थे। आजकल ऐसे हक़दार साहित्य में हो रहे हैं। सरस्वती को विदेश से चुराया जाता है और लक्ष्मी देसी रहती है। एकदम ठेठ हिन्दी का ठाठ। और यह हम सबके सामने हो रहा है। अभी-अभी एक गाँव में डकैती पड़ती रही और पुलिस जो थी वह देखती रही। इतना संयम बड़े अभ्यास से प्राप्त होता है; वैसे नहीं। इसी प्रकार गोआ में एक नितान्त उदारमना डॉक्टर ने बच्चों के साथ-साथ उसकी सुन्दर माता की प्राकृतिक चिकित्सा भी कर दी। इस ख़बर का ग़म अभी उतरा ही न था कि पढ़ने को मिला कि एक महन्त के घर पर छापा मारा गया तो चवहत्तर लाख तो हाथ का मैल अर्थात् रुपया मिला और साथ में कुछ अत्यन्त कामुक चित्र जो मिले सो अलग। इनके अनुयायी इनकी देह से गिरी किसी भी वस्तु को नहीं छोड़ते थे– चाहे वह पान हो या अपान। एक और साईं हैं जिनके पीछे कुछ यार लोग बिना बात पड़ रहे हैं। ये साईं खाली हाथ में से फूल निकालकर दिखाते हैं और यार लोग हैं कि उसकी अच्छी-ख़ासी रोज़ी चौपट करना चाहते हैं। इनका कहना है कि फूल नहीं; दिखाना है तो लालफूल का कद्दू दिखाओ। वैज्ञानिक निर्लज्ज होते जा रहे हैं– शेक्सपियर के राजा तिमन के वज़ीर की भाँति जिसने निन्यानबे नाइयों से हजामत बनवायी थी और पैसा एक का भी नहीं दिया था इन नास्तिकों को मैं ठीक कर देता पर मैं आत्महत्या और अनैतिक प्रेम– इन दो पदार्थों से ही मुक्त नहीं हो पा रहा। लोग हैं कि पाँच-पाँच रुपये में रक्त बेच रहे हैं ताकि फ़िल्म देख सकें और एक मैं हूँ कि सार्थक जीने और निरर्थक मरने के अतिरिक्त और कुछ कर ही नहीं सकता।

अब आपको यह प्रश्न पूछना उचित होगा कि यदि मैं इतना ही बेताब हूँ तो फिर आत्महत्या कर ही क्यों नहीं लेता? आपका प्रश्न ठीक है। नारायण प्रसाद 'बेताब' के बाद दूसरा बेताब शायद मैं ही हूँ पर फिर भी हालत कुछ ऐसी है कि कही नहीं जा सकती। बात ही कुछ ऐसी है, वरना क्या बात करनी नहीं आती?

बात दरअसल यह है कि सिवा मनोबल के (जिसके लिए अभ्यास अपेक्षित है और अभ्यास के लिए समय– कभी-कभी इतना समय कि तब तक आदमी वैसे ही मर जाता है और आत्महत्या करने की ज़रूरत ही नहीं पड़ती) मैं आत्महत्या की सारी तैयारी कर चुका था (जैसे कि अख़बार व पुलिसवालों के लिए मसौदा तैयार करना, अपनी भूतपूर्व प्रेयसियों के नाम पत्र लिखना वग़ैरह-वग़ैरह) कि तभी ठीक सामने के तल्ले में एक बाला आ गयी। बाब कट केश, गले में रुद्राक्ष की माला, हाथ में चमड़े का बैग और गेरुए वस्त्र। धर्मवीर भारती होते तो कहते– मेरी 'वह तो' गैरिक वसना; भूल गयी गोरे अंगों को, कैसे भी वसनों में कसना। यह तरुण तपस्विनी क्या आ गयी कि यह इलाका आश्रम का आनन्द देने लगा। मैं इसी आश्रम का हरिण

बनना चाहता हूँ और ज़ाहिर है कि ऐसी मनःस्थिति में आत्मघात जैसे घटिया काम नहीं सोचे जा सकते। पता नहीं इतनी रूपवती कन्या यहाँ कैसे आ गयी। वैसे जब दिल्ली में एक कचरे के ढेर में से अशोक की लाट निकल सकती है तो फिर इस फ़्लैट में शोक की यह लाट क्यों नहीं पदार्पण कर सकती?

इतिहास के अनुसार अमीर ख़ुसरो ने अपने जीवन काल में दिल्ली के तख़्त पर ग्यारह अदद सुलतानों का चढ़ना और उतरना देखा था। मैं न तो अमीर हूँ और न ख़ुसरो पर इस युवती का अपने तल्ले पर उतरना और चढ़ना रोज़ देखता हूँ। जिगर मुरादाबादी के मुताबिक 'देखा तो नहीं जाता पर देख रहा हूँ।' उसकी पगधुनि पहिचानता हूँ, उसकी गाड़ी पहिचानता हूँ और शर्म के साथ कहना पड़ता है कि उसके कुत्ते को भी पहिचानता हूँ। काफ़ी खूँख्वार क़िस्म का जानवर मालूम पड़ता है। मेरे चरित्रवान् रहने में यह काफ़ी मदद करेगा। अगर यह कुत्ता न होता तो शायद मैं किसी बहाने एक मुहल्लेदार की हैसियत से अब तक वहाँ टपक पड़ा होता पर इस कुत्ते के रहते हिम्मत नहीं पड़ती। हवाई जहाज़ से कूद पड़ने पर यदि छतरी न खुले तो आप गिरने वाले को वायुयान में वापिस जाने को तो नहीं कह सकते। यह कुत्ता ऐसा है कि मुझे वहीं जाने को कहेगा। इस अकेले कुत्ते के बल पर वह तापस कन्या है कि इंसानों को पास नहीं फटकने देती। कैसी पतित है; इंसान को ठुकराती है और कुत्तों को पास आने देती है। और कुत्ता है कि एकदम सर्वोदयी क़िस्म का। न रिश्वत लेता है और न प्यार भरी आँखों को पहिचानता है। विलायत में प्रत्येक विदेशी को दो सहस्र मुद्रा बतौर रिश्वत के दी जा रही है ताकि वे इंग्लिस्तान छोड़ सकें। इधर यह नीच कुल का कुत्ता है कि मेरे हाथों से एक किलो जलेबो भी खा गया और फिर मेरी ही टाँग काट ली। कुत्ते ने टाँग जो काटी तो उसके दो तात्कालिक परिणाम हुए। पहला परिणाम तो यह हुआ कि टाँग में तकलीफ़ हुई और दूसरा परिणाम यह रहा कि गुलशने-करामात की वह बुलबुले हज़ारदास्तां हमारे घर अपनी तशरीफ़ का लिफ़ाफ़ा ख़ुद ही ले आयी। बला की ख़ूबसूरत निकलीं। कवि के शब्दों में स्थिति यह रही कि दिल से उनकी निगाह ज़िगर तक गुज़र गयी, दोनों को इक अदा में रज़ामन्द कर गयी। हमारी हालत दर्याफ्त की, कुत्ते की हालत हम तक पहुँचायी, हमारी टाँग पर पट्टी बाँधी, उन लोगों के नाम, वल्दियत और पते बतलाये जो उसी कुत्ते के प्रभाव से इस भवसागर को हमसे पहले पार कर चुके थे और जाते-जाते एक ऐसे डॉक्टर का पता भी बताया जो टाँग के साथ-साथ दिमाग़ का भी इलाज करता था।

वह चली गयी। हम यह भी न बता सके कि हमारी टाँग ही नहीं, हमारा दिल भी जख़्मी है और असलियत तो यह है कि कम-से-कम हमारे केस में टाँग और दिल—इन दो चीज़ों में कोई विशेष फ़र्क़ वैसे भी कभी नहीं रहा। और बीमार या घायल होना कोई पाप है क्या? राणा साँगा लगभग रोज़ ही घायल होते रहते थे

और जहाँ तक रोगी होने का प्रश्न है, स्थिति यह है कि लन्दन की विशाल बिगबेन घड़ी तक किसी स्त्रीरोग से पीड़ित है। हम तो उससे केवल इतना कहना चाहते थे कि प्रेम के ढाई अक्षर वह किस भाषा में पढ़ना चाहती है और बस। यह तमन्ना हमें हमेशा से हर भली लड़की को देखकर होती आयी। ऐसा नहीं कि हम चरित्रहीन हैं, कामुक हैं या पतित हैं परन्तु बात यह है कि बिना इंसान से मुहब्बत किये हम भगवान से भला कैसे प्रेम कर सकते हैं? भगवान् की प्राप्ति तो अस्थिचर्ममय इस देह के माध्यम से ही करनी है। बड़ी मजबूरी है। जो लोग कहते हैं कि मैं ग़लत कहता हूँ वे पिछड़े हुए हैं। विधिमन्त्री के अनुसार हमारे जो जज हैं, वे तीन पीढ़ी पीछे हैं। जब न्यायाधीशों की यह स्थिति है तो इन मठाधीशों की क्या होगी।

कुछ भी समझ में नहीं आ रहा कि करूँ तो क्या करूँ। सन्देश भी पठाऊँ तो किसके हाथ? मेघ को दूत बनाने के लिए छोटा नागपुर जाकर आषाढ़ के प्रथम दिवस की प्रतीक्षा करनी पड़ेगी और यदि हंस या कबूतर वग़ैरह भेजता हूँ तो वह पाजी कुत्ता उन्हें सन्देश समेत खा जायेगा। और अगर कहीं वह यह समझ बैठा कि वह प्रणय सन्देश मैंने उसकी स्वामिनी नहीं वरन् उसी के लिए भेजा है– तब तो बस हो गयी छुट्टी।

अब आप ही बताइए कि क्या किया जाए? न अनैतिक प्रेम की कोई सम्भावना है और न आत्महत्या की। मेरे ख़याल में जुलाब लेने के अतिरिक्त और कोई रास्ता नज़र नहीं आता।

विद्यापति की नायिका

पता नहीं क्यों, नायिकाओं के प्रति मुझे सदा से ही अनुरक्ति रही। मैंने उनमें कभी कोई भेदभाव नहीं किया। प्रत्येक बालिका मेरे प्यार की समान ही भागिनी रही। इसी कारण मुझे सदा से उन लोगों पर तरस आता रहा जो नायिका के प्रति अनुराग जताने के स्थान पर उसके भेद खोजते रहे। क्या दयनीय स्थिति थी। एक बेचारी नायिका थी जिसका एक अंग नायक पकड़ता था और दूसरा अंग जो था वह नायिका भेद खोजने वाला रीतिकालीन कवि या शास्त्रकार पकड़ता था। बेचारी नायिका इन दोनों के बीच तड़पती रहती थी। इसी तड़पती हुई नायिका के रस से रीतिकालीन कविता पनपी जो नायिका व नायक, दोनों को विरह में कलपता छोड़कर आगे बढ़ती चली गयी।

विरहवती नायिका, क्या रूप और क्या गुण, दोनों में ही अग्नि के समान होती थी और इसी कारण यह स्वाभाविक ही था कि नायिका भेद की परम्परा अग्निपुराण से प्रारम्भ हुई। उसके उपरान्त संस्कृत के लगभग सोलह स्वस्थ आचार्य इन नायिकाओं पर परिश्रम करते रहे। हिन्दी में यह कृपा सर्वप्रथम कृपाराम जी ने की जिन्होंने हम सब के हित के लिए हिततरंगिणी नामक पोथी लिखी। केशवदास, जिनका कि राष्ट्रप्रेम इतना विकसित था कि जहाँ एक ओर उन्होंने रामचन्द्रिका लिखी वहीं दूसरी ओर जीवन के अन्तिम दिनों में 'जहाँगीर-जस-चन्द्रिका' का प्रणयन भी किया। अपने खाली वक़्त में नायिका भेद ही सम्पन्न किया करते थे। एक अदद नायिका को पकड़ लिया और लगे उसके भेद करने। जहाँ तक मैं सोच पाता हूँ, यह एक ख़ासा अच्छा शगल रहा होगा। कुल मिलाकर नतीजा यह निकला कि रसशास्त्र मोटा होता गया और नायक पतला। वह बेचारा इसी प्रतीक्षा में खड़ा रहा कि नायिका शास्त्रकारों के हाथों से कब छूटे और कब उसकी बाँहों में पहुँचे। सच्चे प्रेम का स्वर्ण सदा से प्रतीक्षा की आँच में तपता आया। वैसे नायक चाहता तो एकाध शास्त्रकार को धक्का देकर नदी में फेंक सकता था पर वह अपनी सीमा और उत्तरदायित्व समझता था। वह ऐसी कोई हरकत नहीं करना चाहता था कि रीतिकाल जो था वह वीरगाथा काल की गन्ध देने लगे। रीतिकाल में सारे युद्ध जो नायक ने लड़े वे सिर्फ़ नायिका

के साथ लड़े; और किसी को उसने रत्तीभर चोट नहीं पहुँचायी।

नायिका भेद का क्रम एक बार जो चला तो फिर चलता ही गया। हरिऔध तक ने नायिका भेद किया, उसे नया रूप देने की कोशिश भी की। कुछ नवीन ढंग की नायिकाएँ भी प्रस्तुत की गयीं जैसे देश-प्रेमिका, लोक-प्रेमिका, जातिप्रेमिका और परिवार प्रेमिका। जैसा कि ज़ाहिर है, ये सारी नायिकाएँ सिवा अपने प्रेमी के, बाक़ी सब से प्रेम करती थीं। आज के युग में, जबकि सुन्दर युवतियों का उपयोग क्या साहित्य और क्या संस्कृति, सभी क्षेत्रों में भाँति-भाँति से किया जा रहा है, नायिका भेद एकदम नये ढंग से करना ही ज़्यादा उचित होगा। मगर वैसा किया नहीं जा रहा। लोग, शायद चतुर हो गये; वे समझ गये कि नायिका भेद पर समय व्यतीत करना व्यर्थ है। बुनियादी तौर पर सारी नायिकाएँ एक-सी ही हैं। वैसे भी वे ज़माने अब लद गये जबकि स्वकीया और परकीया में अन्तर मानना ज़रूरी समझा जाता था। वह ज़रूरत अब नहीं रही। इन्हीं कारणों से पण्डित महावीर प्रसाद द्विवेदी की इस शिकायत पर भी ध्यान नहीं दिया गया कि यदि नायिका भेद किया जाता है तो नायक भेद क्यों नहीं किया जाता? क्या उनमें स्वकीय, परकीय, वासकसज्जन, विप्रलब्ध और नवोढू नहीं होते? यदि कोई कन्या अज्ञातयौवना हो सकती है तो कोई किशोर अज्ञात यौवन क्यों नहीं हो सकता?

ऊपर दिये गये सारे प्रश्नों को छोड़कर मैं विद्यापति की नायिका को पकड़ता हूँ। अपनी निजी नायिका तो कोई है नहीं और इस कारण यदि मैं विद्यापति की नायिका को जी भर कर देख लूँ तो मैथिलप्रदेश के रसिकों को बुरा नहीं मानना चाहिए। महाकवि की नायिका ने मुझे सदा ही एक नयी गन्ध, एक नया रस और एक नया स्वाद दिया। जो ताज़गी और समझ इस युवती में है, वह मुझे कहीं और शायद नहीं प्राप्त हुई। वह अकेली नायिका थी जो अपने प्रियतम के निमन्त्रण पर, सोलह शृंगार कर निश्चित समय पर निश्चित स्थान के लिए जब निकलती थी तो अपनी सखियों से पूछती थी कि यह कामकेलि क्या होती है? वह इतनी चतुर थी कि अपनी छाती पर सदा अपने या प्रियतम के भुजपाश इस कारण रहने देती थी कि कहीं स्तनरूपी जो दो गोल-मटोल चकवे थे, अपने झुण्ड में शामिल होने के लिए आकाश की ओर न उड़ जाएँ। वह घर की चहारदीवारी के भीतर ही रहती थी क्योंकि राजा का कोई चाँद चोरी चला गया था और उसे डर था कि यदि वह बाहर निकली तो कहीं पुलिस वाले चाँद समझ कर उसे ही न पकड़ लें और अदालत के मालख़ाने में जमा करा दें। ज़ाहिर है कि पुलिस विभाग उन दिनों भी उतना ही सलर्क था जितना कि आजकल। विद्यापति की नायिका अपनी सखी से कहती थी कि कितना अच्छा हो यदि कोई जन्म ही न ले, और जन्म ले तो लड़की न हो, लड़की हो तो रूपवती न हो, रूपवती भी हो तो फिर रसवन्ती न हो और यदि रसवन्ती भी हो तो फिर किसी अच्छे ख़ानदान की न हो। इतना सारा भार एक साथ नहीं उठाया जा सकता।

विद्यापति मेरे प्रिय कवि हैं। उनके द्वारा वर्णित शृंगार रस एक विशिष्ट प्रकार की मौलिकता और आकर्षण रखता है क्योंकि बीच-बीच में अनजाने वे बड़े पते की बातें कहते जाते हैं। बादलों से घिरी भाद्रपद की रात्रि का वर्णन करते-करते कहते हैं कि यही वह अभिसार की वेला है जिसमें परोपकारी लोग एक-दूसरे का भला करते हैं। एकदम वही जयप्रकाश बाबू वाला सर्वोदयी सन्देश। दूसरी जगह वे कहते हैं कि कुलवन्ती सुन्दर युवती का शील काँच की भाँति होता है। इस उक्ति से कम-से-कम मुझे बड़ा साहस प्राप्त होता आया। कहीं-कहीं वे ऐसे सरल स्तर पर उतर आते हैं कि लगता है कि वे हमीं में से एक हैं; हमसे अलग नहीं। इस सन्दर्भ में मैं उनका एक पद लेता हूँ जिसका कि अनुवाद नागार्जुन ने किया। नायिका कहती है कि 'हे सखि, आज रात मेरे साथ विचित्र खिलवाड़ हुआ। जाने कैसा भुच्चड़ आदमी मेरे साथ आ सोया। अच्छे-भले आदमी की भाँति वह मेरे पास आया और मेरे आँचल में अपना मुँह छिपा कर मेरे पास लेट गया। पहते तो उसने मेरी अँगिया खोली और फिर मुझसे चिपक गया। इतने कार्य सम्पन्न करने के बाद, मुझे जगाकर, वह मूर्ख खुद सो गया। हे सखि, दुख के मारे मैं रात-भर तड़पती रही।' नायिका के मर्म पर उँगली रखते हुए महाकवि विद्यापति कहते हैं कि "यह रस नहीं रसाभास है; कुसुम के मकरन्द को भला मेंढक क्या जानेगा?"

बचपन में मैंने अनेक मेंढक पकड़े। बाद में चलकर नायिका भी पकड़ी। पर मेंढक और नायिका का जो आकर्षक संयोग विद्यापति ने प्रस्तुत किया, वह सम्भवतः अन्यत्र कहीं नहीं मिला।

विषकन्या

चमचों का मुझे काफ़ी अनुभव है। वास्तविक स्थिति तो यह है कि यदा-कदा मुझे भी चमचों जैसा आचरण करना पड़ा है। मेरा निश्चित मत है कि चमचों का युग अब बीत गया। फ़िलहाल जो युग है वह चम्मचों का है। चम्मचों से मेरा अभिप्राय स्त्री जाति के उन रत्नों से है जो ठीक वही काम करती हैं जो पुरुष लोग चमचा बनकर करते हैं। ध्यान से देखा जाए तो महसूस होगा कि भारतीय संस्कृति जो है वह चम्मचों के प्रयोग की ही इजाज़त देती है, चमचों के प्रयोग की नहीं। सदा के चतुर इन्द्र जो थे, वह अपना काम निकालने के लिए सदा उर्वशी, मेनका या तिलोत्तमा की ही सहायता लिया करते थे। जैसा कि शायद ज़ाहिर है, ये सबकी सब देवियाँ स्त्री ही थीं। जो लोग इस प्रथा को तोड़कर चमचों का इस्तेमाल करते हैं वे भारतीय संस्कृति के दुश्मन हैं। उनसे दूर रहना ही अच्छा।

मुझे यह सूचना देते हुए हर्ष हो रहा है कि चम्मचों का प्रयोग इधर काफ़ी बढ़ा है। क्या राष्ट्रीय और क्या अन्तरराष्ट्रीय दोनों स्तरों पर स्त्रियाँ वह काम कर रही हैं जो पुरुष लोग कभी नहीं कर सकते थे। दूत की अपेक्षा दूती हमेशा से ज़्यादा सतर्क और चतुर होती आयी। फ़िलहाल स्थिति यह है कि क्या व्यापारिक संस्थान, क्या सरकारी दफ़्तर या दूतावास, क्या होटल और शेष संस्थान– सभी स्थलों पर विभिन्न साइजों की चम्मचें हाज़िर हैं और अपना काम काफ़ी ज़िम्मेदारी से कर रही हैं। कहीं वे रिसेपश्निस्ट या होस्टेस कहलाती हैं तो कहीं जनसम्पर्क अधिकारी या सोशल वर्कर। बहरहाल लेबिल कुछ भी लगा हो, अन्दर सबके वही शराब है जिसकी माँग है। वही पुराना सोमरस–जिसकी चर्चा पुरानी पोथियों में विस्तार से की गयी।

पुल्लिंग होने के कारण मैं खुद तो कभी चम्मच नहीं बन पाया पर कुछ चम्मचों का अनुभव मुझे ज़रूर है। आमतौर पर ये देखने में हसीन होती हैं, जवान होती हैं, इनके केश प्रायः बॉब कट होते हैं और ख़ास बात यह होती है कि ये बोलती कम हैं और मुस्कराती ज़्यादा हैं। इनमें से कोई-कोई बाई कभी-कभी शरीफ़ भी निकल आती है जो बाद में शादी कर लेती है और परिवार-नियोजन की सारी योजना को खलास करने लगती है। मगर इनमें से ज़्यादातर ऐसी हैं जो अपने कैरियर से सन्तुष्ट

हैं। वे शानदार मोटरों में घूमती हैं, परमिट और लाइसेंस इकट्ठे करती हैं। एक-दूसरे का कण्ठ काटती हैं और बेशक़ीमती शराब पीती हैं। इनमें से एकाध तो ऐसी भी होती हैं जिसे यदि चाणक्य आज जीवित होते तो शायद विषकन्या कहकर पुकारते।

मेरे ख़याल से दुनिया में ऐसा कोई काम नहीं जो चम्मच न कर सके। चमचा फ़ेल हो सकता है पर चम्मच नहीं। एक वायसराय की पत्नी ने हमारे एक नेता पर ऐसा जादू डाला था जो उसका पति कभी नहीं डाल पाया। इसके अतिरिक्त किसी भद्र पुरुष को ब्लैकमेल करने की जो प्रकृतिदत्त सुविधा उनके पास है, वह पुरुषों के पास कहाँ? मैं सलाह दूँगा कि यदि कभी, समय मिले तो भर्तृहरि का श्रृंगार शतक आप ज़रूर पढ़ें। बड़ी पवित्र और सात्विक क़िस्म की पोथी है, जिसके पढ़ने से आप सबका भला होगा। जिस किसी ने श्रृंगार शतक, गीतगोविन्द, और विद्यापति की कविता नहीं पढ़ी, उसका जीवन व्यर्थ ही गया। ये वे कृतियाँ हैं जो बताती हैं कि कन्या जो होती है वह क्या चीज़ होती है। उसकी शक्तियाँ, उनके गुण, उपयोग—इन सभी का हमारे पूर्वजों ने ऐसा विस्तृत और आकर्षक विश्लेषण प्रस्तुत किया है कि मनु तक को यह कहना पड़ा था कि जिस देश में नारी की पूजा नहीं होती, उसका नाश हो जाता है। जैसा कि ज़ाहिर है, नारी से उनका अभिप्राय एक हसीन और जवान औरत से था। बूढ़ी और बदसूरत स्त्रियों पर वक़्त बर्बाद करने की सलाह मनु जैसे नीतिकार कभी नहीं दे सकते थे।

मैं आपको सलाह दूँगा कि आप भी वक़्त ज़रूरत किसी चम्मच का ही इस्तेमाल करें। ये हर साइज और हर क़ीमत पर हर ऋतु में हर जगह उपलब्ध हैं। यह वह तीर है जो कभी खाली नहीं जाता। और अगर आप लड़की हैं तो मेरी नेक सलाह मानिए और चम्मच बनने की कोशिश कीजिए। डॉक्टर, इंजीनियर, और प्रोफ़ेसर में अब कुछ नहीं रहा। चम्मच है कि एक जेब में अफ़सर को क़ैद रखती है तो दूसरी में सेठजी को। कोई-कोई चम्मच तो इतनी चमकदार होती है कि वज़ीरों तक को अपनी मुट्ठी में रखती है। ये कुछ भी करें, इनके चरित्र पर कभी दाग़ नहीं आता। एकदम स्टेनलैस स्टील। तो माताओ, देवियो और बहनो, आप इस असार संसार में शेष सारी अभिलाषाएँ छोड़ दें और चम्मच बनकर राष्ट्र की सेवा करें। चम्मच बनना आसान नहीं है, इसके लिए बहुत कुछ समर्पण करना पड़ता है, पर इस 'असिधारा व्रत' को पूरा कर लेने के बाद चारों दिशाओं में बस चाँदी ही चाँदी नज़र आती है। हो सकता है आप में से कुछ ने राजा द्रुपद की पुत्री शिखण्डिनी की कथा सुनी हो। वह अपने ज़माने की इतनी होनहार चम्मच थी कि उसके कारनामे देखकर लोग उसे महारथी शिखण्डी कहने लगे थे। कुछ लोगों को तो यहाँ तक ग़लतफ़हमी हो गयी थी कि उन्होंने अफ़वाह उड़ा दी कि उसका यौन-परिवर्तन हो गया। राजा द्रुपद की दूसरी कन्या भी काफ़ी होनहार थी। उसके मात्र पाँच पति थे।

ग़रीब आदमी

जैसा कि आप लोग जानते ही हैं, आदमी दो तरह के होते हैं। कुछ आदमी अमीर होते हैं और कुछ ग़रीब। यूँ तो नीतिकारों ने आदमियों को पता नहीं कौन-कौन-सी क़िस्मों में बाँटा पर असलियत जो है वह यही है कि अखीर में चलकर आदमी और आदमी में जो बुनियादी अन्तर बचता है वह सिर्फ़ अमीर और ग़रीब का ही बचता है। कुछ आदमी अमीर होते हैं और कुछ ग़रीब। ग़रीब उस आदमी को कहा जाता है जो कि अमीर नहीं होता। इस सन्दर्भ में आगे बढ़ने से पहले शायद यह बताना ज़रूरी है कि ग़रीब जो होता है वह सिर्फ़ आदमी ही होता है। दूसरे शब्दों में स्त्री जो है वह कभी ग़रीब नहीं होती। भगवान ने उसे इतनी प्राकृतिक सम्पदा और ऐश्वर्य के इतने स्रोत दिये हैं कि शास्त्रों में स्त्री को सदा एक रत्न ही कहकर पुकारा गया। स्त्री एक रत्न है जो खराद पर कटकर और निखर आता है जबकि आदमी जो है वह कोयला है; वह कटना नहीं जानता, वह सिर्फ़ जलना जानता है। स्त्री और पुरुष में यह अन्तर सदा से होता आया। भारत सरकार ने जैसे ही इस शाश्वत सत्य को पहिचाना, कि पुरुषों में कोई रत्न हो ही नहीं सकता, उन्होंने 'भारत रत्न' का अलंकार समाप्त कर दिया।

ग़रीबों को लेकर इधर मैं काफ़ी चिन्तित हूँ। बात यह है कि जिस किसी राष्ट्रीय नेता की वाणी सुनता हूँ वह यही कहता है कि हम ग़रीबी ख़त्म करना चाहते हैं। क्यों भाई ग़रीबों ने आप लोगों का क्या बिगाड़ा है जो आप उन्हें समाप्त करने पर तुले हैं? और अमीरी और ग़रीबी तो भगवान की लीला है, जिसमें दख़ल देने वाले आप कौन होते हैं? ग़रीबों के अतिरिक्त क्या ख़त्म करने को और कोई चीज़ बाक़ी नहीं रही? और अन्त में चलकर मैं इन सब समाजसेवियों से यह पूछना चाहता हूँ कि क्या आपने कभी सोचा है कि यदि ग़रीब लोग वाक़ई ख़त्म हो गये तो ज़िन्दगी जो है वह कितनी नीरस और बेमतलब हो जायेगी? क्या आप वाक़ई ऐसी दुनिया में जीना पसन्द करेंगे जिसमें कोई ग़रीब हो ही नहीं? मुझ नाचीज़ का ख़याल है कि हम लोगों को अमीर रहने की ज़िम्मेदारी से कभी अपना मुँह नहीं मोड़ना चाहिए और हमारे अमीर रहने के लिए यह ज़रूरी है कि बाक़ी लोग ग़रीब और मुफ़लिस रहें।

इस स्थिति से बचने का कोई चारा नज़र नहीं आता। इस सबके अतिरिक्त संसार में यदि ग़रीब आदमी न रहे तो क्या साहित्य, कला और धर्म और क्या राजनीति और इतिहास इन सभी पर इतना घातक प्रभाव पड़ेगा कि उसका अनुमान लगाना तक एक दुष्कर कार्य होगा।

आइए, सबसे पहले साहित्य और कला को ही लें। यदि सारे ग़रीब इंसान सीन पर से हटा दिये जायें तो करुण रस को जीवित रखने की कोई तरकीब नज़र नहीं आती और अगर भवभूति का 'एको रसः करुणमेव' ही नहीं रहा तो फिर साहित्य में बचेगा क्या? अगर ग़रीब लोग न होते तो न तो प्रेमचन्द अपना गोदान लिख सकते थे और न दोस्तोएवस्की अपना 'दरिद्र नारायण'। ग़रीब ही तो वह कच्चा माल है जिस पर संसार का आधा साहित्य टिका है। अगर ग़रीबी और इश्क़—इन दो पदार्थों को ख़त्म कर दिया जाए तो साहित्य या कला के लिए कुछ शेष ही नहीं रहता। टॉलस्टाय से लेकर शरत्चन्द्र तक और शेक्सपियर से लेकर रवीन्द्रनाथ त्यागी तक जितने भी महान् कलाकार साहित्य के क्षेत्र में जन्मे हैं, वे सिर्फ़ इन्हीं दो चीज़ों पर टिके हैं। और चलचित्रों का तो कहना ही क्या— वे तो इश्क़ को ग़रीबी से इस तरह चिपटाते हैं जैसे कि हीरोइन जो है वह हीरो से चिपटती है। अमीर लड़की और ग़रीब लड़का या अमीर लड़का और ग़रीब लड़की—ये ही तो वे दो अदद चीज़ें हैं जिन पर फ़िल्मों की 'दो बीघा ज़मीन' ठहरती है। आप ग़रीबी को ख़त्म कर दीजिए, आधी कला अपने आप ही मृत्यु को प्राप्त हो जायेगी।

ग़रीब आदमी के हटने से धर्म को जो आघात लगेगा उसकी तो कल्पना करना भी भयंकर लगता है। ये ग़रीब लोग ही तो हैं जिनके लिए स्वर्ग में सिंहासन सुरक्षित रखा है। अगर आपने पंचवर्षीय योजनाओं के सहारे सारे के सारे ग़रीब हटा दिये तो बेचारे ईश्वर को स्वर्ग का वह सुरक्षित सिंहासन नीलाम करना पड़ेगा। ग़रीब न होंगे तो अनाथालय और विधवाश्रम कैसे खुलेंगे और ग़रीबों के नाम पर लाखों रुपयों का जो ग़बन किया जाता है, वह कैसे किया जायेगा? अगर भिखारी नहीं होंगे तो उनकी झोली में दस पैसे का खोटा सिक्का डालकर हमें जो सन्तोष प्राप्त होता है, वह कैसे होगा? अगर बेसहारा लोग नहीं होंगे तो तबीयत बदलने के लिए हसीन नौकरानी कहाँ से मिलेगी और अगर हसीन नौकरानी और जवान नौकर नहीं होंगे तो कुलीन परिवारों का दाम्पत्य जीवन सुखी कैसे रहेगा?

इतिहास हमें बताता है कि संसार में जितनी भी क्रान्तियाँ हुई हैं वे अमीर और ग़रीब के मसले को लेकर ही हुईं। अगर वर्ग नहीं रहेंगे तो वर्ग संघर्ष कैसे होगा और यदि वर्ग संघर्ष नहीं होगा तो प्रगति कैसे होगी? इसके अतिरिक्त इतिहास हमें यह भी बताता है कि संसार के ज़्यादातर महान व्यक्ति वे थे जो ग़रीबी के वातावरण में पैदा हुए थे। स्तालिन मोची का कुलदीपक था तो अब्राहम लिंकन एक लकड़ी काटने वाले का। नैपोलियन, चार्ली चैपलिन, चाणक्य, और सुकरात सभी बेहद ग़रीब रहे

थे। ग़रीबी ख़त्म करने का मतलब होगा कि संसार में बड़े लोग पैदा न हों। इसके अलावा यदि ग़रीब देश नहीं होंगे तो अमीर देश उनकी सहायता कैसे करेंगे? क्या आप पश्चिमी राष्ट्रों की पूरी विदेश नीति को चौपट करना चाहते हैं? दूसरों को मदद करने का मौक़ा न देना कहाँ की शराफ़त होगी?

ऊपर बतायी मोटी-मोटी बातों को ध्यान में रखते हुए आप सोच सकते हैं कि जो लोग ग़रीबी का उन्मूलन करना चाहते हैं वे सभ्यता और संस्कृति के दुश्मन हैं। ग़रीबी और अमीरी तो भगवान की दी हुई चीज़ है और उसमें दख़ल देना इंसान को हर्गिज़ शोभा नहीं देता। मैं तो आपसे अपील करूँगा कि ग़रीबों को ग़रीब ही रहने दें और हो सके तो चार अदद बाक़ी लोगों को भी ग़रीब बना दें। अगर हर अमीर आदमी दो-चार आदमियों को ग़रीब बनाने का काम हाथ में ले ले तो संसार का भविष्य एकदम सुरक्षित है। मुझे यह सूचित करते हुए सन्तोष होता है कि कोई अमीर आदमी तो कभी-कभी इतना सुसंस्कृत और ज़िम्मेदार होता है कि दो-चार क्या हज़ारों आदमियों को एक साथ ग़रीब बना देता है। सन्तोष की दूसरी बात यह है कि राष्ट्र के नेता भी ग़रीबी हटाने का सिर्फ़ नारा ही लगाते हैं; वैसे वे उस दिशा में कभी कोई ठोस काम नहीं करते। वे अपनी ज़िम्मेदारी समझते हैं और यह भी जानते हैं कि जिन ग़रीब लोगों से महात्मा गाँधी को इतना लगाव था, उन्हें ख़त्म करना राष्ट्र के लिए कभी श्रेयस्कर नहीं होगा। राष्ट्र से मेरा अभिप्राय नेताओं के व्यक्तिगत स्वार्थ से है जो एकदम तर्क संगत है। जो नेता अपने निजी भविष्य के बारे में नहीं सोच सकता, वह राष्ट्र के बारे में क्या खाक सोचेगा?

सुन्दरकली

सुन्दरकली जो थी वह मर गयी। वह शनिश्चर के दिन मरी और अगले बुधवार तक लोग उसे भूल गये। आप सोचते होंगे कि रामकली या चम्पाकली की तर्ज़ पर सुन्दरकली भी कोई रूपवती युवती रही होगी और अगर युवती नहीं तो शायद चमेली की भाँति वह भी कोई फूल थी। मुझे आपको यह सूचित करते हुए कष्ट होता है कि आप ग़लत हैं। सुन्दरकली न तो कोई युवती थी और न कोई फूल। वह सिर्फ़ एक हथिनी थी जो वाक़ई गजगामिनी थी। उसकी मृत्यु के यूँ तो कई कारण थे पर प्रमुख कारण यह था कि मरने से पहले वह ज़िन्दा थी। मौत का कारण हमेशा जीवित होना ही रहा और निकट भविष्य में इस स्थिति में व्याघात आने की कोई सम्भावना भी नज़र नहीं आती। मौत का इलाज है फ़िराक़, ज़िन्दगी का कोई इलाज नहीं।

सुन्दरकली एक हथिनी थी जो विद्यापति की पंक्तियाँ गुनगुनाते हुए जब अपने प्रेमी से मिलने चली तो रात के वक़्त एक गड्ढे में गिर गयी। प्रेमी जो था वह गड्ढे में नहीं था। सुन्दरकली के दिल और टाँग को सदमा पहुँचा और बड़े-बड़े पशुचिकित्सक भी उसे बचा नहीं सके। डॉक्टर लोग धूप और वर्षा की कोई परवाह किये बिना उसे बचाने की कोशिश करते रहे। दिल्ली प्रशासन ने लालफ़ीताशाही को तलाक़ दिया और सुन्दरकली तक बिजली पहुँचायी। सशस्त्र सेनाओं ने क्रेन का इन्तज़ाम किया। अख़बार वालों ने उसे लेकर एक अपील जारी की और उसके मरने के बाद एक प्रमुख दैनिक में तीन कॉलम का विशिष्ट मैटर भी प्रस्तुत किया गया। आमतौर पर हाथी जो होता है वह शायद एकान्त में मरता है पर सुन्दरकली जो मरी वह फ़ोटोग्राफर्स और पत्रकारों और प्रशंसकों के बीच मरी। उसके कंकाल को एक अजायबघर में रख दिया गया। भीड़ को नियन्त्रित करने के लिए पुलिस ने बाक़ायदा अपना फ़र्ज़ अदा किया! अख़बार नवीसों ने यह भी कहा कि जानवरों के साथ बहुत ज़ुल्म किया जा रहा है और वह बन्द होना चाहिए। हाथी पकड़ने की जो खेदा नाम की क्रिया है, उसे खेदजनक बताया गया और कहा गया कि हाथी और हथिनी को उस तरह पकड़ना चाहिए जैसे आजकल के लड़का लोग लड़कियों को पकड़ते हैं। कुछ बुद्धिजीवियों ने यह मत भी प्रकट किया कि जो आदमी पशुओं से

प्रेम नहीं करता, वह भला औरत से क्या प्रेम करेगा?

ख़ाकसार जो था वह सारी ख़बरें पढ़ तो रहा और गधे के माफ़िक लॉन पर लेट कर पता नहीं क्या-क्या सोचता रहा। मैं मानता हूँ कि पशु-प्रेम एक बड़ी चीज़ है और किसी-किसी हालत में पशु जो होता है वह भी काफ़ी बड़ी चीज़ होता है पर क्या यह सब कुछ इतना बड़ा होता है कि उसके सामने इंसान को नज़रअन्दाज़ कर दिया जाए? मुझे पता है कि हाथी बेहद संवेदनशील और भावुक होता है और यह भी पता है कि एक बार एक हाथी इंग्लैण्ड में सिर्फ़ इस कारण बीमार हो गया था क्योंकि उसे अपने वतन (यानी कि हिन्दुस्तान) की याद आ रही थी और वह तब तक स्वस्थ नहीं हुआ था जब तक कि रूडयार्ड किपलिंग ने उससे उर्दू ज़बान में बात-चीत नहीं की थी पर क्या इस सबका यह मतलब है कि पूरब के जो हज़ारों लोग महानगरों के फ़ुटपाथों पर सो रहे हैं, उन्हें हज़ारों मील दूर बसे अपने मैके की याद नहीं आती? क्या वे अपने माँ-बाप और बीवी बच्चों को याद करके नहीं रोते? हो सकता है कि पकड़ने की क्रिया कुछ कठोर हो पर क्या वह क्रिया आरामदेह है जिसके द्वारा सैकड़ों लड़कियाँ मेलों से भगायी जाती हैं ताकि वे कोठे पर बैठ सकें? या फिर वह क्रिया ज़्यादा आरामदेह है जिसके द्वारा छोटे-छोटे निरीह बच्चों को अपंग किया जाता है ताकि वे भीख माँग सकें? देश में फ़िलहाल लगभग दस लाख भिखारी हैं और वे किस तरह रहते सहते होंगे इसका आप अनुमान लगा सकते हैं। मैं जानता हूँ कि मैं एक गधा हूँ और इस सत्य पर पहुँचने के लिए विशेषज्ञों की कोई समिति बिठाने की ज़रूरत नहीं है पर मैं पूछता हूँ कि सुन्दरकली क्या इतनी सुन्दर थी कि हम लोग रामकली और चम्पाकली को भूल जाएँ? हाथी क्या वाक़ई आदमी के ऊपर निकल गया?

कहते हैं कि एक बार किताब पढ़ते-पढ़ते अकबर इलाहाबादी से एक नन्हा-सा कीड़ा मसला गया था और उन्होंने इस हादसे को लेकर एक ग़ज़ल लिखी थी। हालाँकि जिस वक़्त यह वाकया हुआ था उस वक़्त मैं सीन पर मौजूद नहीं था (और होता तो बहुत सम्भव था कि अकबर साहब बजाय कीड़े के मुझे ही मसल डालते) पर मुझे यक़ीन है कि जो कुछ कहा गया है वह एकदम सच्चा है। मगर वह अकबर की जो ग़ज़ल थी वह एक और अन्दाज़ में थी। उसमें कवि का ध्यान कीड़े पर नहीं था बल्कि जीवन की क्षणभंगुरता और मौत की बुलन्दगी पर था। सुन्दरकली को जो देश की हीरोइन बनाया जा रहा है, उसका अन्दाज़ कुछ और है। मैं पत्रकारों से कहता हूँ कि अगर तुम्हें मोटी ही चीज़ों से इश्क़ है, तो मेरे पास चले आओ, मैं तुम्हें इतनी मोटी बीवियाँ दिखाऊँगा कि तुम्हारी आँखें चश्मे के बाहर आ जायेंगी और अगर कहीं तुम्हारा दिल कमज़ोर हुआ तो तुम्हारा भी वही हाल हो जायेगा जो कि सुन्दरकली का हुआ। इन पत्नियों को इनके सगे पति तक अपने साथ कहीं नहीं ले जाते। पहिली बात तो यह कि इनके बैठने लायक़ विशाल हृदय कुर्सी बड़ी कठिनाई

से प्राप्त होती है और दूसरी बात यह कि इनको साथ रखने से सरकार के कोप का ख़तरा रहता है। सरकार है कि एक बार में एक ही पत्नी रखने की आज्ञा प्रदान करती है और ये बीवियाँ हैं कि अपने मोटेपन के कारण अकेला होते हुए भी तीन बीवियों का नजारा पेश करती हैं। परिणाम यह रहता है कि ये गजगामिनी पत्नियाँ घर पर ही रहती हैं और मखमल के दीवान पर लेटकर ग़ालिब का दीवान पढ़ती हैं। इनके जो पति होते हैं वे देश की तन्वंगी युवतियों के पीछे उसी तरह घूमते रहते हैं जैसे कि पत्रकार सुन्दरकली के पीछे। मैं खुद काफ़ी हद तक इसी वर्ग में आता हूँ मगर पत्रकारों को भला मुझमें क्या दिलचस्पी होगी? महफ़िले जानाँ में सबको अपनी-अपनी फ़िक्र थी, कोई अख़्तर से भी पूछे तेरा क्या जाता रहा?

में लेखक हूँ और इस कारण न जाने कितने छोटे बड़े कलाकारों से परिचित होने का सौभाग्य और दुर्भाग्य मुझे एक साथ ही प्राप्त है। सौभाग्य तो इस कारण कि एक कलाकार को दूसरे कलाकार के पास बैठकर सदा से गौरव का एहसास होता है और दुर्भाग्य इस कारण कि इनमें से काफ़ी लोग बेहद बेसहारा हैं कि सुन्दरकली जो थी, वह आधा घण्टा नहीं गुज़ार सकती थी। पच्चीस पत्र लिखने के बाद प्रकाशक जो है वह इकत्तीस रुपये और उनतीस पैसे का चेक इस मुद्रा में देता है जैसे कि कोई भिक्षा दी जा रही हो। कई चित्रकार हैं जो बेचारे नया ब्रश तक नहीं ख़रीद सकते और फ़िलहाल अपनी दाढ़ी से ही ब्रश का काम चला रहे हैं। मुक्तिबोध, राजकमल, धूमिल और दुष्यन्त की भाँति न जाने कितने कलाकार हैं जो ज़िन्दगी के शिकंजे में बुरी तरह फँसे हैं पर उनको लेकर कभी कोई अपील जारी नहीं की जाती। क्या वे सुन्दरकली से कम सुन्दर हैं? अच्छे नाक-नक्शवाली न जाने कितनी युवतियाँ सड़कों पर पत्थर तोड़ रही हैं पर ठेकेदार और इंजीनियर के अलावा किसी ने उनमें दिलचस्पी ली? अमेरिका में मेढकों तक को स्कूली शिक्षा प्रदान की जा रही है जबकि यहाँ करोड़ों इंसान काले अक्षर और भैंस के बीच का अन्तर नहीं समझते। हरिजन हैं कि बेचारे ईंधन की भाँति दिन दहाड़े जलाये जा रहे हैं पर उनके लिए कुछ किया किसी ने? जवाब दो, क्या मेरी आवाज़ तुम तक पहुँचती है?

मैं सिगरेट सुलगाता हूँ और बेवकूफ़ी की बातें सोचता हूँ। जन्मजात गधा होने के कारण ऐसा करने में मुझे कोई विशेष कष्ट नहीं होता। मैं जानता हूँ कि काफ़ी लोग मुझे हिक़ारत की नज़र से देखेंगे। मैं जानता हूँ जानते हो मेरा हाले दिल, मैं देखता हूँ देखते हो किस निगाह से। मगर मैं मजबूर हूँ। सुन्दरकली शनिश्चर को मरी और बुधवार को भुला दी गयी जब कि मैं और मेरे साथी जो हैं वे उसी दिन भुला दिये जायेंगे जिस दिन वे मरेंगे। अपील निकलेगी तो मरने के बाद। हमारी तारीफ़ होगी, हमें वाल्टेयर और सुकरात के बराबर बताया जायेगा मगर दफ़न होने के बाद। जब तक ज़िन्दगी है तब तक वही सम्पादक की खेद व अभिवादन की चिट्ठी और वही प्रकाशक का इकत्तीस रुपये और उनतीस पैसे का चेक। समीक्षक भी अपनी

वही ख़ानदानी मुद्रा बनाये रखेंगे जो कि जुलाब लेने के बाद होती है। भला हमारी भी कोई हैसियत है समाज में? हैसियत होती है ठेकेदारों की, रिश्वतखोर अफ़सरों की, झूठी भविष्यवाणी करने वाले पंडों की, दल बदलने वाले राष्ट्रनायकों की, रोज़ प्रेमी बदलने वाली वेश्याओं की और अखीर में चलकर सुन्दरकली जैसी हथिनियों की। हम लोग इस लायक़ कहाँ कि हमारे घायल होने पर कोई अपील जारी हो या हमारे मरने के बाद तीन कॉलम का मैटर छपे?

देश का कलाकार है कि तमाम विवशताओं और लाचारियों के बावजूद लिखता जा रहा है, तस्वीरें बनाता जा रहा है, सितार बजाता जा रहा है और स्टेज पर अदाकारी में लगा है। बुद्धिजीवी और मूर्तिमान कला प्रेमी हैं कि हथिनी को बड़ा समझते हैं क्योंकि वह डीलडौल में डेढ़ सौ कवियों के बराबर है। ठीक वही कारण जिसके आधार पर कभी महाभारत को पाँचवाँ वेद स्वीकार किया गया था– भारतत्त्वाद् महाभारतमुच्यते। लोग उपनिषदों का यह परम गोपनीय सत्य कभी नहीं समझेंगे कि सृष्टि में जो कुछ भी है उनमें मनुष्य ही सर्वश्रेष्ठ है। लोग इतनी हिम्मत कभी नहीं करेंगे कि इंसान और ख़ासकर कलाकार की कोई क़द्र की जाए। मगर कलाकार है कि फिर भी कला की साधना में लगा रहेगा। उसकी हालत वही रहेगी जिसे भोगकर कालजयी निराला ने कुकुरमुत्ता में कहा था:

यहाँ अपना नहीं कोई सहारा
ख़्वाब में डूबा चमकता हो सितारा
डण्ड पेलें पेट में चूहे–
ज़ुबां पर लफ़्ज़ प्यारा...

❑

ऋतु-वर्णन
(1979)

शव-यात्रा

निद्रालाभ प्रारम्भ हुआ ही था कि बाहर की दिशा से आते शोर के कारण कवि की रहस्यवादी आँखें सहसा खुल गयीं। मैं जाग गया और आँगन के पार का द्वार खोलकर सड़क पर आ गया। काफ़ी लोगों की भीड़ थी जो कि 'राम नाम सत्य है' का नारा बुलन्द करती हुई उस दिशा की ओर बढ़ती चली जा रही थी जहाँ कि मुर्दे जलते थे। दूसरे शब्दों में उस जनपथ पर जहाँ वीर-गाथा काल में सूरमा लोग निकला करते थे, रीतिकाल में नायिका निकला करती थीं और बाद में जहाँ जुलूस निकला करते थे, वहाँ आज किसी का जनाज़ा निकल रहा था। महानगरों का यह रिवाज़ है कि वहाँ जीवित व्यक्ति जो जलते हैं वे एक-दूसरे को देख-देखकर नगर के भीतर ही जल लेते हैं और मुर्दे जो होते हैं वे बेचारे शहर के बाहर बिना किसी को देखे यूँ ही चुपचाप जल जाते हैं। एक दफ़ा जल गये और बस छुट्टी; ज़िन्दा लोगों वाली इल्लत नहीं कि रोज़-रोज़ जले जा रहे हैं। आज आपकी रूपवती पत्नी देख ली तो जले, कल आपकी षोडशी कन्या देख ली तो जलने की दूसरी किस्त पूरी कर ली और परसों आपकी हसीन स्टेनोग्राफ़र देख ली तो लंकाकाण्ड जो था वह फिर प्रारम्भ हो गया। ख़ैर, मुझे जैसे ही पता लगा कि शोर जो है वह शव-यात्रा के कारण है, एक परम मतिमान् व्यक्ति होने के नाते मैं इस रहस्य को तुरन्त समझ गया कि आज कोई मर ज़रूर गया। इस प्रकार की प्रत्युत्पन्नमति मेरे वंश में सदा से रही। मेरा यह दृढ़ विश्वास है कि शव-यात्रा के लिए किसी न किसी का मरना सदा से ज़रूरी होता आया। जैसे वरयात्रा बिना वर के नहीं निकलती, ठीक उसी तरह शव-यात्रा जो है वह शव के बिना नहीं निकल सकती। इस समानता का कारण यह है कि वरयात्रा जो है वह शव-यात्रा का ही प्रथम संस्करण है। 'मौत का इलाज है 'फ़िराक़' ज़िन्दगी का कोई इलाज नहीं'।

मैं भीड़ को देखता हूँ और सोचता हूँ कि कौन ख़ुशनसीब था जो इतनी शानदार शव-यात्रा का हक़दार बन बैठा। हज़ारों की भीड़ है, कोई सिगरेट पी रहा है तो कोई पाइप। कोई-कोई बाई लिपस्टिक को बचा-बचाकर अपने आँसू पोंछ रही है और कोई-कोई प्रकृति-प्रेमी है जो सबकी निगाह बचाकर उस सुमुखी को देख

रहा है। एक शालीन सज्जन ने थकावट दूर करने के लिए पानदान खोलकर एक पान खाया। पान के बाद ज़र्दा लिया गया। एक और होनहार इंसान थे जो एक पुरानी दीवार की नींव ढीली करने के लिए अपना पाजामा पकड़ कर बिना किसी तकल्लुफ़ के उकड़ूँ होकर बैठ गये। वही चिरन्तन और शाश्वत आसन। एक और बुज़ुर्गवार क़िस्म के इंसान नज़र आये जो दाढ़ी पर हाथ फेरते रहे और शेर पढ़ते रहे– 'लाई हयात आये, कज़ा ले चली चले, अपनी ख़ुशी न आये न अपनी ख़ुशी चले।' आख़िरी मिसरा वे कुछ इस तरह आह भरकर पढ़ते थे कि ज़ाहिर हो जाता था कि जहाँ तक उस शरीफ़ इंसान का प्रश्न था, वह तो इस जनाज़े में भी अपनी ख़ुशी से नहीं जा रहा था।

कवि ने भीड़ की इस सागर-मुद्रा को देखा और ख़यालों की लहरों में डूब गया। कौन था वह तक़दीरबख़्श इंसान जो हमारे रहते-रहते इतने शानदार जनाज़े का हक़दार निकल आया? ख़ैर, इतना तो निश्चित था कि मरने वाला हिन्दी का लेखक कदापि नहीं था। हिन्दी के किसी लेखक की यदि इतनी शानदार शव-यात्रा निकल जाए तो दो-चार स्वस्थ हिन्दी लेखक तो ईर्ष्यावश वहीं दम तोड़ दें। राजधानी में पिछले दिनों जब एक विशिष्ट साहित्यकार की मृत्यु हुई तो पहले तो यार लोग यही सोचते रहे कि देखें पहल कौन करता है और जब एक प्रकाशक ने–जो कि मृतक नाटककार का अन्तरंग मित्र होता था– उसकी देह का दाह-संस्कार करवा दिया तो सब के-सब पण्डों वाली मुद्रा में चिल्लाने लगे कि इस कलाकार के दाह-संस्कार का कॉपीराइट इस प्रकाशक को दिया तो किसने दिया? हिन्दी के एक कवि थे जिन्हें राज्यसभा की सदस्यता भी मिली, ज्ञानपीठ पुरस्कार भी प्राप्त हुआ और साहित्य अकादमी द्वारा भी पुरस्कृत किये गये पर उनके दुख की जो मात्रा थी वह वहीं की वहीं रही। अन्तिम दिनों में उनका दुख यह था कि ऐसा न हो कि राजधानी के बाहर कहीं मर जाएँ। निगम-बोध घाट पर संसत्सदस्यों, पत्रकारों और फ़ोटोग्राफ़रों के सामने जलने पर जो कीर्तिबोध होता है, अगर वह भी हाथ से निकल गया तो मरने में फिर मज़ा ही क्या रहा?

श्रीलाल शुक्ल ने बताया है कि एक शिकार के सन्दर्भ में एक बार एक बघेरा उन्हें समूचा निगल गया था। 'राग-दरबारी' जो लिखा गया वह इस हादसे के बाद ही लिखा गया। आपमें से भी यदि कोई महानुभाव इतना उत्कृष्ट गद्य ग्रन्थ लिखने को उत्सुक हों तो कृपा करके किसी बघेरे, चीते या तेंदुए से निकट सम्पर्क स्थापित करें। हिन्दी के कुछ लेखक ऐसे हैं जो इन तीनों पशुओं के गुण एक साथ रखते हैं। आप चाहें तो उनका हार्दिक सहयोग प्राप्त करें। हिन्दी के लेखक की मृत्यु वैसे भी उसके जीवन की भाँति ही विलक्षण होती आयी। यहाँ जो साहित्यकार होता है, उसकी इज़्ज़त मृत्यु के बाद सहसा ज़्यादा हो जाती है, जैसे दुष्यन्त या मुक्तिबोध। लोगबाग हिन्दी के लेखक को कुछ इस मुद्रा में देखते हैं कि 'बन्धु, हम तो तुम्हें कल

चेख़व, गोर्की या शेरिडन बना दें मगर तुम हो कि मरते ही नहीं।' ख़ैर, स्थिति यह है कि इधर हिन्दी का कलाकार मरा और उधर उसकी इज़्ज़त में इज़ाफ़ा हुआ। मगर विदेशी कलाकारों के साथ जो स्थिति है वह कुछ विपरीत है। उनकी हालत यह है कि यदि आज इज़्ज़त में इजाफ़ा हुआ तो कल मर गये। स्टीफ़ेन ज़्विग ने नोबल प्राइज़ प्राप्त करने के बाद आत्महत्या की और वुडहाउस तो इतने तत्पर निकले कि इधर ब्रिटेन की रानी ने उन्हें 'सर' का खिताब दिया और उधर आप क़ब्रिस्तान चले गये। विपरीत रति की यह स्थिति शायद हमारे देश और विदेश की जलवायु के अन्तर के कारण रही। वुडहाउस भी क्या इंसान थे! शायद तिरानबे साल की उम्र पायी और उसमें निन्यानबे के लगभग किताबें लिख डालीं; और सब एक से एक लाजवाब। मेरे ख़याल से उन्होंने पैदा होते ही लिखना प्रारम्भ कर दिया होगा। जब पैदा हुए होंगे तो एक हाथ में कथानक के नोट्स रहे होंगे और एक में टाइपराइटर। उधर नर्स ने इनके मुँह में दूध की बोतल लगाने की कोशिश की होगी और इधर इन्होंने कहा होगा कि कहाँ मर गये वे जीव्स, बीच, स्मिथ, पिलबीम, मुलिनर, अक्रिज, आइक हैम, ग्लाइड, थ्रैपवुड, लार्ड एम्सवर्थ, सर पार्सलो और उनके सूअर? जल्दी पेश करो, मुझे अपना उपन्यास शुरू करना है। ज़्यादा देर ठीक नहीं।

शव-यात्रा की गति के साथ-साथ विचारों की गति भी बढ़ती जाती है। सोचता हूँ कि हिन्दी के कुछ लेखक शायद अब वैसे भी मर ही जायेंगे। साहित्य अकादमी के पुरस्कार की राशि पाँच हज़ार से बढ़ाकर सहसा दस हज़ार कर दी गयी है और ऐसी स्थिति में वे लोग जो पंचहजारी हो चुके थे, वे दूसरों को दसहजारी होता देखकर शायद कुछ ऐसा क़दम उठा बैठें जो कि उन्हें तीसहजारी की अदालत तक ले जाए। हिन्दी का कोई-कोई लेखक शायद ऐसा भी होनहार निकल आये जो कि राष्ट्रकवि सोहनलाल द्विवेदी की भाँति मरकर फिर से ज़िन्दा हो जाए और अपनी मृत्यु के उपलक्ष्य में संयोजित शोकसभा के बीच सहसा प्रकट होकर प्रकाशक से हिसाब माँगने लगे। श्रीनारायण चतुर्वेदी जी के शब्दों में यही तय करना कठिन हो जाए कि 'पधारि गये कि सिधारि गये'। हिन्दी के महान लेखकों में अभी तक मैंने केवल महाप्राण निराला का अन्तिम संस्कार देखा है और जगदीश गुप्त के शब्दों में आग की वे लपटें मेरे पैरों से अभी भी लिपटी हैं। आँसू सँभाले चन्द मल्लाह, जाल सँभाले चन्द मछुए और रेशमी शाल में अपने शरीर को सँभाले प्रयाग के चन्द कवि और लेखक। उस चिता के चरणों में मैंने प्रार्थना की थी कि भगवान् मेरे बच्चों को कोई भी सज़ा दे, मगर उन्हें हिन्दी का साहित्यकार न बनाये। जीवन के उस ढहते हुए ठाठ को देखना वाक़ई बड़ा दर्दनाक था। बहुत दर्दनाक!

कल अख़बार में पढ़ा कि स्वर्गीय कृष्णा मेनन का सामान नीलाम हो गया। कुछ पुरानी मोटरें थीं, काफ़ी किताबें थीं और इसी तरह का बाक़ी घर का सामान था। एक छड़ी थी जो शायद दो हज़ार से कुछ ज़्यादा में बिकी। बर्नार्ड शा ने करोड़ों

की जायदाद छोड़ी। इस सबके बरख़िलाफ़ यदि कोई हिन्दी का सच्चा साधक मर जाए तो उसके घर में नीलाम करने को क्या निकलेगा? जहाँ तक मेरी पैनी निगाह काम करती है, ऐसे लेखक के घर में से मात्र बीवी-बच्चे ही निकलेंगे, और कुछ नहीं। हाँ, बीवियाँ ज़रूर निकलेंगी, शायद एक से ज़्यादा भी निकलेंगी और बहुत हुआ तो चन्द हसीनों के खतूत शायद निकलेंगे। बहादुरशाह जफ़र यदि शायर न होता तो कभी इतनी ग़रीबी और मुफ़लिसी की मौत न मरता। कुछ ही दिनों पहले एक शानदार थियेटर में जफ़र के अन्तिम दिनों को लेकर प्रदर्शित की गयी एक नाटिका देखने को मिली। स्थिति यह थी कि जेल में भी उन्होंने शाही लिबास पहन रखा था और माशा अल्लाह, सेहत भी काफ़ी अच्छी दिखाई देती थी। लगता था जैसे दोनों वक़्त कसरत करते थे। बाद में जब नेपथ्य से 'दो गज़ ज़मीं भी न मिली कूचए यार में' वाला अंश पढ़ा गया तो 'कूचए यार' के स्थान पर 'कूए यार' शब्द का प्रयोग किया गया जो मज़ा दे गया। ऐसी नाटिका से हमारी तबीयत हमेशा से वाटिका की भाँति खिली। कहने वाले ने सोचा हो कि शायद कुआँ शब्द ही अधिक उपयुक्त हो क्योंकि शरीफ़ इंसान जो थे वे हमेशा ढाई चुल्लू-भर पानी में ही डुबकी लगाकर मरते आये। हिन्दी के कई लेखक काफ़ी शरीफ़ हैं पर वे इतने स्वस्थ हैं कि चाहते हुए भी, ढाई चुल्लू पानी में तो क्या, ढाई हज़ार लिटर पानी में भी नहीं डूब सकते। उनको डुबोने के लिए धनुष्कोटि या कन्याकुमारी चाहिए। कुमारी कन्या हो तो और भी अच्छा रहेगा।

कुछ दिन पहले विदेश से कुछ शिम्पांजी और कबूतर वग़ैरह भारत भेजे गये थे जो कि अधिकारियों की कार्यतत्परता के कारण रास्ते में ही मर गये। आप जानते हैं, इसके बाद क्या हुआ? जर्मनी से भेजे उन शिम्पांजियों को लेकर सम्पादकों ने इतने मार्मिक अग्रलेख लिखे जितने कि दीवान जरमनी दास ने राजा-रानियों को लेकर भी शायद नहीं लिखे थे। और जब हरिजन लोग ज़िन्दा जलाये जाते रहे तो किसी ने अग्रलेख क्या, पृष्ठलेख भी नहीं लिखा। हरिजन बेचारे कोई जर्मनी से थोड़े ही आये थे; वे तो यहीं के थे। एकदम देशी माल। भूख और सर्दी से कोई मर जाए तो अख़बारनवीस ह्विस्की पीते रहेंगे और चिड़ियाघर में गैण्डे को अगर ज़ुकाम हो जाए तो इन्हें प्रेस की आज़ादी का ख़याल आयेगा। अब कोई आत्महत्या करता है, तो उसमें आप क्यों टाँग अड़ाएँ? जीने या न जीने की स्वतन्त्रता का जो मौलिक अधिकार है उसमें हस्तक्षेप करने वाले आप कौन होते हैं? वह तो भीष्म पितामह की भाँति अपनी इच्छा से शरीर छोड़ रहा है और वह भी इतनी बहादुरी से कि भीष्म पितामह का भी पितामह लगता है। आप खड़े रहिए और मेरी तरह बालकनी में से उसकी शव-यात्रा देखते रहिए। जाने वाला जो था, वह चला गया। खुश रहो अहले वतन, हम तो सफ़र करते हैं। हो सके तो अगली गाड़ी से तुम भी आ जाना। वहाँ साथ बैठकर बीयर पिएँगे और मिसेज़ डिसूजा के हुस्न की तारीफ़ करेंगे।

उदासी के इस आलम में चाँदी की चन्द रेखाएँ ज़रूर दिखाई देती हैं। मृत्यु की दर घटती जा रही है और मुर्दा फूँकने या दफ़न करने का ख़र्चा बढ़ता जा रहा है। चाँदी की रेखा क्रम-संख्या एक तो यह है कि शव-यात्रा वग़ैरह के इन ख़र्चों को देखते हुए, मौत शायद हिन्दी लेखकों पर रहम करने लगे और तभी आये जबकि प्रकाशक से रॉयल्टी आयी हो। इधर चेक का लिफ़ाफ़ा और उधर चित्रगुप्त का सन्देश। अमेरिका में बाक़ी चीज़ों की तरह इसके लिए भी रास्ता ढूँढ़ लिया गया है और इस तरह के इश्तहार छपने लगे हैं कि कृपा करके दफ़नाने के व्यय के डर से मृत्यु से संकोच न करें। मर अब जाइए, ख़र्चा बाद में आता रहेगा। भूल-चूक लेनी-देनी। डाइ नाऊ एण्ड पे लेटर। चाँदी की अगली रेखा यह है कि सती-प्रथा फिर से लौट रही है। कितना अच्छा हो कि यदि आगे चलकर इस प्रथा का इतना विकास हो जाए कि पत्नियाँ जो हैं वे पति के जीते-जी ही सती हो जाया करें। ख़ुशी की अगली बात यह है कि यह यात्रा जीवन की अन्तिम यात्रा है। इसके बाद न कोई शराब का पुराना बिल पेश करने वाला दुकानदार, न रॉयल्टी या रोटी माँगता कोई कवि, और न आपकी गतिविधियों पर आपकी निजी पत्नी द्वारा निगाह रखने का डर। मीनाकुमारी ने ठीक ही कहा था: 'कोई चाहत है न ज़रूरत है; मौत क्या इतनी ख़ूबसूरत है?' अपनी शायरी की भाँति मीनाकुमारी मुझे ख़ुद भी हद दर्ज़ा ख़ूबसूरत लगती थीं। इस स्थिति का एक रहस्य था और वह परम रहस्य यह था कि मीनाकुमारी थीं ही बेहद ख़ूबसूरत; ताजमहल की भाँति एक पूर्ण रूप। ठीक वही सुमित्रानन्दन पन्त वाली बात—'रूपतारा तुम पूर्ण प्रकाम मृगेक्षणि, सार्थक नाम।' मीनाकुमारी को मैंने प्रायः बहुत पास से देखा था। बात यह है कि उनकी तस्वीर मैंने हमेशा साठ पैसे वाले टिकट पर देखी ताकि पर्दे से सटा रहूँ और उन्हें बेहद क़रीब से देख सकूँ।

शव-यात्रा जो थी वह निकल गयी और मेरी जो तबीयत थी वह उदास हो गयी। सोचता हूँ कि जिस अदना कर्मचारी की फ़ाइल मेज़ पर पड़ी है, उसे कहीं इतनी दूर फेंक दूँ कि सालों तक वह अपने बीवी-बच्चों से न मिल सके। मेरे जैसे सीनियर सरकारी अफ़सर को इतनी गहरी उदासी दूर करने का और कोई रास्ता नज़र ही नहीं आता।

मेरा क्रीड़ा-संसार

मेरे विचार में जिस प्रकार कवि, कलाकार और नेता बनाये नहीं जाते बल्कि पैदा ही होते हैं, ठीक उसी प्रकार खिलाड़ी भी जो होते हैं वे जन्मजात ही होते हैं। जन्मजात से मेरा यह अभिप्राय नहीं कि इधर जन्म हुआ और उधर पालने में लेटी नयी पीढ़ी ने बैट और गेंद की याद दिलानी शुरू कर दी। कहने का मतलब सरल भाषा में यह है कि खिलाड़ी बनने की प्रवृत्ति जो होती है वह भी अन्य प्रवृत्तियों की भाँति जन्म से ही होती है। मैं ख़ुद सदा से जन्मजात खिलाड़ी रहा हालाँकि अपनी जन्मजात नम्रता के कारण यह बात मेरे अन्तरंग मित्रों तक ही सीमित रही।

जहाँ तक मेरी याददाश्त काम करती है, जिन दिनों मैं बच्चा था, उन दिनों देशी खेलों का रिवाज़ कहीं ज़्यादा था। मैंने अपने खिलाड़ी जीवन की शुरुआत गुल्ली-डण्डे से की जिसके कारण मुहल्ले के एक सम्भ्रान्त व्यक्ति को कुछ चोट आ गयी। इधर उसकी एक आँख शायद हमेशा के लिए बन्द हो गयी और उधर मेरा गुल्ली-डण्डा खेलना हमेशा के लिए बन्द हो गया। गुल्ली और डण्डा—इन दोनों पदार्थों का अन्तिम संस्कार मेरे सामने ही सम्पन्न किया गया। खुदा गवाह है कि अगर मैं अपना वह शानदार खेल जारी रखता तो न जाने कितनों की आँखों को सदा के लिए मूँद देता। इस हादसे के बाद ख़ाकसार ने पतंगबाज़ी शुरू की मगर वह खेल मेरी सेहत के लिए मुफीद साबित नहीं हुआ। बात यह हुई कि पतंग उड़ाते-उड़ाते एक दिन मैं सहसा पीछे की दिशा में गिर गया। छत से नीचे गिरने की इस प्रक्रिया में मेरे उस हिस्से में जो कि कमर के नीचे होता है, काफ़ी चोट आयी। इसके बाद मैंने पतंग को सदा के लिए प्रणाम कर लिया।

जन्मजात खिलाड़ी होने के नाते मैं बेकार तो बैठ नहीं सकता था। मैंने कबड्डी खेलनी शुरू की और वह भी कुछ इस तरह जैसे कि कत्थक नृत्य पेश किया जाता है। बीच-बीच में चन्द मुद्राएँ भरतनाट्यम् की भी प्रस्तुत की जाती रहीं। खेल का खेल और नृत्य का नृत्य। खेलने को कला के स्तर पर लाने का शायद यह पहला प्रयास था। थोड़ी देर इस प्रकार नृत्य करने के बाद मैं विरोधी दल के सामने ठीक उसी भाँति आत्मसमर्पण कर देता था जैसे कि आजकल डाकू लोग करते हैं। कबड्डी से निराश होकर ख़ाकसार गेंद खेलने पर उतर आया।

ख़याल मेरे बचपन से ही बुलन्द थे। गेंद खेलने का प्रारम्भ भी सबसे बड़ी गेंद से किया गया। फुटबाल खेलने में मैं काफ़ी कामयाब रहा। बस दो इल्लतें ज़रूर पड़ीं। एक इल्लत तो यह पड़ी कि मैं फुटबाल पर किक जो लगाता था वह इतनी ईमानदारी के साथ लगाता था कि गेंद हटे या न हटे मगर मैं ज़रूर धराशायी हो जाता था। दूसरी इल्लत यह थी कि पता नहीं क्यों मैं जब भी गेंद के पीछे भागता था तो गेंद हमेशा मुझसे पीछे ही रहती थी। ख़ैर, इस खेल से मैंने जो अवकाश प्राप्त किया उसका सच्चा कारण कुछ और ही था। बात ज़रा-सी थी मगर उसे बिना बात बढ़ा दिया गया। हुआ यह कि एक मैच में मेरी हाफपैण्ट जो थी वह निकल गयी और मैं सिर्फ़ बनियान में ही रह गया और फिर भी बदस्तूर खेलता रहा। मगर हैडमास्टर ने मुझे खेल से हटा दिया और देश ने एक होनहार फुटबाल खिलाड़ी को सदा-सदा के लिए खो दिया। खेल में राजनीति कैसे काम करती है– इसका पता मुझे वहीं लगा। मुझे सन्तोष है कि नंगेपन के प्रति मेरा दृष्टिकोण अब बदलता जा रहा है। फ्रैंकफ़र्ट से लन्दन जाते एक पुरुष ने सारी यात्रा पूरी तरह निर्वसन होकर ही पूर्ण की। वायुयान के कर्मचारियों ने उस पर कम्बल डाला मगर उस नरपुंगव ने कबीर की 'ज्यों की त्यों रख दीनी चदरिया' वाली पंक्ति याद की और कम्बल जो था उसे हटा दिया।

फुटबाल से मैं सीधे हाकी पर आया। वालीबाल मुझे पसन्द नहीं आया क्योंकि उसके जाल में मेरा सिर कुछ इस तरह फँसा कि अन्त में चलकर जाल काटना ही पड़ा हाकी में ऐसी कोई दिक्कत पेश नहीं आयी। चन्द दिनों के भीतर ही इस खेल में मैंने अपना स्थान बना लिया। लोग मुझे दूर से ही पहचानने लगे थे क्योंकि एक पट्टी मेरी स्टिक पर बँधी होती थी और दो पट्टियाँ मेरी देह पर। मुझे गोलकीपर का महत्त्वपूर्ण स्थान सँभालना पड़ता था और पता नहीं क्यों, मुझे वहाँ खड़े-खड़े नींद बहुत आती थी। जब भी नींद से आँखें खुलीं, मैंने हमेशा यही पाया कि हम पर गोल हो गया। इतनी हिम्मत किसी बाँकुरे की नहीं हुई कि पहले मुझे भलीभाँति जगा ले और फिर गोल करके दिखाये।

धीरे-धीरे क्रिकेट का फ़ैशन आ गया। खेलने जाते हैं चन्द लोग और देखते हैं हज़ारों लोग। और जो लोग जा नहीं पाते वे उसकी कमेण्ट्री सुनते हैं और कभी हँसते हैं तो कभी रोते हैं। मुझे यह खेल निहायत पसन्द है। पहली बात तो यह कि जब तक टेस्टमैच चलता है तब तक न तो सीनियर ही कोई काम बताता है और न जूनियर ही कोई फ़ाइल सबमिट करता है। कर्मों के जो बन्धन हैं वे एकदम कट जाते हैं। दूसरी बात यह है कि शहर के जितने भी गिरहकट, चोर और उचक्के होते हैं वे सबके सब टिकट ख़रीद कर मैच देखने चले जाते हैं। मेरे कहने का मतलब यह कदापि नहीं कि मैच देखने शरीफ़ लोग नहीं जाते। यदि भद्र पुरुष, उनकी रूपवती पत्नियाँ, और युवा कन्याएँ मैच देखने न जायें तो लफ़ंगे लोग क्या वहाँ भाड़ झोंकने जायेंगे?

सोचता हूँ कि अपना शेष जीवन क्रिकेट को ही समर्पित कर दूँ। रांजी ट्राफी की भाँति शायद कभी त्यागी ट्राफी भी सामने आये। क्रिकेट के सन्दर्भ में ए. जी. गार्डिनर ने रांजी (रनजीत सिंह) की चर्चा करते हुए लिखा है कि वे एक छोटी-सी रियासत के राजा मगर एक विशाल खेल के बादशाह थे। देखता हूँ, ये विदेशी लेखक मेरे बारे में क्या कहते हैं। मगर हाँ, याद आया, क्रिकेट खेलने के सन्दर्भ में मेरी दो शर्तें हैं। शर्त नम्बर एक तो यह है कि सरकार मेरी सेहत का ख़याल करे। मुझे भुना हुआ कबूतर और ऊँट का दूध दोनों समय मिलना ज़रूरी है क्योंकि यही वह भोजन है जिसे खाकर शेख़ सुलेमान उनतालीस पत्नियों का पति और पाँच सौ बच्चों का पिता है और स्थिति यह है कि विदेशों की युवतियाँ उसके हरम में भर्ती होने के लिए अर्जियाँ भेज रही हैं। शर्त नम्बर दो और भी सरल है और वह यह है कि हमारा यौन-परिवर्तन नहीं होना चाहिए। मेरी इस शंका को लघु समझकर न टालिए, हालत वाक़ई इतनी नाज़ुक है कि अकेले अमेरिका में ही लगभग तीन हज़ार व्यक्ति यौन-परिवर्तन के कगार पर खड़े हैं। मैं यह हर्गिज़ नहीं चाहता कि सूट पहनकर मैच खेलने विदेश जाऊँ और साड़ी पहनकर वहाँ से वापस लौटूँ।

ख़तरे चाहे कितने भी हों, यह निश्चित है कि मैं क्रिकेट ज़रूर खेलूँगा। इस खेल में गेंद का प्रयोग होता है और वह हमारी प्राचीन सभ्यता और संस्कृति का प्रतीक है। कृष्णजी नियमित रूप से गेंद खेला करते थे। खेलते-खेलते यदि कोई गेंद कभी खो जाती थी और कहीं नहीं मिलती थी तो सदा के रसिया वनमाली कृष्ण उसे गोपियों की अंगियों में हाथ डाल-डालकर ढूँढ़ा करते थे। क्या जयदेव, विद्यापति और रीतिकालीन कवि और क्या ब्रज के लोकगीत—सभी के अनुसार वहाँ कृष्ण को एक क्या, एक से ज़्यादा गेंदें प्राप्त हुआ करती थीं। खेल जो था वह फिर शुरू हो जाता था। गोपियों की चोलियाँ जो होती थीं, वे गेंदों का गोदाम हुआ करती थीं। उन दिनों रिवाज़ ही कुछ ऐसा था। कृष्णजी के बरख़िलाफ़ राधा गेंद नहीं खेलती थीं। वे शायद ऐसा कोई भी खेल नहीं खेलती थीं? जो दिन में खेला जाता हो। वे 'साँझी' खेलती थीं। जैसा कि शायद नाम से ही प्रकट है, यह खेल साँझ को खेला जाता था। कवि हरिदास ने राधाजी द्वारा साँझी खेलने का वर्णन इस प्रकार किया :

सखीवृन्द सब आइ जुरी
बृषभान नृपति के द्वार
बीनन फूल चलौ वन राधे
नव सत साजि सिंगार
चलति चाल मराल बाल सी
राधा सखियन माँझ
बीनति फूलनि जमुना कूलनि
खेलति साँझी साँझ

अनाम यात्री

कुछ लोग होते हैं जिन्हें घूमने-फिरने और सैर-सपाटों पर निकलने का शौक़ होता है। स्टेनबेक के शब्दों में इन लोगों के साथ स्थिति यह होती है कि जहाँ इन्हें किसी स्टीमर या भोंपू या इंजन की सीटी सुनाई दी, इनके रोंगटे खड़े हो गये। कोलम्बस, वास्कोडिगामा, फ़ाह्यान, हुएनसांग, इत्सिंग और इब्नबतूता इसी किस्म के इंसान थे। सच्ची बात तो यह है कि हालाँकि मैंने अभी तक कोई नया द्वीप या महाद्वीप तो नहीं ढूँढ़ा, पर वैसे ख़ाकसार आता इन्हीं लोगों की क़तार में है। स्टीमर और हवाई जहाज़ क्या, मेरी तबीयत तो घोड़े या टट्टू तक को देखकर मचल जाती है। चाहें तो आप मेरी तुलना राबर्ट लुई स्टीवेंसन से भी कर सकते हैं जिसने कि एक गधी पर बैठकर सारे यूरोप की यात्रा की थी। स्त्री जाति का यात्रा के इतिहास में सदा के लिए जो नाम अंकित हुआ, वह उस एक अदद गधी के कारण ही हुआ। पुरुषों को घर से बाहर निकालने की प्रेरणा यूँ तो प्रायः सदा सुन्दरियों से ही मिलती आयी, पर फिर भी जो नफ़ासत एक गधी में होती है वह लड़कियों में कहाँ? कुमारी गधी का शास्त्रीय संगीत पर आधारित कण्ठ, लज्जापूर्ण प्रणय-निवेदन और अन्त में चलकर दुलत्ती वाला योगासन—ये वे वस्तुएँ हैं जो उसे एक युवती से ऊपर उठाती हैं। और इस योगासन से तो कभी-कभी प्रेमी भी ऊपर उठता पाया गया। हाँ, इतना मैं अलबत्ता ज़रूर स्वीकार करूँगा कि कभी-कभी एक सुन्दर युवती और एक गधी में वाक़ई कोई अन्तर नहीं रह जाता और ये ही वे सुखदायी क्षण हैं जिनके आधार पर स्त्री जाति का भविष्य मुझे उज्ज्वल लगा।

सैर-सपाटा करने वाले लोगों को आप कई श्रेणियों में विभाजित कर सकते हैं। कुछ लोग हैं जो अपने घूमने के शौक़ को पोथियाँ पढ़-पढ़कर पूरा करते हैं। सिन्दबाद जहाज़ी के क़िस्से, हातिमताई और हुस्नबानू की शाश्वत कथा और रौबिन्सन क्रूसो जैसे उपन्यास इन्हीं लोगों के लिए बने हैं और वे इन्हीं द्वारा रात-रात-भर बत्ती जलाकर पढ़े जाते हैं। कुछ लोग होते हैं जो सफ़र पर निकलते या यात्रा से लौटते व्यक्ति से मिलकर बहुत खुश होते हैं और उसकी गर्दन दबा-दबाकर यात्रा का पूरा ब्योरा इस तरह पूछते हैं कि वह ग़रीब इंसान जो अभी-अभी पहाड़ पर ज़िन्दगी

गुज़ारकर आया था, फिर उसी दिशा में दौड़ने लगता है। आगे-आगे युधिष्ठिर होता है भागता हुआ; और पीछे-पीछे होता है यक्ष, प्रश्न के बाद प्रश्न करता हुआ। ख़ैर, इन सबके बरख़िलाफ़ कुछ लोग ऐसे भी होते हैं जो हिम्मत रखते हैं, और जोख़िम उठाना जानते हैं। ये ही वे नरपुंगव हैं जो यात्रा पर निकलते हैं। जहाँ किसी नदी में किसी राजकुमारी के सोने के केश बहते देखे, इन्होंने दक्षिण दिशा में घोड़ा फेंक दिया। इन साहसी यात्रियों के सामने मात्र एक लक्ष्य होता है और वह होता है सफ़र करना। इनके पास इतना फालतू वक़्त कभी नहीं होता कि युवती और गधी में अन्तर ढूँढ़ें। अगर ऐसा न हुआ होता तो इत्सिंग और इब्नबतूता कभी इतने बड़े यात्री नहीं बनते। बेचारे वहीं अपने क़स्बे में बैठे रहते और खुर्दबीन लगाकर गधी और युवती के बीच यदि कोई मौलिक भेद है, तो उसे खोजा करते।

सफ़र पर निकलने के अनेक ढंग हैं। कुछ लोग हैं जो इस भाँति यात्रा पर निकलते हैं जैसे कभी मुग़लों की शाही छावनियाँ दक्षिण जाया करती थीं। पन्द्रह मील की महान् यात्रा के लिए भी ये लोग छाता, लालटेन, मोमबत्ती, चाकू, रस्सी, पानदान, किताबें, कलम, तम्बाकू और सुराही लेकर चलेंगे। सारा सामान कई दिन पहले ही बटोरकर घर के एक कोने में इकट्ठा कर दिया जायेगा। चलते वक़्त अदद गिने जायेंगे और मुहल्ले के प्रत्येक प्राणी से इस तरह विदा ली जायेगी जैसे कि पाण्डव लोग महाप्रयाण पर ज़ा रहे हों। सड़क पर जो कोई भी मिलेगा, उसे सफ़र के बारे में पूरा विवरण दिया जायेगा। कुली की मदद से सामान एक ओर सजेगा और ये प्रतीक्षालय में दूसरी ओर। गाड़ी आने तक बराबर यह बहस की जायेगी कि सामान खिड़की के रास्ते भीतर फेंका जायेगा या कि दरवाज़े से। इस सन्दर्भ में कुली की राय को विशेष महत्त्व दिया जायेगा। ये एक आँख सामान पर रखेंगे और दूसरी कुली पर। इन तमाम तैयारियों के बावजूद स्थिति वही होगी जो होनी थी। गाड़ी के आते ही सारी मास्टर प्लान खलास। खुद कहीं घुसेंगे, सुराही गार्ड साहब के डिब्बे में पहुँचेगी, पानदान शायद इंजन में पहुँचेगा और बाक़ी सामान गाड़ी के बाक़ी डिब्बों में होगा। पन्द्रह मील के लम्बे सफ़र के दौरान ये होनहार इंसान आहें भर-भरकर यही सोचते रहेंगे कि चढ़ तो गये, अब उतरेंगे तो कैसे उतरेंगे। स्थिति यह होगी कि गाड़ी जहाँ भी रुकेगी, सामान का बाहर फेंकना वहीं शुरू हो जायेगा। सामान जब नीचे पहुँच जायेगा तब इस महान् यात्री को पता लगेगा कि गाड़ी जो रुकी है वह आउटर सिगनल पर रुकी है। जहाँ तक स्टेशन नाम की चिड़िया का प्रश्न है वह तो कोई एक किलोमीटर दूर अण्डे दे रही होगी।

शायद आपका साबका उस क़िस्म के लोगों से भी पड़ा हो जो यात्रा के सन्दर्भ में समय के पाबन्द नहीं होते। दरअसल, सफ़र का आधे से ज़्यादा मज़ा इन्हीं होनहार लोगों की वजह से आता है। ये वे लोग हैं जो आपको धमकी देकर जाते हैं कि 'देखो बरखुरदार, सारा काम वक़्त पर होना ज़रूरी है। ऐसा न हो कि तुममें

से किसी अहमक की गफलत से गाड़ी छूट जाए।' क्योंकि ये ख़ुद ज़्यादा ज़िम्मेदार क़िस्म के इंसान होते हैं, टिकट ख़रीदने का भार इन्हें ही सौंपा जाता है। निश्चित समय पर आप स्टेशन पर होते हैं और गाड़ी प्लेटफ़ार्म पर होती है। थोड़ी देर बाद आप किसी जनाने डिब्बे में घुसते हैं, सीटों पर क़ब्ज़ा करते हैं, बिस्तर बिछाते हैं, और बाक़ी सामान को सही जगह लगाते हैं। सारा इन्तज़ाम हो जाता है; अगर कोई बेचैनी शेष रहती है तो सिर्फ़ इस बात की कि ये हज़रत सीन पर कहीं नज़र नहीं आते। चूँकि टिकट जो हैं वे इनके पास हैं, इनकी इन्तज़ार करना भी ज़रूरी है। आप लोग चिन्तित होते हैं, सिगनल की दिशा में दो-चार अदद दृष्टिपात करते हैं और अन्त में चलकर जब एक बेवकूफ़ आदमी लकड़ी पर हरे रंग का कपड़ा बाँधकर उसे इस तरह हिलाने लगता है जैसे कि हनुमान जी अपनी पूँछ हिलाया करते थे और जब एक दूसरा बेवकूफ़ आदमी उसी हरे कपड़े को हिलता देखकर गाड़ी हाँक देता है तो आप रेल के महकमे पर तरस खाते हुए चलती गाड़ी में से पहले सामान फेंकते हैं और फिर ख़ुद को। किसी तरह होश-हवास और सामान फिर इकट्ठा किया जाता है और उसके बाद आप स्टेशन की इमारत के बाहर निकलते हैं। बाहर आकर देखते हैं कि हज़रत सही-सलामत हैं और पनवाड़ी की दुकान पर पान लगवा रहे हैं और साथ ही साथ ज़र्दे के बारे में उसे कुछ ऐसी राज की बात समझा रहे हैं कि जिसके जाने बग़ैर वह ग़रीब पनवाड़ी शायद कहीं ज़्यादा दिनों ज़िन्दा रह सकता था। आपको देखेंगे तो गुस्से के साथ फ़रमाएँगे कि लीजिए आपको ढूँढ़ते-ढूँढ़ते यह वक़्त हो गया और आप हैं कि यहाँ स्टेशन के बाहर चहलकदमी कर रहे हैं। क्या आपको पता नहीं कि रेल जो मिलती है वह स्टेशन के अन्दर मिलती है न कि बाहर? इनकी दुलत्ती खाने के बाद यदि आपने कुछ कहा तो ये बड़े अफ़सोस के साथ लम्बी साँस लेकर फ़रमाएँगे कि 'लानत है रेल जैसी बेसब्री सवारी पर। भला ऐसी भी क्या जल्दी कि आप पीले ज़र्दे का एक पान भी न खा सकें। एक दातुन ज़रा ज़्यादा कर ली और रेल छूट गयी एक चम्पी करवा ली तो रेल छूट गयी। कुत्ते को ज़रा जलेबी क्या खिला दी कि रेल छूट गयी। चलते वक़्त पाजामे का इज़ारबन्द क्या टूटा कि रेल नदारद। अब आप ही बताइए कि क्या मैं बिना नाड़े के पाजामे में सफ़र करता? जहाँ तक रेल का सवाल है, मुझे तो ऐसा लगता है कि सिवा छूटने के शायद इसे और कोई काम ही नहीं।' इनकी प्यारी-प्यारी बातें सुनकर आपके हृदय में ऐसा स्नेह उमड़ता है कि इच्छा होती है कि इन्हें मय पान के उठाकर मालगाड़ी के इंजन के सामने फेंक दिया जाए मगर तभी एक हादसा हो जाता है और वह यह कि आपको इनके स्वर्गीय पिताजी की याद सताने लगती है। अपने इस होनहार सपूत के बरख़िलाफ़ वे वक़्त के बेहद पाबन्द थे। वे गाड़ी आने से कई पहर पहले स्टेशन पहुँच जाते थे, कुली तय करते थे और यह मालूम करते थे कि गाड़ी वक़्त पर आ रही है या नहीं और उसमें चेन खींचने का इन्तज़ाम है या नहीं। इसके बाद

वे थककर किसी रेस्तराँ में चाय पीने बैठ जाते थे और वहाँ चचा ग़ालिब के शेरों पर कुछ ऐसी बहस होती थी कि जब तक ये स्टेशन वापस पहुँचते थे तब तक रात की वह गाड़ी—जिसे पकड़ने ये सुबह ही आ गये थे— कोई दो स्टेशन आगे पहुँच चुकी होती थी। ख़ुदा गवाह है, जब तक इनके वे मरहूम वालिद ज़िन्दा रहे, खिड़की से पहला टिकट हमेशा उन्हीं ने ख़रीदा और बाद में हमेशा उसे वापस भी किया।

गाड़ी छूटने पर जो दुख होता है वह कभी-कभी उस दुख से कहीं कम होता है जो कि रेल के मिलने पर होता है। कोई रईसजादे ऊपर की सीट पर दिन में सोने के लिए इस ख़ुशमिज़ाजी के साथ चढ़ते हैं कि उनका जूता आपकी गोद में गिरता है। आप चाहते हैं कि और कुछ नहीं तो इस नवयुवक की हत्या ज़रूर कर दी जाए। मगर इसी ऐन मौके पर सामने की सीट हर बैठे एक कलाकार गाना गाने लगते हैं और वह भी कुछ इस मुद्रा में कि तब आप बजाय हत्या के आत्महत्या के फ़ायदे और नुक़सान सोचने लगते हैं। कुछ सम्भ्रान्त व्यक्ति होते हैं जो गाड़ी चलने पर ही सामान ख़रीदते हैं और उस क्रिया को सम्पादन कर लेने के बाद दस रुपये के नोट को राष्ट्रीय झण्डे की भाँति आउटर सिगनल तक हिलाते रहते हैं। कोई-कोई सिद्ध पुरुष ऐसा भी होता है जो प्रत्येक स्टेशन पर गवाक्ष मार्ग से उतरता और चढ़ता है, जिसका कि तात्कालिक परिणाम यह होता है कि उनका पदत्राण आपकी दाढ़ी में उलझता रहता है। इस सम्पर्क से दाढ़ी को भले ही कुछ क्षति पहुँच जाए, जूते के स्वास्थ्य पर तो कोई प्रभाव नहीं पड़ता। कोई-कोई यात्री जंगली जीवन में ज़्यादा दिलचस्पी रखते हैं और बिना आपकी किसी प्रार्थना के आपको तीतर-बटेर की बोलियाँ बोलकर सुनाते हैं। कुछ लोग ऐसे होते हैं जो कि ज्योतिषशास्त्र के ज्ञानी निकलते हैं और बिना आपकी अनुमति के आपकी पत्नी का हाथ देखना शुरू कर देते हैं जैसा कि शास्त्रों में लिखा है, 'रूपवती युवतियों के हाथ देखने में जितना भी समय लग जाए, उतना ही वह सबके हित में होगा।'

यात्रा के दौरान कभी-कभी इतनी मिलनसार आत्माओं से भेंट करने का अवसर भी प्राप्त होता है कि तबीयत करने लगती है कि चलती गाड़ी से कूद लिया जाए। एक बार एक ऐसी ही विभूति से मेरा भी साक्षात्कार हुआ। ये हज़रत मूँगफली की खेती करते थे और इतनी लगन और तबीयत के साथ करते थे कि इन्हें सारी दिशाएँ मूँगफली से ही भरी नज़र आती थीं। ईश्वर और संस्कार क्षणभंगुर थे और मूँगफली शाश्वत। मूँगफली का ज्ञान इन्हें काफ़ी था और इसे मैं उनकी सहृदयता ही कहूँगा कि उस समस्त शास्त्रीय ज्ञान को उस सीमित समय में वे मुझ तक निःशुल्क पहुँचाना चाहते थे। इस दिशा में उनकी व्याकुलता देखकर मुझे दया आ गयी। परिणाम यह रहा कि इन्होंने लगभग छः घण्टे तक मूँगफली को लेकर ठोस भाषण दिया जो कहीं-कहीं तो काफ़ी ओजस्वी था। सबसे बड़ी बात तो यह थी कि अपने उस भाषण में उन्होंने कई शैलियों का प्रयोग किया और काफ़ी कामयाबी के साथ

किया। यदि कहीं लाला लाजपत राय या लोकमान्य तिलक की ओजस्वी शैली को अपनाया गया तो कहीं मौलाना अबुलकलाम आज़ाद की साहित्यिक व सन्तुलित मुहावरेदार शैली को स्वीकार किया गया। इस नरपुंगव ने मूँगफली का पूरा वंशवृक्ष, उसका जन्म, बचपन और प्रथम यौवन, उसका अनैतिक प्रेम व यौनवृत्ति और अन्त में चलकर उसकी वृद्धावस्था, मृत्यु और पुनर्जन्म—इन सभी महत्त्वपूर्ण मुद्दों पर पूरा प्रकाश डाला। जैसा कि उन्होंने बताया, आर्यों की भाँति मूँगफली भी हमारे देश में कहीं बाहर से ही आयी थी। मूल वार्ता समाप्त हो जाने पर इन्होंने कोई दो घण्टे मूँगफली के छिलके को भी एलाट किये। कुल मिलाकर स्थिति यह रही कि जब तक मैं गाड़ी से उतरा तब तक उस क्षेत्र में मूँगफली का सबसे वरिष्ठ ज्ञाता मैं ही था। अगर कहीं डॉक्टर ईश्वरीप्रसाद मेरी जगह होते तो शायद मूँगफली का इतिहास ही लिख डालते जो तीन खण्डों में छपता।

यात्राओं में जो जोखिम पड़ते हैं, उन पर काफ़ी लिखा जा चुका है। जेरोम के जेरोम की 'एक नाव में तीन आदमी' और मार्क ट्वेन की 'हकलबरी फ़िन' जैसी विश्व की महान् कृतियाँ सफ़र में पड़ने वाले जोखिमों की विस्तृत गाथा प्रस्तुत करती हैं। कहते हैं कि नाव की यात्रा में सबसे बड़ा ख़तरा तब होता है जबकि वह नदी के बीच उल्टी हो जाए। घोड़ागाड़ी पर कहीं जाते हुए अँधेरी रात में यदि दो-चार सशस्त्र डाकू मिल जायें तो भी स्थिति लगभग उतनी ही आनन्ददायक रहती है। सी.ई.एम. जोड का कहना था— रेल में सफ़र का आनन्द लेना हो तो यात्रा बिना टिकट लिये करो। टिकटविहीन होने पर वैसा ही भय लगता है, वैसा ही रोमांच होता है जो रामचन्द्रजी को वर्षाऋतु में प्रियाविहीन होने पर हुआ करता था। मेरे ख़याल में जहाँ तक रेल का प्रश्न है, सबसे बड़ा हादसा तब होता है जबकि आप किसी ऐसी चंचल कन्या के साथ डिब्बे में नितान्त अकेले छूट जायें जो कि रूपवती और बलिष्ठ होने के साथ-साथ खुर्राट भी हो। मैं इस हादसे से एक बार किसी तरह निबट चुका हूँ। वह तमाम गाथा इतनी लोमहर्षक थी कि उसे मैंने विस्तार से अलग ही लिखा।

हमारे त्योहार

हमारे देश के प्रमुख त्योहार तीन हैं जिन्हें देश के विभिन्न प्रदेशों के निवासी अपनी-अपनी परम्परा के अनुसार मनाते रहते हैं। होली, दिवाली और दशहरा। इन तीन प्रमुख त्योहारों में से दशहरा जो है वह क्षत्रियों का त्योहार है। राजा रामचन्द्र सूर्यवंशी क्षत्रिय थे और जिस दिन उन्होंने महाबली रावण को परास्त किया था, उसी तिथि को, उनकी इसी विजय के उपलक्ष्य में, यह त्योहार मनाया जाता है। भारतीय संस्कृति का महान ज्ञाता होने के कारण मैं यह बताने की स्थिति में हूँ कि इस त्योहार का सच्चा नाम जो है वह विजयादशमी है। इसे दशहरा क्यों कहते हैं—इस बात को लेकर विभिन्न मत हैं और एक मत यह भी है कि रावण को परास्त करने के बाद रामचन्द्रजी ने वन महोत्सव विभाग के अध्यादेशों को ध्यान में रखते हुए अयोध्या के पास एक दशहरी आम का पौधा लगाया था और उसी 'दशहरी' के प्रताप से यह पर्व 'दशहरा' कहलाने लगा। रामचन्द्रजी की इस विजय की याद को ताज़ा रखने के लिए आज भी जगह-जगह रावण के पुतले बनाये जाते हैं जिन्हें सन्ध्या समय विधिवत् जलाया जाता है। देहात की ओर रामलीला खेली जाती है जिसमें बड़ी भीड़ जुड़ती है। इस हो-हुल्लड़ में कभी-कभी सीताहरण के साथ-साथ दो-चार और सुन्दरियों का हरण भी सम्पन्न हो जाता है और इसी तरह रावण के जलने के साथ-साथ कुछ छप्पर वाले घर भी लगे हाथों जल जाते हैं। त्योहार को पूरी आत्मीयता से मनाना इसी को कहा गया।

रात्रि के समय जो लीला होती है वह नौटंकी की शैली पर होती है। राम की पुनीत कथा को नयी से नयी फ़िल्मी धुनों से सजाकर प्रस्तुत किया जाता है और सीताजी जो होती हैं, कभी-कभी वे भी नये फ़ैशन की साड़ी पहनकर नाच दिखाती हैं। लंकादहन के दृश्य विशेष रूप से मार्मिक होते हैं क्योंकि हनुमान जी जो हैं वे अपनी पूँछ के कमाल इसी प्रसंग में पेश करते हैं। एक बार लंकादहन के अवसर पर हमारे गाँव के रामकथावाचक पण्डित जी की असली दाढ़ी बिना बात जल गयी थी जिसका कि अफ़सोस हनुमान जी तक ने मनाया। वह दिन है और आज का दिन, लंका काण्ड की चौपाइयाँ पण्डितजी इतनी पीड़ा और मार्मिकता से सुनाते हैं

रवीन्द्रनाथ त्यागी– 1963

रवीन्द्रनाथ त्यागी– 1962

कि दर्शकों की अपार भीड़ धर्म-विभोर हो उठती है और 'बोल सियापति रामचन्द्र की जै' से आकाश जो है वह भर जाता है। पण्डित जी की दाढ़ी उस हादसे के बाद फिर उगी पर इस द्वितीय संस्करण में पहले जैसा आनन्द कभी नहीं आया।

विजयादशमी क्षत्रियों का त्योहार है तो दीपावली वैश्यों का। प्राचीन काल में जाड़ों की ऋतु आने पर अगस्त नाम का नक्षत्र उदित हो जाता था और उसके कारण रास्तों का जल जो होता था वह सूख जाता था। दूसरे शब्दों में व्यापारी अपना-अपना पुश्तैनी धन्धा फिर सँभालते थे। मकानों की पुताई होती थी, और वर्षा में बही हुई पुरानी पोथी के स्थान पर नयी 'बही' खुलती थी। दीवारों पर 'शुभ लाभ' अंकित किया जाता था और रात्रि के समय 'मदिर मदिर मेरे दीपक जल' वाली पंक्ति के अनुसार दीपक जलाये जाते थे। ये सब प्रथाएँ अभी भी चली आ रही हैं। रात को घरों के द्वार खुले रखे जाते थे ताकि लक्ष्मीजी आयें तो बिना प्रवेश किये कहीं बाहर से ही न वापस लौट जाएँ। धन का अँधेरे से जो प्रत्यक्ष सम्बन्ध है, वह उन दिनों भी था। उजाले में कभी कोई अमीर नहीं हुआ। लक्ष्मीजी काफ़ी समझदार ठहरीं और इसी कारण अपना वाहन उन्होंने उल्लू रखा। दिन में विश्राम और रात को बिना बैटरी पर ख़र्चा किये मुफ़्त की यात्रा। लक्ष्मीजी की भाँति जो लक्ष्मीपति लोग हैं वे भी दिन में विश्राम करते हैं और रात्रिकाल में क्रियाशील होते हैं। उल्लू पालने का रिवाज़ इन्होंने भी नहीं छोड़ा।

दीपावली की प्रथा कैसे प्रारभ हुई इस बारे में काफ़ी मतभेद हैं। इस सन्दर्भ में यूँ तो अनेक कथाएँ प्रचलित हैं पर ज़्यादा विश्वसनीय कथा एक ही है। कहते हैं कि पुराने ज़माने में कोई राजा था जो कि ब्रिटेन के बादशाह जॉन की भाँति अत्यन्त लालची था। उस राजा का एक सलाहकार था और वह भी काफ़ी लालची था। उस राज्य में एक सेठजी थे और इत्तफ़ाक देखिए कि वे भी काफ़ी लालची थे। एक बार सरसों का तेल काफ़ी सस्ता हो गया और सेठजी ने उसे काफ़ी बड़ी मात्रा में ख़रीद कर खत्तियों में भर लिया। कई साल गुज़र गये पर कुछ ऐसा हुआ कि तेल के दाम नहीं बढ़े। सेठजी की पूँजी फँस गयी। अन्त में चलकर सेठजी ने अपने मुनीमजी की मार्फ़त राजा के सलाहकार से बातचीत की। अन्त में राज्य की ओर से यह निश्चित किया गया कि राजकुमारी के विवाह के दिन सारे राज्य में चिराग़ जलाये जाएँ। मुनादी करा दी गयी और तेल जो था वह बिक गया। ठीक एक साल बाद राजकुमारी के प्रथम प्रसव के अवसर पर यह परम्परा फिर निभायी गयी। इसके बाद वह प्रथा चलती रही हालाँकि राजकुमारी ने और बच्चे नहीं दिये। सेठजी को जो शुभ लाभ रहा उसमें से आधा राजा के सलाहकार ने लिया। लक्ष्मी जो थी वह सेठ के घर में गयी और बाक़ी लोगबाग जो थे वे उनका वाहन बने बाहर खड़े रहे। राजतन्त्र में क्या-क्या होता था, यह जानने के लिए आप 'पंचतन्त्र' पढ़ें। बड़ी बात बस यही है कि ऐसी बेकार की हरकतें राजतन्त्र के साथ ही समाप्त हो गयीं।

होली का त्योहार पिछड़ी जातियों का त्योहार है। दिवाली पर यदि घर की सफ़ाई होती है तो होली पर शरीर की। प्रत्येक नर और मादा के ज़िस्म से बसन्ती रंग फूटते हैं और पुरानी शत्रुताओं को चोरी की गयी लकड़ियों के साथ चौराहे पर जलाया जाता है। बड़े-बड़े मतिमान् लोगों को चौबच्चे में समाधि ग्रहण करनी पड़ती है और बड़ी-बड़ी शालीन युवतियों के सुन्दर गाल अबीर से भर जाते हैं। देहात की दिशा में देवर जो है वह भाभी से एक विशेष प्रकार की छेड़छाड़ करता है। नगरों में ऐसा नहीं होता। वहाँ या तो देवर होते ही नहीं और यदि होते हैं तो शरीफ़ क़िस्म के होते हैं। वहाँ ऐसा छेड़छाड़ भाभियाँ करती हैं। सचमुच।

होली में भंग छनती है, फाग गाया जाता है और चाँदनी रात में ईसुरी कवि के लोकगीत या घासीराम भटीपुरवासी की होलियाँ टोलियाँ बना-बनाकर गाई जाती हैं। कँवर निहालदे, राजा कारक और सती सुलोचना की होली काफ़ी लोकप्रिय हैं। जहाँ तक मेरा दिमाग़ काम करता है, इन तीनों होलियों में नायिका जो हैं वे विधवा हैं। रूपवती विधवाओं को लेकर जो साहित्य लिखा जायेगा वह हमेशा लोकप्रिय होगा। इन लोकगीतों को गला फाड़-फाड़कर गाते हुए पिछड़े लोग चाँदनी रात में नाचते रहते हैं। इन बेचारों ने न कभी रावण मारा, न कभी लक्ष्मी पायी; ये तो बेचारे राजा-रानियों की कहानियाँ ही सुनते रहे और नाचते रहे।

हमारे तीनों प्रमुख त्योहारों में दो विशेष बातें नज़र आयेंगी। पहली बात तो यह कि तीनों अवसरों पर रात को प्रकाश होता है जो 'तमसो मा ज्योतिर्गमय' वाली सूक्ति को सिद्ध करता है। दूसरी ख़ास बात यह है कि बेचारे ब्राह्मणों का कोई भी त्योहार नहीं। वैसे सच्चाई यह है कि त्योहार कोई भी हो, ब्राह्मण महाराज तो यजमान की पूँछ पकड़कर वैतरणी पार कर ही लेंगे। ब्रह्मवाक्यं जनार्दनः। वैतरणी पार करने की इस प्रक्रिया में यजमान भले ही डूब जाएँ; ब्राह्मण कभी नहीं डूब सकता।

परम ज्ञान के कुछ क्षण

"जिस तरह कहानी न लिख पाने पर मैंने भूमिका लिखी, उसी तरह और कुछ न लिख पाने पर मैंने ये कहानियाँ लिखीं। मैं लिखने बैठता हूँ कविता पर लिख पाता हूँ कहानी और सत्य यह भी है कि कविताएँ मैंने इसलिए लिखी हैं क्योंकि मैं नाटक नहीं लिख पा रहा था।"

('रास्ता इधर से है' : रघुवीर सहाय)

जिस विवशता की चर्चा रघुवीर सहाय ने अपनी रचना-प्रक्रिया के सन्दर्भ में की है, कुछ-कुछ वैसी ही परेशानी ख़ाकसार को अपनी ज़िन्दगी से रही। मैं वह नहीं बना जो बनना चाहता था। जब मैं जज बनना चाहता था तब मुझे वकील लोग कहीं ज़्यादा अमीर और शक्तिशाली लगते थे और जब वकील बनने का अवसर आया तो सहसा महसूस हुआ कि अपराधी बनना जो है वह कहीं ज़्यादा शानदार है। अदालत के बाहर सब उसे ही देखते हैं– जज या वकील को नहीं। सच्चाई तो यह है कि मुजरिम न हो, तो न जज साहब की ज़रूरत है और न बैरिस्टर की। देश का दुर्भाग्य देखिए कि मेरे जैसा होनहार इंसान एक अपराधी भी नहीं बन पाया।

आज मैं सच बोलूँगा, सिर्फ़ सच बोलूँगा और सच के सिवा कुछ नहीं बोलूँगा। थोड़ा-बहुत कहीं झूठ बोल जाऊँ, वह दीगर बात है और वह अदालतों में भी चलती है। यह असलियत है कि मैं वह नहीं बना जो बनना चाहता था। दरअसल, मुझे कभी यह पता ही नहीं चला कि मैं बनना क्या चाहता था। मुझे तो सारे सफल व्यक्ति बराबर आकर्षक लगते रहे और मेरा नाविक भुलावा देकर मुझे जहाँ भी ले जाता रहा, वही तट मुझे स्वर्णिम लगा। जब मैंने कविवर पन्त को देखा तो मैंने भी सिर के केश लम्बे कर लिये। इसके बाद निराला जी से भेंट हुई तो मैंने दाढ़ी भी बढ़ा ली। काफ़ी दिन बीत गये मगर कोई ज़ोरदार रचना मेरी कलम से फिर भी नहीं निकली। घोर निराशा के उन क्षणों में अन्ततः स्थिति यह रही कि एक दिन जयशंकर प्रसाद के एक चित्र से प्रेरणा लेकर मैंने सिर और मुँह दोनों के केश कटवा लिये। इस घटना-क्रम से यह भी सिद्ध हो जाता है कि मुझ पर छायावाद के तीनों महाकवियों का प्रत्यक्ष प्रभाव पड़ा।

कुछ दिनों बाद मैंने जिगर मुरादाबादी का नज़ारा लिया तो लगा कि इनसे बड़ी हस्ती कोई नहीं। बेहद बेतरतीब बाल, हफ़्तों के सतत परिश्रम से बढ़ायी गयी हजामत, सलवट पड़े कपड़े और मशाल की तरह जलती हुई दो अदद आँखें। मगर यहाँ फिर एक हादसा हो गया। मेरा एक मित्र एक दिन मुझे एक फ़िल्म दिखाने ले गया। तस्वीर का देखना था कि अपना तो जीवनदर्शन ही बदल गया; हमने तो वहीं निश्चय कर लिया कि चलचित्रों में प्रवेश करेंगे और हीरो बनेंगे। यह भी तय किया गया कि यदि किसी कारणवश हीरो नहीं भी बन सके, तो उस स्थिति में हीरोइन तो ज़रूर ही बनेंगे। मगर यह नशा भी ज़्यादा दिनों नहीं चला क्योंकि इसी बीच मेरी भेंट एक सम्पादक से हो गयी। सम्पादक क्या थे, आचार्य महावीर प्रसाद द्विवेदी के संक्षिप्त संस्करण थे। बोलते कम थे और सोते ज़्यादा। सिद्धान्तों के इतने पक्के थे कि यदि कभी उनकी पत्नी भी दफ़्तर पहुँच जाती थी तो पूछा जाता था कि वे मौलिक व अप्रकाशित थीं या नहीं। हमने सम्पादक बनना तय कर लिया। मगर इन सब विभिन्न प्रभावों के बावजूद अन्त में चलकर जब मैं अपने दो अदद चरण कमल लेकर प्रशासकीय सेवा में आया तो स्थिति यह हो गयी कि मुझे विष्णु शर्मा की मुनि-मूषक कथा याद आने लगी।

मेरे विचार में मुनि-मूषक कथा 'पंचतन्त्र' की सर्वश्रेष्ठ कथा है। सिर्फ़ एक अदद चूही और एक अदद मुनिवर को लेकर इतनी श्रेष्ठ कथा संस्कृत के किसी कथाकार ने कभी नहीं लिखी। कर्नाटक में हाल ही में लाखों चूहों का हनन इस कारण किया गया कि वे अन्न खाते थे। एक हमारा देश है जहाँ चूहा अन्न खाता है और एक वे देश हैं जहाँ चूहा खुद खाया जाता है। ये दोनों चूहे अलग-अलग हैं। चूहों के प्रति प्रशासन इसी तरह सख़्ती करता रहा तो ज़ाहिर है कि मुनि-मूषक कथा की आगामी किस्त कभी नहीं छपेगी। मैं दफ़्तर रूपी आश्रम में इसी भाँति बैठा रहूँगा और फ़ाइल रूपी शकुन्तला इसी भाँति प्रवेश करती रहेगी। मैं उसे पहिचानने से कितना ही इनकार क्यों न करूँ, वह मेरा वरण ज़रूर करेगी। ज़रूर।

अब मैं चूहे और शकुन्तला को छोड़ता हूँ और असली मुद्दे पर आता हूँ। मैं कुछ बना या नहीं, यह दीगर बात है; मगर यह ज़रूर सच है कि ज़िन्दगी में कुछ भी न होना स्वयं में एक ऐसा उदात्त सुख है जिसका कि जवाब नहीं। मेरे क्षणभंगुर जीवन में ऐसे छण कभी-कभी आते हैं, जब मैं सब कुछ भूल जाता हूँ। फ़ाइलें, दौरे, चूहे, शकुन्तला, अपनी या दूसरों की सम्पत्ति, अपनी या ख़ासकर दूसरों की रूपवती पत्नी—ये सब चल व अचल वस्तुएँ पृष्ठभूमि में चली जाती हैं। मैं मात्र स्वयं रह जाता हूँ। समाधि के और गहरा होने पर मैं यह भी भूल जाता हूँ कि मैं स्वयं स्त्री हूँ या पुरुष। यह एक ऐसी वैराग्य की स्थिति होती है जिसकी कि चर्चा शास्त्रों तक में की गयी है। इस स्थिति के आते ही मैं सहसा उछलकर किसी वृक्ष के नीचे चला जाता हूँ। बोधिसत्व और वृक्ष का जो सम्बन्ध है, उसे मैं कभी नहीं तोड़ सकता।

मैं जामुन के वृक्ष के तले घास पर पड़ा हूँ। और यहाँ कोई नहीं है। महाकवि मोमिन के अन्दाज़ पर मैं यह कह सकता हूँ कि 'जब हम पास होते हैं, तो गोया कोई दूसरा नहीं होता।' ज्ञान आने लगा है। सोचता हूँ कि यह वृक्ष क्योंकि जामुन का है, मौसम आने पर इस पर जामुन लगेंगे। मगर आज न जामुन लगी हैं न कटहल; आज तो सिर्फ़ ज्ञान है जो पत्तों में से छन-छनकर नीचे आ रहा है। मैं उसे नहीं रोकता। आता है तो आने दो। नीचे आती वस्तु को कभी नहीं रोकना चाहिए। अगर न्यूटन गिरते हुए सेब को बीच में ही रोक लेता तो इतना महान वैज्ञानिक कभी नहीं बनता। न्यूटन भाई क्या इंसान था; जहाँ कहीं कोई सेब या नाशपाती गिरती देखी, वहीं एक नया सिद्धान्त खोज लिया। हमने सेब तो क्या, तरबूज तक खाए और स्थिति यह है कि नया तो क्या, कोई पुराना भी सिद्धान्त नहीं खोज सके। सिद्धान्त की मजाल कि हमारे पास तक फटक सके।

जैसे मैंने ऊपर चूहे और शकुन्तला को छोड़ा था, वैसे ही अब सर आइज़क न्यूटन को छोड़ता हूँ। ये वे पदार्थ हैं जो मेरे गहन चिन्तन में व्यतिक्रम उपस्थित करते हैं। आज मैं बिना किसी कारण एक पेड़ के नीचे लेटा हूँ और सामने वाली पटरी पर गुज़रती हुई डाकगाड़ी को देखता हूँ। आज कोई काम नहीं है और दिन जो है वह सोने के तार की तरह खिंच गया है। छुट्टी के दिन जामुन के वृक्ष के नीचे लेटकर डाकगाड़ी देखना एक विशिष्ट आध्यात्मिक उपलब्धि है। जैसे यह रेल चली गयी, इसी भाँति एक दिन हम लोग भी चले जायेंगे। हमारे लिए तो न झण्डी हिलेगी और न सिगनल गिरेगा। मृत्यु एक ऐसा तबादला होता है कि उसके लिए तो प्रशासन भत्ता तक नहीं देता। कारण यह है कि परलोक पहुँचकर आप वापस तो लौटेंगे नहीं, तो फिर उस स्थिति में भत्ते का पन्द्रह पृष्ठ का बिल कौन भरेगा?

डाकगाड़ी को देखते ही मुझे पैस्तर नायक की याद सताने लगती है। उन्होंने एक कविता में लिखा है कि अलसायी दुपहरी में स्टेशन की बेंच पर बैठना और रेलवे की समयसारिणी के पन्ने बदलना कितना प्यारा लगता है। मैं कवि से एकदम सहमत हूँ मगर दो शर्तों पर। एक तो यह कि बेंच धूर्त क़िस्म की न हो; यह स्थिति न आने पाये कि इधर तो आपने उस पर आसन ग्रहण किया और उधर वह व्यायाम करने लगे। दूसरी शर्त यह है कि बेंच का रंग जो है, वह सूख चुका हो। मुझे एक ऐसी बेंच की याद अभी तक है जिसने मेरे पाजामे के चरित्र पर कुछ ऐसे धब्बे लगाये थे जो कभी नहीं छूटे। देवदास की भाँति मेरा वह पाजामा समाज की दृष्टि में सदा कलंकित ही रहा। ऐसी बेंचों से भी क्या फ़ायदा जिन पर बैठकर तनहाई की जगह शहनाई बजने लगे! दूसरे शब्दों में मतिमान् व्यक्ति ऐसी बेंच पर भी कभी नहीं बैठते जहाँ कोई विवाहिता या अविवाहिता कन्या पहले से ही बैठी, खोयी-खोयी निगाहों से आकाश को देख रही हो।

मैं वृक्ष के नीचे धराशायी होकर आकाश को देख रहा हूँ। आकाश को छोड़कर

बाक़ी सब दिशाओं में क्षितिज जो है वह काफ़ी मात्रा में दिखाई पड़ता है। मैं बादलों के धब्बों को देखता हूँ और अनायास अपने एक मदिराप्रेमी मित्र को याद करता हूँ। बादलों के इन टुकड़ों की भाँति उसके भी कई बच्चे थे। समझाने पर वह बहुत गालियाँ देता था। वह मुझसे अधिक शक्तिवान् था और इस कारण मैं उसके साथ अहिंसा से काम लेता था। आज मैं एकाकी हूँ और स्थिति का लाभ उठाते हुए उसे जी भर कर गालियाँ देता हूँ। मन जो है वह हल्का हो जाता है। पत्नी को हत्या करने की जो घनीभूत पीड़ा थी, उसकी बदली वर्षा का रूप धारण करने लगती है। सुप्त आकांक्षाएँ ऊपर आने लगती हैं और मैं अपने पास और ज़्यादा आ जाता हूँ। ये मेरी व्यक्तिगत ईमानदारी के दुर्लभ क्षण है जो रोज़-रोज़ नहीं आते। कुछ भी न बनने और कुछ भी न करने की स्थिति में जो सुख हैं वे अवर्णित हैं। आप सहसा महसूस करते हैं कि यूँ तो सारी दुनिया है लेकिन दुनिया में हरएक तनहा है। इस शेर के याद आते ही मेरी जो आत्मा है वह परमात्मा के और निकट आ जाती है। उचित होगा कि इनके मिलन को पास से देखने के लिए मैं अपनी आँखें बन्द कर लूँ।

मैंने नेत्र बन्द किये ही थे कि फिर कोई रेल आ गयी। मेरा चिन्तन फिर वैराग्यशतक की दिशा में मुड़ गया। कवि भर्तृहरि ने कहा था कि वे वैभवशाली सम्राट, वह सुन्दर नगरी, सामन्तों का वह चक्र, वे पण्डित, वे वीर राजकुमार, चन्द्रमा के समान सुन्दर वे युवतियाँ, वे कथाएँ और वे (राधेश्याम) कथावाचक– सबके सब जिस काल के प्रताप से रसातल की दिशा में चले गये, उसको मैं प्रणाम करता हूँ। श्लोक याद आते ही मन भर आया। और जो गये सो गये पर वे चन्द्रमुखी युवतियाँ क्यों और कहाँ चली गयीं? ताः चन्द्रबिम्बाननाः।

मैं लुंगी समेटता हुआ उन्मुक्तता के चरम क्षण में डूबने को ही होता हूँ कि एक बाला न जाने किस दिशा से प्रकट होकर मुझसे किसी का पता पूछती है। उसे देखते ही मुझे शिवप्रसाद सिंह की एक नायिका स्मरण हो आती है। शिवप्रसाद सिंह मेरे प्रिय लेखक हैं; उनके उपन्यास भले ही भारी-भरकम हों पर उनकी जो नायिका होती हैं, वे हमेशा तन्वंगी ही होती हैं। मैं उस सुमुखी को सामने वाली गली दिखाता हूँ और बताता हूँ कि यह गली आगे कहीं नहीं मुड़ती।

संस्कृति का पाँचवाँ अध्याय

हिन्दी की विभूतियों में से अज्ञेय सम्भवतः एक ऐसे व्यक्ति हैं जो कि विदेशों में ज़रूरत से ज़्यादा घूमे। विदेशों से और विदेशी साहित्य से उनके कृतित्व को काफ़ी प्रेरणा भी मिली। प्रवास से लौटने के बाद उन्होंने 'लौटे हुए यात्री का वक्तव्य' भी दिया। उस वक्तव्य को पढ़ते-पढ़ते मुझे अक्सर ऐसा लगा कि जिन विदेशों में वे घूमे हैं उनमें सारे जहाँ से अच्छा यह हिन्दोस्ताँ भी शायद शामिल रहा। उनकी प्रवास की डायरी में ज़्यादातर माल ऐसा लगा जो इसी शस्य-श्यामला धरती का सचित्र विवरण प्रस्तुत करता था। 'भारत देखिए' का विज्ञापन चिपकाने वाले विभाग से मेरी नम्र प्रार्थना है कि वे अज्ञेय के रचना संसार का जायज़ा लें। इससे बहुतों का भला होगा।

जो लोग समझते हैं कि अज्ञेय मात्र कवि हैं, वे सरासर ग़लत हैं। "कवि जो होंगे हों, वे जो कुछ करते हों, करें।" जहाँ तक वात्स्यायनजी का प्रश्न है, उनका तो प्रयोजन मात्र इतना रहा कि भारत माता के अन्तरंग चित्र आपके सम्मुख प्रस्तुत करते रहें। "अर्थ के भार से भाषा की झिल्ली भले ही फट जाए" पर कवि अपने महान् लक्ष्य से पीछे हटने वाला नहीं। हो सकता है, उनकी वाणी पूरी तरह सच्ची न हो; पर इससे क्या? "अच्छा खण्डित सत्य सुघर नीरन्ध्र मृषा से; अच्छा पीड़ित प्यार प्रकम्पित निर्ममता से।" अज्ञेय जी की निर्ममता कभी प्रकम्पित नहीं रही; उनका प्यार भले ही पीड़ित रहा हो। ठीक है न?

कवि कहता है कि "खेत हरे-भरे हैं मगर खलिहान नहीं। कहने को तो महतो का मान है बहुत, पर खाने को दो मुट्ठी धान नहीं। दिल भरा है मगर नीयत नहीं, कोख हरी है पर तबीयत नहीं। भरी हैं आँखें, पर नहीं है पेट; भरे हैं बनिये के काग़ज़, पर नहीं हैं टेंट। हरा-भरा देश रूँधा मिट्टी में ताप; पोसता है विषवट का मूल, फलेंगे जिसमें शाप।" एक ओर वे लोग हैं कि "जिए भी तो जिए क्या, पीनी को पानी नहीं" और दूसरी ओर बाँगर के राजा जी हैं जिनके पास ऐसा कुआँ है कि "उसका पानी तो गहरा है पर जिसके चारों तरफ़ रहता पहरा है।" सारी स्थिति को देखकर कवि उतना ही विस्मय-विभोर है जितना कि शेष सब लोग। वह जानता है कि "हम कृती नहीं हैं, कृतिकारों के अनुयायी भी नहीं। नामहीन हम, निर्विशेष्य

हम; हमने कुछ किया ही नहीं।" "न देखो लौटकर पीछे, वहाँ कुछ नहीं दीखेगा। जहाँ नहीं है जल, क्या वह अब्धि है?" "जीवन का जो काँच का प्याला था, वह अपनी ही कौंध से टूट गया।"

उदासी के इस आलम में (जिसमें मेरे प्रिय कवि सर्वेश्वर दयाल सक्सेना कभी 'आ जाओ बालम' वाला गीत लिखा करते थे) कवि उन बँधी लीकों को देखता है जिन पर परम्पराओं का लदान लिये रेलगाड़ियाँ "अफराये डाँगर" की भाँति चिहुँकती-रँभाती और ठिलती चलती जाती हैं। उद्यम की कड़ी-कड़ी में तपते मुक्तिकाम मज़दूर, जो अपनी ही आशाओं से प्रतिपल छले जाते हैं, वे भी इसी रेल के आसपास किसी औद्योगिक बस्ती में रहते हैं। और हाँ, वे समाज सेवक जो प्रतिदिन दलबदल करते हैं, वे भी इन्हीं बस्तियों में रहते हैं। स्थिति इतनी नाज़ुक हो गयी है कि "जाते पानी को धोता है आता पानी।" इन समाज सेवकों में टिकाऊ कोई नहीं, अलबत्ता बिकाऊ सब हैं ही। दल बदले जाते हैं, सरसों की डार बिछुड़ती हैं। और वसन्त व वर्षा जैसी विरोधी पार्टियाँ भी "एक ही छाते और एक ही बरसाती" में साथ-साथ जाती और बतियाती दिखाई पड़ती हैं। कवि जानता है कि सिर्फ़ अलूचे ही बौराये हैं; वसन्त कहीं नहीं आया। मगर वह बेचारा कर ही क्या सकता है? वह केवल "एक चित्र में लिखे गये एक व्यक्ति-सा" आगे बढ़ता जाता है। और वह कुछ नहीं करता। वह और कुछ कर भी नहीं सकता। "व्यर्थ है कवि की बानी।"

कवि फिर इस देश पर एक या दो अदद दृष्टिपात करता है। उसे वे असंख्य आँखें दिखाई पड़ती हैं जिनमें दर्द भरा है पर जिन्हें वह पहचान नहीं सकता। यूँ तो जीवन का दंश सभी ने जाना था पर फिर भी कोई दो आँखें ऐसी थीं जो कवि के मन में कौंध गयीं। वे दो नैना जोगन किसके थे, यह भी क्या आप मुझसे ही पूछेंगे?

ख़ैर! ज़िन्दगी जो थी वह कवि को "हर मोड़ पर इशारे देती रही।" उसने उन इशारों को नहीं देखा। "उसकी आँखों पर संस्कारों की पट्टियाँ बँधी थीं।" पट्टियाँ बँधने से पहले जो कुछ उसने देखा था, वह रंगीन था। कवि जहाँ कहीं भी गया, हर जगह उसे वही चिरपरिचित दृश्य देखने को मिला। "जो अन्न उपजाता है उसकी कमर झुकी है और जो शास्ता है उसका चश्मा हर जगह मोटा और धुँधला है। हर जगह लोग मुर्गी का दिल रखते हैं और गाहक की घात लगाते हैं।" "जो छिछला है, वह हर जगह लकदक कमख़्वाब पर बैठा है" और इस लेख के लेखक की भाँति जो मोती है "वह सागर में डुबकी लगाये बिना कहीं नहीं मिलता।" "सभी जगह एक ही प्रश्न है: क्या दोगे? कितना दे सकते हो?"

अज्ञेय की कविता कहीं-कहीं ज़रूरत से ज़्यादा दर्दभरी हो गयी। ख़ास तौर पर जहाँ उन्होंने कहा कि "बहना भी तो रेत होना ही निकला" या जहाँ उन्होंने बताया कि "सत्य तो अनेक मिले पर वे अनकहे रहे।" या वे प्रसंग जहाँ कवि ने कहा कि वह वर्क कूटने वाले के साथ भी रहा और रद्दी बटोरने वाले के साथ भी। वह उसके

साथ भी रहा जो रिक्शे पर अपना ही प्रतिरूप लादकर चन्द पैसों के लिए चलता रहा और उसके साथ भी रहा जिसने कचरा ढोया। इतने सारे काम एकसाथ सम्पन्न करना बड़ी कठिन क्रिया है और ऐसी असाध्य वीणा को अज्ञेय जैसे सेहतमन्द कवि ही बजा सकते हैं; हम नहीं। हमारी स्थिति तो बस वही रही– "हाथ में कुछ नहीं आया, पर हाय, दूर कोई मर्म में ज़रूर बिंध गया।"

आप सोचते होंगे कि इस लेख में मैंने कुछ भी तो नया नहीं कहा। आप ठीक सोचते हैं। मैंने अज्ञेय की कविता को ही आपके सामने एक और सन्दर्भ में पेश किया। और वह भी कवि की आज्ञा के अनुसार। "किसी की पौध थी, हमने अपना ली। किसी की लता थी, मैंने बल्ली गाड़कर उस पर छप्पर डाल लिया। किसी की कली थी जो मैंने आज सबके सामने बीन ली और किसी की बात थी जो उसकी पीठ पीछे उसके मुँह से छीन ली।"

लगता है कि इस महान् कवि की वाणी में हमीं सबकी व्यथा-कथा छिपी है। मैं उदास हो रहा हूँ और अज्ञेय को पढ़ना बन्द करना चाहता हूँ। कुछ दिनों जेम्स बाण्ड पढ़ूँगा। और कोई चारा नज़र नहीं आता।

रुटीन

दफ़्तरों में काम करने वाले मुझ जैसे जनसाधारण के जीवन में तीन काल होते हैं : एक दफ़्तर जाने से पूर्व का काल, एक दफ़्तर का काल और अन्त में चलकर तीसरा दफ़्तर के बाद का काल। भूतकाल, भविष्य काल और वर्तमान काल जैसी विलास की सामग्री के लिए हमारे जीवन में कोई स्थान नहीं होता। दफ़्तर जो है वह त्रिकाल-जयी है और इसी कारण जो लोग कलम की हल से फ़ाइलों के खेत जोतते हैं, उनसे आप कोई आशा कभी नहीं कर सकते। 'हम क्या कहें अहबाब जो कारेनुमायाँ कर गये; बी. ए. हुए, नौकर हुए, पेंशन मिली फिर मर गये।'

मैं एक महानगर में निवास करता हूँ। सात समुद्रों पार क्षीरसागर में से थोड़ा-सा भाजन उठाने के लिए भगवान भुवनभास्कर जैसे ही प्रकट होते हैं, इस महानगर में वैसे ही सुबह हो जाती है। ठीक किसी दुर्घटना की तरह। उषा, प्रभात, तड़का या ब्राह्म मुहूर्त जैसी फालतू चीज़ें यहाँ नहीं पायी जातीं; वे सिर्फ़ देहात में या वनों में पायी जाती हैं। महानगर में सिर्फ़ एक अदद सुबह होती है और जब तक आप दफ़्तर नहीं चले जाते तब तक वही बेचारी अकेली सुबह घिसटती रहती है। यों होने को उषा और प्रभात यहाँ भी होंगे पर वे वैदिक ऋचाओं में गाये गये उषा और प्रभातों से उतने ही अलग होंगे जितना कि भुवनभास्कर से लवण भास्कर। उषा और प्रभात उन लड़के और लड़कियों के नाम हैं जो इस दर्दनाक महानगर की हर गली और तल्ले में पाये जाते हैं! जाने कितने दिनों से ऐसे उषा और प्रभात अँधेरे-बन्द कमरों में गिरफ़्तार हैं– यह बताया नहीं जा सकता।

हाँ, तो मैं सुबह का ज़िक्र कर रहा था। सुबह होते ही महानगर के निवासी सहसा फिर जीवित हो गये। जूते पालिश किये जाने लगे और हजामतों का बनना शुरू हो गया। सबने अख़बार उठाया और इसके बाद वे सभी कुलीन लोग उन अख़बारों में हत्या, डकैती और बलात्कार की ख़बरें खोजने लगे। मोटरों की सफ़ाई प्रारम्भ हो गयी। बच्चे स्कूल के लिए बाहर निकले और उनके बाद उनके माँ-बाप दफ़्तर के लिए। इतने सारे इंसानों को एकसाथ हरकत में आते देख, मुझे चाबी के खिलौनों की याद आने लगी।

दफ़्तर जाने के लिए बस के अड्डों पर क़तारें बनने लगीं। बस यदि दस गज़ लम्बी थी तो क़तार दो सौ गज़ लम्बी। इतने ज़्यादा चाहने वाले तो शायद संयोगिता के भी न रहे होंगे। क़तार में खड़े व्यक्तियों की मुद्राएँ अलग-अलग थीं। कोई शालीन लगता था तो कोई चंचल। कोई आँखें मूँद कर इस असार संसार में सर्वथा विरक्त होकर ब्रह्म के चिन्तन में लगा था, तो कोई अपनी दोनों आँखें पूरी तरह फाड़कर सामने खड़ी और साड़ी में सिमटी एक 'अस्थि-चर्ममय देह' को पी जाना चाहता था। ख़ैर, बस के रंगमंच पर प्रवेश करते ही सबकी मुद्रा एक हो गयी। सबका ध्येय एक ही रह गया और वह था सामने खड़ी बस नाम की दो तल्ले वाली सुन्दरी के भीतर प्रवेश करना। कण्डक्टर से हाथापाई का कार्यक्रम सूत्रधार ने बदस्तूर पूरा किया और उसके बाद युवतियों के विभिन्न अंगों को जाने-अनजाने स्पर्श करते हुए, स्वयम्वर में भाग लेने वाले वे सारे के सारे आर्यपुत्र उस बस के भीतर घुस गये। बस जो थी वह भी प्राचीनकाल की राजकुमारी की भाँति नहीं थी कि एक ही राजपुत के गले में माला डालती। वह तो एकदम आजकल की लड़कियों की भाँति उदारमना थी : पूरी तरह बुक होने पर भी उसने कोई पचास प्रेमी और स्वीकार कर लिये। कुछ बैठ गये और कुछ खड़े रहे। जो ज़्यादा पहुँचे हुए कलाकार थे, वे इन दोनों स्थितियों के बीच में रहे। बस के गतिशील होते ही चेहरों पर पुरानी मुद्राएँ फिर वापस आ गयीं। शालीन लोगों ने शाल ओढ़ लिये और कुछ संवेदनशील नवयुवकों ने खड़ी हुई लड़कियों को इस भाँति स्थान दिया कि वे नारी सुलभ लज्जा में सिमटी-सिमटी लगभग उनकी गोद में ही बैठ गयीं। थोड़ी देर बाद वे कुछ निःसंकोच भी हो गयीं। बचपन में पुरुष जो है वह स्त्री की गोद में बैठता है और बड़ा होने पर स्त्री जो होती है वह पुरुष की गोद में बैठती है। मेरा विचार है कि यह शायद प्रकृति का ऐसा नियम या उपनियम है जिसे आज तक कोई भी नहीं तोड़ सका।

इन दिनों मैं सचिवालय में काम करता हूँ। यह स्थान सचिवों का गोदाम है जिसकी सारी दिशाएँ सचिवों से ठसाठस भरी पड़ी हैं। जिधर भी दृष्टिपात कीजिए, सचिव ही सचिव दिखाई पड़ेंगे। कहीं अवर सचिव हैं तो कहीं उपसचिव। कहीं संयुक्त सचिव हैं तो कहीं अतिरिक्त सचिव। बीच में जो कक्ष छूट गया वहाँ विशेष सचिव बैठता है। दक्षिण दिशा में जहाँ कोई भी साँवली कन्या या गोरा राजकुमार कभी नहीं जाता, वहाँ बड़ा सचिव बैठता है। उसे कभी किसी ने नहीं देखा। सब उसके चेम्बर के बाहर लगी बत्ती को देखते हैं जो कभी लाल होती है तो कभी हरी। बत्ती के रंग से पता लगता है कि कक्ष के भीतर कौन-सी ऋतु चल रही है। सचिवों की इस ऋतुमती भीड़ के कारण सचिवालय में न कभी वसन्त आता है और न कभी शिशिर। न यहाँ भाद्रपद की वर्षा है और न क्वार की ताज़ी धूप। उन सबके स्थान पर यहाँ सदाबहार शासक है, मौसम के मुताबिक बदलने वाले राजपत्रित अधिकारी हैं, शोख़ और कम-उम्र स्टेनो हैं और प्रत्येक राज्य से आये हुए कर्मचारी हैं जिनमें

से भारतीय कोई भी नहीं है। अन्त में चलकर यहाँ खुर्राट और समय-सिद्ध चपरासी हैं जिनके तिलिस्मी पेट में 'चन्द्रकान्ता और उसकी सन्तति' भी क़ैद है और साथ में बाबू देवकी नन्दन खत्री भी।

सचिवालय में आदमी की इज़्ज़त है और न औरत की। वहाँ लोहे या लकड़ी की बनी सिर्फ़ उस चीज़ की इज़्ज़त है जिसे आम बोलचाल की भाषा में हम लोग कुर्सी कहते हैं। यह एक ऐसा रहस्यपूर्ण सिंहासन है जिस पर बैठकर बड़े से बड़ा गधा भी सचमुच बुद्धि की बातें करने लगता है। कुर्सी वह पदार्थ है जिसकी प्राप्ति के लिए लोग झूठ बोलते हैं, जिसके ऊँचा करने के लिए वे एक-दूसरे का गला काटते हैं, और जिसकी रक्षा के लिए वे बड़े अफ़सरों की अधेड़ पत्नियों से प्रेम करते हैं और इसके बदले उन उच्च अधिकारियों को एक विशेष प्रकार का कन्यादान भी करते हैं। इसी कारण मैं अपनी पत्नी पर हमेशा निगाह रखता हूँ। यूँ निगाह उस पर कुछ औरों की भी है पर वह दीगर बात ठहरी।

कुर्सी नाम की पारसमणि जब प्राप्त हो जाती है तो दूसरा करने लायक़ काम जो शेष रहता है, वह होता है। अपनी कमर के निचले क्षेत्र पर कुछ ऐसा गोंद लगाना कि कुर्सी जो है वह सदा-सदा के लिए आपसे चिपक जाए। इसके बाद सब कुछ आपका। सारे देश की लड़कियाँ आपकी और देश की सम्पत्ति आपके बाप की। अगर कुर्सी से आपका सम्बन्ध कभी टूट गया तो आप ठीक उसी स्थिति में होंगे जिसमें चिराग़ खोने के बाद अलादीन था। बीस वर्ष की ऊँची नौकरी करने के बाद मैंने यही सीखा कि हर अलादीन के पास एक चिराग़ है जिसमें से जिन्न प्रकट होता है और हरएक जिन्न की जान किसी तोते में है जो किसी सब्ज़परी की बारादरी में टँगा है। जहाँ तोता मरा, वहीं जिन्न का भी तबादला हो गया।

दफ़्तरों में बहुत काम होते हैं और बहुत प्रकार के होते हैं। कभी-कभी तो जो काम रात्रि में किये जाने चाहिए वे भी दिन में ही सम्पन्न कर लिये जाते हैं। थोड़ा-बहुत काम कर लेने के बाद जैसे ही किसी बाबू या अफ़सर को दिन की प्रथम जँभाई आ जायेगी, वैसे ही वह लंच के मूड में आ जायेगा। अफ़सर की चाय उसके कक्ष में जायेगी और बाबू लोग कैण्टीन की दिशा में स्वयं प्रस्थान करेंगे। ज़्यादातर कैण्टीन ऐसी होंगी कि वहाँ दोसा तो सादा मिलेगा पर उन्हें देने वाली बालिका जो होगी वह मसालेदार होगी। इन इमारतों में काम करने वाले कुछ लोग तो ऐसे हैं कि पत्थरों के बीच बैठते-बैठते वे ख़ुद भी पत्थर हो गये। काश, इनमें से एकाध को मैं ज़िन्दा दफ़न कर सकता।

एक कन्या विशेष की (जिसे अविवाहित होने के कारण मैं कन्याकुमारी कहा करता था) याद क्या आयी कि मैं स्वप्नलोक में खो गया। दफ़्तर एक सुमेरु पर्वत है, फ़ाइलों की क़तार एक शेषनाग है और उसे क्या सुर और क्या असुर, दोनों पूरी शक्ति के साथ खींच रहे हैं। जो ज़्यादा शक्तिवान् हैं उनके अंक में लक्ष्मी है और

चारों ओर क्षीर सागर। जो असहाय है वह विष पीता है, नोट सबमिट करता है और डाँट खाता है। वह कभी विदेश नहीं जा पाता। उसकी कमर पतली है और चश्मा मोटा। वह सारे क़ानून जानता है मगर यह नहीं जानता कि ग़ैर-क़ानूनी काम को क़ानूनी ढंग से कैसे किया जाए। वह वहीं रहता है जहाँ कि वह पहले था।

पाँच बजे कि दफ़्तर के पिंजरे का द्वार खुल गया। साइकिलों की घण्टियाँ बजने लगीं। मैंने कार के शीशे में से देखा कि थोड़ा-सा आकाश अभी भी कहीं शेष है जिसे साँझ अब रँगेगी। सामने वाले सेमल के वृक्ष पर एक बहुत बड़ा लाल फूल खिला है। एक मज़ेदार क़िस्म की लड़की साइकिल पर चली जा रही है मगर लगता है कि वह मेरी मोटर के सामने आने में कोई विशेष दिलचस्पी नहीं रखती। मोटर के सामने आना चाहता है एक अधेड़ बाबू जिसे मैं अच्छी तरह जानता हूँ। वह दिल का मरीज़ है मगर नौकरी नहीं छोड़ सकता। दफ़्तर के बाद वह एक प्राइवेट नौकरी पर जायेगा, राशन लायेगा, खाना पकाएगा और उस सबके बाद दो मातृहीन बच्चों को कहानी सुनायेगा। वे ग़रीब और फटेहाल बच्चे राजा-रानियों की कथाएँ सुनेंगे और खुशी-खुशी सो जायेंगे। इस बाबू को मैं जब भी देखता हूँ, मुझे दुख होता है, उदासी आती है और मूड बिगड़ जाता है। मैं एक क़ीमती सिगरेट सुलगाता हूँ, भोंपू देता हूँ और मन ही मन झुँझलाकर सोचता हूँ कि इतने दुखी व्यक्ति दुनिया में होते ही क्यों है? 'मरज़ जब ज़िन्दगी खुद हो तो फिर उसकी दवा क्या है?'

शोक-मुद्रा

मैं उनके पास जाने से हिचकिचाता था। यूँ तो मैं उन्हें तब से जानता था जब कि वे समाज के लिए चन्दा उगाहने घर-घर अलख जगाया करते थे पर तब की बात अलग थी। तब वे एक साधारण जनसेवक थे और वे अब थे प्रदेश के एक शक्तिशाली जननायक। लम्बी-चौड़ी कोठी, और दूर-दूर तक फैला लॉन। दरवाज़े पर सन्तरी क़िस्म का एक इंसान खड़ा रहता था जो एकदम सन्तरे की भाँति था; देखने में गोल-मटोल और थोड़ा-सा कुरेदने पर ही काफ़ी रस देने वाला। जननायक लोगों से भेंट करने के कारण काफ़ी व्यस्त रहते थे। स्थिति यह थी कि अन्दर जाकर बरामदे में से एक स्लिप भेजनी पड़ती थी और काफ़ी प्रतीक्षा के बाद कहीं उनसे भेंट हो पाती थी। उस दिन कुछ ऐसा धन्धा उलझा कि मुझे उनके पास जाना ही पड़ा।

मैंने स्लिप भिजवा दी और गार्डन चेयर पर बैठ गया। सामने की दीवार पर घड़े के साइज़ की एक घड़ी टँगी थी जो अँग्रेज़ी हुकूमत की याद दिलाती थी। थोड़ी देर बाद शरबत आया और फिर सिगरेट का पैकेट। धूम्रपान प्रारम्भ करते ही, जैसा कि मेरे साथ प्रायः होता है, मेरी बुद्धि कुछ तीव्रता से काम करने लगी। मैं सोचने लगा कि एक ज़माना था जबकि हमारा मुल्क गुलाम था और स्थिति इतनी दर्दनाक थी कि लोग अपने बच्चों तक के नाम रामगुलाम रखते थे। उन पिछड़े दिनों में मुश्किल से एक सूबे में दो नेता होते थे। कहीं लाला लाजपत राय हो गये तो कहीं राजगोपालाचारी। कहीं सर फ़िरोज़शाह मेहता ने कुछ काम किया तो कहीं गोविन्दबल्लभ पन्त ने। आज़ादी के बाद कुछ ऐसी सुहावनी ऋतु आयी कि इस शस्यश्यामला धरती पर शस्य तो कम हो गया मगर नेता लोगों की पैदावार इस कसरत के साथ हुई कि हरएक मील पर डेढ़ के औसत से नेता लोग मिलने लगे। जो धरती कभी धानों से श्यामल रहती थी वह इन जननायकों के क्रिया-कलापों से श्यामल क्या, कृष्णवर्णा तक होने लगी। मैं इस चिन्तन में डूबा ही था कि कुछ रूपवती क़िस्म की कन्याएँ हँसती हुई बाहर निकलीं जो हर दिशा में काफ़ी हद तक खुली हुई थीं। कोठी के अन्दर ही कोठे का मज़ा आने लगा। ठीक इसी समय जननायक जी ने मुझे भीतर बुला लिया।

वे गोल तकिये के सहारे कालीन पर बैठे थे और कुछ ऐसी विशिष्ट मुद्रा में बैठे थे कि यह तय करना कठिन था कि जननायक कौन-से हैं और तकिया कौन-सा। उनके मुँह में पान था और हाथ में कपास का फूल। कपड़े खादी के थे और वे भी बड़ी साधारण क़िस्म के। फ़र्श पर बैठने की प्रक्रिया में मेरी जो तंग पतलून थी वह पीछे से कुछ फट गयी—ठीक उसी तरह का हादसा जो एक मेजर जनरल के साथ तब हुआ था जबकि वे झुक-झुककर एक नर्सरी स्कूल के छोटे-छोटे बच्चों को काम बाँट रहे थे।

जननायक मेरी ओर मुखातिब हुए, मुस्कुराये, पान को गाल में समेटकर बोलने की मुद्रा ग्रहण की और फिर तम्बाकू मलने लगे। एक पत्रकार क़िस्म के इंसान थे जो जननायक जी से शायद काफ़ी देर से चिपटे हुए थे और स्थिति यह थी कि हर प्रश्न पूछने के साथ-साथ वे कोई दो इंच और आगे बढ़ जाते थे। मेरे ख़याल में यदि वे पन्द्रह-बीस प्रश्न और पूछ लेते तो स्थिति यह होती कि वे जननायक के ऊपर होते। मगर वैसा हुआ नहीं। मेरी उपस्थिति के कारण उन्होंने दो-चार प्रश्न ही और पूछे और बस। एक प्रश्न था कि जननायक जी किस पार्टी को सर्वश्रेष्ठ समझते थे। जननायक ने उत्तर दिया कि बन्धु, हम तो हमेशा उस पार्टी के साथ रहे जिसने हमें जनता की सेवा का अवसर प्रदान किया। मिली-जुली सरकार आयी तो, हम जंगलात के वज़ीर बने। इसके बाद दलबदल हो गया तो हमें शिक्षा का विभाग मिला जहाँ हमने स्त्री-शिक्षकों की कुछ आवश्यकताओं पर काफ़ी ध्यान दिया। हमें तो सेवा करनी थी, हमें पार्टी के नाम से क्या लेना-देना। यह मेरी पार्टी है और वह तेरी पार्टी है, ऐसा सोचना कम-से-कम मेरे विचार में तो बड़ी ही संकीर्ण मनोवृत्ति का सूचक है। इतना कहने के बाद जननायक कुछ भावुक हो गये और कहते गये कि देश की सेवा के हेतु उन्होंने क्या-क्या नहीं किया? शराब छोड़ दी, बीवी छोड़ दी, ज़मीन विनोबाजी को दे दी और यहाँ तक कि इकलौती बिटिया का भी कन्यादान कर दिया। यह भी कोई ज़िन्दगी थी कि हर तीसरे दिन आप दौरे पर जा रहे हैं, डाकबँगले में खानसामा के हाथ का खाना खा रहे हैं, जो पता नहीं किस जाति का है, हैलीकोप्टर जैसी भयंकर सवारी से बाढ़ या सूखे से ग्रस्त इलाक़े का निरीक्षण कर रहे हैं और हर पाँचवें दिन ग्राम-सेविकाओं से घिरे हुए सांस्कृतिक कार्यक्रम देख रहे हैं। ये ग्राम-सेविकाएँ कितनी भी सुन्दर और चंचल क्यों न हों, हमें तो अपने कलेजे पर पत्थर रखना ही पड़ता था। जनता की सेवा का मिशन था कि सब कुछ झेलना पड़ता था। मैं तो कहता हूँ कि यह ठीक ही रहा जो गाँधीजी सही वक़्त पर चले गये। अगर सचिवालय की इन वातानुकूलित इमारतों में लँगोटी पहनकर बैठते तो दो दिन में पता लग जाता कि आज़ादी लेना कितना सरल है और आज़ाद मुल्क पर हुकूमत करना कितना मुश्किल। रोज़ कोई गुजराती भाई नौकरी या ठेके के लिए ड्योढ़ी पर खड़ा मिलता। मैं पूछता हूँ कि आख़िर किस-किसको मना करते? क्या

उनके क्षेत्र की जनता का उन पर कोई भी हक़ नहीं था?

पत्रकार ने अन्तिम प्रश्न पूछा। प्रश्न था कि वर्तमान स्थिति में जनता के नाम आपका क्या सन्देश है? जननायक पहले तो मौन रहे और फिर सहसा काफ़ी उत्तेजित होकर कहने लगे कि जनता को क्या करना चाहिए, यह आप मुझसे पूछ रहे हैं? आपको लज्जा नहीं आती? इस विशाल देश के कोटि-कोटि नर-नारी क्या मेरे सन्देश की प्रतीक्षा में हाथ पर हाथ रखे बैठे हैं? प्रत्येक व्यक्ति के भीतर एक अदद आत्मा छिपी है जो गीता के अनुसार अपने वस्त्र बदलती रहती है। देश को चाहिए कि अपनी आत्मा को टटोले, उसे कपड़े बदलने से रोके और उसके आदेशों के अनुसार आगे बढ़े। हमारा तो अब जीवन में केवल एक ही मिशन रह गया है और वह है उन कुत्सित लोगों से बदला लेना जिन्होंने हमें सत्ता से बाहर निकलवाया। किसी ने कुछ शिकायत कर दी और किसी ने उसे सच ग्रहण कर लिया। उपनिषदों वाली बात कि एक अन्धे के पीछे दूसरे अन्धे चलते रहे। 'अंधैर्नीयमानाः यथान्धाः' वाली पंक्ति के याद आते ही जननायक के नेत्र बन्द हो गये। पहले एक नेत्र बन्द हुआ और फिर दूसरा। इसके बाद जब तक वे पत्रकार क़िस्म के इंसान चले नहीं गये, जननायक के नेत्रद्वय निमीलित ही रहे।

जब उन्हें नेत्रलाभ हुआ तो वे मेरी दिशा में मुखातिब हुए। मैंने अपनी समस्या समझानी शुरू की और उन्होंने मुझे मेरे सुझावों पर ध्यान देने का पूरा-पूरा आश्वासन भी दिया। इसके बाद चाय आयी। चाय पीने के बाद वे किसी कारख़ाने का उद्घाटन करने चले गये जो कि आयकर ग़बन करने के उपलक्ष्य में किसी अदालत के चक्कर में पड़ गया था और कई वर्ष बाद आज ही खुला था। मालिकों में से कुछ तो अभी भी जेल ही में थे।

मैं वापस चला आया। सोचने लगा कि जननायक बनने के बराबर और कोई पेशा नहीं। ग़म तो उनको भी बहुत है मगर आराम के साथ। जब तक प्रशासन के विरोध में हैं तब तक सेठ लोग इज़्ज़त करते हैं और मुद्रा देते हैं और जब सरकार में प्रविष्ट हो जाते हैं तो बड़े-बड़े वरिष्ठ अधिकारी कालीन की भाँति बिछते नज़र आते हैं। जो बालिका कभी उनकी दिशा में देखकर मशाल की भाँति चमकती थी, सरकार में आते ही लवंग-लता की भाँति उनसे चिपटने को व्याकुल हो उठती है। अगर सरकार से फिर निकल गये तो जयप्रकाश नारायण के साथ हो गये। हर तरफ़ चाँदी ही चाँदी। मैं कितना गधा निकला कि इतने परिश्रम से पढ़ा, इतनी बड़ी प्रतियोगिता में बैठा और अधिकारी बना। एक ये जननायक हैं जिन्होंने कुछ नहीं किया सिवा इसके कि, चन्द फ़ौजदारियाँ करवायीं और सरकार के ख़िलाफ़ झण्डे खड़े किये। आदमी होशियार थे, झण्डों पर अपनी क़ीमत बराबर लिखते रहे। स्थिति यह रही कि देश उनका है, क़ानून उनके बाप का है, और बाप जो है वह शराब की ठेकेदारी करता है। आज़ादी के बाद ऐसे जननायकों से यह धरती ऐसी पनपी

जैसी कि कभी पण्डित जवाहरलाल नेहरू ने भी शायद नहीं सोची होगी। वह ग़रीब इंसान तो गेहूँ और इस्पात बढ़ाने में ही लगा रहा। उसे शायद पता ही नहीं लगा कि गेहूँ और इस्पात की आड़ में पैदावार जो बढ़ी वह इन जननायकों की बढ़ी जो इतने ईमानदार हैं कि जनता चाहे या न चाहे, ये उसकी सेवा करने की ज़िम्मेदारी से पीछे नहीं हट सकते।

मैं उदास होता चला गया। काग़ज़ात दराज़ में रखने पड़े और बिना किसी विशेष कार्यक्रम के एक पहाड़ी दौरे का बन्दोबस्त करना पड़ा। बड़ी विवशता थी। इतना सब-कुछ सम्पन्न करने के उपरान्त तबीयत हल्की करने के लिए ख़ाकसार ने पाइप सुलगाया, बीयर मँगवायी और उसके बाद वस्त्रों में तीन-चौथाई पर वैसे पूरी तरह खुली एक रूपवती बालिका से गप्पें मारनी शुरू कीं। उदासी दूर करने के लिए इस महान् देश का ज़िम्मेदार बुद्धिजीवी और कर ही क्या सकता था?

सफ़रनामा

बड़े बूढ़ों का कहना है कि सुबह का घूमना सेहत के लिए बहुत फ़ायदेमन्द होता है। बूढ़े लोगों को नींद कम आती है और उन्हें यह बात सहन करनी ज़रा कठिन पड़ती है कि वे तो जागते रहें और युवा पुत्र और युवती पुत्रवधू धूप चढ़े तक सोते रहें। वैसे असलियत यह है कि ये बूढ़े लोग जब ख़ुद जवान थे तो दिन चढ़ने तक क्या, दिन ढलने तक सोते रहते थे और जागने का जो प्रोग्राम था वह केवल रात के लिए ही रखा जाता था। मगर कवि बच्चन की 'निशा-निमन्त्रण' वाली यह बचकानी आदत उन्हें तब थी जबकि आतिश जवान थे। अब तो इन वयोवृद्ध पूर्वजों के जीवन का मात्र एक ही उद्‌देश्य रह गया है और वह है पुत्र और पुत्रवधू को कम-से-कम सोने देना। इस असार संसार में जितना फरेब, जितनी धूर्तता, ईर्ष्या और दूसरों को दुख पहुँचाने की स्वस्थ प्रवृत्ति इन बूढ़े लोगों में पायी जाती है, उतनी और किसी में नहीं। यक़ीन न हो तो प्रख्यात अँग्रेज़ी लेखक जोड की आत्मकथा पढ़ें। यह पोथी उसने तब लिखी थी जबकि वह ख़ुद भी काफ़ी बूढ़ा हो गया था और सारी चीज़ों को हथेली पर रखे आमले की भाँति साफ़-साफ़ देख सकता था। वैसे आमला काफ़ी बड़ा होता है और यदि वह आपकी हथेली पर विराजमान हो तो उसके निरीक्षण के लिए किसी विशिष्ट प्रतिभा की ज़रूरत नहीं पड़ती पर फिर भी 'हस्तामलकवत्' न्याय में आमले की चर्चा की गयी है और इस कारण मैं भी उससे बच नहीं सकता। यह सूक्ति यदि न होती तो मैं हथेली पर आमला रखने के बजाय, नारियल, तरबूज या अनन्नास रखने की सलाह देता।

मैं ब्राह्म मुहूर्त में घूमने के लिए निकलने वालों में कभी नहीं रहा। इस शुभ स्थिति के अनेक कारण हैं जो मानव बुद्धि के लिए अतर्क्य और अगम्य हैं पर फिर भी जो प्रमुख कारण हैं, उन्हें बताना शायद देश के हित में ही होगा। पहला कारण तो यह है कि मैं जब कभी भी घूमने गया, वापसी के वक़्त अपना रास्ता हमेशा भूल गया। दूसरा कारण यह है कि सुबह के वक़्त मेरी आँख ही नहीं खुलती। मैं सदा से जल्दी सोता हूँ और देर से उठता हूँ। अगर जल्दी नहीं सोता तो फिर स्थिति यह रहती है कि नींद ही नहीं आती। रात-भर पढ़ता या लिखता रहता हूँ, उन मित्रों को

पेट भरकर गालियाँ देता रहता हूँ जो कि कुम्भकर्ण की भाँति प्रगाढ़ निद्रा में सोये रहते हैं जब कि इधर देश जो है वह जागता रहता है। इस सब कार्यक्रम को सुचारु रूप से सम्पन्न कर लेने के बाद मैं अपने कमरे के भीतर चक्कर काटने शुरू कर देता हूँ। अनिद्रा के कारण जितना पैदल मैं चला हूँ उतना शायद फ़ाह्यान, हुएनसांग और इब्नबतूता ही चले होंगे।

प्रातः भ्रमण के सन्दर्भ में मेरे एक मित्र के साथ एक बार काफ़ी बड़ा हादसा हो गया था। ये सज्जन उस सम्प्रदाय के थे जो यह विश्वास रखता है कि मानव-जीवन का एकमात्र उद्देश्य सुबह-सुबह घूमना ही है। एक दिन ये हज़रत माल रोड पर तड़का-तड़का घूमने जो गये तो पता नहीं कैसे इनके घूमने की गति जाने-अनजाने क्षिप्र हो गयी और ये सज्जन उस क्रिया को सम्पन्न करने लगे जिसे आम बोलचाल में दौड़ना कहा जाता है। एक फटे बनियान और अण्डरवियर में इन्हें इस प्रकार भागते देखकर एक पुलिस के दरोग़ा को इनमें सहसा दिलचस्पी पैदा हो गयी और वह इनका पीछा करने लगा। देश की पुलिस फ़ोर्स को अपने पीछे आता देख, मेरे मित्र ने अपनी गति और भी तीव्र कर दी और उसके कारण वह पुलिस दरोग़ा ही क्या, सड़क पर घूमने वाले दस-बीस व्यक्ति और भी इनके पीछे भागने लगे। स्थानीय कुत्तों ने भी यथाशक्ति इस आन्दोलन में सहयोग दिया। कुल मिलाकर स्थिति यह हो गयी कि बिना किसी पूर्व आयोजन के, माल रोड पर रेस का मज़ा आने लगा। मोटरें रुक गयीं और स्त्रियाँ जो थीं वे आतंक के कारण अपनी दोनों छातियाँ पीटने लगीं। ख़ैर, ये हज़रत पकड़े गये और थाना लालकुर्ती ले जाए गये। जब पता चला कि ये हज़रत एक डिपुटी एकाउण्टेण्ट जनरल हैं और साइकिलों की चोरी की बढ़ती हुई वारदातों से इनका दूर तक का कोई सम्बन्ध नहीं है, तो इन्हें बाइज़्ज़त बरी कर दिया गया। वह दिन है और आज का दिन है, मेरे ये मित्ररत्न अण्डरवियर और बनियान में कभी नहीं भागे। उसके बाद ये जब भी भागे तो सूट पहनकर, टाई लगाकर और सिर पर फैल्ट रख कर ही भागे।

घूमने के सन्दर्भ में कुछ बातों पर ध्यान देना ज़रूरी है– ठीक उसी भाँति जैसे 'बिहारी सतसई' पर शोध प्रबन्ध लिखने से पूर्व उस पोथी का पढ़ना। यूँ कुछ लोग हमेशा ऐसे होते हैं जो बिना कुछ सोचे-समझे पदयात्रा पर निकल पड़ते हैं पर वे ठीक उसी तरह हैं जिस प्रकार वे लोग जो 'बिहारी सतसई' पर एक हज़ार पन्नों की पोथी केवल इस ज्ञान के आधार पर लिखे बैठे हैं कि कवि बिहारीलालजी जो थे वे बिहार के निवासी थे। ऐसे अशास्त्रीय शास्त्रियों से मुझे कुछ भी नहीं कहना। बाक़ी लोगों की खिदमत में अलबत्ता मैं यह ज़रूर अर्ज़ करूँगा कि घूमने जाने से पहले कम-से-कम तीन बातों पर ज़रूर ग़ौर कर लिया जाए। बात क्रमसंख्या एक तो यह है कि आपको यह पता होना चाहिए कि घूमने आप किस दिशा में जा रहे हैं। बात क्रमसंख्या दो यह होगी कि आप यह ध्यान रखें कि आपके सहयात्री कौन

हैं और कैसे हैं। अन्त में चलकर बात क्रमसंख्या तीन यूँ है कि आप यह निश्चित करें कि घूमने जाते समय आप किस-किस सामान से लैस होकर जायेंगे। यदि ये तीन बातें आपने तय कर लीं तो समझ लीजिए कि प्लासी की आधी लड़ाई जो थी वह सिराजुद्दौला ने जीत ली। इसके बाद युद्ध का द्वितीय भाग आप हार भी जायें तो कोई गिला नहीं। आप भी मेरी तरह बरामदे में बैठिए और सफ़रनामा लिखिए। जहाँ तक मुझे पता है, सफ़रनामा ही क्या, संसार की श्रेष्ठतम शिकार की कहानियाँ भी उन्हीं लोगों द्वारा लिखी गयीं जिन्होंने वन के कभी दर्शन भी नहीं किये और जो हमेशा बरामदे में बैठे रहे।

पुरानी लोककथाओं को ध्यान में रखते हुए मैं सैर करने के लिए दक्षिण दिशा की ओर कभी नहीं जाता। वैसे भी इस दिशा में कुछ ऐसे अधिकारी निवास करते हैं जो पद में मुझसे ऊँचे हैं। अगर वे मिल गये तो न चाहते हुए भी मुझे उन्हें सलाम ठोकनी पड़ेगी। इसके अतिरिक्त यही वह दिशा है जहाँ एक पहलवान क़िस्म के व्यक्ति रहते हैं जिन्हें यह शक है कि मैं उनकी सुन्दर पत्नी पर निगाह रखता हूँ। शक वैसे किसी हद तक ठीक है पर मैं पूछता हूँ कि इतनी ज़रा-सी बात पर फ़ौजदारी करने से क्या फ़ायदा? फ़ौजदारी होगी तो वारदात होगी, बात बढ़ेगी और अफ़साने की शक्ल अख़्तियार करेगी और इसके बाद सितारों के आगे कौन सा जहान मिलेगा इसका किसी को क्या पता? मेरे विचार में रूपवती स्त्रियों के प्रेमी तो तगड़े होने चाहिए और पति एकदम मरतैल, बुद्धू और बीमार। इस घोर कलिकाल में इतना सुधार तो भगवान को तुरन्त करना उचित होगा। मैं भगवान् से करबद्ध प्रार्थना करता हूँ कि या तो वह उस पहलवान छाप पति का हृदय-परिवर्तन कर दे—ठीक उसी प्रकार जैसे जयप्रकाश बाबू ने डाकुओं और तस्करों का किया है, या फिर उसे ऐसी बुद्धि दे कि वह अपनी पत्नी को यहीं छोड़कर ख़ुद किसी दूसरे मुहल्ले में रहने लगे। दे और उसे दिल या दे उसको मकाँ और।

उत्तर दिशा को मैं यूँ नहीं जाता क्योंकि सुमित्रानन्दन पन्त ने एक कविता में उधर जाने को सरासर मना किया। वैसे भी मेरे घर से उत्तर की दिशा में डिस्ट्रिक्ट जेल की शानदार इमारत खड़ी है जिसमें दीवार ही दीवार नज़र आती है, दरवाज़ा कहीं भी नहीं। इस इमारत को देखकर मेरा मनोबल काफ़ी गिर जाता है और काफ़ी काम जो मैं करना चाहता हूँ, अनिश्चित काल के लिए स्थगित करने पड़ते हैं। जहाँ तक पश्चिम नाम की दिशा का प्रश्न है, स्थिति यह है कि उधर जाने वाली सड़क नितान्त धर्म-निरपेक्ष-भाव से ऐसे स्थान को जाती है जिसके एक ओर श्मशान है और दूसरी ओर क़ब्रिस्तान। इस सड़क को देखकर मुझे वैराग्य उत्पन्न होने लगता है। मैं जानता हूँ कि इस प्रबन्ध का लेखक, सम्पादक और पाठक और साथ ही साथ वह पहलवान छाप पति भी एक न एक दिन इसी रास्ते से गुज़रेंगे मगर उस शुभ काम में जल्दी से क्या फ़ायदा? अभी तो पहलवान जी की पत्नी युवा है और

इधर मुझे 'बिहारी सतसई' पढ़नी बाक़ी है। अब इस स्थिति में ले-देकर एक पूर्व दिशा ही ऐसी रह जाती है जिधर मैं घूमने जाता हूँ। इस सड़क के दोनों ओर जितने अश्लील विज्ञापन लगे हैं उतने इस नगर में कहीं और नहीं। दीवारों पर इतनी स्पष्ट सूक्तियाँ अंकित की गयी हैं कि कबीर भी वैसा नहीं कर सकता था। बड़े लोगों का इलाका है, न भिखारियों की इल्लत है और न आवारा कुत्तों की। आवारा लड़के और लड़कियाँ अलबत्ता ज़रूर हैं पर वह दीगर बात है। अन्त में चलकर सबसे बड़ी बात यह है कि इस सड़क पर निकलकर मैं वापस लौटने का मार्ग कभी नहीं भूलता। पूर्व दिशा में चलकर मुझे सदा अपूर्व आनन्द मिला। पूरब खिले पलाश पिया।

मैं कोट की जेब में ख़ुशबूदार सुपारी, मूँगफली, सिगरेट कोई शेरो-शायरी की किताब और अपनी कोठी का पता डालता हूँ और छाता या छड़ी लेकर पूर्व दिशा में घूमने निकल जाता हूँ। यह ख़याल बराबर रखता हूँ कि कहीं वे सज्जन न मिल जायें जो पागलपन के कारण एक बार पुलिस से निकाले गये थे और बाद में उसी आधार पर पुलिस में फिर से भर्ती कर लिये गये थे। अगर कहीं कोई बूढ़ा पेंशनर या कोई युवा कवि मिल गया तो बस हो गयी छुट्टी। एक शरीर के कष्टों पर प्रकाश डालता है तो दूसरा विरह के कष्टों पर। मैं दोनों को 'बिहारी सतसई' पढ़ने की सलाह देता हूँ जिसमें हर मर्ज़ की दवा लिखी है। इसी प्रकार एक बार एक होम्योपैथ मेरे पीछे पड़ गये थे। मैं इनसे जब भी टकराता था, ये मुझमें किसी नये रोग के लक्षण देखते थे। आज यक्ष्मा हो रही है तो कल अम्लवात। एक दिन फालिज गिरने वाला है तो दूसरे दिन कैंसर। ये मुझे दवा देते थे और कहते थे कि इसे ढेर सारे पानी में मिलाकर पियो क्योंकि वैसा करने से दवा की शक्ति बढ़ती थी। इत्तफ़ाक देखिए कि मैं तो बच गया और एक दिन वे नदी में स्नान करते समय पंचत्व को प्राप्त हो गये। मेरा ख़याल है कि नदी की दिशा में ये इस कारण गये होंगे कि उसके अथाह जल में दवाई की शक्ति बेतहाशा बढ़ सके। आख़िरकार नुस्खा काम कर ही गया।

मैं छड़ी के सहारे चलता जाता हूँ और गाहे-बगाती टाँगों का भी प्रयोग कर लेता हूँ। पता नहीं दिमाग़ में कहाँ-कहाँ से पुरानी बातें याद आ जाती हैं– ख़ास तौर से जब तक कि सहसा वर्षा आ जाती है और मैं एक गधे के साथ अपने को किसी गुलमुहर के वृक्ष के नीचे खड़ा पाता हूँ। बड़ा सीधा जानवर है; न कोई बहस-मुबाहसा, न कोई झगड़ा और फ़िसाद और न समान्तर कहानी पर कोई बातचीत। अपनी कला का सच्चा और निःस्वार्थ साधक। बहुत हुआ तो चुपके से एक दुलत्ती मार दी जिसके ग्रहण करने से मेरे मुख से कोई पद्माकर का कवित्त निःसृत हो गया। मैं सामने गुज़रती डाकगाड़ी को देखता हूँ और उन दिनों को याद करता हूँ जब मैं बग़ैर टिकट यात्रा किया करता था। बड़ी तंगी के दिन थे। एक बार तो एक छापामार पुलिस के दस्ते से बचने के लिए मैंने एक के बाद एक गाड़ी के सारे डिब्बों में शरण ली थी : सिर्फ़ रेल का इंजन रह गया था जिसके लिए मैं आज तक शर्मिन्दा हूँ।

रेल को देखकर मुझे उस कन्या की याद भी आती है जिसे रेल की लाइन पार करके मैं कभी पढ़ाने जाया करता था। मेरे मन लगाकर पढ़ाने के कारण वह चरित्रवती बालिका उसी कक्षा में दो बार फ़ेल हुई थी। माँ-बाप समझदार थे। मुझे हटा दिया गया और लड़की जो थी वह परीक्षा में पास हो गयी। पिछली बार मिली थी तो पति और बच्चों के साथ ऐसी लगती थी जैसा कि इस समय इस गधे के साथ गुलमुहर और वर्षा के बीच मैं लगता हूँ। भेंट के दौरान जब उसने अर्थपूर्ण मुस्कान के साथ 'बिहारी सतसई' पढ़ाने का मुझसे फिर आग्रह किया तो ख़ाकसार शरमा गया।

कुल मिलाकर मेरा ख़याल है कि प्रातःकाल का घूमना प्रत्येक ज़िम्मेदार नागरिक के लिए ज़रूरी है। ऐसा करने से सेहत ख़राब नहीं होती। चरित्र वग़ैरह क़िस्म की और कोई चीज़ थोड़ी-बहुत ख़राब हो जाए, वह दीगर मसला है और आजकल के माहौल में उससे कोई फ़र्क़ नहीं पड़ता।

मरने का अधिकार

ये जो विदेशी लोग होते हैं, ये भी चित्र-विचित्र क़िस्म के होते हैं। स्पष्ट शब्दों में युवतियाँ जो होती हैं वे चित्र के समान सुन्दर होती हैं और पुरुष जो होते हैं वे विचित्र होते हैं और पता नहीं यहाँ आकर वे कहाँ-कहाँ के ज्ञान के ख़ज़ाने उलटे करने लगते हैं। सिंगापुर विश्वविद्यालय के डॉक्टर लेंग ने हाल ही में अपनी भारत यात्रा के दौरान कहा कि मरने का अधिकार किसी को नहीं दिया जा सकता। मैं अल्पमति होने के कारण इस प्रवचन का सन्दर्भ ही नहीं समझ पाया। मैं तो सिर्फ़ यही सोचता रहा कि मरने का अधिकार आख़िर माँग कौन रहा था? मुझे रोटी माँगने वाले मिले, वस्त्र माँगने वाले मिले और गाहे-बगाहे ऐसे लोग भी मिले जिनकी माँग रोटी, कपड़ा और मकान—इन सबके ऊपर थी और किसी कन्या विशेष से सम्बन्ध रखती थी, मगर मृत्यु माँगने वाला व्यक्ति अभी तक नहीं मिला। यदि मिलता तो मैं तो अपनी परमार्थी मुद्रा में बता देता कि हे वत्स, जलाशय जो है वह दक्षिण दिशा में गहरा है; वहाँ जाओ और गले में पत्थर बाँधकर पानी में बैठ जाओ। भगवान तुम्हारी मनोकामना पूरी करे। दुर्भाग्य देखिए कि कल का काम आज निबटाने वाला कोई ऐसा नरपुंगव मुझे कभी मिला ही नहीं।

मैंने डॉक्टर लेंग की बातें सुनीं और क्योंकि विष्णु पुराण के अनुसार ज्ञानी लोगों को कभी क्रोध नहीं आता, मैं भी शान्त चित्त ही बैठा रहा, क्रोधित नहीं हुआ। मगर उस दिन से मैं मृत्यु के मुद्दे को लेकर ही सोच-विचार करता रहा। बड़ा गम्भीर मसला है : न जाने कितने वर्षों पूर्व नचिकेता ने यमराज से इस सन्दर्भ में कुछ प्रश्न पूछे थे और स्थिति यह है कि यम ने उनके उत्तर लखनऊ नगर निवासी बाबू कुँवर नारायण जी को अब भिजवाये हैं। श्री कुँवर नारायण ने उन उत्तरों को सर्वसाधारण के हित के लिए आत्मजयी नामक पोथी में छपाया और वितरित किया। ख़ैर, जहाँ तक मेरी पैनी निगाह काम करती है, मृत्यु के तीन प्रकार हैं। मृत्यु का कारण चाहे बालिका हो या उसका पति, रोग हो या वैद्य, दुर्घटना हो या सुयोग—इन तीन प्रकारों पर उनका कोई प्रभाव नहीं पड़ता। अब मैं उन्हीं तीन प्रकारों की चर्चा करूँगा।

पहले प्रकार की मृत्यु वह है जो आम तौर पर वृद्धावस्था प्राप्त होने पर या

फिर किसी लम्बी बीमारी के कारण होती है। सयानों के अनुसार इस प्रकार की मृत्यु का लक्षण यह है कि यदि मरने वाला पुरुष है तो उसकी साँस चलनी बन्द हो जाए और मरने वाली यदि स्त्री है तो उसकी ज़ुबान काम करना बन्द कर दे। कहते हैं कि स्त्रियों के केस में सिर्फ़ साँस के ही आधार पर कोई निर्णय लेना ग़लत होगा। लम्बी बीमारी या पूर्ण आयु प्राप्त करने के बाद मरने में जो तृप्ति और सुख है वह मरने वालों के परिजनों के मुख पर देखा जा सकता है। सन्तोष का विषय है कि मृत्यु की दर बढ़ाने में सुयोग्य चिकित्सक और जनरल वार्ड की शोख़ नर्सें भी पूरा-पूरा सहयोग दे रही हैं। संस्कृत में एक सुभाषित है जिसके अनुसार वैद्यराज जो होता है, वह सारे मानवों के संहार की ज़िम्मेदारी सँभालता है और उसे यह काम सौंपकर यमराज जो हैं वे अपनी पत्नी के साथ सुख की नींद सोते हैं। इस प्रकार की मृत्यु पाने वालों से मैं दो बातें कहूँगा। पहली बात तो यह कि यदि मृत्यु न होती तो पता है क्या होता? चंगेज़ खां, तैमूर लंग और हलाकू जैसे भयावह दरिन्दे अब भी हमारे बीच में होते और ताजमहल जैसी ख़ूबसूरत इमारत कभी भी नहीं बनती। दूसरी बात यह है कि मृत्यु में जो सुख है वह जीवन में कहाँ? बुद्ध जी ने जो 'निर्वाणं परमं सुखम्' वाली बात कही थी वह जीवन-भर सोच-विचार करने के बाद ही कही थी।

मृत्यु का दूसरा प्रकार है बाढ़, अकाल, महामारी, दुर्घटना, फ़ौजदारी वग़ैरह से सम्पन्न होने वाली मृत्यु। कोई-कोई भाई अज्ञानवश इन्हें अकाल मृत्यु भी कह डालता है जो ग़लत है। अकाल मृत्यु जैसी कोई चीज़ नहीं होती; स्वयं वाल्मीकि के अनुसार 'ध्रुवं अकाले मरणं न विद्यते'। इसके अतिरिक्त कवि शूद्रक के अनुसार मरने में थोड़ा दुःख है, दरिद्रता में ज़्यादा। ग़रीब इंसान मरेगा तो उसका दुख भी मिटेगा और उस हद तक ग़रीबी भी मिटेगी। अगली बात यह कि यदि बाढ़ और सूखा न हों तो सार्वजनिक धन का ग़बन करने के अवसर कहाँ से आयेंगे? राहत के ख़र्चे में से अपनी झोली भरना एक ऐसी विवश ज़िम्मेदारी है जिससे कि हम, चाहते हुए भी नहीं बच सकते। मुहम्मद तुग़लक ने अकाल के लिए जो राशि स्वीकृत की थी वह सारी की सारी सरकारी अमले ने खा डाली थी। और अन्त में चलकर मैं वही कहूँगा जो विष्णु शर्मा ने कहा था– 'रे मूर्खो! मृत्यु से क्यों डरते हो? तुम्हारे डरने से क्या वह तुम्हें छोड़ देगी?' दूसरे शब्दों में 'मृत्यु भी क्या कोई पत्नी है जिससे तलाक़ ले लिया जाए या जिसकी हत्या करवा दी जाए?'

तीसरी और सबसे दिलचस्प मृत्यु है आत्महत्या द्वारा प्राप्त की गयी मृत्यु। ताजीराते हिन्द जो चाहे कहता रहे, मृत्यु की यह मौलिक प्रथा सदा से चलती आयी। सती होना भी आत्महत्या करना ही था। स्टीफ़ेन ज़्वेग ने शायद नींद की गोलियाँ खाकर अपना मिशन पूरा किया, ब्रूटस ने छाती में तलवार भोंकी और क्लियोपेट्रा ने अपने को साँप से कटवाया। उसे काटने के बाद साँप की क्या स्थिति रही यह जानने को मैं सदा से बेक़रार हूँ क्योंकि क्लियोपेट्रा ख़ुद भी कम ज़हरीली नहीं थी।

सामरसेट माम के अनुसार यह विधाता का एक बहुत बड़ा वरदान है कि मनुष्य को यह अधिकार प्राप्त है कि वह जब चाहे, अपने जीवन का अन्त कर सके। मुझे आश्चर्य बस इसी बात का है कि यदि यह वरदान वाक़ई इतना बड़ा है तो सामरसेट माम ने स्वयं इसका लाभ क्यों नहीं उठाया? मैंने खुद तो ख़ुदक़ुशी मात्र इस कारण नहीं की कि माघ कवि के कहने के अनुसार अटल प्रकृति वाली मेरी पत्नी कहीं अगले जन्म में मेरे पीछे न पड़ जाए। ख़ैर, आत्महत्या में कोई विशेष ख़तरा नहीं है। जापान में हराकेरी प्रथा काफ़ी आदर से देखी जाती है। आप लोगों में से जो चाहें, वे इस प्रबन्ध को पढ़कर उस दिशा में एक या दो अदद ठोस क़दम उठा लें।

और फिर मृत्यु है ही क्या? मात्र देहरूपी केंचुल उतर जाता है; वह जो आत्मा नाम का साँप है वह तो कभी नहीं मरता। नैनं छिन्दन्ति शस्त्राणि, नैनं दहति पावकः। हमारे एक प्रदेश में मृतात्माएँ ग्रामीणों के मुक़दमो तय कर रही हैं। इतना शुभ काम उन मनुष्यों ने, जिनकी कि ये आत्माएँ हैं, अपने जीवन में न किया होगा। और फिर क़ब्र का हाल तो सिर्फ़ मुर्दा ही जानता है न? क्या पता, इधर यार लोग सिर्फ़ पुलाव ही खाएँ और फातिहा पढ़ा जाए और उधर मरनेवाला जो है वह वाक़ई जन्नत में ऐश करे। एक परी दायें बाज़ू हवा करे, दूसरी परी बायें बाज़ू पंखा झले, सब्ज़ परी पैरों को दबायें और हुस्न परी सीने से चिपके। ऐसी हालत और मौत से डर?

मेरे आत्मीयो, पाठको और समीक्षको, जाओ, मृत्यु का वरण करो। वह न जाने कब से तुम्हारी प्रतीक्षा में अपना आँचल फैलाये खड़ी है। उस सुमुखी को इतनी प्रतीक्षा न करवाओ क्योंकि वैसा करना अशिष्टता होगी। हिन्दी के वयोवृद्ध लेखको, जागो और निराला की 'मरा हूँ हज़ार मरण' वाली पंक्ति याद करते हुए मृत्यु का वरण करो। हिन्दी का लेखक तो वैसे भी प्रायः अकाल मृत्यु ही मरता आया, अमरता का ठाठ तो मात्र प्रकाशकों को मिला। ऐ जागीरदारो, काली लक्ष्मी के अधिपतियो तुम नज़ीर अकबराबादी की 'जब लाद चलेगा बंजारा' वाली पंक्ति पढ़ो और ख़ुशी-ख़ुशी मरने का बन्दोबस्त करो। माल-असबाब तथा जो बाक़ी सामान हो वह मेरे यहाँ पहुँचवा दो। नगदी हो, तो भी कोई हर्ज़ नहीं। मगर नोट चाहे तुमने जाली ही बनाये हों, मौत हर हालत में असली ही मरना। और हाँ, मौत कुछ इस तरह मरना कि उसमें कुछ चमत्कार रहे, कुछ मौलिकता रहे, कुछ असाधारणता रहे। मौत तो ख़ैर चीज़ ही क्या है– वह तो ज़िन्दगी में सिर्फ़ एक ही बार आती है– क्षेमेन्द्र ने तो कविता तक के लिए कहा था कि यदि उसमें चमत्कार न हो, तो वह लावण्यहीन यौवन की भाँति है, बस। कुछ कवियों का काव्य भी मृत्यु का ही आनन्द देता है। ख़ैर, मैं क्षेमेन्द्र से सहमत हूँ, मुझे भी वही यौवन प्यारा लगता है जिसमें लावण्य हो। आपके बारे में तो मैं कुछ कह नहीं सकता, बहरहाल मैं खुद तो रूपवती युवतियों के साथ ही रहना चाहूँगा। यही तो वे कारण हैं जिनकी वजह से आप सब सज्जनों को मृत्यु की दिशा में प्रेरित करने के बाद भी, मैं खुद जीवित रहने का कष्ट उठाना

चाहता हूँ। श्मशान में लड़कियाँ तो क्या, हंस तक नहीं मिलते। महामति चाणक्य की सूचना के अनुसार 'न हंसाः प्रेतवने रमन्ते'।

इतना सब कुछ सुन लेने के बाद आप मुझसे ज़रूर सहमत होंगे कि ज़िन्दा रहने का अधिकार हमें हो या न हो, मरने का अधिकार हमारा जन्मसिद्ध अधिकार है। इस अधिकार की रक्षा करने के लिए यदि हमें अपने प्राणों की बाज़ी भी लगानी पड़े तो शायद वह भी कम होगा।

लक्षाधीश हो जाने के बाद

मैं अपनी धर्मपत्नी का धर्मपति हूँ और काफ़ी दिनों से हूँ। वास्तविकता तो यह है कि यह अजीबोग़रीब सिलसिला हम दोनों की शादी के समय से ही चलता आ रहा है। इसके अतिरिक्त किसी और मूर्ख के आस-पास न होने के कारण मैं यदा-कदा किसी सभा का सभापति भी बनता रहा हूँ। मेरे पति होने के इस स्वर्णिम इतिहास को ध्यान में रखते हुए इस सम्भावना के प्रति किसी भी समझदार प्राणी को सन्देह नहीं होना चाहिए कि एक दिन मैं लखपति भी बन सकता हूँ। आख़िर जो लोग लखपति होते हैं वे भी तो मेरे जैसे ही होते हैं। जहाँ तक मेरा अनुभव है, कई लखपति तो मुझसे भी गये-बीते हैं। न जाने कितने लोग जो क्या ज्ञान और क्या गरिमा—इन सबमें ख़ाकसार से कहीं ज़्यादा गधे लगते थे— लखपति क्या, करोड़पति तक हो गये। लक्ष्मी का वाहन यदि उल्लू ही चलता रहा तो हमारे लक्षाधीश न होने का कोई कारण नज़र नहीं आता। हमारा तो दृढ़ विश्वास है कि हम लखपति होंगे; आज हों या कल, इस जन्म में हों या अगले जन्म में—यह दीगर बात है। फ़िलहाल तो प्रश्न इतना शेष रहता है कि यदि हम लक्षाधीश हो गये तो उस धन का करेंगे क्या?

हमारा उत्तर तो साफ़ है। हम तो अपना धन ख़र्च करेंगे। जो खा लिया और जो पहन लिया, वह अपना और बाक़ी दूसरों का। जो न दान देता है और न भोगता है, उसके धन का नाश होता है : यो न ददाति, न भुंक्ते, तस्य तृतीया गतिर्भवति। और ख़र्च करना है तो मृत्यु से पहले करना है क्योंकि वह एक ऐसी निष्पक्ष प्रेयसी है जो लक्ष्मीपति और कंगाल, इन दोनों में कोई अन्तर नहीं बरतती। यदि सारी रूपवती युवतियाँ भी इतनी ही उदार और निश्छल हो जाएँ, तो स्वर्गवासी होने के पूर्व ही स्वर्ग का वातावरण बनने लगे।

ख़ैर, मामला गम्भीर है और इस पर विवेक के साथ क़दम उठाना है। धन ख़र्च करना उसके कमाने से कहीं ज़्यादा मुश्किल होता आया। इसी कारण मैं सोचता हूँ कि लखपति हो जाने के उपरान्त सबसे पहले मैं एक उम्दा पान खाऊँगा। पान भी अकेला नहीं बल्कि जोड़ा। थोड़ी-सी सुपारी और पानबहार भी माँगी जायेगी। पान खाने के उपरान्त एक अदद क़ीमती सिगरेट ख़रीदेंगे और फिर किसी छायादार वृक्ष

के नीचे बैठकर पद्‌माकर के किसी कवित्त को गुनगुनाते हुए उसे पिएँगे। पान का जोड़ा मुँह में दबाकर रखेंगे, उसे मूर्खों की भाँति चबाएँगे नहीं। पान के सन्दर्भ में 'बीड़ा' शब्द मुझे कभी अच्छा नहीं लगा; ऐसा प्रतीत होता है जैसे कि वह 'बीड़ी' का पुल्लिंग हो। इस व्याकरण पर चिन्तन-अनुचिन्तन करते-करते यदि कोई भिखारी या दीन व्यक्ति दीख गया तो दस पैसे उसे भी देंगे। सारी सम्पत्ति केवल अपने ऊपर व्यय करते हमें सदा से लज्जा होती आयी है। इसके बाद पाँच पैसे में शीतल जल का पान करेंगे और इस जलपान के उपरान्त सामने के रेस्तराँ में दस पैसे का सिक्का डालकर एक मनपसन्द गाना सुनेंगे। सिर्फ़ एक : अति सर्वत्र वर्जयेत्। इसके बाद सामने के ठेलेवाले से पचास पैसे की शकरकन्दी खाएँगे। बड़ी उम्दा चीज़ है। कलाकन्द, ताशकन्द, समरकन्द, जिमिकन्द और आनन्दकद इत्यादि जितने भी कन्द हैं, शकरकन्द उन सबमें वही स्थान रखता है जो मीर तकी मीर उर्दू कवियों में रखते थे। यूँ फल और भी होंगे मगर दाग़ देहलवी की भाषा में, हसीन तो दुनिया में और भी हैं पर तेरा जैसा कोई दूसरा नहीं। शकरकन्द में बड़ी बात यह है कि दिन में भरपेट खा लीजिए तो रात्रि के खाने की छुट्टी। लखपति लोग भी देश के करोड़ों ग़रीब लोगों की भाँति अक्सर रात को खाना नहीं खाते।

खाने पर बहुत ज़्यादा ख़र्च हो गया। इतनी ऐश ठीक नहीं। वैसे भी हम कोई अहमदाबाद के प्रथम सुल्तान थोड़े ही हैं जिसकी कि दाढ़ी कमर तक आती थी और मूँछें सिर के ऊपर गाँठ देकर बाँधी जाती थीं। यह ग़रीब इंसान दिन में केवल पन्द्रह सेर अन्न ग्रहण करता था और जब सोता था तो एक-एक सेर चावल पलँग के दोनों ओर रखे रहते थे ताकि जिस करवट भी नेत्र खुल जाएँ, भोजन की कमी न महसूस हो। अन्न के साथ-साथ यह सुल्तान फलों का भी बड़ा आदर करता था; नाश्ते के वक़्त शहद के एक प्याले के साथ केवल डेढ़ सौ कदली फल खाता था। महाराष्ट्र में जो केले की फ़सल को प्रोत्साहन मिला, वह भी तभी मिला। इस सुल्तान की बनवायी हुई मीनारों में खासियत यह है कि वे अब तक हिलती हैं। ऐसे होनहार इंसान से आप ठोस मीनारों की आशा कैसे कर सकते थे? वह ग़रीब तो सिर्फ़ अपने को ही ठोस करता रहा।

ज़ाहिर है कि अब कुछ ध्यान वस्त्रों पर भी देना पड़ेगा जो कवि के अन्तर की भाँति तार-तार होने को उत्सुक हो रहे हैं। जामा मस्जिद से एक पुराना सूट ख़रीदेंगे और फिर जूते की एड़ी पर ध्यान देंगे। काफ़ी घिस गयी है। यह एड़ी घिसना भी एक ऐसी भयानक स्थिति है कि इसके कारण 'घिसना' जैसी सकर्मक क्रिया तक को अकर्मक होना पड़ता है। जूता और वस्त्रों के तार सप्तक से मुक्ति प्राप्त होते ही किसी हज़्ज़ाम से हजामत बनवाएँगे। सैलून में जाकर तो अपना दम घुटता है; यहीं बाहर फ़ुटपाथ पर ठीक रहेगा। इसके उपरान्त अपने इस चिरसंगी चप्पल की कुछ और मरम्मत करायी जायेगी और फिर एक अदद रूमाल और बनियाइन भी

ख़रीदेंगे। एक लखपति को भी शायद एक समय में एक ही रूमाल और एक ही बनियाइन चाहिए न?

भोजन और वस्त्र की चिन्ताओं से मुक्ति पाकर कुछ ध्यान अपने आवास पर भी देंगे। पशु-पक्षी तक अपने घोंसलों को साफ़ रखते हैं और फिर हम तो, बकौल एक आलोचक के, इंसान हैं। कहते हैं कि वाजिदअली शाह ने एक बया के द्वारा सोने के तारों का घोंसला बनवाया था और इस बात का भी मुकम्मिल इन्तज़ाम किया था कि पंचतन्त्र का वह धूर्त बन्दर उस घोंसले के कहीं आसपास न आने पाये। ख़ैर, वह तो नवाबों की सनक ठहरी जिसने मुल्क की तवारीख ही बदल दी। हमारा ऐसा कोई इरादा नहीं। हम तो चन्द गमले ख़रीदेंगे और फिर मकान की चहारदिवारी पर कुछ ध्यान देंगे। ईंटें तो सामने वाली टूटी इमारत में से रात को निकाल ली जायेंगी मगर ये जो राज और मज़दूर हैं, इन पर तो रक़म ख़र्च करनी ही पड़ेगी। पूरा ख़र्च दो-तीन सौ रुपयों से कम क्या निकलेगा? छत पर कली-चूना लगवाना है ताकि उसका टपकना बन्द हो। यह छत भी क्या है, एकदम बिहारी की नायिका की आँख है। उधर आकाश में मेघ घिरे, इधर इसने विरह-विलाप करना प्रारम्भ कर दिया। हमारे साहित्य को जितनी क्षति इस छत ने पहुँचायी है, उतनी किसी नायिका ने नहीं और इसी कारण मरम्मत जो है वह मात्र छत की ही करवायी जा रही है, न कि किसी नायिका की।

यह लाख मुद्राओं की आशा क्या बँध गयी कि ख़र्चे के बाद ख़र्चा याद आने लगा। साइकिल में पंचर लगवाना है, लालटेन की चिमनी बदलवानी है और रामायण की जिल्द बँधवानी है। मेरे प्रमाद के कारण रामायण में तो अब शायद केवल अयोध्याकाण्ड ही बचा है, बाक़ी भाग तो पता नहीं कब का हवा के साथ वनवास को चला गया। कितना विचित्र है कि पवन के इस कार्य में पवनपुत्र तक ने कोई हस्तक्षेप नहीं किया। लगे हाथों यदि दाँतों का एक ब्रश भी ख़रीद लूँ तो क्या हर्ज़ है? पेस्ट अगले महीने ले लूँगा। मेरे साथ सदा से यही होता आया कि ब्रश है तो पेस्ट नहीं और पेस्ट है तो ब्रश नहीं। जब मैं हूँ तब हरि नहीं, जब हरि हैं, मैं नाहिं। सोचता हूँ कि इतने दिनों बाद कोई पुस्तक भी ख़रीद लूँ। लेखक होने के कारण कोई नयी पोथी ख़रीदे या पढ़े एक युग बीत गया। कोई दस वर्ष पूर्व दक्षिण रेलवे की समय-सारिणी ख़रीदी थी और बस। लखपति होने में कितने मज़े हैं! काश, मैं या तो लखपति पैदा ही हुआ होता या फिर कोई गधा करोड़पति मुझे बीस साल पहले गोद ही ले लेता। यह शुभ काम यदि कोई नारीरत्न भी कर लेती तो भी मुझे कोई एतराज़ नहीं होता। शेरशाह की भाँति अधेड़ होने पर सुल्तान बने भी तो क्या? इस बूढ़े सुल्तान ने दिल्ली का बादशाह होने के बाद सिर्फ़ दो काम किये थे; एक था पेशावर से कलकत्ता तक सड़क बनवाना और दूसरा था मृत्यु को प्राप्त करना। सन्तोष का विषय है कि दोनों कार्यों में उसे बराबर सफलता मिली।

इसके बाद कुछ फुटकर काम करूँगा। 'क़िस्सा साढ़े तीन परी' और 'रंगीला जासूस' जैसी ज्ञानवर्द्धक पोथियाँ पढ़ने के साथ-साथ यदि एकाध तस्वीर भी देख ली जाए तो क्या हर्ज़? मगर देखेंगे अपने उसी पुराने सिनेमाघर में जहाँ फ़र्श उखड़ा है, छत टूटी है, हर कुर्सी आरामकुर्सी का मज़ा देती है, तम्बाकू पीने की पूरी छूट है और वातावरण कुछ ऐसा घरेलू है कि अश्लील से अश्लील चित्र भी धार्मिक फ़िल्म का प्रभाव छोड़ जाता है। इस सिनेमाघर में प्रकाश का प्रबन्ध इतना समुचित है कि नयी से नयी हीरोइन भी हीरो की अम्माँ लगती है। मैनेजर है सो इतना भद्र कि यदि बत्ती फ़ेल हो जाए, या कोई और हादसा हो जाए, तो पैसे वापिस कर देता है। सेहत अलबत्ता ज़रूर कुछ कमज़ोर है और मैं जब भी उस सिनेमाघर में जाता हूँ बराबर यही सोचता रहता हूँ कि यह ग़रीब मैनेजर कहीं पिक्चर के दौरान अपना दम न तोड़ दे।

सारे कार्यों को विधिवत् सम्पन्न करने के उपरान्त देवी के मन्दिर जायेंगे और सवा रुपये का प्रसाद चढ़ावेंगे। यह प्रण भी करके आयेंगे कि हे देवी माता, यदि तेरी कृपा से एक लाख रुपयों की राशि कहीं और से प्राप्त हो गयी तो तू याद रखना कि तेरा सवा रुपया कहीं नहीं गया।

मेरे ख़र्चों को देखकर आप में से कुछ शायद मुस्कुराये होंगे। लक्षाधीश होने के बाद भी मैं 'सादा जीवन, उच्च विचार वाला पुश्तैनी सिद्धान्त नहीं छोड़ना चाहता। इसके अतिरिक्त न जाने कितने लखपति हैं जो कि इतना भी कभी ख़र्च नहीं करते। आख़िरी बात यह है कि मैं नयी पीढ़ी का अमीर हर्ग़िज़ नहीं बनना चाहता। नयी पीढ़ी का अमीर वह है जो एक तरफ़ दर्जनों नौकर रखता है और दूसरी ओर दर्जनों पत्नियाँ। दोपहर का खाना एक होटल में होता है तो रात का खाना किसी झील के किनारे। वह गर्मियों में पहाड़ जाता है, जाड़ों में हैदराबाद और बरसात में विदेश। इस सबका मिला-जुला परिणाम यह होता है कि पत्नियाँ जो होती हैं वे नौकरों के साथ भागती रहती हैं। हालाँकि मैं खुद किसी नये अमीर का न तो नौकर ही रहा और न पत्नी ही; पर जो कुछ कह रहा हूँ वह एकदम सच है। ये अमीर पहले जुलाब की गोलियाँ खाते हैं, फिर नींद और ताक़त की गोलियाँ और अन्त में चलकर जिन गोलियों का सेवन करते हैं वे प्रायः बन्दूक की होती हैं। मुझे गोलाकार चीज़ों में मुखड़े को छोड़कर और किसी से प्रेम नहीं रहा। इस गोलाकार अमीरी की अपेक्षा तो यही बेहतर है कि मैं अपनी वर्तमान फटीचर हालत में ही चलता रहूँ। बालीद्वीप की एक जादूगरनी है जो एक विदेशी को भालू बनाना चाहती है। विचार उत्तम है और नज़ीर अकबराबादी के अनुसार रीछ का बच्चा कोई बुरी चीज़ नहीं होती पर इस तबीयत को क्या कहिए कि हम अपनी वर्तमान शक्ल सूरत में ही रहना चाहते हैं। इन फ़ैशनेबल सुन्दर जादूगरनियों के रहते मैं नयी पीढ़ी का अमीर हर्ग़िज़ नहीं बनना चाहूँगा। ये कब किसे मेंढा या बकरा बना दें, इस बारे में कुछ भी तो नहीं कहा जा सकता।

हिन्दी-साहित्य के पाँचवें सवार

मुझे हिन्दी में लिखते-लिखते लगभग पन्द्रह वर्ष हो गये मगर स्थिति लगभग वही है जो कि आज से लगभग पन्द्रह वर्ष पहले थी। जिसे अपना काव्य सुनाता हूँ वह मेरे गद्य का प्रशंसक निकलता है और जिस सुन्दरी को अपना व्यंग्य सुनाता हूँ वह मेरी प्रेम कविताओं की चाहनेवाली निकलती है। पन्द्रह वर्ष में पतिव्रता पत्नी के अन्दाज़ पर कोई पन्द्रह पुस्तकों का प्रसव भी हो गया मगर माबदौलत वहीं हैं जहाँ कभी पहले थे। वही सादा जीवन और वही सादे विचार। मगर मेरे सारे साथी इतने गधे नहीं निकले; वे बिना कुछ लिखे-पढ़े पता नहीं कहाँ से कहाँ पहुँच गये। कोई सम्पादक हो गया तो कोई प्रकाशक। कोई-कोई परोपकारी सरकार का साहित्यिक सलाहकार हो गया और कोई-कोई बन्धु प्रशासन के ख़र्चे पर यह जानने के लिए विदेश चला गया कि हिन्दी के लेखक विदेश जो जाते हैं वह क्यों जाते हैं। कुछ शिखाधारी पाताल लोक अर्थात अमेरिका का चक्कर लगा आये तो कुछ लोग दाढ़ी उगाकर उगते सूरज का देश—यानी कि जापान—घूम आये। एक मित्र ने सारे यूरोप की ऋतुएँ देखीं और फिर बड़े करुण स्वर में सूचित किया कि सारे जहाँ में अच्छा जो है वह हमारा यह प्यारा हिन्दोस्तान ही है। इस बात की पुष्टि करने के लिए कई नामवर लेखक जो थे वे फिर विदेश चले गये। हिन्दी को लेकर विश्वस्तर पर सम्मेलन किये गये और वह भी उन प्रतिभाओं द्वारा जिनकी रचनाएँ ज़िला स्तर के ऊपर कभी नहीं उठीं।

हिन्दी के इन सिपहसालारों ने हिन्दी को वीरगति दी और ख़ुद जागीर हासिल की। विदेशी रचनाओं को अपने नाम से इतना निःसंकोच होकर छपवाया कि हाजी मस्तान भी पीछे रह गया। कामुक और अश्लील उपन्यास लिखे जो लाखों में छपे। इन कलाकारों ने आलीशान इमारतें खड़ी कर लीं और जो सच्चा साहित्यकार था वह उसी फटे छाते को पकड़े वहीं चौराहे पर भीगता रहा। स्थिति इतनी नाज़ुक हो गयी कि सच्चे साहित्यकार की पहचान ही यह शेष रह गयी कि वह बेचारा एक फटा छाता पकड़कर चौराहे पर भीगता रहे। जो सच्चे कताकार हैं वे अपनी इमारतों में बैठे हैं और गवाक्ष मार्ग से देख रहे हैं कि टूटे छाते वाला वह सच्चा साहित्यकार कब दम

तोड़ता है। उधर उसने दम तोड़ा और वह मुक्तिबोध, या शरच्चन्द्र बना और इधर इन कलाकारों ने जलसाघर खोलने शुरू किये। प्रशासन से अनुदान लिया, राष्ट्रपति से स्मृति-ग्रन्थ का विमोचन करवाया और अपनी जो हवेली थी उसमें एक मंज़िल और जोड़ ली। वे चाहते तो उस साहित्यकार को नया छाता ख़रीदवाकर ज़िन्दा भी रख सकते थे वैसा नहीं किया गया। वैसा करने से उस सच्चे साहित्यकार के स्वाभिमान और प्रतिभा को चोट पहुँचती जिसे ये बेचारे कभी बर्दाश्त नहीं कर सकते थे।

कुछ और होनहार मित्र निकले। वे चलचित्रों की दिशा में चले गये। मुफ़्त की लड़की और मुफ़्त की शराब। काम चाहे 'चैतन्य महाप्रभु' के लिए करा लो, चाहे 'दिलकश हसीना' के लिए। निराला के गानों को रिक्शेवालों की ट्यून देने की कोशिश की और अगर इस पर कोई रिक्शेवाला नाराज़ हो गया तो फ़िल्मों से वापिस चले आये और प्रेमचन्द भगवतीचरण वर्मा और जिगर मुरादाबादी की पंक्ति में बैठ गये। शरद् जोशी तक फ़िल्मों के संवाद लिखने लगे जिसका कि मुझे हार्दिक अफ़सोस हुआ। यह अफ़सोस सिर्फ़ उस दिन कुछ कम हुआ जिस दिन शरद जोशी ने मुझसे कहा कि तुम भी फ़िल्मों के लिए कुछ शानदार चीज़ लिखो, मैं तुम्हारी मदद करूँगा।

इस सन्दर्भ में एक और रिवाज़ याद आ गया जो हाल ही में शुरू हुआ। कुछ दूरदर्शी लोग हैं जो वार्षिकी निकालते हैं। वार्षिकी उस प्रकाशन का नाम है जो वर्ष-भर में एक बार निकले और ख़ूब शान से निकले। अगर आप इस वार्षिकी के प्रकाशक हैं तो यह शान एक शादी की शान है और यदि आप लेखक हैं तो यह शान जनाज़े की शान है। फल प्रकाशक रखता है और पत्रं-पुष्पम् आपको अर्पित करता है। बड़ी-बड़ी संस्थाओं से विज्ञापन बटोरे जाते हैं और एक वार्षिकी पूरे एक दशक का प्रबन्ध कर जाती है। एक सम्पादक मित्र हैं जो मुझे एक रचना के लिए पच्चीस मुद्रा से कम कभी नहीं देते। देना तो वे कहीं ज़्यादा चाहते हैं पर पर्चा जो है वह घाटे में जा रहा है। यह बात एकदम दीगर है कि उनकी पत्नी पत्र का सम्पादन करने के मात्र तीन हज़ार मासिक लेती है और लड़का केवल डेढ़ हज़ार। पुराने नीतिकार गधे थे जो कहते थे कि लेखक भूखा रहता है। वे दिन अब लद गये। हिन्दी का सच्चा कलाकार अब पाँच सितारों वाले होटल में ठहरता है, आठ सितारों वाली फ़िल्म की पटकथा लिखता है और सलमा सितारों वाली छोकरी के साथ मौज करता है। काश...

दिल्ली में कुछ नयी प्रतिभाएँ उपजी हैं जो कवि सम्मेलनों के लिए श्रोता जुटाती हैं, आपकी नयी कृति के लिए गोष्ठी का प्रबन्ध करती हैं, आपका अभिनन्दन समारोह करती हैं और बाद में चैन की या किसी और क़िस्म की वंशी बजाती हैं। जो और भी ज़्यादा मतिमान् कलाकार हैं, वे अपना अभिनन्दन स्वयं जुटाते हैं जो उचित भी है। अब यह कहाँ तक युक्तिसंगत है कि साठ वर्ष के तो आप स्वयं हुए और उस उपलक्ष्य में आपका अभिनन्दन कोई और करे। ऐसे लेखकसुमन खुद ही

चिट्ठियाँ लिखते हैं, कभी-कभी खुद ही आपकी ओर से रचना भी लिख डालते हैं और बावजूद अपनी बीमारी के इस ज़िम्मेदारी से पीछे नहीं हटते। अभिनन्दन-ग्रन्थ छपता है और कभी-कभी इतना स्वस्थ और रंगीन होता है जितना कि कलाकार स्वयं कभी नहीं था। हाल से लेकर हार तक का ख़र्चा ये खुद उठाते हैं और फिर सिर उठाकर उपराष्ट्रपति के साथ मंच पर बैठते हैं। मुख्य अतिथि को क्या कहना होगा वह भी कभी-कभी इन्होंने अपने ही कमल रूपी हाथों से लिखा।

कविसम्मेलनी कवियों की चर्चा करना शायद बेकार होगा। आज ग्वालियर जा रहे हैं तो कल जैसलमेर। दिन को सोना, शाम को मंच पर माइक को सीने से लगाना और रात को दारू पीना। इनकी उपयोगिता सिर्फ़ इतनी ही रह गयी है कि ये आपको याद दिलाते हैं कि पारसी थियेटर का जो विदूषक होता था वह कैसा होता था। और इनमें जो कवयित्रियाँ हैं, उनका तो भला कहना ही क्या?

और इन सबके ऊपर साहित्य के वे ठेकेदार हैं जो सचिवों से सम्बन्ध बनाते हैं, मन्त्रियों की जी-हुज़ूरी करते हैं और बिना आपके चाहे आपका नेतृत्व करते हैं। इनके पास सेहरा भी तैयार रहता है और मरसिया भी। ये साहित्य के पटवारी हैं, पण्डे हैं, द्वारपाल हैं और उसके शव को जलाने की भयानक ज़िम्मेदारी भी इन्हीं बेचारों के कन्धों पर है। इनकी गति अनन्त है। राजा भोज को काव्य किसी भी कवि का अच्छा लगे, परन्तु 'प्रत्यक्षर लक्षं ददौ' वाली जो सुखद स्थिति है वह इन्हीं के साथ रहती आयी।

एक ओर मैं और मेरे जैसे न जाने कितने प्रतिभावान् कवि और लेखक रहे जो सारी उम्र स्याही से काग़ज़ पोतते रहे पर कलम के सिपाही ही रहे। और एक ओर ये हिन्दी-साहित्य के पाँचवें सवार हैं जो क़िले में ही नहीं घुस गये बल्कि जिन्होंने एक अदद राजकन्या भी हथिया ली। सच्ची बात तो यह है कि मुझे जो दुख है वह मात्र यह है कि वह रूपवती राजकन्या इन्हें क्यों मिली? अगर वह मुझे मिल जाती तो मैं खुद इन सबसे ज़्यादा पाप करने को हमेशा तैयार था।

अच्छी हिन्दी

मैं हिन्दी का लेखक हूँ। लेखक की सबसे बड़ी पूँजी उसकी भाषा होती है। नितान्त ग़रीबी की स्थिति में भी उर्दू के महान् कवि मीर तकी मीर ने एक सेठजी से, जिनकी गाड़ी में वे बिना टिकट यात्रा कर रहे थे, सिर्फ़ इस कारण बातचीत करने से इनकार कर दिया था कि उन्हें वैसा करने से अपनी ज़ुबान ख़राब हो जाने का ख़तरा था। मगर दुख की बात यह है कि ऐसा लगता है जैसे कि सारी सरकारी और ग़ैरसरकारी संस्थाओं ने इस बात का निश्चय कर लिया है कि मेरी भाषा ख़राब हो जाए। इन प्रयत्नों को देखकर मेरा रक्त खौलने लगता है और समझ में नहीं आता कि क्या करूँ। क्या मुद्रण और अनुवाद, और क्या उच्चारण और क्या व्याकरण– हिन्दी जो है वह सारे क्षेत्रों में वीरगति प्राप्त करती जा रही है। मेरा निश्चित मत है कि मेरी भाँति हिन्दी के शेष पाठक भी यही महसूस करते होंगे। जैसा कि ज़ाहिर है, पाठक से मेरा अभिप्राय पढ़ने वाले से है, न कि सर्वश्री श्रीधर पाठक, वाचस्पति पाठक या उपराष्ट्रपति गोपाल स्वरूप पाठक इत्यादि से। इस प्रकार के भ्रमों को शुरू में ही मिटा देना सदा से ज़रूरी होता आया।

मैं गाड़ी पकड़ने स्टेशन जाता हूँ और खिड़की पर देखता हूँ कि "टिकट लेने के बाद रेज़गारी गिनना ज़रूरी है।" तबीयत होती है कि खिड़की के उधर बैठे टिकट बाबू की हत्या कर दूँ मगर वैसा कर नहीं पाता। उसके और मेरे बीच में लोहे के सीखचे लगे हैं और सिवाय एक छोटे-से गोल छेद के, जिसमें हाथ डालकर मैं टिकट ख़रीदता हूँ, आवागमन का और कोई साधन नज़र नहीं आता। जहाँ तक उस छोटे-से गोलाकार छेद का प्रश्न है, स्थिति इतनी नाज़ुक है कि उसमें मेरा हाथ ही मुश्किल से जाता है और इस कारण उस गवाक्ष मार्ग से जहाँ तक अपने स्वयं जाने का प्रश्न उठता है, अपनी सेहत को ध्यान में रखते हुए वह कुछ कठिन-सा ही प्रतीत होता है। कम-से-कम फ़िलहाल। बस में चढ़ता हूँ तो वहाँ लिखा है कि 'धम्रपान न करें'। क्योंकि मना तो 'धम्रपान' के लिए है न कि 'धूम्रपान' के लिए, नतीजा यह रहता है कि बस का ड्राइवर और कण्डक्टर दोनों बीड़ी पीते हैं और एक सिगरेट मैं भी सुलगा लेता हूँ। जो सीट महिलाओं के लिए आरक्षित होती हैं वहाँ प्रायः

'महिलाएँ' के स्थान पर 'हिलाएँ' लिखा रहता है जिसका कि सही अर्थ मेरी पकड़ में कभी नहीं आया। किसे हिलाएँ? महिला को या कि सीट को? पार्क में जाता हूँ तो तख़्ती लगी देखता हूँ कि 'बिना आज्ञा के फूल तोड़ना मना है'। तमन्ना तो यह होती है कि पार्क के सारे फूल आज ही तोड़ डालूँ पर क्योंकि यह पार्क कारपोरेशन का है, इसमें कोई फूल कभी होता ही नहीं। वसन्त हो या वर्षा, यहाँ सिर्फ़ घास ही खिलती है। इसके बाद बाथरूम जाता हूँ तो वहाँ एक बाथरूम पर लिखा है 'पुरुष मन्त्रालय' और दूसरे पर लिखा है 'स्त्री मन्त्रालय'। मैं जानता हूँ कि यह महिलाओं का वर्ष है पर इस मुद्दे को हम कहाँ तक खींचेंगे और कहाँ तक बर्दाश्त करेंगे?

मैं बात बदलता हूँ। मैं आपको एक क़ीमती काग़ज़ पर छपी एक नयी पोथी दिखाना चाहता हूँ जो हिन्दी के एक प्रतिष्ठित विद्वान् ने लिखी है। पुस्तक का हास्य रस से कोई सम्बन्ध नहीं है पर फिर भी हालत यह है कि आप चाहें तो रो लें और चाहें तो कलेजा खोलकर हँस लें। 'सूत्रधार' की जगह 'मूत्रधार' छपा है जो कहीं ज़्यादा प्रवाह रखता है। दो कवयित्रियों के काव्य के स्तर की तुलना करते हुए लिखा गया है कि कुल मिलाकर अमुक कवयित्री का स्तन (मुराद स्तर से है) अमुक कवयित्री के स्तन से ऊँचा ठहरता है। वैसे यह भी हो सकता है कि जो स्थिति मुद्रित की गयी है वह वाक़ई सच्ची हो पर फिर भी आलोचक की इच्छा इतना अन्तरंग होने की कदापि नहीं रही होगी। यह मेरा विश्वास है जो ग़लत भी हो सकता है। ये ऐसे ही कम्पोज़ीटर और प्रूफ़रीडर हैं जो अपने पेशे को कला के स्तर पर स्थापित करते हैं। भवभूति के शब्दों में कभी कोई इनका भी पारखी पैदा होगा।

बोलचाल में जो उनकी ग़लतियाँ होती हैं वह भी काफ़ी शानदार होती हैं। एक तो हमारा व्याकरण ही कुछ ग़लत है। अब यह कोई बात हुई कि घड़ी का पुल्लिंग 'घड़ा' होता है और 'सन्तरी' का सन्तरा। यूँ कभी-कभी सन्तरी भी पुल्लिंग होता है पर कुछ कम। छोटी-सी शंका हो तो जानबूझकर भी आप उसे लघुशंका नहीं कह सकते। मैं एक ग्रामीण नेता को जानता हूँ जिनका कि कोई भाषण कभी खलास नहीं गया। अपनी इस सफलता का रहस्य ये स्वयं भी नहीं जानते। बात यह है कि अपने भाषण में तत्सम शब्दों का और संस्कृत की उक्तियों का प्रयोग ये ज़रूर करेंगे हालाँकि इन्हें यह पता नहीं कि पाणिनि और अष्टाध्यायी में से लेखक कौन था और पुस्तक कौन थी। एक बार गंगा-स्नान के पवित्र अवसर पर काफ़ी बड़ी भीड़ के सामने बोलने जो खड़े हुए तो पहले ही वाक्य से प्लासी की लड़ाई ख़त्म हो गयी। बजाय यह कहने के कि मैं आपके साथ इस विषय पर बातचीत करना चाहता हूँ, इन्होंने जो कुछ कहा वह यह था कि 'देवियो, माताओ और बहिनो, मैं आपके साथ विषय करना चाहता हूँ।' मैं तो पण्डाल छोड़कर ऐसा भागा कि डेरे पर जाकर ही रुका। वहाँ मुझे सहसा यह महसूस हुआ कि ग़लती मेरी थी, वे शायद सच ही बोल रहे थे। व्याकरण के अतिरिक्त उच्चारण की जो ग़लतियाँ होती हैं उनके कारण बड़े

'सूक्ष्म' हैं। बड़े घरों के बच्चे राम, बुद्ध और हिमालय को बचपन से ही रामा, बुद्धा और दि हिमालयाज़ कहना शुरू कर देते हैं। इस सन्दर्भ में एक बंगाली डॉक्टर की याद सताती है जो ग़रीब बेहद शरीफ़ था और यह जानता ही नहीं था कि वह क्या ग़ज़ब ढाता था। वह जब भी किसी कन्या से अपनी 'टंग' दिखाने को कहता था तो कुछ इस अन्दाज़ से कहता था कि लड़की जो होती थी वह जीभ के स्थान पर शर्माते-शर्माते अपनी टाँग दिखाती थी। थोड़े अनुभव के बाद स्थिति यह हो गयी कि टाँगों का विशेषज्ञ वह ख़ूबसूरत और नौजवान डॉक्टर अपनी ग़लती समझ गया और अब वह उन बालिकाओं से 'ज़ुबान' दिखाने को कहने लगा। मगर यहाँ फिर वही हादसा हो गया। वह लड़की की ठुड्डी पकड़ता, उसकी चितवन से चितवन मिलाता और बहुत धीमे से कहता कि 'हम तुम्हारा' जोबोन (ज़ुबान) देखना माँगता। एकाध लड़की ने अपना जोबोन (जोबन) उसे दिखा भी दिया जिसके फलस्वरूप वह ग़रीब उस इलाक़े से कहीं दूर चला गया। उसके चले जाने से उस क्षेत्र की युवतियाँ काफ़ी दुखी रहीं।

इस सन्दर्भ में कुछ मतिमान् लोग यह कह सकते हैं कि भाषा क्या, साहित्य तक में बड़े-बड़े कलाकारों ने कहीं ज़्यादा बड़ी ग़लतियाँ की हैं। शेक्सपियर ने 'जूलियस सीज़र' नामक नाटक में घड़ी की चर्चा की है जब कि इतिहास साक्षी है कि सीज़र के ज़माने में घड़ी ईजाद ही नहीं हुई थी। तुलसीदास ने कहीं-कहीं कहा है कि 'सर समीप गिरिजाघर सोहा' जो कि एकदम ग़लत है। रामचन्द्रजी के काल में हमारे यहाँ गिर्जाघर या चर्च होने का प्रश्न ही नहीं उठता। मैं इन कवियों को जानता हूँ। मैं यह भी जानता हूँ कि कवि तुलसीदास को अपने ननिहाल से अनन्त प्रेम था और वे गणित में तो हददर्जा कमज़ोर थे। यदि ऐसा न होता तो 'नानापुराण निगमागम सम्मत' से शुरू करके 'जहाँ सुमति तहँ सम्पति नाना' तक हर जगह उनके आदरणीय नानाजी ही की चर्चा न की गयी होती और यह भी नहीं होता कि जो भी चीज़ हो वह करोड़ से कम कभी भी न हो। 'कोटि कोटि फिर किये प्रनामा।' फ़ारसी के लेखक गणित के मामले में बड़े चतुर व सतर्क होते थे। अगर किसी क़िस्से का नाम साढ़े तीन परी होता था तो उसमें ठीक उतना ही माल होता था। यह नहीं कि नाम तो है क़िस्सा साढ़े तीन परी और परिया हैं सवा तीन या पौने चार। हर्गिज़ नहीं। मगर ऊपर बतायी गयी कमियाँ मेरे उस दुख को दूर नहीं कर सकतीं जो मुझे सामने सड़क पर लगी तख़्ती से होता है। सड़क का नाम है सर सैयद अहमद खान रोड मगर लिखने वाले ने लिखा है 'सर सैयद अहमद खाद रोड'। मैंने एक तगड़ी शिकायत दर्ज़ करवायी, सर सैयद की राष्ट्र-सेवा के बारे में कुछ लिखा भी और नतीजा यह निकला कि तख़्ती में सुधार किया गया। सड़क का जो नाम इस संशोधन के बाद निकला वह है 'सर सैयद अहमद खाक रोड'।

हिन्दी हमारी मातृभाषा है। वह माता के तुल्य है। अपनी माता के साथ ऐसा

व्यवहार बहुत अभद्र है। सरकार हिन्दी के लिए सब कुछ कर रही है। बड़े-बड़े लोग हिन्दी सीखने विदेश भेजे जा रहे हैं, विभिन्न समारोहों के लिए भारी-भारी अनुदान दिये जा रहे हैं और तुकबन्दियाँ करने वालों तक को पद्मश्री से अलंकृत किया जा रहा है। क्या विधि मन्त्रालय मातृभाषा के साथ किये जा रहे इस बलात्कार के ख़िलाफ़ कोई क़ानून नहीं बना सकता?

इस सारे दुखदायक माहौल में सन्तोष की बात बस एक ही है और वह यह है कि मेरे अलावा और भी ऐसे हिन्दी-प्रेमी हैं जो अपनी भाषा की यह दुर्गति नहीं देखना चाहते। दिल्ली से छपने वाले एक उर्दू मासिक ने अब कुछ पृष्ठ हिन्दी के लिए भी जोड़े हैं और मान्य सम्पादकजी ने बताया है कि इस पत्र के द्वारा वे हिदी के बेहतरीन नमूने पेश करना चाहते हैं। जो सम्पादकीय उन्होंने लिखा है वह उनके इस कथन की शत प्रतिशत पुष्टि करता है। 'नामूलं लिख्यते किंचित्, नापेक्षितमुच्यते' वाली मल्लिनाथ की परम्परा को ध्यान में रखते हुए मैं उस सम्पादकीय टिप्पणी को यहाँ ज्यों का त्यों प्रस्तुत करता हूँ।

"इस अंक से अब आपकी शेवा में हिन्दी के कुछ पृष्ट प्रस्तुत करते हैं। इस बार केवल आधुनिक समाचारों पर ही धियान दिया गया है। पाटक लोग किरपा करके इस कॉलम का अच्छी तरह अध्यन करें और अगर कोई त्रुटि नज़र आये तो हमें लिखें ताकि अगले अंक में उसका सुधार किया जा सके। यदि आप कुछ परिव्रत चाहें तो उन्हें जानकर हमें प्रस्न्नता होगी। हिन्दी की उन्नति के लिए हम सभी को धियान देना है। इस पत्र का हमेशा यही धियेय रहेगा कि इस कॉलम द्वारा राश्ट्र भाशा के बेहतरीन नमूने पेश किये जा सकें।"

नाम

हमारे प्राचीन ग्रन्थों में नाम की बड़ी महिमा बतायी गयी है। कवि वाल्मीकि– जैसा कि जग जानता है– उल्टा नाम ही जप-जपकर ब्रह्म के समान हो गये थे। सीधा नाम जपते तो पता नहीं कहाँ जाकर ठहरते। एक बार जब देवताओं में पृथ्वी की परिक्रमा करने की टूर्नामेण्ट हुई तब सदा के चतुर गणेशजी ने पृथ्वी पर राम नाम लिखा, उसकी परिक्रमा की और ट्राफ़ी जीत ली। न उनके स्वास्थ्य को कुछ क्षति पहुँची और न उनके वाहन चूहे को। अभी परसों ही मुझे एक चूहा मिला था– एकदम स्वस्थ, प्रसन्नचित्त और किसी षोडशी कन्या की भाँति इस दीवार से उस दीवार पर जाने के लिए उछल-कूद करता हुआ। इसी भाँति एक और होनहार इंसान थे– अजामिल। इन हज़रत ने सारी उम्र ऐश से गुज़ारी। बरेली के बाज़ार से झुमके क्या झुमकेवाली तक ग़ायब कीं परन्तु अन्त समय पर ग़लती से राम का नाम ले लिया और नतीजा यह रहा कि उन्हें मोक्ष की प्राप्ति हो गयी।

मुझे रामनाम में तो उतनी नहीं, हाँ अलबत्ता आम लोगों के नामों में सदा से दिलचस्पी रही। जैसा कि पदुमलाल पुन्नालाल बख़्शी ने बताया है, लोगों के नाम सुनकर उनके रूप, रंग, व्यक्तित्व–इन सब चीज़ों का एक खाका-सा मेरे सामने खिंच जाता है। लड़कियों के नामों में तो मुझे इतनी दिलचस्पी है जितनी कि शायद सिन्दबाद को समुद्री यात्राओं से भी नहीं थी। लड़कियों के नाम सुनते ही उनके बारे में मैं दुनिया-भर की बातें सोचने लगता हूँ। नाम यदि चन्द्रकान्ता है तो एक भूतपूर्व रूपवती स्त्री का चित्र सामने आता है जो फ़िलहाल भारी-भरकम, डनलपिलो क़िस्म की गुदगुदी चीज़ होगी। इसके बाद जैसे ही चन्द्रकान्ता सन्तति के बारे में सोचना शुरू करता हूँ, वैसे ही भूतनाथ का भय सोचने की क्रिया को किसी तिलस्म में बन्द कर देता है। 'चन्द्रकान्ता' क़िस्म की देवियों के वास्ते पलँग, मकान और दरवाज़े ज़रा बड़े क़िस्म के होने चाहिए। पति छोटा भी हो तो चल जाता है। ऐसी स्त्रियों की चाल बड़ी मनोरम होती है। मात्र गजगामिनी कहकर रीतिकालीन कवियों ने इन देवियों के साथ पूरा-पूरा न्याय नहीं किया। यदि ये हाथी की भाँति चलती हैं तो उस हाथी की भाँति चलती हैं जिसकी कमर पर एक हाथी और बैठा हो। बिना

किसी कारण के ऐसी स्त्रियाँ सदा गर्भवती ही लगती हैं और इसका परिणाम यह होता है कि डर के मारे ग़रीब पति की सेहत कभी नहीं पनपती। ये गणेशजी का साइज़ प्राप्त करती जाती हैं और पति चूहे का।

ऊपर बताये गये नाम को छोड़कर, यदि किसी लड़की का नाम सही क़िस्म का हो जैसे कामिनी, दामिनी या शालिनी तो एक नाज़ुक बदन रूपवती कन्या का चित्र आँखों में उतरता है। इन लड़कियों की देह देह-यष्टि ही होती है न कि देहदण्ड। ये ही वे लड़कियाँ हैं जो पहले रीति कालीन कवियों को सताया करती थीं और आजकल मुझे। ऐसे नाम वाली बालिकाएँ टूथपेस्ट करते हुए गुनगुनाती हैं—पिया तोसे नैना लागे। चूँकि ये कन्याएँ अकेले सोने से बेहद डरती हैं, वे अत्यन्त सफल क़िस्म की पत्नियाँ साबित होती हैं।

युवतियों के नामों के बारे में मैं बहुत कम निराश हुआ हूँ। नाम सुनने के बाद उनके बारे में जैसा भी मैंने अन्दाज़ लगाया, वह प्रायः ठीक ही निकला। सिर्फ़ एक बार धोखा खाया और वह भी तब जबकि द्रौपदी नाम की एक अच्छी ख़ासी सूरत वाली देवी से भेंट हुई और पता लगा कि उसने पाँच नहीं बल्कि सात व्यक्तियों को अपना पति स्वीकार कर रखा था। हाँ, अलबत्ता पुरुषों के सन्दर्भ में मेरा अनुमान अक्सर ग़लत ही निकला। उदाहरण के लिए, आप एक नाम पर विचार कीजिए—पण्डित हनुमान प्रसाद मिश्र। नाम से लगता है कि मोटे-ताज़े क़िस्म के बलिष्ठ प्राणी होंगे जो शायद छुट्टी के दिन पूँछ भी लगाते हों। जहाँ कहीं पानी देखते होंगे, उसे कूदकर पार करते होंगे और अगर किसी की बीवी किसी के साथ भाग गयी तो ये तुरन्त उसके पति से सम्पर्क स्थापित करते होंगे और पूछते होंगे कि हे तात, मैं आपकी क्या सेवा कर सकता हूँ? मगर इस कल्पना के विपरीत मुझे जितने भी हनुमान प्रसाद मिले, वे सब दमे या तपेदिक के मरीज़ मिले। वे हनुमान कम और उनकी पूँछ ज़्यादा लगते थे। वे बेचारे दूसरों की सहायता क्या करते; वे तो अपनी ही पत्नी को भागने से नहीं रोक सकते थे।

अपने पैंतालीस वर्ष के इस क्षणभंगुर जीवन में मैंने कम-से-कम दो दर्जन ऐसे शान्तिकुमार, शान्तिप्रसाद या शान्तिस्वरूप देखे होंगे जो प्रायः चौराहों पर मारपीट की शाश्वत कला का सार्वजनिक प्रदर्शन करते रहते थे। पुट्ठे अपना काम करते थे और वाणी अपना। गालियाँ क्या थीं, लोक-साहित्य का ख़ज़ाना थीं। मजमा लग जाता था और तमाशा देखता था। इसी प्रकार एक बार एक अदद शान्तिभूषण भी मुझे प्राप्त हुए थे। ये बेचारे इतने शान्तिप्रिय थे कि जिस स्थान पर एक घण्टा भी आसन ग्रहण कर लेते थे, वहाँ बाद में उनके बिना भी हफ़्तों तक मारपीट चलती रहती थी।

जिन शान्तिभूषण जी की चर्चा मैंने ऊपर की है उनसे मेरी प्रथम भेंट एक कवि-सम्मेलन में हुई थी। एक क़स्बे में रामलीला वग़ैरह के अवसर पर एक

कवि-सम्मेलन आयोजित किया गया था और पता नहीं कैसे एक श्रोता की हैसियत से मैं भी वहाँ पहुँच गया था। मुझे सबसे पिछली क़तार में सीट प्राप्त हुई थी और शान्तिभूषण जी भी उसी पंक्ति में विरामजमान थे। ऐसे स्वनामधन्य व्यक्ति के साथ बैठना मेरा सौभाग्य था। कवि-सम्मेलनों में टमाटर, अण्डे और जूते तक तो फिंकते मैंने देखे थे पर जो पदार्थ शान्तिभूषण जी अपने साथ लाये थे वह इस क्षेत्र में उनकी मौलिक प्रतिभा का सच्चा प्रमाण था। दरअसल, ये हज़रत अपने साथ एक लालटेन लाये थे जिसकी चिमनी पर एक तरफ़ लाल रंग का आतशी काग़ज़ चिपका हुआ था और दूसरी ओर हरे रंग का। काव्यपाठ के समय ये उस लालटेन को ऊपर उठाते थे और इस प्रकार हिलाते थे जैसे कोई डाक गाड़ी का गार्ड, ड्राइवर को क्लियरेंस दे रहा हो। जिस कवि की चाभी ख़त्म नहीं होती थी उसे इनकी लाल लालटेन तुरन्त बन्द करवा देती थी। अपनी कला के प्रति मुझे ये इतने समर्पित लगे कि वहीं दोस्ती हो गयी।

कुछ-कुछ ऐसी ही बात मेरे दूसरे अनन्य मित्र सान्याल के साथ रही। सुनीति कुमार सान्याल--इस नाम से क्या आप कभी भी यह अनुमान लगा सकते हैं कि यह व्यक्ति पशुओं और जीव-जन्तुओं पर इतना ध्यान देता होगा? मगर असलियत यही है कि वह इन वस्तुओं पर इतना ध्यान देता है जितना कि यदि किसी लड़की पर देता तो अब तक दोनों की शादी हो गयी होती। सान्याल जब हाई स्कूल में था तो परीक्षा देने से मात्र इस कारण रोका गया था कि जो गुलदस्ता उसने वार्षिकोत्सव पर आये माननीय प्रमुख़ अतिथि को दिया था उसमें फूलों के साथ-साथ चन्द मेंढक भी बन्द थे। इसके बाद हालाँकि वह काफ़ी ज़िम्मेदार अफ़सर हो गया पर इस सबसे उसके पशु-प्रेम पर कोई प्रभाव नहीं पड़ा। पिछली बार दौरे पर हम दोनों सर्किट हाउस में साथ ही साथ ठहरे थे और उस अवसर पर मेरे हज़ार मना करने पर भी उसने बराबर के कमरे में ठहरे एक बड़े शाइस्ता अफ़सर के बाथरूम में एक गधा और एक गधी—दोनों को साथ-साथ बन्द कर दिया था। बाद में उसने मुझे बताया कि गधे या गधी को अकेले बन्द करने में कुछ हिंसा होती।

नामों में एक खासियत और भी होती है और वह यह कि कुछ नाम छोटे होते हैं और कुछ बड़े। दक्षिण के बाद लम्बे-लम्बे नामों की प्रतियोगिता में बिहार आता है। दक्षिण में तो नाम इस कारण भी लम्बे होते हैं क्योंकि कभी-कभी उनमें गाँव, मकान, जाति, तहसील और परगना वग़ैरह भी शामिल होता है पर बिहार में जो नाम दीर्घसूत्री होते हैं वे बिना किसी कारण होते हैं। लालित्य में बंगालियों के नामों का जवाब नहीं। उत्तर प्रदेश में कुर्सी सिंह से लेकर कमिश्नर सिंह तक मिलेंगे हालाँकि वस्तु स्थिति यह है कि जितने भी बाबूराम या मुंशीसिंह होते हैं उन्हें अँगूठा तक लगाना नहीं आता। मेरे छात्रावास में जो चौकीदार था उसका नाम जो बहादुरसिंह था और उसने अपने लड़के का नाम तोपबहादुरसिंह रखा था। कौन पिता यह नहीं

चाहता कि उसकी सन्तान उससे आगे निकले?

एक बार मैंने लम्बे और दिलचस्प नामों की सूची बनायी थी। दो लम्बे नाम मुझे अभी भी याद हैं : एक था 'रुद्र शंकर प्रताप बहादुर सिंह' और दूसरा था 'शिव शंकर मन कामेश्वरनाथ पाण्डे'। इत्तफ़ाक से वह सूची एक लड़की ने ले ली और हालत यह है कि वह फिर कभी वापिस नहीं आयी। न सूची लौटी न लड़की। लड़की वैसे होनहार थी, वह मात्र कर्म करती थी और उसके लिए दूसरों को भी यदा-कदा प्रेरित करती रहती थी पर फल की परवाह उसने कभी नहीं की। उस लड़की का नाम इत्तफ़ाक से गीता था।

बौने लोग

हाल ही में प्राप्त समाचारों से ज्ञात हुआ है कि गधों की स्थिति पहले से ज़्यादा दर्दनाक हो गयी है। अब न वे आलाप ही रहे और न वह लास्य या ताण्डव ही। देश के यन्त्रीकरण से उनकी स्थिति यह हो गयी कि बेचारे क़स्बों और महानगरों की गलियों में चुपचाप दार्शनिक की भाँति घूमते पाये जाने लगे। कुछ-कुछ ऐसा ही हाल पतियों का भी हो गया। एक ज़माना था कि पति लोग अपनी या परायी पत्नियों के पास पाये जाते थे और एक आज का दिन है के बेचारे छाता हाथ में सँभाले सारा दिन इधर-उधर घूमते पाये जाते हैं। पति और गधे में ज़्यादा अन्तर कभी वैसे भी नहीं रहा।

परेशानियाँ कुछ वैसे भी बढ़ती ही जा रही हैं। एक ज़िम्मेदार पिता ने न जाने कितने परिश्रम के बाद एक पुत्री प्राप्त की और उसका विवाह निश्चित किया और स्थिति यह रही कि जब कन्यादान का अवसर आया तो पता लगा कि कन्या जो थी वह सिर्फ़ ग़ायब थी। वह बेचारी अपने किसी प्रेमी के साथ अन्तर्धान हो चुकी थी और उसका पिता जो था वह दुःख के कारण अन्तर्धान होता जा रहा था। एक और कन्या थी जो कन्यादान के समय पर तो सही-सलामत बरामद हुई पर उसके साथ कुछ ऐसी स्थिति रही कि उसका यौन-परिवर्तन हो गया। नौ महीने की नियमित अवधि में बेचारी मातृत्व तो नहीं प्राप्त कर पाई पर पितृत्व पाने की स्थिति तक अवश्य पहुँच गयी। उसके पति ने उसे बाइज़्ज़त उसके बाप के घर की दिशा में वापिस कर दिया। दहेज अलबत्ता ज़रूर रख लिया क्योंकि यौन-परिवर्तन तो कन्या का हुआ था न कि दहेज का। एक तीसरी भूतपूर्व कन्या और वर्तमान महिला के एक साथ आठ बच्चे हुए। दुर्भाग्यवश, पति एक ही रहा।

कृशकाय लड़कियों की शिकायत है कि वे किसी को दिखाई ही नहीं पड़तीं और सच्चे अर्थों में स्वस्थ नारी का दुख यह है कि जहाँ वह बैठ जाती है वहाँ किसी को उसके अतिरिक्त और कुछ दिखाई नहीं पड़ता। स्वीडन की एक ऐसी ही सेहतमन्द महिला का पेटीकोट इतना कपड़ा लेता है, कि यदि चाहते तो उसमें से यानी कि पेटीकोट में से उसके एक अदद पति और नौ अदद बच्चों के पूरे कपड़े

निकल आते। रीतिकाल के कवि यदि इन रूपसियों का भूगोल देख लेते तो हमारे साहित्य का इतिहास कुछ और ही होता। मैं कभी नहीं समझ सका कि मतिराम और सेनापति जैसे नामों वाले कवि भी कृशकाय, तन्वंगी और विरहवती नायिका के पीछे ही क्यों पड़े रहे? सिवा इसके कि इस प्रकार की बालिकाओं के साथ हाथा-पाई की नौबत कम आती है, और तो कोई फ़ायदा इनमें मुझे कभी नज़र नहीं आया।

ख़ैर, अब जो हालत है वह यह है कि बौने लोगों की परेशानियाँ सबसे ऊपर हैं; बौने भले ही सबके नीचे आते हों। बौने होने का अर्थ भी अब सिर्फ़ क़द में छोटा होना ही नहीं रहा। सभ्यता और संस्कृति का विकास कुछ ऐसी तेज़ी के साथ हो गया कि जीवन का शायद ही ऐसा कोई क्षेत्र हो जहाँ बौने लोग काफ़ी मात्रा में पैदा न हो रहे हों। मैलबोर्न में अपनी प्रेमिका द्वारा शादी के लिए मना कर देने पर एक सच्चे प्रेमी ने अपने को इतना छोटा महसूस किया कि वह अदालत चला गया। उसने जो दावा दायर किया उसमें अँगूठी के अतिरिक्त गैस, बत्ती, चूल्हा, भूतपूर्व होने वाली सास को दिये गये डिनर और प्रेमिका के घर में नल की टोंटी बदलवाने तक का ख़र्चा शामिल था। मामला शायद तब रफ़ा-दफ़ा हुआ जब प्रेमिका के बजाय उसकी माता ने उससे शादी कर ली। पीढ़ियों का भेद जो मिटता है वह ऐसे ही मिटता है।

कोई बौना है वह ख़ज़ाने की खोज करता है। बैंकों में डकैतियाँ पड़ती हैं और व्यक्तिगत धन का सार्वजनीकरण होता है। कोई बौना है वह इस बात को लेकर उछलता-कूदता है कि ओलम्पिक खेलों में उसे लड़कियों के खेमों तक क्यों नहीं जाने दिया गया? उत्तर में जब कहा गया कि लड़की की उम्र अभी सोलह साल से कम है तो बेताल ने अगला प्रश्न किया कि कम है तो क्यों कम है और इसमें मेरा क्या कुसूर है? कुछ बौने हैं जिन पर लाखों की दौलत है पर वे हैं कि अपना बौनापन दूर करने के लिए बीयर बीते हैं और अशोका होटल में मिस रूना लैला का 'दमादम मस्त कलन्दर' सुनते हैं। बीयर का हिसाब तो यह है कि इस वर्ष दिल्ली में शराब के कारख़ाने थक गये मगर बीयर पीने वाले नहीं थके। मात्र डेढ़ माह की अवधि में कोई इक्कीस लाख बोतलें बिक गयीं। कोई लड़की अपने बौनेपन से तंग आकर अपना अपहरण करवाती है और कोई बौनी लड़की इस बात के कहने में गर्व महसूस करती है कि उसके अमेरिका के फलाँ राष्ट्रपति से निकट सम्बन्ध थे। अभी तक किसी लड़की ने यह बात ख़ाकसार के बारे में नहीं कही। एक दिन आयेगा कि ऐसा भी होगा।

पर मेरे बारे में कोई लड़की ऐसा कहेगी भी क्यों? मैं तो ख़ुद बौना हूँ। जो काम भी करना चाहता हूँ, नज़र आता है कि वह पहले ही भली-भाँति सम्पन्न किया जा चुका है। मैं चाहता था ताजमहल जैसी एक शानदार इमारत बनवाना मगर हालत यह है कि शाहजहाँ वल्द जहाँगीर इस नेक काम को पहले ही ख़त्म कर चुके हैं।

मैं चाहता था गीतगोविन्द या ऋतुसंहार लिखना पर जयदेव और कालिदास नाम के कोई कवि मुझसे पहले ही बाज़ी ले गये। जिधर निगाह डालता हूँ यही पाता हूँ कि इतिहास की सवारी मुझसे पहले ही वहाँ से निकल गयी।

पेरिस की एक सरकारी विज्ञप्ति के अनुसार रात को काम करने से आयु घटती है जो सच है क्योंकि पेरिस में जो काम रात को किये जाते हैं वे आमतौर पर ऐसे ही होते हैं। अब रात को काम करते हैं तो उम्र घटती है और दिन को काम करते हैं तो कद। जिस अफ़सर ने दिन में काम किया वह अफ़सर कैसे रहा? वैसे स्थिति यह है कि घर से भागने पर भी क़ानूनी रोकथाम लगायी जा रही है। यानी कि ज़िन्दगी न घर में काट सकते हैं और न बाहर। एक विदेश जाने की आशा बचती है पर लगता है हमारा देश हमारा निर्यात कभी नहीं करेगा। पच्चीस लाख रुपये के पापड़ विदेश चले गये और मैं पापड़ बेलने के लिए यहीं छोड़ दिया गया। और इसके अतिरिक्त मैं अपनी क़ीमत समझता भी हूँ; स्थिति यह है कि यदि कभी प्रशासनिक भूल से विदेश चला भी गया तो इंशा अल्लाह एक ही सप्ताह के भीतर पूरे राजकीय सम्मान के साथ वापिस भेज दिया जाऊँगा। मेरा भाग्य ही ऐसा है कि देवदासी कभी नहीं मिलेगी, देवदास वाला अन्त भले ही प्राप्त हो जाए।

असलियत यह है कि हम सब बौने हैं। कालिदास ईमानदार था कि उसने 'रघुवंश' में अपना छोटापन ख़ुद ही स्वीकार कर लिया : 'क्व सूर्य प्रभावोवंशः क्व चाल्पविषया मतिः'। अब्राहम लिंकन छह फुट और चार इंच लम्बा संसार का सबसे ऊँचा बौना था, जिसने एक सहृदय महिला से मात्र इस कारण शादी की थी क्योंकि वैसा करने से वह राष्ट्रपति बन सकता था। यह महिला इतनी सहृदय थी कि मत्रिमण्डल की बैठकों के दौरान अपने पति के ऊपर गर्म कॉफ़ी और मक्खन लगे टोस्ट फेंका करती थी। नाश्ता कराने की इतनी मौलिक पद्धति मुझे और कहीं नज़र नहीं आयी। मुझे लिंकन बौना लगता है– एकदम बौना, जिसने मात्र राष्ट्रपति होने के लिए अपने पति होने के सारे अधिकार छोड़ दिये। वैसे भी कौन है जिसमें हीन भावना नहीं रही और यदि हीन भावना नहीं रही तो वैसे ही हीन नहीं रहा? उमर ख़ैयाम की वाणी को छोड़ भी दूँ तो भी इतना तो सच ही है कि बड़े से बड़े सुलतान भी किसी न किसी के सामने सिर झुकाते ही चले आये–चाहे वह उनका हज़्ज़ाम ही क्यों न रहा हो।

बहरहाल स्थिति यह है कि सारा समाज एक सरकस का मज़ा दे रहा है और हम लोग हैं कि बौने जोकरों का पार्ट काफ़ी तबीयत के साथ अदा कर रहे हैं। कुछ बौने ख़तरनाक क़िस्म के भी हैं जो तीन डग में सारी पृथ्वी नापना चाहते हैं और कुछ बौने ऐसे हैं कि इस क्रिया में इतने व्यस्त हैं कि एक सुन्दरी के बारे में दूसरे बौने से पूछते हैं कि वह कौन है हालाँकि वह इनकी अपनी पत्नी है पर कारोबार की ज़िम्मेदारियों को क्या कहिए जो उन्हें घर की दहलीज के अन्दर जाने का वक़्त

नहीं देतीं। युवतियों की तो बात ही छोड़िए क्योंकि एक तो सच्ची युवती ही इन दिनों मुश्किल से मिलती है, और अगर मिल भी गयी तो उसके दिल नहीं होता, और अगर दिल भी इत्तफ़ाक से निकल आया तो उसमें वफ़ा नहीं होती और अगर वह भी पायी गयी तो वह मेरे लिए नहीं होती। दाग़ देहलवी ने ठीक ही फ़रमाया था– 'क्या कहूँ अल्लाह कुदरत दे तो क्या पैदा करूँ, पेश्तर सबसे तेरे दिल में वफ़ा पैदा करूँ।' मगर युवतियाँ हैं कि बच्चा पैदा कर लेती हैं मगर वफ़ा नहीं। स्त्रियों को छोड़ भी दीजिए–

हालाँकि स्त्री का छोड़ना काफ़ी कठिन क्रिया है, ख़ास तौर पर तब जब कि वह किसी दूसरे की हो। तो हालत यह है कि इस सरकस में हरएक बौना एक या दो क्या, चार-चार दिल लगाये घूम रहा है। डॉक्टर लोग गधे हैं जो नकली दिल बना रहे हैं क्योंकि जहाँ तक मेरी निगाह काम करती है, हम में से हरएक के पास वैसे ही दर्जनों दिल हैं। एक दिल जमाखोरी करता है, दूसरा चन्दा देता है और तीसरा एक दूसरे जमाखोर को पकड़वाता है। एक दिल बीवी के पास है, एक उसकी छोटी बहिन ने ऐसा लिया कि वापिस ही नहीं किया, एक है कि नौकरानी के क़ब्ज़े में है और दो जो और दिल हैं वे आया और जमादारनी ने क़ब्ज़ा कर रखे हैं। अब बताइए कि दफ़्तर में नयी स्टेनो को दिल दें तो कहाँ से दें? एक दिल सन्धिपत्र लिखता है और दूसरा बमवर्षा का इन्तज़ाम करता है। मेरे ठीक सामने एक सज्जन विराजमान हैं : मेरा एक दिल कहता है कि इस हरामज़ादे के कम-से-कम पचास जूते ठण्डे पानी में भिगोकर लगाऊँ और उसके बाद जूते के स्वास्थ्य की स्थिति देखकर अगला कार्यक्रम निश्चित करूँ मगर दूसरा कमीना दिल है कि शिष्टाचार की याद दिलाता है और मैं उन्हें प्रणाम करता हूँ। दोनों विचारधाराएँ दोनों जूतों की भाँति एकसाथ सताती हैं पर क्या करूँ?

सरकस चल रहा है। बैण्ड जारी है। रोशनियाँ रौनक पैदा कर रही हैं। हम सबने चमचमाते कपड़े पहन रखे हैं और अधनंगी लड़कियों को घूर रहे हैं जो हमसे उतना ही डरती हैं जितना कि हम शेर से। हम सब बौने हैं। हम सब जोकर हैं। हम सबके हाथ में फटा हुआ बाँस है जो हम एक-दूसरे की कमर के निचले क्षेत्र में लगाते हैं। ज़िन्दगी का यह सरकस बड़ा सस्ता है, इसमें न कोई टिकट है और न मध्यान्तर। बस आप बौने बने रहिए, ऊँचे न बनिए, फटा हुआ बाँस कसकर पकड़े रहिए और खुद को छोड़कर हर दूसरी विभूति की सेवा कसकर करते जाइए। जब थक जाएँ तो एक मिनट तम्बाकू पी लें और एक निगाह शेर पर मार लें और एक लड़की पर। अगर आपने लड़की से निगाहें न मिलायीं तो शेर जो है वह शायद बुरा मान जायेगा।

दिवास्वप्न

संसार के शेष महान कलाकारों की भाँति मुझे भी दिन में सपने देखने की आदत है। अपने को खुद ही महान कहने में एक सात्विक क़िस्म का आनन्द आता है। कबीर के शब्दों में अपने को खुद ही पहचानना है। ये दिवास्वप्न भी अपने को समझने की अनन्त साधना की कुछ कड़ियाँ हैं जिनसे मन कभी भी नहीं भरता।

एक दिन देखा कि एक विशाल कोठी है, नौकर-चाकर हैं, बावर्ची और शोफ़र हैं, बच्चे और मोटरें हैं, रक्तचाप और मधुमेह है, और बाक़ी जो कुछ शालीन और सम्भ्रान्त घरानों में होता है, वह सब कुछ है। कमी है तो बस एक चीज़ की–पति और पत्नी दोनों साहित्य से स्नेह नहीं रखते। साहित्य के स्थान पर कुत्ते पाले जाते हैं, कव्वाल बुलाये जाते हैं और कीर्तन करवाया जाता है। मगर पूर्वजन्म का प्रताप देखिए कि एक दिन पति और पत्नी दोनों को सहसा साहित्य के प्रति अनुराग हो गया। पत्नी ने कहा कि कोई उम्दा-सी किताब लाओ और पति थे कि उसी दिन एक क़िस्से-कहानी की पोथी ले आये। किताब का नाम था 'क़िस्सा तोता-मैना'। किताब आयी और साड़ियों और सूटों के बीच कहीं दब गयी। तोता और मैना दोनों बेचारे अलमारी में क़ैद हो गये। पति महोदय को प्रवास जाना पड़ा और पत्नी ने अपने प्रेमी से पुरानी मुलाक़ातें फिर शुरू कर दीं। पति जो थे वे प्रवास में थकान मिटाने के लिए होटल की एक कन्या से प्रेम करने लगे जो कि देश और काल की स्थिति को देखते हुए एकदम वाजिब था। दौरे से वापिस आने के बाद पति और पत्नी दोनों एक-दूसरे से मिलकर बेहद खुश हुए। पत्नी ने बताया कि उनकी ग़ैरहाज़िरी में उसे कितना डर लगता था और पति ने बताया कि विदेश जाकर वह कितना अकेला और उदास रहा।

अलमारी में बन्द किताब के तोता और मैना सब जानते थे, सब देखते थे। अलमारी खुलते ही वे दोनों पंख फड़फड़ाकर उड़ गये और पति-पत्नी ने देखा कि पोथी में कुछ भी तो नया नहीं था। दोनों ने तय किया कि ऐसी झूठी दास्तान पढ़ने से क्या फ़ायदा जिसके कि मुख्य पात्र पहले ही उड़ चुके हों। उन्होंने एक-दूसरे को यक़ीन दिलाया कि बेवफ़ाई की ऐसी घटनाएँ सिर्फ़ पुराने ज़माने में ही होती थीं,

अब नहीं। इसके बाद उन्होंने 'सुख-सागर' ख़रीदने का निश्चय किया।

मेरा स्वप्न भंग हो गया। अख़बार उठाया तो पढ़ा कि आधुनिक कुम्भकर्ण अभी- अभी कहीं प्राप्त हुआ है। पाण्डिचेरी के एक युवक ने लम्बी नींद का एक नया कीर्तिमान स्थापित किया। ईसा से छः शताब्दी पूर्व एक कवि एक गुफ़ा में सत्तावन वर्ष तक सोते रहे थे। मैं सोचता हूँ कि इस देश में तो सभी कुम्भकर्ण हैं; सभी के सभी सदियों से सो रहे हैं। पैगम्बर आये, हमलावर आये और सुन्दर युवतियाँ भी आयीं पर इन्होंने बड़े परिश्रम से आधा नेत्र खोला, सिर्फ़ ज़रूरी काम सम्पन्न किया और फिर अपनी उसी निद्रा में मग्न हो गये। दूसरे पन्ने पर पढ़ने को मिला कि आधुनिक वाल्मीकि भी सीन पर मौजूद हैं और बाक़ायदा महाकाव्य लिखने की स्थिति में हैं। ये सज्जन एक भूतपूर्व दस्यु हैं जो आजीवन कारावास की सज़ा काटकर आये हैं और अब एकदम धार्मिक क़िस्म के इंसान हो गये हैं। सोचता हूँ कि महाकाव्य लिखने के लिए डाकू होना शायद ज़रूरी ही है और यह भी सोचता हूँ कि मनुष्य को धर्मात्मा बनाने में केन्द्रीय कारावास कितनी मदद करता है। तीसरे पन्ने पर आधुनिक शकुन्तला और आधुनिक दुष्यन्त की कथा भी पढ़ने को मिली जो बिना किसी शाप के ही एक-दूसरे को भूल गये थे। परसों एक आधुनिक मेनका भी देखने को मिली थी जो एक नितान्त, पतित व्यक्ति को पाप के गर्त में से निकालने के लिए इन्द्र के स्थान पर स्वयं अपने माता-पिता द्वारा उसके पास भेजी गयी थी। कन्या को मैंने भी देखा; भगवान ने चाहा तो न जाने कितने पापियों का उद्धार करेगी। सोचता हूँ, दो-चार पाप मैं भी कर ही डालूँ।

न जाने कितने पुराने चरित्र अपने आधुनिक संस्करण में दिखाई पड़ रहे हैं पर किसी नये पवनपुत्र हनुमान के दर्शन नहीं होते। हनुमान जी का मैं भक्त हूँ और देखने-भालने में भी उनसे काफ़ी मिलता-जुलता हूँ। कितना अच्छा हो कि कोई आधुनिक पवनपुत्र भी प्रकट हो जायें और अपनी पूँछ के प्रताप से हम लोगों के असली चेहरे ज़ाहिर कर दें। कम-से-कम यह तो पता लग जाए कि रावण कौन है और राम कौन। फ़िलहाल तो सब कुछ इतना गडमड हो गया है कि कुछ भी निश्चित करना मुश्किल है। एक भक्त के नाते मेरी करबद्ध प्रार्थना है कि बजरंग बली एक बार फिर पृथ्वी पर आयें और अपने पुराने करतब एक बार और दिखाएँ। हालाँकि उनकी पूँछ को प्रज्वलित करने के लिए कपास और तेल जुटाने में काफ़ी परेशानी पड़ेगी, पर आशा है कि भक्त लोग उसे सँभाल लेंगे। पर कहीं ये भक्त लोग ही तो नहीं रोक रहे हैं उन्हें आने से?

मैं अख़बार फेंक देता हूँ और फिर सुषुप्ति की स्थिति में पहुँच जाता हूँ। सपना जो है वह फिर शुरू हो जाता है। देखता हूँ कि यक्ष है और युधिष्ठिर से पूछ रहा है कि तीनों लोकों में सबसे ज़्यादा सुन्दर वस्तु क्या है? धर्मराज सोचते-विचारते हैं और कहते हैं कि परायी स्त्री और पराये पुरुष से ज़्यादा सम्मोहक पदार्थ ब्रह्मा ने

कभी नहीं बनाया। सारा सांख्य, वेदान्त और तप तभी तक अच्छा लगता है जब तक परायी स्त्री और पराया पुरुष दृष्टिगोचर नहीं होता। न जाने कितने ऋषि और मुनि, दार्शनिक और ज्ञानी जो कोपीन बाँधकर वटवृक्ष के नीचे यही सोचते रहते थे कि ईश्वर ने मनुष्य को जन्म दिया या कि मनुष्य ने ईश्वर को, अथवा मनुष्य ईश्वर की ग़लती है या ईश्वर मनुष्य की—अपना सारा ज्ञान उस समय भूल गये जब उन्होंने कोई परायी स्त्री देखी। जैसे ही कोई मेनका, तिलोत्तमा, अहल्या और उर्वशी छाप बाई दिखाई दी, उन्होंने कमण्डल फेंक दिया और लगे उस युवती के पीछे भागने। केश सँभालती बालिका आगे-आगे और दाढ़ी हिलाते मुनिवर पीछे-पीछे। वह दिन है और आज का दिन है, रेस बराबर जारी है। और यह रेस तभी तक जारी रहती है जब तक कि कन्या परायी रहती है, जैसे ही वह अपनी बनी, फिर वही सांख्य और वेदान्त शुरू। अपने तर्क की पुष्टि करते हुए धर्मराज युधिष्ठिर ने यक्ष को सम्बोधित करते हुए अकबर इलाहाबादी का शेर पढ़ा—'तआल्लुक़ आशिको माशूक का जो लुत्फ़ रखता था; मज़े अब वो कहाँ बाक़ी रहे बीवी-मियाँ होकर'।

यक्ष को युधिष्ठिर का उत्तर बहुत पसन्द आया। उसने मूर्च्छित पड़े शेष पाण्डवों को होश में ला दिया। इतना काम सपन्न करने के बाद यक्ष ने एक परायी स्त्री का पता पूछा और फिर वह उसी दिशा में अन्तर्धान हो गया। उसी वृक्ष पर वे तोता और मैना बैठे थे जो सारी बातें बड़े ध्यान से सुन रहे थे। वे पेड़ से उतरे और धर्मराज के चरणों में आ पड़े।

मुझे कहते हुए अफ़सोस है कि मेरा यह सपना यहीं टूट गया। धीरे-धीरे खिसकते-खिसकते मैं आरामकुर्सी से नीचे गिर गया था। इस विश्वासघात करने वाली कुर्सी के साथ मेरे सम्बन्ध सदा से ऐसे ही रहे। ज़ब-जब मुझे कुछ गफलत हुई तो मैं इससे नीचे फिसला और जब-जब मैं ज़्यादा सतर्क रहा और तनकर राजपूती शान के साथ बैठा तो हमेशा इसके पीछे की ओर गिरा। मगर ठीक वही स्त्री और पुरुष वाली स्थिति है। हम दोनों बार-बार गिरते हैं पर फिर भी एक-दूसरे के बिना रह नहीं सकते। कुर्सी का मोह परायी स्त्री से भी बड़ा होता है। यह किसी से नहीं छूटता।

सूरदास की कामर : एक रेडियो-वार्ता

हमारी भाषा में एक कहावत है जिसके अनुसार सूरदास की जो काली कमली थी, उस पर कोई दूसरा रंग नहीं चढ़ता था। दूसरे शब्दों में उनकी कामर का रंग गहरा काला होने के साथ-साथ पक्का भी था। कवि सूरदास ने, भक्ति और काव्य से जो भी समय शेष रहा उसमें इस वस्त्र के रंग-परिवर्तन की पूरी चेष्टा की, पर वे उस अभियान में असफल ही रहे। 'सूरसागर' के डेढ़ लाख पद लिखने वाला यह अध्यवसायी कलाकार अन्त में चलकर अपने ही कम्बल से परास्त हो गया।

मैं जो हूँ इस ऊपर बतायी गयी स्थिति के बारे में सोचता हूँ और लज्जा से नतमस्तक हो जाता हूँ। क्या पिछड़ा हुआ ज़माना था कि सूरदास जैसा भक्त और कवि भी अपने परिवेश का रंग नहीं बदल सका। सूरदास यदि आज हुए होते तो न जाने क्या-क्या बदल लेते और वह भी इतनी चतुरता से कि मिश्रबन्धु और आचार्य रामचन्द्र शुक्ल तक का पता नहीं चलता। वे अपने कम्बल का रंग बदलते, इसके बाद कम्बल बदलते, निगाहें बदलते, तेवर बदलते, पहलू बदलते और यदि कहीं ज़्यादा मौज के मूड में आ गये होते तो शायद अपना सेक्स भी तब्दील कर लेते। सूरदास यदि कहीं कुमारी सूरदासी के नाम से कविता लिखते तो शायद और भी कामयाब रहते क्योंकि हिन्दी के सम्पादक, समीक्षक और शोधकर्ता लड़कियों की कृतियों को सदा अतिरिक्त चाव से पढ़ते आये। और लड़की यदि कुमारी होने के साथ-साथ रूपवती भी हो तब तो फिर कहना ही क्या; लड़की इधर और सारा हिन्दी-साहित्य उधर। बस शर्त मात्र एक है और वह यह कि लड़की जो है वह शादी के बाद कविता नहीं लिखेगी। शादी के बाद कन्या मात्र पतिव्रता रहेगी और यदि एक वर्ष में दो की रफ़्तार से बच्चे नहीं हुए तो नाटक, उपन्यास और कहानी भी लिख सकेगी। मगर कविता वह किसी स्थिति में नहीं लिख सकेगी। शादी के बाद जिस लड़की ने भी कविता लिखी, इतिहास गवाह है कि वह सदा के लिए हाथ से निकल गयी।

यह बात ईमानदारी के साथ कही जा सकती है कि रंग बदलने का ज़माना आख़िरकार आ ही गया। प्रश्न यदि स्थिर भी रहे तो क्या, उनके उत्तर एकदम चंचल हो गये। लोगों की पोशाकें बदलनी शुरू हो गयीं और वह भी इतनी जल्दी से कि स्त्री

और पुरुष का भेद बताना ही कठिन हो गया। कभी-कभी तो स्थिति इतनी ज़्यादा यथार्थवादी और नाज़ुक हो गयी कि एक मतिमान् युवक एक युवती के इश्क़ में सौ फ़ीसदी गिरफ़्तार होकर जब उससे प्रणय-निवेदन करने गया तो उसे यह सूचना दी गयी कि वह युवती विशेष जिससे वह विवाह करना चाहता था, स्त्रीलिंग न होकर पुल्लिग थी। ख़ैर, लड़का हिम्मतवर था, उसने चन्द आहें भरीं, चन्द शेर पढ़े और उसके बाद लड़की की अम्मा से इश्क़ करना शुरू कर दिया। यह इश्क़ तब तक चलता रहा जब तक कि उस धीर और उदात्त चरित्र वाले नायक को पता चला कि जिस व्यक्ति से वह इश्क़ कर रहा था उस युवती की माता न होकर उसका बाप था। लड़का वह दिल वाला था; लड़की की माँ के मैले आँचल से निकला तो उसकी छोटी बहिन को परती परिकथा सुनानी शुरू कर दी।

वे दिन वाक़ई हवा हो गये जब कि लोग दिलवाले न होने के कारण न जाने किस-किस पतित क़िस्म की बीमारी से बीमार हुआ करते थे। अब तो जिस इज़्ज़तदार इंसान को देखो वही अपने कलेजे पर हाथ रखे हुए दिल की बीमारी का शिकार नज़र आता है। हालत इतनी नाज़ुक हो गयी है कि जिन लोगों के दिल और दिमाग़ विदेशों में सुरक्षित हैं, उन्हें भी दिल का जो दौरा है, वह इसी मुल्क में पड़ जाता है— और ऐसा करने में उन्हें कोई विशिष्ट कठिनाई नहीं पड़ती। सूरदास यदि आजकल होते तो कम्बल का तो क्या, अपना रंग भी बदल लेते। 'गंगा गये तो गंगादास और जमुना गये तो जमुनादास' वाली बात। जब दास ही रहना है तो सारी उम्र गंगा का ही दास रहने से क्या फ़ायदा? मौसम के साथ-साथ क्या गंगा नदी अपने बहाव को नहीं बदलती?

आदमी के साथ-साथ, परिवार और समाज की शर्त भी काफ़ी कसरत के साथ बदलने लगीं। ख़ाकसार ऐसी कितनी ही हसीन युवतियों को भलीभाँति जानने का सौभाग्य रखता है जिन्होंने अपने फ़र्नीचर और कुत्ते भले ही बरसों से न बदले हों पर अपने पतियों और प्रेमियों को जिन्होंने कभी भी बासी नहीं होने दिया। जैसे-जैसे इधर मौसम बदला, वैसे-वैसे उधर इनके साथी बदले। और पुरुषों का तो ख़ैर कहना ही क्या, उनके लिए तो स्त्री सदा से पैर की जूती ही रही। भद्र पुरुष जैसे बिना जूते के नहीं रह सकते, ठीक उसी प्रकार वे बग़ैर पत्नी के भी नहीं रह सकते। पत्नी अपनी हो या परायी—यह एक प्रतिप्रश्न है और इस पर बहस करना बेकार है। वे ज़माने अब लद गये जब कि राजा दक्ष की सुपुत्री एक अदद पति की प्राप्ति के लिए हिमालय की सर्द आबोहवा में वर्षों तक घुटनों के बल बैठकर तपस्या किया करती थी और जबकि अयोध्या के राजकुमार अपनी इकलौती पत्नी के मुद्दे को लेकर पड़ोसी देशों के राजाओं से युद्ध किया करते थे। अब इतना दक़ियानूस कोई नहीं रहा। ग़म बदलने के लिए साथी बदलना ज़रूरी हो गया। बिना साथी के अब गुज़ारा नहीं। ऋग्वेद को 'संगच्छध्वं, सं वदश्यं, सं वो मनांसि जानताम्' वाली वाणी

अब एकदम सच हो गयी। कुछ रूपसियाँ तो इतनी शोख़ हैं कि काश मैं उनका कुत्ता ही बन सकता--ऐसा कुत्ता जो अलिफ़लैला के शहज़ादों की तरह रात को अपना चोला बदल सके। वैसे मैं कोई ख़ास बात नहीं कह रहा : जहाँ बाक़ी लोग रात को कुत्ता बनते हैं, वहाँ मैं रात को इंसान बनना चाहता हूँ। मैं चाहता हूँ कि जब वह हसीना रात की खुमारी में गर्दन तक डूबने लगे तो उसके कान में गाते हुए कह सकूँ कि 'आपको नींद आयी जाती है, ख़त्म अभी दिल की दास्तान नहीं'। मेरे इस भक्तिकालीन कार्यक्रम से आपको कोई एतराज़?

रंग बदलने की प्रक्रिया से साहित्य भी सुरक्षित नहीं रहा। जो पहले छाया पकड़ते थे वे बाद में रहस्य खोलने लगे और जो रहस्य खोलते थे वे उस दिशा में प्रगति न कर सकने के कारण प्रयोगों पर उतर आये। कुछ कवि गेय हो गये तो कुछ अज्ञेय रह गये। कहानी जो थी वह आंचलिकता के दामन से निकलकर समान्तरता में फँस गयी ताकि उसमें और असली ज़िन्दगी में बराबर अन्तर बना रह सके। साहित्य व्यक्तिवादी हो गया, समीक्षक जातिवादी हो गये और पाठक जो था वह केवल वादी होकर ही रह गया। जो लेखक किसी वादविवाद में नहीं पड़े वे बेचारे अनुवाद करने लगे।

बहरहाल यह सच है कि यदि रंग बदलने की पूरी तस्वीर देखनी हो तो आपको राजनीति के क्षेत्र में ही चलना पड़ेगा। रोज़-रोज़ रंग बदलने वाले सियार उसी क्षेत्र में मिलेंगे जहाँ कि वही समुद्रमन्थन अभी भी जारी है जिसकी कि चर्चा कभी पुराणों में की गयी। शेषनाग जैसी चिकनी रस्सी के सहारे सुमेरु पर्वत अभी भी घुमाया जाता है और समुद्र में से अभी भी वे ही रत्न निकलते हैं जो कि पहले निकला करते थे। अभी भी शेषनाग का एक छोर देवता पकड़ते हैं और दूसरा राक्षस। देवता अभी भी वही कहे जाते हैं जो जीत जाते हैं और राक्षस वे हैं जो बेचारे हार जाते हैं और कहीं के नहीं रहते। अन्तर है तो बस इतना कि पहले समुद्र का मन्थन होता था और अब जनता का मन्थन होता है। बाक़ी सब कुछ उसी तरह है। अमृत को लेकर अभी भी द्वन्द्व युद्ध चलता है, सुन्दर स्त्री अभी भी भगवान का अवतार स्वीकार की जाती है और राक्षस जो हैं वे बेचारे अभी भी अमृत नहीं पी पाते। अगर किसी ग़रीब को दो-चार बूँदें मिल भी जाती हैं तो स्थिति वही रहती है कि या तो वह अपना सिर खोता है या फिर धड़ से ही हाथ धोता है। ठीक वही राहु और केतु वाली दास्तान। दूसरे शब्दों में यदि किसी राक्षस को अमरत्व भी प्राप्त हुआ तो या तो सिर खोकर या फिर नपुंसक होकर। देवता जो थे, वे हर हालत में सुख से रहे। उन्होंने राक्षसों की सहायता से, राक्षसों के संहार के लिए शस्त्र प्राप्त किये, उन्हें आपस में लड़वाया और स्वयं वीर कहलाए। मनुष्य जाति का इतिहास हर दफ़ा अपने को इसी तरह दुहराता आया।

मेरे विचार में सूरदास यदि आज हुए होते तो कम्बल का रंग न बदलने की

शिकायत हर्गिज़ नहीं करते; आजकल तो उन्हें यही शिकायत रहती कि उनकी कामर को यार लोगों ने अन्तर्धान किया तो क्यों किया। जिस देश में वेश्यावृत्ति कराने के लिए लड़कियों और भिक्षावृत्ति कराने के लिए अबोध बालकों का अपहरण सुव्यवस्थित ढंग से सम्पन्न कराया जाता है वहाँ भला एक सन्त कवि की कामर को कौन कायर छोड़ता? खरबूज़े को देखकर ख़रबूजा रंग बदलता हो या नहीं परन्तु इतना ज़रूर सच है कि इंसान जो है वह अब बिना खरबूजा देखे ही रंग बदलने लगा।

कुछ जिज्ञासु क़िस्म के लोग यहाँ यह शंका उठाएँगे कि सूरदास तो अन्धे थे; उन्हें यह कैसे पता चला कि उनके कम्बल का रंग नहीं बदलता था? ऊपरी तौर पर यह शंका कुछ गुरु लगती है पर ध्यान से देखा जाए तो लगेगा कि यह फिर उसी लघु क़िस्म की है जिसका न उठाना ही शायद बेहतर होता। हमारे पूर्व पुरुष यदि हवा में उड़ सकते थे, अँगुली पर पहाड़ उठा सकते थे, उनके मात्र चरण-स्पर्श से वर्षा की डूबती-उतराती नदी पगडण्डी छोड़ सकती थी और यदि वे सोलह हज़ार सुन्दरियों से घिरे रहने पर भी निःसंग और निष्काम रह सकते थे तो कवि सूरदास बिना नेत्रों के अपने कम्बल को नहीं देख सकते थे? मेरा तो ख़याल है कि वे ज़रूर देख सकते थे और इतनी अच्छी तरह देख सकते थे कि बाक़ी लोग शायद आँखों के सहारे भी नहीं देख सकते। और फिर सूरदास कोई जन्म से थोड़े ही अन्धे थे। वे तो काफ़ी परिश्रम के बाद उस स्थिति को पहुँचे थे। एक जनश्रुति के अनुसार एक सुन्दर कन्या ने उन्हें नेत्रविहीन किया था और इसी प्रसंग को लेकर रवीन्द्रनाथ ठाकुर ने 'सूरदासेर प्रार्थना' नामक कविता भी लिखी। वैसे भी सूरदास एक ख़ानदानी कवि थे : चन्दबरदाई जो थे वे उनके पूर्वज थे। उन्होंने यदि वीरगाथा काल में झण्डे गाड़े तो इन्होंने भक्तिकाल को जीता। शौक़ इनके अलबत्ता कुछ अजीब थे : मिसाल के तौर पर एक बार एक कुएँ में गिर गये तो छह दिन उसी में विश्राम करते रहे।

एक ज़माना था कि गिरगिट को रंग बदलने की दिशा में उस्ताद माना जाता था। बाद में प्रगति और विकास की ऐसी आँधी आयी कि गिरगिट जो था वह पीछे रह गया और लड़के-लड़कियाँ जो थे वे आगे निकल गये। और लड़के-लड़कियाँ ही क्या, जानवर तक बाज़ी मारकर ले गये। कनाडा के एक सम्भ्रान्त खेतिहर की सैकड़ों गायों ने सहसा 'रंग बदलो अभियान' में हिस्सा लेना प्रारम्भ कर दिया। हुआ यह कि जब वे वन की ओर पिकनिक सम्पन्न करने गयी हुई थीं तब वहाँ किसी ने उन सैकड़ों धेनुओं की देह पर किसी ताक़त की दवा का विज्ञापन छाप दिया। स्थिति यह है कि अब वे दूध का दूध देती हैं, रम्भाती हैं, अपने बछड़ों से प्यार करती हैं, साँड़ों की सेवा करती हैं और इस समस्त व्यस्त कार्यक्रम के साथ-साथ एक कारख़ाने का चलता-फिरता विज्ञापन भी प्रस्तुत करती हैं। बताइए, इस आन्दोलन के बारे में आपका क्या ख़याल है?

मेरी पहली किताब

किसी ने कहा है कि कवि जो होते हैं वे बनाये नहीं जाते, वे पैदा होते हैं। ख़ाकसार पर ठीक यही बात लागू होती है। बचपन में जब मैं रोता भी था तो भी अनुप्रास, द्रुतविलम्बित छन्द और लय का प्रयोग करता था। पूत के पाँव पालने में क्या, उससे पहले ही दीखने प्रारम्भ हो गये थे। सच्चाई तो यह है कि मेरे पाँव दाई ने पैदा होते ही देख लिये थे और उसने लोगों को बताया था कि पूत के एक नहीं बल्कि दो पाँव हैं। एक दायाँ पाँव, दूसरा बायाँ पाँव। यह स्थिति अब तक वैसे ही चली आ रही है। हाई स्कूल पहुँचते-पहुँचते मैंने कोई पचास कविताएँ लिख ली थीं जिनमें से कुछ 'प्रिय-प्रवास' की तर्ज़ पर थीं और कुछ 'जयद्रथ-वध' के अन्दाज़ पर। ये दोनों पोथियाँ मैंने स्कूल की लाइब्रेरी से ही चुराई थीं। स्कूल में मेरी काव्य-प्रतिभा का लोहा लाइब्रेरियन से लेकर ड्रिल मास्टर तक पूरी तरह मानते थे। इण्टरमीडिएट में आते-आते स्थिति यह हो गयी कि मेरी कुछ कविताएँ स्थानीय फटीचर पत्रिकाओं व कॉलेज की मैगज़ीनों में छपने लगीं। मेरे उर्दू अध्यापक मुझे महाकवि कहने लगे क्योंकि शुद्ध हिन्दी में होने के कारण मेरी कविताएँ उनकी समझ नहीं आती थीं और उनका निश्चित मत था कि जिस शायर का कलाम उनकी पकड़ में नहीं आता था वह ज़रूर महान् होता था। ज़्यादा शराब पीने की वजह से मेरे उन उर्दू के अध्यापक की मृत्यु केवल पचहत्तर वर्ष की आयु में ही सम्पन्न हो गयी थी। शायरी से जो भी वक़्त बचता था, वह नियमित रूप से शराब को दिया जाता था। इतना प्रतिभावान् नशा करने वाला व्यक्ति मैंने अपने जीवन में फिर कभी नहीं देखा। धतूरे से लेकर कोकीन तक और शराब से लेकर शायरी तक कोई नशा ऐसा नहीं बचा था जिसे वे नहीं करते थे। भगवान् उनकी आत्मा को शान्ति दे।

ईसवी सन् उन्नीस सौ पचास में मैंने अपने चरण रूपी कमल प्रयाग विश्वविद्यालय में रखे। उन दिनों प्रयाग जो था, वह कवियों का नगर था। पन्त, निराला, महादेवी, बच्चन, फ़िराक़ और बिस्मिल सब इलाहाबाद में ही रहते थे और कविता करते थे। मैंने और दुष्यन्त ने एक-एक करके इनसे निबटना शुरू किया। पन्तजी वैसे कितने भी बड़े हों पर क़द में मुझसे छोटे थे। फ़िराक़ साहब में और मुझमें एक मौलिक

अन्तर यह था कि शाम के समय अपने पायजामे का इजारबन्द बाँधना वे अक्सर भूल जाते थे। महादेवी वर्मा में और मुझमें एक और सनातन अन्तर था और वह यह था कि व्याकरण के अनुसार वह स्त्रीलिंग थीं और मैं पुल्लिंग था। बच्चन जी आम आदमी की तरह थे सिवा इसके कि वे हँसते नहीं थे। मैंने और दुष्यन्त ने एक-एक करके इन सभी विभूतियों को अपनी काव्ययात्रा का परिचय देना शुरू किया और यथाशक्ति उसे इन लोगों ने बर्दाश्त भी किया। अन्त में चलकर जब निराला जी ने एक दिन ज़ोरदार आवाज़ में कहा कि तुम में काव्य-प्रतिभा है और ज़रूरत से ज़्यादा है तो हम लोग कवि कहलाने को मजबूर हो गये। हम लोगों को पथभ्रष्ट करने की थोड़ी-बहुत ज़िम्मेदारी डॉ. धर्मवीर भारती पर भी जाती है जिन्होंने बिना किसी कसूर के एक दिन हम लोगों को 'परिमल' का जूनियर सदस्य बनवा दिया। अब क्या था, रास्ता खुल गया। डॉ. जगदीश गुप्त ने शाबाशी का एक ऐसा हाथ मेरी कमर पर मारा कि हफ़्तों तक दर्द रहा। डॉ. रामकुमार वर्मा ने मेरी कविताएँ विश्वविद्यालय की मैगज़ीन में प्रकाशित कीं। कविताओं के बारे में वे बेचारे कभी कुछ नहीं बता पाये क्योंकि जैसा कि प्रायः होता था, उनके मुँह में पच्चीस पान एकसाथ दबे रहते थे और निकट भविष्य में इस स्थिति में परिवर्तन होने की कोई आशा भी नहीं रहती थी। डॉ. ब्रजेश्वर वर्मा ने हमें थोड़ा-सा हताश किया पर उस कमी की पूर्ति डॉक्टर माता प्रसाद गुप्त ने कर दी। उन्होंने बताया कि हमारी कविताएँ जब साढ़े सात सौ वर्ष पुरानी हो जायेंगी तब वे उनका सही पाठ निश्चित करेंगे। हाल की लिखी कोई कविता वे कभी नहीं पढ़ते थे।

कहने का मतलब यह है कि मैं कविता लिखता रहा और लिखता रहा। देशी-विदेशी कवि और लोकगीतों का भी अध्ययन किया और यथासम्भव उनसे प्रेरणा भी ली। जहाँ प्रेरणा लेना कठिन प्रतीत हुआ, वहाँ उनकी या उनके कुछ अंशों की सीधी नक़ल मार ली। वैदिकी हिंसा हिंसा न भवति। धीरे-धीरे स्थिति यह हो गयी कि मेरी कविताएँ (जो गंगा प्रसाद पाण्डेय के अनुसार एकदम क्वारी थीं) जिस फ़ाइल में नत्थी थीं वह एक दिन सहसा किसी गर्भवती महिला की छटा देने लगीं। उधर दुष्यन्त कुमार ने अपना पहला संग्रह प्रकाशित करवा लिया जिसकी ईर्ष्या से स्थिति जो थी वह एकदम काबू के बाहर हो गयी। सुरेन्द्रपाल ने बताया कि कविताओं के लिखने से कहीं ज़्यादा ज़रूरी उनका संग्रह छपाना होता है— ठीक उसी तरह जैसे कन्या को जन्म देने से ज़्यादा ज़रूरी होता है उसकी शादी करना। उसकी बात मुझे चुभ गयी और नतीजा यह रहा कि मैंने कविता-संग्रह की पाण्डुलिपि तैयार की और प्रकाशक की खोज शुरू कर दी। प्रकाशक की खोज में मैंने जो यात्राएँ कीं वे सिन्दबाद की यात्राओं से कहीं ज़्यादा रोचक और जोखिम-भरी साबित हुईं।

पहला प्रकाशक जिससे मैं मिला, सच्चा साहित्य-प्रेमी था। उसने कविता सुनीं, उनकी प्रशंसा की और अन्त में चलकर सलाह दी कि यदि वे न छपें तो वह कहीं

ज़्यादा साहित्य के हित में हो। उन्होंने बताया कि एक किताब छपने के बाद मैं दूसरी किताब ज़रूर छपाऊँगा और यह सिलसिला अगर चलता रहा तो एक दिन स्थिति यह होगी कि मैं तो शायद कवि कहलाने लगूँ पर मेरे बीवी-बच्चे जो होंगे वे ज़रूर भूख से मरेंगे। पन्तजी की सफलता का मूल रहस्य यह था कि वे सदा अविवाहित रहे। विवाहित कवि की हालत देखनी हो तो निराला को देखो। यदि उनकी स्थिति देखकर भी आज के नौजवान कवि होना चाहते हैं तो इसका अर्थ यह है कि वे महाप्राण निराला की काव्य-प्रतिभा और जीवन-दर्शन का खुलेआम अपमान करते हैं। इस प्रकाशक के विचार में निराला जो थे वे हिन्दी के अन्तिम कवि थे और ऐसे वटवृक्ष के रहते किसी भी नये पौधे को उगने का कोई हक़ नहीं था। अपना जीवन-दर्शन समझाते हुए ये प्रकाशक कहने लगे कि गद्य जो होता है वह पद्य से हमेशा अच्छा होता है और इसका प्रमुख कारण यह है कि उसमें कहानी और उपन्यास कहीं ज़्यादा सफ़ाई से लिखे जा सकते हैं। अगर हिम्मत है तो उपन्यास लिखो। मेरा काम आसान करते हुए उन्होंने यह भी बताया कि उपन्यास हो तो सेक्स, हत्या और बलात्कार के थीम पर हो क्योंकि ये वे आदिरस हैं जो बाक़ी नौ रसों को अपने भीतर समेटते चलते हैं। शृंगार से शुरू करो और बीभत्स पर ख़त्म करो। बड़ी निराशा से उन्होंने एक भूतपूर्व युवती के बारे में कुछ अन्तरंग सूचना देते हुए बताया कि बयालीस वर्ष की कच्ची उम्र में अपने सात बच्चों और एक पति को कलपता छोड़ अपने बाईस वर्षीय एक प्रेमी के साथ अभी-अभी अन्तर्धान हुई है। कथा सुनाने के उपरान्त वे कहने लगे कि यदि तुम उस महिला को भगा नहीं सकते तो उसकी मार्मिक जीवनगाथा को लेकर 'शेखर: एक जीवनी' का स्त्री-संस्करण तो ज़रूर लिख सकते हो। इसके बाद उन्होंने किमाम का एक पान खाया और मुझे उस नारी-रत्न की दिशा में तुरन्त प्रस्थान करने की सलाह दी।

नारी की दिशा में तो मैं नहीं गया पर एक दूसरे प्रकाशक के पास अलबत्ता ज़रूर गया। उन्होंने मेरी कविताएँ सुनीं, देखीं, प्रशंसा की और इसके बाद उन्हें छापने के लिए एक हज़ार रुपयों की राशि माँगी। सहानुभूति दिखाते हुए उन्होंने कहा कि अगर नकद राशि के स्थान पर मैं उन्हें चेक दे दूँ तो साहित्य के नाम पर वे उसे भी स्वीकार कर लेंगे क्योंकि नये लोगों को रोशनी में लाने और नया साहित्य प्रकाशित करने के अतिरिक्त उनके जीवन का और कोई ध्येय नहीं था। जैसा कि मुझे बाद में पता चला—वे कुछ नम्रता से काम ले रहे थे वरना उनके जीवन का ध्येय एक और भी था और वह था देश की कुमारी बालिकाओं को बिना विवाह किये विवाहित जीवन का सुख प्रदान करना। ये काम वे बिना किसी भेदभाव के काफ़ी विस्तृत पैमाने पर करते थे। बहरहाल उनके पवित्र विचार सुनकर मेरा कवि काँप उठा। मैं गतिशील होने की मुद्रा में आया तो वे कहने लगे कि किताब की पाण्डुलिपि में अगर देर हो तो भी चेक जल्दी ही भिजवा देना क्योंकि नये साहित्य की प्रगति को मात्र

एक सहस्र मुद्रा के लिए रोकना उनकी दृष्टि में एक अपराध था।

इस हादसे के बाद सिन्दबाद जो था वह एक और प्रकाशक के पास गया। ये प्रकाशक बड़े भलेमानुस थे और केवल उन कलाकारों की कृतियाँ छापते थे जिन्हें मरे कम-से-कम दो शताब्दियाँ बीत चुकी हों और जिनके परिवार की ओर से रॉयल्टी माँगने की कोई आशंका नहीं। 'बिहारी सतसई', 'राम-चन्द्रिका', 'बीसलदेव रासो', 'क़िस्सा गुलबकावली', 'चौरासी वैष्णवन की वार्ता' वग़ैरह के अतिरिक्त उन्होंने 'चिरकीन का दीवान' भी प्रकाशित किया था। वे किसी भी भाषा के ख़िलाफ़ नहीं थे, उनकी शर्त तो बस इतनी थी कि लेखक को मरे कम-से-कम दो सौ वर्ष ज़रूर हो गये हों। दुर्भाग्यवश यह छोटी-सी शर्त मेरे साथ पूरी नहीं होती थी और इसी कारण वे चाहते हुए भी मेरी पोथी को नहीं छाप सके। हाँ, अलबत्ता उन्होंने इतना फिर भी कहा कि यदि मैं 'शिवराजभूषण' के सरल अनुवाद करने में कोई दिलचस्पी रखता हूँ, तो साहित्य के नाम पर वह काम वे मुझे दे सकते थे। इस सन्दर्भ में उन्होंने फिट्ज़राल्ड नाम के एक व्यक्ति का नाम लिया जिसने मात्र अनुवाद के ही बल पर अपना और उमरख़ैयाम नाम के एक कवि का नाम सदा-सदा के लिए अमर कर दिया था। चलते-चलते उन्होंने यह भी कहा कि यदि किसी कारण मुझे 'शिवराजभूषण' में रुचि न हो तो मैं 'जहाँगीर जसचन्द्रिका' वाला प्रोजक्ट हाथ में ले सकता था। उनकी सहृदयता देखकर मैं नतमस्तक हो गया और वापिस चला आया। हाँ अलबत्ता ये पहले प्रकाशक थे, जिन्होंने मुझे नायिका-भेद समझाया, पान खिलाया और चलते समय 'पद्माकर पराग' की एक प्रति भी दी, जो मेरे पास काफ़ी दिनों तक रही।

इसके बाद मैं न जाने कितने प्रकाशकों के पास गया पर मेरा कविता संग्रह किसी ने नहीं छापा। किसी ने एक परेशानी बतायी तो किसी ने दूसरी। यदि किसी ने कहा कि पुस्तक जो है वह उनके स्तर की नहीं है तो किसी ने कहा कि वे ख़ुद जो हैं वे किताब के स्तर के नहीं हैं। एक सम्भ्रान्त प्रकाशक ने अलबत्ता काफ़ी समझदारी की बातें कीं। उन्होंने बताया कि किताब छप तो सकती है पर इल्लत यह है कि वह बिकेगी कैसे? हिन्दोस्तान में बड़े से बड़ा साहित्य-प्रेमी जो है वह भी किताब ख़रीदकर नहीं पढ़ता। न जाने कितना स्टॉक है जो गोदाम में पड़ा है। विदेशों में किताब ख़रीदने के लिए लोग अपने घरेलू बजट में पैसा रखते हैं पर यहाँ के लोग पान खाएँगे, सिगरेट पिएँगे, वेश्यागमन करेंगे, मदिरा-पान और कला व साहित्य पर चर्चा भी करेंगे पर किताब ख़रीदने की ग़लती कभी नहीं करेंगे। नतीजा ज़ाहिर है, किताब या तो छपती नहीं और छप गयी तो बिकती नहीं। प्रेमचन्द जैसे महान् कथाकार और निराला जैसे महान् कवि उम्र भर ग़रीब ही रहे। थोड़ी-बहुत ख़रीद लाइब्रेरियाँ करती हैं जिसके लिए घूस देनी पड़ती है और स्थिति यह है कि कभी-कभी तो हज़ारों किताबें वहाँ भी सालों तक कोई नहीं खोलता। उन्होंने मुझे

सलाह दी कि किताब छपाने का ख़याल हमेशा के लिए दिमाग़ से निकाल दूँ और योगाभ्यास करना प्रारम्भ करूँ। पहला सुख, नीरोगी काया। अमर होने के चक्कर में जल्दी मरने का जो चस्का है, वह सिर्फ़ हिन्दुस्तानी लेखक को ही है, और किसी को नहीं।

लगभग दो वर्ष मैं अपनी किताब अपनी ही बग़ल में दबाये एक प्रकाशक से दूसरे प्रकाशक तक घूमता रहा पर साहित्य के जो द्वार थे वे हर जगह बन्द ही नज़र आये। अन्त में चलकर पण्डित वाचस्पति पाठक ने मुझ पर तरस खाया और भारती भण्डार से मेरी पहली पुस्तक प्रकाशित हुई। भगवान् ने दिया तो छप्पर फाड़कर दिया। या तो पोथी छपती ही नहीं थी और छपी तो फिर ऐसे संस्थान से छपी जहाँ से पोथी छपाने के लिए आपको प्रसाद, पन्त या निराला होना ज़रूरी था। सूचीपत्र में इन लोगों के साथ अपना नाम देखकर मुझे महसूस हुआ कि मैं अगर इन कवियों से बड़ा नहीं तो कम-से-कम इनके बराबर ज़रूर हूँ। ख़ैर, किताब जो छपी वह शान से छपी। फ़्लैप पर सुमित्रानन्दन पन्त, उपेन्द्रनाथ अश्क़ और रघुपति सहाय 'फ़िराक़' की सम्मतियाँ थी, छपाई सम्मेलन मुद्रणालय में करायी गयी थी, जिल्द रेक्सीन की थी, आवरण सोना घोषाल का था और काग़ज़ जो था वह शहर में सबसे बढ़िया था। छपाई का ख़र्च मुझे ही वहन करना पड़ा और बतौर एहतियात के केवल पाँच सौ प्रतियाँ ही शायद छपाई गयीं। वे पाँच सौ प्रतियाँ भी आज तक पूरी नहीं बिकीं। ऐसा सम्मान मेरी किसी अन्य कृति को कभी प्राप्त नहीं हुआ। वे काफ़ी बिकीं और कुछ के तो एक के बाद और संस्करण भी हुए। इधर तो स्थिति इतनी नाज़ुक हो गयी है कि कभी-कभी एक ही किताब के लिए तीन-तीन बड़े प्रकाशक मुझे लिखते हैं। शर्त बस एक रहती है कि पुस्तक हास्य-व्यंग्य की हो, कविता की नहीं।

इस प्रथम कविता-संग्रह पर काफ़ी बधाइयाँ और पत्र मिले जिनमें से कुछ पत्र जो थे वे लड़कियों के थे। बाद में चलकर वे लड़कियाँ भी मिलीं और एक साहित्यकार के नाते यह जानकर बड़ा ही सन्तोष हुआ कि उनकी दिलचस्पी मेरी किताब से कहीं ज़्यादा मुझमें थी। कविताओं में तो सच्ची दिलचस्पी सिर्फ़ बालकृष्ण राव ने दिखायी थी। एक बार एक उत्सव में मिलने पर उन्हेंने मुझे मात्र बधाई ही नहीं दी वरन् एक कविता के कुछ अंश भी ज़ुबानी सुनाये। कविता सुनने पर जब मैंने दबी ज़ुबान से अर्ज़ किया कि जो क़ाव्यांश उन्होंने सुनाये थे वे थे तो वाक़ई बहुत बढ़िया पर उनके साथ एक-छोटी-सी इल्लत यह थी कि वे मेरे न होकर ठाकुर प्रसाद सिंह के थे, तो राव साहब कतई विचलित नहीं हुए। उन्होंने निहायत निःसंकोच भाव से मुझे सूचना दी कि दरअसल उन्होंने मुझे ठाकुर प्रसाद सिंह ही समझा था।

कवि कालिदास का जन्मस्थान

इतना तो लगभग निश्चित हो ही चुका है कि कवि कालिदास नाम के सज्जन कभी-न-कभी हुए ज़रूर थे। क्योंकि किसी और देश ने उनके बारे में अपना कोई दावा अभी तक दायर नहीं किया है, इस कारण यह स्वीकार करना भी न्यायसंगत ही होगा कि कालिदास मात्र हुए ही नहीं थे वरन् भारत में ही हुए थे। अब सिर्फ़ दो मुद्दे बाक़ी रह जाते हैं : एक तो यह कि वे कब हुए थे और दूसरा यह कि उनका जन्मस्थान कहाँ था। पहला मुद्दा श्रीलाल शुक्ल ने हल कर ही दिया है; उनकी खोज के अनुसार कालिदास का जन्म चौथी शताब्दी में (क्योंकि वे विक्रमादित्य के समकालीन थे) और मृत्यु दसवीं शताब्दी में (क्योंकि राजा भोज दसवीं शताब्दी के राजा थे) मानना शास्त्र-सम्मत होगा। छः सौ वर्ष की आयु कालिदास जैसे कवि के लिए ज़्यादा नहीं क्योंकि रससिद्ध कवीश्वरों की काया तो ज़रा और मरण दोनों से मुक्त होती है। अब मात्र मुद्दा क्रम संख्या दो बचता है सो उसे मैं हल करता हूँ।

'हावड़ा पण्डित समाज' के अनुसार कालिदास बंगाली थे। इस मत के पीछे काफ़ी तर्क दिये गये। पहले तो ऋतु-संहार में वर्ष का प्रारम्भ ग्रीष्म ऋतु से माना गया जो कि बंग देश की प्रथा रही। दूसरे, मेघदूत में आषाढ़ के पहले दिन की ही चर्चा क्यों की गयी, दूसरे या तीसरे दिन की क्यों नहीं? महीनों के प्रथम दिन की चर्चा करना बंग देश में ही प्रचलित था। तीसरे; कालिदास ने ग्रीष्म ऋतु के गुण इतने गाये कि देश के किसी और भाग का निवासी वैसा कर ही नहीं सकता। शेष भारत में तो सिर्फ़ गधे को छोड़कर गर्मी किसी को इतनी नहीं भाती। चौथे, कालिदास ने यह कहा कि पके आम बड़े मधुर होते हैं और पाँचवें, उसकी कृतियों से यह भी पता लगा कि उसने ऐसे प्रदेश का वर्णन किया जहाँ कि झीलें, तालाब और नदी-नाले काफ़ी इफरायत के साथ पाये जाते थे। इन ढेर सारे प्रमाणों के सामने अगर कालिदास खुद भी खड़ा होता तो शायद यही कहता कि हाँ भाई मैं बंगाली हूँ; एकदम बंगाली। सफ़ेद रसगुल्ले लाओ और मेरा पीछा छोड़ो। मुझे इसी हफ़्ते अगला महाकाव्य लिखना है। राजा विक्रमादित्य का जन्मदिन अगले बुधवार को है और मैंने अभी तक उस सुमुखी वेश्या के कारण एक पंक्ति भी नहीं लिखी।

प्राचीन इतिहास के अधिकारी ज्ञाता डॉ. गोविन्द चन्द्र पाण्डेय ने बंगवासियों का दावा स्वीकार नहीं किया। उनकी वाणी के अनुसार कालिदास को सारी ऋतुएँ बराबर पसन्द थीं और वे सारे भारत के हैं; किसी एक प्रदेश विशेष के नहीं। उन्हें हिमालय की उतनी ही जानकारी है जितनी कि दक्षिण के समुद्र तटों की। डॉक्टर पाण्डेय के अनुसार जो कुछ भी सबूत मिलते हैं, उनके अनुसार कालिदास पश्चिमी भारत के निवासी थे। उन्होंने कहा कि जिस प्रकार कालिदास ने पश्चिमी भारत के नगरों और ऋतुओं का विवरण दिया है, उससे साफ़ ज़ाहिर है कि वे पश्चिमी भारत के थे, काश्मीर, बंगाल, केरल, तमिलनाडु या राजस्थान के नहीं। डॉक्टर पाण्डेय के अनुसार आम तो ग़ालिब भी खाया करते थे मगर वैसा करने से वे बंगाली तो नहीं हो जाते। अन्त में उन्होंने कहा कि अभी और खोज होनी है और पूरी सचाई का पर्दाफ़ाश तभी होगा।

बंगाल के जिन विद्वज्जनों ने कालिदास को बंगवासी सिद्ध करने की चेष्टा की है, मेरे विचार में वे एक काफ़ी बड़ा तर्क देना भूल गये और वह तर्क है कवि का नाम। चण्डीदास, गोविन्ददास और देवदास—इन महान् नामों पर यदि ध्यान दिया जाए तो ज़ाहिर होता है कि कालिदास भी बंगाल के ही वासी रहे होंगे। मुझ दासानुदास की राय के मुताबिक यदि यह तर्क अपनाया गया होता तो कुछ दिनों बाद सूरदास, केशवदास और तुलसीदास को भी बंगाली घोषित किया जा सकता था। ख़ैर, जो हो गया सो हो गया। वैसे भी यह सम्भव है कि कवि का असली नाम कालिदास न होकर कुछ और ही रहा हो। मैंने विमलराय की 'देवदास' देखी और बाद में पता चला कि देवदास का असली नाम दिलीप कुमार था। यह बात मैंने जब एक बुज़ुर्गवार से बतायी तो वे बोले कि जो तस्वीर उन्होंने कभी देखी थी, उसमें देवदास का असली नाम कुन्दनलाल सहगल था। मैं चुप हो गया।

ख़ैर, पर्दा जो था उसे मैं फ़ाश करता हूँ। वर्षों की निरन्तर खोज के बाद मैं इस ऐतिहासिक और भौगोलिक निष्कर्ष पर पहुँचा हूँ कि कालिदास उत्तर प्रदेश के थे, और उस प्रदेश में भी मेरे ज़िले के थे। दक्षिण के सुधीजनों ने एक बार कहा था कि शेक्सपियर जो था वह शेशाप्पा अय्यर नाम का एक मदरासी ब्राह्मण था जो पुराने जन्म के पापों के प्रभाव से म्लेच्छ भाषा में लिखने लगा था। पंजाब के बुद्धिजीवियों ने तुरन्त घोषणा की थी और साबित किया था कि दक्षिणपन्थियों का दावा सारहीन था क्योंकि शेक्सपियर दरअसल ज़िला गुज़राँवाला का रहने वाला था और उसका नाम शेख़ पीर था। शेख़ पीर से वह शेख़ प्यारा हुआ और उसके बाद अँग्रेज़ी उच्चारण में वह शेक्सपियर कहलाया। ये सारे मत हिन्दुस्तान टाइम्स में छपे। मैं पूछता हूँ कि यदि शेक्सपियर ज़िला गुज़राँवाला में प्रकट हो सकता है तो कवि कालिदास मेरे ज़िले बिजनौर का निवासी क्यों नहीं हो सकता?

अब मैं मज़ाक़ का मूड छोड़ता हूँ और बात को गम्भीरता से शुरू करता हूँ।

कवि कालिदास सूबा आगरा और अवध, कमिश्नरी रुहेलखण्ड और ज़िला बिजनौर के निवासी थे– इस मत की पुष्टि के लिए जो न्यायसंगत तर्क मुझे प्राप्त हुए हैं वे इस प्रकार हैं :

(अ) ऋतुसंहार अभी तक अप्रामाणिक पुस्तक है। उसके आधार पर कालिदास को वंगदेशी स्वीकार करना ठीक नहीं। वैसे निराला ने भी बंगाल के वसन्त की महिमा गायी है पर चूँकि उन्होंने भी महिषादल की महिषी का दुग्धपान किया था, उनकी वाणी को भी निष्पक्ष स्वीकार नहीं किया जा सकता।

(ब) कवि ने जो कुछ भी भूगोल वर्णित किया है उससे पूरी तरह सिद्ध हो जाता है कि वे बिजनौर के थे। 'मेघदूत' में कनखल जैसे छोटे क़स्बे की चर्चा है जो एक बंगाली के लिए कदापि सम्भव नहीं था। तस्माद् गच्छेरनु कनखलं शैलराजावतीर्णां। शकुन्तला मेरे ही ज़िले की मालिनी नाम की नदी के तट पर पायी गयी थी। शकुन्तला भले ही अब न हो, वह नदी अभी भी उसी तरह स्थित है। दुष्यन्त जो थे वे हस्तिनापुर के थे जो मेरे ज़िले से एकदम सटा है। कवि ने 'रघुवंश' में कहा है कि सोने की मिलावट या शुद्धि अग्नि में ही देखी जाती है और यह बात उन्होंने इस कारण कही क्योंकि भारतीय गजेटियर के अनुसार मेरे ज़िले में कभी सोना पाया जाता था। नदी-नाले और झील जैसी क़िस्म की चीज़ें तो इस ज़िले में हैं ही मगर बड़ी बात यह है कि हिमालय पास होने के कारण यहाँ झरने भी हैं और कालिदास को झरनों से विशेष प्रेम था। 'रघुवंश' में उन्होंने कहा कि स्थिर निश्चय वाले मन को और नीचे जाते पानी को कौन रोक सकता है? पानी जो नीचे जाता है वह झरने का ही जाता है। मैंने आज तक ऐसा झरना नहीं देखा जिसका कि जल ऊपर की दिशा में जाता हो। हिमालय और वहाँ की पुष्पवीथियों की जो चर्चा उन्होंने की है, वह बाहर का कोई आदमी कर ही नहीं सकता, बाहर का आदमी तो फूलों के नाम ही पूछता-पूछता बूढ़ा हो जायेगा और 'ऋतु संहार' के नाम पर 'कवि संहार' लिखेगा। अन्त में चलकर, कवि ने प्रकृति और प्रेम का जो समन्वय स्थापित किया, वह मेरे जनपद में अभी तक विद्यमान है। मेरे ज़िले में काफ़ी से ज़्यादा प्रेम-लीलाएँ अभी तक जंगलों में ही सम्पन्न होती हैं।

(स) कालिदास अश्वघोष के पूर्ववर्ती थे। घोड़े का घोष न रहा होगा तो सिर्फ़ गर्दभघोष ही रहा होगा। गधों के सन्दर्भ में बाराबंकी के बाद दूसरा ज़िला मेरा है। विश्वास न हो तो मुझसे मिलिए। सब बात साफ़ हो जायेगी।

(द) सिर्फ़ आम्रफल के आधार पर ही इतने महत्त्वपूर्ण प्रश्न का निर्णय नहीं किया जा सकता। फल और भी हैं ज़माने में दशहरी के सिवा। दुष्यन्त की शकुन्तला के प्रति आसक्ति के अवसर पर कवि शेष फलों की चर्चा करते हुए पके हुए खजूर और इमली की भी चर्चा करता है। शकुन्तला को इमली का स्थान दिया गया, न कि अम्बिया का। और सबसे बड़ी बात तो गन्ने के ज़िक्र की है: 'रघुवंश' में

'इक्षुच्छायनिषादिन्यस्तस्य गोप्तुर्गुणोदयम्' वाली जो पंक्ति है वह बड़े काम की है। 'अभिज्ञानशाकुन्तलम्' में विशाल वृक्ष के नीचे बैठकर यदि कोई हरिणी अपने प्रेमी किसी काले मृग के सींग से अपनी बायीं आँख खुजलाया करती थी तो उसी प्रकार रघुवंश में लोग-बाग गन्ने के पेड़ की छाया में बैठकर अपने राजा के गुण गाया करते थे। और गन्ने के मामले में पश्चिमी उत्तर प्रदेश हमेशा से आगे रहा। मेरे विचार में कालिदास जैसे बड़े कलाकार के सन्दर्भ में आम जैसे छोटे साइज़ के फल के स्थान पर गन्ने जैसी बड़े क़द की चीज़ को प्रमाण मानना कहीं ज़्यादा युक्तिसंगत होगा। और फिर आम तो सभी को पसन्द थे तो क्या सारे के सारे कवि बंगाल के ही हो गये? आम और कालिदास चीज़ ही ऐसी है कि बाणभट्ट तक को पूछना पड़ा कि "कवि कालिदास की आम्रमंजरी के समान सरस और मधुर वाणी से किसके हृदय में आनन्द का उद्रेक नहीं होता?" इस पंक्ति में बाणभट्ट ने एक ही बाण से कालिदास और आम दोनों को बराबर कर दिया। और हाँ, वैसे आम के सन्दर्भ में भी मेरा इलाका हमेशा बहुत आगे रहा। इधर के विशाल बागानों के आम यूरोप तक जाते रहे।

(क) प्रकृति को त्यागकर यदि पुरुष को पकड़ें तो सारी समस्या अनायास ही हल हो जाती है। जिस प्रकार के पात्रों को कालिदास ने अपनी कृतियों में लिया है वे मूलतः मेरे ही जनपद में होते थे और बाद में यहीं से बाहर गये। उदाहरण के लिए मैं कुछ पात्रों को ही लूँगा। सबसे पहले मैं दुष्यन्त को पकड़ता हूँ, ठीक उसी तरह जैसे उसने शकुन्तला पकड़ी थी। न जाने कितनी रूपवती रानियों के होते हुए भी उसने ज़ायका बदलने के हेतु शकुन्तला से गन्धर्व विवाह किया। ऐसा लम्पट व्यक्ति—ख़ास तौर पर जो बाद में अपनी ही बीवी को पहचानने से इनकार कर दे, मेरे ही क्षेत्र में पैदा हो सकता है, अन्यत्र नहीं। शकुन्तला का चरित्र भी यही साबित करता है; एक ओर तो यह हालत है कि कण्व ऋषि सौदा-सुलुफ लेने ज़रा आश्रम से खिसके और इन्होंने पराये पुरुष से नैना मिलाने शुरू कर दिये और दूसरी ओर यह स्थिति है कि जब दुष्यन्त के दरबार में पधारती है तो 'अवगुण्ठनवती' होकर पधारती है। ऐसी कन्याओं की मेरे इलाक़े में अभी भी कमी नहीं। कालिदास का जो विदूषक था वह तो एकदम मेरी ही तहसील का माल था वरना चन्द्रमा को मक्खन का गोला न समझता। सेनापति जब राजा के सामने शिकार का प्रस्ताव रखता है तो विदूषक कहता है कि "भागो, दूर हटो। बड़े आये मृगया पर ले जाने वाले! महाराज शान्त-चित्त हैं। जाओ, तुम्हीं वनों में भटको और किसी ऐसे बूढ़े भालू से निकट सम्पर्क स्थापित करो जो आदमी की नाक चट करने को तरस रहा है।" मेरे ज़िले की पुरानी परम्परा के अनुसार विरह-पीड़ित दुष्यन्त जब मदनदेव के बाणों की चर्चा करते हैं तो यह त्यागी जाति का विदूषक उन बाणों का मुक़ाबला करने के लिए लाठी उठाता है। 'शाकुन्तल' के छठे अंक में पुलिस अफ़सरों के संवाद भी बड़े काम के हैं। अन्त में चलकर जब खुशामदी सेनापति और रिश्वतखोर सिपाहियों

की चर्चा आती है तब तो कवि कालिदास पर मेरे ज़िले के अलावा किसी और क्षेत्र का हक़ रह ही नहीं जाता।

(ख) मेरे अन्तिम तर्क दो हैं। पहला तो यह कि आज तक ऐसी कोई सामग्री किसी विद्वान् अनुसन्धानकर्ता के हाथ नहीं आयी जिसमें यह लिखा हो कि कवि कालिदास मेरे ज़िले के नहीं थे। दूसरा तर्क यह है कि मेरी वाणी स्वीकार करने से झगड़ा जो है वह सदा के लिए समाप्त हो जायेगा। साहित्य के इतिहास में यह एक बड़ी उपलब्धि होगी। विद्वान् लोग अब कालिदास को छोड़कर भवभूति पर युद्ध प्रारम्भ करेंगे। वे कभी नहीं थकेंगे। लन्दन की 'बिग बेन' थकावट से रुक गयी पर हमारे शोधकार कभी नहीं थके। संशय से ही ज्ञान का द्वार खुलता है। यह दीगर बात है कि संशय के कारण ज्ञान के अलावा कभी-कभी और द्वार भी खुलते रहे।

तो मैंने वर्षों के सतत परिश्रम से सिद्ध कर ही दिया कि कालिदास का सही जन्मस्थान कहाँ था। मेरे जो तर्क हैं वे 'विक्रमोर्वशीयम्' की इस पंक्ति की याद दिलाते हैं– 'कूजितं राजहंसानां, नेदं नूपुरशिंजितम्'। यह राजहंसों का कूजन है, कोई नूपुर-ध्वनि नहीं। आपको उचित होगा कि मेरी सम्मति को स्वीकार करें। यह कवि की इच्छा के अनुकूल होगा। 'मालविकाग्निमित्र' में कालिदास कहते हैं कि मूर्ख लोग जो हैं वे दूसरों के विश्वास से अपना मत निश्चित करते हैं। क्या आप कवि की वाणी की अवहेलना करेंगे?

अब तो बस एक ही बात बचती है और सोचता हूँ कि उसे भी बोल दूँ। प्रशासन को उचित होगा कि वह मुझे काफ़ी बड़ी धनराशि दे ताकि मैं अपने ज़िले में कहीं सही जगह पर 'कालिदास भवन' का निर्माण कर सकूँ। इस भवन में शकुन्तला का बन्दोबस्त भी होगा, मृगया का भी और सपरिवार मेरे रहने-सहने का भी। विदूषक का पार्ट दर्शक लोग अदा करेंगे। ज़ायका बदलने के लिए कालिदास की पुस्तकें भी एक छोटे-से कमरे में रख दूँगा। गोवर्धनाचार्य ने कहा था– 'साकूतमधुरकोमलविलासिनी कण्ठ कूजित प्राये, रतिलीला कालिदासोक्ति'। जो लोग गोवर्धनाचार्य के मत के होंगे वे कालिदास पढ़ेंगे; जो समझदार होंगे वे प्रियम्वदा के साथ बीयर पिएँगे।

ऋतु-वर्णन

हमारे देश की शस्यश्यामला धरती सदा से ऋतुमती होती आयी। स्थिति यह रही कि ऋतुओं की भाँति ऋतु-वर्णन की परम्परा भी यहाँ सदा से काफ़ी स्वस्थ रही। वेदों से लेकर अकविता तक ऋतुओं का वर्णन किसी न किसी रूप में सदा से होता आया। संस्कृत के लौकिक साहित्य और हिन्दी के मध्ययुगीन साहित्य में तो ऋतु-वर्णन ने एक ऐसा विकराल रूप धारण कर लिया था कि शरद् या वर्षा ऋतु की सुन्दरता के सामने कवि लोग नायिका तक को भूल जाते थे। कभी-कभी तो ऐसा होता था कि नायक और नायिका यदि कहीं साथ-साथ खिसक गये तो जब तक वे लौटकर आयें तब तक महाकवि जो थे वे ऋतु-वर्णन पर जुट गये। नायिका यदि नायक के साथ हँसी-ख़ुशी लौट आयी तो नाटक सुखान्त कर दिया और यदि कहीं दोनों में से एक ही प्रकट हुआ तो कृति जो थी वह करुण रस की हो गयी। 'ऋतु-वर्णन' को आप इस दृष्टि से पढ़ें तो कुछ और ही आनन्द आयेगा। मैंने कालिदास का 'ऋतुसंहार' और पद्माकर का 'ऋतु-वर्णन' सदा इसी दृष्टि से पढ़ा और हमेशा नया रस आया।

हमारे देश में ऋतुएँ काफ़ी रहीं और क्योंकि आर्य लोग उदात्त चरित्र के होते थे, उन्होंने उनका नामकरण भी निहायत ईमानदारी के साथ किया। वर्षा ऋतु उस ऋतु को कहा गया जिसमें कि वर्षा हो और शरद ऋतु उस ऋतु को पुकारा गया जिसमें सर्दी पड़े। वसन्त में फूलों को खिलने का अवसर दिया गया तो पतझड़ में वृक्षों को उसी प्रकार जीर्णशीर्ण पत्ते बदलने का जैसा कि गीता के अनुसार आत्मा नाम की वस्तु करती आयी। कबीर आत्मा का संगीत सुनते थे, मैं सी.एच. आत्मा के गाने सुनता हूँ। कबीर में और मुझमें ज़्यादा फ़र्क़ नहीं रहा।

यह कहना कुछ कठिन होगा कि इस देश की प्रथम ऋतु कौन-सी होती है। वाराणसी के जो राजज्योतिषी हैं उनके पंचांग चैत्र से आरम्भ होते हैं, और मशहूर आलम जन्त्री जो है वह नये साल की शुरुआत जनवरी से मानती है। हैदराबाद के निज़ाम का जो वर्ष होता था वह शायद किसी और ही महीने से शुरू होता था। गाँवों के निवासी वर्ष का प्रारम्भ चैत्र से ही स्वीकार करते हैं और सुमित्रानन्दन पन्त के अनुसार भारतमाता क्योंकि ग्रामवासिनी है, उचित यही होगा कि हम भी चैत्र से

हीं वर्ष का प्रारम्भ मानें।

चैत्र का मास प्रायः वसन्त का ही होता है। आलस्य के कारण फाल्गुन जो है, वह पूरे वसन्त से निबट नहीं पाता। परिणाम यह होता है कि जो फूल फाल्गुन में नहीं खिले थे, वे चैत में खिलते हैं। सुन्दरियों के मुख (और शेष अंगों पर भी) स्वेद कण झलकने लगते हैं जो कभी-कभी गर्मी या धूप के कारण होते हैं तो कभी-कभी नायक के कारण। लड़के बुश्शर्ट और ज़ीन पर आ जाते हैं और लड़कियों की स्थिति कवि विनोदचन्द्र पाण्डेय के शब्दों में कुछ-कुछ इस प्रकार की होती है कि 'वे उतार देती हैं दुशाले— और ब्लाउज़ होने लगते हैं बाँहों पर काले।' ब्लाउज़ बाँहों पर ही काले क्यों होते हैं, टखनों पर क्यों नहीं— यह बात कवि ने क्यों नहीं बतायी। लड़कियों के दुपट्टे हवा में उड़ने लगते हैं जिससे साथ के लड़कों को उनकी सेवा का अवसर प्राप्त होता है। इसके बाद जब हवा तेज़ हो जाती है तो लड़की जो है दुपट्टे के स्थान पर ख़ुद ही उड़ने लगती है। इसके बाद क्या होता है, यह आप लड़की के बाप से दरयाफ़्त करें तो शायद ज़्यादा उचित रहे।

चैत्र, वैशाख और ज्येष्ठ—ये ही वे व्यस्त महीने हैं जिनमें नाई और ब्राह्मण की माँग अचानक बढ़ जाती है। लड़कियाँ अचानक सयानी हो जाती हैं और लजाने लगती हैं। वैशाख का हमारे देश में ऐतिहासिक महत्त्व है; गधे का जन्म इसी महीने में हुआ था। 'सम्पादक नन्दन' व 'कन्हैयालाल नन्दन' की तर्ज़ पर गधे को भी 'वैशाखनन्दन' कहा जाता रहा जिससे उसकी सुदृढ़ साहित्यिक रुचि का पता लगता है। गधा जो है वह गर्मियों में मुटाता है। कुछ अंग मोटे हो जाते हैं और कुछ कम, यह दीगर बात है। गधों का ज़िक्र क्या छिड़ा, मुझे सरकारी अफ़सरों और नेताओं की याद सताने लगी। पहाड़ों पर जाने के सारे कार्यक्रम इसी ऋतु में कार्यान्वित होते हैं। ग़रीब आदमी मैदान पर ही छूट जाता है और रिक्शा खींचते-खींचते पूरब की गर्मी में दम तक तोड़ देता है। गाँवों में अग्निकाण्ड होते हैं और नगरों में आत्महत्या। परीक्षाओं के परिणाम निकले कि आत्महत्याएँ प्रारम्भ हुईं।

आषाढ़ से सरकारी तौर पर वर्षा ऋतु का प्रारम्भ माना जाता है। कालिदास का यक्ष भी यही मानता था। बादल तो यक्षों का सन्देश ले जाने में व्यस्त हो जाते हैं और नतीजा यह रहता है कि कभी-कभी पूरी की पूरी बरसात सूखी निकल जाती है। अर्थशास्त्रियों का विचार है कि वर्षा न होने से अकाल पड़े— यह कतई ज़रूरी नहीं। अकाल का पड़ना और न पड़ना तो इस बात पर निर्भर है कि हमारे राजदूतों के शेष देशों के राष्ट्रपतियों से कैसे सम्बन्ध हैं। अगर वे सम्बन्ध ठीक हैं तो बारिश न भी हो, क्षुद्र नदी न भी भरें या उतरें, भूमि पर डाबर पानी पड़े या न पड़े, घन की घमण्ड घटा गरजे या न गरजे, प्रियाहीन होने पर भी सरकार का हृदय नहीं काँपता। और अगर बरसात कहीं अपने सच्चे रूप में आ गयी तो स्थिति यह होती है कि रेलें बह जाती हैं, गाँव पानी में डूब जाते हैं, शासक लोग हवाई दौरा करते

हैं और पटवारी हेडक्वार्टर को रिपोर्ट भेजता है कि इलाक़े में बाढ़ आ गयी। अब पानी उतरेगा, रेल की नयी पटरी बिछेगी, राहत के काम शुरू होंगे और जनसंख्या कम होगी। इन्हीं फ़ायदों को ध्यान में रखते हुए सरकार ने पिछले पचीस वर्षों में बाढ़ रोकने के लिए कुछ नहीं किया। मैं तो ऐसे मौसम में अपने बरामदे में बैठकर 'मेघदूत' पढ़ता हूँ। कितना अच्छा रहा कि उन दिनों डाक-तार की व्यवस्था ढीली थी। अगर यक्ष कहीं तार या अन्तर्देशीय पत्र भेज देता तो 'मेघदूत' जैसी कलाकृति हमें कैसे पढ़ने को मिलती? विज्ञान की प्रगति ने साहित्य का सदा ह्रास ही किया। अगर लार्ड डलहौज़ी डाक और तार का विभाग न खोलता, तो न जाने कितने 'मेघदूत' अब तक और लिखे गये होते।

वर्षा ऋतु में यूँ तो बड़े-बड़े आनन्द हैं पर सबसे बड़ा आनन्द यह है कि फिसलने की जो सुविधा यह ऋतु प्रदान करती है वह कोई दूसरी ऋतु नहीं करती। कोई आम्रफल के छिलके के सहारे फिसलता है तो कोई आम्रफल की गुठली के सहारे। जो स्वावलम्बी नरपुंगव हैं वे बिना किसी विदेशी सहायता के स्वतः ही फिसलते रहते हैं। 'उद्योगिनं हि पुरुषसिंहमुपैति लक्ष्मी' —मेरा विश्वास है कि विष्णु शर्मा ने यह पंक्ति तबीयत के साथ फिसलने पर ही लिखी होगी। वर्षा की ऋतु वह दुखदायी ऋतु है जिसमें शिक्षा संस्थान जो है वे फिर से खुल जाते हैं और जो छात्रगण आत्महत्या नहीं कर पाये थे वे फिर प्रकट होने लगते हैं। अब आत्महत्या वे छात्र करते हैं जो कि परीक्षा में उत्तीर्ण हो गये थे क्योंकि उन्हें नौकरी नहीं मिलती। क्या देश है हमारा भी— मौसम कोई हो, आत्महत्या की सुविधा सबमें बराबर रखी गयी।

वर्षा के बाद जाड़ा आता है जिसके कई प्रकार हैं जैसे शरद, शिशिर, हेमन्त वग़ैरह। वर्षा में यदि गठिया का चलन था तो अब सन्निपात का रहेगा। सरकारी अफ़सर, जो अब तक पर्वतों से लौट चुके थे, दक्षिण जाने की तैयारी में जुट जाते हैं। जिन कार्यतत्पर नवयुवकों की शादी गर्मियों में सम्पन्न हुई थी, उनकी पत्नियाँ अब बच्चे देने लगती हैं। भवभूति के अनुसार सन्तान रूपी गाँठ के बिना प्रेम की डोर कुछ कच्ची रहती है। यूँ तो विरह नाम का यह पदार्थ सभी ऋतुओं में समान दुखदायी है पर जाड़ों की ऋतु में तो यह बहुत ही कष्टदायक हो जाता है क्योंकि शरद ऋतु में विरह के साथ-साथ सर्दी भी लगती है। स्थिति यह हो जाती है कि प्रत्येक पति अपनी या दूसरे की पत्नी को पतिव्रता बनाने की सोचता है। सादा जीवन, उच्च विचार।

सर्दियाँ समाप्त हुईं कि बसन्त फिर आ गया। पतिव्रता नारियों के कष्ट फिर दुगुने हो गये। फूल फिर खिलने लगे, भौंरों ने पुश्तैनी धन्धा फिर सँभाल लिया और मधुमक्खी ने परिवार-नियोजन फिर स्थगित कर दिया। लोग-बाग पद्माकर के कवित्त पढ़ने लगे, पतंगबाजियाँ शुरू हो गयीं और लड़कियाँ फिर लजाने लगीं। जिन-जिन खेतों में सरसों बोयी गयी थी वे पीले हो गये और जिन-जिन खेतों में सरसों नहीं

बोयी गयी थी वे पीले नहीं हुए। होली का पवित्र त्योहार फिर आ गया। चाहे जिस सम्भ्रान्त व्यक्ति को जलाशय में बिठाइए और चाहे जिस गौरवर्णा युवती के मुख पर स्याही मलिए। हमने बचपन में अपने एक अध्यापक का मुँह इतने परिश्रम से काला किया था कि सारा जीवन वह काले तख़्ते का काम देता रहा। स्कूल के मैनेजर की घोड़ा गाड़ी जला दी थी, और घोड़े को काँजी हाउस में बन्द करवा दिया था। मैनेजर साहब वहाँ नहीं थे, वरना उनके साथ भी कुछ करते। वे शायद होली की छटा देखने बरसाना, गोकुल या वृन्दावन गये थे। बात भी ठीक ही थी क्योंकि 'होरी में होरी विरज की'।

❑

भद्र पुरुष
(1980)

शहीद-दिवस : एक परिचर्चा

पिछले सप्ताह मैंने शहीद-दिवस को लेकर कुछ मुख़्तलिफ़ क़िस्म के लोगों के साथ विचार-विमर्श किया। आज मैं उसी का ज़िक्र करूँगा। यदि चलचित्रों की अभिनेत्रियों के भूतपूर्व पतियों के बारे में गोष्ठी की जा सकती है और यदि 'लेखक के जीवन में प्रेयसि की अनिवार्यता' को लेकर जैनेन्द्रकुमार बोल सकते हैं तो क्या मैं शहीदों के बारे में कुछ विशिष्ट व्यक्तियों से बात नहीं कर सकता? शहीद लोग जो हैं, वे क्या अभिनेत्रियों के भूतपूर्व पतियों और लेखकों की प्रेयसियों से पीछे पड़ते हैं?

मगर मैं शायद कुछ जल्दी कर रहा हूँ। परिचर्चा की चर्चा करने से पूर्व शायद यह ज़्यादा उचित होगा कि कुछ बातें शहीद-दिवस के बारे में बता दी जाएँ। हमारे देश में प्रत्येक वर्ष कुछ ऐसे दिन आते हैं जिन्हें दिवस कहा जाता है जैसे कि बाल-दिवस, किसान-दिवस, स्वाधीनता-दिवस और गणतन्त्र-दिवस। इन्हीं दिवसों की भाँति एक दिवस और होता है और वह है शहीद-दिवस। इस दिन ग्यारह बजे के क़रीब एक भोंपू बजता है जिसके बजते ही सब लोगों से आशा की जाती है कि वे अपने पिछले पैरों पर खड़े हो जायें और शहीदों के प्रति सम्मान में दो मिनट तक मौन धारण रखें। दो मिनट की लम्बी अवधि के बाद एक दूसरा भोंपू बजता है जिसके सुनने पर लोग अपनी घड़ियाँ मिलाते हैं और अपने कामधन्धों में जुट जाते हैं। नेता क़िस्म के लोग इस दिन नयी शेरवानी पहनते हैं, शहीदों की समाधि पर फूल चढ़ाते हैं और कभी-कभी भाषण भी देते हैं। जनता जो है वह शेरवानी को देखती है, भाषण को सुनती है और फिर अपने-अपने घरों या दुकानों को वापस लौट जाती है। इसके बाद दोपहर होती है और उसके बाद शाम होती है और इस तरह शहीद-दिवस की एक दिन की जो ज़िन्दगी होती है, वह भी तमाम हो जाती है। हाल ही में की गयी खोज के अनुसार शहीद क़िस्म के लोग लगभग प्रत्येक देश में पाये जाते हैं और उनकी पुण्य-स्मृति में हर जगह लगभग ऐसा ही कार्यक्रम सम्पन्न किया जाता है। शहीदों के बिना राष्ट्र जो है वह कुछ अधूरा-सा लगता है। कम-से-कम मेरा तो सदा से यही ख़याल रहा।

शहीदों के बारे में वार्ता करने से पहले मैं एक नेता के पास गया। शहीदों का

ज़िक्र आते ही वे भावुक हो उठे। कहने लगे कि यदि ये लोग शहीद न हुए होते तो देश को आज़ादी कभी भी नहीं मिलती और हम जो हैं, हमेशा गुलाम ही रहते। उन्होंने कुछ ऐसे शहीदों के संस्मरण भी सुनाये जिन्हें उन्होंने कभी बचपन में देखा था। उनकी याद आते ही नेताजी की आँखें पानी निकालने लगीं और रूमाल को काम पर लगाया गया। ख़ैर, भावुकता का दौर जैसे ही ख़त्म हुआ वे एकदम व्यावहारिक स्तर पर उतर आये और कहने लगे कि हमारी भी क्या बदक़िस्मती है कि आज़ादी के बाद बालिग हुए क्योंकि शहीद होने की जो सुविधा आज़ादी से पहले थी वह अब कहाँ? अगर उनके माता-पिता ने कुछ दूरदर्शिता से काम लेकर उन्हें कुछ साल पहले पैदा कर दिया होता तो शायद वे भी शहीद हो सकते थे। कोशिश करना उनका कर्म था, शहीद बनाना अँग्रेज़ी सरकार का। अब इस आज़ादी को लेकर क्या करें जो सिवा देश-सेवा के और किसी धन्धे कै लिए वक़्त ही नहीं छोड़ती? सुबह को पार्टी की मीटिंग, दोपहर को जनसम्पर्क या विधान सभा और शाम को किसी ज़िन्दा या मुर्दा चीज़ का उद्घाटन। अब यह भी कोई ज़िन्दगी में ज़िन्दगी है? सरकार को चाहिए कि शहीद होने के अवसर फिर प्रदान करे। अगर ऐसा नहीं किया गया तो वह जनता के साथ, और ख़ास तौर से विरोधी दल के साथ, सरासर गद्दारी होगी। विरोधी पार्टी का एक व्यक्ति भी यदि शहीद हो जाए तो सरकार का तख़्ता पलट सकता है। मगर सरकार है कि इस ओर कुछ ध्यान ही नहीं देती। प्रजातन्त्र क्या इसी का नाम है? हर्गिज़ नहीं। इतना प्रवचन देने के बाद वे उठ खड़े हुए और किसी तूफ़ानग्रस्त इलाक़े का हवाई दौरा करने के लिए तैयार होने लगे।

जनता के प्रतिनिधि से मिलने के बाद मैं एक वरिष्ठ अधिकारी के पास गया। मेरी तरह उन्हें भी साहित्य से ज़बर्दस्त लगाव है और लोगों को यह ख़तरा हमेशा लगा रहता है कि पता नहीं वे कब अफ़सरी की खाल में से निकलकर साहित्यकार बन जायें और पता नहीं कब फिर अपनी अफ़सरी का वही चोला फिर से धारण कर लें। दूसरे शब्दों में मुझे वे 'ताज़ीराते हिन्द' और 'बिहारी सतसई' के संयुक्त संस्करण लगते थे। उन्होंने मेरी बात सुनी, पाइप सुलगाया और कहने लगे कि पहली बात जो उनकी समझ में कभी नहीं आयी वह यह थी कि शहीद-दिवस को सार्वजनिक छुट्टी क्यों नहीं होती? आख़िर ये जो गणतन्त्र-दिवस और स्वाधीनता-दिवस हैं, ये भी तो इसी कारण हैं कि वतन के नाम पर वतन के कुछ नौजवान शहीद हुए। अगर उन दिनों छुट्टी होती है तो फिर आज क्यों नहीं? अब आप ही बताइए कि एक हसीन स्टेनोग्राफ़र और चन्द बदसूरत फ़ाइलों के बीच खड़ा होकर कोई अफ़सर दो मिनट में शहीदों को क्या श्रद्धांजलि दे सकता है? एक शहीद ने कहा भी था कि हमारे मरने के बाद हमारी मज़ारों पर हर बरस मेले लगेंगे ताकि लोग-बाग उम्दा सूट पहनकर घूम-फिर सकें, आराम कर सकें और शाम को उनकी यादगार में गोल्फ़ खेल सकें। रात को क्लब में पार्टी जमती और शहीदों के नाम पर एक-एक

जाम पिया जाता। साथ-ही-साथ उनका शुक्रिया भी अदा किया जा सकता क्योंकि न वे शहीद होते और न एक दिन की छुट्टी मिलती। फ़ाइल और दौरे के अलावा अफ़सर को अगर किसी चीज़ में दिलचस्पी होती है तो वह छुट्टी होती है। अगर शहीदों के नाम पर एक दिन की छुट्टी भी नहीं दी गयी तो क्या यह शहीदों के प्रति अन्याय नहीं होगा?

अफ़सर से निबटने के बाद मैंने एक सम्पादक को पकड़ा। पकड़ते ही बोलने लगे कि बन्धु, और तो जो है सो है, पर यह बात भी एकदम ठीक है कि शहीदों को लेकर जो विशेषांक निकाले जाते हैं उनकी बिक्री इतनी होती है कि जितनी और किसी विशेषांक की नहीं। जिस किसी रिसाले पर भी भगतसिंह, चन्द्रशेखर आज़ाद या रामप्रसाद 'बिस्मिल' का चित्र होता है, उसका सर्कुलेशन काफ़ी होता है। मुझे तो हार्दिक अफ़सोस है कि यार लोग अब क्यों शहीद नहीं होते? इस सन्दर्भ में उन्होंने मुझे यह भी सूचना दी कि यदि जान का ख़तरा न होता तो आपातकाल के दौरान प्रेस की आज़ादी के मुद्दे को लेकर वे ख़ुद ही शहीद हो जाते।

इसके बाद मैं अपने एक कवि मित्र के पास गया। कविता के साथ-साथ इन्हें इस देश की स्त्री-जाति से भी बड़ा लगाव रहा है और असलियत तो यह है कि एक बार यदि ये ठीक वक़्त पर शहर न छोड़ गये होते तो शायद शहीद भी हो गये होते। कहने लगे कि वत्स, शहीद-दिवस बड़े काम की चीज़ है। कविता सुनाने का जितना अवसर इस दिवस को प्राप्त होता है उतना और किसी दिन नहीं। निकम्मी-से-निकम्मी कविता भी यदि आँखों में आँसू भरकर और मुट्ठियाँ तानकर पढ़ी जाए तो मज़ा दे जाती है और महीनों का ख़र्चा एक ही कवि-सम्मेलन से निकल आता है। कितना अच्छा हो कि ऐसे दिवस वर्ष में एक से ज़्यादा बार मनाये जाएँ। इतना कहने के बाद इन्होंने अपनी एक पाण्डुलिपि निकाली जिसमें शहीदों को लेकर इनका कलाम काफ़ी मिक़दार में लिखा हुआ था। मेरे पास वक़्त कम था और स्थिति यह रही कि जैसे ही दराज से उनकी पाण्डुलिपि निकली वैसे ही उनकी बैठक से मैं बाहर निकला।

सेठ छंगामल मेरे पुराने अज़ीज़ थे और इस सन्दर्भ में उनके विचार जानना भी मुझे कुछ वाजिब ही लगा। सेठजी कहने लगे कि शहीदों से बड़ी दुनिया में कोई चीज़ नहीं। शहीदों को लेकर जो तसवीर भी बनायी गयी उसने सिल्वर जुबली मनायी। अकेली 'शहीद' फ़िल्म ने ही लाखों रुपये कमाये और नतीजा यह रहा कि इस सिलसिले को फिर दुहराया गया और दुहराया जायेगा। सट्टा बाज़ार में हर चीज़ के भाव गिर सकते हैं मगर शहीदों के कभी नहीं। यह ऐसा कच्चा माल है जो हमेशा हर धन्धे में काम आयेगा।

अन्त में चलकर मैं एक प्रमुख बुद्धिजीवी के पास पहुँचा। मेरी वाणी सुनकर पहले तो वे चिन्तन में खो गये और फिर कहने लगे कि शहीद होना या न होना—दोनों बराबर हैं क्योंकि आत्मा जो है वह तो अनश्वर और चिरन्तन है। शरीर तो

कपड़े हैं, चाहो उतार दो, न चाहो न उतारो। इस सिद्धान्त के समझाने के बाद उन्होंने शराब की बोतल खोली और बोले कि यह बात काफ़ी तसल्ली की है कि इस साल शहीद-दिवस पर नशाबन्दी नहीं हुई। शहीदों का ग़म भुलाने के लिए इससे बेहतर और कोई दवा नहीं। और इसके अलावा अगर उन्हें शहीद होने का नशा था तो हमें दारू पीने का नशा है। नशे नशे सब बराबर। मेरे ख़याल में तो शराबी से बढ़कर और कोई शहीद शायद ही होता है क्योंकि यह शराबी ही होता है जो अपने बीवी-बच्चों को भूखा रखकर भी शराब पीता है। मैं चुप हो गया क्योंकि शराब पीने का मुझे कोई अनुभव कभी नहीं रहा। 'मये इश्क़ तुझसे क्या कहूँ जाहिद, हाय कम्बख़्त तूने पी ही नहीं'।

मैंने परिचर्चा समाप्त कर दी। मैं चुप हो गया। मैं सोचने लगा कि बिस्मिल ग़लत थे जो उम्मीद करते थे कि वतन पर मिटने वालों की मज़ारों पर हर बरस मेले लगेंगे। ऐसा कुछ नहीं हुआ। शहीदों की यादगार में लोगों ने शेरवानियाँ सिलवायीं, फ़िल्मवालों ने फ़िल्में बनायीं, कवि लोगों ने माइक को बाँहों में भरकर अपना कलाम पढ़ा, मगर शहीदों का सच्चा ग़म किसी को कभी नहीं हुआ। हाकिम लोगों ने छुट्टी की माँग की और सम्पादकों ने विशेषांक निकाले। शहीद नहीं जानते थे कि उनके मरने के बाद क्या होगा। बकौल शायर के, पुलाव खाएँगे एहबाब, फ़ातिहा होगा।

एक क़ानूनी सवाल

इतिहास के विशेषज्ञों को शायद पता हो कि हमारे देश में एक बादशाह था, जिसका नाम हुमायूँ था। यह ठीक वही हुमायूँ था जिसकी जान एक बार एक भिश्ती ने बचायी थी। हुमायूँ बेहद शरीफ़ इंसान था और लिखने-पढ़ने में इतनी ज़्यादा रुचि रखता था कि जब स्वर्गवासी भी हुआ तो पुस्तकालय की सीढ़ियों से ही फिसलकर हुआ। इतने शरीफ़ इंसान को भी सारी उम्र युद्ध करने पड़े, कभी अपने भाइयों से और कभी शेरशाह सूरी से। बाबू जगजीवन राम और बाबू जयप्रकाश नारायण की भाँति शेरशाह सूरी भी बिहार का रहने वाला था और बेहद ईमानदार, कार्यकुशल और बहादुर शासक था। जब वह दिल्ली का सुलतान था तो स्थिति यह थी– एक जवान औरत सिर पर टोकरी में अशर्फियाँ भरकर पेशावर से कलकत्ता तक अकेली जा सकती थी। इन दिनों वाली बात नहीं थी कि न अशर्फियों का पता चलता और न उस युवती विशेष का। शेरशाह के ये ही वे गुण थे जिनसे प्रभावित होकर बादशाह बनने के बाद अकबर ने उसकी जीवनी लिखवायी हालाँकि वैसे शेरशाह अकबर के पूज्य पिताजी से सारी उम्र लड़ाइयाँ ही लड़ता रहा था।

अकबर ने अपने पण्डितों से शेरशाह की जो जीवन-गाथा लिखवायी, वह मैंने पढ़ी है। शेरशाह के विभिन्न गुणों में जो गुण मुझे विशेष रूप से आकृष्ट करता है वह है उसका न्याय करने का ढंग। शेरशाह ने क़ायदा बना रखा था कि किसी भी गाँव या क़स्बे से एक निश्चित दूरी के भीतर अगर कोई जुर्म होता था तो कसूरवार के पकड़वाने की ज़िम्मेदारी उस गाँव या क़स्बे के मुखिया पर होती थी और अगर वह मुखिया निश्चित अवधि के भीतर वैसा करने में असमर्थ रहता था तो मुलजिम की जगह वह खुद गिरफ़्तार कर लिया जाता था और सज़ा पाने का हक़दार होता था। भक्त की सज़ा भगवान् को मिलती थी। एक बार ऐसा हुआ कि बादशाह दौरे पर था और बदायूँ के पास डेरा डाले हुए था। (यह बात काफ़ी पुरानी है और शकील बदायूँनी तब पैदा नहीं हुए थे।) वहाँ उसे सहसा पता लगा कि कोई दस मील की दूरी पर एक क़त्ल हो गया और वह भी दिन के बारह बजे। न्याय करने के लिए बेचैन बादशाह ने गाँव के मुखिया को तलब किया। गाँव के मुखिया ने

हाथ जोड़कर अर्ज़ किया कि अन्नदाता, इस गर्मी के मौसम में गाँव से तीन मील दूर क्या हुआ, इसका पता हमको कैसे लगता? वाज़िब तो यह होगा कि हुज़ूर मुझ गुलाम को रिहा करें और खुफ़िया पुलिस को काम पर लगावें। शेरशाह चुप रहा और उसने मुखिया को जाने दिया। रात को बादशाह ने एक काम किया और वह यह कि गाँव से काफ़ी दूर खड़े एक पीपल के वृक्ष को कटवा दिया। अब क्या था, सुबह-ही-सुबह सारा गाँव और वह मुखिया बादशाह के पास शिकायत करने पहुँच गये और कहने लगे कि किसी ने उनके पवित्र वृक्ष को काट दिया। बादशाह पहले तो चुप रहा और फिर उस मुखिया को मुखातिब करके बोला कि आधी रात एक पेड़ कटता है तो तुम्हें फ़ौरन पता लग जाता है और दिन-दहाड़े एक इंसान काटा जाता है, उसका तुम्हें पता नहीं लगता? वापस जाओ और आधे घण्टे के अन्दर क़ातिल पेश करो। मुखिया रोने लगा पर उसने क़ातिल को पेश कर दिया।

राजतन्त्र में फ़ैसले इसी तरह होते थे। अँग्रेज़ी में इसे 'रफ़ एण्ड रेडी' क़िस्म की पद्धति कहेंगे। प्रजातन्त्र में यह पद्धति काम नहीं करती। मेरे सहधर्मी वेद माथुर की सूचना के अनुसार, उत्तर प्रदेश के एक कलेक्टर कोई चार वर्ष पूर्व अजमेर के निकट स्थित पुष्कर घूमने गये। जब वे ब्रह्माजी के मन्दिर के भीतर गये, तब किसी ने उनकी मखमली जूतियाँ चुरा लीं। शास्त्रों के अनुसार जहाँ जूते और स्त्री न चुरायी जायें वह स्थान तीर्थ नहीं होता। कलेक्टर साहब ने इस पूरी पवित्र घटना की रिपोर्ट पुष्कर के थाने में दर्ज़ करा दी जिसके लिए उन्हें सवा रुपया ज़रूर देना पड़ा होगा। रिपोर्ट में जूतियों की क़ीमत तीस मुद्राएँ लिखवायी गयी। जूते क्योंकि कलेक्टर साहब के थे, वे बरामद हो गये और पुलिस ने एक आदमी को गिरफ़्तार भी कर लिया। गिरफ़्तार करने के बाद क़ानूनी समस्या यह पैदा हुई कि यह पता कैसे लगे कि ये जूतियाँ वाक़ई कलेक्टर साहब बहादुर की ही हैं और इस समस्या को सुलझाने के लिए एक दरोग़ा एक सिपाही के साथ आगरा आये। आगरा के डिस्ट्रिक्ट जज की अदालत में इस बात की शिनाख़्त की गयी कि जूते वाक़ई कलेक्टर साहब के ही हैं। अफ़सर के जूते को अफ़सर नहीं पहचानेगा तो और कौन पहचानेगा? इसके बाद दरोग़ा जी आगरा से वापस लौट गये। इस पूरी कार्यवाही पर मात्र पाँच सौ मुद्रा का ख़र्च आया। पुलिस ने अभियुक्त के ख़िलाफ़ अदालत में चालान पेश कर दिया और गवाहियाँ शुरू हो गयीं। जूते के मालिक और कलेक्टर तथा उनकी पत्नी भी गवाही देने आये। गवाही के बाद उन्होंने अपनी यात्रा का व्यय और भत्ता लिया जो लगभग आठ सौ मुद्राओं के क़रीब आया।

मुक़दमा जो है वह अभी जारी है। अगली तारीख़ पर आगरा के डिस्ट्रिक्ट जज को भी बुलाया गया है क्योंकि जूतों की शिनाख़्त जो हुई थी वह उन्हीं की अदालत में हुई थी। इत्तफ़ाक से आगरा के उन जज साहब का तबादला हो गया और वह कहाँ हुआ है, इसकी जाँच-पड़ताल जारी है। वे सिर्फ़ इतना बतलाएँगे कि कलेक्टर

तथा उनकी पत्नी ने जूतों की शिनाख़्त उनकी अदालत में की थी। इतना बताने के बाद वे लगभग एक हज़ार रुपयों के भत्ते वग़ैरह के अधिकारी होंगे। जिस थानेदार ने वारदात की जाँच की थी, वह भी इन दिनों कहीं और तैनात है। अजमेर आने पर वह भी भत्ते का हक़दार होगा। संक्षेप में स्थिति यह है कि मुक़दमा अभी कोई दो साल और चलेगा। हज़ारों रुपये ख़र्च करने के बाद कलेक्टर साहब के जूते पहनने लायक़ भी रहेंगे या नहीं, यह कहना मुश्किल है। हाजी लकलक के अनुसार एक आशिक जब तक महबूबा के पास पहुँचे थे तब तक उसके ग्यारह बच्चे हो चुके थे और बारहवाँ होने वाला था। प्रेमी ने स्थिति देखी और सिर पकड़कर बैठ गया। और हाँ, शायर के मुताबिक सितारों के आगे भी जहाँ आबाद हैं। अगर यह जूतों वाला मामला कहीं हाईकोर्ट या सुप्रीम कोर्ट चला गया तब तो यह कहना ही मुश्किल है कि क्या होगा। ये ज़िन्दगी के मेले दुनिया में कम न होंगे, अफ़सोस हम न होंगे।

बहरहाल अब आप विचार कीजिए और बताइए कि आज का क़ानून शेरशाह के जंगली क़ानून से कितना आगे बढ़ा? हो सके तो यह भी बताइए कि आज का क़ानून क्या वाक़ई आगे बढ़ा या पीछे हटा?

विषाद-योग

जैसे मानव जाति के इतिहास में तीन काल होते हैं, ठीक उसी प्रकार सरकारी महकमों और दफ़्तरों के जीवन में भी तीन काल होते हैं। चूँकि मैं इन तीनों कालों को भली-भाँति जानता हूँ, मुझे आप चाहे तो त्रिकालदर्शी कहकर भी पुकार सकते हैं। यक़ीन कीजिए, आपकी इस हरकत से मैं हर्गिज़ बुरा नहीं मानूँगा। इतिहास के तीन काल होते हैं— युद्ध से पहला काल, युद्ध का काल और युद्ध के बाद का काल और सरकारी दफ़्तरों के तीन काल होते हैं— विषाद से पहला काल, विषाद का काल और विषाद के बाद का काल। हम लोग उन दिनों विषाद के पहले वाले काल से गुज़र रहे थे। कारण यह है कि विभाग के सबसे बड़े अफ़सर दफ़्तर के निरीक्षण के लिए आ रहे थे। निरीक्षण से हम सब वचना चाहते थे पर फ़िलहाल जो स्थिति थी वह यह थी कि 'मुसाफ़िर जायेगा कहाँ'?

विषाद से ठीक पहले वाली इस पवित्र वेला में, हम सब लोग बेहद व्यस्त थे। पुराने काग़ज़ात हटाये जा रहे थे, नये रिकॉर्ड तरतीब से लगाये जा रहे थे, इमारत की पुताई हो रही थी, गवाक्षमार्गों के शीशे धुल रहे थे, फ़र्नीचर पर रंग किया जा रहा था और लॉन की घास किसी ऐसी षोडशी के केशों की तरह काटी जा रही थी जिसको कि अपने ऐसे प्रियतम के पास जाना हो जिसको कि वॉब-कट केश पसन्द हों। ड्रामे की तैयारियाँ की जा रही थीं क्योंकि यदि सास्कृतिक कार्यक्रम, विदेशी शराब और देसी हॉकी का एक मैच प्रस्तुत नहीं किया गया तो दफ़्तर को वैसे ही निष्क्रिय और निकम्मा स्वीकार कर लिया जायेगा। यह एक ऐसा चिरन्तन और शाश्वत सिद्धान्त रहा कि जिसके लिए किसी निरीक्षण की आवश्यकता कभी नहीं पड़ी। संक्षेप में दफ़्तर में ठीक वही स्थिति थी जो कालिदास के अनुसार कामदेव के भस्म होने से पहले कभी हिमालय की पहाड़ियों पर हुई थी। चारों ओर वसन्त प्रकट हो रहा था, मालतीलता के मण्डप और बकुलों के कुंज सजते जा रहे थे, नये पर्दे ख़रीदे जा रहे थे, और ड्रामे में भाग लेने के लिए दफ़्तर की सुन्दर बालिकाओं को उसी तरह मनाया जा रहा था जैसे कि सुन्दर बालिकाओं को मनाया जाता रहा। परिणाम भी वही रहा जो कि कालिदास तय कर गये थे— परभृताभिरतीव निवेदिते,

स्मरमते रमते स्म वधूजनः। वड़े अफ़सर के लिए डाक-बँगला बुक किया गया, वापस जाने के लिए टिकट ख़रीदा और सरकारी गाड़ी का प्रबन्ध किया गया। इन सारी क्रियाओं में वापसी का टिकट ख़रीदना ही एक ऐसी क्रिया थी जिसे सम्पन्न करते हुए कुछ खुशी हुई। अरे, बड़ा अफ़सर आ रहा है आने दो, आख़िर वापस भी तो जायेगा कि नहीं? सारे धन्धे समाप्त करने के बाद सब लोग बैठ गये और विचार-विमर्श करने लगे कि और क्या-क्या विधियाँ हो सकती हैं जिनके कारण बड़े साहब बाहर-ही-बाहर उलझे रहें और काग़ज़ात वग़ैरह न देख सकें। क्षेपक जो है वह मूल से आगे निकले तो कैसे निकले?

बड़े साहब को रिसीव करने के लिए हम लोग स्टेशन नामक स्थान पर गये और वहाँ पर भयंकर गर्मी में लगभग साढ़े तीन घण्टे तक अपनी पिछली टाँगों के सहारे खड़े रहे। भारतीय रेलों की शानदार ऐतिहासिक परम्परा के अनुसार गाड़ी जो थी वह सिर्फ़ कोई तीन घण्टा लेट थी। गाड़ी आयी, साहब आये, उनकी एक अदद पत्नी आयीं और उनके तीन अदद बच्चे भी आये। साहब गम्भीर प्रकृति के पुरुष थे और उनके चेहरे से लगता था जैसे कि वह अभी-अभी किसी शव-यात्रा में से लौटे हैं और किसी दूसरी शव-यात्रा में जाने वाले हैं। इतना भव्य, सुसंस्कृत और मनहूस चेहरा मैंने अर्से से नहीं देखा था। और उनकी पत्नी जो थीं वह तो एकदम रज़िया बेग़म, नूरजहाँ और क्लियोपेट्रा की पंक्ति में आती थीं। हम सबके सामने उन्होंने अपने पति से इस प्रकार व्यवहार किया जैसा कि कोई भद्र पुरुष अपने कुत्ते के साथ अकेले में भी करना शायद पसन्द नहीं करेगा। बच्चे अलबत्ता अपने माता-पिता से एकदम भिन्न थे और गाड़ी से उतरते ही हम लोगों से घुल-मिल गये और तरह-तरह की चीज़ों की फ़रमाइशें करने लगे।

दफ़्तर का मुआयना शुरू हो गया। साहब दफ़्तर नहीं गये, दफ़्तर को ही खींचकर उन तक ले जाया गया। बात यह थी कि बाहर से इतना हृदयहीन लगने वाला वह व्यक्ति भी हृदय रखता था और हृदयरोग से पीड़ित भी था। उसने रजिस्टर और काग़ज़ात वग़ैरह डाक बँगले पर मँगवाये और अपने साथ आये एक बाबू की मदद से उनकी जाँच-पड़ताल शुरू कर दी। उनकी धर्मपत्नी ने सरकारी गाड़ी की सहायता से नगर के सारे मन्दिर देखे और हम लोगों के पैसे से काफ़ी ख़रीदारी की। नगर से कुछ दूर जो ऐतिहासिक स्थल थे, उन्हें भी देखा गया। बातचीत में भी वे ठीक निकलीं सिवा अपने इकलौते पति के सबको इंसान समझती थीं, कुत्ता नहीं। हमारा एक चपरासी बेहद ख़ूबसूरत और जवान था और वह तो उस रूपवती महिला के दिमाग़ में ऐसा चढ़ा कि ज़्यादा लिखना शायद ठीक नहीं होगा। बात भी ठीक है, यदि बड़े लोग नौकरानियों से इश्क़ कर सकते हैं तो फिर उनकी पत्नियाँ नौकरों के साथ मौज क्यों नहीं कर सकतीं? बहरहाल यह सब चलता रहा और दफ़्तर का मुआयना होता रहा। साहब जो थे वे दवा के साथ-साथ थोड़ी-सी स्कॉच भी लेते

थे जो उनके पद के लिए एकदम उपयुक्त था। वह अफ़सर बड़ा कैसे हो सकता है जो सिगार या पाइप न पीता हो, कुत्ते न पालता हो, शराब न पीता हो और नीचे के लोगों को गाली न देता हो? और हाँ, जितनी देर साहब दफ़्तर और ड्रामे से निबटें और जितनी देर उनकी मेमसाहब ने उस जवान चपरासी और धार्मिक स्थलों से छुट्टी पायी, उतनी देर बच्चे जो थे वे शहर-भर के सिनेमाघरों से निपटते रहे। कुल मिलाकर मुआयना जो था वह काफ़ी कामयाब रहा।

कोई एक सप्ताह के बाद साहब को विदाई-भोज दिया गया जिसमें उन्हें और उनकी पत्नी को फूलों की मालाएँ और गुलदस्ते भेंट किये गये और उनकी तारीफ़ में एक ग़ज़ल भी पढ़ी गयी। अगले दिन हमने ग़लतियों के लिए क्षमा माँगी और उन्हें गाड़ी में सवार कराया। मुआयने का सारा ख़र्चा मेमसाहब हम पर नहीं डालना चाहती थीं, कुली को पैसे उन्होंने ही दिये और सुराही भी उन्होंने अपनी पूँजी से ही मँगवायी।

गाड़ी चली गयी। उसके चले जाने के बाद हम लोग पार्क के लॉन में बैठ गये। सान्याल ने बताया कि ड्रामे और डिनर वग़ैरह को मिलाकर कोई ढाई हज़ार रुपया ख़र्च हुआ था जिसका हमें प्रबन्ध करना था। दौरे के बाद की इस स्थिति ने हमें 'उत्तररामचरित' की याद दिला दी जहाँ कि भवभूति ने करुण-रस को सर्वोपरि माना है। हम लोगों ने एक-दूसरे को हिम्मत बँधायी और कहा कि इतनी राशि का प्रबन्ध तो किसी भी ठेकेदार से कराया जा सकता है और उसके लिए चिन्ता करना फ़िजूल है। साथ ही साथ यह भी तय किया गया कि बड़े साहब की भाँति हमें भी अपने अधीनस्थ छोटे-छोटे दफ़्तरों का मुआयना करना चाहिए। महाजनो येन गतः स पन्थाः। हमारी बात की सबने दाद दी और उसके बाद वह शोकसभा विसर्जित हो गयी। मगर रास्ते-भर हम यही सोचते रहे कि पैसे के लिए किस ठेकेदार के सामने हाथ फैलाएँगे और क्या कहकर फैलाएँगे? हम लोगों ने रिश्वत कभी ली नहीं थी और फ़िलहाल जो कुछ लोग चाहते थे उसे भी रिश्वत कहना कठिन था क्योंकि वह धन हमारे पास तो रहना नहीं था। बहरहाल अजब धर्मसंकट था। हम लोग इस तरह चलते जा रहे थे जैसे कि किसी जनाजे में जा रहे हों। सब लोग इतने उदास थे कि किसी ने सिगरेट तक नहीं सुलगाई। विषाद-योग के वे क्षण मैं इस जीवन में कभी नहीं भूल सकता। ईमानदार अफ़सरों को चोर कैसे बनाया जाता है, यह बात मैं उसी दिन समझा।

शगुन पंछी

संस्कृत भाषा में 'शकुन' शब्द के दो अर्थ हैं। एक अर्थ तो है उन पदार्थों से जिनके द्वारा हमें भविष्य में होने वाली अच्छी या बुरी घटनाओं का पूर्वाभास मिल सके और दूसरा अर्थ है पक्षी। इस एक शब्द के दो अर्थ होने का परिणाम यह रहा कि काफ़ी पक्षी ख़ुद ही अच्छा या बुरा शकुन देने वाले माने जाने लगे। आज मैं कुछ ऐसे ही शगुन पंछियों की कथा कहूँगा।

सबसे पहले मैं तीतर को लूँगा। निरुक्त के अनुसार तीतर यदि दायें बोलता है तो शुभ है, बायें बोलता है तो शुभ है, आगे बोलता है तो शुभ है और पीछे बोलता है तो भी शुभ है। कितनी अच्छी स्थिति है; एक अदद तीतर पकड़ लीजिए और उसे बोलने दीजिए। जहाँ कहीं से भी बोलेगा, प्रेमिका के बोलने की भाँति सुख-ही-सुख देगा। तीतर के इतना होनहार होने का कारण यह है कि ऋग्वेद के अनुसार इन्द्र जो थे, वे एक बार तीतर बने थे। इन्द्र भी काफ़ी मज़ाक़-पसन्द देवता थे; कुछ-न-कुछ करते ही रहते थे। कभी कहीं मेनका को दौरे पर भेज दिया तो कभी कहीं तिलोत्तमा को। जब तक वे लौटकर हैडक्वार्टर्स आयें, तब तक आप ख़ुद तीतर बन लिये। तीतर के विपरीत वैदिक काल में कबूतर को एक अपशकुन माना जाता था। ऋग्वेद में लिखा है, "हे देवताओ, यह कबूतर किस विपत्ति का भेजा हुआ दूत है? इसके आगमन का प्रायश्चित्त कीजिए ताकि हमारे दोपाये (यानी कि बीवी-बच्चे) और चौपाये शान्ति से रह सकें।" कबूतर की इस अलोकप्रियता का कारण शायद यह था कि यह कम्बख़्त सम्भवतः उन दिनों भी पत्र-वाहक का काम करता था। किसी ऋषि-मुनि ने उसके गले या पंखों में से किसी दूसरे ऋषि-मुनि द्वारा अपनी निजी पत्नी के प्रति लिखित प्रेम-पत्र पकड़ लिया होगा और उसी दिन से कबूतर जो था वह ग़रीब हमेशा के लिए बदनाम हो गया होगा।

कबूतर के प्रति तो हमारा दृष्टिकोण बदल गया पर उल्लू की आज भी वही स्थिति है जो कि वैदिक काल में थी। उल्लू को और उल्लू के पट्ठे को अभी भी हिक़ारत की निगाह से देखा जाता है। शकुनों की शकुन्तला उसके लिए नहीं बदली।

हिन्दी के आलोचकों की भाँति एकान्तप्रिय यह पक्षी जहाँ कहीं भी बैठने या बोलने लगता है, लोग समझते हैं कि वह स्थान उजाड़ हो जायेगा। कुछ लोगों का तो यह निश्चित मत है कि संसार में जितने भी स्थान उजाड़ हुए हैं वे युद्ध वग़ैरह से नहीं वरन् लक्ष्मीवाहन के बोलने से ही हुए हैं। अथर्ववेद के अनुसार उल्लू का बोलना मृत्यु या मुसीबत का सूचक है। क्या विचित्र संयोग है; लक्ष्मी को सब गले लगाना चाहते हैं और लक्ष्मीवाहन से सब घृणा करते हैं। विदेशों में अलबत्ता स्थिति कुछ अलग है और वहाँ उल्लू की कहीं ज़्यादा क़द्र होती है। चुप रहने के कारण वहाँ उसे गोपनीयता का प्रतीक माना जाता है और उसे लगभग उसी भावना से देखा जाता है जिससे हम हिन्दी के समीक्षकों को देखते हैं। उसी की भाँति कौआ भी कभी काफ़ी अभागा पक्षी माना जाता था और अथर्ववेद में इसकी काफ़ी चर्चा की गयी है। यह स्थिति काफ़ी दिनों बाद तक चलती रही। हमारे इतिहास में एक घटना है कि मराठों का दरबार लगा हुआ था और एक कौआ उसमें से उड़ता हुआ निकल गया। यह घटना कोई सन् अठारह सौ दस ईस्वी की है। कौवे की इस हरकत को बड़ा अपशकुन माना गया और इसका बुरा प्रभाव दूर करने के लिए सिन्धियाजी महाराज ने ब्राह्मणों को मोती और सोना दान में दिया। मेरे ख़याल से तो वह कौआ उन ब्राह्मणों ने ही जान-बूझकर दरबार में उड़वा दिया होगा। ख़ैर, अब कौवे के दिन बदल गये। अब तो सारी रूपवती युवतियाँ (जिनके पति दौरे पर हैं और जिनका कोई प्रेमी नहीं है) कौवे से अनन्त प्रेम करती हैं। वह बोलेगा तो प्रियतम घर आयेंगे। प्रियतम की प्रतीक्षा क्यों की जाती है, यह बात आप लोग शायद जानते ही होंगे।

वैसे तो यह लेख पक्षियों के बारे में ही था (और रहेगा) पर थोड़ी-सी चर्चा यदि आदमी और मेंढक की भी कर दी जाए तो शायद असंगत न होगा। शास्त्रों में विधवा स्त्री के दर्शन को अपशकुन बताया गया है चाहे वैसे वह कितनी भी रूपवती क्यों न हो। दर्शन ही करने हैं तो यथासमय यथाविधि एकान्त में कर लो, सबके सामने नहीं। इसी प्रकार महामति मनु के अनुसार पंगत में बैठकर भोजन करते समय यदि कोई अन्धा आ जाए तो नब्बे, काना साठ, श्वेतकुष्ठी सौ और पापरोगी हज़ार ब्राह्मणों के भोजन के फल को नष्ट कर देता है। इसी प्रकार कुण्डगोलक को भी भोजन नहीं खिलाया जा सकता। पति के जीवन में परपति से उत्पन्न पुत्र कुण्ड और विधवा होने के बाद उत्पन्न हुए पुत्र को गोलक कहते हैं। मनु की इन उक्तियों से यह भी पता लगता है कि समाज की तब क्या दशा थी? परपति तब भी परोपकार करते थे और सहृदय लोग विधवाओं पर तब भी तरस खाते थे। कुण्डगोलक के विपरीत वेदों में मेंढक को शुभ स्वीकार किया गया क्योंकि वह वर्षा के आने की सूचना देता था। अथर्ववेद में एक मेंढकी विशेष की स्तुति करते हुए कवि कहता है :

उपप्रवद मण्डूकि वर्षाभा वद तादुरि
मध्ये हृदयस्य प्लवस्य विगृह्य चतुरः पदः

गीता में त्यागी-तत्त्व

हिन्दू-दर्शन के जितने भी ग्रन्थ हैं, गीता कदाचित् उनमें सर्वश्रेष्ठ है। जैसा कि एक श्लोक में कहा गया है, सारे उपनिषद् जो हैं वे गाय हैं, दूध दुहने वाले स्वयं श्रीकृष्ण हैं जो इस कला के पारखी हैं, अर्जुन जो है वह बछड़ा है और यह दूध जो है वह उसे तबीयत के साथ पिलाया जाता है। पश्चिमी संसार ने भी भारत की दार्शनिक समृद्धि को सर्वप्रथम इसी ग्रन्थ द्वारा समझा था क्योंकि अठारहवीं शती के अन्तिम चरण में ईस्ट इण्डिया कम्पनी के गवर्नर जनरल वारेन हेस्टिंग्ज की आज्ञा से चार्ल्स विलकिन्स नामक अँग्रेज़ संस्कृतज्ञ ने इसका अनुवाद संस्कृत से अँग्रेज़ी में किया। गीता को लेकर बड़े-बड़े महारथियों ने टीकाएँ लिखीं जिनमें लोकमान्य तिलक की 'गीता रहस्य' नाम की टीका बहुत प्रसिद्ध है। यह टीका उन्होंने उस समय लिखी थी जब कि वे जेल में थे। चूँकि मैं अभी तक जेल नहीं जा पाया, गीता के अध्ययन का मुझे उतना अवसर नहीं मिला जितना कि इण्डियन नेशनल आर्मी के जनरल मोहनसिंह द्वारा अपेक्षित है। मगर फिर भी मैंने गीता को पढ़ा है और बार-बार पढ़ा है और मेरा ध्यान प्रायः उस पहलू की ओर गया है, जिसे बाक़ी विद्वानों ने जल्दी में छोड़ दिया। वह पहलू यह है कि गीता में मेरी जाति की (यानी कि त्यागी जाति की) बड़ी विशद चर्चा है जिससे पता चलता है कि हमारी जाति पुरानी ही नहीं वरन् ऐसी है जिसका कि आदर स्वयं भगवान् तक करते थे। उदाहरण प्रस्तुत हैं :

अनपेक्षः शुचिर्दक्ष उदासीनो गतव्यथः।
सर्वारम्भ परित्यागी यो मद् भक्तः स मे प्रियः ॥12॥16॥
यो न हृष्यति न द्वेष्टि न शोचति न कांक्षति।
शुभाशुभ परित्यागी भक्ति मान्यः स मे प्रियः ॥12॥17॥
मानापमानयोस्तुल्यस्तुल्यो मित्रारिपक्षयोः।
सर्वारम्भ परित्यागी गुणातीतः स उच्यते ॥14॥25॥
न हि देहभृता शक्यं त्यक्तुं कर्माण्यशेषतः।
यस्तु कर्मफलत्यागी स त्यागीत्यभिधीयते ॥18॥11॥

अनिष्टमिष्ट मिश्रं च त्रिविधं कर्मणः फलम्।
भवत्य त्यागिनां प्रेत्य न तु सन्यासिनां क्वचित् ॥18॥12॥

यहाँ कुछ लोग, जिनका कि काम ही शंका करना है, कह सकते हैं कि गीता में त्यागी शब्द का प्रयोग त्यागी जाति के लिए नहीं वरन् उन लोगों के लिए किया गया है जो कि उसमें बताये ढंग के अनुसार कर्म तो करते हैं पर उनके फल की इच्छा त्याग देते हैं। मेरे विचार में यह शंका निर्मूल है। मेरा मत है कि गीता में जहाँ-जहाँ भी त्यागी शब्द का प्रयोग किया गया, वह मात्र त्यागी जाति के लिए किया गया है। इस मत की पुष्टि के लिए अनेक तर्क दिये जा सकते हैं। पहला तर्क तो यह है कि जिस इलाक़े में गीता लिखी गयी, वह धुआँधार त्यागी जाति का इलाका है और यह नितान्त स्वाभाविक है कि गीता में इस आस-पास के इलाक़े की पूरी-पूरी चर्चा की जाए। दूसरा तर्क यह है कि मेरा इलाका किसानों का इलाका है और ज़्यादातर त्यागी लोग खेती ही करते हैं। वे क्षेत्रज्ञ हैं। गीता में भी शरीर को क्षेत्र कहकर पुकारा गया है। शरीर कर्मों को उसी भाँति धारण करता है जैसे कि खेत बीज को। जीव चेतन होता है और प्रकृति निश्चेतन और इसी को क्षेत्रज्ञ कहकर पुकारा गया हैं (13/2)। यह तर्क फिर साबित करता है कि गीता का उपदेश देते समय त्यागी जाति को ज़रूर ध्यान में रखा गया था। अगला तर्क यह है कि गीता के अनुसार सिद्ध पुरुष वही है जो विद्या और विनय से युक्त ब्राह्मण में, गाय में, हाथी में, कुत्ते में और चाण्डाल में समदर्शी होता है और एक ही आत्मा के दर्शन करता है (5/18)। मैं कसम खाकर कहता हूँ कि त्यागी लोग ही ऐसे लोग होते हैं जो इतने समदर्शी हों कि कुत्ते और विद्वान् ब्राह्मण को बराबर समझें और उन दोनों की मरम्मत एक ही लाठी से सम्पन्न करें। अन्तिम तर्क यह है कि किसी गाँव में जैसे ही धर्म या अधर्म की अति हो जाती है, वहाँ कोई-न-कोई त्यागी ज़रूर प्रकट हो जाता है जो स्थिति को सँभाल सके। और क्या कहूँ, जैसे ही हिन्दी में व्यंग्य की ग्लानि हुई, ख़ाकसार जो था, वह सीन पर हाज़िर हो गया। यदा-यदा हि धर्मस्य...

अब आपको उचित होगा कि मेरा सम्मान करें। मैं उस जाति में से हूँ जिसकी कि चर्चा गीता में की गयी। पत्रं, पुष्पं और फलम्—सब मुझे अर्पित करो और परिणाम की आशा छोड़ दो। मेरे शत्रुओं की ठुकाई करो, और मेरी बाँह पकड़ो। हे सुन्दर युवतियो! मैं तुमसे फिर कहता हूँ कि मेरी शरण में आओ, किसी दूसरे की नहीं। सर्वधर्मान् परित्यज्य, मामेकं शरणं ब्रज।

नैनीताल को बचाओ

हमारा देश एक ऐसा देश है जहाँ किसी-न-किसी को बचाने के लिए कोई-न-कोई आन्दोलन चलता ही रहता है। कुछ वर्ष बीते कि जनता को मलेरिया से बचाने का आन्दोलन चला था। इस आन्दोलन का मूलमन्त्र यह था कि मच्छर तो रहेगा पर मलेरिया जो है वह नहीं रहेगा। इस अभियान के दौरान लाखों रुपये सरकारी अमले की जेब में गये जब कि हालत यह रही कि मच्छर तो नहीं रहा पर मलेरिया फिर भी रहा। इसके बाद 'घड़ियाल बचाओ', 'शेर बचाओ' और 'वृक्ष बचाओ' जैसे आन्दोलन आये। किशन चन्दर ने 'गधा बचाओ' आन्दोलन का सूत्रपात किया और यह आन्दोलन काफ़ी कामयाब भी रहा। स्थिति यह है कि जिधर देखो, उधर गधे-ही-गधे नज़र आते हैं। इस सबके बाद मैं सोचता था कि अब कोई नर-पुंगव 'पतियों को परायी पत्नियों से बचाओ' या 'विधवाओं को विधवाश्रमों से बचाओ' जैसा कोई सार्थक अभियान प्रारम्भ करेंगे। मगर मैं ग़लत था। नया आन्दोलन जो है वह नैनीताल के बचाने से सम्बन्ध रखता है। लोगों का ख़याल है कि नैनीताल ख़तरे में है और उसका बचाना ज़रूरी है। विधवा या पति तो बचाने के लिए बाद में भी मिलते रहेंगे पर नैनीताल जो है वह अगर हाथ से निकल गया तो फिर वापस नहीं आयेगा।

नैनीताल की समस्याएँ दो हैं। सयानों का मत है कि आबादी बढ़ती जा रही है और उसके दबाव के कारण शहर परेशानी में है। इसके अतिरिक्त वहाँ जो झील है, उसका पानी गन्दा होता जा रहा है और यदि वक़्त पर सही और ठोस क़दम नहीं उठाये गये तो उस बढ़ती हुई आबादी के लिए ख़तरा उत्पन्न हो सकता है। 'झील विशेषज्ञ समिति' केवल इसी कारण बिठायी गयी थी। सयानों की सिफ़ारिश पर सरकार ने काफ़ी बड़ी राशि नैनीताल बचाने के लिए स्वीकृत भी की, मगर उससे समस्या का समाधान नहीं हुआ और इसका परिणाम यह रहा कि तीस जुलाई सन् उन्नीस सौ अठहत्तर ईस्वी को नागरिकों ने नैनीताल के बचाने के मुद्दे को लेकर एक सम्मेलन भी आयोजित किया। सरकार ने वही किया जो करना चाहिए था। उसने सयानों की एक समिति और गठित कर दी जिसकी रिपोर्ट आंने में अभी कुछ

देर लगेगी। मुझे इस प्रकार की समितियों और आयोगों से बड़ा स्नेह है। वे या तो अपनी रिपोर्ट देते ही नहीं और देते हैं तो तब देते हैं जब कि समस्या जो है वह अपने-आप ही सुलझ जाती है या जनता उसे भूल जाती है। इस रहस्य का पता मुझे तब लगा जब कि मैं ख़ुद कुछ समितियों का सदस्य बनाया गया।

मेरे ख़याल में नैनीताल का बचाना बेहद ज़रूरी है। इस ख़याल के पीछे कई कारण हैं। पहला कारण तो यह है कि पहाड़ों की रानी होने के कारण नैनीताल की नगरी स्त्रीलिंग ठहरती है और किसी भी स्त्रीलिंग के प्रति आकृष्ट होना मेरा जन्मसिद्ध अधिकार है। मैं तो ख़ैर आदमी हूँ, वैज्ञानिकों की ताज़ी खोज के अनुसार मच्छर तक स्त्रियों के पास ज़्यादा जाते हैं और पुरुषों के पास कम। अब आप ही बताइए कि क्या मैं मच्छर से भी गया-बीता हो गया? दूसरा कारण यह है कि नैनीताल न रहेगा तो अपनी उदासी उतारने के लिए देश के युवक और युवतियाँ कहाँ जायेंगे? वे वहाँ जाते हैं, कुत्तों की नुमाइश लगाते हैं और जब उससे भी मन भर जाता है तो बजाय कुत्तों के लड़कियों की नुमाइश—यानी कि सौन्दर्य प्रतियोगिता— का आयोजन करते हैं। कुछ लोग इश्क़ भी करने लगते हैं जो काफ़ी ऊँचे क़िस्म का होता है। समुद्र-तट से पाँच हज़ार फ़ीट ऊँची जगह पर किये गये इश्क़ को अगर ऊँचे क़िस्म का नहीं कहेंगे तो और क्या कहेंगे।

आप में से कुछ भावुक क़िस्म के इंसान कह सकते हैं कि जिस देश में हरिजन जलाये जा रहे हों, खुलेआम लड़कियों को वेश्यावृत्ति के लिए विवश किया जाता हो और अन्त में चलकर जिस देश में निरीह बच्चों को अपंग बनाकर भीख मँगवायी जाती हो वहाँ भला नैनीताल को बचाने की क्या तुक है? जिस मुल्क में लाखों लोग सिर्फ़ एक वक़्त का खाना खाते हों— और वह भी कोई छप्पन व्यंजन वाला भोजन नहीं वरन् ऐसा कि जिसे शायद कुत्ता भी न खाए उस मुल्क में एक पर्वतीय स्थल को लेकर इतनी चिन्ता? मेरे ख़याल में ये सारे प्रश्न बेकार हैं। आप नैनीताल को बचाइए और हिन्दुस्तान को भूल जाइए। अगर लोगों को रोटी नहीं मिलती तो वह उनके कर्मों का फल है। जिसे भगवान ने ही ग़रीब और बेसहारा बनाया हो, उसे अमीर बनाने का भला हमको क्या हक़ है?

मेरी सलाह है कि हम सब लोग देश की चिन्ता छोड़ दें और नैनीताल को बचाने में जुट जाएँ। नार्वे में अदालतों ने तय कर दिया है कि टेलीफ़ोन पर भी शादी की जा सकती है। फ्रान्स में एक कृषिशास्त्री ने ऐसा पौधा तैयार किया है जो टमाटर भी देता है और आलू भी। इन मिसालों से पता लगेगा कि और लोग कहाँ-से-कहाँ पहुँच गये और इधर हम हैं कि ग़रीबों की ही चिन्ता किये जा रहे हैं। यह ग़लत है। और वैसे भी यदि ग़रीबी नहीं रही तो कथा-लेखकों, उपन्यासकारों और बाक़ी कलाकारों को प्रेरणा कहाँ से मिलेगी? ग़रीब न होंगे तो मुंशी प्रेमचन्द कहाँ से पैदा होंगे? इन सब बातों को मद्देनज़र रखते हुए मैं फिर कहूँगा कि हिन्दुस्तान भूल

जाइए और नैनीताल को बचाइये। हाँ, अलबत्ता चाहें तो देश की स्थिति को लेकर कोई कसीदा कह सकते हैं। इतना किया और आपका फ़र्ज़ पूरा हो गया। इस सन्दर्भ में एक शायर का कलाम हाज़िर है—

इन गुड़ियों की कई कठपुतलियों में जान है
आज शायर यह तमाशा देखकर हैरान है,
ख़ास सड़कें बन्द हैं तब से मरम्मत के लिए
ये हमारे वक़्त की सबसे बड़ी पहचान है,
एक बूढ़ा आदमी है मुल्क में या यह कहो—
एक अँधेरी कोठरी में एक रोशनदान है,
इस कदर पाबन्दी-ए-मज़हब कि सदके आपके
जब से आज़ादी मिली है, मुल्क में रमज़ान है,
कल तुमाइश में मिला था चीथड़े पहने हुए
मैंने पूछा नाम तो बोला कि हिन्दुस्तान है

पिकनिक

फ़िलहाल मैं जिस स्थान पर नियुक्त हूँ, वहाँ मेरे विभाग के जितने भी प्रथम श्रेणी के अधिकारी हैं, उनकी पत्नियों का एक अलग एसोसिएशन है। इस संस्था की बैठक महीने में एक बार होती है जिसमें खाना, ताश खेलना, हँसी-मज़ाक़ करना और गाना-बजाना तो होता ही है, पर साथ ही साथ एक-दूसरे पर कीचड़ उछालना और वे सारे काम जिनके लिए स्त्री जाति मशहूर है, वे भी बाक़ायदा सम्पन्न किये जाते हैं। पता नहीं कैसे, इस संस्था में भाग लेने वाली स्त्रियों को एक दिन अचानक अपने पतियों पर दया आ गयी और यह निश्चय किया गया कि लेडीज़ क्लब एक पिकनिक का इन्तज़ाम करेगा जिसमें प्रत्येक स्त्री का पति भी जायेगा। पतियों के साथ-साथ कुत्तों को भी साथ ले जाने की इजाज़त दे दी गयी। इन देवियों की निगाहों में पति और कुत्ते—इन दोनों जीवों में वैसे भी कोई विशेष अन्तर नहीं था। मेरे ख़याल में कुछ पत्नियाँ तो शायद ऐसी थीं जो कुत्ते को पति से कहीं ज़्यादा बेहतर समझती थीं।

पिकनिक कहाँ किया जाए इस मुद्दे को लेकर काफ़ी वाद-विवाद हुआ। कुछ देवियाँ हस्तिनापुर जाना चाहती थीं तो कुछ देवियाँ बेग़म समरू का ऐतिहासिक गिरजाघर देखने को उत्सुक थीं। हालत यह आ गयी कि वोट लेने पड़े। वोट के आधार पर तय किया गया कि पिकनिक पार्टी जो जायेगी वह 'चीतल पार्क' नामक स्थान पर जायेगी। सुबह चलेंगे; चाय, नाश्ता और दोपहर का खाना वहीं घास पर होगा और शाम को वहाँ से लौट आयेंगे। एक पुराना ग्रामोफ़ोन साथ जायेगा ताकि गाने सुने जा सकें। यह सब तय करने के बाद पिकनिक के इन्तज़ाम की सारी ज़िम्मेदारी पाण्डेजी नाम के एक सज्जन को सौंप दी गयी। पाण्डेजी में केवल दो ही गुण थे जिनके कारण वे सारे क्षेत्र में प्रख्यात थे। पहला गुण तो यह था कि वे कभी किसी काम को करने के लिए मना नहीं करते थे और दूसरा गुण यह था कि पूरा वादा कर लेने के बाद भी वे कोई काम कभी नहीं करते थे। पत्नियों को जब पूरे सत्य का पता लगा तो उन्होंने पिकनिक की ज़िम्मेदारी कुछ गिने-चुने पतियों पर डाल दी जो कि द्वितीय श्रेणी के अधिकारी थे और जो मात्र इसी दोष के कारण पिकनिक में

भाग नहीं ले सकते थे। प्रथम श्रेणी के अधिकारियों की पत्नियों में जो मान-मर्यादा और आत्म-सम्मान होता है, उसे शायद आप लोग नहीं जानते। वे नौकरानियों के साथ (और कभी-कभी नौकरों के भी साथ) प्रेम की बात कर लेंगी पर दूसरे दर्ज़े के अफ़सरों की पत्नियों को इंसान मानने के लिए कभी तैयार नहीं होंगी। अगर वैसा कर लिया तो प्रथम श्रेणी के अधिकारी की पत्नी होने का मज़ा ही क्या रहा?

नियत दिवस और निर्धारित समय पर हम सब लोग एक पूर्वनिश्चित स्थान पर एकत्रित होने प्रारम्भ हुए। बस, चपरासी, खाना पकाने के बर्तन, प्लेट और प्याले—सारा सामान समय पर आ गया। पति लोग भी काफ़ी संख्या में आ गये। हाँ, अलबत्ता पत्नियों ने आने में काफ़ी समय लिया। कम उम्र की पत्नियाँ तो मेकअप के कारण लेट हो गयीं और जो ज़्यादा आयु की देवियाँ थीं वे इस कारण देर से आयीं क्योंकि उनके पति लोग बाक़ी पतियों से सीनियर थे। पिकनिक जैसी बेतकल्लुफ़ चीज़ में भी इंसान अपनी हैसियत तो नहीं भूल सकता। ख़ैर, निश्चित समय से कोई एक घण्टा बाद हमारी बस ने अपनी यात्रा प्रारम्भ की और कोई ग्यारह बजे तक हम लोग अपनी मंज़िले-मकसूद तक पहुँच गये। रास्ते में कोई विशेष घटना नहीं घटी सिवा इसके कि चंद जगहों पर बस के झटकों के कारण कुछ पत्नियाँ ऐसे पतियों की गोद में जा पड़ी जो कि उनके अपने नहीं थे। वैसे कुल मिलाकर यह स्थिति भी सुखदायक ही रही।

बस से उतरकर हम लोगों ने खोज करनी शुरू की कि चीतल पार्क कहाँ है और कैसा है। काफ़ी पूछताछ के बाद पता लगा कि तारों का एक बाड़ा है जिसमें कोई छह या सात हिरन क़ैद हैं और जहाँ तक पार्क का प्रश्न है वह यहाँ मीलों तक कहीं नहीं है। थोड़ी देर बाद यह बात समझते देर न लगी कि हम लोग बेवकूफ़ बन गये। बन नहीं गये बल्कि बनाये गये और वह भी पत्नियों द्वारा। बड़े साहब को तो इतना ताव आया कि वे अपनी मूँछें ऐंठकर अपनी निजी पत्नी को गंगा की नहर में (जो कि पास ही थी) फेंकने का इरादा करने लगे पर जब हम लोगों ने समझाया कि इस उम्र में शायद दूसरी बीवी न मिले, तब उन्होंने अपना इरादा बदल दिया। चूल्हे जलाये गये, चाय दी गयी और एक तरफ़ तो खाना तैयार होने लगा और दूसरी तरफ़ हम लोग टोलियों में नहर के किनारे घूमने लगे। टोलियाँ भी जो बनीं वे वरिष्ठता के अनुसार ही बनीं। सीनियर लोग अलग घूमे और जूनियर लोग अलग। मुझे यह देखकर बड़ा गर्व हुआ कि पिकनिक के दिन भी हम लोग अपना अनुशासन नहीं भूले।

वक़्त काटने के लिए काफ़ी तैयारियाँ की गयी थीं। ग्रामोफ़ोन लाया गया था ताकि सहगल के पुराने गाने आराम से सुने जा सकें मगर यह प्रोग्राम इस कारण पूरा नहीं हो सका कि जो सज्जन ग्रामोफ़ोन लाये थे वे रिकॉर्ड लाना भूल गये थे। उनकी इस लापरवाही पर बड़े साहब पहले तो काफ़ी गर्म हुए पर बाद में हँसने लगे।

सज़ा के तौर पर यह तय किया गया कि वे सज्जन और उनकी पत्नी अपना-अपना गाना सुनाएँ। उनकी पत्नी तो एकदम तैयार हो गयीं और कुछ-कुछ ऐसे स्वर में एक लोकगीत गाने लगीं जैसे कि कोई भैंस पीटी जा रही हो और चिल्ला रही हो। कोई पाँच मिनट बाद ही यह विनती की गयी कि वे अपना सुगम संगीत बन्द कर दें और अपने पति महोदय को भी कला-प्रदर्शन का अवसर दें। पति महोदय ऐसे निकले कि कला-प्रदर्शन के स्थान पर गला-प्रदर्शन करने लगे। उन्होंने कोट उतारा, स्वेटर निकाला, टाई ढीली की और फिर कुछ ऐसे स्वर में सहगल का एक गाना सुनाना शुरू किया कि सहगल साहब अगर वहाँ मौजूद होते तो आत्महत्या कर लेते। उनकी पत्नी का स्वर जितना उदात्त था और रेल के इंजिन की भाँति मीलों तक आवाज़ फेंक सकता था, वहाँ पति महोदय का स्वर इतना नम्र और इतना मद्धिम था कि बड़ी कोशिश के बाद ही उसे सुना जा सकता था। गाने के बाद नाचने की बारी आयी और दो निहायत मोटे अफ़सर इस तरह उछलनें-कूदने लगे कि साथ में आये एक चपरासी को हँसी आ गयी। बाद में पता चला कि यह पश्चिमी उत्तर प्रदेश का एक लोकनृत्य था जो बड़े परिश्रम के साथ हमारे सामने पेश किया गया था। इसके बाद अफ़सरों की और उनकी पत्नियों की रेस हुई। इत्तफ़ाक देखिए कि हर दौड़ में पति पीछे रह गया और पत्नी आगे निकल गयी। बड़े साहब ने पाइप सुलगाते हुए कहा कि भागने की कला औरतों को ही आती है; आदमियों को नहीं। यक़ीन न हो तो किसी भी दिन का अखबार देख लो; किसी-न-किसी लड़की या औरत के भागने की ख़बर उसमें ज़रूर मिलेगी।

क़रीब दो बज गये थे और खाना जो था वह तैयार हो चुका था। खाना एकदम शाइस्ता ढंग से पेश किया गया; पहले सूप और बाद में स्वीट डिश। इन दोनों चीज़ों के बीच पूरियाँ आयीं, सलाद आया, पुलाव आया और सब्ज़ियाँ आयीं। खाना अच्छा बना था और सबने काफ़ी खाया। जो अल्पाहारी थे, आज वे भी कमाल दिखाने लगे। हाँ, अलबत्ता बड़े साहब ने घर से लाये चार टोस्ट ही खाये और एक कप कॉफ़ी पी। उन्हें डर था कि कहीं वे दिल के दौरे से न मर जायें क्योंकि कोई तीन पीढ़ी पहले एक ऐसा हादसा उनके कुल में पहले से ही सपन्न हो चुका था। वे बेचारे बड़ा नियमित जीवन व्यतीत करते थे; उबली हुई तरकारियाँ, एक वक़्त बिना मक्खन के चार टोस्ट और दूसरे वक़्त सिर्फ़ दो चपातियाँ और रात को या तो दूध या फिर शराब। अपनी पत्नी तक से संयम रखते थे। हाँ अलबत्ता कुछ और कर्मचारियों की पत्नियों से उनके जो आत्मीय सम्बन्ध थे, वह एक दीगर बात ठहरी। वे यहाँ भी एक जूनियर अफ़सर की रूपवती पत्नी से मज़ाक़ करते रहे जब कि उसका जो पति था वह बराबर आहें भरता रहाँ यह पति भी अपनी पत्नी को हमेशा तिजोरी में बन्द रखता था। उसका ख़याल था कि उसकी पत्नी चौबीस घण्टे उसकी आँखों के सामने रहे, अगर एक मिनट को भी ओझल हो गयी तो वह चरित्रहीन हो जायेगी। दफ़्तर

से भी वह हर आधा घण्टे बाद पत्नी को टेलीफ़ोन करता था और जहाँ भी वह जाती थी, उसके साथ जाता था। यहाँ उसकी हालत देखने लायक़ थी। एक तरफ़ वीवी और दूसरी ओर बड़े साहब। करे तो बेचारा क्या करे? जायें तो जायें कहाँ?

तीसरे पहर कॉफ़ी पी गयी। कॉफ़ी पीते-पीते पता लगा कि पिकनिक में आयी दो टोलियाँ एक-दूसरे से बुरी तरह चिपट रही हैं और एक-दूसरे के केश खींच रही हैं। इस द्वन्द्व-युद्ध को हम सभी ने काफ़ी दिलचस्पी से देखना शुरू किया। वे दोनों लड़ती रहीं और गालियाँ भी देने लगीं। एक ने सूचना दी कि उसका सम्बन्ध अपने नौकर से है जिसके उत्तर में दूसरी देवी ने सूचना दी कि उसका सम्बन्ध तो अपने ही नौकर से है जब कि पहली देवी का सम्बन्ध तो मुहल्ले के सारे नौकरों से है। चपरासी, खानसामा, बावर्ची—सारे लोग काम छोड़कर इस मल्लयुद्ध का आनन्द लेने लगे। एक साहब ने बीच-बचाव करने की कोशिश की तो उनका चश्मा तोड़ दिया गया। ख़ैर, बड़े साहब के डाँटने पर युद्ध जो था वह समाप्ति को प्राप्त हुआ और दोनों देवियाँ अपने फटे ब्लाउज़ों को देखने लगीं। एक चपरासी ने दबी-सी आवाज़ में कहा कि औरत जात जो है वह हमेशा औरत जात ही रहती है। बीवी चाहे अफ़सर की हो, चाहे जमादार की, लड़ना वह कभी नहीं छोड़ेगी। बाबा तुलसीदास जो स्त्रियों को ढोलक की भाँति रोज़ दोनों तरफ़ से पीटने को कहते थे, वह कोई ग़लत थोड़े ही कहते थे?

कोई छह बजे हम लोग वापस लौटे। वापसी के वक़्त मुझे उसी सुन्दर युवती के पास वाली सीट मिली जिसका पति उसे तिजोरी में बन्द रखना चाहता था। बस ने जब भी झटका दिया, वह 'आयी एम सॉरी' कहती और मेरी गोद में बिछ जाती। मैं सोचता रहा कि काश, यह यात्रा इसी तरह चलती रहे, कभी ख़त्म न हो। मगर यात्रा ख़त्म हुई और हम लोग अपने घरों को सकुशल लौटे।

सारे रास्ते मेरी निजी पत्नी मुझे काफ़ी अजीब तरह घूर-घूरकर देखती रही।

मेरा ज्ञान बढ़ा

पिछले पन्द्रह-बीस वर्षों में हिन्दी का हास्य-व्यंग्य काफ़ी समृद्ध हुआ है। इस समृद्धि का एक परिणाम यह भी हुआ कि अनेक मतिमान लोग इस दिशा में शोध भी करने लगे। इस सन्दर्भ में कुछ पत्र मेरे पास भी आते रहते हैं जिनका मैं बड़ी तत्परता से उत्तर देता हूँ ताकि मेरा जो नाम है, वह भी पोथी में जा सके। इसके अतिरिक्त शोध में मेरी कभी कोई दिलचस्पी नहीं रही। मैं तो उसे हमेशा बजाय 'शोध' के 'शोथ' ही पुकारता रहा। मेरे एक समकालीन लेखक का कहना है कि जैसे सोने के लिए लेटना अनिवार्य है, उसी भाँति शोध करने के लिए भी बोर होना ज़रूरी है। यदि कोई शोधकर्ता बिना बोरियत के शोध कर लेता है तो उसकी शोध अनिवार्यतः निम्न कोटि की होती है। मगर स्थिति यह है कि शोध करने वालों की भीड़ बढ़ती ही जा रही है, घट नहीं रही।

इस सप्ताह मुझे एक शोध-प्रबन्ध की छपी हुई प्रति मिली। मैंने उसे काफ़ी मनोयोग से पढ़ा। शोधकर्ता को शायद लिखते हुए बोरियत हुई हो मगर मुझे तो पढ़ते हुए आनन्द ही आया। महत्त्वपूर्ण बात तो यह है कि इस थीसिस के पढ़ने से मेरा ज्ञान बढ़ा। मुझे पहली बार इस बात का पता लगा कि हँसने की प्रथा का उदय भाषा की उत्पत्ति से पहले ही हो गया था। मुझे यह भी पता लगा कि आचार्य भरत के अनुसार हास्यरस की सृष्टि जो होती है, वह श्रृंगार रस से होती है। अरस्तू, सिसरो, स्पिनोजा और हेगेल के विचार भी इस सन्दर्भ में पढ़ने को मिले। हास्य के स्वरूप और उसके सिद्धान्तों को लेकर जो शास्त्रीय चर्चा चली, उसमें तो मैं एकदम डूब ही गया। सबसे ज़्यादा आनन्द वहाँ आया जहाँ यह बताया गया कि हास्य के भी अनेक भेद होते हैं। आचार्य भरत के अनुसार हास्य या तो आत्मस्थ होता है या परस्थ। पण्डित जगन्नाथ ने इन भेदों का विवेचन नये तौर पर किया। स्मित हास्य उसे कहा गया जिसमें कपोलों के निचले भाग पर हँसी की हलकी छाया पड़े, कटाक्ष-सौष्ठव समन्वित रहे और दन्तपंक्ति न दिखाई दे। हसित हास्य उस स्थिति को कहते हैं जिसमें नेत्र और मुख दोनों प्रफुल्लित हो जाएँ, कपोलों पर हँसी प्रकट हो और थोड़े-थोड़े दाँत भी दीखने लगें। विहसित हास्य वह होता है जिसमें आँख

और कपोल संकुचित हो जायें और धीमी हँसी की ध्वनि के साथ मुख पर लालिमा चमकने लगे। उपहसित हास्य उसे कहते हैं जिसमें नाक फूल जाए, दृष्टि कुटिल हो जाए और कन्धे संकुचित हो जाएँ। अपहसित हास्य वह है जिसमें कन्धे हिलने लगें और हँसते-हँसते आँखों में पानी आ जाए। अन्त में चलकर एक अपहसित हास्य और होता है जिसके दौरान नेत्रों में तीव्रता से आँसू आते हैं, उद्धत चिल्लाहट का स्वर होता है और हाथ जो हैं वे बग़ल को दबा लेते हैं। मृदुहास से लेकर अट्टहास तक की स्थिति ऊपर बताये गये हास्यों की क़िस्म में आ जाती है। महाकवि केशवदास ने भी मन्दहास, कलहास, अतिहास, परिहास और अट्टहास की चर्चा की है। आप किसी प्रकार की भी हँसी हँसिए, उसकी परिभाषा पहले से ही आपको तैयार मिलेगी। शास्त्रकारों ने कुछ भी तो नहीं छोड़ा।

इस शोध-प्रबन्ध से मुझे यह भी पता लगा कि उर्दू में व्यंग्य को 'फ़काहिया' कहा जाता है, और ज़्यादा ख़ुशी तो यह जानकर हुई कि हास्य-व्यंग्य की प्रथम पत्रिका सन् अठारह सौ पैंतीस में मेरठ से ही निकली थी– ठीक वही स्थान जहाँ बैठकर मैं यह प्रबन्ध लिख रहा हूँ। पत्रिका का नाम था 'मेरठ यूनिवर्सल मैगज़ीन' और सम्पादक थे कप्तान हार्वे। मुझे इस थीसिस को पढ़कर यह निराशा हुई थी कि इसमें मेरी चर्चा तो काफ़ी विशद थी पर फिर भी मुझे हिन्दी का सर्वश्रेष्ठ व्यंग्यकार नहीं बताया गया था। वह सारा दुःख 'मेरठ यूनिवर्सल मैगज़ीन' के बारे में पढ़कर भाग गया।

इस थीसिस में यह बताया गया है कि हिन्दी में हास्य-व्यंग्य की कभी भी कमी नहीं रही। एक से बढ़कर एक हास्य-व्यंग्य लेखक हिन्दी में होते रहे, मगर दुर्भाग्य मित्र समीक्षकों ने उनका समुचित मूल्यांकन नहीं किया। इस सन्दर्भ में थीसिस में अनेक महत्त्वपूर्ण ग्रन्थों की चर्चा की गयी है जिनमें से कुछ ग्रन्थ काफ़ी कलात्मक प्रतीत होते हैं। उदाहरण के लिए, 'काफ़ी शतक', 'खटमल बाईसी', 'चौपट चपेट', 'लल्लाबाबू', 'बकरी विलाप', 'गोबर गणेश', 'गपड़चौथ', 'सम्पादक बण्टाधार', 'मर्दानी औरत', 'लबड़ घोंघों', 'उजबक', 'टटोलूराम टलास्त्री', 'ठनठन बाबू', 'चण्डूलदास', 'भड़ामसिंह शर्मा', 'महाकवि चच्चा', 'स्वामी चौखटानन्द', 'ठाकुर ठेंगासिंह', 'मुग्दरानन्द चरितावली', 'चोंच चालीसा', 'मस्तराम का सोंटा', 'नवाब लटकन', 'आँसू की मशीन', 'कढ़ी में कोयला', 'गुडबाई दर्दे दिल', 'लाला डकारचन्द', 'हमीर का हलुवा', 'हुक़्क़ा पानी', 'मूँछ पुराण', 'कलम कुल्हाड़ा', 'तिकड़म बनाम तिकड़म', 'इकलौता जूता', 'सिलबिल की सिलबिलाहट', 'डींग-डींग असेम्बली', 'पिल्ला', 'जज़्बाते ऊँट', 'जमाल घोटा', 'भैया केंचुल बदल', 'गुटर गूँ', 'ढोलवती एण्ड पोलवती', 'धड़म धकेल', 'हाय पठन्ति, हाय रटन्ति', 'जमदूत का जँवाई', 'खाट पर हजामत', 'मटकाराम मिश्र' और 'गुरु मेज़बान चेला मेहमान'। मुझे यदि पता होता कि पुरानी पीढ़ी इतनी महान् कृतियाँ पहले ही लिख गयी है तो मैं कभी भी हास्य-व्यंग्य के क्षेत्र में न आता। भंग छानता और 'कामायनी' लिखता।

पुस्तक के अन्त में दो बातें और बतायी गयी हैं। पहली बात तो यह कि हास्य का शरीरविज्ञान से गहरा सम्बन्ध है क्योंकि यदि शरीर ही न होगा तो आप हँसेंगे कैसे? दूसरी बात यह है कि कबीर को हिन्दी का प्रथम हास्य-व्यंग्यकार माना गया है और उसकी पुष्टि के लिए कबीर की ये पंक्तियाँ कोट की गयी हैं :

भैंस दामिनी, आसिक चूहा
मेंढक ताल लगावै,
चोला पहिर गधैया नाचे
ऊँट बिसुन पद गावै,
आम डारि चढ़ि कछुआ तोड़े
गिलहरि चुन-चुन लावै
कहै कबीर सुनो भाई साधो
बगुला भोग लगावै

बुद्धिजीवी

आदिकाल में लोगों को तपस्या करने का शौक़ था। वे समाधि लगाते थे और ब्रह्म की खोज करते थे। काफ़ी ऋषि और मुनि पत्नियाँ रखते थे (और जो नहीं रखते थे, उनके लिए देवराज इन्द्र ऐसा इस्तमरारी बन्दोबस्त करते थे जैसा कि लार्ड कार्नवालिस भी कभी नहीं कर पाया) और इस कारण तपस्या में कोई विशेष कष्ट नहीं होता था। बाद में जो काल आया उसमें लोगबाग एक-दूसरे की पत्नी या कन्या का अपहरण करने लगे और सुभद्राहरण, सीताहरण और रुक्मिणीहरण नाम का साहित्य जो है वह उसी समाज का दर्पण है। धीरे-धीरे इस सन्दर्भ में युद्ध भी लड़े जाने लगे और वीरगाथाकाल का जन्म हुआ। इसके बाद लोग स्त्री को भूल गये और भक्ति में डूब गये। सूरदास, चण्डीदास, गोविन्ददास, विद्यापति और जयदेव की पदावलियाँ इसका सबूत हैं। शत-प्रतिशत भक्ति, शृंगार का कहीं ज़िक्र तक नहीं। यूँ गोपियाँ और राधाजी की कामकेलियों का वर्णन कहीं-कहीं ज़रूर मिलता है पर वह केवल भक्ति की एकरसता मिटाने के लिए ही किया गया है और जो लोग इसे किसी दूसरी निगाह से देखते हैं वे दुश्चरित्र हैं। भक्ति के बाद रीति आयी जिसका प्रत्यक्ष सम्बन्ध नारी की अस्थि-चर्ममय सुन्दर देहयष्टि से रहा। मगर इसके बाद मामला कुछ ऐसा गड्डमड्ड हुआ कि लोगों के शौक़ एक से अनेक हो गये। फ़िलहाल जो शौक़ सबसे ज़्यादा ज़ोर पर है वह बुद्धिजीवी बनने का है। जिसे देखो वही बुद्धिजीवी बनने की कोशिश में लगा है—ठीक उसी प्रकार जैसे कभी लोग तपस्वी, वीर, भक्त या प्रेमी बनने की कोशिश किया करते थे। सर्वसाधारण के हित के लिए मैंने इस सम्बन्ध में कुछ नुस्खे इकट्ठे किये हैं जिन पर अमल करने से बहुतों का भला होगा। नुस्खे इस प्रकार हैं :

(अ) बुद्धिजीवी बनने के लिए वस्त्र और शरीर— इन पर सबसे पहले ध्यान देना होगा। शरीर सदा से धर्म का प्रथम साधन होता आया। कपड़े जान-बूझकर इस तरह पहनें कि लगे जैसे उनमें आपको कोई दिलचस्पी नहीं है। इतनी लापरवाही दिखाने के लिए काफ़ी परवाह अपेक्षित है पर अभ्यास से सब-कुछ सिद्ध हो जाता है। यह भी ध्यान रखें कि कपड़े या तो उस फ़ैशन के हों जो कि पुराना हो चुका

है, या मर चुका है, या फिर वे उस फ़ैशन के हों जो कि अभी आना है। बहरहाल मौजूदा फ़ैशन के कपड़े हर्गिज़ नहीं पहनिए क्योंकि बुद्धिजीवी जो होता है वह आम आदमी से एकदम अलग होता है। जूतों के फ़ीते खुले रखिए। हो सके तो दोनों पैरों में अलग-अलग क़िस्म के जूते पहनें और पतलून के बटन खुले रखें। बाल काफ़ी बढ़े हुए, बेतरतीब और सूखे हों तो और भी अच्छा रहेगा। सच्चे बुद्धिजीवी के लिए गन्दा रहना सदा से ज़रूरी होता आया।

(ब) बुद्धिजीवी के लिए दाढ़ी रखना बेहद ज़रूरी है। असलियत तो यह है कि बुद्धि न भी हो तब भी काम चल जायेगा मगर बिना दाढ़ी के कभी काम नहीं चल सकता। हमारे प्राचीन ऋषि लोग बराबर दाढ़ी रखते थे। सुकरात और लेनिन भी दाढ़ी पालते थे और यह परम्परा दादाभाई नौरोजी से लेकर हकीम अजमल खान तक बराबर चलती रही।

(स) धूम्रपान अवश्य कीजिए और उस सन्दर्भ में बुझे हुए पाइप या सिगार का प्रयोग कीजिए। तम्बाकू हो या न हो, आपके हाथ या मुँह में पाइप का होना ज़रूरी है। बुद्धिजीवियों की वर्दी पाइप के बिना अधूरी है। इसी प्रकार पेय पदार्थों में चाय के स्थान पर कॉफ़ी लीजिए और वह भी ऐसी कि जिसमें न तो दूध हो, न शक्कर।

(द) अपना घर बेतरतीब रखिए। जो सच्चा बुद्धिजीवी होता है, वह जूते रेफ्रिजरेटर में रखता है और खाने का सामान बाथरूम के अन्दर छोड़ता है। अब अगर बुद्धिजीवी बनना है तो थोड़ा-बहुत त्याग तो करना ही पड़ेगा।

(क) अपने उच्चारण को शालीन और विशिष्ट बनाइए। हिमालय, कालिदास, अरविन्द, कार्ल मार्क्स और रवीन्द्रनाथ ठाकुर को क्रमशः हिमालया, कालिदासा, ओरोविन्दो, कार्ला मार्क्सा और रवीन्द्रनाथा टैगोर कहकर उच्चारण करें। उच्चारण के साथ यह भी ध्यान रखिए कि 'डैम', 'रास्कल' और 'स्वाइन' जैसे शब्दों का खुलकर प्रयोग किया जाए। सच्चा बुद्धिजीवी भारतीय भाषा में कभी गाली नहीं देता। ऐसा करने का एक लाभ यह भी है कि दूसरी पार्टी शायद यह समझे ही नहीं कि आप उसे गाली दे रहे हैं और इस प्रकार आप पिटने से बच जाएँ। जहाँ तक उच्चारण का प्रश्न है मैंने एक बड़े बुद्धिजीवी को 'शेक्सपियर' के स्थान पर 'सैक्सपीयर' शब्द का प्रयोग करते खुद सुना है। काफ़ी पहुँचे हुए पुरुष थे और इनके मुख से जो कुछ भी निकलता था वह मौलिक और अप्रकाशित ही होता था।

(ख) गोष्ठियों और परिचर्चाओं में सतर्क रहिए। जो पहुँचा हुआ बुद्धिजीवी होता है वह अपनी ज़ुबान कभी नहीं खोलता। अगर कभी कोई भयंकर मजबूरी आ पड़ी और इन्हें अपनी वाणी को कष्ट देना ही पड़ा, तब भी ये तीन बातों का ध्यान रखेंगे। पहली बात तो यह कि हँसेंगे किसी हालत में नहीं। मज़ाक़ चाहे कितना ही बढ़िया हो, ये अपनी उसी चिरन्तन गम्भीर मुद्रा में किसी शिलालेख की भाँति बैठे रहेंगे। दूसरी बात यह कि अपनी बातचीत में ये एक या दो ऐसे व्यक्तियों या पुस्तकों के

नाम ज़रूर लेंगे जिनके बारे में बाक़ी लोगों ने कभी कुछ न सुना हो। तीसरी बात यह है कि जो कुछ भी कोई नया लेखक पढ़ेगा, ये उसे किसी विदेशी लेखक की नक़ल ज़रूर बताएँगे। बुद्धिजीवी कहते ही उसे हैं जिसकी उपस्थिति में यह साबित हो सके कि जो कुछ भी लिखा जा रहा है वह सब नक़ल है। तुलसीदास तक ने 'आर्य सप्तशती' से माल उड़ाया। बाक़ी लोगों की तो बिसात ही क्या?

(ग) ऊपर लिखे सिद्धान्तों के बावजूद बुद्धिजीवी किसी एक लेखक की प्रशंसा ज़रूर करेगा, चाहे वह कितना भी घटिया क्यों न लिखता हो। ऐसा करने से उसकी निष्पक्षता प्रकट होगी और साथ-ही-साथ एक ऐसा दोस्त भी मिल जायेगा जो बाक़ी स्थानों पर बुद्धिजीवी की प्रशंसा कर सके। दाढ़ी और गम्भीरता की ओट में गुट खड़ा करना बड़ा ज़रूरी है। बुद्धिजीवी होने के लिए सिवा बुद्धि के बाक़ी सब हथकण्डे चाहिए।

(घ) दलित वर्ग के प्रति सहानुभूति दिखाना बुद्धिजीवी का प्रथम कर्तव्य है। वह आदमी और आदमी में फ़र्क़ नहीं मानता। ऐसा करने के लिए वह आमतौर से दलितवर्ग की युवतियों से गुप्त सम्बन्ध रखता है। पुण्य काम यदि सबको दिखाकर सम्पन्न किया जाता है, तो उसकी महत्ता कम हो जाती है। मैंने अभी तक ऐसा कोई सच्चा बुद्धिजीवी नहीं देखा जो कि अपनी नौकरानी से अनैतिक सम्बन्ध न रखता हो।

(च) यदि आप चाहते हैं कि लोग आपको बुद्धिजीवी स्वीकार करें तो आप ख़याल रखिए कि आप जब कभी भी किसी बड़े राष्ट्र या बड़े व्यक्ति के बारे में कुछ कहें, तो तबीयत के साथ उसकी निन्दा करें। रूस अधिनायकवादी है तो अमेरिका पूँजीवादी। इंग्लैण्ड दुकानदारों का देश है तो जापान मज़दूरों का। चर्चिल राजतन्त्री थे तो एटली चुंगी के बाबू लगते थे। प्रेमचन्द में एकरसता है तो शरच्चन्द्र में आवारगी है। अपने देश और अपने नेताओं के बारे में कुछ नहीं कहिये। एक ओर तो वैसा करने से आप सुरक्षित रहेंगे और दूसरी ओर यह बात भी तो है कि हिन्दुस्तान का इतना दर्जा कहाँ जो कि आप जैसा बुद्धिजीवी उसके बारे में कोई चर्चा करे?

(छ) प्रत्येक बुद्धिजीवी के कुछ सिद्धान्त होते हैं जिनको लेकर वह अपने प्राणों तक की बाज़ी लगा देता है। सिद्धान्त के प्रश्न को लेकर कुछ बुद्धिजीवियों ने कलकत्ता नाम के नगर में ईश्वरचन्द्र विद्यासागर नामक व्यक्ति की मूर्ति का सिर काट दिया। खुदा का शुक्र है कि स्वयं विद्यासागरजी कहीं आस-पास नहीं थे। इसी प्रकार दक्षिण भारत में एक स्वास्थ्य केन्द्र है जहाँ तेलमालिश का प्रबन्ध है। पुरुषों की मालिश पुरुष करते हैं और स्त्रियों की मालिश स्त्रियाँ। मगर एक बुद्धिजीवी कन्या थी जो अपनी मालिश एक पुरुष से ही करवाना चाहती थी, स्त्री से नहीं। बात सिद्धान्त की थी और इसे लेकर काफ़ी वाद-विवाद हुआ। अन्त में चलकर वह बालिका बिना मालिश करवाये ही वापस चली गयी।

(ज) यदि आप बुद्धिजीवी हैं या बुद्धिजीवी कहलाना चाहते हैं तो सदा आत्महत्या

द्वारा ही मृत्यु को प्राप्त करें। स्वाभाविक ढंग से मरने वाला इंसान कभी बुद्धिजीवी नहीं हो सकता।

मैंने ऊपर जितने भी नुस्खे बताये हैं वे सब-के-सब देशी हैं और प्राकृतिक चिकित्सा के भीतर आते हैं। मैंने आत्महत्या वाले नुस्खे को छोड़कर शेष सभी पर ध्यान दिया है और किसी हद तक सफलता भी प्राप्त की है। कभी-कभी जब पढ़ता हूँ कि मुक्केबाज़ मुहम्मद अली को रूस के नेता ब्रेजनेव ने क्रेमलिन में सबके सामने दोनों गालों पर चूमा तो सोचता हूँ कि बुद्धिजीवी बनना अच्छा है या कि मुक्केबाज? मगर ऐसे पल कुछ ही होते हैं। मूलतः मैं बुद्धिजीवी ही बनने के लिए पैदा हुआ हूँ। अपनी तरफ़ से कोशिश भी जारी है। हिम्मते मरदाँ, मददे ख़ुदा।

ख़ुशामद : एक रेडियो-वार्ता

ख़ुशामद से बचना वाक़ई बड़ा मुश्किल है। ख़ुशामद करने वाला व्यक्ति यदि वास्तव में अपनी कला जानता है तो वह बिना आपका शिकार किये कभी नहीं लौटेगा। एक पुराने शास्त्रकार का कहना है कि इस सुवर्णरूपी पुष्पों से लदी हुई पृथ्वी का उपयोग सिर्फ़ वे ही कर सकते हैं जो या तो बलवान् हों, या विद्वान् हों या फिर ख़ुशामदी हों:

सुवर्णां पुष्पितां पृथ्वीं प्राप्नुवन्ति जनास्त्रयः
शूरश्च कृतविद्यश्च चाशूक्तिज्ञश्च यो जनः

ख़ुशामद की कला बड़ी पुरातन है। हमारे ऋषि-मुनि देवताओं की प्रशंसा में मन्त्र पढ़ते थे। पौराणिक काल में स्तोत्र लिखने की परम्परा चल निकली। जिसे देखो वही स्तोत्रों की रचना कर रहा है। संस्कृत में तो एक पोथी का नाम ही 'बृहत्स्तोत्र रत्नाकर' है जिसमें प्रायः सभी देवी-देवताओं की खुली ख़ुशामद की गयी है। बाद में चलकर यह प्रथा और भी विकसित होती गयी। हमारे वीरगाथाकाल में चारण लोग अपने राजाओं की स्तुति में कविता करने लगे। भूषण ने शिवाजी तथा छत्रसाल की प्रशंसा की तो चन्द वरदाई ने पृथ्वीराज चौहान की। चन्द वरदाई और पृथ्वीराज चौहान की दोस्ती इतनी गहरी थी कि दोनों प्राणी एक ही दिन पैदा हुए थे और एक ही दिन मरे। भक्तिकाल में तो ख़ुशामद-ही-ख़ुशामद है, और कुछ है ही नहीं। रीतिकाल भी ख़ुशामदी काव्य है क्योंकि वहाँ नायक जो है वह बराबर नायिका की ख़ुशामद ही करता रहता है। कवि केशवदास ने 'रामचन्द्रिका' भी लिखी और 'जहाँगीर जस चन्द्रिका' का सृजन भी किया। यह लोक भी ठीक और परलोक भी ठीक। भारतेन्दु ने भी विक्टोरिया को अमृत की कटोरिया कहकर पुकारा। गोस्वामी तुलसीदास ने रामायण के प्रारम्भ में चूहे की सवारी करने वाले गणेशजी की स्तुति की– 'मोदक-प्रिय मुद मंगलदाता; विद्यावारिधि बुद्धि-विधाता'। हनुमानजी के सामने हाथ-पैर जोड़े तो चित्रकूट में राम और लक्ष्मण के दर्शनों का लाभ हुआ। अपने सारे देवी-देवताओं में मुझे हनुमान और गणेशजी ही सबसे ज़्यादा आकर्षक लगते हैं। गणेशजी के दो ही शौक़ हैं, एक तो लड्डू खाना और दूसरा चूहे की सवारी करना। लड्डू तो मैंने भी सेवन किये हैं पर चूहे की सवारी का अभी तक कोई अनुभव नहीं

है। कभी मौक़ा मिला तो वह काम भी सम्पन्न करूँगा। हनुमानजी की पूँछ जो है वह मुझे विशेष रूप से प्रभावित करती है। क्या कमाल की पूँछ है कि सारी लंका जला डाली और ख़ुद फिर भी सही-सलामत वापस लौट आयी। रावण की मूँछ जल गयी पर हनुमानजी की पूँछ सही-सलामत रही।

ब्रिटिश सरकार के ज़माने में ख़ुशामद को कला और विज्ञान—दोनों रूपों में स्वीकार किया गया। देसी रियासतों के राजा इतने सतर्क रहते थे कि वायसराय के आने से पूर्व यहाँ तक पता लगा लेते थे कि उन्हें और उनकी मेमसाहिबा को कौन-सा रंग पसन्द है। इसके बाद शहर की इमारतें, महलों के पर्दे, पलँगों की चादरें—यानी कि सब-कुछ उसी रंग में रँगा जाता था। रेज़ीडेण्ट से लेकर कलक्टर तक सबको डालियाँ भिजवायी जाती थीं। ख़ुशामद के बदले में लोगों को रायसाहब या रायबहादुर के खिताब मिलते थे, जागीरें मिलती थीं और उनके पुत्रों को ऊँची सरकारी नौकरी में मनोनीत किया जाता था। एक ऐसे ही मनोनीत किये गये अफ़सर का अनुभव मुझे भी है। ये सज्जन दफ़्तर में गुलेल या बन्दूक लेकर आते थे और दफ़्तर के वक़्त में चिड़िया मारा करते थे। फ़ाइल पर दस्तख़त करने के अलावा इन्होंने कोई सरकारी काम कभी नहीं किया।

आज़ादी के बाद और कलाओं की भाँति ख़ुशामद को भी काफ़ी प्रोत्साहन मिला। गाँधीजी की देखा-देखी, बड़े-बड़े अफ़सर और व्यापारी खादी के कपड़े पहनने लगे, चर्खा चलाने लगे और हाथ जोड़कर नमस्ते करने लगे। जिस नेता के जितने ज़्यादा ख़ुशामदी होते थे, वह नेता उतना ही बड़ा समझा जाता था। नेता लोग बाकी पापों से तो कभी-कभी बच गये मगर ख़ुशामद से कभी नहीं बच सके। कोशिश भी की पर बेकार। वही 'मुसाफ़िर जायेगा कहाँ?' वाली बात। नतीजा वही हुआ जो होना था। ख़ुशामद की गयी, परमिट लिये गये और लोग देखते-देखते अमीर हो गये। परिश्रम बेकार गया, त्याग और बलिदान बेकार गये, मगर ख़ुशामद की गोली का निशाना कभी नहीं चूका। जिन लोगों ने वार-फण्ड में चन्दा देकर रायबहादुरी पायी थी, वे ही लोग अब खादी पहनकर पद्मश्री पाने की तैयारी में जुट गये। ख़ुशामद की कथा अनन्त है— ठीक उसी तरह जैसे हरि अनन्त हरिकथा अनन्ता। और ख़ुशामद का प्रभाव होना वैसे भी उचित ही है। जो लोग ख़ुशामद से नहीं पिघलते, वे पत्थर हैं। कवि रहीम ने लिखा है :

नाद रीझि तन देत मृग नर धन हेत समेत
ते रहीम पशु तो अधिक, रीझे कछु न देत

साहित्य के क्षेत्र में कवि केशवदास को मात देना कठिन है। ख़ुशामद की कला को जो प्रतिष्ठा इन्होंने दी वह अन्यत्र मिलनी मुश्किल है। राजा इन्द्रजीत सिंह संगीत के बड़े प्रेमी थे। उनके दरबार में यूँ तो अनेक वेश्याएँ थीं, पर रायप्रवीण पर वे कुछ ज़्यादा ही आसक्त थे। 'कविप्रिया' की रचना केशव ने इसी वेश्या के लिए की

थी। बाद में जब वीरसिंह गद्दी पर बैठे तो केशव ने 'वीरसिंह देव-चरित' की रचना की। उनके बड़े भाई रतनसिंह को प्रसन्न करने के लिए 'रतन बावनी' का प्रणयन किया गया। अन्त में चलकर उन्होंने बादशाह को ख़ुश करने के लिए 'जहाँगीर जस चन्द्रिका' लिखी। लालकवि ने अपने आश्रयदाता छत्रसाल के गुण गाये तो सूदन कवि ने अपने आश्रयदाता के लिए 'सुजान-चरित' की सृष्टि की। इसी प्रकार एक थान कवि थे जिन्होंने बैसवाड़ा के ज़मींदार दलेलसिंह को ख़ुश करने के लिए 'दलेलप्रकाश' लिखा था। और तो और, स्वयं शेक्सपियर ने हेनरी अष्टम पर लिखे ड्रामे में अपनी रानी एलिज़ाबेथ की तवीयत के साथ प्रशंसा की थी। शेक्सपियर के अनुसार सम्राट् जूलियस सीज़र भी ख़ुशामदियों से घिरा रहता था। जो ज़्यादा चतुर दरबारी थे, वे उससे कहा करते थे कि उसकी कोई ख़ुशामद नहीं कर सकता; वह ख़ुशामद के ऊपर है। शेक्सपियर कहता है कि जब सीज़र इस वाक्य को सुनता था तो उससे कुछ भी काम कराया जा सकता था। लेखक लोग अपनी पुस्तकें किसी बड़े आदमी को समर्पित करके अपना काम सिद्ध किया करते थे। मैंने भी इस दिशा में कुछ काम किया पर उतनी सफलता नहीं मिली जितनी कि आशा थी। बहरहाल प्रयास जारी है। ख़ुशामद के क्षेत्र में देर हैं, अन्धेर नहीं। आज भी अनेक जाने-माने कलाकार अपनी पुस्तकों का विमोचन किसी राजनीतिक नेता से करवाते हैं, चाहे उस राजनीतिज्ञ को गद्य और पद्य का भेद पता हो या नहीं। मगर इससे क्या होता है? बहरहाल विदेश भेजने की कुंजी तो उन्हीं के पास है, आपके पास तो नहीं?

हिन्दी साहित्य और हमारी सरकार का यह दुर्भाग्य है कि ख़ाकसार जो है वह लेखक भी है और अफ़सर भी और दोनों स्थितियों में उसे ख़ुशामद का ताज़ा अनुभव होता रहता है। अगर दफ़्तर में भर्ती हो रही हो, या तबादले करने का मौसम हो या सालाना रिपोर्ट लिखने का वक़्त हो तो चारों दिशाओं में ख़ुशामदी-ही-ख़ुशामदी नज़र आते हैं– ठीक उसी तरह जैसे वसन्त की ऋतु में पद्माकर को सब ओर फूल-ही-फूल दिखाई पड़ते थे। ख़ुशामदियों का यह वसन्त काफ़ी दिलचस्प होता है। कोई व्यक्ति नौकरी इस कारण चाहता है ताकि वह शादी कर सके और बच्चे पैदा कर सके। दूसरा जो है वह नौकरी इस कारण चाहता है कि उसकी शादी हो चुकी है और भगवान की कृपा से घर में सात बच्चे भी हैं। तबादले के लिए सब यही चाहते हैं कि वे अपने गाँव या क़स्बे के पास ही रह सकें। आप इन लोगों को समझाने की कोशिश करते जाइए, करते जाइए, मगर ये हैं कि आपकी वाणी कभी नहीं समझेंगे। सिफ़ारिशें आयेंगी, उनकी पत्नी अपने बच्चों को लेकर आपकी बीवी से मिलेगी और आप सिर पकड़कर बैठ जायेंगे। करें तो क्या करें? जायें तो जायें कहाँ? इसके बरख़िलाफ़ स्थिति यह है कि सालाना रिपोर्ट लिखते समय लोग खाली हाथ नहीं आते। वे कुछ तोहफ़ा लेकर आते हैं। मिठाई आती है, बच्चों के लिए खिलौने आते हैं और मेरे लिए किताबें आती हैं। इन चीज़ों का असर मुझ पर पड़े या

न पड़े, मुसीबत तो रहती ही है। और सच्ची बात तो यह है कि कभी-कभी झुकना भी पड़ता है ताकि इन प्रेतात्माओं से जान बचे और आप कोई और काम कर सकें।

लेखक लोग जो हैं वे मुझे और भी ज़्यादा तंग करते हैं। प्रत्येक कवि या लेखक अपना महाकाव्य या उपन्यास मुझे सुनाना चाहता है और मैं हूँ कि सुनने के बजाय कुछ लिखना चाहता हूँ। मगर बकौल इनके यदि नये लेखक सीनियर लेखकों के पास नहीं जायेंगे तो फिर कहाँ जायेंगे? वे मेरी– यानी कि रवीन्द्रनाथ त्यागी की–तुलना रवीन्द्रनाथ ठाकुर से करते हैं जिसे सुनकर मैं वाक़ई गद्‌गद हो जाता हूँ। नतीजा वही होता है, जो होना है। महाकाव्य मुझे सुनना होता है और उपन्यास है कि उसे पढ़ना पड़ता है। पुस्तक के फ़्लैप के लिए कुछ लिखना पड़ता है और कभी-कभी ग्रथ-विमोचन समारोह की अध्यक्षता भी करनी पड़ती है। इन सब कार्यक्रमों का साहित्य से कोई सम्बन्ध नहीं होता। एक साहब हैं जो पिछले दस वर्षों से एक ही कहानी को विभिन्न प्रकार से लिखते आ रहे हैं और हर बार उसे ताज़ी कहानी घोषित करते हैं। एक और व्यक्ति हैं जो व्यक्ति कम और संस्था ज़्यादा हैं। ये गोष्ठियाँ आयोजित करने में माहिर हैं। इन्हें गोष्ठी का ख़र्चा दे दीजिए और भूल जाइए। गोष्ठी होगी और शानदार होगी। और तारीफ़ की बात यह कि उस पैसे में से इतना पैसा इनके पास फिर भी बच जायेगा कि ये एक नयी पैण्ट सिलवा सकें। कभी-कभी तो पैण्ट क्या, पूरे सूट का पैसा भी गोष्ठी में से ही निकल आता है। साहित्य के इन सेवकों को आप क्या कहकर पुकारेंगे? साहित्य में यदि ऐसे पाँचवें सवार न हों तो शायद बाक़ी चार सवारों को क़िले के बाहर ही रात बितानी पड़े।

मेरे जो मित्र आलोचक या सम्पादक हैं, उनकी स्थिति तो और भी दयनीय है। आलोचक को दावतें दी जाती हैं, कार में घुमाया जाता है और उसे बढ़िया रेस्तराँ में चाय पिलायी जाती है ताकि वह आपके नये उपन्यास को तालस्ताय के उपन्यासों के बराबर बता सके। एक नाटककार हैं जो वाक़ई यह विश्वास रखते हैं कि पिछले जन्म में वे या तो कालिदास थे या शेक्सपियर। कभी-कभी तो वे यहाँ तक कहते हैं कि पूर्वजन्म में वे कालिदास और शेक्सपियर दोनों थे। अब इसे क्या कहिए कि इस जन्म में वे शुद्ध भाषा तक नहीं लिख सकते। रोज़ किसी-न-किसी सम्पादक के पास जाते हैं और उसका आधा दिन ख़राब करके लौटते हैं। एक बार तो अपनी प्रतिभा के इस एहसास का इन्हें ऐसा दौरा पड़ा कि एक सम्पादक को खुलेआम पीट दिया चूँकि उसने इनकी सारी-की-सारी रचनाएँ एक साथ वापस कर दी थीं। पिटाई-महोत्सव के बाद इन्होंने अपनी एक पत्रिका खुद ही निकाल ली और सारी व्यावसायिक पत्रिकाओं के ख़िलाफ़ जिहाद बोल दिया।

यदि आप पुरुष न होकर स्त्री हैं तब तो ख़ुशामद किये जाने का ख़तरा और भी बढ़ जाता है। हर नवयुवक हरेक नवयुवती को एक फूल समझता है। बाल रेशम जैसे बताये जाते हैं और आँखें हिरणी की आँखों जैसी। होठों की उपमा मधु

के प्याले से दी जाती है तो चाल की तुलना हंस की चाल से की जाती है। मगर ये सारी ख़ुशामदें और उपमाएँ शादी के पहले तक ही रहती हैं, उसके बाद नहीं। शादी के पहले हर लड़की गुलाब का फूल होती है और शादी के बाद हर लड़की गोभी का फूल हो जाती है। 'तुम वह फूल हो, जिसमें ख़ुशबू नहीं, तुम मेरी जाँ गोभी का फूल हो।' जिस शायर ने यह मिसरा लिखा होगा वह गोभी का काफ़ी शौक़ीन रहा होगा। शादी के बाद न नायिकाभेद रहता है और न रीतिकाल। शादी के बाद पहले तो भक्तिकाल आता है और बाद में वीरगाथाकाल। पति महोदय जो हैं वे तकिया फेंकते हैं और पत्नी जो होती है वह जूता फेंकती है, चाय की क्रॉकरी टूटती है, रेडियो गिरता है और बच्चा लोग खड़े होकर तालियाँ बजाते हैं। कभी-कभी तो यह क्रिया मकान के बाहर और चौराहों पर भी सम्पन्न की जाती है। मैंने ऐसी आउटडोर शूटिंग कई बार देखी है। इस सन्दर्भ में मुझे एक दम्पती की याद बुरी तरह आ रही है जो इस क्रिया को कला का रूप दिया करती थी। होता यह था कि जैसे ही पति-पत्नी बाज़ार वग़ैरह जाते, वैसे ही पत्नी जो थी वह चिल्लाने लगती। भीड़ इकट्ठी हो जाती। पूछने पर वह आर्यकन्या अपने पति की ओर इशारा करती और कहती कि पता नहीं यह कौन है जो मुझसे छेड़खानी कर रहा है। लोगबाग पति को पकड़ते और उसकी मरम्मत करते। शाम को पत्नी हँसती हुई पति से पूछती कि बोलो, मज़ा आया या नहीं? इसके बाद वह पतिव्रता स्त्री पानी की बोतल गर्म करती और पति के दुखते हुए पुट्ठों को बड़ी सहानुभूति के साथ सेंकती।

जहाँ आमतौर पर ख़ुशामद जो है वह अपना काम निकालने के लिए की जाती है वहाँ कुछ ऐसे भी कलाकार हैं जो बिना किसी निजी स्वार्थ के ख़ुशामद करते रहते हैं। कला कला के लिए वाला सिद्धान्त। ये लोग किसी की लम्बी मूँछें देखेंगे तो उसकी तुलना नाना फड़नवीस या हेलासिलेसी के शहंशाह से करेंगे, तितली जैसी मूँछें देखेंगे तो उसे हिटलर की उपाधि देंगे और अगर किसी बिना मूँछों वाले चेहरे को देखेंगे तो उसकी तुलना लार्ड इरविन से करेंगे। एक बार एक ऐसे ही सज्जन मुझे भी मिले थे जिन्होंने कहा था कि एक दिन आयेगा जब कि आपकी तुलना विद्यापति और टी.एस. इलियट से की जायेगी। मगर सब्र रखिए क्योंकि सब्र का जो फल होता है वह हमेशा मीठा होता है। भवभूति तक को आलोचकों ने तंग किया था मगर वह बहादुर आदमी था, तीन नाटक फिर भी खींच ही गया। इनकी वाणी सुनकर मेरा हृदय गद्गद हो गया। एक और सज्जन हैं जो कहते हैं कि यदि मैं थोड़ा और मोटा हो जाऊँ तो एकदम चर्चिल जैसा लगूँगा और अगर ज़रा थोड़ा-सा दुबला हो जाऊँ तो एटली जैसा लगूँगा। मगर मैं हूँ कि वही हूँ जहाँ कि था।

ख़ुशामद एक कला है और इसके सिद्ध करने के लिए वर्षों का अभ्यास अपेक्षित है। इसके लिए अपने व्यक्तित्व को काफ़ी लचीला बनाना पड़ता है, नहीं तो नतीजा यह होगा कि वह टूट जायेगा। थोड़ा-बहुत अभ्यास इस दिशा में ख़ाकसार ने भी

किया है और यह उसी का परिणाम है कि आज मैं यह वार्ता रेडियो से प्रसारित कर रहा हूँ। आप ग़लत न समझें मगर सचाई यही है कि रेडियोवाले भी ख़ुशामद से बच नहीं सकते। मेरा विचार है कि जब तक ये चाँद और सूरज हैं, ख़ुशामद का सितारा इसी तरह बुलन्द रहेगा। ख़ुशामद एक ऐसी नायिका है जो हमेशा नाचती रहेगी और कभी भी वृद्ध नहीं होगी। थोड़ी-बहुत ख़ुशामद तो वैसे भी जीवन को मधुर रखने के लिए अपेक्षित है। आइए, हम सब लोग इकट्ठे हों और मिलकर इस कला का विकास करें।

मुनि-मूषक कथा : नया संस्करण

एक महात्मा थे। वे बड़े सिद्ध पुरुष थे। पूजा-पाठ करते और तीर्थयात्रा पर रहते। अविवाहित होने के कारण वे स्वयं तो निःसन्तान थे पर वैसे उनके पास सन्तानोत्पत्ति का एक ऐसा नुस्खा था जो कभी फ़ेल नहीं होता था। विभिन्न क्षेत्रों की विभिन्न स्त्रियों को उनके आशीर्वाद और पराक्रम से सन्तान की प्राप्ति हुई थी। तीर्थयात्रा के दौरान एक बार ऐसा संयोग हुआ कि ज़िला गाजीपुर में घूमते हुए गंगा नदी के तट पर उन्हें एक शिशु मिला। अपने तपोबल से महात्माजी समझ गये कि यह बच्चा एक पुलिस के सिपाही की अवैध सन्तान थी जो नदी के किनारे कलंक को छिपाने के लिए छोड़ दी गयी थी। महात्माजी को बच्चे पर प्यार उमड़ आया। उन्होंने उसे उठा लिया और अपने एक शिष्य को दे दिया। शिष्य भी महात्माजी की भाँति बड़ा चतुर था। उसने दिव्यदृष्टि का प्रयोग किया और बताया कि बच्चा जो था वह बच्चा न होकर, बच्ची थी। दूसरे शब्दों में वह शिशु एक कन्या थी। महात्माजी बड़े प्रसन्न हुए और शिष्य के पास बच्ची को छोड़कर आगे बढ़ गये।

शिष्य ने कन्या का पालन-पोषण किया। समय के साथ-साथ लड़की चन्द्रमा की कलाओं की भाँति बढ़ने लगी और धीरे-धीरे यौवन को प्राप्त हुई। कलावती नामक उस परमसुन्दरी कन्या को अच्छी शिक्षा-दीक्षा दी गयी, घर का काम-काज सिखाया गया और हर प्रकार इस योग्य बनाया गया कि वह एक सफल पत्नी बन सके। कन्या को संस्कृत से विशेष प्रेम था औरं उसमें भी उसे कालिदास की कृतियाँ विशेष रूप से पसंन्द आती थीं क्योंकि कहीं-कहीं वे ज़रूरत से ज़्यादा अश्लील थीं। एक दिन ऐसा हुआ कि कन्या को लेकर वह शिष्य महात्माजी के पास उनके आश्रम में पहुँचा ताकि लड़की की शादी की व्यवस्था की जा सके। कन्या के विवाह की चिन्ता किस माता, पिता या अभिभावक को नहीं होती? दिल्ली के चिड़ियाघर की एक मादा शिम्पाजी के लिए सारे संसार का दौरा किया गया और तब कहीं जाकर एक योग्य वर प्राप्त हुआ। देश की न जाने कितनी कन्याएँ दहेज वग़ैरह की वजह से अविवाहित बैठी रहीं या आत्म-हत्या करती रहीं पर सरकार जो थी वह मादा शिम्पाजी के लिए विदेशों में वर ढूँढ़ती रही। प्रशासन की निगाह में जानवर जो

होता है, वह हमेशा इंसान से ऊपर होता है। इसी कारण कोई पशु-पक्षी कभी भी गिरफ़्तार नहीं किया गया, उस पर कभी मुक़दमा नहीं चलाया गया और उस पर कोई कर भी कभी नहीं लगाया गया। बजट आते रहे और जाते रहे, पर पशु और पक्षियों के रहन-सहन के स्तर में कोई अन्तर नहीं आया।

महात्माजी ने बिटिया को देखा तो बड़े प्रसन्न हुए। ज्ञानी होने के कारण यह स्वाभाविक ही था कि वे उसका विवाह किसी विद्वान् से करने की सोचते। उन्होंने एक विश्वविद्यालय के प्राध्यापक को बुलाया जो कई भाषाएँ जानता था। ज्ञान के भार के कारण उसकी कमर झुकी थी, आँखों पर बारीक सुनहरी कमानी का चश्मा था और केश काफ़ी बढ़े हुए थे। वह दर्शनशास्त्र में डॉक्टरेट ले चुका था। उसे देखकर महात्माजी गद्गद हो गये और उन्होंने उस कन्या से कहा कि वह यदि चाहे, तो उसे पति के रूप में ग्रहण करे।

कन्या को यह ज्ञानी युवक कतई पसन्द नहीं आया। उसने कहा कि हे तात, जो व्यक्ति इतनी भाषाएँ जानता हो, वह दिल की भाषा कभी नहीं समझ सकता। जो ज्ञान के भार से इतना झुका हो, वह उसके यौवन का भार कभी नहीं उठा सकता। इस सबके अतिरिक्त इन दिनों पता नहीं कब कोई छात्र अपने इस अध्यापक को चाकू द्वारा पंचत्व की प्राप्ति करा दे। बुद्धि के लालच में वह बुद्धू नहीं बनना चाहती। कन्या की वार्ता सुनकर महात्मा जी ने उस ज्ञानी प्राध्यापक से पूछा कि क्या उससे भी श्रेष्ठ कोई व्यक्ति है? प्राध्यापक ने बताया कि शिक्षा विभाग का सचिव उससे कहीं अधिक शक्तिशाली है। महात्माजी ने उसकी वाणी श्रवण की और भारतीय प्रशासन सेवा के एक नवयुवक अधिकारी को लड़की के सामने पेश किया।

वह अधिकारी लड़की देखने आया तो उसके साथ दो तहसीलदार, पाँच क़ानूनगो और पन्द्रह पटवारी थे। उसके रोब-दाब का कोई अन्त नहीं था। वह सिर्फ़ दस्तख़त करता था और वह भी तभी जब पाँच मातहत अफ़सरों ने अपने दस्तख़त पहले से ही कर दिये हों। काम नीचे के लोग करते थे, यश उसे मिलता था और अगर वह ख़ुद कोई ग़लत काम करता तो उसकी सज़ा उसके किसी मासूम मातहत को मिलती थी। कन्या को यह सब-कुछ पसन्द नहीं आया। और जब उसे पता लगा कि ये अफ़सर लोग महीने में तीन हफ़्ते दौरे पर रहते हैं, तब तो उसने साफ़ इनकार ही कर दिया। पति यदि दौरे पर हो तो पतिव्रता पत्नी को जो कष्ट होता है, वह महात्माजी भी समझते थे। उन्होंने कन्या की बात मान ली और उस अफ़सर से पूछा कि क्या कोई तुमसे भी अधिक बलशाली है? अफ़सर ने उत्तर दिया कि ज़िला जज जो है वह मेरे से भी ज़्यादा शक्तिशाली है। वह मेरे किये-धरे को अपने फ़ैसले से बदल सकता है और मैं उसका कुछ भी नहीं बिगाड़ सकता। इस पवित्र सूचना के देने के बाद, अधिकारी अपने अमले के साथ जीप पर बैठा और वापस चला गया।

अधिकारी के चले जाने के उपरान्त महात्माजी ने किसी प्रकार एक नवयुवक

न्यायाधीश को बुलवाया और कन्या को सलाह दी कि वह उसे पसन्द कर ले। लड़की कुछ-कुछ राज़ी भी हो गयी पर उसे दो-तीन बातें बेहद अजीब लगीं। पहली बात तो यह कि जब भी किसी को कुछ बोलना होता था, जज साहब उसे कसम खिलाकर उससे यह ज़रूर कहलाते थे कि मैं सच बोलूँगा, सच के सिवा कुछ नहीं बोलूँगा और पूरा सच बोलूँगा। दूसरी बात यह थी कि हर बात के लिए वह दो अदद चश्मदीद गवाह चाहते थे। आख़िरी बात यह थी कि वह किसी भी बारे में अपना अन्तिम निर्णय तुरन्त नहीं बताते थे बल्कि उसके लिए कोई अगली तारीख़ लगा देते थे। उस सुन्दर बालिका ने ये सब हरकतें देखीं तो शादी को साफ़ इनकार कर दिया। महात्माजी ने बड़े दुःख के साथ पूछा कि हे न्यायाधीश, क्या तुमसे भी बड़ी कोई हस्ती इस संसार में है? जज साहब ने कुछ नज़ीरों का हवाला दिया और बताया कि संसद जो है वह उनसे भी बड़ी है। वह तो सिर्फ़ क़ानून का पालन करते हैं जब कि संसद जो है वह तो क़ानून बनाने की मशीन है। इतनी सूचना देने के बाद उन्होंने अपना गाउन उठाया और गाड़ी में बैठ गये।

महात्माजी ने तप के प्रभाव से एक संसत्सदस्य को आमन्त्रित किया। जब वे आये तो उनके साथ पार्टी के कोई पचास आदमी और आये जो उनकी जय-जयकार कर रहे थे। बातचीत में नेताजी ने बताया कि अब तक वे बत्तीस बार दल-बदल कर चुके हैं और तैंतीसवीं बार अब करने जा रहे हैं। जो भी पार्टी उन्हें वज़ीर बनाती थी, वे उसी के साथ होकर देश सेवा का मिशन पूरा करवाते थे। कन्या ने ऐसे 'आयाराम-गयाराम' छाप व्यक्ति को पति स्वीकार करने से साफ़ मना कर दिया। उसने सोचा कि जो व्यक्ति अपनी पार्टी के प्रति निष्ठावान नहीं हो सका वह अपनी पत्नी के प्रति कैसे निष्ठावान रहेगा? संसत्सदस्य भी वापस चले गये मगर जाते-जाते इतना ज़रूर बता गये कि ये जो अख़बारनवीस होते हैं, ये उनसे भी ज़्यादा ताकतवर होते हैं। ये जब चाहें तब किसी भी नेता का भण्डाफोड़ कर दें और चाहें तो सरकार तक को बदलवा दें।

महात्माजी ने उनकी वाणी श्रवण की और एक सम्पादकजी को बुलवाया। सम्पादकजी चश्मा लगाते थे, हर चीज़ को संशय की निगाह से देखते थे और बात-बात में अपने विदेश-भ्रमण या किसी बड़े व्यक्ति के साथ हुए अपने साक्षात्कार का परिचय देते थे। ईमानदार इतने थे कि कन्या को देखा तो महात्माजी से पूछा कि वह मौलिक और अप्रकाशित है या नहीं। एक पत्रकार की हैसियत से उन्होंने सूचना दी कि प्रेस की आज़ादी का अर्थ यह है कि वह अपने स्वार्थ के लिए हमेशा ऐसी नीति अपनाता रहे जो कि उसके हित में हो। कन्या ने उनकी पत्नी होने से अविवाहित रहना ज़्यादा पसन्द किया। सम्पादकजी भी बेचारे वापस हो गये। चलते-चलते इतना ज़रूर बतला गये कि उनसे भी बड़ी शक्ति वह राजनीतिक दल है जो विदेशों से पैसा लेकर अख़बार चलाता है या वह उद्योगपति है जो कि पर्चे का

मालिक है। महात्माजी ने उन्हें विदा दी और एक ऐसे सेठजी को बुलवाया जिनकी पन्द्रह मिलें, सोलह अख़बार, सत्रह पत्नियाँ और अठारह बच्चे थे। जैसा कि ज़ाहिर था, लड़की ने उन्हें देखते ही मना कर दिया। स्थिति स्पष्ट करते हुए उसने बताया कि वह पति की तलाश में थी, पिता की नहीं। सेठजी ने महात्माजी की चरण-धूलि ली और घर की राह ली। महात्माजी के पूछे जाने पर वे इतना ज़रूर बता गये कि उनसे बड़ी शक्ति संसार में सिर्फ़ एक है और वह है पुलिस का कांस्टेबुल। उसके इशारे पर उनकी विलायती गाड़ी सड़क पर वहीं रुक जाती है और किसी की मजाल नहीं कि वह उसके इशारे का विरोध करे।

अन्त में हार मानकर महात्माजी ने एक पुलिस के सिपाही को ही बुलवाया। इत्तफ़ाक से वह ज़िला गाजीपुर का ही था। उसका नाम था बलभद्दर। ठर्रे के नशे में चूर क़ानून का रखवाला महात्माजी के पास आया तो कहने लगा कि यह छोकरी कौन है और यहाँ कैसे आयी है? सच-सच बताओ नहीं तो चार लात जमाऊँगा और सारा महात्मापन निकल जायेगा। दफ़ा एक सौ सात में अन्दर जो करवाऊँगा, वह अलग। उसकी बहादुरी देखकर लड़की का दिल एकदम पिघल गया और उसने उसे अपना पति तुरन्त स्वीकार कर लिया। पानी जो था, वह अपनी सतह पर पहुँच गया।

लड़की खुशी-खुशी ससुराल चली गयी। पुलिस-लाइंस में एक क्वार्टर था जिसके ठीक सामने हनुमानजी की मूर्ति थी। जो भी ऊपर की कमाई होती थी, उसका कुछ हिस्सा मूर्ति को अर्पित किया जाता था। बलभद्दर ने एक गैया भी ख़रीद ली और थोड़े ही दिनों में पुलिस-लाइंस में आश्रम का-सा वातावरण बन गया। लड़की अपने पति के साथ बेहद ख़ुशी से रही। परिवार-नियोजन के हर प्रयोग के बावजूद उसने ग्यारह बच्चे दिये। वह दूधों नहाई और पूतों फली।

क़िस्सा साढ़े तीन परी

यह क़िस्सा मैं बच्चों और किशोरों के लिए लिख रहा हूँ। इससे लड़के और लड़कियाँ और उनके माता-पिता—सबका भला होगा। क़िस्सा इस तरह है कि इस मुल्क के एक शहर में एक राजकुमार रहता था। वह राजा का लड़का नहीं था, पर फिर भी वह राजकुमार था। इस स्थिति का कारण यह था कि माँ और बाप ने उसका नाम ही राजकुमार रख दिया था। वैसे वह सेठ तोंदूमल का इकलौता लड़का था। सेठजी के सारे शरीर में, जैसा कि नाम से ही ज़ाहिर है, उनकी तोंद ही सबसे भारी थी। सेठजी के महल के ठीक सामने एक दूसरे सेठ का महल था, जिनका नाम था सेठ भोंदूमल। उनके घर में एक इकलौती बेटी थी, जिसका रूप तीन परियों के बराबर था। उसके अलावा सेठजी की पत्नी थी, जो जवानी में तो पूरी एक परी के समान थी, मगर अब उम्र ढलने के कारण आधी परी के बराबर ठहरती थी। इस तरह कुल मिलाकर सेठ भोंदूमल के महल में साढ़े तीन परियाँ रहती थीं। लड़की के चाल-चलन के बारे में नगर में दो मत थे। एक मत तो यह था कि वह चरित्र की कमज़ोर थी और दूसरा मत यह था कि उसके पास चरित्रनाम की कोई चीज़ थी ही नहीं। सेठजी की लड़की सबसे ऊपर के तल्ले में अपना वक़्त गुज़ारती थी और इसी तरह सेठ तोंदूमल का लड़का भी अपने ऊपर के ही तल्ले में रहता था। लड़का काफ़ी सुन्दर था। परिणाम वही हुआ, जो होना था। उन दोनों में प्रेम हो गया।

प्रेम में एक ख़ास बात यह होती है कि जब वह हो जाता है तो फिर बढ़ता भी जाता है। धीरे-धीरे स्थिति यह हो गयी कि वे अपना ज़्यादा वक़्त एक-दूसरे को देखने में ही गुज़ारने लगे। सेठ लोग अपने कारोबार में फँसे रहते थे और इस कारण उन्हें इस बात का कोई पता नहीं था। एक दिन स्थिति यह आ गयी कि लड़की ने लड़के को प्रेम-पत्र लिखा, जो उसने अपने सैण्डल में कील से ठोंककर लड़के की ओर फेंका। सैण्डल काफ़ी मज़बूत था और नतीजा यह हुआ कि राजकुमार की नाक पर काफ़ी चोट आयी। नाक पर रूमाल रखने के बाद उसने ख़त पढ़ा तो उसका दिल दर्द करने लगा। दिल के दर्द के सामने वह अपनी नाक की पीड़ा भूल गया।

रात को जब सेठजी कारख़ाने से लौटे, तो लड़के ने वह ख़त और एक अदद

जूता अपने बाप के सामने रख दिया और कहने लगा कि जब तक वह इस जूतेवाली सुन्दरी से विवाह न करेगा, तब तक वह अन्न-जल ग्रहण नहीं करेगा। इस प्रस्ताव से सेठ तोंदूमल को काफ़ी हर्ष हुआ। एक तो यह कि लड़के के अनशन के कारण घर में कुछ बचत होगी और दूसरे यह कि यदि सेठ भोंदूमल की कन्या उनके यहाँ पुत्रवधू बनकर आ गयी, तो उनकी हैसियत दुगुनी हो जायेगी, क्योंकि सेठ भोंदूमल के यहाँ सिवाय उस लड़की के और कोई सन्तान नहीं थी। उन्होंने लड़के की पीठ थपथपायी और कहा कि मैं बातचीत शुरू करता हूँ और तब तक तुम थोड़े से जूते और इकट्ठे कर लो। लड़का ख़ुश हुआ और ऊपर के तल्ले में चला गया।

अगले दिन दोनों सेठों की बातचीत हुई। दोनों की पुरानी दुश्मनी थी। सेठ भोंदूमल ने लड़की को पीटा और सेठ तोंदूमल के ख़िलाफ़ थाने में रिपोर्ट लिखा दी। मामला बढ़कर अदालत में गया और हाकिम ने लड़का और लड़की दोनों को अदालत में तलब किया। अँग्रेज़ी हुकूमत की बात थी और जो हाकिम था, वह भी अँग्रेज़ ही था। उसने लड़की जो देखी, तो उसकी आँखें खुली-की-खुली ही रह गयीं। उसकी अपनी मेम साहिबा तो कुछ भी नहीं थीं। उसने मुक़दमे की तारीख़ लगा दी और पेशकार से कहा कि सेठजी से कहो कि हाकिम खुद लड़की से शादी करना चाहता है। इसके बदले में वह सेठ भोंदूमल को रायबहादुर का खिताब दिलवाएगा और सेठ तोंदूमल को क़त्ल के केस में फँसवा देगा। सेठजी ने यह ख़बर सुनी, तो उनकी हवा खिसक गयी। उन्होंने थानेदार की सलाह ली और हाकिम के अर्दली को एक हज़ार अशर्फियाँ दीं। अर्दली ने हाकिम की मेम साहिबा को सारा-का-सारा माजरा चुपके-चुपके बता दिया। नतीजा यह हुआ कि अगले दिन मेम साहिबा ने भरी अदालत में हाकिम की जूतों से मरम्मत की और सेठ लोगों से कहा कि लड़के और लड़की की शादी आज ही होनी चाहिए। उसी शाम को शादी हो गयी और दोनों सेठ दोस्त हो गये। हाकिम के अर्दली को पाँच हज़ार सिक्के और दिये गये। इसके बाद वह सुन्दरी और राजकुमार सुख से रहे और भगवान् के प्रताप से उनके इक्कीस बच्चे हुए। भगवान ने जैसा न्याय उनके साथ किया वैसा सब किसी के साथ हो।

इस कहानी से हमें कई शिक्षाएँ मिलती हैं। पहली बात यह है कि सच्चा प्रेम कभी बेकार नहीं जाता। दूसरी बात यह है कि परी को पाने के लिए हमेशा राक्षस से लड़ना पड़ता है, जैसे यहाँ अँग्रेज़ हाकिम से लड़ना पड़ा। आख़िरी शिक्षा यह है कि राक्षस के प्राण हमेशा तोते में रहते हैं। अगर अर्दली ने मदद न की होती, तो यह शादी कभी भी न होती। इत्तफ़ाक की बात देखिए कि इस अर्दली का नाम वैसे भी तोताराम ही था।

भिक्षावृत्ति का सन्दर्भ

हमारे एक प्रदेश के राज्य ने हाल ही में भिक्षावृत्ति पर क़ानूनी पाबन्दी लगा दी। पाबन्दी, चकबन्दी, नसबन्दी—इस प्रकार के शब्दों का प्रयोग इधर कुछ बढ़ता जा रहा है। बहरहाल मैंने जब से वह भिक्षावृत्ति वाली बात पढ़ी, मैं उसी के बारे में सोच रहा हूँ। किसी और वृत्ति में मन ही नहीं लगता।

मतिमान लोग इस सत्य को स्वीकार करेंगे कि भिक्षा माँगने की परम्परा हमारे देश में बड़ी पुरानी है। आर्य लोग थे तो हर देवता से कुछ-न-कुछ माँगते ही रहते थे। यां मेधां देवगणाः पितरश्चोपिपासते, तया मामद्य मेधया अग्ने मेधाविनं कुरु। एक भद्र पुरुष ने किसी देवी-देवता से भिक्षा माँगकर यह वर प्राप्त किया था कि आजकल के हिन्दी समीक्षकों की भाँति वह जिसके भी सिर पर हाथ रख दे, वह तत्काल भस्म हो जाए। इतनी शक्ति प्राप्त होते ही वह भद्र पुरुष राक्षस हो गया और भस्मासुर के नाम से पुकारा गया। जैसा कि परम शक्तिमान् लोगों के साथ प्रायः होता है, भस्म उसने अन्त में अपने ही को किया। आशा है, हिन्दी के समीक्षक इस कथा को ध्यान देकर पढ़ेंगे। वैदिक धर्म के अनुसार चार आश्रमों में से एक होता था संन्यासाश्रम और इस आश्रम में व्यक्ति को भिक्षावृत्ति पर ही जीना पड़ता था। मेरी भाँति जो और कलाप्रेमी लोग हैं वे भी यह महसूस करेंगे कि संन्यासाश्रम शब्द में वह आकर्षण नहीं है जो विधवाश्रम में है। संन्यासी का और विधवा का भला क्या मुक़ाबला? संन्यासी स्वार्थी होता है, वह केवल अपनी ही मुक्ति की सोचता है जब कि रूपवती विधवा न जाने कितनों को भवसागर के पार उतारती है। स्त्रियों में परोपकार की भावना वैसे भी सदा से बलवती होती आयी। उनके द्वार से कभी कोई खाली हाथ नहीं लौटा।

रामायण के अनुसार इक्ष्वाकुवंश के राजा दशरथ ने पुत्र माँगे जो उन्हें पर्याप्त मात्रा में प्राप्त हुए। आगे चलकर रावण ने सीता से भिक्षा माँगी और वह भी बदस्तूर मिली। सच तो यह है कि न रावण भिक्षावृत्ति को अपनाता और न हमें 'उत्तररामचरित' जैसे उत्कृष्ट ग्रन्थ पढ़ने को मिलते। महाभारत में अर्जुन ने कृष्ण से ज्ञान माँगा। कुन्ती ने कर्ण के सामने हाथ फैलाये। भगवान की कृपा से दोनों

की इच्छाएँ पूरी हुईं। परवर्ती काल में गौतम बुद्ध और उनके अनुयायी भिक्षा ग्रहण करते-करते भिक्खु ही हो गये। दुष्यन्त ने भी शकुन्तला से कुछ माँगा था जो उसे तबीयत के साथ दिया गया। इस घटना विशेष के दो परिणाम निकले। एक तरफ़ तो शकुन्तला को पुत्र-रत्न की यथासमय प्राप्ति हुई और दूसरे कालिदास नाम के एक कवि ने स्थिति का फ़ायदा उठाते हुए लगे हाथों एक अमर नाटक लिख डाला। दोनों चीज़ें एकदम मौलिक तथा अप्रकाशित थीं। काव्येषु नाटकं रम्यं, नाटकेषु शकुन्तला...

जब घोर कलियुग आ गया तो भिक्षावृत्ति की पुनीत परम्परा और भी ज़ोर पकड़ गयी। वीरगाथाकाल में सूरमा लोग एक-दूसरे की कन्या माँगने लगे और यदि किसी कारणवश कन्या नहीं मिली तो एक-दूसरे की पत्नी ही प्राप्त करने के लिए युद्ध लड़ने प्रारम्भ कर दिये। मुहावरे के तौर पर ये लोग कन्या या पत्नी का हाथ ही माँगते थे पर दरअसल लेते वे पूरी स्त्री ही थे। अकेले हाथ का वे बेचारे क्या करते? चारण लोग जो थे वे अपने आश्रयदाताओं के सामने जागीर पाने के लिए हाथ फैलाते थे जो उन्हें बराबर दी जाती थी। भक्तिकाल में माँगने की परम्परा और भी खुलकर सामने आयी। 'माँगत तुलसीदास कर जोरे; बसहिं रामसिय मानस मोरे'। सूरदास, विद्यापति, चण्डीदास, गोविन्ददास और जयदेव के राधा और कृष्ण ने एक-दूसरे से क्या माँगा और क्या पाया, उसका वर्णन तो यहाँ किया ही नहीं जा सकता। रीतिकाल के नायक और नायिका भी एक-दूसरे से प्रेम की भीख माँगते हुए कभी नहीं थकते थे—हाँ, भिक्षा प्राप्त हो जाने के उपरान्त थक जाते हों, वह दीगर बात है। एक कवि की सूचना के अनुसार एक सास ने अपनी पुत्रवधू को भिक्षा देने के काम पर इसलिए नियुक्त किया था क्योंकि उसके हाथ छोटे थे। मगर अंजाम जो निकला वह उस खुर्राट सास की इच्छा के एकदम विपरीत था। बात यह थी कि पुत्रवधू के हाथ भले ही छोटे थे पर उसका रूप अनन्त था। हृदय की भी शायद वह कुछ उदार थी। नतीजा यह निकला कि इलाक़े के सारे नौजवान उसके हाथ से भिक्षा प्राप्त करने इकट्ठे होने लगे। महाप्राण निराला के शब्दों में स्थिति यह हो गयी कि 'हुई जग जगमग मनोहरा, रंग गयी पग-पग धन्य धरा'। और तो और, पशु-पक्षियों तक को भिक्षा माँगने की आदत थी। एक कोई चातक नाम का पक्षी होता था जो बादलों से पानी माँगा करता था। भर्तृहरि नामक एक कवि भी थे जिन्होंने उसकी इस हरकत के ख़िलाफ़ आवाज़ उठायी थी— 'रे-रे चातक सावधान मनसा' वाला श्लोक। इस अपील का उस पक्षी-विशेष पर क्या प्रभाव पड़ा, इसका पता काफ़ी खुदाई के बावजूद अभी तक नहीं लगा।

और कालों की भाँति रीतिकाल भी यथासमय समाप्ति को प्राप्त हुआ। कालाय तस्मै नमः—वाली बात। फिर जो काल आया उसमें पिछले सारे कालों को नया रूप दिया गया। 'अधम चाकरी भीख निदान' वाली उक्ति के अनुसार चाकरी के लिए भी भिक्षा माँगी जाने लगी। संस्कृति के विकास के अनुरूप भिक्षा के नाम भी बदलते

गये और उसे पुरस्कार, पद, मत और सम्मत नाम से पुकारा जाने लगा। जो लोग हिम्मतवर थे वे चन्दा माँगते रहे। फुर्सत मिली तो जनता से वोट भी माँगा गया। जो कलाकार थे वे बजाय गणेशजी के नेता लोगों की चरणरज पाने को उनकी परिक्रमा लगाने लगे ताकि कोई एवार्ड, विदेश-यात्रा का अवसर, किसी सभा या समिति की सदस्यता या फिर कोई और ही फ़ायदा हाथ लग सके। जो मेरे जैसे स्वाभिमानी लेखक थे, उन्होंने यह क्रिया लुक-छिपकर नहीं, वरन् खुलेआम की। बावरी जो पै कलंक लग्यो, तौ निसंक ह्वै काहे न अंक लगावै?

बहरहाल स्थिति यह है कि भिक्षावृत्ति वहीं है जहाँ वह थी। सुन्दर लड़कियों से सुन्दर लड़के अभी भी वही भिक्षा माँगते हैं जो कभी इन्द्र ने अहल्या से माँगी थी और उदात्त विचारों वाली कन्या उस भिक्षा को अभी भी उसी भाँति देती हैं जैसे कि अहल्या ने दी थी। देश की रूपसियों का तो यह हाल है कि बग़ैर किसी याचना के ही अपने सब अंगों का रूप सबको दिखाती जनपथों पर घूमती फिरती हैं। एक कवि के शब्दों में बिना किसी दुश्शासन के ही द्रौपदी अपना चीरहरण स्वयं करने में काफ़ी तल्लीनता से जुटी है। अदालतों में अपराधी अपने माता और पिता की हत्या करने के बाद इस आधार पर प्राणों की भिक्षा माँगता है कि वह अनाथ है। एक पुरुष है जो दिन-भर अन्धा बनकर भीख माँगता है और फिर रात को सिनेमा देखता है और एक स्त्री है जो किसी पड़ोसी के बच्चे इकट्ठे करके विधवा का रूप धारण कर सबके सामने हाथ फैलाती है। कोई बाई भगवान के नाम पर माँगती है तो कोई अपनी उम्र और देह के नाम पर। कुछ अच्छे-ख़ासे तगड़े क़िस्म के साहित्यकार हैं जो अपनी गुप्त बीमारी की प्रकट सूचना देकर धन बटोरते हैं। और उन महान् समाज-सेवकों का तो कहना ही क्या जो बेचारे भिक्षावृत्ति की प्राचीन आर्य परम्परा को जीवित रखने के लिए छोटे-छोटे बच्चों का अपहरण करवाते हैं, लड़कियाँ भगवाते हैं और फिर उनकी आय में से तीन-चौथाई अपनी जेब में रखते हैं। ऐसे नरपुंगव न होते तो हमारी संस्कृति कब की रसातल को चली गयी होती। कुल मिलाकर यही कहना पड़ेगा कि 'भिक्षाधर्मो परम गहनो योगिनामप्यगम्यः'।

ज़माना बदल रहा है। कुत्ते शास्त्रीय संगीत में रुचि ले रहे हैं और वैज्ञानिक लोग यह सिद्ध करने में तत्पर हैं कि एक स्त्री के निर्माण में जो माल ख़र्च होता है, उसकी क़ीमत एक आदमी के बनाने से कहीं ज़्यादा होती है। पुलिस के कर्मचारियों को योग और नृत्य सिखाया जा रहा है ताकि वे केवल दूसरों को ही न नचा सकें बल्कि अवसर मिलने पर ख़ुद भी नाच सकें। मगर इस सबके बावजूद क्या हम इतने गिर गये हैं कि भिक्षा-वृत्ति को सदा के लिए मिटा दें? यदि एक देश दूसरे देशों से सहायता की भिक्षा माँग सकता है तो फिर एक आदमी या औरत को ही इस अधिकार से वंचित क्यों रखा जाए?

गधा

आज अख़बार में पढ़ा कि केरल के एक प्रतिभावान निर्देशक ने एक ऐसी फ़िल्म बनायी जिसे हाथ में लेने को कोई भी तैयार नहीं था। इस संकोच का प्रमुख कारण यह था कि फ़िल्म का जो प्रमुख चरित्र था वह एक गधा था। ख़ैर, बाक़ी गधों ने जब इस फ़िल्म को बनाने से मना कर दिया तो केरल के अब्राहम ने साहस किया और फ़िल्म बना डाली। समीक्षकों का कहना है कि सारी फ़िल्म में जो जान है वह सिर्फ़ उस गधे की वजह से हुई है; बाक़ी पात्र जो हैं वे सब पीछे पड़ते हैं। गधा जो था वह सबसे बाज़ी मारकर ले गया। इस समाचार के पढ़ते ही ख़ाकसार का जो सीना था वह गर्व से फूलकर कोई चार इंच और बढ़ गया।

ठीक जैसे गाय को देखकर मेरे मन में माता के प्रति उठने वाली ममता जाग्रत होती है और जैसे साँड़ को देखकर वह भय उत्पन्न होता है जो कभी अपने बाप को देखकर हुआ करता था, ठीक उसी प्रकार जब मैं किसी गधे को देखता हूँ तो मेरे अन्तर में भाईचारे की ऐसी भावना ज़ोर मारती है कि तबीयत होती है कि सारी लोक-लाज छोड़कर उसे गले लगा लूँ। हर गधा मुझे हमेशा अपना सगा भाई लगा और नतीजा यह है कि मेरे जितने भी मित्र और प्रशंसक हैं, उनमें आधे से ज़्यादा गधे हैं। किशनचन्दर ने ठीक ही किया जो 'एक गधे की आत्मकथा' लिख डाली। एक बार मैंने किशनचन्दर से काफ़ी गम्भीरता से पूछा था कि क्या इस पोथी को मैं 'गधे की आत्मकथा' की बजाय 'किशनचन्दर की आत्मकथा' मान सकता हूँ तो उन्होंने अपनी स्वाभाविक सरलता के साथ उत्तर दिया था कि ज़रूर। उनका कहना था कि बरखुरदार, सच्चा लेखक जो कुछ भी लिखता है वह उसकी आत्मकथा ही होती है; और कुछ नहीं।

गधे के प्रति भ्रातृप्रेम के मेरे और भी कुछ कारण हैं। मेरी तरह गधा भी शास्त्रीय संगीत का प्रेमी होता है और नृत्य, वादन और गायन—इन तीनों विधाओं में पूरा दख़ल रखता है। मैं तो जब कभी भी गधे को अपनी कला का रियाज करते देखता हूँ तो उसी क्षण ओंकारनाथ ठाकुर, बड़े गुलाम अली खान और उदयशंकर की याद में खो जाता हूँ। हमारी पुरानी संगीत शैली को सुरक्षित रखने में गधे का

जो योगदान है वह कभी भुलाया नहीं जा सकता। संगीत के प्रति गधा मेरी तरह एक उच्च कोटि का प्रेमी भी होता है और उस प्रक्रिया में कुमारी गधी की दुलत्ती की भी परवाह नहीं करता। प्रेम के क्षणों में उसके व्यक्तित्व में जो एक विशिष्ट विकास होता है वह वाक़ई दर्शनीय है। विरह के दौर में कुछ गधे तो ऐसे हैं कि शास्त्रीय संगीत छोड़कर एकदम किशोरकुमार की आवाज़ में हलके गाने गाने लगते हैं। मुझे सौभाग्य प्राप्त है कि मैंने अपने इस जीवन में गधे को गधी के सामने काफ़ी निःसंकोच मुद्रा में प्रणय-निवेदन करते देखा है और उसके अन्दाज़ को देखकर मैंने हमेशा यह अनुमान लगाने की चेष्टा की है कि दुष्यन्त ने शकुन्तला के सामने और जीमूतवाहन ने मलयवती के सामने अपना कलेजा खोलकर कैसे रखा होगा। बकुलों के गुल्म और मालती के मण्डप—सब एक साथ मेरी निगाहों में उतर आते हैं और कृष्ण और राधा के अनन्त रास की लीला मेरी आँखों को अन्धा कर देती है। छवि के इस स्वप्न से मैं तभी जागता हूँ जब कि गधा या गधी अपनी पिछली टाँग से मेरी कमर पर दुलत्ती झाड़ देती है—उससे पहले नहीं। गधे के प्रति अपने भ्रातृप्रेम को देखकर मैं तो कम-से-कम डारविन की बात सच नहीं मानता। उनका कहना था कि हमारे पूर्वज बदर थे, ख़ाकसार का कहना है कि हमारे आदरणीय पूर्वज गधे थे। इस सन्दर्भ में मैं सलाह दूँगा कि आप बंकिम बाबू द्वारा लिखित 'गर्दभ-स्तोत्र' ज़रूर पढ़ें।

गधा जो है वह इस देश की जनता का सच्चा प्रतीक है। कितना भी पीट लो, कितना भी बोझा इस पर लाद दो, यह ग़रीब कुछ नहीं बोलेगा। यही तो वह रहस्य है जिसके कारण इन विशाल सरकारी इमारतों में न जाने कितने गधे सूट या शेरवानी पहनकर बैठे हैं और देश को निरन्तर प्रगति की ओर ले जा रहे हैं। और ऐसा नहीं कि गधा कुछ समझता न हो—वह सब-कुछ जानता है और सर्वज्ञ होने के कारण चुप रहता है। न वेश्या सती, न गदहा जती। मेरा तो निवेदन है कि जैसे मैथिलीशरण गुप्त के ज़माने में दिनकर हमारे उपराष्ट्रकवि थे और जैसे 'जन-गण-मन' के सामने 'वन्दे मातरम्' जो है वह उपराष्ट्रीय गान है, ठीक उसी प्रकार सरकार को उचित होगा कि वह सिंह के साथ-साथ, गधे को उपराष्ट्र पशु घोषित कर दे। राष्ट्रीय पशु यदि मांसाहारी है तो उपराष्ट्रीय पशु शाकाहारी होगा। प्रशासन को तो सभी की भावनाओं की क़द्र करनी होगी। सिंह यदि शोषकों का प्रतीक है तो गधा शोषितों का। घोषणा करने से पूर्व यह अलबत्ता ज़रूरी होगा कि यह निश्चित कर लिया जाए कि सही शब्द 'गधा' है या 'गदहा'। इस बारे में किसी भाषाशास्त्र विभाग के पहुँचे हुए गधे से सलाह ली जा सकती है। मतभेद की स्थिति में विशेषज्ञों की एक समिति गठित की जा सकती है जो देश-विदेश का दौरा करने के बाद पाँच वर्ष की अवधि में अपनी रिपोर्ट पेश कर सके।

आज के अख़बार में कुछ और भी दिलचस्प ख़बरें हैं। उदाहरण के तौर पर

अरब के एक छियासी वर्ष के वृद्ध की चर्चा की गयी है जिसने अपने क्षणभंगुर जीवन में केवल एक सौ अड़सठ शादियाँ की हैं। इनकी इस सक्रियता का भेद यह है कि ये रोज़ एक सेर कच्ची प्याज़ खाते हैं। एक और सज्जन की चर्चा भी है जो बिना प्याज़ खाये ही उन्तालीस पत्नियों के इकलौते पति हैं और स्थिति यह है कि ये अपने पाँच सौ पुत्र-पौत्रों और पुत्री-पौत्रियों को पहचान भी नहीं सकते। एक दिन तो ये बेचारे अपनी एक पोती के सामने ही विवाह का प्रस्ताव रख बैठे। जब असलियत का पता चला तो बेचारे काफ़ी शर्मिन्दा हुए जो कि मेरे ख़याल में कतई ज़रूरी नहीं था। इस सबके अतिरिक्त दिल्ली की सतर्क पुलिस ने भारत सरकार के एक सचिव को तस्कर समझकर काफ़ी देर हिरासत में रखा जिसका असली कारण यह था कि ये सचिव हिन्दी-प्रेमी थे। हिन्दी के साहित्यकार हमेशा चोर, जेबकतरे या गधे लगते आये, प्रकाशकों में अलबत्ता कोई गधा नहीं होता। मगर ये सब ख़बरें गधे की सिनेमा में सफलता के सामने कुछ भी नहीं हैं– कुछ भी नहीं। गधा है कि सुदृढ़ भी है और संवेदनशील भी। कालिदास के शब्दों में—वज्रादपि कठोराणि, मृदूनि कुसुमान्यपि। कालिदास की इस उक्ति से मिलता-जुलता एक लोकगीत भी है जिसमें एक बुद्धिमती और सुन्दर बालिका अपने प्रेमी को यह सूचना देती है कि 'वैसे तो मैं इतनी शक्तिशाली हूँ कि नाचते समय सम दिखाने के लिए यदि ज़ोर से पाँव पटक दूँ तो पृथ्वी फट जाए पर साथ-ही-साथ मैं इतनी मुलायम भी हूँ कि जैसे अनार की कली। तुम जब चाहो तब मेरा गुलकन्द बना लो।' उसकी वाणी सुनकर नायक ने उसका गुलकन्द बनाया या नहीं यह तो पता नहीं—हाँ, अलबत्ता उस बालिका की हरियाणवी वाणी का मूल पाठ हाज़िर है :

मारूँगी घबोड़ा, धरती फोड़ गेरूँगी
काची कली अनार की
गुलकन्द बणूँगी रे....

पुष्प-चरित उर्फ़ मेरे पहले प्रेम-प्रसंग

रह गया पीछे
नगर, घर, द्वार
सब कुछ रह गया पीछे
आओ, ये चिह्न गिनें
कहें सूख गयी नदी की कथा

ओम प्रभाकर का काव्यग्रन्थ 'पुष्पचरित' क्या पढ़ा कि मुझे अपने प्रेम-प्रसंग याद आने लगे। प्रेम-प्रसंगों के मामले में हालाँकि मैं अभी तक पिटा नहीं हूँ, मगर वैसे काफ़ी उदारमना रहा हूँ। ईश्वर की बनायी स्त्री जाति से प्रेम न करना ईश्वर के प्रति अनादर होगा, ऐसा मेरा अटूट विश्वास रहा है। मगर ईश्वर ने इस सन्दर्भ में दो ग़लतियाँ कीं—एक तो यह कि सौन्दर्य को इतनी मात्रा में जन्म दिया कि समझ में नहीं आता कि इंसान किस-किस से प्रेम करे और दूसरी ग़लती यह कि पता नहीं क्यों, लड़कियों को काफ़ी संगदिल बनाया। कवि के शब्दों में ये दोनों स्थितियाँ इस प्रकार बयान की जा सकती हैं :

इलाही कैसी-कैसी सूरतें तूने बनायी हैं
कि हर सूरत कलेजे से लगा लेने के क़ाबिल है
(अकबर)

लगा न दिल को कहीं, क्या सुना नहीं तूने
जो कुछ कि मीर का इस आशिकी ने हाल किया
(मीर)

मेरे प्रेम-प्रसंगों की कथा प्रेमसागर की भाँति काफ़ी लम्बी है। जहाँ तक मुझे याद पड़ता है, पैदा होते ही मैंने एक ऐसी स्त्री से मुहब्बत करनी शुरू कर दी थी जो कि पहले से ही विवाहिता थी। वह मेरी माँ थी यानी कि मेरे मरहूम पिता की पत्नी। यह मुहब्बत इतनी सच्ची निकली कि उम्र भर चलती रही और कोई ख़ास बदनामी भी नहीं हुई! मगर इस इकलौती मुहब्बत के अलावा ख़ाकसार ने जहाँ कहीं भी

इश्क़ किया, वहाँ प्रायः निराशा ही हाथ लगी।

मेरा दूसरा इश्क़ एक ऐसी लड़की से हुआ जो वैसे तो ग़रीब थी, मगर ख़ूबसूरती के मामले में ज़रूरत से ज़्यादा अमीर थी। उन दिनों ख़ाकसार कोई सोलह-सतरह साल का रहा होगा और वह थी कोई चौदह-पन्द्रह साल की। फटे कपड़ों में वह ठीक ऐसी लगती थी जैसी कि क्लियोपेट्रा। इतिहास के छात्रों को पता होगा कि क्लियोपेट्रा को जब सीज़र के सामने पहली बार पेश किया गया था तो निहायत गलीज़ कपड़ों में ही किया गया था। मगर यहाँ तक़दीर ने हमारा साथ नहीं दिया। बाधा क्रम संख्या एक तो यह थी कि वह इतनी भोली थी कि प्रेम के ढाई अक्षर भी समझने को तैयार नहीं थी। कवि के शब्दों में मैंने उससे न जाने कितनी बार कहा कि 'उठो सुहागिन चाँद ढल गया' या 'री सुहागन, कुसुम ऋतु छायी बागन-बागन' मगर उस पर कोई असर ही नहीं पड़ा। ऐसी डल लड़की को तो डल झील में ही फेंक देना चाहिए। बाधा क्रम संख्या दो यह थी कि जिन हज़रत के यहाँ वह लड़की काम करती थी, उनकी अपनी निगाह भी उस पर थी। ऐसी स्थिति में हमने वही किया, जो कवि ने आज्ञा दी थी:

चलो, अब तो यहाँ से भी चलें
अब तो पहाड़ी के उस पार
बूढ़ा सूर्य बनकर ढलें
चलें अब तो बन्द कमरे में
सुलगती लकड़ियों से जलें।

इस हादसे के बाद हमने अपने दिल की दस्तावेज़ एक ऐसी कन्या के सामने प्रस्तुत की जो हमारे ही मुहल्ले की थी और जिसे हम बाक़ी पब्लिक के सामने 'बहन' कहकर पुकारते थे। वह मुलाक़ात के सहारे दोस्ती तक पहुँचना चाहती थी और हम थे कि दोस्ती के सहारे मुलाक़ात तक पहुँचना चाहते थे। प्रेम के क्षेत्र में उतनी अनुभवी कन्या हमें फिर नहीं मिली। जहाँ पहली लड़की हमारे मनोभाव नहीं पहचानती थी, वहाँ इससे इस दिशा में हम पीछे पड़ते थे। बड़ी चौकस छोकरी थी। 'क्वारी मत समझो, मैं ब्याही हूँ नन्दलाल' टाइप। इसने हमें विरह और मिलन का अन्तर समझाया, बुलाने के इशारे समझाये, प्रेम का वक़्त बतलाया और बाक़ी हिदायतें भी दीं। बुन्देलखण्ड का यह फाग इस पर पूरी तरह फ़िट बैठता था :

नयी गोरी, नये बालमा, नयी होरी की झाँक
ऐसी होरि दागियो, जो कुल को न आवै आँच
सम्हरि के यारि करौ मोरे बालमा

लड़की वैसे सच्ची थी। शादी के बाद भी—जब कि उसके बच्चे मुझे सार्वजनिक तौर पर मामा कहकर पुकारते थे— वह जब भी अकेले में मिलती थी तो स्थिति यही रहती थी कि :

पीपर पत्ता चीकनै, दिल चिलकै औ' रात
यारी बालापने की खटकत है दिन रात
लगी को कौने बिसारै मोरे बालमा

इस बालिका की शादी के कुछ वर्ष उपरान्त हमारा तबादला हो गया और हम इण्टरमीडिएट की परीक्षा के लिए एक और क़स्बे में चले गये। वहाँ एक भाभीजी मिलीं जिन्होंने हमें पहली बार अश्लील चित्र दिखलाये और यह भी बताया कि उनमें अश्लील जो था वह क्या था। हम समझ गये और कवि के शब्दों में :

वह तट भी छोड़ चले,
ऐसे में क्या करते निरुपाय
रथ ही तोड़ चले

इसके बाद प्रेम का प्रथम सच्चा अनुभव तब हुआ जब हमने एक लड़की का ट्यूशन शुरू किया। इतनी सुन्दर लड़की मैंने फिर कभी नहीं देखी। मैं उसे क्या पढ़ाता था, वह ही मुझे पढ़ाती थी :

थके चेहरे
झुके माथे
भारी आँखें
ढले काँधे
चटकती हिचकियों में थरथराते नाम
ताल के ठहरे हुए जल में सिसकती शाम

बड़ी प्यारी लड़की थी। बस इल्लत थी तो यह थी कि वह अकेले बहुत कम प्राप्त होती थी। जितनी देर भी वह साथ रहती थी, घर का कोई और सदस्य भी वहीं बैठा रहता था। एक वर्ष के निरन्तर सहवास में मैं उसका हाथ केवल एक बार छू पाया था। पवित्र प्रेम की ठीक वही स्थिति जो एक कवि ने कभी इस प्रकार बयान की थी:

उश्शाक कहीं खींच न ले टाँग पकड़कर
इस खौफ़ से माशूक लबे बाम न आया
(जरीफ़)

ख़ैर, वह बेचारी तो पल्ले नहीं पड़ी, मगर उनकी विधवा माता मेरे पीछे बुरी तरह पंजे झाड़कर पड़ गयीं। मैं उनकी पुत्री से प्रेम करता था और वे मुझसे इश्क़ करती थीं। उनकी उम्र कोई पैंतीस वर्ष के लगभग रही होगी और सिवा इसके कि उनके चाहने वाले काफ़ी थे, उनमें और कोई कमी नज़र नहीं आती थी। हाँ, अलबत्ता चाहने वाले उनके इतने थे कि न जाने कितने शायरों का कलाम एक साथ याद आता था :

बीसियों चाहने वालों की ज़रूरत क्या है
नाज़ उठवाओगे तुम उनसे कि छप्पर कोई?
(बेढब)

हुजूमे आशिका देखा जो दरवाज़े पै वे बोले
हमें ये टीम कुछ आल इण्डिया मालूम होती है
(जरीफ़)

माशा अल्ला, किसी तरह मैं उस चक्रव्यूह से निकला। इसके बाद मेरा अन्तिम प्रेम विश्वविद्यालय में हुआ जो मेरी कायरता के कारण शादी का रूप न ले सका। शादी हो जाती तो शायद बच्चे भी हो जाते। बड़ी भली लड़की थी– मँझला कद, साँवला रंग, पतले होंठ और बड़ी-बड़ी आँखें। ज़्यादा कुछ कहने के बजाय बेहतर यह होगा कि ओम प्रभाकर की कुछ पंक्तियाँ यहाँ फिर उद्धृत कर दूँ :

किसने धोये केश
प्राण तक गमक उठे?
कोई आकर बैठ गया बिल्कुल सटके
जा न सकूँगा कहीं और अब मैं हटके
तनिक झुके वे अधर
तनिक ये अधर उठे
किसने बाले दीप
अँधेरे चमक उठे?

सरकारी तौर पर मेरा यह अन्तिम प्रणय था। इसके बाद मेरी शादी हो गयी। शादी के बाद प्यार-व्यार कुछ नहीं होता। 'गम और भी हैं ज़माने में मुहब्बत के सिवा'। हाँ, अलबत्ता कभी-कभी पुरानी आदत लौट आती है मगर वह दीगर बात है। पिछली बार अस्पताल में भरती हुआ तो दो नर्सें दोनों नयनों में हमेशा के लिए समा गयीं। एक को मलाई खाने का शौक़ था तो दूसरी को अँगड़ाई लेने का। कवि के शब्दों में कुल मिलाकर स्थिति यह रही कि जब मैं चला तो ये शेर खुद-ब-खुद ज़ुबान पर आ गये:

ज़ायका चख के वो कहने लगा वालाई का
काश मैं छोकरा होता किसी हलवाई का
ऊँट जब जंगल में उठता है जँभाई लेकर
याद आ जाता है नक्शा उनकी अँगड़ाई का
(अज्ञात)

आज इतवार का दिन है, कोई काम नहीं है और मैं हूँ कि इश्क़ के बारे में सोच रहा हूँ। लैला-मजनू, शीरीं-फ़रहाद, सोहिनी-महिवाल, रोमियो-जूलियट तथा हीर-राँझा की प्रेम-कथाएँ आँखों के सामने उतर रही हैं। इन लोगों का नाम इतिहास में केवल इस कारण आया कि इन्होंने प्रेम किया और तबीयत के साथ किया। मेरे ख़याल से ये सब उल्लू के पट्ठे थे जो एक ही लड़की या लड़के के पीछे दीवाने रहते रहे और अच्छे-ख़ासे धन्धे को दुखान्त बना दिया। आदमी तो वे हैं जो वुडहाउस के पात्रों की भाँति बीस-पचीस जगह दिल एक साथ लगाते हैं। इसे कहते हैं थोक व्यापार।

बायरन जो था वह औरत को बनियान समझता था। और यह तो बहुत ही बेहद बेहूदा बात है कि शादी के बाद इंसान प्रेम करने की आदत ही छोड़ दे। भगवान रजनीश कहते हैं कि सुखी दाम्पत्य जीवन की कुंजी शादी की सीमा के बाहर के प्रणय में ही छिपी है। और जब रूसो, शेली, गेटे, बायरन, जार्ज ईलियट, पिकासो और शरत्चन्द्र दुनिया भर की क़िस्म के प्रेम कर सकते थे तो मैं वैसा क्यों नहीं कर सकता? हाँ, अलबत्ता इतना ख़याल ज़रूर रखूँगा कि लड़की जो हो वह कुछ धन्धा करती हो ताकि धर्मपत्नी यदि पृष्ठभूमि पर लात मारकर वनवास भी दे दे तो भूखों न रहना पड़े। मेहतरानी से इश्क़ करना अमीरों का पुराना शौक़ रहा है और कुछ मेहतरानियाँ तो रानियाँ जैसी ही लगती भी हैं क्योंकि उनकी रगों में भी सूर्यवंश और चन्द्रवंश का रक्त पाया जाता है। ऐसा करने से हरिजनोद्धार जो होगा, सो अलग। बकौल कवि के स्थिति यह होगी किः

मेहतरानी से दिल लगाते हैं
वह कमाती है, आप खाते हैं

(फ़िराक़)

कुछ जिज्ञासु भाई यह शंका कर सकते हैं कि प्रेम होता कैसे है? वे अगर शुरुआत करें तो आँखों से करें या दिल से करें? बात को ख़त्म करने के लिए मैं कवि की कुछ पंक्तियाँ उद्धृत करता हूँ और बड़ी उदासी के साथ इस गाथा को यहीं समाप्त करता हूँ :

कहता है दिल कि आँख ने मुझको किया ख़राब
कहती है आँख ये कि मुझे दिल ने खो दिया
लगता नहीं पता कि सही कौन-सी है बात
दोनों ने मिल के 'मीर' हमें तो डुबो दिया

(मीर)

अशोक, गृहस्थाश्रम और डोगरी लोकगीत

कलिंग देश के युद्ध में हताहतों की संख्या देखकर सम्राट् अशोक तक को हार्दिक शोक हुआ था। उन्होंने युद्ध लड़ने छोड़ दिये और परिवार-नियोजन के महकमे की नींव डाली। अशोक की नीयत एकदम साफ़ थी, न मनुष्य जन्म लेगा और न मरेगा। इस कारण यदि मृत्यु की विभीषिका को टालना है तो ज़ाहिर है कि जन्म पर प्रतिबन्ध लगाइए। बग़ैर पैदा हुए किसी व्यक्ति का मरना शायद मुश्किल है। इन सब बातों को ध्यान में रखते हुए अशोक ने ईसा से तीसरी शताब्दी पूर्व परिवार-नियोजन की नींव डाली और वैशाली की नगरवधुओं से जन्म लेने वाले शिशुओं की संख्या निश्चित की। यह दीगर बात है कि अशोक हमारे ज़माने से पिछड़ा हुआ था। इस ज़माने का तो कहना ही क्या, दक्षिण दिशा में बसे कर्नाटक नाम के राज्य में, आदमी तो आदमी, आवारा कुत्तों तक की नसबन्दी कर दी गयी। कहते हैं कभी-कभी कुत्तों की नसबन्दी से आदमियों की आबादी पर भी फ़र्क़ पड़ता है। इस वैज्ञानिक युग में कुछ भी तो असम्भव नहीं रहा।

एक प्रशासकीय विज्ञप्ति में बताया गया है कि परिवार-नियोजन का कुछ सम्बन्ध शायद विवाह नाम की प्रथा से भी है। न होगा विवाह का बाँस और न बजेगी बच्चों की बाँसुरी। (वैसे यह दृष्टिकोण कुछ ग़लत है; शादी की प्रथा से सन्तान की उत्पत्ति पर प्रभाव तो पड़ता है पर उतना नहीं जितना कि विशेषज्ञों की धारणा रही।) ख़ैर, इन विशेषज्ञों के अनुसार सच्चा परिवार-नियोजन जो सम्भव है वह शादी के बाद ही सम्भव है। मेरे विचार में अगर यह बात सच है तो श्रृंगार-रस में वैराग्य-रस का परिपाक होना ही परिवार-नियोजन कहा जायेगा। मगर कुछ लोग हैं जो इस प्रकार के रसमिश्रण में आस्था नहीं रखते। तेहरान के एक नरपुंगव ने एक सौ अड़सठवीं शादी की तैयारियाँ शुरू की हैं। दूल्हे की आयु मात्र अट्ठासी वर्ष की है और इस ग़रीब स्त्री-सेवक को यह भी पता नहीं कि उसके बच्चे हैं तो कितने हैं। इसे कहते हैं रचनात्मक और समर्पित जीवन। एक ओर यदि वुडहाउस ने सौ के क़रीब उपन्यास लिखे तो दूसरी ओर इन्होंने एक सौ अड़सठ शादियाँ रचायीं। एकदम वही ठाट जो चार्ल्स द्वितीय के साथ चलता था। सारे ब्रिटिश इतिहास में वह अकेला बादशाह था

जिसने न तो कभी बेवकूफ़ी की कोई बात कही और न कभी अक्लमन्दी का कोई काम ही किया। परिणाम ज़ाहिर था; वह नितान्त लोकप्रिय राजा साबित हुआ। उस ग़रीब को भी पता नहीं था कि उसके कुल कितने बच्चे थे, ठीक उसी तरह जैसे कि इस बात का पता कि उसके सम्बन्ध कितनी स्त्रियों से थे, उन स्त्रियों तक को नहीं था। प्लेटो ने पत्नियों के राष्ट्रीयकरण की जो चर्चा चलायी थी, वह ऐसे योग्य पुरुषों ने पूरी की। प्लेटो से मेरा अभिप्राय यहाँ उसी व्यक्ति से है जो महान गणितज्ञ, दार्शनिक और विचारक होने के साथ-साथ ओलम्पिक का अपने ज़माने में चैम्पियन भी था। इतनी बुद्धि और शारीरिक शक्ति का स्वामी होते हुए यदि प्लेटो भी दूसरों की पत्नियों के राष्ट्रीयकरण की सलाह न देता तो फिर कौन देता?

जैसा कि सयाने लोग कहते हैं, परिवार-नियोजन का शादी से सीधा सम्बन्ध है। जब सयाने लोग कोई बात कहते हैं तो मेरे जैसे क्षुद्र बुद्धि व्यक्ति के लिए उस बात को स्वीकार कर लेने के अतिरिक्त और कोई रास्ता नहीं रह जाता। वैसे सच शायद यह है कि अविवाहित व्यक्ति आत्महत्या करता है और विवाहित व्यक्ति हत्या। आबादी के घटाने में दोनों का योगदान शायद बराबर ही हो। और यह मेरा निश्चित मत है कि आबादी के घटाने के लिए जो भी क़दम उठाये जाते हैं वे सब परिवार-नियोजन के दायरे में आते हैं। हत्या और क़त्ल भी उसी दृष्टि से देखे जाने चाहिए। ताजीराते हिन्द में चाहो तो सुधार कर लो।

सन्तान से बचने के लिए ज़रूरी है कि आदमी पैदा ही न हो, पैदा हो तो शादी न करे, शादी भी करे तो स्त्री से न करे और यदि स्त्री से करे तो फिर परदेस में रहे। अगर ऐसा नहीं किया जाता तो परेशानियाँ पड़ती हैं और गौतम को बुद्ध बनने के लिए घर से बाद में भागना पड़ता है। पत्नी के साथ रहने पर भी सिर के बाल उड़ते हैं और संन्यास लेने पर भी वही स्थिति होती है। फ़र्क़ सिर्फ़ इतना है कि संन्यासी के सिर्फ़ बाल ही ग़ायब होते हैं जब कि गृहस्थ व्यक्ति का कभी-कभी सिर भी ग़ायब हो जाता है। गृहस्थाश्रम और संन्यासाश्रम के बीच यह अन्तर वाक़ई बहुत बड़ा रहा। सिर मुँडाने की बात क्या याद आयी, कि उस नापित विशेष की चर्चा करना भी ज़रूरी ही हो गया जिसने हाल ही में दो सौ सैंतालिस व्यक्तियों के सिरों को 'परती भूमि' की शक्ल दी और छियासी घण्टे की इस 'परती परिकथा' के बाद वह मूर्च्छित हो गया। इसे कहते हैं सच्ची सेवा-भावना। यदि इस देश की सुन्दर लड़कियाँ भी ऐसी पवित्र सेवावृत्ति रखने लगें तो देश कहीं-से-कहीं पहुँच जाए। और अगर देश यहीं भी रहा तो कम-से-कम वे तो कहीं-की-कहीं पहुँचेंगी ही। मगर इस देश की लड़कियों से कोई उम्मीद करना बेवकूफ़ी है। इन्होंने तो बेड़ा का बेड़ा ही गर्क कर दिया। उन्हें तो इंजीनियर और आला अफ़सर बनने से ही फुर्सत नहीं। उन्हें यह पता नहीं कि अफ़सर बनने के बाद आदमी शायद थोड़ा-बहुत आदमी रह जाए, मगर औरत जो है वह कतई औरत नहीं बचती। जेल में खुद चले जाने के

बाद जेलर जो है वह जेलर नहीं रहता। इधर कुछ जेलर लोग भी जेल चले गये हैं, चाहो तो उनसे बात कर लो। हाँ, अलबत्ता उसके लिए ख़ुद भी जेल जाना ज़रूरी होगा। अगर ऐसा न होता तो मैं ख़ुद ही यह सर्वेक्षण कर आता।

विवाह के बाद बराती अपने घर लौट जाते हैं और वर-वधू अपने घर। वैसे कभी-कभी बराती घर नहीं भी लौटते। दक्षिण में एक वर-यात्रा के लगभग सौ सम्मानित सदस्य विषैली मदिरा पीने के कारण वहीं देह-मुक्त हो गये। वापसी के जो रेल टिकट थे, वे शायद बेकार गये। मदिरा पीकर इस प्रकार आत्महत्या करने से आबादी इतनी घट गयी कि वे बेचारे वर-वधू कितना भी परिश्रम करें, राष्ट्र की इस क्षति को सौ फ़ीसदी कभी पूरा नहीं कर सकते। मदिरा का परिवार-नियोजन में जो स्थान था, वह उजागर हो गया।

वर-वधू के घर लौटने के बाद दो स्थितियाँ होती हैं, या तो वे दोनों साथ-साथ रहें या फिर वर जो है वह परदेस चला जाए। पहली स्थिति में बच्चे होते हैं तो दूसरी में विरह। यह जो विरह नाम का पदार्थ है यह बच्चे से भी ज़्यादा दुखदायी है। विरह का एकपक्षीय अनुभव तो मुझे भी रहा, पर विरह का जो दुख युवतियों को होता है उसका सच्चा एहसास मुझे रमेश मेहता की कृपा से प्राप्त डोगरी लोकगीतों से हुआ। फ़ौज में भरती होते पति से पत्नी कहती है कि मुझमें और मेरी सास में एक मौलिक और अप्रकाशित अन्तर है; मैं तुम्हें चाहती हूँ और वह जो है वह मुद्रा चाहती है। मेरी मानो, घर छोड़कर कहीं मत जाओ। हाँ, अगर हो सके तो अपनी जगह अपनी अम्मा को भेज दो। मगर पति था कि नहीं माना, वह चला गया। गोरी ने तन्दूर की रोटी, भात और पूड़ी पकायी और फिर रोने लगी। रोने में जो लोक-लाज आती थी, उसे छिपाने के लिए उसने चूल्हे में कण्डे डाल दिये। उसने कलेजा निकालकर चिट्ठी में बन्द कर दिया ताकि उसका प्रियतम उसे पगड़ी में खोंस ले। पगड़ी में पत्नी तो आनी मुश्किल थी मगर उसकी चिट्ठी ज़रूर आ गयी होगी।

अगला विरहगीत और भी मार्मिक है और साबित करता है कि विरह से तो वाक़ई बच्चा होना ही अच्छा। पति के परदेस चले जाने पर ऋतुएँ आयीं और चली गयीं। चैत में फूल खिले पर वधू ने जो हार बनाया था वह खूँटी पर ही सूख गया। गाँव-गाँव गन्ना पेरा गया पर इस मुसम्मात का गन्ना खेत में ही सूख गया। शहतूत पके और डाली पर ही कुम्हला गये। बाग़ की कलियाँ मालिन ने तोड़ लीं, कुएँ का पानी कुम्हारिन के लिए रह गया और पलँग जो था वह इस बेचारी के अकेले लेटने के लिए छूट गया। धीरे-धीरे स्थिति यह हो गयी कि यौवन के लहलहाते वृक्ष को और लोग भी देखने लगे। अब इसकी सुरक्षा कौन करेगा? यौवन का वृक्ष तो महकमा जंगलात के नीचे भी नहीं आता। और फिर वियोग का वृक्ष तो और भी लम्बा है– ठीक सेमल के वृक्ष जैसा। लाल-लाल गन्धहीन फूल, स्वादहीन फल और ऊँचाई इतनी कि आकाश को छू ले। इसके बाद गोरी जो थी वह ज्योतिषी के पास

गयी और जब उसने बताया कि उसके निजी पति के आने में अभी देर है तो उसने पहले तो पोथी-पत्रे को नदी में धकेला और फिर उस कलमुँहे पण्डित को। इसके बाद वह रोने लगी। कवि कहता है कि 'लट्ठा-खास्सा' हो तो उसे कोई निचोड़ भी ले, कलेजे को कोई कैसे निचोड़े?

गोरी की नींद उसके पति के साथ चली गयी थी। प्रीत का रोग वैसे भी कुछ ऐसा ठहरा कि पति के अतिरिक्त और कोई विशेष उपचार किसी के हाथ कभी नहीं लगा। नायिका जो थी वह 'साक्षरता आन्दोलन' के दौर से पहले उत्पन्न हुई थी और इसी कारण पत्र लिखवाने किसी दूसरे के पास गयी। वह जो मुंशी था वह बग़ैर बताये ही सब-कुछ समझ गया। ख़त में लिखा गया कि तुम्हारा वियोग मैं अब नहीं सह सकती। तू कमरे की खिड़की खोल दे और मन की साँकल सरका दे। वर्षा की बूँदें कलेजे पर यहाँ वार कर रही हैं और तू है कि दुश्मन के इन्तज़ार में वहाँ खाई में बैठा है। युद्ध की राह छोड़ और 'गृह-युद्ध' की बात छेड़। वसन्त में मैंने फूलों को अपनी आँखों का पानी दिया पर तुझे क्या? अरे निर्मोही, और कुछ नहीं तो वह एक अदद दिल ही वापस कर दे जो मैंने तुझे दिया था। माल वापस आ जायेगा तो किसी दूसरे को ही देने की सोचूँगी।

पति को यथासमय वह पत्र मिला। यथाविधि उसने छुट्टी की अर्जी दी, जो यथावत् अस्वीकृत हुई। सिपाही जो था वह अपने साहब की मृत्यु की कामना करने लगा जो यथासमय शायद पूरी भी हुई। लिखी-लिखी चिट्ठियाँ पा बलोचनिएँ, साहब मोआ घरें औना क मलिए लोकनिएँ। इसके बाद की वारदात देवरत्न शास्त्री से पूछूँगा जिन्होंने डोगरी लोकगीतों का यह संकलन प्रस्तुत किया।

कुल मिलाकर स्थिति यह निकलती है कि शादी के बाद आबादी रोकने के दो ही रास्ते हैं। पहला मार्ग तो यह है कि पत्नी ऐसी हो जो सदा सर्कुलेशन में रहे। अभी-अभी एक ऐसी युवती का पता पुलिस को लगा है जिसने इंगलिस्तान का निवासी बनने के लिए न जाने कितने स्वदेशी और विदेशी युवकों का हाथ पकड़ा था। कोई पचास पति तो ढूँढ़े जा चुके हैं मगर स्कॉटलैण्ड-यार्ड की खोज अभी भी जारी है। उन्हें आशा है कि थोड़ी-बहुत खुदाई के बाद कम-से-कम इतने ही पति और प्राप्त होंगे। दूसरा मार्ग यह है कि पति गृहस्थ जीवन तो डटकर व्यतीत करे पर गुरु गोरखनाथ की नीचे लिखी वाणी को मोटे अक्षरों में अंकित कर अपने शयनकक्ष में टाँग ले। सादा जीवन और उच्च विचार—इन दोनों का इससे बेहतर उदाहरण कम-से-कम मुझे तो अन्यत्र देखने को नहीं मिला :

अजपा जपै, सुनि मन धरै,
पाँचों इन्द्री निग्रह करै,
धन जोबन की करै न आस,
चित्त न राखै कामिनी पास।

लाश की चोरी

ऊपर दिये शीर्षक से लगता है कि आज मैं कोई ऐसी जासूसी, रोमांचकारी सत्यकथा लिखने जा रहा हूँ जिसका किसी संगीन जुर्म से उतना ही घनिष्ठ सम्बन्ध होगा जितना कि आजकल युवा अध्यापकों और युवती छात्राओं के बीच पाया जाता है मगर एक ईमानदार लेखक के नाते मैं यह ग़लतफ़हमी प्रारम्भ में ही दूर कर देना चाहता हूँ। लाश की चोरी तो ज़रूर हुई मगर उसमें कोई ऐसी बात नहीं नज़र आती कि पढ़कर आपके शरीर के विभिन्न भागों पर स्थित रोंगटे खड़े हो जाएँ। मेरी इस सत्यकथा का नायक है चार्ली चैपलिन नाम का एक विश्वविख्यात सिने-कलाकार जो सारी उम्र राजकपूर की नक़ल करता रहा। ठीक वैसी ही बेढंगी टोपी और वैसी ही ढीली पतलून जिसमें वक़्त-ज़रूरत नायिका तक को छिपाया जा सके। चार्ली चैपलिन ग़रीबी में पैदा हुआ, बचपन में रोटी के टुकड़ों के लिए तरसता रहा और जैसा कि ग़रीब लोगों के साथ प्रायः होता है, वह भी अन्ततोगत्वा संसार के धनाढ्यतम कलाकारों में से एक बना। उसने फ़िल्में बनायीं, करोड़ों लोगों को हँसाया, सिद्धान्तों को लेकर अमेरिका छोड़ा और सिद्धान्तों को लेकर ही सात या आठ बच्चे भी पैदा किये। इसके बाद वह बूढ़ा हुआ और जैसा कि बूढ़ों के साथ अकसर होता है, एक दिन वह भी यूँ ही बिना बात स्वर्ग सिधार गया। दस्तूर के मुताबिक संसार के सारे पत्रों ने उसकी यादगार में परिशिष्ट निकाले और दस्तूर के ही मुताबिक उसके मित्रों और परिवारवालों ने उसे स्विट्ज़रलैण्ड में दफ़न कर दिया। यहाँ तक तो सब-कुछ नॉर्मल रहा मगर सनसनी तो उस दिन फैली जिस दिन उसकी लाश को कफ़न के साथ-ही-साथ किसी ने क़ब्रिस्तान से दफ़ा कर दिया। लाश की चोरी की यह लोमहर्षक घटना कला के इतिहास में वाक़ई अपना सानी नहीं रखती। इस हादसे ने चैपलिन के छाते को भी मात कर दिया।

मैंने जब से यह समाचार पढ़ा है तभी से अजीब-सी मनःस्थिति में हूँ। पहले तो यह सोचता हूँ कि लाश की चोरी हुई तो क्यों हुई? कहीं ऐसा तो नहीं था चैपलिन पूरी तरह मरा ही नहीं था बल्कि रवीन्द्रनाथ ठाकुर की कहानी 'यक्ष' की नायिका की भाँति ज़िन्दा था और जैसे ही यार लोगों की नज़रें घूमीं, वह चुपचाप

क़ब्र के बाहर निकल आया और फिर हालीवुड चला गया। एक ऐसे महान अभिनेता के लिए–जिसे जार्ज बर्नार्ड शा तक ने जीनियस कहकर पुकारा था– ऐसा करना कुछ असंगत नहीं लगता। साथ-ही-साथ यह ख़याल भी दिमाग़ में आता है कि स्विट्ज़रलैण्ड में यदि एक लाश सुरक्षित नहीं रह सकती, तो ये जो अनगिनत लोग अपना काला धन वहाँ जमा कराते हैं, वह कैसे सुरक्षित रहेगा? महाजनों को उचित होगा कि मेरी बात पर ग़ौर करें और भविष्य में अपना काला धन मेरे पास जमा किया करें। मुझे साँवले रंग से बड़ी मुहब्बत है। साँवले रंग की लड़कियों से इश्क़ करना और गौरवर्ण की लड़कियों से शादी करना मेरी पैतृक परम्परा है और मैं जो हूँ इसे जारी रखना चाहता हूँ। दरअसल, हमारे यहाँ का असली पेशा यही है, बाक़ी बातें जैसे सरकारी नौकरी और साहित्य रचना वग़ैरह जो हैं वे तो मूलकथा में क्षेपक हैं। साहित्य भी कोई पेशा है! ग़ालिब तक को अपनी शर्म उतारने के लिए एक दिन कहना पडा था कि– सौ पुश्त से है पेशा-ए-बाबा सिपहगिरी, कुछ शायरी ही ज़रिया-ए-इज़्ज़त नहीं मुझे।

मेरे ख़याल से लाशों की चोरियाँ हमेशा से होती आयीं। मिस्र के सुलतान जो इतने मज़बूत पिरामिड बनवाते थे वे सिर्फ़ इसी कारण बनवाते थे। लाश के साथ-साथ खाने-पीने की सामग्री, कपड़े और ख़ूबसूरत बाँदियाँ वग़ैरह जो बाक़ी ज़रूरत का सामान होता था वह ज़िन्दा ही लाश के साथ अन्दर बन्द कर दिया जाता था। इन दिनों बतौर प्रयोग के एक नये पिरामिड का निर्माण किया जा रहा है और मेरी सलाह है कि हिन्दी के सारे आलोचकों को उसके भीतर बन्द कर दिया जाए। ऐसा करने से बहुतों का भला होगा। और हाँ, ये जो मुग़ल सम्राट अपने मकबरों में सच्ची क़ब्रों के साथ-साथ एक-एक नकली क़ब्र जो बनवाते थे वह भी शायद इसीलिए बनवाते थे कि अगर कोई चोरी करने आये तो परेशानी में पड़ जाए। आर्य लोग तो इतने दूरदर्शी थे कि लाश को जलाकर ही मानते थे ताकि चोरी करने के लिए कुछ बचे ही नहीं। आर्यों से भी ज़्यादा दूरदर्शी वह जाति है जो मलाया में रहती है और जो किसी के मरने पर, मुर्दे को ही नहीं, वरन् पूरे-के-पूरे गाँव को जला डालती है। अन्त्येष्टि संस्कार की ऐसी मौलिक प्रथा और कहीं नहीं पायी जाती।

लोग पिरामिडों में ख़ज़ाने जमा किया करते थे। इत्तफ़ाक देखिए कि किसी-न-किसी रूप में यह प्रथा अभी तक चली आ रही है। असम के एक ठेकेदार ने कोई तीन लाख रुपये के नोट धरती माता के गर्भ में छिपाये थे, मगर इत्तफ़ाक देखिए कि जब उसने खुदाई की तो उन नोटों के मात्र कंकाल ही हाथ लगे और परिणाम यह रहा कि ठेकेदार जो था वह पागल हो गया। जिस प्रकार पिरामिड में छिपी लाशों की आयु के बारे में कुछ नहीं कहा जा सकता, ठीक वही स्थिति एक चुनाव-क्षेत्र में चार हज़ार वेश्याओं के साथ रही जो कि सरकारी रिकॉर्ड के अनुसार अभी षोडशी ही चले जा रही थीं और नाबालिग होने के कारण उन्हें बाक़ी चीज़ों का हक़ तो था

पर वोट डालने का अधिकार नहीं था। वोट देने के सन्दर्भ में उस युवती की चर्चा करना भी शायद असंगत न होगा जिसने वोट के साथ-साथ निर्वाचन केन्द्र पर एक अदद बच्चा भी दे दिया। इस हाथ वोट दे, उस हाथ बच्चा ले। प्रजातन्त्र की इससे बड़ी मिसाल और क्या हो सकती है? वोट देने के बाद क्या होगा, यह भी बता देना शायद उचित ही हो। एक निर्वाचित विधायक विधान सभा में चादर बिछाकर और तकिया लगाकर लेट गये क्योंकि उनका जो आवास था वह प्रशासन ने खाली करवा लिया था। वे अब जाते तो कहाँ जाते? जहाँ तक अदालत का प्रश्न है वहाँ फिर वही पार्श्व संगीत काम करता है—वहाँ कौन है तेरा, मुसाफ़िर जायेगा कहाँ?

जापान में घुड़दौड़ के एक घोड़े की शव-यात्रा इतनी शान से निकली कि चार्ली चैपलिन भी पीछे छूट गये। वह शान और वह शौक़त—जो शायद पहले किसी शव-यात्रा में नहीं देखी गयी। लड़कियाँ ज़ार-ज़ार रो रही थीं। दूसरे शब्दों में घोड़े के मरने पर घोड़ियाँ तो शायद एक या दो ही रोयीं, मगर गधियाँ जो थीं वे काफ़ी ज़्यादा रोयीं। एक भद्र युवती ने तो समुद्र में कूदकर आत्महत्या तक करने की कोशिश की जो शेष लोगों के दख़ल देने की वजह से पूरी नहीं हो सकी। अर्नेस्ट हेमिंग्वे ने 'सागर और मनुष्य' नाम का एक उपन्यास लिखा था। मैं 'सागर और स्त्री' नाम की एक दूसरी पुस्तक लिखूँगा ताकि जो काम वह महान् कलाकार बीच में छोड़ गया, वह पूरा किया जा सके।

मुर्दों को लेकर काफ़ी और बातें याद आ रही हैं। मैक्सिको में मृत्यु को उतना ही महत्त्व दिया जाता है जितना कि जन्म को। जो आपको संसार में लाये वह भी आपका बाप और जो आपको यहाँ से चलता कर दे वह भी आपका बाप। वहाँ क़ब्रों पर प्रतिवर्ष गाने-बजाने के रंगारंग कार्यक्रम प्रस्तुत किये जाते हैं जैसा कि हमारे यहाँ दफ़्तरों में बड़े साहब के आने पर किया जाता है। दफ़्तर और क़ब्रिस्तान में मौलिक फ़र्क़ कभी वैसे भी नहीं रहा। लद्दाख में लोग मुर्दे के पास पन्द्रह दिन तक बैठे रहते हैं और दावतें करते रहते हैं। कुछ जातियाँ हैं जो शवों को गुफ़ाओं में दीवारों के सहारे खड़ा करती हैं और उन्हें खाना तक देती हैं। हम लोगों में से भी जितने खड़े हैं उनमें से आधे मुर्दा हैं और तारीफ़ की बात यह है कि मुफ़्त खाना तो कोई किसी ज़िन्दा आदमी को भी नहीं देता। जापान में लोग मुर्दों को इस तरह लिटाते हैं कि उनका सिर उत्तर की दिशा में रहे और परिणाम यह होता है कि कोई भी ज़िन्दा आदमी वहाँ उत्तराभिमुख होकर नहीं सोता।

बंग देश के तुषार राय ने श्मशानों में कविता-पाठ कर श्मशानी पीढ़ी को जन्म दिया था। उनका कहना था कि 'हमारी कविता केवल मृतकों के लिए है, जीवित लोग इसे समझ ही नहीं सकते।' मैं सोचता हूँ कि कहीं कोई हिन्दी का श्मशानी कवि क़ब्रिस्तान में चार्ली चैपलिन को कविता सुनाने तो नहीं पहुँच गया। हिन्दी के कुछ कवि वाक़ई ऐसे हैं जिनकी वाणी सुनते ही ज़िन्दा तो क्या, मुर्दा लोग भी

इलाका छोड़कर चले जाएँ। इधर पर्वती प्रदेश में 'चिपको आन्दोलन' शुरू हुआ है जिसके अनुसार पहाड़ी स्त्रियाँ देवदार, चीड़, साल और महागनी के वृक्षों से चिपटकर खड़ी हो जाती हैं ताकि पर्वतों की वन-सम्पदा को लोग समाप्त न कर सकें। मैं इस आन्दोलन की सफलता चाहता हूँ क्योंकि इससे लड़कियों में चिपकने की आदत को प्रोत्साहन मिलेगा। आज देवदार से चिपक रही हैं तो शायद कभी ख़ाकसार से भी चिपकें। मगर चिपकने की जो प्रतिभा हिन्दी कवियों में है उसका वे शायद कभी मुक़ाबला न कर सकें। इन्होंने जिसे पकड़ लिया, उसकी बस हो गयी छुट्टी। मेरा तो ख़याल है कि चार्ली चैपलिन के प्रेत से कोई ऐसा ही कवि चिपका कि उसे क़ब्र से बाहर निकलकर गुम हो जाने के लिए विवश होना पड़ा।

मेरा वसीयतनामा

बचपन में पढ़ी हुई पुस्तकों का जीवन के विकास पर बड़ा प्रभाव पड़ता है। मेरा व्यक्तित्व जो इतना सन्तुलित और सुविकसित है उसका रहस्य यह है कि मैंने अपने बचपन में दो ज्ञानवर्धक पोथियों का बड़ा गहन अध्ययन किया था। इन दो पोथियों में से एक थी गीता प्रेस से छपी गीता और दूसरी थी लहरी प्रेस से छपी 'ख़ूनी वसीयतनामा' नाम की एक सनसनीख़ेज़ और हैरतअंगेज़ किताब। गीता में बताया गया था कि देह जो है वह आत्मा से अलग है और 'ख़ूनी वसीयतनामा' में यह समझाया गया था कि इन दो पदार्थों को एक-दूसरे से अलग जो किया जाता है वह कैसे किया जाता है। मेरी दृष्टि में दोनों पुस्तकें एक-दूसरे की पूरक थीं। इस ज्ञानवर्धक पोथी के पढ़ते ही मैंने तय कर लिया था कि कर्मयोग तो सम्पन्न हो या न हो पर मरने से पहले एक वसीयतनामा ज़रूर लिखूँगा। यदि किसी व्यक्ति ने वसीयतनामा नहीं लिखा तो मेरी दृष्टि में क्या उसका जीवन और क्या उसकी मृत्यु—दोनों व्यर्थ ही गये।

वसीयतनामा लिखने की प्रथा बेहद पुरानी है और इस सन्दर्भ में कुछ दस्तावेज़ें तो इतनी मौलिक हैं कि उनका जवाब नहीं, ठीक उसी प्रकार जैसे कि अख़्तर शीरानी की प्रेयसि का जवाब नहीं था। ब्रिटेन के एक अविवाहित वृद्ध ने वसीयत की थी कि यदि कोई बालिका साठ वर्ष से ऊपर की हो और साथ-ही-साथ कुमारी भी हो तो वह मेरी सम्पत्ति की अधिकारिणी हो सकती है बशर्ते कि वह मेरे शव को अपनी सेज के नीचे ही दफ़न करने को तैयार हो। महाकवि पन्त की भाँति यह व्यक्ति भी अविवाहित ही नहीं वरन अन्त समय तक किसी उपयुक्त कन्या की प्रतीक्षा में रहा। अकेला रहने से वह मरने के बाद भी घबराता था। छायावाद के साथ कायावाद का चलना बड़ा ज़रूरी है क्योंकि यदि काया ही नहीं होगी तो छाया काहे की पड़ेगी? सुमित्रानन्दन पन्त की भाँति शहंशाह बाबर भी बड़ा प्रकृति-प्रेमी था और उसने अपनी वसीयत में लिखा था कि उसका शव काबुल के हसीन पहाड़ों के बीच दफ़न किया जाए और उसके ऊपर छत वग़ैरह कुछ न बनवायी जाए। बेग़म मुमताज़ महल ने ताजमहल बनवाने का वादा ले लेने के बाद ख़ुशी-ख़ुशी मृत्यु का आलिन्गन

कर लिया था। हाँ, अलबत्ता उसकी यह इच्छा ज़रूर थी कि मकबरा तो शानदार हो ही मगर उसके पास बाग़-बगीचों और नहरों वग़ैरह का भी मुकम्मिल इन्तज़ाम हो ताकि मरने के बाद आगरा की गर्मी उसे परेशान न कर सके। शाहजहाँ ने कहा कि बेग़म, तुम बस मर जाओ, बाक़ी सब-कुछ तुम्हारे मनमाफ़िक ही किया जायेगा। ख़ूबसूरत बेग़म ने अपने पति की मधुर वाणी सुनी और वह ख़ुशी-ख़ुशी मर गयी। आपको शायद पता हो कि मुमताज़महल जो थी वह ख़ूबसूरत होने के साथ-साथ काफ़ी उर्वरा क़िस्म की पत्नी भी थी और पन्द्रह वर्ष के संक्षिप्त विवाहित जीवन में उसने केवल चौदह बच्चे दिये थे। अगर एक बच्चा और हो जाता तो प्रतिवर्ष एक बच्चे का औसत साफ़-साफ़ निकल आता। मगर इस मृत्यु को कोई क्या करे कि जो बीच में आ गयी और आँकड़े ख़राब कर गयी।

एक आशावादी क़िस्म के प्राणी थे जिन्हें यह पूरा विश्वास था कि वे पहली मौत में हर्गिज़ नहीं मरेंगे। इन फ्रान्सीसी सज्जन ने वसीयत की थी कि मेरे दफ़न करने से पहले चार बड़े डॉक्टर आयें और मुझे ज़िन्दा करने की कोशिश करें। अगर मैं ज़िन्दा हो गया तो मैं उनसे खुद निबट लूँगा और यदि फिर भी स्वर्गीय ही रहा तो मेरी सम्पत्ति उन चारों चिकित्सकों में बतौर फ़ीस के बराबर-बराबर बाँट दी जाए। वे ज़िन्दा नहीं हुए—हाँ, अलबत्ता इतनी सम्पत्ति पाने की ख़ुशी में एक डॉक्टर ज़रूर इस दुनिया से कूच कर गया। न्यूयार्क के एक करोड़पति ने अपनी वसीयत में अपनी प्रिय पत्नी के लिए मात्र एक डालर छोड़ा था ताकि वह औरत जान सके कि उसका पति उतना बेवकूफ़ हर्गिज़ नहीं था जितना कि वह उसे उम्र-भर समझती रही थी। इस अमीर सट्टेबाज़ ने अपने कपड़े अपने नौकर के नाम कर दिये थे क्योंकि उसे पता था कि वैसे भी वह उन्हें यदा-कदा पहन ही लिया करता था। इसी प्रकार आजीवक मत का आचार्य गोशाल जब मरने लगा तो उसने अपने शिष्यों को बुलाकर कहा था कि मरने के बाद मेरी टाँग में रस्सी बाँधकर उसे श्रावस्ती नगर की सड़कों, नालियों और चौरास्तों पर घसीटा जाए ठीक वही काम जो इस युग के शिष्य आचार्य के मरने से पहले ही कर लेते हैं। वियना के एक सज्जन थे जो अँधेरे से बहुत डरते थे। उन्होंने वसीयत में लिखा था कि उनका शव जिस मकबरे में रखा जाए वहाँ रात-दिन प्रकाश रहे। इस दिशा में वे इतने सीरियस थे कि न जाने कितने आगामी वर्षों के बिजली का बिल उन्होंने पेशगी ही जमा करवा दिया था। एक मितव्ययी सज्जन थे जिन्होंने अपनी वसीयत सिगरेट की डिब्बी पर ही लिख दी थी। तालस्ताय की वसीयत महागनी के एक वृक्ष पर लिखी गयी थी, जिसके नीचे गवाहों के बाक़ायदा हस्ताक्षर थे। जहाँ तक मेरा ख़याल है, यह वसीयत आम लोगों की निगाहों से बचाने के लिए पेड़ के किसी ऊपरी भाग पर लिखी गयी थी और तालस्ताय जो दिवंगत हुए थे वे पेड़ से उतरने की प्रक्रिया में ही हुए थे। उनके मरने के बाद उनकी कलहप्रिय पत्नी अलमारियाँ और ड्रॉअर वग़ैरह देखती रही जब

कि वसीयत जो थी वह किसी लंगूर की मुद्रा में वृक्ष पर विश्राम कर रही थी। पूरे हालात को ध्यान में रखकर मैं यह दावे के साथ कह सकता हूँ कि तालस्ताय जो थे वे कुल मिलाकर काफ़ी खुशदिल क़िस्म के इंसान थे। यदि वे हास्य-व्यंग्य लिखते तो शायद मुझसे भी अच्छा लिख जाते। पर उन्होंने वैसा कभी नहीं किया। उन्होंने अट्ठाईस वर्ष की लम्बी अवधि में एक अदद दाढ़ी बढ़ायी और 'एन्ना केरेनीना' तथा 'वार एण्ड पीस' नाम के दो महान उपन्यास लिखे। इन दैनिक क्रियाओं से जो वक़्त बचा, उसमें वे हज़रत अपनी सगी बीवी के साथ हाथापाई करते रहे। भगवान उन दोनों की आत्मा को शान्ति दे।

जहाँ तक मेरा प्रश्न है, मैं कुछ हिस्से को छोड़कर, अपनी सारी सम्पत्ति अपनी बीवी और बच्चों के लिए छोड़ूँगा। शर्त बस यह होगी कि वे इसमें से एक पाई ख़र्च न करें। वह थोड़ा-सा जो हिस्सा ऊपर छोड़ा है, वह साहित्य के हित के लिए सुरक्षित रहेगा। उसमें से उन हिन्दी लेखकों की सहायता भी की जा सकती है जो मेरी भूतपूर्व सुन्दर पत्नी पर बुरी निगाह न डालें। क्योंकि लेखकों के लिए इतना संयम कुछ कठिन है, इंशा अल्लाह यह राशि सुरक्षित ही रहेगी। उन लेखकों को इनाम दिये जायेंगे जो लेखक होने के बाद अपनी पत्नी को नहीं भूलते। वेदान्त के प्रख्यात भाष्यकार आचार्य वाचस्पति को पचीस वर्ष तक ध्यान ही नहीं आया था कि उनका विवाह हो गया है और जो सुन्दर युवती उनके साथ रहती है वह उनकी अपनी ही पत्नी है। जब तक उन्हें पता लगा तब तक काफ़ी देर हो चुकी थी और सिवा उदास होने के, आचार्य और कुछ कर नहीं सकते थे। वे उदास हुए और तबीयत के साथ हुए। आजकल के हिन्दी लेखक हैं, वे अपनी पत्नी को पचीस वर्ष क्या, उम्र-भर के लिए भुला देते हैं। कला बड़ी चीज़ है, पत्नी तो आती-जाती रहती है। इसी प्रकार कुछ राशि उस नरपुंगव के लिए छोड़ूँगा जो किसी आलोचक को पकड़कर दूध की सरकारी बोतल में बन्द कर दे। दूध की बोतल में से चूहा निकलता है तो सबको अचम्भा होता है पर यदि उसमें से हिन्दी का कोई आलोचक निकलेगा तो कोई कुछ नहीं बोलेगा। उस ग़रीब की हैसियत चूहे से कहीं ज़्यादा गिरी हुई है। चूहे पर गणेशजी विराजते हैं, उसका और हिन्दी आलोचक का भला क्या मुक़ाबला? ज़्यादातर आलोचक पेशे से अध्यापक हैं और स्थिति यह है कि जितनी उनकी आमदनी है, उससे कहीं ज़्यादा तो पुलिस अपने जासूसी कुत्तों पर ख़र्च करती है। फ़िलहाल पुलिस के जासूसी कुत्ते का ख़र्चा चार सौ निन्यानबे रुपये और सत्तर पैसे प्रति माह है जब कि पुलिसमैन का औसतन वेतन दो सौ रुपया प्रति माह है। जेल के तीसरे दर्जे के क़ैदियों पर 'जेल मैनुअल' के अनुसार जो ख़र्चा किया जाना चाहिए वह भी दो सौ रुपये से अधिक बैठता है। दूसरे शब्दों में पुलिस का सिपाही अगर अपने ही महकमे का कुत्ता या तीसरे दर्जे का क़ैदी बन जाए तो भी उसकी हालत काफ़ी सुधर सकती है। मगर पुलिस का सिपाही है कि एकदम

ख़ुश है। उससे ज़्यादा तृप्त इंसान मैंने और कोई नहीं देखा। फटी चप्पल पहनकर ड्यूटी देना, बजरंगबली की उपासना करना और छप्पर फाड़कर जो भगवान् दे दे, उसे निःसंकोच स्वीकार कर लेना। अब जब सर्वशक्तिमान, सच्चिदानन्द, अनादि और अनन्त पुलिसमैन की यह स्थिति है तो बेचारे हिन्दी आलोचक की क्या हैसियत होगी? मेरे विचार में तो वह ग़रीब ख़ुद-ही-ख़ुद दूध की बोतल में घुस जायेगा और बरसों बाद दूध का स्वाद चखेगा। जब तक वह यह करे, तब तक आप बोतल का डाट बन्द कर दीजिए। बस, हो गयी छुट्टी!

कुछ राशि हिन्दी के उन व्यंग्यकारों और कवियों को दी जायेगी जो मुझसे भी निचले स्तर का लेखन कर सकें और उसे बरकरार रख सकें। काम कठिन ज़रूर है मगर असम्भव नहीं। साहित्यिकों को जो भी राशि भेजी जायेगी वह चेक के रूप में बज़रिये कबूतर के भेजी जायेगी। मैं समझता था कि पक्षियों द्वारा डाक़तार विभाग का काम लेना नल और दमयन्ती के साथ ही ख़त्म हो गया था पर मेरा वह विचार ग़लत था। एक प्रान्त की सरकार ने हाल ही में निश्चय किया है कि वह देहात के इलाकों में जो स्वास्थ्य-सन्देश भेजेगी, वह कबूतरों के हाथ भेजेगी। बच्चा पैदा होने का अचूक नुस्खा यदि किसी वन्ध्या के बजाय किसी उर्वरा के पास पहुँच गया तो ठीक वही हाल होगा जो कि बेग़म मुमताज़महल के साथ हुआ था। मगर यह दीगर बात ठहरी। अगर सरकार ख़ुद ही किसी मसले के सारे पहलुओं पर विचार करने लगे तो विरोधी दल क्या खाक छानेगा? प्रजातन्त्र में तो प्रशासन जो है वह प्रजा की तरफ़ से, प्रजा के नाम पर, प्रजा के साथ ग़लतियाँ करेगा और ज़रूर करेगा। बाक़ी काम विरोधी दल का है, न कि ग़रीब कबूतर का।

अन्त में चलकर अपनी सम्पत्ति की कुछ राशि मैं उन साहित्यिक पण्डों को दूँगा जो हरिजनों के बाद हिन्दी-उर्दू लेखकों के बारे में भी एक सरकारी आयोग बिठवा सकें। सरकार ने जमादार का नाम बदलकर अब 'सफ़ाईवाला' रख दिया है और कितना अच्छा हो यदि हम लोग भी 'कहानी-वाला', 'कवितावाला' या 'नौटंकीवाला' के नाम से पुकारे जाने लगें। जो युवतियाँ पुराने लेखकों के अपहरण करवाने में सक्रिय सहयोग देंगी वे भी इनाम की हक़दार होंगी। पुरुषों के अपहरण में स्त्री जाति का जो योगदान रहा है, वह हमें मालूम ही है हालाँकि कहावत के अनुसार भगाई लड़की ही जाती है, लड़का नहीं। स्त्री जाति के द्वारा भगाये जाने की स्थिति से दो-चार बार तो मैं ख़ुद भी बाल-बाल ही बचा हूँ। जो साहित्यिक बन्धु यह ज़िम्मेदारी लेंगे कि कवि लोग न तो केश ही बढ़ाएँ और न महाकाव्य ही लिखें, उन्हें भी कुछ राशि वसीयत में दी जायेगी। केरल के नापित समाज ने सरकार से अपील की है कि वह लोगों को बाल बढ़ाने से रोके क्योंकि इन हिप्पी लोगों की वजह से उनका धन्धा चौपट हो रहा है। बंगला देश में अश्मल अली बिस्वास नाम के व्यक्ति को अपनी दाढ़ी क़ानून के अनुसार दस सेण्टीमीटर कटवानी पड़ी। कटवाने से पहले

इनकी दाढ़ी की लम्बाई केवल एक सौ अट्ठाईस सेण्टीमीटर थी। सबसे आख़िर में कुछ राशि मैं उन कलाकारों को देना चाहूँगा जो पन्त और बच्चन की भाँति आपस में मुक़दमेबाज़ी करते रहें। अदालत जो है वह हमेशा साहित्य से ऊँची रही और इसी कारण फ्रांसिस बेकन, आस्कर वाइल्ड, फ्लाबर्ट और ओ' हेनरी पर बाक़ायदा मुक़दमे चलाये गये। यूरोप की एक अदालत ने अभी-अभी निर्णय दिया है कि बिना पूर्वाज्ञा प्राप्त किये किसी युवती के नितम्ब छूना एक क़ानूनी अपराध है। इस फ़ैसले में नोट करने वाली बात यह है कि प्रतिबन्ध केवल नितम्ब छूने पर ही लगाया गया है, न कि बाक़ी अंगों के छूने पर। इसी प्रकार हेलसिंकी की एक अदालत में कठघरे की एक कील से एक गवाह का पाजामा ऐसा फटा कि सारे तथ्य प्रकाश में आ गये। उसने बाक़ायदा मुक़दमा लड़ा और नया पाजामा हासिल किया। अगर ऐसी घटना हमारे देश की अदालत में हो जाती तो नया पाजामा तो क्या मिलता, उल्टे अदालत की मानहानि का मुक़दमा और चलता। हाँ, अलबत्ता अँग्रेज़ी ज़माने में जज लोग ज़रूर दबंग होते थे। एक ऐसे ही दबंग क़िस्म के सबजज ने एक डाकगाड़ी का इंजिन अटैच करवा दिया था। गाड़ी जो थी वह कई घण्टे स्टेशन पर ही खड़ी रही। अन्त में चलकर जब ईस्ट इण्डियन रेलवे के बैरिस्टर ने अदालत से कहा कि वह अटैच किये हुए इंजिन को उठवाकर सरकारी मालख़ाने में जमा करवाए, तब कहीं जज खलीफ़ा की आँखें खुलीं। यह वारदात इलाहाबाद हाईकोर्ट के भूतपूर्व जज मिस्टर जस्टिस जे.डी. शर्मा ने मुझे खुद सुनायी थी और इस कारण इसके झूठे होने का प्रश्न ही नहीं उठता। मगर अब ज़माना बदल गया। अब न्यायपालिका में उतनी हिम्मत कहाँ रह गयी?

एक पृष्ठ की रचना का सवाल : एक पत्र

प्रिय भाई 'सरल'

पत्र के लिए हार्दिक आभार! आपका नाम तो ज़रूर 'सरल' है, पर आपका आग्रह बड़ा कठिन है। होली के अवसर पर 'धर्मयुग' जैसा सर्वश्रेष्ठ साप्ताहिक अपना विशेषांक निकाले और मेरे जैसा सर्वश्रेष्ठ' व्यंग्यकार उसमें रचना भेजे और उस पर आप यह शर्त लगाएँ कि रचना एक पृष्ठ की हो। बन्धुवर, एक आदर्श निबन्ध लेखक की हैसियत से एक पृष्ठ में तो मैं रचना का शीर्षक समझाता हूँ, ठीक उसी प्रकार जैसे भारत सरकार के एक अतिरिक्त सचिव एक पूरा पृष्ठ तो केवल अपने दस्तख़त करने में ख़र्च कर देते थे। अब तो शादी का निमन्त्रण या कन्या के भागने की ख़बर भी दो पेज में छपती है और लड़कियों के प्रेम-पत्रों का तो कहना ही क्या; उनका कलेवर तो दिन-प्रतिदिन बढ़ता ही जा रहा है। परसों एक बालिका का पत्र दृष्टिपथ से गुज़रा था, जिसने 'बिहारी सतसई' के कुछ उद्धरण अपने पत्र में शामिल किये थे। लड़की के ख़त के साथ इत्तफ़ाक से उसके बाप का ख़त भी संलग्न था, जिसमें ताजीराते हिन्द की कुछ दफ़ाओं का ज़िक्र किया गया था। कुल मिलाकर कोई पचास पेज का साहित्य था। ऐसी स्थिति में मैं एक पृष्ठ की रचना आपको कैसे भेज सकता हूँ?

समझ में नहीं आता कि एक पृष्ठ की रचना में मैं किस टॉपिक पर बात करूँ। इधर चलचित्रों में चुम्बनों को लेकर काफ़ी बहस जारी है, पर इल्लत यह है कि 'मिस' को 'किस' करने के प्रश्न पर विचार करने के लिए कम-से-कम चार पृष्ठ चाहिए, क्योंकि शास्त्रीय पद्धति के अनुसार चुम्बन में चार होठों का प्रयोग होता है। एक होठ पर यदि एक पृष्ठ भी न दिया गया तो 'मिस' बुरा मान जायेगी। सोचता हूँ कि मास्टर चन्दगीराम मंगलिया की जीवन-गाथा प्रस्तुत करूँ, जो संसार के अकेले ऐसे नापित हैं, जो अब तक सिर्फ़ एक सौ पचास जनरलों की हजामत बना चुके हैं, जिनमें आठ थलसेनाध्यक्ष भी शामिल हैं। या फिर यूरोप की उस उर्वरा युवती की चर्चा करूँ, जिसने पहली ही शिफ़्ट में सात बच्चे दिये हैं और क्या जच्चा और क्या बच्चा, आठों के आठों कुशलपूर्वक हैं। या फिर डाकुओं की तलाश में गश्त पर

निकली हुई भारतीय पुलिस की उस कार्य-तत्परता का वर्णन करूँ, जिसमें उन्होंने भारत सरकार के एक हिन्दी-प्रेमी सचिव को बिना किसी कुसूर के काफ़ी देर हिरासत में रखा। मगर इन सबकी चर्चा एक पृष्ठ में कैसे हो सकती है?

समझ में नहीं आता कि आपने यह एक पृष्ठ की शर्त क्या लगायी? अगर अतिरिक्त बाल हटाने की क्रीम का विज्ञापन दो पूरे पेज पर दिया जा सकता है, तो व्यंग्य रचना पर प्रतिबन्ध लगाने का आपको क्या हक़ है? या आप यह कहना चाहते हैं कि मेरा लिखा एक पृष्ठ ही काफ़ी है और वह हिन्दी के बाक़ी लेखकों के लिखे सौ पृष्ठों की बराबरी कर सकता है? यदि यह बात है तो मैं आपकी सूझ की दाद देता हूँ और परमपिता परमात्मा से प्रार्थना करता हूँ कि आपका यह अख़बार दो-चार साल और चलता रहे। इसके बाद इंशा अल्लाह, हम दोनों मिलकर जूतों की दुकान खोलेंगे। जैसा कि आप जानते ही हैं, इमरजेंसी के दौरान काफ़ी लेखकों और पत्रकारों ने ऐसे तेवर दिखाये कि लिखने-पढ़ने के धन्धे में और जूता बेचने के धन्धे में कोई ख़ास फ़र्क़ वैसे भी नहीं रहा। इसके अलावा जूतों की दुकान खोलने में एक बड़ा आराम यह है कि हम दोनों में कभी हाथापाई नहीं होगी, जब भी होगी जूतपैजार ही होगी।

मुझे अफ़सोस है कि मैं आपको एक पृष्ठ की रचना हर्गिज़ नहीं भेज सकता। भगवान् हम दोनों की आत्माओं को शान्ति दे। आमीन।

आपका भूतपूर्व दोस्त
रवीन्द्रनाथ त्यागी

सेवा में
श्री मनमोहन 'सरल'
सहायक सम्पादक, 'धर्मयुग',
बम्बई

जिन्होंने मरना जाना

जहाँ तक मेरी निगाह काम करती है, हिन्दी के लेखकों को कभी मरना नहीं आया। और जब मरना नहीं आया तो 'उसे जीना नहीं आया, जिसे मरना नहीं आया' वाली कवि की वाणी के अनुसार उन्हें कभी जीना भी नहीं आया। हिन्दी के लेखक वही वृद्धावस्था में एक दर्जन नाती-पोतों से घिरे दमा या यक्ष्मा से मृत्यु को प्राप्त होते रहे। जो ज़्यादा अभागे थे वे राजकीय प्रशस्ति-पत्र को गले में बाँधे हुए पंचत्व को प्राप्त हुए। मरने में भला यह भी कोई मरने का ढंग है? एक पत्नी अन्दर रो रही है, एक पत्नी बरामदे में बारिश कर रही है, एक जो है वह बाहर प्रेसवालों से आँखें लड़ा रही है और कविजी जो हैं वे मर रहे हैं। इतिहास साक्षी है कि इससे ज़्यादा मरने का घटिया ढंग और कोई हो ही नहीं सकता। सच तो यह है कि इस मरने से तो जीना ही अच्छा।

शेष भाषाओं के लेखकों के जीवन पर ध्यान दें तो पता लगता है कि मरना किसे कहते हैं और हिन्दीवाले जो हैं वे कितना पिछड़े हुए हैं। अँग्रेज़ी के प्रख्यात नाटककार मार्लो छुरेबाज़ी के शिकार हुए थे। यह वही मार्लो थे जो शेक्सपियर नाम के एक कवि के लिए नाटक लिखा करते थे और वह भी उसी रानी एलिज़ाबेथ प्रथम के समय में जिसके बारे में यह अभी तक तय नहीं हो पाया कि वह स्त्री थी या पुरुष। मुझे विश्वास है कि इतिहास एक दिन यह साबित कर देगा कि एलिज़ाबेथ जो थी वह पुरुष थी और स्त्री जो था वह विलियम शेक्सपियर था। रूस के महान् लेखक पुश्किन एक युवती को लेकर किये गये द्वन्द्व-युद्ध में मृत्यु को प्राप्त हुए थे। प्यार करते थे तो जान तक देने की हिम्मत रखते थे। हिन्दी के लेखकों की भाँति नहीं कि रात-भर पिटे और दिन-भर विरह-काव्य रचा और कहीं ज़्यादा पिटाई हो गयी तो नवगीत आन्दोलन को जन्म दे दिया। स्टीफ़न ज़्वेग और अर्नेस्ट हैमिंग्वे इतने होनहार थे कि इधर इन्हें नोबुल पुरस्कार मिला, उधर इन्होंने आत्महत्या की। इनाम को लेकर हिन्दी में कभी आत्महत्या नहीं होगी और अगर होगी भी तो इस मुद्दे को लेकर होगी कि इनाम उसे क्यों मिला मुझे क्यों नहीं मिला?

क़त्ल या हत्या से मरने की यह शानदार परम्परा शेष भाषाओं में भी ख़ूब

फली-फूली। अरबी के इम्रुअल कैस और अल मुतनब्बी ने भी इसी शास्त्रीय ढंग से शरीर छोड़ा था। कैस साहब ज़रा रंगीन-मिज़ाज थे और एक दिन वही आदत रंग दिखा गयी। उर्दू के मिर्ज़ा मज़हर जानेजाना, (जिन्होंने किसी की आलोचना की थी जो फ़ौरन असर दिखा गयी), इस्तयाज अली ताज, रामप्रसाद बिस्मिल, मुस्तफ़ा ज़ैदी, अब्र अहसानी गनौरी, इनामुल्लाखाँ यकीं, मीर अमानी असद, अमीरखान अंजम और मोहम्मद इसा विशा भी अपने-अपने ढंग से अकालमृत्यु को प्राप्त हुए थे और प्रत्येक का ढंग एकदम मौलिक तथा अप्रकाशित था। इन सब शानदार परम्पराओं के बर्खिलाफ़ हिन्दी में सिर्फ़ एक कवि था—शायद गंगू—जिसे औरंगज़ेब ने हाथी से कुचलवा दिया था। हाय रे बेशर्म हिन्दी के लेखक! जब और लोग द्वन्द्व-युद्ध करते रहे, छुरे खाते रहे, तू बैठा चौरासी वैष्णवन की वार्ता लिखता रहा और वह भी इस तरह कि चौरासी के चौरासी वैष्णवन मज़े में ठण्डाई पीते रहे और नायिकाओं के भेद निबटाते रहे।

मेरे ख़याल से हिन्दी के लेखकों को चाहिए कि वे इस गौरवशाली परम्परा को अब शुरू करें। उपेन्द्रनाथ अश्क़ और भैरवप्रसाद गुप्त—दोनों में यदि मल्लयुद्ध हो जाए तो एकदम ठीक रहे। हालाँकि प्रसव-पीड़ा के अतिरिक्त शायद ही कोई ऐसी बीमारी बची हो जिसने अश्क़जी को काफ़ी तबीयत के साथ न सताया हो, पर फिर भी उनमें कूवत की कमी नहीं। और फिर इस द्वन्द्व-युद्ध में वीरगति को कोई भी प्राप्त हो, हिन्दी का तो भला ही होगा। मार्कण्डेय, राजेन्द्र यादव और कमलेश्वर अब हत्या या आत्महत्या की दिशा में चिन्तन कर सकते हैं। इन लोगों ने जीतेजी भी हिन्दी कथा-साहित्य को एक नयी दिशा दी और भगवान ने चाहा तो इनका अन्त भी हिन्दी कहानी को एक नया मोड़ ही देगा। साहित्य अकादमी एवार्ड उस कलाकार को मिलना चाहिए जो किसी दूसरे की पूरी-की-पूरी पोथी चुरा ले और ज्ञानपीठ पुरस्कार उस नरपुंगव को मिलना चाहिए जो दिन-दहाड़े किसी आलोचक की बीवी भगा ले। इन नये सिद्धान्तों से इन पुरस्कारों का देना वैसे भी सार्थक हो जायेगा क्योंकि साहित्य के आधार पर ये पुरस्कार फ़िलहाल भी नहीं दिये जाते। इसके बाद द्वन्द्व-युद्ध होंगे, हाथापाई और फ़ौजदारी होगी जिसका परिणाम यह होगा, कि साहित्य जो है, वह फिर समाज का दर्पण हो जायेगा।

मगर मुझे हिन्दी के लेखकों से इतनी हिम्मत की उम्मीद नहीं। इनमें तो इतनी भी हिम्मत नहीं कि फ्लाबर्ट, ओ' हेनरी या आस्कर वाइल्ड की तरह मुक़दमेबाज़ी ही कर सकें और जेल जा सकें। कुछ शुरुआत पन्त और बच्चन ने की थी मगर यार लोगों ने उनमें भी फ़ैसला करा दिया। हिन्दी से कुछ भी उम्मीद करना बेकार नज़र आता है। मेरी समझ में कभी नहीं आया कि इसे राष्ट्रभाषा बना क्यों दिया गया?

मेघदूत के सन्देश का उत्तर

माई डियर,

कल श्रीयुत मेघ के हाथों भेजा गया तुम्हारा सन्देश प्राप्त हुआ। तुमने भी दूत चुना तो किसे चुना। सन्देश तो बाद में दिया, पहले हज़रत लगे मुझसे छेड़खानियाँ करने। इतनी जल्दी किसी ने मेरे सामने प्रेम-प्रस्ताव पहले कभी नहीं रखा था। वह तो ज़रा मैंने कड़ाई दिखाई और मुहल्लेवालों को बुलाने की धमकी दी कि वे होश में आये। आपने ठीक ही कहा है कि प्रेम में अन्धा होकर व्यक्ति कुछ भी नहीं समझता; वह जड़ और चेतन का अन्तर तक भूल जाता है। ख़ैर, प्रेम-प्रस्ताव ख़ारिज हो जाने के बाद उन्होंने आपका वह पूरा सन्देश मुझे दिया जो आपने निरक्षर होने के कारण किन्हीं कालिदास नाम के कवि से लिखवाया है। सन्देश का छन्दोबद्ध हो जाना बड़ा ही प्रीतिकर लगा; मैं सन्देश गा-गाकर पढ़ती रही और आपकी हालत पर तरस खाती रही।

आपने अपने सन्देश में अलकानगरी का जो वर्णन किया है वह तो कभी का पुराना हो चुका। वे दिन गये जब यहाँ के प्रासाद शिवजी के सिर पर जड़े चन्द्रमा द्वारा प्रकाश में आते थे। अब यहाँ बाक़ायदा नगरपालिका की स्थापना हो चुकी है जिसने सभी सड़कों और इमारतों पर बत्ती फ़िट करा दी है। अब वे दीपक गये जिन्हें प्यार करते वक़्त हम दोनों सोने का पाउडर फेंक-फेंककर बुझाया करते थे। शराब भी अब विलायती मिलने लगी। कहते हैं कि नगरपालिका के सदस्यों ने फूलों के नये उपवन बनाने में लाखों रुपये की रिश्वत ली है। अभिसारिकायें भी अब प्रेमी के पास जाने के लिए रात्रि की प्रतीक्षा नहीं करतीं, वे दिन-दहाड़े ही उधर चली जाती हैं जिधर उन्हें नहीं जाना चाहिए। हाँ, उरोजों की ऊँचाई से गले के हार अब भी वैसे ही टूटते हैं जैसे कि वे पहले टूटा करते थे। इस सन्दर्भ में आप सही निकले। बाक़ी यहाँ सब कुछ बदल गया है। पंचवर्षीय योजना के भीतर स्कूल, अस्पताल, हवाई अड्डा, पाँच सितारों वाले होटल– यानी कि वह सब कुछ आ गया जो एक राजधानी होने वाले नगर में होना चाहिए था। राजधानी में अमीर लोगों की सुविधा का पूरा-पूरा प्रबन्ध होना चाहिए और साथ-ही-साथ यह भी ध्यान रखना चाहिए कि

ग़रीब जो हैं, वे अपनी आदतें न बदलें। जहाँ भी यह सतर्कता नहीं बरती गयी, वहीं रक्त-क्रान्ति आयी। ग़रीब आदमी से ज़्यादा ख़तरनाक चीज़ दुनिया में कोई नहीं। हो तो मुश्किल, न हो तो मुश्किल।

आपके सन्देश को पढ़कर मालूम हुआ कि आपको मेरे बारे में भी काफ़ी ग़लत फ़हमियाँ हैं। बतौर मिसाल के आपका 'तन्वी श्यामा शिखर दशना' वाला श्लोक। अब मैं तन्वी नहीं रही बल्कि काफ़ी मुटा गयी हूँ। वज़न कम करने के लिए डायटिंग चल रहा है। लॉन टेनिस भी खेलती हूँ और कबड्डी भी। और हाँ, अब मैं उतनी श्यामा भी नहीं रही, सौन्दर्य के प्रसाधनों के निरन्तर प्रयोग से मेरा रंग इधर काफ़ी निखर आया है और मेरे कई बॉय फ्रैण्ड्स मुझसे अगली सौन्दर्य प्रतियोगिता में बैठने को कह रहे हैं। पता नहीं क्यों, विरह ने मुझे उतना नहीं सताया। न मैं दुबली हुई और न उदास! और हाँ, आँगन में जो सोने का खम्भा और बिल्लौर की चौकी थी, वह आयकर विभाग ने ज़ब्त कर ली। मोर को मैंने बेच दिया और उसकी जगह एक अलसेशियन कुत्ता ख़रीद लिया। शाम की अवधि गिनने के लिए देहरी पर रखे फूलों से काम नहीं चलता; उसके लिए मैंने एक नयी घड़ी ली है जो समय के साथ-साथ तारीख़ भी बताती है। अब हुई न कुछ बात?

मेघ का सन्देश पढ़कर लगता है कि तुम इस जुदाई को काफ़ी सीरियसली ले रहे हो। दुबले इतने हो गये हो कि बाँह के बाजूबन्द ढीले होकर कलाई में आ गये हैं। मेरी मानो तो मेरी चिन्ता छोड़ो और किसी और युवती से अस्थायी मैत्री कर लो। दोनों जने सुख से रहोगे। सरकार के सब बड़े अफ़सर जब पत्नियों से अलग होते हैं तो यही करते हैं। और हाँ, तुम्हारे इलाक़े में तो आदिवासी लोग काफ़ी हैं जो लोकगीत बड़े अच्छे गाते हैं। कोई ठीक-सी छोकरी मिल जाए तो सारी परेशानी हल हो जाए। विवृत जघनां को विहातुं समर्थः?

अच्छा, अब ख़त्म करती हूँ। लेडीज़ क्लब की मीटिंग का समय हो रहा है। बाक़ी फिर।

ढेर सारे प्यार के साथ

तुम्हारी विरहिणी पत्नी

(भूतपूर्व कुमारी) यक्षिणी

अव्यवस्था का आनन्द

मोटे तौर पर देखा जाए तो प्रकट होगा कि सृष्टि जो है वह भी एक मोटी व्यवस्था के अनुसार ही चलती है। शरद ऋतु में सर्दी होती है, ग्रीष्म ऋतु में गर्मी पड़ती है और वर्षा ऋतु में बारिश होती है। सर्दियों में मैं मोटा होता हूँ तो गर्मियों में गधा। जहाँ तक कविप्रिया वर्षा ऋतु का प्रश्न है, उसमें गर्भवती महिलाओं को छोड़कर और कोई मोटा नहीं होता। सब लोग तबीयत के साथ फिसलते हैं और चुस्त रहते हैं। सूरज जो है वह प्रत्येक ऋतु में पूर्व दिशा में निकलता है और पश्चिम दिशा में छिपता है। मैंने आज तक ऐसा सूरज नहीं देखा जो कि इतना शालीन हो कि एक बार डूबकर दुबारा न निकले। प्रकृति के अनुरूप ही मनुष्य जाति ने भी समाज की व्यवस्था के लिए स्मृति-ग्रन्थों की रचना की, गन्धर्व तथा राक्षस विवाहों का विधान किया और स्त्री जाति को ढोलक की भाँति दोनों तरफ़ से पीटने का नियम निश्चित किया। मेरा यह निश्चित मत है कि जहाँ सृष्टि और समाज को सुचारु रूप से चलाने के लिए व्यवस्था का होना ज़रूरी है, वहाँ यह भी सच है कि व्यवस्था जो है वह एक नीरसता को जन्म देती है। उसकी इसी एकरसता को भंग करने के लिए प्रकृति यानी कुदरत ने भूचाल और तूफ़ान, बाढ़ और अकाल, संक्रामक रोग और दुर्घटना– इन सब चीज़ों का बन्दोबस्त किया और मानव जाति जो दंगे या युद्ध करती है वह भी इसी एकरसता को दूर करने के लिए करती है। आख़िर जब प्रकृति ही अपने बन्धन तोड़ डालती है तो लड़के-लड़कियों को वैसा करने से आप कैसे रोक सकते हैं?

यूँ तो संसार शायद सदा ही परिवर्तनशील रहा है, मगर इन दिनों परिवर्तन की जो गति है, वह कुछ ज़्यादा ही ज़ोर पकड़ रही है। मैं एक संगीत-प्रेमी व्यक्ति हूँ और उस दिशा में इतना ज्ञान भी रखता हूँ कि तबले और सितार का अन्तर देखते ही बता दूँ। मैंने घण्टों तक गला फाड़-फाड़कर चिल्लाते हुए शास्त्रीय संगीत के न जाने कितने कलाकारों को देखा है। कुछ कलाकार तो इतना गला फाड़ते थे कि उनकी आवाज़ सचमुच मुँह से न निकलकर अन्तरात्मा से ही निकलती थी। यक़ीन मानिए कि मुझे आलाप तो प्रिय हैं मगर ये जो गलाफाड़ प्रलाप हैं, इन्हें देखकर तो

यही इच्छा होती है कि किसी युवती के कन्धों पर सिर रखकर विलाप कर सकूँ। जब भी कोई उस्ताद अपना मुख एक सीमा से ज़्यादा खोलता है, तभी मैं सोचता हूँ कि उसके सरोद या तबले को उसके मुख में रख दूँ। ख़ैर, इन सब कष्टों को तो मैं किसी तरह सहन करता आ रहा था मगर उस कष्ट का क्या करूँ जो कि मुझे यह जानकर हुआ कि वाशिंगटन में पुक्स नाम का कुत्ता जो है वह पियानो बजाता है और बढ़िया बजाता है? मुझे पशु-पक्षियों से काफ़ी लगाव है और सरकार की आलीशान इमारतों में डेस्कों पर काम करते न जाने कितने गधों और सफ़ेद हाथियों से मेरी दोस्ती भी रही है पर यह उम्मीद मुझे कभी नहीं थी कि एक दिन ऐसा भी आयेगा कि कुत्ते और कुतिया भी संगीत के क्षेत्र में दख़ल देंगे। यह तो वाक़ई घोर कलियुग आ गया।

यह बात एकदम सच है कि हम लोग ज़रूर किसी-न-किसो क़िस्म के संक्रमणकाल से गुज़र रहे हैं। इस स्थिति का प्रमुख लक्षण चारों ओर फैली अव्यवस्था है। कुत्ते प्यानो बजा रहे हैं, लड़कियाँ लड़कों को भगा रही हैं और जनता के चुने हुए प्रतिनिधि सभा-भवन के भीतर ही हाथापाई का सांस्कृतिक कार्यक्रम प्रस्तुत कर रहे हैं। एक हाथी के सिर पर एक जाति का चिह्न अंकित किया जाए या नहीं–इस मुद्दे को लेकर लोग उच्चतम न्यायालय तक पहुँच गये। कॉलेज बन्द हैं और काँजीहाउस खुले हैं। आप यह सब कुछ देखते हैं और फिर गणेशछाप बीड़ी या लक्ष्मीछाप ज़र्दा ख़रीदते हैं ताकि उदासी जो है वह दूर की जा सके। ज़ाहिर है कि गणेशजी भी महादेवजी की निगाह बचाकर बीड़ी पीते थे और लक्ष्मीजी जो थीं वह ज़र्दे की शौक़ीन थीं। हनुमान अगरबत्ती, श्रीकृष्णछाप बालों का खिजाब और महाबली भीमछाप जुलाब की दवा पहले कहाँ थीं? देवी-देवताओं के सन्दर्भ में जो यह अव्यवस्था आयी है, क्या वह दिलचस्प और मौलिक नहीं है? और अगर आप क़ानूनी मुद्दे को ही पकड़ते हैं तो मैं पूछूँगा कि आप ही के पास ऐसा कौन-सा सबूत है जो यह साबित कर दे कि भीम जो थे वे जुलाब की दवा कभी नहीं लेते थे?

जहाँ तक मेरा प्रश्न है, मैं तो व्यवस्था का जन्मजात विरोधी हूँ। अब यह भी कोई बात हुई कि राजधानी एक्सप्रेस जो है वह ठीक पाँच बजकर ग्यारह मिनट पर ही छूटेगी, चाहे हम अपने दाँतों पर ब्रश ही क्यों न कर रहे हों? मैं ऐसी गाड़ी कभी नहीं पकड़ता जो हमेशा सही वक़्त पर ही छूटती हो। मेरा तो जन्म भी सामान्य अवधि से काफ़ी पहले या काफ़ी बाद में हुआ था। यह अवधि कितनी थी, इसकी तो मुझे याद नहीं पर जन्म सम्पन्न हुआ था– इसमें कोई संशय नहीं है। अपनी आदत के अनुसार मैंने दोस्त और अफ़सर भी ऐसे ही पसन्द किये जो कि कोई काम व्यवस्थित ढंग से कभी नहीं करते। मेरे ज़्यादातर दोस्त ऐसे रहे जो मोजों को जेब में और रूमाल को जूते में रखते रहे। एक दोस्त तो इतने होनहार निकले कि जब कभी भी बीवी के साथ बाहर गये तभी स्थिति यह रही कि या तो बीवी खो

गयी या वे ख़ुद खो गये। बहरहाल घर से साथ-साथ निकलकर वे कभी साथ-साथ नहीं लौट पाये। मुझे गर्व है कि मैंने कुछ ऐसे बहुत ही बड़े अफ़सरों के साथ काम किया है जो इतना भी तय नहीं कर पाते थे कि उन्हें दौरे पर जाना था या नहीं, जाना था तो कब और कौन-सी गाड़ी से जाना था और जाकर लौटना था तो कब और कहाँ लौटना था। इन आला अफ़सरों ने इन छोटी-छोटी बातों से अपनी आत्मा को एकदम मुक्त कर लिया था। इन लोगों के साथ काम करने के बाद मैंने सीखा कि अव्यवस्था से बड़ी और कोई व्यवस्था नहीं।

पिछले कुछ दिनों से मुझे भी यह ग़लतफ़हमी हो गयी है कि मैं एक कलाकार हूँ। अब अगर मैं कलाकार हूँ तब तो व्यवस्था से लड़ना मेरी नियति है। यह मेरा फ़र्ज़ है कि मैं दाढ़ी बढाऊँ, अपने सिर के बालों को अपने नितम्बों तक पहुँचाऊँ, उनमें कुछ आला क़िस्म के खटमल पालू, वेश्यावृत्ति का आनन्द लूँ और देसी ठर्रा नियमित रूप से पीता रहूँ। दोस्तों से उधार माँगूँ, उनकी सती-साध्वी पत्नियों को पतन का रास्ता दिखाऊँ और विभिन्न धर्मों के पैगम्बरों को गालियाँ दूँ। पतलून चाहे छह महीने चले, पर पत्नी जो है वह हर तीसरे महीने बदली जाए। देश का सौभाग्य है कि इसमें ऐसी युवतियाँ अभी भी पायी जाती हैं जो कि एक कलाकार को प्रेरणा देने के लिए अपना सब-कुछ न्योछावर कर देने को तैयार हैं। यह सब कर लेने के बाद मैं कामू या सार्त्र की कोई किताब हाथ में लूँगा, कन्धे पर झोला लटकाऊँगा और कॉफ़ी हाउस में बैठकर किसी दोस्त के ख़र्चे पर कॉफ़ी पिऊँगा। थोड़ी-बहुत कॉफ़ी पतलून पर बिखेरूँगा ताकि लोग मुझे दार्शनिक या चिन्तक समझ सकें। जो कुछ भी काम करूँ, उसमें कुछ नवीनता और मौलिकता होनी ज़रूरी है ताकि आम आदमी में और एक कलाकार में जो अन्तर है वह स्पष्ट हो जाए। दान्ते या मिल्टन ने नरक का वर्णन करते हुए लिखा था कि वहाँ की एकरसता के कारण लोग इतने दुःखी थे कि वे और ज़्यादा दुखी होना चाहते थे ताकि कम-से-कम एकरसता तो टूटे। परिवर्तन होना ज़रूरी है चाहे वह कष्टप्रद ही क्यों न हो। मैं कॉफ़ी पीता हूँ और सोचता हूँ कि कहीं ये कलाकार उसी नरक में तो नहीं जी रहे हैं?

भारत देखिए...

पतरस बुख़ारी ने लाहौर का जुगराफ़िया समझाते हुए लिखा था कि वहाँ के लोग पहले तो अपने मकान ईंट और चूने से बनाते हैं और इसके बाद उन्हें मज़बूत करने के लिए उन पर इश्तहारों का प्लास्तर चिपकाते हैं। किसी हद तक यह रिवाज़ हमारे मुल्क में भी पाया जाता है और इसका कारण यह है कि पुराने शिलालेखों के अनुसार लाहौर जो है वह भी कभी हिन्दुस्तान का ही हिस्सा था। मकानों पर चिपकाये गये इन इश्तहारों में से सबसे बड़े साइज़ के इश्तहार वे होते हैं जिन पर बुद्धगया, ताजमहल और बनारस के घाटों के रंगीन चित्र अंकित होते हैं और जिन पर नीचे की दिशा में मोटे-मोटे अक्षरों में लिखा रहता है कि 'हिन्दुस्तान देखिए'। ख़ाकसार इन इश्तहारों को कभी नहीं समझ पाया। मेरे ख़याल में इन तमाम इश्तहारों के पीछे एक साजिश है जिसका मकसद यह है कि विदेशी लोग हमारे देश का असली माल जो है उसे न देख सकें वरना जो मज़ा सारे जहाँ से अच्छे इस मुल्क की बुलबुलों में है वह मज़ा इन इमारतों में कहाँ?

मेरे ख़याल में एक इश्तहार बनना चाहिए जिसमें खादी पहने एक अधेड़ व्यक्ति का चित्र हो जो एक हाथ से अपनी टोपी सँभाल रहा हो और दूसरे से अपनी धोती, ताकि विधानसभा तक पहुँचते-पहुँचते वह खुल न जाए। ऐसे व्यक्ति को हमारे यहाँ नेता कहा जाता है। वह सरकार की कुर्सी पर गोंद लगाकर बैठता है ताकि और सब कुछ छूट जाए पर कुर्सी जो है वह न छूटे। तसवीर में भी जब वह भागेगा तो कुर्सी से वह चिपका होगा। उसकी एक जेब में झूठे वादे होंगे और दूसरी जेब में जाली वोट। वह चुनाव जीतेगा और वज़ीर बनेगा। अगर वह वज़ीर नहीं बना तो वह दल बदलेगा और प्रशासन का पर्दाफ़ाश करेगा। वह देश का सबसे बड़ा सेवक होता है क्योंकि देश चाहे या न चाहे, वह देश की सेवा किये बग़ैर कभी नहीं रह सकता। आप इनके काले धन को प्रकाश में लाइए, इनके भ्रष्टाचारों पर आयोग बिठाइए, इनकी रखैलों के नाम गिनवाइए— मगर ये हैं कि वहीं कुर्सी पर विराजते रहेंगे। टोपी उछलने और धोती खुलने से भी इन पर कोई फ़र्क़ नहीं पड़ता। इनकी चमड़ी बड़ी मोटी होती है और इसी कारण आपकी छोटी-मोटी आपत्तियाँ इन पर

कोई प्रभाव नहीं छोड़तीं। इसी कारण हमारे मुल्क में जो सबसे नायाब चीज़ होती है, वह नेता ही होता है। इनके सिर में भूसा होता है, मुँह में कैंची फ़िट होती है, आँख और कान बन्द रहते हैं और पेट जो होता है वह गोदाम के क़िस्म का होता है। करोड़ों खा जायें और डकार तक भी न लें। अब आप ही बताइए कि ये नेता बड़े हैं या कि बनारस के घाट? बनारस के घाटों से ज़्यादा लोग फिसले हैं या इन नेताओं की मदद से?

नेता के बाद जो बाक़ी बुलबुलें इस चमन को गुलज़ार करती हैं वे 'अफ़सर' कहलाती हैं। 'नेता' यदि 'जन-गण-मन अधिनायक' का पार्ट अदा करता है तो अफ़सर जो है वह 'भारत-भाग्य-विधाता' होने की महान् ज़िम्मेदारी सँभालता है। अफ़सर लोग बन्द गले का कोट पहनते हैं, चश्मा लगाते हैं और आमतौर पर पढ़े-लिखे होते हैं। ये लोग इतने बड़े कीमियागर होते हैं कि चाहें तो रात को दिन और दिन को रात साबित कर दें। भयंकर भुखमरी की स्थिति में भी जो प्राणी यह साबित कर सकता है कि देश में अन्न की पैदावार कहीं ज़्यादा हुई है और लोग जो मर रहे हैं वह ज़्यादा खाने से मर रहे हैं, न कि कम खाने से—वह अफ़सर ही है। उसकी एक जेब में आँकड़े रहते हैं और दूसरी जेब में दौरे का प्रोग्राम। अफ़सर ही अलादीन का वह चिराग़ है जिसे नेता रगड़ता है और राजकुमारी को हासिल करता है। इस रगड़ने के कारण ही काफ़ी अफ़सर गंजे पाये जाते हैं। वे फ़ाइलों के पुलिन्दे बटोरते हैं, मन्त्रियों की स्पीच तैयार करते हैं और मन्त्रिमण्डल की बैठकें बुलाते हैं। जो वक़्त बाक़ी बचता है उसमें एक-दूसरे की जड़ें खोदी जाती हैं क्योंकि अफ़सर को पनपने के लिए सिर्फ़ तीन पदार्थों की दरकार होती है। पहला पदार्थ है रिश्वत का पैसा, दूसरा है किसी साथी अधिकारी का ताज़ा ख़ून और तीसरी चीज़ है एक हसीन स्टेनोग्राफ़र। 'नौकरशाही' शब्द में जो 'शाह' लगा है, उसे हर्गिज़ नहीं भूलिए। यह इन्हीं के सिग्नल देने पर होता है कि प्रशासन की गाड़ी भ्रष्टाचार और निकम्मेपन की दिशा में चले। मन्त्रालय को मूत्रालय की स्थिति पर ले आने का श्रेय अफ़सर ही को प्राप्त होता है। अफ़सर ही प्रजातन्त्र का वह तन्त्र है जो प्रजा को प्रजा रखता है, राजा नहीं बनने देता। अगर वह ज़रा चूक जाए तो प्रजातन्त्र जो है वह राजतन्त्र में बदल जाए। अब आप ही बताइए कि पोस्टर में तसवीर ताजमहल की होनी चाहिए या कि एक अफ़सर की? ताजमहल तो सिर्फ़ एक शाही दम्पती की क़ब्र है जब कि अफ़सर जो है वह तो न जाने कितने लावारिसों के क़ब्रिस्तानों के बराबर है। उसका और ताजमहल का क्या मुक़ाबला?

नेताओं तथा अफ़सरों के बाद रंगमंच जो है उस पर कलाकार प्रवेश करता है। कलाकार वह इंसान है जो इन दोनों की ख़ुशामद करता है, इनके सामने कला की स्वाधीनता के मुद्दे को लेकर कालीन की तरह बिछाता है और अपने इस नैतिक तथा शारीरिक पतन के द्वारा देश की संस्कृति को ऊँचा उठाता है। इनका त्याग

महान् है, देश के उत्थान के सामने ये अपने पतन की कोई चिन्ता नहीं करते। इनकी जेब में एक ऐसी ग़ज़ल का मसौदा हमेशा मौजूद रहता है जो सेहरे का काम भी दे सके और मरसिये का भी। इनकी दूसरी जेब में उस मन्त्री या सचिव का पता नोट होता है जिसका कि जूता आज पालिश करना है। इसी कला के बल पर लोग राष्ट्रकवि हो गये, संसत्सदस्य बन गये, लाखों की ग्राण्ट ग़बन कर ली, न जाने कौन-कौन से देश-विदेश का दौरा किया और न जाने कौन-कौन-सी बालिका का नायिका-भेद सम्पन्न किया। 'रसात्मकं वाक्यं काव्यम्' में से रस इन्होंने ख़ुद रख लिया और काव्य जो था वह देश के लिए छोड़ दिया। हज़ार कोशिशों के बावजूद क्योंकि मैं वैसा नहीं कर पाया, मैं इनसे ईर्ष्या करता हूँ। मैं बरामदे में बैठता हूँ, सिगरेट फूँकता हूँ और व्यंग्य लेख लिखता हूँ। व्यंग्यकार हमेशा वह इंसान होता है जो उन लोगों का पर्दाफ़ाश करता है जिन लोगों जैसा वह बनना चाहता था पर तमाम कोशिशों के बावजूद बन नहीं पाया। जो कर सकते हैं, वे समर्थ हैं और जो असमर्थ हैं, वे व्यंग्य लिखते हैं।

'भारत देखिए' का एक पोस्टर ऐसा भी बनना चाहिए जिसमें एक अदद दुकानदार हो, एक अदद छात्रनेता हो और हनुमानछाप एक अदद पुलिसमैन हो। चित्र कुछ ऐसा हो कि पुलिसमैन जो हो वह बिना किसी वारण्ट के किसी भद्र पुरुष को गिरफ़्तार कर रहा हो, दुकानदार उस भद्र पुरुष की जेब काट रहा हो और छात्र नेता जो हो वह उसी भद्र पुरुष के पाजामे में दियासलाई खींच रहा हो। इन तीन मूर्तियों के सामने लोग एलीफेण्टा की त्रिमूर्ति और दिल्ली के तीनमूर्ति भवन को भूल जायेंगे। छात्र ब्रह्मा का प्रतीक है क्योंकि आगे चलकर वह बच्चे पैदा करता है, दुकानदार विष्णु का प्रतीक है क्योंकि उसकी पत्नी लक्ष्मी है और पुलिसमैन जो है वह शिव का प्रतीक है क्योंकि वह संहार करता है। अपनी संस्कृति के तीनों आयामों का परिचय देने के लिए इससे अच्छा इश्तहार और क्या बनेगा?

अन्त में चलकर एक इश्तहार भारत की जनता पर भी बनना चाहिए। देश की आबादी में से यदि नेता, अफ़सर, पुलिसमैन, दुकानदार, छात्रनेता और कलाकार को निकाल दें तो जो बाक़ी बचता है, वह जनता कहलाता है। यही वह विषपायी तबका है जो बाक़ी सबका ख़र्चा उठाता है, उसके अत्याचार सहता है और फिर भी सबके लिए आँसू बहाता है। जनता एकदम पत्थर की बनी होती है, बीवी के मकबरे की भाँति या फतेहपुर सीकरी के बुलन्द दरवाज़े की तरह। वह भुखमरी भी ख़ुशी-ख़ुशी बर्दाश्त करती है, बिना शोर मचाये बाढ़ में बहती है और बड़ी तबीयत के साथ पुलिस का लाठीचार्ज भी सहन करती है। कभी-कभी ये तीनों काम उसे एक साथ करने पड़ते हैं। राष्ट्र में जो कुछ भी किया जाता है, वह उसी के नाम पर किया जाता है हालाँकि फ़ायदा जो है वह बाक़ी लोगों को पहुँचता है। चुनाव के पहले जनता ब्राह्मण की भाँति पूज्य होती है और चुनाव के बाद हरिजनों की

भाँति जलाने योग्य। जनता उस करोड़ों पब्लिक का नाम है जिसका बेवकूफ़ बनाने के लिए चन्द नेता और चन्द अफ़सर काफ़ी हैं। वह कान होते हुए भी कुछ नहीं सुनती, आँख होते हुए भी कुछ नहीं देखती और वाणी होते हुए भी कुछ नहीं कहती। गाँधीजी कै जो तीन बन्दर थे वे भारतीय जनता के ही प्रतीक थे। हमारे देश की जनता को अफ़ीम खाने का बड़ा शौक़ है; अफ़ीम चाहे धर्म या शास्त्र की हो, परम्परा या संस्कृति कोई हों या फिर चाहे वर्ण-व्यवस्था की ही हो। जनता इस अफ़ीम की पिनक में पड़ी रही और यार लोग आते गये और हमला करते गये। उन्होंने लड़कियों को बेग़म बनाया और लड़कों को गुलाम। बाक़ी देशों का तो मुझे पता नहीं, बहरहाल जहाँ तक कम-से-कम भारत का सवाल है, यहाँ तो इतिहास हमेशा अपने को दुहराता आया।

अब आप ही बताइए कि इतने असली माल को छिपाकर दार्जिलिंग या ताजमहल का फ़ोटो 'भारत देखिए' के इश्तहार पर लगाना कहाँ तक वाज़िब है? ज़िन्दा चीज़ को छोड़कर मुर्दा चीज़ का इश्तहार? कम-से-कम मेरी समझ में तो यह बात हर्गिज़ नहीं आती।

एक जनप्रिय उपन्यास के नोट्स

एक

वह जन्मजात स्त्री ही नहीं वरन् सुन्दरी भी थी। जब वह युवती हुई तो स्थिति यह हो गयी कि उसके अनन्त रूप और यौवन को देखकर पढ़े-लिखे लोग तो न जाने किन-किन महाकाव्यों की नायिकाओं को याद करने लगे और बेपढ़े लोगों ने न जाने कौन-कौन-सी नौटंकियों और चलचित्रों में काम करने वाली छोकरियों का नाम लेना और छाती और सिर नामक स्थानों का प्रताड़न करना प्रारम्भ कर दिया। छाती और सिर कभी उनके अपने होते थे तो कभी दूसरों के। कहने का मतलब यह कि वह लड़की जवान क्या हुई, उसने इलाक़े में क्रान्ति पैदा करनी शुरू कर दी। उसके सुन्दर और सुडौल अंगों ने ठीक वही पार्ट अदा करना शुरू कर दिया जो कभी चर्बी के कारतूसों ने अठारह सौ सत्तावन के ग़दर में किया था।

ख़ैर, लड़की वह समझदार थी। उसे यह देखकर बड़ा हार्दिक और शारीरिक दुःख हुआ कि उसके रूप और यौवन के कारण उस इलाक़े में बदअमनी बढ़े। देश और समाज के हितों को ध्यान में रखते हुए वह बालिका जो थी वह सबकी हो गयी। जाति और धर्म—इन दोनों बन्धनों को उसने काट दिया। वह प्रत्येक समय प्रत्येक के लिए प्राप्य थी। लोगों ने उसकी उदारता का फ़ायदा उठाया और ठीक वही किया जो उन्हें करना चाहिए था। ज़माने का बेदर्दीपना देखिए कि सब-कुछ कर लेने के बावजूद, आम पब्लिक उस स्त्री-रत्न को कलंकिनी कहने लगी। उसके समाजवादी दृष्टिकोण को चरित्र का ह्रास कहकर पुकारा गया। जो लोग अँधेरे में उस लड़की का साथ देते थे, उजाले में वे भी उससे बचने लगे।

लड़की वह समझदार थी। उसने सारा कार्यक्रम उसी तरह जारी रखा, बस इतना किया कि उसने एक पहुँचे हुए बेवक़ूफ़ से शादी कर ली और पूजा-पाठ करने लगी। इतना करना था कि अगले ही दिन कलंकिनी से वह कुलवन्ती हो गयी। बड़ी-बड़ी कुलवधुएँ उसे घर बुलाने लगीं और क्या पूजापाठ और क्या कीर्तन, सभी उसके बिना अधूरे रहने लगे। लड़की की भक्ति-भावना का तो कहना ही क्या, मन्दिर के पुजारी तक को उसने पवित्र कर दिया। वह दूधों नहायी और पूतों फली। उसके

नाम पर एक धर्मशाला खोली गयी और कई कुएँ खोदे गये। कहते हैं कि उन कुओं का पानी दूध जैसा मीठा था। सती स्त्रियों का प्रभाव सदा से अनन्त होता आया।

दो

वे पक्के हरामी थे और शराब की ठेकेदारी के साथ-साथ कई चकलों और जुआघरों के भी मालिक थे। शहर का कोई गुण्डा ऐसा नहीं था जो उन्हें दादा कहकर न पुकारता हो। पुलिस के रिकॉर्ड उनके कारनामों से भरपूर थे और आम पब्लिक उनसे खौफ़ खाती थी। उनकी कम-से-कम एक दर्जन रखैल थीं।

सारे सुख और सम्पत्ति के होते हुए भी वे उदास रहते थे। सब-कुछ था मगर प्रतिष्ठा नहीं थी। अपना दुःख-दर्द बाँटने के लिए उन्होंने समाज-सेवा में दिलचस्पी लेनी शुरू कर दी। वे खादी पहनने लगे और चन्दा माँगने लगे। एक हाकिम के ज़ुल्मों को लेकर उन्होंने उपवास भी रखा और पब्लिक की पैरवी करने वे राजधानी तक गये। धीरे-धीरे वे समाज-सेवक से नेता हो गये।

समय आने पर उन्होंने जनता के आग्रह पर, जनता की सेवा के लिए, जनता की तरफ़ से चुनाव लड़ा। शहर के गुण्डों ने उनकी पूरी मदद की। वे जीते और वज़ीर बने। क्योंकि पुलिस सम्बन्धी जानकारी उनकी ज़रूरत से ज़्यादा थी, उन्हें गृह विभाग ही दिया गया। उनके बाक़ी सारे कारोबार उसी तरह चलते रहे जैसे कि पहले चलते थे। उनकी सेवाओं को ध्यान में रखते हुए उनके नाम पर दो-चार अदद कॉलेज खोले गये और दो-चार वज़ीफ़े भी तय किये गये। पुलिस को उन्होंने हमेशा ईमानदार रहने का सुझाव दिया।

तीन

वह डाकू था— काफ़ी दुर्दान्त और सफल क़िस्म का डाकू। उसने न जाने कितने घर बर्बाद किये थे और न जाने कितने बच्चों को अनाथ किया था। जब भी किसी ने उसके ख़िलाफ़ अदालत में शिनाख़्त या गवाही की धमकी दी, उसने उसे हमेशा के लिए ठण्डा कर दिया। मगर इस पुलिस के महकमे का भी जवाब नहीं; आख़िरकार वह एक दिन गिरफ़्त में आ ही गया और उसे लम्बी सज़ा भी हो गयी।

जेल में जाते ही दस्युराज के विचार पवित्र होने लगे। उन्होंने गीता प्रेस की छपी गीता मँगवायी और पढ़नी शुरू की। गीता और जेल का सम्बन्ध वैसे भी सदा से ही रहा क्योंकि लोकमान्य तिलक जैसे महान् ज्ञानी ने भी अपनी 'गीता रहस्य' नाम की संसार-प्रसिद्ध टीका उन्हीं दिनों लिखी थी जिन दिनों कि वे जेल में थे। गीता पर हमारे दस्युराज की यह खोज चल ही रही थी कि अचानक बाबू जयप्रकाश नारायण ने, कुछ ऐसा आन्दोलन छेड़ा कि डाकुओं ने आत्मसमर्पण करना शुरू कर

दिया। क़ानून की निष्पक्षता को ध्यान में रखते हुए उन डाकुओं को भी छोड़ दिया गया जिन्हें पहले से सज़ा हो चुकी थी। परिणाम वही हुआ जो होना था; जिस डाकू की मैं गाथा लिख रहा हूँ वह भी रिहा कर दिया गया।

रिहा होने के बाद डाकू ने अपने हथियारों का अड्डा और छिपा हुआ ख़ज़ाना पुलिस के सिपुर्द किया और सन्त विनोबा भावे के भावपूर्ण दर्शन किये। इसके बाद सन्त वाल्मीकि की तर्ज़ पर उस भूतपूर्व दस्युराज ने एक अनाथालय खोला जिसमें न जाने कितने ऐसे अनाथ बच्चों ने शरण पायी जो डाकुओं की ही कृपा से उस स्थिति तक पहुँचे थे। यूँ बाक़ी क़िस्म के अनाथों को भी शरण दी गयी।

डाकू रातोंरात सन्त हो गया। उसके मरने के बाद उसकी समाधि बनी जिसका शिलान्यास किसी बड़े सर्वोदयी नेता ने अपने कर-कमलों से ख़ुद ही किया।

शहीद की मज़ार पर हर बरस मेले लगने लगे क्योंकि वतन पर मर-मिटने वालों का आख़िरी निशान तो सदा से वही होता आया।

चार

वह लेखक था। साहित्य की हर विधा में उसे दख़ल था। दस वर्ष की अवधि में हज़ारों पृष्ठ उसने लिपिबद्ध किये पर साहित्य का दुर्भाग्य देखिए कि एक भी कहीं नहीं छपा। सब वही सम्पादक के खेद और अभिवादन सहित वापस। धीरे-धीरे खेद ज़्यादा होता गया और अभिवादन कम। उसने अपने से कहीं निकृष्ट लेखकों और कवियों को छपते देखा पर वह वहीं का वहीं रहा। उसने अपने ख़र्चे पर पोथियाँ छपायीं, पर सिवा 'प्राप्ति स्वीकार' के किसी ने उन पर कुछ भी नहीं लिखा। अन्त में उसने तय किया कि वह अपनी एक पत्रिका ख़ुद ही निकालेगा। वह सम्पादक बन गया।

सम्पादक बनना था कि स्थिति जो थी वह बदल गयी। पहले वह अपनी रचनाएँ दूसरों के पास भेजता था, अब लोग अपनी रचनाएँ उसके पास भेजने लगे। अख़बार क्योंकि कम छपता था, उसे कलात्मक प्रयोग कहकर पुकारा गया। दोस्तों ने उसी के अख़बार में उसकी तारीफ़ में कसीदे कहे जो बदस्तूर छापे गये। धीरे-धीरे अख़बार चल निकला और वह एक नये आन्दोलन का मसीहा बन गया। बाक़ी जमे हुए अख़बारवाले भी उसे पहचानने लगे। जिन अख़बारों ने वर्षों तक उसकी रचनाएँ वापस की थीं, उन्होंने उसके चित्र छापे। उसकी पचासवीं वर्षगाँठ पर एक अभिनन्दन-ग्रन्थ छापा गया जिसमें अभिनन्दन और विज्ञापन दोनों को एक साहित्यिक विधा स्वीकार किया गया। वह जम गया। वह हर जगह छपने लगा। उसका अपना गुट हो गया। वह अपने पर्चे में चाहे जिस जमे हुए लेखक के ख़िलाफ़ लिख सकता था और नतीजा यह हुआ कि लोग उससे डरने लगे। सम्पादक बनने की प्रक्रिया में वह सिद्धहस्त लेखक बन गया। उसके लिखने में जो प्रतिभा थी वह अब मानी जाने

लगी। मगर सब-कुछ होने के बावजूद उसने अपना पर्चा बन्द नहीं किया। उसके विशेषांक भी नहीं निकाले गये क्योंकि उसका हर अंक वैसे ही एक विशेषांक होता था। आजीवन सदस्य बनाये गये, प्रेस लगाया गया और नयी प्रतिभाओं को विशेष प्रोत्साहन दिया गया। नारी लेखिकाओं को जो प्रोत्साहन दिया गया वह तो सबके ही हित में रहा। उसके बारे में जो कुछ भी कहा जाए वह कम होगा।

जिन सज्जन की मैंने चर्चा की, वे कुछ व्यक्तिगत कारणों से अपना काफ़ी समय शौचालय में गुज़ारते थे– ठीक उसी प्रकार जैसा कि भारत के एक भारतरत्न कभी किया करते थे। शौचालय में उन्होंने मेज़ वग़ैरह लगवा रखी थी जिस पर प्रूफ़ वग़ैरह ठीक किये जाते थे और सम्पादकीय लिखा जाता था। उनके पत्र में कभी-कभी इस पवित्र वातावरण की गन्ध भी आती थी। अभी-अभी कहीं पढ़ा कि विदेशों में एक युवती ने शौचालय में लिखी कविताओं का संकलन 'लू लिरिक्स' के नाम से प्रकाशित करवाया है जो सारे वातावरण को एक नयी साहित्यिक गन्ध देता है। जो काम विदेशों में अब हो रहे हैं या होंगे, वे हमारे यहाँ पहले ही हो चुके। हमारी संस्कृति और सभ्यता प्राचीन जो ठहरी।

और अन्त में

और अन्त में चलकर हमारे सम्पादक प्रवर ने एक ऐसी कुल-नाम-गोत्र-विहीन अनाथ कन्या से शादी कर ली जो उनसे आयु में सिर्फ़ तीस साल छोटी थी। सयाने लोगों का ख़याल था कि वह कन्या उसी कुलवन्ती सुन्दरी की पुत्री थी जिसकी चर्चा मैंने कथा के प्रारम्भ में की थी। वह उन्हीं शराब के ठेकेदार के प्रताप से उत्पन्न हुई थी जो बाद में नेता हो गये थे और वह इत्तफ़ाक से उसी अनाथालय में पली थी जिसे उस भूतपूर्व दस्युराज ने कभी खोला था। इतिहास भी क्या विचित्र चीज़ है, इसका भी वाक़ई कोई जवाब नहीं। और उस पर भी तुर्रा यह कि वह अपने को हमेशा दोहराता आया।

भद्र पुरुष

भद्र पुरुष उस पुरुष को कहते हैं जो कि भद्र होता है। यदि ये लोग न होते तो इस असार संसार की आधी मुसीबतें ख़ुद-ब-ख़ुद हल हो जातीं। बदमाश आदमी से आप निबट सकते हैं पर यह जो भद्र पुरुष होता है, वह हमेशा आप को मात दे जाता है। वह इतना शरीफ़ होता है कि आप उसे कभी नहीं डाँट सकते चाहे उसकी वजह से आपको भले ही डाँट पड़ जाए। वह इतना असहाय और विनयी दिखाई पड़ता है कि आप अपना पैसा उससे कभी वसूल नहीं कर सकते जब कि कोई और होता तो सरे-बाज़ार आप उसकी गर्दन पकड़ लेते। भद्र पुरुष की तो पत्नी तक उसे सिर्फ़ इस कारण नहीं छोड़ती क्योंकि वह भद्र है। कोई लफ़ंगा होता तो कभी का तलाक़ ले लिया गया होता। मगर भद्र पुरुष है कि उसकी पत्नी हज़ार परेशानियों के बावजूद उसे नहीं छोड़ती। अपनी भद्रता के कारण उसने सब को बाँध रखा है—ठीक उसी प्रकार जैसे बिहारी की नायिका आम पब्लिक को अपने केशविन्यास से बाँधा करती थी। काको मन बाध्यो नहीं, जूड़ा बाँध निहार।

भद्र पुरुष किसी भी पेशे में पाये जा सकते हैं। आमतौर पर वे सफ़ेदपोश होते हैं और हाथ में छाता या छड़ी रखते हैं। वे पान खाते हैं, ज़र्दा लेते हैं और किसी-किसी केस में तम्बाकू भी पीते हैं। वे सुबह को सैर करने जाते हैं और शाम को अपनी पत्नी के साथ परमपिता परमात्मा की आरती उतारते हैं। वे दफ़्तर में हैं तो शायद काम नहीं करते; दुकानदार हैं तो ठीक सौदा नहीं देते; दोस्त हैं तो उधार माँगकर वापस नहीं करते और मुहल्लेदार हैं तो आपकी इस्त्री या किताबें वग़ैरह माँगकर ले जाते हैं जिन्हें वे अपने-आप कभी नहीं लौटाते। आप झगड़े की तैयारी करते हैं, कुर्ते की बाँहें ऊपर चढ़ाते हैं, वीररस की कोई कविता याद करते हैं और बजरंगबली का नाम लेकर मल्लयुद्ध के लिए बाहर निकलते हैं और ये हैं कि ऐसी घिघियाती मुद्रा में आपके सामने प्रस्तुत होते हैं कि वीर रस के स्थान पर करुण रस या वात्सल्य रस का परिपाक होने लगता है। आप इनका कुछ नहीं कर सकते। रफ़ू करे कोई कहाँ तक इनको, नहीं गिरेबाँ में चाक बाक़ी।

भद्र पुरुष कभी किसी लड़की से प्रेम नहीं करता, वह सिर्फ़ शादी करता है। कोई-कोई भद्र पुरुष एकाध रखैल भी रख लेते हैं पर इस सबसे उनकी भद्रता पर कोई प्रत्यक्ष प्रभाव नहीं पड़ता। ये लोग परिवार-नियोजन के विरोधी होते हैं, परिवार नियोजन के स्थान पर इनकी रुचि शास्त्रीय संगीत और साहित्य वग़ैरह में ज़्यादा होती है। हालाँकि ज़्यादातर कवि और कलाकार लफ़ंगे होते हैं पर कभी-कभी कुछ भद्र पुरुष भी लेखक, कवि या चित्रकार होते पाये गये हैं। भद्र पुरुष राजनीति में कोई विशेष रुचि नहीं रखता; जो कुछ भी लोग कहते हैं, वह सुनता जाता है और ज़र्दा खाता रहता है। 'कोइ नृप होय, हमें का हानी' वाला दृष्टिकोण—जो कभी श्रीमती मन्थरादेवी ने रामायण में अपनाया था। मैं मन्थरा की बेहद इज़्ज़त करता हूँ। साहित्य में भी उसका स्थान बहुत ऊँचा है। अगर मन्थरा न होती तो बाक़ी रामायण कैसे लिखी जाती? राजा दशरथ राम को राज्य दे देते और स्वयं संन्यास पर निकल जाते। अयोध्याकाण्ड के कुछ अंशों के बाद लिखने को कुछ शेष ही नहीं रहता। भद्र पुरुष धर्म के क्षेत्र में भी वही व्यवहार करते हैं जो कि शेष क्षेत्रों में। यहाँ भी वे तटस्थ रहते हैं। असलियत यह है कि भद्र पुरुष की सारी शक्ति और सारा समय तो अपने को भद्र रखने में ही गुज़र जाता है, वह बाक़ी काम करे तो कब करे? वह वादे करता है, और उनके पूरा न होने पर हाथ जोड़कर माफ़ी माँगता है। ऐसे व्यक्ति के सामने तो आप उसी तरह निरुपाय हो जाते हैं जैसे कि बक्सर की लड़ाई के बाद शाह आलम हुए थे। स्थिति यह रह गयी थी कि 'शहंशाह आलम, शाहदरा से पालम'। बाक़ी जो इलाका था वह कम्पनी के अधिकार में चला गया था।

साथियो, अब वक़्त आ गया है जब कि हम सब मिलकर संसार के भद्रपुरुषों को ख़त्म कर दें। यही वह बुर्जुआ क्लास है जो मानवजाति की प्रगति को रोके खड़ा है। इसकी शराफ़त नकली है; गाफ़िल कभी न जानिए इस होशियार को। हमारा यह नैतिक दायित्व है कि हम संगठित होकर दुनिया के इन शरीफ़ आदमियों को मिटा डालें ताकि बाक़ी लोगों को ईमानदारी से जीने का अवसर प्राप्त हो सके। दिल पर पत्थर रखिए और क्रान्ति की तैयारी कीजिए। अगर ये भद्र पुरुष न होते तो पता नहीं अब तक हम लोग कहाँ पहुँच गये होते। ये लोग भले हैं पर इस बकरीछाप शराफ़त से फ़ायदा क्या? बकरी के बारे में तो आप शायद यह भी कहें कि 'ज़ालिम में थी एक बात और इसके सिवा भी', क्योंकि वह दूध देती है। भद्र पुरुष तो दूध भी नहीं देते।

अच्छा, अब आप लोग जाइए और क्रान्ति की तैयारी कीजिए। बुद्धिजीवी होने के नाते मैंने अपना फ़र्ज़ पूरा कर दिया। भगवान आपकी सहायता करे।

और हाँ, चन्दा अगर काफ़ी हो जाए तो हमें भी ख़बर करना क्योंकि उस स्थिति में सम्भव है कि बजाय क्रान्ति करने के हम शायद खुद ही भद्र पुरुष बनने की सोचने लगें। जब तक आप लोग चन्दा या क्रान्ति की व्यवस्था करेंगे तब तक बन्दा जो है वह इस फूले हुए गुलमुहर के नीचे लेटेगा और भगवान की स्तुति में फिर वही पुरानी बात अर्ज़ करेगा–

दिल नहीं लगता मेरा तनहाई में
मेरे मौला, जन्नत से किसी हूर को भेज।

(एक विदेशी रचना से प्रेरित)

❑

इस देश के लोग
(1982)

इस देश के लोग

बचपन में पढ़ा करते थे कि जिस देश के उत्तर में हिमालय पर्वत है और दक्षिण में समुद्र है, उसे भारत या सरल भाषा में इण्डिया कहते हैं। बाद में पता चला कि जो लोग इस देश में रहते हैं उन्हें भारतीय या सरल भाषा में इण्डियन कहते हैं। इन निवासियों की अनेक क़िस्में हैं जैसे किसान, बाबू, अफ़सर, सेठ, मज़दूर, नेता, बुद्धिजीवी या दुकानदार, ठेकेदार, डॉक्टर और वकील की भाँति कोई स्वतन्त्र पेशा करने वाले लोग। जो लोग कोई धन्धा नहीं करते वे या तो छात्र कहलाते हैं या बेकार। आज मैं इन्हीं में से कुछ की चर्चा करूँगा।

किसान लोग जो हैं वे देहातों में रहते हैं। वे खेती करते हैं और बैलों की जोड़ी रखते हैं। आज़ादी के बाद बैलों की इसी जोड़ी के सहारे देश के नेता लोग पता नहीं कहाँ से कहाँ पहुँच गये मगर किसान है कि वहीं गाँव में है और उसी तरह बाढ़ और सूखे को झेलता है जैसे कि वह आज़ादी के पहले किया करता था। सरकार ने उसके लिए करोड़ों रुपयों का बजट स्वीकृत किया मगर सरकारी अमले और गाँव के सरपंचों की कृपा से आम किसान वहीं रहा जहाँ कि वह था। वह अब भी दारोग़ाजी को माई-बाप कहता है, भाग्य में विश्वास रखता है और महाजन से सूद पर रुपया लेता है। पहले का किसान कर्ज़े में पैदा होता था और कर्ज़े में मरता था, मगर आज का किसान है कि वह कर्ज़े में पैदा होता या मरता ही नहीं बल्कि जीता भी उसी में है। कारण यह है कि सरकार की कृपा से न जाने कितनी सहकारी समितियाँ और बैंक खुल गये हैं जो खुलेआम अपना कमीशन काटकर किसान को ऋण देते हैं और लाखों-करोड़ों का ग़बन करते हैं। किसान काफ़ी व्यस्त जीवन व्यतीत करता है। वह देश के लिए फ़सलें उगाता है और इस क्रिया से जो समय शेष रहता है उसमें बच्चे पैदा करता है। तबीयत बहलाने के लिए वह नौटंकी करवाता है, दूसरों की फ़सलें काटता है, दूसरे की बीवी भगाता है और अन्त में चलकर अपनी नीरसता मिटाने के लिए फ़ौजदारी करता है। भारत माता जो है वह इसी कारण ग्रामवासिनी है। अहा,

ग्राम्य जीवन भी क्या है, ऐसी सुविधा और कहाँ है?

बाबू लोग उन्हें कहते हैं जो कॉलेज के दिनों में कलक्टर होने के सपने देखा करते थे, मगर अब कण्डी में अपना टिफिन बॉक्स डालकर बज़रिये साइकिल के दफ़्तर जाते हैं। दफ़्तर में गप्पें मारी जाती हैं, अफ़सरों और उनकी स्टेनोग्राफ़र को लेकर कथासरित्सागर पढ़ा जाता है, एक-दूसरे का गला काटा जाता है और बाक़ी वक़्त में दो-चार चिट्ठियों को फ़ाइल में नत्थी किया जाता है। इसके बाद कुछ हैं जो कि अपने घर लौटते हैं और कहीं ट्यूशन करते हैं और कुछ हैं कि अफ़सरों की ख़ुशामद करने उनके बँगले पर जाते हैं। वहाँ मेम साहब को 'माता' कहकर पुकारा जाता है और उनके बच्चों को 'पिता'। अफ़सरों के कुत्तों को भाई साहब कहकर पुकारा जाता है और उनके लिए उपयुक्त वधू की खोज की जाती है। दिन में जो काम अपनी अकर्मण्यता के कारण इकट्ठा किया जाता है, उसको निबटाने के लिए ओवरटाइम लिया जाता है। कई संस्थान तो ऐसे हैं कि जहाँ बोनस इत्यादि मिलाकर बाबू को जो वेतन मिलता है वह अफ़सर से कहीं ज़्यादा होता है। बाबू लोग सरकार को चलाते हैं और इस पवित्र कार्य को सुचारु रूप से करने के लिए भत्ते और चिकित्सा के झूठे बिल भी पेश किये जाते हैं। बाबू की महिमा अनन्त है। हरि अनन्त, हरि-कथा अनन्ता। बाबू लोगों के सन्दर्भ में दो बातें और उल्लेखनीय हैं। एक तो यह कि वे बतौर रिश्वत के जो कुछ लेते हैं उसे दस्तूर कहकर पुकारा जाता है (इस दिशा में एक बाबू तो इतने ईमानदार थे कि उनका नाम ही मिस्टर दस्तूर था। वे पारसी थे।) और दूसरी बात यह है कि वे अपने किसी साथी के दफ़्तर में मृत्यु को प्राप्त हो जाने पर कभी दुखी नहीं होते क्योंकि ऐसे शुभ अवसरों पर दफ़्तरों में छुट्टी करने का रिवाज़ हमेशा से चलता आया।

अफ़सर नाम का जीव धर्म का वह खम्भा है जिस पर प्रशासन का आकाश टिका है। अफ़सर भी शेक्सपियर के अनुसार कई तरह के होते हैं। कुछ लोग हैं जो अफ़सर ही पैदा होते हैं, कुछ हैं कि उन्हें ज़बर्दस्ती अफ़सर बनाया जाता है और कुछ हैं जो कि प्रतिभा और गुणों के बल पर अफ़सर के पद को स्वयं प्राप्त करते हैं। अँग्रेज़ी ज़माने में कितने ही आला अफ़सर ऐसे होते थे जिन्हें वाइसराय या गवर्नर मनोनीत करता था और जो दफ़्तर में गुलेल चलाने और हसीन लड़कियों से इश्क़ करने के अलावा और कोई काम कभी नहीं करते थे। आज भी जो आम अफ़सर है वह आम बाबू की तरह काम की कोई परवाह नहीं करता। एक अफ़सर थे जो अतिरिक्त काम मिलने पर कभी दुखी नहीं होते थे जिसका कारण यह था कि वे जानते थे कि उन्हें कोई फ़ाइल कभी निबटानी ही नहीं थी। फ़ाइल आती थी और उनकी अलमारी में इस तरह क़ैद हो जाती थी जैसे कि देसी रियासतों के राजाओं के हरम में ख़ूबसूरत युवतियाँ बन्द हुआ करती थीं। काफ़ी अफ़सर ऐसे हैं जो बजाय काम करने के दौरा करते हैं, मीटिंग करते हैं, अपनी हसीन स्टेनोग्राफ़र

से इश्क़ लड़ाते हैं, राजनीतिक नेताओं से मिलकर अपनी जड़ें मज़बूत करते हैं और मुल्क से कहीं ज़्यादा अपने प्रमोशन और डेपुटेशन की चिन्ता करते हैं। बात भी ठीक है; अगर आपकी जड़ें ही मज़बूत नहीं होंगी तो देश की कैसे होंगी? वे रिश्वत लेते हैं, ह्विस्की पीते हैं और विदेश जाते हैं। अपने देश की समस्याओं का हल आजकल विदेश जाकर ही होता है। यूँ कभी-कभी कोई अफ़सर कुछ काम भी कर लेता है पर वह ठीक उसी तरह है जैसे कि भारत के एक विदेश मन्त्री कभी-कभी भारत भी आ जाते थे। जैसे बाबू लोगों में कुछ लोग ईमानदार और कर्तव्यपरायण होते हैं वैसे ही कुछ अफ़सर भी ऐसे होते हैं जो कि निष्ठा के साथ देश की सेवा करते हैं, तेल महँगा हो जाने के कारण बजाय कार के अपने चरणों का ही प्रयोग करते हैं और जो कभी रिश्वत नहीं लेते और किसी दबाव के सामने कभी नहीं झुकते। उदाहरण के तौर पर मैं खुद अपने को पेश करता हूँ। जिस तरह आम क़िस्म का बाबू एकदम खुला हुआ होता है, उसी तरह आम क़िस्म का अफ़सर एकदम बन्द और फ़ार्मल होता है, उसे खुलने में देर लगती है। पिन खुली, टाई खुली, कॉलर खुला, बकलस खुला। खुलते-खुलते डेढ़ घण्टे में कहीं अफ़सर खुला। सच है कवि की वाणी।

बाबू और अफ़सर के बाद ज़रूरी है कि नेता लोगों की चर्चा की जाए। नेता लोग दो प्रकार के होते हैं। एक तो वे हैं जो इस समय सरकार में वज़ीर हैं और दूसरे वे हैं जो सरकार में नहीं हैं। जो नेता लोग सरकार में हैं वे एकदम पवित्र, निष्ठावान्, कर्तव्यपरायण, गाँधीवादी व देशभक्त क़िस्म के हैं और एक सरकारी कर्मचारी होने के नाते उनके प्रति मेरा यही कहना शोभा देता है। हाँ, अलबत्ता जो नेता लोग सरकार के बाहर हैं वे चरित्रहीन, विदेशों के गुलाम, लफ़ंगे और खुराफ़ाती क़िस्म के लोग हैं जिनका काम सिर्फ़ जुलूस निकालना और दूसरों की टोपी उछालना ही है। खुदा का शुक्र है कि ये लोग सिर्फ़ टोपी ही उछालते हैं, पाजामा या धोती नहीं। जब ये लोग सरकार में आ जाते हैं तो ये भी पवित्र और अनुशासनप्रिय हो जाते हैं। सत्ता से बड़ी चरित्र ठीक करने वाली कोई दवा आज तक नहीं निकली और न कभी निकलेगी ही। ये लोग खादी पहनते हैं, मदिरापान करते हैं और उपवास रखते हैं जबकि इनके बच्चे मसूरी और नैनीताल में पढ़ते हैं। ये अहिंसावादी होते हैं हालाँकि विधान सभाओं के अन्दर जूता चलाते हैं। ये लोग कभी पाप का पैसा नहीं छूते। हाँ, अलबत्ता यदि कोई सेठ-साहूकार अपना काम करवाने के लिए पार्टी को ही चन्दा दे जाए तो ये बेचारे क्या करें?

सेठ और मज़दूर का रिश्ता ठीक वही है जो कि एक खुशनसीब मियाँ और बीवी का होता है हालाँकि अभी तक यह पता ठीक तरह नहीं लग पाया कि इनमें मियाँ कौन है और बीवी कौन। सेठ अपनी पूँजी लगाते हैं और मज़दूर अपना जिस्म। दोनों के लगाने से कारख़ाना चलता है। सेठजी नफ़ा कमाते हैं और मज़दूर अपनी पगार लेता है। सेठजी जलवायु बदलने के लिए विदेश जाते हैं क्योंकि भारत

में कोई जलवायु नहीं हैं और मज़दूर जो है वह देशी ठर्रा पीता है और खोली में रहता है या फ़ुटपाथ पर सोता है। सेठजी आयकर की चोरी करते हैं और मज़दूर जो है वह पठान के कर्ज़े से बचने की कोशिश करता है। कभी-कभी मज़दूर लोग अपनी माँगों के प्रति सहसा जागरूक हो जाते हैं– ठीक उसी तरह जैसे कि हाल में तिरासी वर्ष की एक डच महिला को पता लगा कि वह पिछले पचास वर्ष से लगातार गर्भवती चल रही है। अपनी माँगों का और अपनी शक्ति का सहसा पता लगते ही कारख़ाने में या तो तालाबन्दी हो जाती है या हड़ताल। तालाबन्दी भी नसबन्दी की तरह सुरक्षा का एक क़दम होती है। बहरहाल पुलिस आती है, राजनीतिक पार्टियाँ अपना उल्लू जो अभी तक टेढ़ा था, उसे सीधा करती हैं, आँसू गैस छोड़ी जाती है और बाद में गोली चलती है। दो-चार मज़दूर मर जाते हैं जिसके बारे में दुखी होना व्यर्थ है। मरना तो शरीर का धर्म है। और फिर गीता के अनुसार आत्मा तो अजर और अमर है, मरना तो सिर्फ़ उसका चोला बदलना है। जब हम लोग रोज़ अपने कपड़े और प्रेमिकाएँ बदलते हैं तो आत्मा के पुराना चोला बदलने पर हमें क्या एतराज़ हो सकता है? सेठजी अपनी इम्पाला में घूमते हैं और नयी रखैल के साथ शराब पीते हैं। एक सेठजी इतने संवेदनशील निकले कि उन्होंने अपने प्यारे कुत्ते के खो जाने पर इश्तहार निकलवाया और उसे ढूँढ़ निकालने वाले व्यक्ति को इनाम देने की घोषणा की। मज़दूरों में इतना संवेदनशील व्यक्ति कभी नहीं दिखाई दिया। मगर लोग हैं कि फिर भी सेठजी को ही दोषी ठहराते हैं और मज़दूरों को कुछ नहीं कहते। सारी दुनिया में सेठों की संख्या घटती जा रही है जबकि मज़दूर तबका है जो कि बराबर बढ़ता जा रहा है। पोर्ट ब्लेयर की एक पतिव्रता महिला ने पिछले बीस वर्ष में ग्यारह बार जुड़वाँ बच्चों को जन्म दिया है और सारे बच्चे जीवित हैं। वह प्रतिभावान महिला और उसका परिश्रमी पति अभी भी पूरी तरह स्वस्थ हैं और आशा है कि ऐसे सांस्कृतिक कार्यक्रम भविष्य में भी प्रस्तुत होते रहेंगे। ऐसी स्थिति में मज़दूर बढ़ेंगे नहीं तो क्या घटेंगे?

दुकानदार और ठेकेदार तान्त्रिक क़िस्म के लोग होते हैं। ये लोग पपीते के बीज को काली मिर्च बना डालते हैं और बालू को सीमेण्ट। सारे के सारे इंजीनियर, पुलिसवाले और अदालतें देखती रहती हैं मगर इनका जादू है कि सबकी ताक़त को खलास कर देता है। बुद्धिजीवी लोग उन समझदार लोगों को कहते हैं जो कि रातभर शराब पीते हैं, वेश्या-गमन करते हैं और अगले दिन शाम को दुनिया के मूलभूत प्रश्नों पर विचार करते हैं। ये लोग दाढ़ी रखते हैं जिसमें बाक़ायदा खटमल पाले जाते हैं। वकील वह शख़्स होता है जिसके दिल का पता उसके कोट के रंग से लगता है। मुवक्किल भले ही जेल चला जाए, वकील साहब जो हैं वे हमेशा बाहर ही रहते हैं और गवाहों को झूठ बोलने की शास्त्रीय कला सिखाते हैं– न ब्रूयात् सत्यमप्रियम्। डॉक्टर लोग वे हैं जो मरीज़ के शरीर को उसकी आत्मा से

अलग करते हैं। निर्वाण की प्राप्ति की दिशा में भगवान् बुद्ध जो काम बाक़ी छोड़ गये थे उसे ये बेचारे डॉक्टर ही पूरा करते हैं। ये बड़े भावुक होते हैं। अभी-अभी एक अस्पताल में एक डॉक्टर एक हसीन नर्स का अकेलापन दूर करता रहा और इसी बीच एक नवजात शिशु जो था उसे वार्ड में से एक आवारा कुत्ता उठाकर ले गया। जब तक डॉक्टर साहब नर्स का एकाकीपन दूर करते रहे तब तक कुत्ता उस मुलायम बच्चे को खाता रहा। डॉक्टर और नर्स दोनों कितने महान् थे कि प्रेम के सामने उन्होंने अपने कर्तव्य तक की परवाह नहीं की। छात्र लोग जो होते हैं वे गले में लाल रूमाल बाँधते हैं और हाथ में जूता रखते हैं ताकि वक़्त ज़रूरत उसके उतारने में देर न लगे। ये लोग सुबह को रजिस्टर जलाते हैं और शाम को रजिस्ट्रार की ठुकाई करते हैं। इम्तिहान के दिनों में डेस्क पर चाकू रखकर खुलेआम नक़ल की जाती है और बाक़ी वक़्त में यूनियन के चुनाव लड़े जाते हैं जिसमें राजनीतिक पार्टियाँ खुलकर सहयोग देती हैं। आज के छात्र ही तो देश के भावी कर्णधार हैं; उन्हें यदि उचित ट्रेनिंग अभी से नहीं दी गयी, तो बाद में चलकर वे विधान सभाओं में जूता कैसे चलाएँगे?

जो लोग कुछ नहीं करते, उन्हें बेकार कहा जाता है। वे दिनभर रोज़गार के दफ़्तर के सामने लाइन लगाकर खड़े रहते हैं और रात को बम्बे का पानी पीकर फ़ुटपाथ पर सो जाते हैं। निठल्ले लोग सिवा आत्महत्या करने के कुछ और नहीं करते।

इस लेख में मैंने भारतीय लोगों का एक चित्र प्रस्तुत करने की कोशिश की थी मगर मुझे कहते हुए अफ़सोस होता है कि मैं ग़लती पर था। बात यह है कि भारतीय तो हममें से कोई है ही नहीं। हम या तो मराठी हैं या बंगाली। हम या तो मद्रासी हैं या पंजाबी। हम या तो पतित-पावन ब्राह्मण हैं या हरिजन। बहरहाल स्थिति यह है कि हम कुछ भी हैं पर भारतीय नहीं हैं। यह मोटी-सी बात दिमाग़ में पहले से आ जाती तो मैं इस प्रबन्ध को कभी नहीं लिखता।

अस्पताल में दो दिन

मैं हमेशा से उन इंसानों में से रहा हूँ जिनके पास घोड़ा तो कभी नहीं रहा पर जो सोते हमेशा उस तरह से रहे जैसे कि घोड़ा बेचकर सोया जाता है। पर पिछले कुछ वर्षों से मेरी नींद धीरे-धीरे कम होती गयी और बाद में चलकर स्थिति यह हो गयी कि नींद आनी एकदम ही बन्द हो गयी। कुछ दिनों बाद हालत वाक़ई दर्दनाक हो गयी। बीवी जो थी वह तो रात भर कुम्भकर्ण के स्त्री संस्करण की भाँति खुर्राटे भरती रहती थी और मैं जो था वह या तो लिखता-पढ़ता रहता था या फिर शयनागार के चक्कर काटता रहता था— ठीक वही लक्षण जो रीतिकालीन नायिकाओं में विरह के दिनों में पाये जाते थे। हालत जब ज़्यादा नाज़ुक हो गयी तो मैंने सोचा कि पत्नी को दूसरे कमरे में सोने के लिए कह दूँ ताकि उसे सोता देखकर हृदय में जो ईर्ष्या होती थी, कम-से-कम वह तो ख़त्म हो जाए। मगर वैसा करने की हिम्मत नहीं हुई। पत्नी का जो विरह होता है वह बड़ा कष्टदायक होता है। कालिदास नाम के एक कवि थे जिन्होंने 'मेघदूत' नाम का एक काव्य केवल विरह के प्रसंग को ही लेकर रचा था। साधु-स्वभाव का होने के कारण मैं यह हर्गिज़ नहीं चाहता कि मेरे विरह को लेकर किसी कवि को काव्य-सृष्टि का कष्ट उठाना पड़े। ख़ैर, कुछ और दिनों बाद स्थिति वाक़ई यह हो गयी कि मुझे घबराहट होने लगी। मैं सोचने लगा कि एक नेपोलियन बोनापार्ट था जो घोड़े पर चढ़े-चढ़े ही सो लिया करता था और एक मैं हूँ जिसे पलँग पर भी नींद नहीं आती। इस सन्दर्भ में कुछ ऐसे लोगों की याद भी आयी जो घोड़ा क्या, गधे पर चढ़े-चढ़े भी सो लिया करते थे। इन सब प्रसंगों को याद कर मेरी आत्मग्लानि और ज़्यादा बढ़ गयी।

बहरहाल घर में एक दिन एक आपत्कालीन बैठक हुई और सर्वसम्मति से यह निश्चित किया गया कि मुझे तुरन्त किसी डॉक्टर के पास जाना चाहिए। इत्तफ़ाक की बात कि जिस क्षेत्र में मैं रहता था, उसमें पपीते और डॉक्टर बहुतायत से पाये जाते थे। एक डॉक्टर थे जिनका लिखा नुस्खा भले ही कोई न पढ़ पाये पर वे अपना बिल इतनी सफ़ाई से लिखते थे कि उसे हरएक पढ़ सकता था और पढ़ने के बाद बेहोश हो सकता था। एक डॉक्टर थे जो पुरुषों की नब्ज़ तो हाथ पकड़कर

देखते थे पर युवतियों की नब्ज़ देखने के लिए वे हमेशा उनकी टाँग ही पकड़ते थे। कुछ डॉक्टर थे जो मरीज़ को एकदम भूखा रखने में आस्था रखते थे और कुछ डॉक्टर थे जो मरीज़ को दुगुनी ख़ुराक खाने के लिए विवश करते थे। इनमें से एक चिकित्सक ऐसे थे जिनका युवतियों के लिए हमेशा एक ही नुस्खा होता था– यदि वे ससुराल में होतीं तो उन्हें मैके जाने की सलाह दी जाती थी और यदि वे मैके में होती थीं तो उनसे कहा जाता था कि वे तुरन्त ससुराल जायें और पति से निकट सम्पर्क स्थापित करें। वैसे भी उनके रोगी शिकायत करने के लिए कम ही लौटते थे क्योंकि मुर्दा जो होता है वह कभी वापस नहीं आता। एक और डॉक्टर थे जो स्त्री हो या पुरुष, निदान यही करते थे कि उसके बच्चा होने वाला है। निदान के लिए एक और विशेषज्ञ भी काफ़ी प्रख्यात थे जिनके बारे में कहा जाता था कि रोगी को जो भी बीमारी वे बताते थे, वह रोगी सदा उसी रोग से मृत्यु को प्राप्त होता था। कुछ डॉक्टर इस कारण भी काफ़ी लोकप्रिय थे कि उनकी पत्नियाँ ज़रूरत से ज़्यादा ख़ूबसूरत और जवान थीं और उनके पति जो थे वे प्रायः दौरे पर रहते थे। एक और डॉक्टर थे जिनकी एक निगाह अपनी नर्स पर और दूसरी निगाह आपके पर्स पर रहती थी इन दो पदार्थों के अतिरिक्त वे और कुछ नहीं देखते थे। एक सर्जन थे जो अपने पेशे में इतने सतर्क थे कि ऑपरेशन के बाद मरीज़ के पेट में अपनी कैंची और चश्मा ही नहीं वरन् तौलिया और हैट तक बन्द कर आते थे। इस भुलक्कड़ सर्जन की एक आदत और थी ज़ोर वह यह कि इनके पास जो कोई भी जाता था, उसे पूरी तरह नंगा किया जाता था, बाक़ी बातचीत बाद में होती थी। एक बार एक बूढ़े इंसान ने इन्हें काफ़ी रोकने की कोशिश की मगर इन्होंने उस ग़रीब के कपड़े उतरवाकर ही छोड़े। बाद में पता चला कि वह कोई मरीज़ नहीं था, वह बिजलीघर का मिस्तरी था जो इनका पंखा ठीक करने आया था। ख़ैर, जहाँ तक मेरा प्रश्न है, मैं तो उस डॉक्टर से मिला जो इतना दीर्घ-सूत्री था कि भले आदमी को तो उसे देखकर ही नींद आने लगती थी। मगर मेरे साथ यहाँ भी कुछ उल्टा ही रहा। मैं तो उसे देखकर नहीं सोया–हाँ, अलबत्ता मेरा बयान सुनते-सुनते वह शरीफ़ इंसान ज़रूर खुर्राटे भरने लगा।

स्थानीय डॉक्टरों के असफल रहने के कारण मुझे अस्पताल जाना पड़ा। वहाँ भी कई विशेषज्ञों से पाला पड़ा। एक हज़रत थे जो मेरे स्थान पर मेरी बीवी का निरीक्षण करना चाहते थे और वह भी पर्दे के पीछे। जब उन्हें यह अलिखित सूचना दी गयी कि बीमार मैं हूँ न कि मेरी बीवी तो उन्हें काफ़ी निराशा हुई। मेरी जाँच-पड़ताल के बाद मनोरोग के चिकित्सकों ने भारी बहुमत से यह तय किया कि मुझे अस्पताल में भरती होना पड़ेगा। उनके इस निर्णय से मुझे काफ़ी सुख मिला। सुखी होने के दो कारण थे; एक तो यह कि अस्पताल में मुझे अकेला ही रहना था और दूसरा यह कि जिस लेडी डॉक्टर के सिपुर्द मैं किया गया वह वाक़ई काफ़ी ख़ूबसूरत थी।

जीवन में पहली बार पता लगा कि अस्पताल नामक स्थान में प्रवेश पाना और एक बार प्रवेश पाकर वहाँ से निकलना एक ऐसी कड़ी तपस्या है कि काफ़ी लोग जो हैं वे तो इस तपस्या के करते-करते ही इस असार संसार को त्याग देते हैं। न जाने कितने फ़ार्म भरने पड़े, क़तारों में घण्टों तक खड़ा रहना पड़ा, ज़मानत जमा करनी पड़ी, सोते बाबुओं को नींद की गुफ़ा में से निकालना पड़ा और तब कहीं जाकर अस्पताल में प्रवेश मिला। मैं ख़ुशी-ख़ुशी वार्ड में गया और अपने बेड पर लेट गया। खिड़की भी पास ही थी और बाथरूम भी पास ही था। मैंने तय किया कि अपना आधा वक़्त खिड़की के सहारे गुज़ारूँगा और आधा बाथरूम के सहारे। एकदम सात्विक और सन्तुलित जीवन। मगर थोड़ी ही देर में पता लगा कि मानसिक रोगियों के वार्ड में रहना ज़रूरत से कुछ ज़्यादा ही दिलचस्प होता है। मेरी बग़ल वाले मरीज़ अपने आपको आगा खाँ समझते थे और हरएक आने-जाने वाले को काग़ज़ का एक कोरा टुकड़ा बतौर चेक के पेश करते थे। सामने वाले पलँग पर एक स्त्री थी जो अपने पति को पिता और पिता को पति समझती थी। असलियत क्या थी, यह ख़ुदा जाने। एक और हज़रत थे जो अपने को गामा और जिबिस्को दोनों का संयुक्त संस्करण समझते थे और हरएक आने-जाने वाले को हर वक़्त, कुश्ती के लिए ललकारते रहते थे। एक साहब जो शायद कभी इंजीनियर रह चुके थे, मेरे पास तशरीफ़ लाये और उस अस्पताल की इमारत की कमियों पर प्रकाश डालने लगे। थोड़ी देर बाद उन्होंने मुझे सलाह दी कि आओ, आज की रात इस इमारत को बम से उड़ा दें। मैंने उनसे सहमति प्रकट की और नतीजा यह रहा कि वे मेरे दोस्त हो गये और उन इमारतों की सूची देने लगे जिन्हें वह बमों के सहारे अब तक उड़ा चुके थे। जहाँ तक मुझे याद पड़ता है, उनके द्वारा उड़ायी गयी इमारतों की सूची में आगरा का ताजमहल और हैदराबाद की चार मीनार भी शामिल थीं। सबसे ज़्यादा हैरत तो उस वक़्त हुई जब कि एक बुज़ुर्गवार क़िस्म के इंसान काफ़ी दूर से उठकर मेरे पास आये और मुझे छाती से लगाकर ज़ोर-ज़ोर रोने लगे। उनके विचार में मैं उनका दामाद था जो बरसों पहले लापता हो चुका था।

ख़ैर, यह सब तो चलता रहा मगर मुझे जो चिन्ता हुई वह इस मुद्दे को लेकर हुई कि इतने घण्टे बीत गये और मुझे देखने कोई डॉक्टर नहीं आया। सुबह के आठ बजे से बिस्तर पर बैठे-बैठे दोपहर के दो बज गये। पूछताछ करने मैं ड्यूटीरूम में गया जहाँ शूर्पणखा जैसी एक महिला विराजमान थी। इतनी विशालकाय स्त्री उस तन्वंगी कुर्सी पर कैसे बैठी होगी, यह सोचकर मैं ख़ासी परेशानी में पड़ गया। सौभाग्य की बात यह रही कि मुझे तो वह स्त्रीरत्न शूर्पणखा जैसी प्रतीत हुई पर उसे मुझमें लक्ष्मण जैसे कोई लक्षण दृष्टिगोचर नहीं हुए और इसी कारण उसने मुझसे कोई प्रणय-निवेदन नहीं किया। उसने बड़ी तीखी और गगनभेदी ध्वनि में मुझे सूचना दी कि फ़िलहाल सारे डॉक्टर लंच पर हैं, उसके बाद एक कान्फ्रेंस होनी है और

फिर एक सेमिनार होना है। इस सारे ज़रूरी कार्यक्रम के सम्पन्न होने के बाद मेरी केस-स्टडी जैसे मामूली मामले हाथ में लिये जायेंगे। सूचना देने के उपरान्त उसने मुझे उसी आकाशभेदी स्वर में अपने बिस्तर पर वापस जाने की आज्ञा दी जिसका मैंने तुरन्त पालन किया। भूखा-प्यासा मैं अपने बेड पर शाम तक पड़ा रहा पर मेरा हाल पूछने वहाँ कोई हातिमताई या उसका बच्चा नहीं आया। न कोई ओषधि, न कोई पथ्य, न कोई उपचार। इस बीच वार्ड में रोगियों के जो प्रोग्राम थे वे बराबर चलते रहे। एक सज्जन को संगीत का दौरा पड़ गया और वे स्वर्गीय कुन्दनलाल सहगल की तर्ज़ में एक भजन गाने लगे। धीरे-धीरे भजन जो था वह कव्वाली के रूप में बदलने लगा। हथेलियों की जगह ये महान् संगीतकार अपने जूते आपस में पीटते थे। समाँ बँध गया। धीरे-धीरे सात बज गये।

सात बजे के बाद वह लेडी डॉक्टर प्रकट हुई। थी तो वह अब भी उतनी ही सुन्दर जितनी कि पिछले दिन थी, पर इस वक़्त वह काफ़ी थकी हुई लगती थी। इतनी थकी हुई कि यदि उसे मैं नहीं सँभालता तो वह मेरे ऊपर ही गिर पड़ती। वह मुझे एक अलग कमरे में ले गयी और एक विशालकाय फ़ार्म पर मेरा 'बायोडाटा' और 'केस-हिस्ट्री' लिखने लगी। मेरा जन्म, जन्म का कारण, बचपन, प्रथम प्रेम, विवाहित जीवन, पिछली बीमारियाँ, गुप्त रोग और पता नहीं क्या-क्या सब कुछ उस फ़ार्म में दर्ज़ किया गया। मेरी आत्मकथा लिखने के बाद उसने मुझसे विदा ली और कहा कि कल से बाक़ायदा इलाज शुरू हो जायेगा।

इसके बाद कल भी आ गया। प्रतीक्षा करने से और ख़ासकर उस वार्ड के वातावरण से मैं ऊबता जा रहा था। मगर यक़ीन कीजिए कि वह दिन भी बीत गया और मेरे पास कोई डॉक्टर नहीं आया मैं फिर ड्यूटीरूम में गया। आज वहाँ शूर्पणखा नहीं बल्कि तिलोत्तमा बैठी थी। उसने मुसकुराते हुए मुझे यह ख़ुशख़बरी दी कि जो लेडी डॉक्टर मेरे लिए तय की गयी थी, उसके बच्चा होने वाला है और फ़िलहाल वह ख़ुद नर्सिंग होम में भरती है। नया डॉक्टर अभी तय नहीं हो पाया है मगर ऐसे किसी डॉक्टर की तलाश बराबर जारी है जिसके कि निकट भविष्य में बच्चा पैदा होने की आशा न हो। बड़ी शोख़ी के साथ उसने मुझे बिस्कुट दिये, चाय पिलायी और फिर एक अच्छे बच्चे की तरह अपने बेड पर वापस जाने की नेक सलाह दी। मैंने उस रसवन्ती की आज्ञा का पालन किया और वार्ड में चला गया। यह तानसेन की औलाद इस वक़्त बड़े गुलाम अली खाँ की तर्ज़ पर एक शास्त्रीय संगीत की धुन निकाल रही थी और पास बैठे एक सज्जन की दाढ़ी का प्रयोग सितार के स्थान पर किया जा रहा था। शास्त्रीय संगीत के बाद वे एक लोकगीत गाने लगे जो कि लोकगीत कम और शोकगीत ज़्यादा था। मैं चारपाई पर लेटा रहा और उस तिलोत्तमा-छाप नर्स की याद में आहें भरता रहा।

इसके बाद भी कुछ नहीं हुआ। बस वही होता रहा जो रोज़ होता था। जमादार

मरीज़ों को डाँटता रहा, नर्सें जमादार को डाँटती रहीं, मेट्रन जो थी वह नर्सों को डाँटती रही और ड्यूटी-डॉक्टर जो था बड़े निःसंग भाव से अपना वुडहाउस पढ़ता रहा। मरीज़ चिल्लाते रहे, एक की दवा दूसरे को दी जाती रही और धीरे-धीरे ऐसा लगने लगा कि या तो हम लोग बजाय इंसान के कोई जानवर हैं या फिर किसी भयंकर अपराध के सन्दर्भ में अस्पताल के बजाय ज़िला जेल में आ पहुँचे हैं। कभी-कभी मेडिकल कॉलेज के कुछ छात्र भी वार्ड में आये और हम लोगों को इस प्रकार देखते रहे जैसे कि आप चिड़ियाघर में कंगारू को देखते हैं। ख़ैर, जब तीसरे दिन भी कोई डॉक्टर मुझे देखने नहीं आया तो मैं फिर ड्यूटी-रूम की दिशा में गया। कुमारी शूर्पणखा जो थीं वे लंकापुरी से लौट आयी थीं। मैंने उनसे सिर्फ़ यह दरयाफ़्त किया कि मैं अस्पताल छोड़ कैसे सकता हूँ। उन्होंने बड़ी भद्रता के साथ बताया कि लाश बाहर ले जाने के लिए सात फ़ार्म और ज़िन्दा आदमी को बाहर ले जाने के लिए तीन फ़ार्म भरने पड़ते हैं और ये फ़ार्म निश्चित घण्टों के अन्दर रजिस्ट्रार के दफ़्तर से प्राप्त होते हैं। फ़ार्म काफ़ी विस्तृत हैं और कुछ मतिमान लोग उन्हें सही भरने की प्रक्रिया के दौरान अपना दम भी तोड़ चुके हैं। हौसला बढ़ाते हुए उन्होंने यह भी बताया कि ज़्यादा घबराने की हर्गिज़ कोई ज़रूरत नहीं थी क्योंकि श्मशान जो था वह अस्पताल से एकदम लगा हुआ था। मुझे इतनी सान्त्वना देने के बाद वे अपने किसी प्रेमी से बातचीत करने के लिए फ़ोन मिलाने लगीं।

कुमारी शूर्पणखा की प्रेम-वार्ता सुनकर लक्ष्मण के हौसले पस्त हो गये। मैं वापस अपने वार्ड में गया और बग़ैर जूते पहने ही अस्पताल के बाहर निकल आया। इसके पहले कि कोई पुलिस को टेलीफ़ोन करे, मैंने एक टैक्सी ली और अपने एक साहित्यिक मित्र के यहाँ पहुँचा। उसने मेरी पूरी दास्तान सुनी और बताया कि अस्पतालों में दुख और दर्द रोज़ देखते-देखते डॉक्टर और नर्स इतने संगदिल हो जाते हैं कि उतनी संगदिल तो रीतिकालीन कवियों की प्रेमिका भी कभी नहीं होती थी। इस तर्क की पुष्टि करने के लिए मेरे मित्र ने अपने नये उपन्यास की कोई तीन सौ पृष्ठ की पाण्डुलिपि निकाली और मुझे सुनानी शुरू कर दी। क़िस्सा इतना दर्दनाक निकला कि कोई पन्द्रह पृष्ठ सुनने के बाद ही मुझे नींद आ गयी। प्राकृतिक चिकित्सा और उसमें अस्पताल और साहित्य का योगदान—ये दोनों बातें मैं एक साथ ही समझ गया और ऐसा समझा कि इंशा अल्लाह अब ज़िन्दगी भर नहीं भूलूँगा।

छड़ी लेकर आने पर

अभी-अभी उस दिन एक प्रदेश की विधानसभा में इसी बात को लेकर काफ़ी हंगामा खड़ा हो गया कि एक सम्मानित सदस्य वहाँ छड़ी लेकर क्यों आये। लोग भूल गये कि नेवाइल चेम्बरलेन हाउस ऑफ़ कॉमन्स में हमेशा छाता लेकर जाया करते थे। छाता और छड़ी ही क्या, देशभक्त भगतसिंह ने तो केन्द्रीय असेम्बली में बम तक फेंका था। इसी प्रकार संयुक्त राष्ट्रसंघ की बैठक में संसार के एक महान् नेता ने टेबुल पर जूता निकालकर रखा था– ठीक उसी प्रकार जैसे प्रेमी जो होता है वह प्रेमिका के सामने अपना कलेजा निकालकर रखता है। सदन में पेश किया गया यह जूता एक सच्चे और ठोस क़िस्म का जूता था; सांकेतिक जूता नहीं जिसका प्रयोग जूतों में दाल बाँटना वग़ैरह मुहावरों में किया जाता है। यह तो शक्ति का प्रतीक सच्चा जूता था– ठीक वही जूता जिसका कि ज़िक्र कवि ने कभी यह कहकर किया था कि 'मुल्क में मज़मून फैला और जूता चल गया।' ख़ैर, विधानसभा के उन माननीय सदस्य ने जब यह कहा कि वह छड़ी उनके साथ ही वापस चली जायेगी तो लोग-बाग हँसने लगे गोया कि उस सम्मानित नागरिक को अपनी चल सम्पत्ति पर कोई अधिकार ही न हो। वे भूल गये कि पिछली सरकार के एक व्यक्ति ने रक्षा विभाग से पाँच सौ पिस्तौलें केवल इस शुभ विचार से माँगी थीं कि चुनावों को शान्तिपूर्ण रखा जा सके। आत्मरक्षा के अतिरिक्त छड़ी या डण्डा राजनीति में वैसे भी सदा से अनिवार्य होते आये क्योंकि चार्वाक् के अनुसार 'दण्डनीतिरेव विद्याः अत्र वार्ता अन्तर्भवति।' इतिहास में राजदण्ड इसी कारण सदा से अमर रहा क्योंकि वह शक्ति का प्रतीक था। विधानसभा में ज़िम्मेदार सदस्य यदि छड़ी लेकर न जायेंगे तो क्या तुलसी का बिरवा लेकर जायेंगे?

छड़ी से बात क्या चली कि डण्डे तक आ गयी। एक प्रवेश में विधायकों के दल में लाठियाँ चलीं और वह भी तब जब कि बाबू जयप्रकाश नारायण सीन पर बदस्तूर मौजूद थे। मगर विधायक लोग कोई डाकू थोड़े-ही थे जो आत्मसमर्पण करते। वे लड़े और कसकर एक के बाद एक रचनात्मक कार्यक्रम प्रस्तुत करते रहे। सारे दुश्मन कोई गाँधीजी की भाँति थोड़े ही होते हैं कि 'पिटे ख़ूब और सिर न उठाये, और खिसक

जायें जब कहो खिसको'। लाठियाँ चलीं और ख़ूब चलीं। कवि के अनुसार– 'मिली जब उनसे नज़र, बस रहा था एक जहाँ; हटी निगाह तो चारों तरफ़ थे वीराने'। 'जिसकी लाठी उसका विधायक' वाली पुरानी कहावत मज़ा दे गयी। आपत्काल में पुलिस थी जो लाठी चलाती थी पर अब पुलिस तो हो गयी निकम्मी; अब तो ये सारे काम जनता के सम्मानित प्रतिनिधियों को ख़ुद ही करने पड़ेंगे। वैसे भी–कर ही क्या सकते थे वे लाठी चलाने के सिवा। कुछ के दिल पर चोट आयी और कुछ के ज़िस्म पर। ख़ैर, दर्द जो होता है वह हर क़िस्म का ठीक होता है; इक सितमगर तू वजहे-सद-ख़राबी तेरा दर्द, इक बलाकश मैं कि तेरा दर्द काम आ ही गया। बाबू जयप्रकाश सर्वोदयी विचारों में खो गये और शायद यह शेर पढ़ते-पढ़ते मजलिस से चले गये–'थरथराते लब पे कुछ दम तोड़ते शिकवे लिये, लड़खड़ाता फिर तेरी महफ़िल से जा सकता हूँ मैं'। वे शायद भूल गये कि बकौल शायर के 'उसे जीना नहीं आया, जिसे मरना नहीं आया'। एक महान् देश के सम्मानित विधायक अगर लाठी नहीं चलाएँगे तो क्या ज़ुबान चलाएँगे? वे क़त्ल करेंगे और उसकी चर्चा भी नहीं होगी जब कि जयप्रकाश बाबू आह भरेंगे और बदनाम भी होंगे। हवा बदल गयी है ऐसी कुछ ज़माने की, दुआएँ माँगता हूँ होश में न आने की।

आज़ादी के बाद और कुछ बढ़ा हो या न बढ़ा हो, विधायकों का उत्पादन, क्या निजी क्षेत्र और क्या सार्वजनिक क्षेत्र–दोनों में बेतहाशा बढ़ा है। ये लोग चुनाव के दिनों पैदा होते हैं, पाँच साल ज़िन्दा रहते हैं, जश्न मनाते हैं और फिर मर जाते हैं। जो कोई ज़्यादा बेशरम और बहादुर होता है वह वज़ीर बन जाता है। 'हक़ीक़त में वे बुलबुल हैं मगर चारे की ख़्वाहिश में, बने हैं मिम्बरे कौंसिल यहाँ मिट्ठूमियाँ होकर'। वैसे यह भी कहना मुश्किल है कि असलियत में वे बुलबुल ही हैं। बकौल शायर के– 'मार्च में बुलबुल हूँ और जुलाई में परवाना हूँ, जैसा मौसम हो मुताबिक उसके मैं दीवाना हूँ'। जनता के प्रतिनिधि वास्तव में क्या होते हैं, इसका पता किसी रसायनशास्त्री को आज तक नहीं लगा। वे सभा के अन्दर हाथ उठाते हैं और बाहर टाँग। वे देश को अनुशासन से रहने की सलाह देते हैं और ख़ुद लाठी चलाते हैं। अन्दर वे क़ानून बनाते हैं और बाहर वे यह सिखाते हैं कि उसे तोड़ा कैसे जाए। इनमें से एकाध ऐसा भी कोई शालीन व्यक्ति होता है जिसे बोलना नहीं आता। स्पीकर ज़्यादातर ऐसे ही व्यक्ति को बनाया जाता है। पेशे की मजबूरी जो ठहरी।

लाठियाँ चलाने या मेज़ पर जूता रखने का यह अर्थ नहीं कि प्रजातन्त्र के इन खम्भों के भीतर दिल नहीं होता। यह धारणा ग़लत है। इन लोगों के दिल होते हैं और एक से ज़्यादा होते हैं। एक दिल चुनाव क्षेत्र में जनता के पास रहता है, एक दिल कालाबाज़ार करने वाले सेठजी की तिजोरी में जमा रहता है और बाक़ी दिल जो होता है वह हुस्न और इश्क़ की आग में जलता रहता है ताकि तपकर सोना बन सके। इनमें से कुछ साहित्य-प्रेमी भी होते हैं और कुछ कलाकार भी। ग़लती से

पब्लिक कभी-कभी किसी ईमानदार व्यक्ति को भी चुन लेती है पर वह बाद में ठीक हो जाता है। वे दल बदलते हैं, तेवर बदलते हैं और निगाहें भी बदलते हैं। उनमें से हरेक की क़ीमत होती है; नाकारा कोई नहीं होता। कभी-कभी ऐसी परिस्थितियाँ भी आती हैं कि पुराने साथी छोड़ने पड़ते हैं। डार कूँजो की बादल चीर गया, यों साथ बिछुड़ चले। ये लोग देश की सेवा में ख़ून-पसीना एक कर देते हैं; पसीना इनका होता है और ख़ून पब्लिक का।

इस छोटे से मज़मून को पढ़कर आप अपनी तबीयत छोटी न करें। मैं ख़ुद भी कोई विधायक नहीं हूँ। बकौल शायर के अकबर ये ग़ज़ल मेरी है, अफ़साना किसी का। मैं तो इन सम्मानित लोगों के बारे में अख़बार में पढ़ता हूँ और मुसकराता हूँ। अगर ये न होते तो वाक़ई ज़िन्दगी कितनी नीरस हो जाती। ये महानुभाव हैं कि अपने अस्थि-चर्ममय देह की परवाह न करके अधेड़ अवस्था में लाठियाँ चलाते हैं, मेज़ पर जूता पेश करते हैं और देश के लिए और जो कुछ त्याग भी अपेक्षित हो, वह भी करते हैं। अगर आप विधायक हैं तो भी नाराज़ होने की कोई ज़रूरत नहीं; मैं तो आम विधायक की बात कर रहा हूँ, किसी ख़ास की नहीं। आपने यह लेख पढ़ा है तो आप बुद्धिजीवी विधायक हैं। बुद्धिजीवी विधायक उसे कहते हैं जो साक्षर होता है और जो अँगूठा लगाकर पेंशन नहीं लेता। और सबसे बड़ी बात तो यह है कि आख़िरकार विधायक लोग आते कहाँ से हैं? उनकी कोई अलग फ़सल थोड़े ही बोयी जाती है; वे सब हमी में से आते हैं। अगर हम ही बौने हैं तो वे कहाँ से लम्बे होंगे? और हमारी जो हालत है वह सबको मालूम ही है। जिस तरह चाहे बजा लो इस सभा में, हम नहीं हैं आदमी, हम झुनझुने हैं। ख़ैर, ग़लतफ़हमी दूर करने के लिए अन्त में फिर से अर्ज़ करता हूँ :

जफ़ा के ज़िक्र पर तुम क्यों सँभलकर बैठ गये
तुम्हारी बात नहीं, बात है ज़माने की

क्लर्क

हमारे समाज से वर्ण-व्यवस्था भले ही उठ जाए, पर हमारे दफ़्तरों से वह कभी नहीं उठेगी। यह तो सम्भव है कि एक हरिजन और एक पतितपावन ब्राह्मण साथ बैठकर भोजन कर लें पर यह कदापि सम्भव नहीं है कि दफ़्तर के बड़े साहब और छोटे बाबू साथ बैठकर चाय पी लें। क्लर्क को तो इसी वर्ण-व्यवस्था में जीना पड़ेगा, और कोई चारा नहीं। मैं लगभग चौबीस वर्षों से एक अफ़सर के नाते क्लर्कों से जुड़ा हुआ रहा हूँ और उसी अनुभव के आधार पर उनके बारे में आज कुछ कहूँगा। चेखव एक निराशावादी कलाकार थे, उन्होंने एक क्लर्क की मौत को लेकर एक व्यंग्य रचना लिखी थी। मैं एक आशावादी लेखक हूँ और इस कारण क्लर्क की मृत्यु पर नहीं; बल्कि उसकी ज़िन्दगी को लेकर कुछ कहूँगा। वैसे यह भी शायद असलियत ही है कि एक ईमानदार और कार्य तत्पर क्लर्क की ज़िन्दगी और मौत में कोई ख़ास फ़र्क़ नहीं होता। बहरलाल चेखव और मेरे बीच जो बुनियादी फ़र्क़ है, वह मैंने साफ़ कर दिया। चेखव और मेरे बीच यह अन्तर सदा से रहा।

स्थिति जो है वह यह है कि बरखुरदार जब तक कॉलेज या युनिवर्सिटी में पढ़ते हैं तब तक वे लाला लाजपत राय, लाला हरदयाल, या लाला अमरनाथ बनने की सोचते हैं और इसी प्रकार जो कला-प्रेमी छात्र होते हैं वे दिलीपकुमार, अशोककुमार या किशोरकुमार बनने की योजना बनाते हैं। दूसरों की क्या बात करूँ, मैं स्वयं कभी जयप्रकाश नारायण बनने के सपने देखा करता था। यह तो कॉलेज छूटने के बाद पता चलता है कि न आप लाला बनने की स्थिति में हैं और न कुमार। और इस पर घर वालों का तकाजा कि आप जल्दी कोई धन्धा करें और घर की सहायता करें। तब आपकी आँखें खुलती हैं और आप सोचते हैं कि 'ग़म और भी हैं ज़माने में मुहब्बत के सिवा'। परिणाम यह रहता है कि आप भारतीय प्रशासन सेवा से शुरू करके तम्बाकू की इंस्पेक्टरी तक के सारे इम्तिहानों में बैठते हैं और अन्त में चलकर किसी दफ़्तर में बाबू हो जाते हैं। क्लर्कों का जन्म सदा से इसी भाँति होता आया।

दफ़्तर में आकर नये बाबू की ठीक वही स्थिति होती है जो कि पिंजरे में किसी

जंगली पक्षी की या काँजी हाउस में हरियाणा के किसी साँड़ की। वह दफ़्तर से विरक्त होता है और उसका एक अदद दिल जो होता है वह अभी कॉलेज के कम्पाउण्ड की स्मृतियों में ही खोया रहता है। वे मज़ाक़ पसन्द प्रोफ़ेसर, वे खुले-दिल दोस्त और वे साथ पढ़ने वाली सुन्दर लड़कियाँ। वह क्लर्क होने के बाद भी देवानन्द जैसे बाल रखता है, विवेकानन्द जैसी दृढ़ मुद्रा रखता है और स्वामी दयानन्द की भाँति हर किसी से हर समय शास्त्रार्थ यानी कि हाथापाई को तैयार रहता है। पर खेद की बात यह है कि धीरे-धीरे उसे इन क्रियाओं में भी आनन्द नहीं आता। देवानन्द, विवेकानन्द और दयानन्द में जो आनन्द वाला अंश होता है वह ग़ायब होता जाता है। वह अभी भी बढ़िया सिगरेट पीता है और सिनेमा जाता है मगर पहले वाली बात अब नहीं रहती। वह दफ़्तर के बड़े साहबों को गालियाँ देता है, उनसे नफ़रत करता है जिसका कारण यह है कि वे तो बड़ा साहब हैं और वह है सिर्फ़ एक बाबू। किसी-किसी हालत में बाबू जो होता है वह साहब से कहीं ज़्यादा पढ़ा-लिखा, परिश्रमी और ईमानदार होता है पर इस तक़दीर को क्या कहा जाए जिसमें क्लर्क होना ही लिखा था। इसी आक्रोश के कारण नये बाबू ट्रेड यूनियन को मज़बूत करते हैं, अन्याय का विरोध करते हैं, अफ़सर का घेराव करते हैं और भूख-हड़ताल पर बैठते हैं। भूख-हड़ताल प्रायः सांकेतिक ही रहती है और कुल मिलाकर कोई भी बाबू तीन या चार घण्टे से ज़्यादा भूखा नहीं रहता। इस अवधि के बाद, पहला बाबू हट जाता है और उसकी जगह कोई दूसरा बाबू भूख-हड़ताल पर बैठ जाता है। वे दिशाहीन होते हैं और उनकी इस दशा को राजनीतिक पार्टियाँ जो होती हैं वे दिशा प्रदान करती हैं। नया बाबू अब भी चेखव, रूसो और मार्क्स को पढ़ता है और दुखी होता है। वह पहली बार समझता है कि 'तुझसे भी दिल फरेब हैं ग़म रोज़गार के'। इन ग़मों का वह जितना भी विरोध करता है, उतना ही इनमें फँसता जाता है। वह दस बजे आता है, साइकिल को स्टैण्ड पर खड़ी करता है, बाक़ी बाबुओं और फ़ाइलों से भरी बैरक में जाता हे और पाँच बजे तक के लिए अपनी कुर्सी में क़ैद हो जाता है। मौत का इलाज है फ़िराक़, ज़िन्दगी का कोई इलाज नहीं।

धीरे-धीरे स्थिति यह रहती है कि या तो नया बाबू कुछ दिनों बाद नौकरी छोड़ देता है या फिर परिस्थितियों से समझौता कर लेता है। बाक़ी समयसिद्ध बाबुओं की भाँति वह भी उसी हालत में आ जाता है कि कर क्लर्की, खा डबलरोटी, ख़ुशी से फूल जा। उसे भी अनुशासन में रहने की आदत पड़ जाती है और वह भी बड़े साहब की इज़्ज़त और ख़ुशामद करने में जुट जाता है। वह शतरंज के पिटे हुए मोहरे की भाँति संसार से अलग हो जाता है। जहाँ नया बाबू दफ़्तर से विरक्त रहता है, वहाँ पुराना बाबू जो होता है वह दफ़्तर को छोड़कर शेष संसार से विरक्त हो जाता है। वह सिर्फ़ दफ़्तर की ही बात करता है, वह अफ़सर के रोमांस की चर्चा करता है, स्टेनोग्राफ़र से दोस्ती की कोशिश करता है और बाक़ी वक़्त में अपने

साथियों का गला काटता है। वह समझ जाता है कि ये जो नियम, उपनियम और अधिनियम इत्यादि हैं वे एक तरफ़ हैं और साहब और उनकी मेमसाहिबा जो हैं वे दूसरी तरफ़ हैं और सारे नियमों, उपनियमों और अधिनियमों के ऊपर हैं। प्रमोशन और दौरा साहब देता है, न कि क़ानून की किताब। वह विद्रोह भूल जाता है और उसके स्थान पर भाग्य, पूर्वजन्मों के कर्म, ज्योतिष तथा पूजापाठ में अपने को समर्पित कर देता है। घर पर सत्यनारायण की कथा होती है जिसमें कलावती नाम की एक अति सुन्दर कन्या की चर्चा की जाती है। वह अपने कमरे में पहले भगतसिंह और चन्द्रशेखर आज़ाद के चित्र टाँगा करता था पर अब वह वहाँ दुर्गामाता और हनुमान जी के चित्र टाँगता है। वह दफ़्तर में या तो ओवरटाइम, पेंशन, प्रॉविडेण्ट फण्ड और इन्क्रीमेंट का हिसाब लगाता है या फिर आराम से मेज़ पर टाँग फैलाकर 'क़िस्सा चार दरवेश' पढ़ता है। पहले वह कसरत करता था, मगर अब वह केवल या तो व्रत करता है या फिर कोई कीर्तन। छुट्टी के दिन वह बड़े साहब के घर जाता है, जी-हुज़ूरी करता है और उनके कुत्ते से दोस्ती गाँठता है। अब वह सिगरेट नहीं पीता, अब वह बीड़ी पीता है और खैनी खाता है। 'सादा जीवन और सादे विचार' वाला जो सिद्धान्त है वह कभी ग़लत नहीं निकलता। कुछ बाबू लोग तो अपनी स्थिति से इतना ज़्यादा सन्तुष्ट हो जाते हैं कि वे अवसर आने पर भी अफ़सर नहीं बनना चाहते। बकौल शायर के हरएक रंज में राहत है आदमी के लिए, पयामे मौत भी मुज्दा है ज़िन्दगी के लिए।

पिछले दिनों एक वरिष्ठ मन्त्री ने कहा था कि यदि कोई ग़लत रक़म चपरासी को दी जाती है तो वह बख़्शीश कहलाती है, यदि किसी बाबू को दी जाती है तो दस्तूर कहलाती है, यदि किसी नेता को दी जाती है तो उसे पार्टी के लिए चन्दा कहकर पुकारा जाता है और यदि वही रक़म किसी अफ़सर को दी जाती है तो रिश्वत कही जाती है। कितनी सुन्दर परिभाषा है जिसके अनुसार देश में सिवा अफ़सर के और कोई रिश्वत ले ही नहीं सकता। हाँ तो, कुछ बाबू ऐसे भी होते हैं जो दस्तूर लेने की इस प्रथा को बदस्तूर निभाते हैं। जो ज़्यादा ऊँचे कलाकार हैं वे कभी-कभी इलाज और भत्ते वग़ैरह के झूठे बिल भी बनाते हैं और राष्ट्र को धोखा देते हैं। मगर यहाँ प्रश्न यह उठता है कि राष्ट्र ने उनके लिए किया ही क्या है? विश्वविद्यालय तक पढ़े और बाद में चलकर मुंशीगीरी मिली और वह भी आसानी से नहीं। और सच्ची बात तो यह है कि इसी बाबू वर्ग में न जाने कितनी ऐसी प्रतिभाएँ छिपी पड़ी हैं जिन्हें अगर वसन्त की हवा लगती तो वे खिलकर फूल हो जातीं। शरत् बाबू एकाउण्टेण्ट जनरल के दफ़्तर में क्लर्क ही तो थे और चार्ल्स लैम्ब क्या था, वह भी तो ईस्ट इण्डिया कम्पनी के लन्दन-स्थित दफ़्तर में एक छोटा-सा बाबू ही था।

एक दिन आता है कि बाबू जो है वह मर जाता है। अगर यह क्रिया दफ़्तर ही में सम्पन्न की जाती है तो उसकी प्रतिक्रिया बड़ी अजीब होती है। कुछ लोग दुखी

होते हैं और कुछ लोग ख़ुश होते हैं क्योंकि मृत्यु के तुरन्त बाद दफ़्तर में छुट्टी हो जाती है। सच्ची बात तो यह है कि यह ख़ुशी कभी-कभी अफ़सरों को भी होती है। शोक-प्रस्ताव पढ़ा जाता है, दो मिनट मौन रखा जाता है और उसके बाद बन्दा जो है वह ख़ुशी-ख़ुशी शाम को क्लब में ब्रिज खेलने का प्रोग्राम बनाता है। ख़ाकसार गराज से गाड़ी बैक करता है और घर जाते अकबर इलाहाबादी का शेर गुनगुनाता है–

हम क्या कहें अहबाब
जो कारे–नुमायाँ कर गये :
बी.ए. हुए, नौकर हुए
पिंशन मिली, फिर मर गये।

अचरज ही अचरज

पुराने ज़माने में सारे संसार में सात आश्चर्य होते थे। आठवाँ आश्चर्य कभी कोई नहीं हुआ। बात दरअसल यह थी कि पुराने ज़माने में आश्चर्य क्या, सारी चीज़ें सात ही होती थीं। संगीत में सात स्वर होते थे, सप्ताह में सात दिन होते थे और सप्तर्षि नाम के जो नक्षत्र थे वे भी सात ही होते थे। सप्तर्षि आज भी सात ही हैं जिनसे पता लगता है कि सौरमण्डल में दल-बदल की प्रथा अभी नहीं आयी। पुराने ज़माने में लोक-कथाओं के अनुसार राजाओं के प्रायः सात राजकुमार होते थे जो अपने योग्य कन्या का पता लगाने सात समन्दर पार कहीं जाया करते थे जहाँ राक्षस को मारा जाता था और परी से शादी की जाती थी। सिन्दबाद ने भी कुल मिलाकर सात यात्राएँ कीं और कुमारी हुस्नबानू ने हातिमताई से जो सवाल पूछे वे भी गिनती में सात ही थे। कितनी शरीफ़ लड़की थी कि इतनी हसीन होने पर भी सिर्फ़ सात ही सवाल पूछती थी; एक आज की लड़कियाँ हैं जो रूप में तो कुमारी शूर्पणखा की छोटी बहन लगती हैं पर सवाल हज़ार पूछती हैं। और सवाल भी ऐसे कि हातिमताई तो क्या, उसका बाप भी उनका उत्तर नहीं दे सकता। शादियों में वर और वधू अग्नि की सात बार परिक्रमा करते थे और अगर कोई दान दिया जाता था तो वह उड़द के सात दानों के साथ दिया जाता था। इसी प्रकार अगर किसी सलौने बालक की या रूपवती कन्या की नज़र उतारी जाती थी तो उसमें भी सात मिर्चें ही जलायी जाती थीं। यदि किसी युवती विशेष के किसी कारण सन्तान नहीं होती थी तो वह प्रायः सात गाँवों में आग लगाया करती थी जिसके कारण उसके बच्चा हो जाता था। बच्चा पैदा करने की इस वैज्ञानिक पद्धति पर खोज होनी अभी बाक़ी है। इन दिनों लड़कियाँ सात गाँव नहीं जलातीं, वे सात पति करती हैं। बहरहाल सात की गिनती का प्रयोग करना अभी भी जारी है। धर्मवीर भारती ने अपना कविता-संग्रह 'सात गीत वर्ष' नाम से छपवाया और अज्ञेय ने तार सप्तकों के लिए जो कवि छाँटे वे भी सात-सात ही रहे।

बहरहाल फ़िलहाल जो स्थिति है वह यह है कि आश्चर्यों का सात की गिनती

से किसी प्रकार का कोई नैतिक या अनैतिक सम्बन्ध नहीं रहा। जिधर देखिए उधर आश्चर्य ही आश्चर्य नज़र आते हैं। हिन्दी के समीक्षक नये लेखकों की किताबें पढ़ने लगे हैं और जब से अज्ञेयजी को ज्ञानपीठ पुरस्कार मिला है, तब से क्या शमशेर बहादुर सिंह और क्या नागार्जुन और बच्चन, सभी ने दाढ़ी पालनी शुरू कर दी है। शमशेरजी की दाढ़ी तो काफ़ी लहलहाती नज़र आती है; लगता है वे इसे नियमित रूप से खाद और पानी देते हैं और शायद निराई भी करते हैं। कभी-कभी दाढ़ी रखने की बात मैं भी सोचता हूँ। बात यह है कि दाढ़ी रखने से मौसम का पता बड़ी आसानी से लगता है। अगर आपकी लम्बी दाढ़ी हिलने लगे तो समझ लीजिए कि तेज़ हवा चल रही है और अगर बिना किसी कारण के दाढ़ी भीगने लगे तो आप निःसंकोच होकर यह सत्य स्वीकार कर लीजिए कि जिस क्षेत्र में आप खड़े हैं उसमें निश्चित रूप से वर्षा हो रही है। यही तो वह कारण है जिसकी वजह से वेदव्यास, सुकरात, अरस्तू, तुर्गनेव और तालस्ताय लम्बी-लम्बी दाढ़ी रखा करते थे। अगर ऐसा न होता तो तालस्ताय और बर्नार्ड शॉ जितनी देर दाढ़ी बढ़ाते रहे; उतनी देर में तो विश्व को एक क्लासिक और दे सकते थे। लेखकों के अलावा शेष कलाकार भी दाढ़ी पालते रहे और प्रख्यात संगीतकार बीथोवन की दाढ़ी तो एक बार उसके पियानो में ही उलझ गयी थी। लियोनार्डी द विंसी का एक चित्र उसकी दाढ़ी लग जाने से ख़राब हो गया था। कितना अच्छा हो कि हिन्दी के आलोचक दाढ़ी रखने लगें। ऐसा करने से दो फ़ायदे होंगे। एक तो यह कि बग़ैर किसी अतिरिक्त पूछताछ के यह पता लग जायेगा कि आलोचक-प्रवर स्त्री हैं या पुरुष और दूसरा फ़ायदा यह होगा कि यदि वे लेखक की टाँग खींचेंगे तो लेखक उनकी दाढ़ी खींचेंगा। सच कहता हूँ, मज़ा आ जायेगा। बीभत्स रस और हास्य रस मिलकर जिस करुण रस को सृष्टि करेंगे वह अपूर्व होगा। वही पन्तजी वाली बात जो उन्होंने 'ग्रन्थि' में कही थी– एक तो था पूर्व द्वितीय अपूर्व था। जो समालोचक दाढ़ी रखना चाहते हैं वे काका हाथरसी के साथ सम्पर्क स्थापित करें। उन्हें इस दिशाकर्म में काफ़ी अनुभव प्राप्त है और सज्जन होने के नाते वे किसी प्रत्याशी को निराश भी नहीं करेंगे।

बचपन से लेकर अब तक मैं बराबर यह सोचा करता था कि प्रेमी लोग जो अपना दिल किसी हसीन लड़की या नौजवान बाँके को दे देते हैं, वे ऐसा करने के बाद दिल के बिना ज़िन्दा कैसे रहते हैं। सच बात तो यह है कि इसी छोटे से डर के कारण मैंने अपना दिल कभी किसी को नहीं दिया। यहाँ तक कि निजी पत्नी को भी नहीं। मगर कल जो एक मेडिकल ग्रन्थ पढ़ा तो सारा रहस्य खुल गया। ओकासा युनिवर्सिटी के विशेषज्ञों के अनुसार ज़िन्दा रहने के लिए तो आधा दिल ही काफ़ी है और बाक़ी आधा दिल आप बड़ी तबीयत के साथ किसी को दे सकते हैं। ये जो शोख़ लड़कियाँ हैं जो न जाने कितनों का दिल

अपने पास इस तरह रखती हैं जैसे कि वे लड़की न होकर कोई क्लॉक-रूम हों, उसके पीछे यही रहस्य काम कर रहा है। इस लेख के लिखने के बाद अपना आधा दिल मैं भी किसी को दूँगा। एक और आश्चर्य की बात पढ़ी और वह यह थी कि कनाडा में एक युवती का यौन परिवर्तन हो गया। इस युवती के अब तक सतरह पति रह चुके थे पर वह उन्हें बराबर इस कारण तलाक़ देती रही क्योंकि वे उसे मातृत्व का सुख नहीं दे सके। बच्चों की याद में वह प्रत्येक पति के लिए एक के हिसाब से सतरह कुत्ते पालती थी ताकि यह याद रहे कि कितने पति उसे अब तक निराश कर चुके हैं। ख़ैर, जैसा कि पता चला, वह युवती धीरे-धीरे युवक बनती जा रही थी। जिस डॉक्टर ने उसके यौन-परिवर्तन को अन्तिम रूप दिया, उसके साथ भी हादसा हो गया। आपरेशन करते-करते उस कम उम्र ख़ूबसूरत डॉक्टर का ख़ुद भी यौन-परिवर्तन हो गया। वह लड़के से लड़की हो गया। मरीज़ और डॉक्टर ने शादी कर ली। भगवान ने जैसा सुख उन दोनों को दिया वैसा सब किसी को दे। मगर भगवान भी सबकी मदद नहीं करता। ढाका में एक व्यक्ति ने एक नौकरानी से छेड़खानी करनी चाही तो उस नौकरानी ने एक तेज़ चाकू से उस व्यक्ति के गुप्तांग ही काट लिये। न रहेगा बाँस, न बजेगा हारमोनियम। कैसी निर्दयी कन्या थी। मैंने ख़बर पढ़ी और सोचने लगा कि 'नानक दुखिया सब संसार'।

ऐसा नहीं कि सारे आश्चर्य विदेशों में ही घटित हो रहे हों और अपना देश एकदम अछूता बचा हो। हाल ही में रेलवे मन्त्रालय ने एक तान्त्रिक को सारे भारत में वातानुकूलित डिब्बे से रेल की यात्रा करने का पास जारी किया है। इस प्रकार का यह दूसरा पास है, पहला पास जो था वह भूतपूर्व राष्ट्रपति और फ़िलहाल अपनी पत्नी के पति श्री वराह वेंकट गिरि को जारी किया गया था। दूसरे शब्दों में भूतपूर्व राष्ट्रपति और एक तान्त्रिक में कोई अन्तर नहीं रहा। यह पास श्री राजनारायण की सिफ़ारिश पर जारी किया गया। राजनारायणजी का भी वाक़ई कोई जवाब नहीं। पिछले दिनों जब वे वायुयान से यात्रा कर रहे थे तो उनकी दुर्घटना हो गयी। वे बाल-बाल बचे। इसके बाद वे कार में बैठे मगर उसका और एक बस का कुछ ऐसा निकट सम्पर्क स्थापित हुआ कि कार जो थी वह टूट गयी। इसके बाद वे एक ट्रक में बैठे जो कि एक पेड़ से टकरा गयी। इसके बाद वे एक टेम्पू में बैठे मगर थोड़ी-सी यात्रा के बाद उसकी बत्ती फ़ेल हो गयी। बाक़ी सफ़र जो था वह रिक्शा में बैठकर तय किया गया। राजनारायणजी कहते हैं कि उनके केशों को राष्ट्रीय संग्रहालय में रख दिया जाए। मुझ नाचीज़ का सुझाव है कि समूचे राजनारायणजी को ही राष्ट्रीय संग्रहालय में बन्द कर दिया जाए। ऐसा करने से बहुतों का भला होगा। ख़ुद राजनारायणजी को जो सात साल वाली खुजली (सेविन ईयर इच) उठती है, ऐसा करने से शायद वह भी बन्द हो जायेगी।

इस प्रबन्ध के समाप्त करते-करते अपने ही देश 'जम्बूद्वीपे भरतखण्डे' का एक और आश्चर्य पढ़ने को मिला। ज़िला आज़मगढ़ में एक नारी ने नितान्त नंगे होकर रात भर हल चलाया ताकि इन्द्र देवता प्रसन्न हो सकें और वर्षा देवी को भेज सकें। इन्द्र देवता सदा से रंगीन तबीयत के रहे। मेरे ख़याल में यह युवती यदि दिन में भी नंगा होकर हल चलाए तो ज़िला और प्रान्त के नेता भी शायद प्रसन्न हो जाएँ। रंगीन-मिज़ाज़ी में वे इन्द्र से किसी भी प्रकार पीछे नहीं पड़ते।

एको रस करुणमेव

भवभूति ने ठीक ही कहा था कि इस असार संसार में करुण रस के अतिरिक्त और कुछ नहीं है। ये जो वीर रस और शृंगार रस जैसे बाक़ी क़िस्मों के रस हैं, अन्त में चलकर वे भी करुण रस को ही जन्म देते हैं। इधर तो स्थिति यह हो गयी है कि जिधर देखो, उधर करुण रस ही करुण रस दृष्टिगोचर होता है। अब मैं कुछ उन हादसों की चर्चा करूँगा जिन्होंने करुण रस को इस समय देश का इतना प्रिय विषय बनाया। चूँकि महाकवि भवभूति अब सीन पर मौजूद नहीं हैं, यह दुष्कर कार्य मुझे ख़ुद ही करना पड़ेगा।

पुलिस सबको पकड़ती है पर मैं सबसे पहले पुलिस को ही पकड़ता हूँ। यौन परिवर्तन और राजनीतिक दल-बदल की तर्ज़ पर हमारे देश की पुलिस भी विकासशील हो गयी है। अभी-अभी एक ज़िले में कुछ ऐसे बुलन्द सिपाही निकले कि ख़ुद ही डकैती डालने चले गये। पूरे का पूरा थाना ही मुअत्तिल करना पड़ा। मेरा ख़याल है कि ये पुलिसमैन बतौर एक एक्सपेरिमेण्ट के डाकू बनने चले थे क्योंकि पुलिसवालों को जब तक चोरी, डकैती और हत्या वग़ैरह का प्रत्यक्ष और व्यक्तिगत अनुभव न हो, तब तक वे कभी भी कुशल कर्मचारी नहीं बन सकते। यह हमारा सौभाग्य है कि हमारी ज़्यादातर पुलिस जो है वह काफ़ी कुशल है और उसकी इस प्रतिष्ठा की चर्चा प्रयाग उच्च न्यायालय के न्यायाधीश श्री मुल्ला ने भी मुक्तकण्ठ से की थी। बहरहाल जहाँ एक ज़िले की पुलिस डाके डालती रही वहाँ दिल्ली की पुलिस जो थी वह एक प्रतिष्ठित कॉलेज के लड़कों को पकड़ती रही। इन होनहार छात्रों का एकमात्र अपराध यह था कि ये नंगे होकर लड़कियों के छात्रावास के बाहर सौन्दर्य आयोजन कर रहे थे– और लड़कियाँ जो थीं वे गवाक्ष मार्ग से उनके दिगम्बर शरीर को देख रही थीं। कुछ कर लीजिए मगर स्त्री जाति हमेशा एक ऐसी जाति रहेगी जो पुरुषों को चरित्रहीन बनाती ही रहेगी। अमीर ख़ुसरो के अनुसार, तिलक छाप सब छीना मोहे नैना लगा के। भर्तृहरि ने तो बहुत पहले ही सूचित कर दिया था कि ये पूजापाठ, व्रत और उपवास, वेद और पुराण तभी तक अच्छे लगते हैं जब तक कोई मृगनयनी आप पर अपने नयनों के बाण नहीं छोड़ती। मनुष्य तभी तक अपने को

सन्मार्ग की दिशा में ले जा सकता है, इन्द्रियों को भी तभी तक वश में रख सकता है, लज्जा और नम्रता भी उसकी तभी तक रह सकती है जब तक कि वह धैर्य को चुराने वाली सुन्दर कामिनियों के नेत्र-रूपी बाणों से आहत नहीं होता। भर्तृहरि आगे चलकर वही बात कहते हैं जो पण्डित रंगीलाल ने 'क़िस्सा तोता-मैना' (आठों भाग) में तोते से कहलवायी है। कवि कहता है कि स्त्रियों के समान निर्दय वस्तु संसार में और कोई नहीं। इन युवतियों ने न जाने कितने अच्छे-ख़ासे इंसानों को नंगा बना दिया, न जाने कितनों का मूँड़ मुड़वा दिया, न जाने कितनों की पाँच चोटियाँ रखवा दीं, न जाने कितनों को जटाधारी बनवा दिया और न जाने कितनों के हाथ में खप्पर देकर उनसे भीख मँगवा दी। एक लड़की का अनुभव मुझे भी है जो देखने में तो काफ़ी छोटी थी पर वैसे बिहारी के दोहों की तरह घाव गम्भीर करती थी। वह एक तरफ़ तो अपने प्रेमी से दूरभाष पर प्रेमवार्ता करती रही और दूसरी ओर उसी ने पुलिस को इत्तला देकर छेड़खानी के जुर्म में उस प्रेमी को गिरफ़्तार करवा दिया। यह लोक भी ठीक और परलोक भी ठीक।

आज़ादी के बाद अपराधों की पैदावार काफ़ी बढ़ी। ग़ुलामी के दिनों में देशवासियों के व्यक्तित्व का पूरा विकास नहीं हो पाता था और इसी कारण उन दिनों ज़ुर्म कम होते थे। इधर तो स्थिति इतनी सन्तोषजनक हो गयी है कि मात्र उत्तरी भारत में उन्नीस सौ अठहत्तर के दौरान साढ़े सात लाख अपराध के मामले दर्ज़ हुए। दक्षिण भारत इस दिशा में भी पिछड़ा ही रहा और जितनी देर में उत्तरी भारत में तीन वारदातें हुईं, उतनी देर में दक्षिणी भारत में मात्र एक वारदात हुई। ये वारदातें चोरी, दंगे, अपहरण, डकैती, हत्या और बलात्कार से सम्बन्ध रखती हैं। बिहार ने इस कुटीर व्यवसाय को विशेष प्रश्रय दिया। गया में एक छात्र की कक्षा ही में हत्या सम्पन्न कर दी गयी। जमशेदपुर में एक युवती को सबके सामने उठा लिया गया और उसका पति विरही यक्ष की भाँति विलाप करता रहा। खनिज पदार्थों के भण्डार धनबाद में पिछले एक वर्ष में लगभग ढाई हज़ार हत्याएँ सम्पन्न की जा चुकी हैं जो कि एक कीर्तिमान स्थापित करने वाली बात है। उत्तर प्रदेश के बाँदा ज़िले में तो डाकू लोग 'हम लूटने आये हैं, लूट के जायेंगे' वाला गाना गाते रहे और आराम से डकैती डालते रहे। डकैती के सन्दर्भ में संगीत का जो स्थान है, उस पर खोज होनी बाक़ी है। बिहार में एक स्थान पर डाकू लोगों ने एक आदमी की हत्या की और फिर उसकी लाश को एक सिनेमाघर के बाहर रख दिया। वह लाश भीतर चल रही फ़िल्म के विज्ञापन का काम कई दिन तक देती रही। शेष देश को उचित होगा कि वह बिहार से प्रेरणा ग्रहण करे और इस दिशा में निश्चित कार्यक्रम तैयार करे। हमारे देश में कोई भी राजनीति बिना जुर्म और अपराध के अधूरी ही रहेगी। सरकार को उचित होगा कि वह अपराध विकास विभाग खोले और अपराधियों को वे सारी सुविधाएँ खुलेआम प्रदान करे जो अब तक नेता लोग लुक-छिपकर इस

दिशा में देते आये।

देश में भारी सूखा पड़ा है। अकाल की पूरी-पूरी सम्भावना है। नेता लोग और वरिष्ठ अधिकारी इतने चिन्तित हैं कि सूखे की समस्या को शराब पीकर निबटा रहे हैं। एक प्रदेश में सूखे की स्थिति का सही जायज़ा लेने के लिए एक ऐसी जगह सरकारी बैठक हुई जो अपनी सुन्दरता के लिए प्रख्यात थी। शानदार डिनर खाया गया और फिर सूखे को लेकर आँसू बहाये गये। ये आँसू आँखों के बाहर नहीं निकले क्योंकि सच्चा दुख जो होता है वह कभी प्रकट नहीं होता। इसी प्रकार जब बाढ़ आती है तो सरकारी लोग हवाई दौरा करते हैं। वे ख़ुद कभी बाढ़ग्रस्त क्षेत्र में नहीं जाते। वे तो सारी स्थिति को तटस्थ भाव से ही देखना चाहते हैं। सूखे के कारण एक व्यक्ति ने आत्महत्या कर ली पर उस पर दुखी होना बेकार है। शरीर तो आता-जाता रहता है; बड़ी चीज़ तो आत्मा है जो अजर और अमर है। पानी उसे गला नहीं सकता और आग उसे जला नहीं सकती। आत्मा का जैसा मुकम्मल मॉडल हमारे देश में तैयार हुआ, वैसा विदेशों में कभी नहीं बना। ये परिवार-नियोजन विभाग वाले इन मॉडलों के उत्पादन को कम करना चाहते हैं, जो ग़लत है। सन्तोष की बात है कि इस विभाग में भी कुछ सच्चे कर्मचारी हैं। हाल ही में एक परिवार-नियोजन केन्द्र में एक युवती का परिवार-नियोजन कुछ इस तरह सपन्न किया गया कि वह युवती वहीं गर्भवती हो गयी। मेरे विचार में जो कुछ हुआ वह ठीक ही हुआ। हमारे प्राचीन ग्रन्थों में लिखा है कि पुत्र अनेक होने चाहिए ताकि कोई तो ऐसा निकले जो पिता की सद्‌गति के लिए या तो गया जाकर पिण्डदान करे या फिर पिता की आत्मा की शान्ति के लिए नीले रंग का साँड़ ही छोड़ सके। एष्टव्या बहवः पुत्राः यद्येकोपि गया ब्रजेत्, यजेता वाश्वमेघेन नील वा वृषभुत्सृजेत्।

अपने चारों ओर जहाँ भी निगाह डालता हूँ कुछ न कुछ ऐसा ही नज़र आता है कि पहले तो हँसी आती है पर थोड़ी देर बाद भवभूति का बताना गया करुण रस फिर ज़ोर मारने लगता है। मानना पड़ेगा कि भवभूति सच्चा भारतीय कवि था; उसकी वाणी कम-से-कम इस देश पर सदा सच्ची उतरेगी। सोचता हूँ कि उदासी के इस दौर को समाप्त करने के लिए मैं भी परिवार-नियोजन विभाग में नौकरी कर लूँ।

एक पुरानी दीवार

मैं सिर झुकाये चला जा रहा था। हाथ में छड़ी थी और होठों पर बच्चन की 'मिलन यामिनी' का कोई गीत। अचानक मुझे रुकना पड़ा। ऐसा लगा जैसे कि मेरी प्रगति में कोई ठोस बाधा आ गयी हो। मैंने अपने दोनों नेत्रों को ऊपर की दिशा में संचालित किया और देखा कि वाक़ई मैं बिना दिशा बदले और आगे नहीं बढ़ सकता था। काफ़ी ठोस क़िस्म की बाधा सामने आ गयी थी। बात यह थी कि ठीक मेरे सामने पुराने क़िले की काफ़ी पुरानी दीवार खड़ी थी और स्थिति यह थी कि यदि मैं एक क़दम भी और आगे बढ़ता तो मेरा यह एक अदद सिर उससे टकरा सकता था। इस निकट सम्पर्क से दीवार को क्षति होती या नहीं होती, यह तो कोई पुरातत्त्व का ज्ञाता ही बता सकता था मगर इतना साफ़ ज़ाहिर था कि मेरे सिर को क्षति पहुँचने की जो सम्भावना थी वह काफ़ी उज्ज्वल थी। दीवार ठीक उस मुद्रा में खड़ी थी जिसमें दार्शनिक खड़े होते हैं; एकदम विरक्त, उदासीन और उदात्त। क्योंकि उस दीवार के वहाँ से हटने की निकट भविष्य में कोई आशा दिखाई नहीं पड़ती थी, मैंने चारों ओर देखा और फिर अपने विशाल व्यक्तित्व को ध्यान में रखते हुए अपने को एक काफ़ी बड़े और मज़बूत शिलाखण्ड पर स्थापित कर दिया।

अपना शिलान्यास होते ही मैं क्या छड़ी और क्या बच्चन– दोनों को एकदम भूल गया और उस दीवार को देखने लगा। यह शायद वही दीवार थी जिस पर शहंशाह बाबर अपनी बग़ल में दो इंसानों को दबा कर दौड़ा करता था ताकि उन तीनों व्यक्तियों की सेहत एक साथ ही ठीक रह सके। बाबर का यह व्यायाम इतना मौलिक और सामूहिक ढंग का था कि उसके सामने पतंजलि के सारे योग और आसन फीके प्रतीत होते थे। बाबर वाक़ई 'सर्वे सन्तु निरामयाः' वाले आर्ष सिद्धान्त में विश्वास रखता था। बाबर के बाद मुझे ओलिवर गोल्डस्मिथ की याद सताने लगी जिसने कहा था कि ये जितने भी क़िले और गढ़ हैं इनकी चिनाई चूने या मसाले से नहीं बल्कि इंसान के ख़ून से की गयी है। मेरे ख़याल से यही वह रहस्य है जिसके कारण ये पुरानी इमारतें अभी भी काफ़ी शान और मज़बूती के साथ खड़ी हैं। अगर ये इमारतें भी आजकल की तरह सीमेण्ट से बनवायी जातीं तो वही हाल होता जो

आज के सरकारी भवनों का होता है। नयी इमारतों की स्थिति यह है कि निर्माण बाद में ख़त्म होता है और मरम्मत पहले शुरू हो जाती है! कुछ विभाग तो इतने दूरदर्शी हैं कि मरम्मत का ठेका पहले देते हैं और निर्माण का बाद में। हमारे इंजीनियर लोग बहुत सिद्धहस्त दार्शनिक हैं। जिस अद्वैतवाद को सारा सांख्य और वेदान्त भी पूरी तरह साबित नहीं कर पाया वह इन्होंने रेत और सीमेण्ट को एक बनाकर सिद्ध कर दिया। और तारीफ़ की बात यह कि यह सारा काम सबके सामने खुली तरह सार्वजनिक रूप में किया गया। निर्माण विभाग को इसी कारण 'सार्वजनिक निर्माण विभाग' कहकर पुकारा गया जो एकदम तर्कसंगत और उचित रहा।

मैं उस पुरानी दीवार को देखता रहा और नाना प्रकार की बातें सोचता रहा। मुझे सहसा यह एहसास हुआ कि एक पुरानी दीवार के उतने ही उपयोग हैं जितने कि किसी नयी लड़की के। प्रेमियों को खुली आज़ादी है कि वे चाहें तो इसकी आड़ में संयोग शृंगार का आनन्द लूट लें और चाहें तो वियोग शृंगार की याद को ताज़ा रखने के लिए इस दीवार से कूदकर आत्महत्या कर लें। हाँ, अलबत्ता ऊपर से कूदते समय इतना ज़रूर देख लें कि नीचे कोई और युगल तो नहीं बैठा है नहीं तो स्थिति यह होगी कि आत्महत्या करने वाला तो शायद बच जाए पर वे दो प्रेमी बिना बात पंचत्व को प्राप्त हो जायेंगे। समाधि लगानी हो, कुण्डलिनी उठानी हो, राजयोग करना हो, दीवार आपकी हर सेवा के लिए प्रस्तुत है। इतना एकान्त इस राजधानी में और कहाँ मिलेगा? पुराने ज़माने में हमारे जो ऋषि लोग होते थे वे तपस्या करने हिमालय जाया करते थे ताकि गर्मी न लगे। पर आज़ादी के बाद कुछ ऐसा दौर आया कि सारे योगी और ब्रह्मचारी एकदम महानगरों में आ गये। योगाश्रमों की शानदार इमारत, चारों ओर वातानुकूलित वातावरण, सुन्दर और युवा मुखड़ों से घिरे ब्रह्मचारी जी और श्री ओरोविन्दो पर प्रवचन। कुछ योगी तो इतने पहुँचे हुए निकले कि शृंगार से लेकर बीभत्स तक जितने भी रस हैं, सबका मज़ा एक साथ ही दे गये। भारतीय संस्कृति और दर्शन का भी कोई जवाब नहीं।

दर्शन से छुट्टी पाकर मेरी पैनी निगाह इतिहास की दिशा में मुड़ी। इस क़िले के पास बैठकर मुझे उन क़िलों की भी याद आने लगी जो मैंने अपने इस क्षणभंगुर जीवन में अब तक देखे थे। झाँसी के क़िले की उस दीवार की याद आयी जहाँ से कभी रानी लक्ष्मीबाई बच्चे को गोद में लिये हुए घोड़े पर सवार होकर कूदी थीं। वह दीवार इतनी ऊँची है कि घोड़ा क्या, मैं तो गधे पर भी चढ़कर वहाँ से नहीं कूद सकता। पुराने दिनों के लोग ऋण लेते थे, घृत पीते थे, पवित्र विचार रखते थे और नियमित जीवन बिताते थे। इसी कारण तो वे इतने बहादुर होते थे कि अपनी हिफ़ाज़त के लिए इतने मज़बूत क़िलों का निर्माण करते थे। लाल क़िले की वह दीवार भी याद आयी जिसके झरोखों में से कभी सुन्दर युवतियाँ यमुना की लहरें देखा करती थीं और साथ ही साथ वह दीवार भी याद आयी जहाँ से पन्द्रह अगस्त के शुभ

अवसर पर एक बार मैं इतनी तबीयत के साथ फिसला था कि यदि रास्ते में सेना के एक मेजर जनरल ने बाधा न डाली होती तो पता नहीं कहाँ पहुँच गया होता। आगरा, इलाहाबाद, चुनार, गोलकुण्डा, दौलताबाद, फ़तेहपुर सीकरी और आमेर के क़िलों की याद भी बराबर आती रही। इन सारे क़िलों में जो ख़ास चीज़ मुझे पसन्द आयी थी वह था चोर दरवाज़ा। यह दरवाज़ा चोर दरवाज़ा इसलिए नहीं कहलाता था कि इसके सहारे चोर अन्दर आते थे। दरअसल चोरों को तो इस दरवाज़े से कोई दिलचस्पी कभी नहीं रहती थी। यह दरवाज़ा चोर दरवाज़ा इस कारण कहलाता था क्योंकि ख़ूबसूरत लड़कियाँ और तगड़े युवक जो चोरी-चोरी क़िले के भीतर प्रवेश करते थे वे इसी दरवाज़े से करते थे। वीर गाथा काल में रीति काल का जो सुख प्राप्त होता था उसमें चोर दरवाज़े का बड़ा हाथ था। ताः चन्द्र बिम्बाननाः। जितने भी ऐतिहासिक स्थान मैंने देखे, उनमें यह देखकर बड़ा ही सन्तोष हुआ कि देखने वालों ने अपनी वंशावली उन पर काफ़ी मेहनत से खुरच कर अंकित की। जो कोई भी आया वह वहाँ कुछ लिखकर ही गया ताकि सनद रहे और वक़्त ज़रूरत काम आये। सम्राट् अशोक की एक ऐसी लाट भी मैंने देखी है जिस पर अशोक ही नहीं वरन् समुद्रगुप्त, जहाँगीर और जनरल नील ने भी अपने शिलालेख विभिन्न भाषाओं में अंकित किये हैं और सबसे नीचे किन्हीं साधूराम जी का शिलालेख भी अंकित है जो वहाँ दी गयी सूचना के अनुसार ज़िला बाँदा के कोई हलवाई थे। उन्होंने यह शिलालेख देवनागरी लिपि में सन् उन्नीस सौ छत्तीस ईसवी में ख़ुद अपने ही कर-कमलों से अंकित किया था। कुछ पुरानी इमारतों पर मैंने वात्स्यायन का पूरा काम सूत्र इतनी साफ़ और सरल भाषा में लिखा हुआ देखा कि आम जनता उससे काफ़ी फ़ायदा उठा रही होगी। मेरा अपना ज्ञान ही वहाँ जाकर काफ़ी बढ़ गया। क़िलों और पुरानी दीवार को देखते-देखते सहसा याद आया कि सुमित्रानन्दन पन्त के पैतृक मकान में जिसमें बहत्तर कमरे थे आजकल एक बूचड़खाना खुला है। ऐसी कोमलकान्त पदावली के कवि के जन्मस्थान का यह हाल! चाणक्य ने ठीक ही कहा था कि समय बड़ा बलवान है। कालाय तस्मै नमः। काल से बड़ी चीज़ शायद एक ही है और वह है हिन्दी का आलोचक, जिसने पन्त और निराला को भी उचित प्रतिष्ठा देने में काफ़ी लज्जा दिखायी। सारे गुप्त रोगों का इलाज है मगर हिन्दी के आलोचक का कोई इलाज नहीं। इनके साथ तो प्राकृतिक चिकित्सा भी काम नहीं करती।

मैं उठा। उस पुरातन और ऐतिहासिक दीवार के प्रति अपनी श्रद्धांजलि अर्पित करने के हेतु मैंने पहले तो उसे प्रणाम किया और फिर चारों ओर निगाह फेंककर मैंने उसी दीवार के सहारे लघुशंका निवारण करने के लिए अपनी पतलून के बटन खोलने प्रारम्भ किये। सूखी श्रद्धांजलि से क्या फ़ायदा? पुरानी इमारतों के प्रति सम्मान प्रकट करने का यह वह सनातन ढंग है जिसे इस देश की कोटि-कोटि जनता कभी नहीं भूल पायी। और शायद कभी भूलेगी भी नहीं।

अपहरण के लिए प्रस्तुत हूँ...

पिछले सप्ताह ऐसी कई घटनाएँ हो गयीं, जिनसे कवि का जो अन्तर था, वह काफ़ी व्याकुल हो उठा। सबसे पहले तो किसी होनहार इंसान ने ब्रिटेन की महारानी की गाड़ी पर एक अदद अण्डा फेंका। अण्डे की क्या गति हुई, यह तो पता नहीं; हाँ, अलबत्ता संवाददाता की रिपोर्ट के अनुसार महारानी को कोई क्षति नहीं पहुँची। इसके बाद समाचार पढ़ा कि उपर्युक्त महारानी के राजकुमार भी बेकार नहीं बैठे। अपनी आस्ट्रेलिया की यात्रा के दौरान उन्होंने एक स्थानीय नवयुवती के होठों का चुम्बन किया। इस हादसे के बाद जब उस नाज़नीन ने राजकुमार चार्ल्स को एक पत्र देने की कोशिश की तो पुलिस ने हस्तक्षेप किया। बात भी ठीक थी; प्रेमी को पत्र ही भेजना है तो कबूतर या हंस का इस्तेमाल करो। यह कहाँ की भद्रता है कि प्रेमिका प्रेमी को पत्र देने खुद ही जाए? विचारने की बात यह है कि जब प्रेमिका प्रेमी के पास जा ही रही है तो चिट्ठी ले जाने की ज़रूरत ही क्या है? सारा काम अलिखित भी तो हो सकता है कि नहीं? बहरहाल मैं इन मुद्दों पर विचार कर ही रहा था कि पता लगा कि एक ओर तो दिल्ली के छात्रों ने एक बस का अपहरण कर लिया और दूसरी ओर विदेशों में कई विमानों का अपहरण सम्पन्न किया गया। रेलगाड़ी के अपहरण की सूचना अभी नहीं मिली है पर आशा है कि वह भी जल्दी ही मिलेगी। मैं पहले तो यह सोचकर उदास हुआ कि न तो मेरे ऊपर किसी ने अण्डा ही फेंका और न किसी युवती ने मुझे चुम्बन ही दिया। इसके बाद मैंने यह सोचा कि क्या घोर कलियुग आ गया कि लोग स्त्रियों का अपहरण छोड़कर बसों और हवाई जहाज़ों का अपहरण करने लगे। उदासी के अन्तिम दौर में मैं तब पहुँचा जब मुझे सहसा यह एहसास हुआ कि मेरा कोई अपहरण भी नहीं करता। क्या मैं वाक़ई इतना गया बीता हो गया?

बात आगे बढ़ाने से पहले यह स्पष्ट कर देना आवश्यक है कि आम बोलचाल के अनुसार मेरे पास भगवान का दिया सब कुछ है। कई हज़ार रुपये माहवार की नौकरी है, टेलीविज़न है, रिफ्रिजरेटर है, लाइब्रेरी है, कई प्रख्यात नगरों में ज़मीनों के प्लॉट हैं और अपने दिल ही जैसी एक काली मगर चमचमाती हुई मोटर गाड़ी भी है।

एक अच्छी-ख़ासी बीवी है जो लगभग अड़तीस वर्ष पूर्व का मॉडल होते हुए भी ठीक चल रही है। एक लड़का है जो इस तेज़ी के साथ लम्बा हो रहा है कि चार साल में शायद मेरा बाप लगेगा। एक लड़की है जो पेण्टिंग का शौक़ रखती है। बीवी के अलावा एक और भूतपूर्व युवती भी है जिसे मैं अकसर याद करता हूँ। लेखक होने के कारण भी कुछ प्रतिष्ठा है और नीचे काम करने वाले हज़ारों कर्मचरियों में से अनेक ऐसे हैं जो मुझे राबर्ट फ्रास्ट और मार्क ट्वेन के बराबर मानते हैं। पर इतना सब कुछ होते हुए भी जीवन इतना नीरस, बोझिल और उबाने वाला चल रहा है कि मैं चाहता हूँ कि कोई पुरुष या स्त्री मेरा अपहरण ही कर ले। सुख का भार दुख के भार से कम नहीं होता। अपना दुख मिटाने के लिए जितनी शराब अमीर लोग पीते हैं उतनी शराब ग़रीब आदमी सात जन्म तक नहीं पी सकता।

मैं तहेदिल से चाहता हूँ कि कोई माई का लाल (या उसका स्त्रीलिंग) मेरा अपहरण कर ले। इससे ज़िन्दगी में ताज़गी आयेगी और बोरियत जो है वह दूर होगी। यह रोज़ का छह बजे चाय पीना, हजामत बनाना और अख़बार पढ़ने के बाद दफ़्तर के लिए तैयार होना कम-से-कम कुछ दिनों के लिए तो ख़त्म होगा। दफ़्तर जाकर वही फ़ाइलें, वही चपरासी और वही अफ़सर। स्टेनो हालाँकि लड़की है और काफ़ी शोख़ और चंचल भी है पर आख़िरकार एक ही लड़की से कोई कब तक काम चलाए? शाम को फिर वही लॉन, फिर वही गुलमोहर और अमलतास के पेड़, ग़दर के ज़माने में बनी हुई इस कोठी के वही विशाल जंगल और अन्त में चलकर फिर वही बीवी और वही बच्चे। मेरा कोई अपहरण करेगा तो इस सब से तो छुट्टी मिलेगी। थोड़ी-बहुत राहत दौरे पर जाने से मिलती है पर दौरे से आने के बाद जो उसका बिल बनाना पड़ता है वह सारा मज़ा किरकिरा कर देता है। अपहरण होगा तो अख़बार में फ़ोटो छपेगा, गुमशुदा की तलाश जारी की जायेगी और अपने सुखी दाम्पत्य जीवन को ध्यान में रखते हुए मेरी यह निश्चित धारणा है कि मुझे सकुशल लौटा देने वाले व्यक्ति को मेरी प्रिय पत्नी कम-से-कम पचास रुपये की राशि बतौर इनाम के भी ज़रूर देगी। सबसे बड़ी बात तो यह होगी कि मेरे ग़ायब होने पर पत्नी को मेरी सही क़ीमत और उपयोगिता का पता लगेगा। अभी तक जो उसका यह ख़याल रहा है कि यदि उसकी शादी मुझसे न हुई होती तो उसका वरण राष्ट्रपति कैनेडी या सुमित्रानन्दन पन्त करते, वह तो कम-से-कम ज़रूर ही बदलेगा। सहानुभूतिपूर्ण पत्र आयेंगे, प्रकाशक लोग वर्षों का रुका हिसाब भेजेंगे और सम्पादक लोग वर्षों पूर्व स्वीकृत रचनाओं को प्रकाशित करेंगे। जितना भी सोचता विचारता हूँ, अपहृत होने में सुख ही सुख नज़र आता है। कभी-कभी तो दिमाग़ में ख़याल आता है कि ये जितने लोग अपहृत किये जा रहे हैं, इसमें कहीं उनका अपना ही हाथ तो नहीं है?

भाइयो और बहनो, मेरी आप से करबद्ध प्रार्थना है कि आप मेरा अपहरण कर

लें। विधवा, धनी और रूपवती महिलाओं से तो मैं विशेष रूप से अपील करता हूँ कि इस पवित्र काम को अब और ज़्यादा न टालें। ऐसा करने से उनका यह लोक भी सुधरेगा और अगला भी। निःसन्तान युवतियाँ भी मौके का फ़ायदा उठा सकती हैं। मैं अपना काम पूरी लगन से करूँगा और आगे भगवान की इच्छा। मैं यह भी यक़ीन दिलाता हूँ कि मैं आप लोगों को कतई तंग नहीं करूँगा और जब तक आप या आपके बाप, पति या प्रेमी ख़ुद ही धक्का मारकर मुझे घर के बाहर न निकाल देंगे, तब तक मैं निकलूँगा भी नहीं। जहाँ तक इस देश के नवयुवकों का प्रश्न है, उनको तो मैं बस यही सलाह दे सकता हूँ कि यदि वे मेरा अपहरण करें तो फिरौती के तौर पर मेरी पत्नी को तलब करें। यह एहसान मैं कभी नहीं भूलूँगा। शान्ति से बरामदे में बैठूँगा और जानकीहरण की तर्ज़ पर अपने अपहरण को लेकर एक महाकाव्य ख़ुद ही लिखूँगा। हिन्दी में और भी कई लेखक हैं जिन्होंने अपनी आत्मकथा ख़ुद ही लिखी है। ऐसी स्थिति में मैं ही क्यों पीछे रहूँ?

पिछला वर्ष

एक वर्ष और बीत गया। ये जो सैकड़ों नववर्ष की शुभ कामनाओं के रंगीन कार्ड मेरे मातहतों, मित्रों, सम्बन्धियों तथा ठेकेदारों ने भेजे हैं, वे मुझे यही बता रहे हैं कि जीवन का एक क़ीमती वर्ष और बीत गया। वर्ष के साथ सदा यही होता आया; पहली जनवरी को वह आया और इकतीस दिसम्बर को किसी बूढ़े जेबकतरे की भाँति चुपके से कहीं खिसक गया। जैसे हमारे देश की चुस्त पुलिस कभी किसी अपराधी को ठीक ढंग से नहीं पकड़ती, उसी तरह आप बीते हुए वर्ष को भी कभी नहीं पकड़ सकते। निराला ने अपनी 'जागो फिर एक बार' कविता में कहा है कि संसार के कितने ही हज़ार वर्ष इसी भाँति बीत गये। काल को प्रणाम करते हुए कवि भर्तृहरि ने कहा है कि समय के साथ-साथ वह रम्यानगरी, वे शक्तिशाली राजा, वह सामन्तों का दल, उनके पास विराजने वाले वे पण्डित, वे सुन्दर राजकुमार, वे चारण, वे उनकी गाथाएँ और चन्द्रमा के समान रूपवती वे युवतियाँ—सब-की-सब समाप्त हो गयीं। इस श्लोक में रूपवती युवतियों की समाप्ति की जो चर्चा की गयी है, उससे मुझे बहुत दुख पहुँचता है। बाक़ी लोग चले जाते तो चले जाते मगर कम-से-कम वे चन्द्रमुखी सुन्दर बालाएँ तो यहीं रह जातीं। मगर ऐसा नहीं हुआ। काल ने न तो लेखक का पक्ष लिया और न समीक्षक का। उसने दोनों को ख़त्म कर दिया। आगे चलकर कवि भर्तृहरि एक और भी ज़्यादा पते की बात करते हैं। वे कहते हैं कि काल नहीं बीतता वरन् हम ही बीत जाते हैं। कालो न यातो, वयमेव याताः। आपको शायद इस परम रहस्य का पता हो कि भर्तृहरि जो कवि हुए थे वे इस कारण हुए थे कि उनकी निजी पत्नी किसी और पुरुष से प्यार करती थी। कभी-कभी सोचता हूँ कि यदि मेरी धर्मपत्नी भी ऐसा करने लगे तो शायद मैं भी महाकवि हो जाऊँ। कभी समय मिला तो पत्नी के साथ इस विषय पर चर्चा करूँगा। ख़ैर, फ़िलहाल तो यह अफ़सोस है कि साल जो था वह बीत गया। इसी तरह एक दिन हम भी बीत जायेंगे और ये निर्लज्ज हसीन लड़कियाँ फिर भी इसी मात्रा में धरती पर प्रकट होती रहेंगी। शकील बदायूँनी के शब्दों में 'ये ज़िन्दगी के मेले दुनिया में कम न होंगे, अफ़सोस हम न होंगे।' कितने अफ़सोस की बात है कि दुनिया के रंगीन मेले जारी

हैं और बेचारे शकील साहब जो हैं वे इस जहान से कूच कर चुके हैं। बहरहाल।

पिछले वर्ष देश में स्थिरता रही; वह वहीं रहा जहाँ कि वह था। आगे नहीं बढ़ा। बढ़ने के लिए चीज़ों की क़ीमतें बढ़ीं और नतीजा यह रहा कि इंसान की क़ीमत और कभ हो गयी। पेट्रोल के दाम इतने बढ़े कि कार ने पत्नी के बजाय प्रेयसि का स्थान ग्रहण कर लिया। मिट्टी के तेल के दाम बढ़ने के बावजूद, युवतियाँ जो थीं वे उसी की सहायता से आत्महत्या करती रहीं। कभी-कभी सोचता हूँ कि यह लड़की नाम की चीज़ भी क्या अजीब चीज़ होती है; शादी के पहले वह विरह में जलती है और शादी के बाद मिट्टी के तेल में जलती है। जलना स्त्रियों का स्वभाव ही जो ठहरा। स्त्रियों के साथ-साथ हरिजन लोग भी बाक़ायदा ईंधन की भाँति जलाये जाते रहे। मदर टेरेसा को मानव जाति की सेवा के लिए नोबुल पुरस्कार दिया गया और विदेश से दी गयी दस लाख रुपयों को राशि पर सरकार के सयानों ने आयकर लगाने की सोची जो कि पूरी रक़म का लगभग अस्सी प्रतिशत बैठती थी। बाद में चलकर सरकार ने दूसरी बेवकूफ़ी की और आयकर नहीं लगाया गया। देश के नेताओं की यह स्थिति रही कि कुछ दाढ़ी बढ़ाते रहे और कुछ जो थे वे अपना मुण्डन कराते रहे। बाक़ी चीज़ें वैसी रहीं जैसी कि वे पहले थीं। उदाहरण के तौर पर रेलें लेट चलती रहीं या फिर चलीं ही नहीं। सर्दियों में सर्दी पड़ी और गर्मियों में गर्मी। हाँ, अलबत्ता पिछले वर्ष वर्षा की ऋतु में और तो सब कुछ हुआ पर वर्षा नहीं हुई। देश भयंकर अकाल के दौर से गुज़रा मगर इसकी परेशानी दूर करने के लिए कुछ राज्यों ने अपने विधायकों को मिलने वाली सुविधाओं में वृद्धि कर दी। तर्क भी ठीक है; यदि जनता के प्रतिनिधि ख़ुश हैं तो जनता को दुखी रहने का कोई कारण नहीं है। बहरहाल एक ओर भयंकर अकाल पड़ रहा और दूसरी ओर शराब की खपत बढ़ी और सौन्दर्य प्रतियोगिताएँ जो थीं वे भी बदस्तूर चलती रहीं। अनुशासन इतना बढ़ा कि पुलिस तक ने हड़ताल कर दी। सरकार के डॉक्टर और इंजीनियर लोग तो होते ही इसलिए हैं कि देश में जब भी संकट की स्थिति आये, वे बेचारे हड़ताल पर चले जाएँ। यह ज़िम्मेदारी पिछले वर्ष भी पूरी निष्ठा के साथ निभायी गयी। अज्ञेयजी ने भी अपनी ज़िम्मेदारी निभायी और संकट के इस काल में 'चौथा सप्तक' प्रकाशित करवाया ताकि जितने भी जमूरे हैं वे जादूगर करार दे दिये जाएँ। सरकारें आयीं और चली गयीं और पब्लिक जो थी वह आँख फाड़-फाड़कर देखती रही और चुपचाप खड़ी रही। वह उमर ख़ैयाम की रूबाई जानती थी कि सुल्तानों का तो काम ही आना और जाना है। 'दारा रहा न रहा सिकन्दर-सा बादशाह; तख़्ते ज़मीं पै सैकड़ों आये, चले गये'। पब्लिक का काम तो सिर्फ़ कर देना है जो वह बराबर देती रही।

अन्तर्राष्ट्रीय स्थिति एक ऐसा मज़ाक़ बनी रही कि उसे देखकर हँसना भी आता था और रोना भी आता था। वही शरद जोशी द्वारा बतायी गयी हास्य रस की अफ़सोस शाखा। शक्तिशाली राष्ट्र एक ओर शान्ति की सन्धियाँ करते रहे और

दूसरी ओर युद्ध की तैयारियाँ भी करते रहे। वही बिहारी की नायिका वाली बात जो अपने नेत्रों से हाँ भी करती थी और ना भी। ये राष्ट्र और उसके कर्णधार एलबर्ट आइन्स्टीन की भविष्यवाणी भूल गये कि चौथा युद्ध जो लड़ा जायेगा वह पत्थरों के टुकड़ों और तीर-कमानों से लड़ा जायेगा। एक विचित्र बात देखने में यह भी आयी कि महान् राष्ट्र अब जो युद्ध लड़ते हैं वह भूमि पर अधिकार पाने के लिए नहीं लड़ते वरन् समुद्र तट पाने के लिए लड़ते हैं। झगड़ा जो है वह नायिका की अम्मा से नहीं बल्कि उसके बाप से है। बहरहाल युद्ध के साथ-साथ बाक़ी काम-काज भी चलते रहे। शादियों की तादाद घटी और तलाक़ों की तादाद बढ़ी। ग़ैरक़ानूनी बच्चों की तादाद अलबत्ता उतनी ही रही जितनी कि पहले थी। कृत्रिम गर्भाधान भी कराया गया जो सफल रहा, हालाँकि हम लोगों के रहते इस कृत्रिम प्रयोग की ज़रूरत क्या थी, यह मेरी समझ में नहीं आया। एक विदेशी अदालत ने टेलीफ़ोन पर शादी और तलाक़—दोनों की व्यवस्था को न्यायसंगत ठहराया। टेलीफ़ोन पर गर्भाधान का इन्तज़ाम अभी तक नहीं हो पाया मगर आशा है, वह भी जल्दी ही हो जायेगा। विमानों और सुन्दर युवतियों के अपहरण होते रहे। एक शहंशाह थे जो बच्चे न होने के कारण एक से बढ़कर एक सुन्दर पत्नी को तलाक़ दिया करते थे। पिछले वर्ष उन्हें अपने देश को इस कारण तलाक़ देना पड़ा क्योंकि नयी बीवी ने कई बच्चे दे दिये थे। विदेशों के सन्दर्भ में हमारी जनता सरकार के विदेशमन्त्री को सदा याद रखा जायेगा क्योंकि वे अपने पूरे कार्यकाल में मात्र विदेशों में ही रहे और अपने देश कभी नहीं आये। एक देश के वैज्ञानिकों ने ऐसी चोली का निर्माण किया जिसमें लगे स्विच से परिवार-नियोजन की सुविधा प्राप्त होती थी हालाँकि चोली का परिवार-नियोजन से क्या सम्बन्ध है, यह मेरी समझ में कभी नहीं आया।

पिछला वर्ष बालवर्ष था। इस वर्ष के भीतर बच्चों की भलाई के लिए बहुत ही कुछ किया गया। अकेले कलकत्ता में लगभग ढाई हज़ार बच्चे पिछले वर्ष लापता हुए जिनमें से क़रीब नौ सौ बच्चों को पुलिस खोज पायी। बालवर्ष के उपलक्ष में सयानों ने पता लगाया कि हमारे देश में कोई चौबीस करोड़ बच्चे हैं। इनमें से लगभग ढाई लाख भिखारी हैं, पचीस लाख अन्धे हैं, बीस लाख और कारणों से अपंग हैं, दो करोड़ बच्चों को काम करना पड़ता है और लगभग छह करोड़ बच्चे ऐसे हैं जिन्हें जीवन की मूल सुविधाएँ प्राप्त नहीं होतीं। लाखों बच्चे ऐसे हैं जिनका जीवन पाँच वर्ष की अवधि के भीतर ही ख़त्म हो जाता है और कुल मिलाकर स्थिति यह है कि देश के कुल बच्चों में से नब्बे प्रतिशत को पूरा खाना नहीं मिलता। बालवर्ष के भीतर इन बच्चों के भीतर शानदार जलसे आयोजित किये गये, बड़े-बड़े बुद्धिजीवियों ने परिचर्चाएँ कीं और कुछ मतिमान् लोग इस सन्दर्भ में विदेश भी गये। राक्षस कैसा भी हो, उसकी जान पकड़ने के लिए हमेशा सात समुन्दर पार ही जाना पड़ता है। इस भयंकर ज़िम्मेदारी से हम लोग कैसे पीछे हट सकते हैं? बालवर्ष के भीतर बच्चों के लिए कहानियों की एक

पोथी मैंने भी लिखी जो इंशा अल्लाह ख़ूब बिकेगी। कुल मिलाकर बालवर्ष हममें से कुछ के लिए काफ़ी सफल वर्ष रहा। देश के बच्चे वहीं रहे जहाँ कि वे थे। सब अपने-अपने कर्मों का फल है। भाग्य में जो लिखा है, उसे कोई नहीं मिटा सकता। जिन बच्चों को अपंग बनाकर उनसे भीख मँगवानी है, उन्हें परमपिता परमात्मा इस देश में उत्पन्न करता है और जिन बच्चों को ख़ुशहाली में रहना है, उन्हें वह कनाडा और अमेरिका में जन्म देता है। रईसों, अफ़सरों और ठेकेदारों के कुत्ते तब जलेबी खाते हैं जबकि मज़दूरों के करोड़ों बच्चे रात को भूखा सोते हैं। अमीर लोग वर्ष में एक बार अपने कुत्तों की प्रदर्शनी करते हैं जो शिमला या मसूरी में सम्पन्न की जाती है। कुत्तों और कुतियों के जन्मदिन मनाये जाते हैं, उनकी सगाई की जाती है जिसमें कव्वाली सुनवायी जाती है और उनके मरने पर संगमरमर की क़ब्रें बनवायी जाती हैं जबकि ग़रीबों के बच्चे हैं जो बिना दवाई के सड़कों पर दम तोड़ते हैं और जिन्हें कफ़न तक नहीं मिलता। बात भी ठीक है, भला बच्चों का और कुत्तों का क्या मुक़ाबला? बच्चे यदि कुत्तों के बराबर समझे जाने लगें तो उनकी रूपवती माताएँ कुतियाँ नहीं कहलाएँगी?

भरती

उस दिन बड़े साहब ने मुझे सहसा बुलाया और कहा कि नये बाबू लोगों की भर्ती के लिए तुम तुरन्त जबलपुर चले जाओ। हमारा क्या था– हम तो जामवन्त और हनुमान की क़िस्म के प्राणी हैं; जैसे ही सुग्रीव नामक राजा ने कहा कि लंका नाम की नगरी की दिशा में प्रस्थान करना है, वैसे ही लगे अटैची लगाने और बिस्तर बाँधने। वैसे भी अपने इस जीवन-काल में हम कभी जबलपुर नहीं गये थे और उस नगरी को देखने की उत्कट इच्छा थी जहाँ एक ओर भेड़ाघाट है और दूसरी ओर हरिशंकर परसाई। प्रकृति और पुरुष–दोनों साथ-साथ। हम तैयार हो गये और निश्चित तिथि को निश्चित समय पर निश्चित रेलगाड़ी को पकड़ने के लिए खड़े हो गये।

अपनी पुश्तैनी आदत के मुताबिक रेलगाड़ी जो थी वह चलने के समय से कोई पाँच मिनट पूर्व प्लेटफ़ार्म पर लगायी गयी हालाँकि असलियत यह थी कि सारा दिन वह इसी स्टेशन पर यार्ड में खड़ी रहती थी। रेलवे के कर्मचारी शायद इतनी लम्बी यात्रा पर निकलने वाली गाड़ी को ज़्यादा से ज़्यादा विश्राम देना चाहते थे। रेल पकड़ने की प्रक्रिया में ख़ाकसार को सहसा महसूस हुआ कि ख़ाकसार की पत्नी जो है वह आज ज़रूरत से कुछ ज़्यादा ही भावुक होती जा रही है। बात यह है कि इधर जब से रेल में दुर्घटनाओं की संख्या बढ़ी है, कुछ पत्नियाँ अपने पतियों को रेल से विदा करते समय काफ़ी दुखी होती हैं। यह दुख उन पत्नियों को और भी अधिक होता है जिनकी दूसरी शादी की तो उम्र नहीं रही और बच्चे जो हो गये सो अलग। ख़ाकसार की प्रिय पत्नी इसी श्रेणी में आती थी। मैंने उसका हौसला बुलन्द किया, पारिवारिक पेंशन, ग्रेचुटी और इंश्योरेंस की याद दिलायी और अन्त में चलकर यह भी कहा कि अगर कुछ हो भी गया तो क्या-कोई वह अकेली थोड़े ही होगी जो कि वैधव्य का परम सुख लूटेगी; इस गाड़ी में बैठे जितने भी विभिन्न क़िस्म के पति हैं, उन सभी की विभिन्न क़िस्म की पत्नियाँ भी वैसा ही सुख लूटेंगी। इस तर्क से पत्नी का मनोबल अचानक बढ़ गया। जनकतनया सीता की परम्परा को ध्यान में रखते हुए जब उसने मेरे साथ चलने का आग्रह किया तो ख़ाकसार ने जवाब दिया कि हे आर्यपुत्री, जैसा कि तू भली भाँति जानती है, सर्दी की ऋतु में कौन पति है जो पत्नी

के साथ नहीं रहना चाहता? मुझे तो आश्चर्य होता है कि रामचन्द्रजी को सीता के विरह में वर्षा ऋतु में डर लगता था (घन घमण्ड गरजत घन घोरा, प्रियाहीन डरपत मन मोरा) क्योंकि प्रियाहीन होने पर डर लगने की जो ऋतु है वह तो सर्दी की है न कि वर्षा की। मगर इल्लत तो यह है कि हालाँकि शादी के बाद हम कभी के एक हो चुके हैं मगर रेलवे का यह दक़ियानूसी महकमा हमें अभी भी दो प्राणी ही गिनेगा और तुम्हारे टिकट पर बिना बात मुद्रा ख़र्च करनी पड़ेगी। सरकार के दौरे तो पैसा बचाने के लिए होते हैं, न कि ख़र्च करने के लिए। उसने मेरी बात मान ली और पत्नी रूपी उस मेरी पत्नी ने मुझे इस तरह विदा दी जैसे कि कभी राजपूताने की क्षत्राणियाँ जौहर पर प्रस्थान करते समय अपने पतिरूपी पतियों को दिया करती थीं। मैंने भी कुछ इस तरह विदा ली कि 'ख़ुश रहो अहले वतन, हम तो सफ़र करते हैं।'

मैं डिब्बे में बैठ गया और रेल की दुर्घटनाओं पर विचार करने लगा। सरकार की कितनी बड़ी कृपा है कि दुर्घटना का जो जोखिम पहले वायुयान से यात्रा करने वाले बड़े लोगों को ही होता था वह अब रेल से चलने वाली देश की साधारण जनता को भी प्राप्त होने लगा। अब तो रेल की यात्रा वास्तव में रोमांचकारी हो गयी। कल की चिन्ता क्या करनी, शाम तक का भी पता नहीं कि यह डाकगाड़ी कहाँ अपनी पटरी से उतर जाए या कहाँ किसी दूसरी गाड़ी से इस प्रकार आलिन्गन करने लगे जैसे अरसे से बिछुड़ी दो सखियाँ करती हैं। बहुत सम्भव है कि कल हमारे नाम सारे अख़बारों के प्रथम पृष्ठ पर छपें, हमारे परिवारों को राष्ट्र के नेता सान्त्वना दें और हम जो हैं बग़ैर कुछ और किये ही मुफ़्त में शहीद मान लिये जाएँ। और जब यह सोचा कि यह सारी सुविधा जो सरकार दे रही है वह टिकट की दर बढ़ाये बिना दे रही है, तब तो मेरा मस्तक सरकार के प्रति श्रद्धा के कारण और भी झुक गया। यह जानकर भी सन्तोष हुआ कि लोग जो हैं वे सरकार की कितनी इज़्ज़त करते हैं। जैसे ही एक वरिष्ठ मन्त्री ने कहा कि रेल की फ़िश प्लेट नहीं उखाड़नी चाहिए, वैसे ही लोगों ने फ़िश प्लेट उखाड़नी तुरन्त बन्द कर दी। फ़िश प्लेट उखाड़ने के बजाय वे लोग अब रेल की पटरियाँ ही काटने लगे।

मेरे साथ सदा से यह होता आया कि जब रेल प्लेटफ़ार्म पर खड़ी रहती है तब मैं व्यंग्यकार के रूप में जीवित रहता हूँ और जैसे ही रेल खुल जाती है, मैं धीरे-धीरे कवि होने लगता हूँ। मेरा कवि जब चुक जाता है, तब मैं या तो चिन्तक बन जाता हूँ, या दार्शनिक। ठीक वही स्थिति जो पण्डित सुमित्रानन्दन पन्त के साथ रही थी। जब तक गाड़ी प्लेटफ़ार्म पर रहती है, मैं भीड़ से भरी गाड़ी में खिड़की के रास्ते घुसने वालों का संकल्प और पराक्रम और उसी मार्ग से बाहर निकलने वाले बूढ़ों और अपाहिज़ों की बेसब्री और डर पर दृष्टिपात करता हूँ, कुली और यात्री के चिरन्तन वाद-विवाद को सुनता हूँ और अपने चारों ओर के परिवेश पर दो-चार अदद निगाहें डालता हूँ जहाँ व्यंग्यकार के लिए कच्चा माल क्या, ज़रूरत

से ज़्यादा पका माल चारों ओर बिखरा दिखाई देता है। टिकट-चेकर का तृप्त पर संशयपूर्ण चेहरा, भिखारियों और गँवई औरतों की लाचारी और तीसरे दर्जे के यात्रियों की बदहवासी—ये ऐसी चीज़ें हैं कि इन्हें अगर आप फ़र्स्ट क्लास के डिब्बे में से सिगार पीते हुए देखें तो कुछ और ही मज़ा देती हैं। इसके बाद गाड़ी जैसे विद्यापति की किसी गजगामिनी नायिका की भाँति सीटी देती है और गार्ड साहब जैसे ही बाँस के एक टुकड़े पर हरे रंग का एक कपड़ा बाँधकर हिलाते हैं, रेल चलने लगती है और मेरा व्यंग्यकार जो होता है वह बिना कोई नोटिस दिये कवि होने लगता है। ऐसा परिवर्तन होने में मुझे कोई विशेष कष्ट नहीं होता। यदि मैथिलीशरण गुप्त और दिनकर को कवि स्वीकार किया जा सकता है तो मेरे विचार में हिन्दी का कवि बनने से ज़्यादा सरल तो कोई काम हो ही नहीं सकता। आउटर सिंगनल के पार होते ही चारों ओर फैली धरती, धरती पर खड़े हुए कच्चे या पके खेत, खेतों के ऊपर उड़ते रंग-बिरंगे पक्षी और पक्षियों के ऊपर तना नंगा या बादलों से घिरा आकाश—ये वे चीज़ें हैं जिनके कारण मैं रेलवे की समय-सारिणी बन्द कर देता हूँ और मेघदूत की मन्दाक्रान्ता में फिर खो जाता हूँ जब तक साँझ घिरती है तब तक मेघदूत चलता है और जैसे ही साँझ घिरने लगती है वैसे ही मैं जयदेव, विद्यापति और चण्डीदास पर उतर आता हूँ। इन कवियों ने साँझ की वेला में राधा और कृष्ण की प्रेम-लीलाओं को लेकर जो कुछ लिखा है, उसे देखकर यह निःसंकोच होकर कहा जा सकता है कि इन सारे कवियों को रेल के प्रथम श्रेणी के डिब्बे में चलने का काफ़ी अनुभव था। हाँ, अलबत्ता डिब्बे में यदि कोई ख़ूबसूरत लड़की हो तो मैं दिन में भी विद्यापति को याद कर लेता हूँ। भारतीय रेलों की भाँति हमारे क्लासिकल कवियों का भी कोई जवाब नहीं। एक ओर डाकगाड़ी वाली गति और दूसरी ओर जहाँ चाहो वहाँ उतनी देर रुक जाने की प्रतिभा। मेरे इस काव्य-प्रेम में बाधा तब पड़ती है जब कि रात को कपड़े बदलने पड़ते हैं, सरकस के जोकर की भाँति ऊपर की सीट पर सोने के लिए चढ़ना पड़ता है और चलती गाड़ी में हजामत बनानी पड़ती है। ऊपर की सीट पर चढ़ने की प्रक्रिया में नीचे बैठी युवतियों के ऊपर गिरने की मुझमें इतनी प्रतिभा है कि थोड़ी देर बाद नीचे वाले लोग अपनी बर्थ मुझे काफ़ी सन्तोष के साथ ख़ुद ही दे देते हैं। हाँ, अलबत्ता इस हजामत का कोई इलाज नहीं। और मेरी दाढ़ी है कि इतनी तेज़ी से प्रगति करती है कि यदि उतनी तेज़ी से यह देश प्रगति करता तो पता नहीं कहाँ का कहाँ पहुँच जाता। हालत यह है कि यदि आज हजामत न बनाऊँ तो कल जब जबलपुर में उतरूँगा तो भगवान् रजनीश लगूँगा। अगर ऐसा हादसा हो गया तो बाबू लोगों की भरती कैसे होगी?

ख़ैर, डाकगाड़ी जो थी वह नहीं उल्टी और मैं जबलपुर पहुँच ही गया। अनुसूचित जातियों और पिछड़े वर्गों के नवयुवकों में से ही भरती करनी थी हालाँकि बेकार लोग उस क्षेत्र में और भी रहे होंगे। मध्यप्रदेश में प्रकृति ने इतनी सम्पदा दी है,

सौन्दर्य का इतना ऐश्वर्य बिखेरा है कि यदि वैसा पंजाब या हरियाणा में किया होता तो एक-एक घर में दो-दो टेलीविज़न सेट होते। मगर मध्यप्रदेश का पुरुष इतना निःसंग है कि प्रकृति के साथ कोई बलात्कार नहीं करना चाहता। चारों ओर छोटी-छोटी पहाड़ियाँ, बीहड़ जंगल, कल-कल करती नदियाँ, बीड़ी बनाते हुए मज़दूर और इन सबके ऊपर फैला हुआ अनन्त आकाश। आकाश जितनी मात्रा में मैंने मध्यप्रदेश में पाया, इतना किसी और क्षेत्र में नहीं। 'तुम्हारी आँखों का आकाश, खो गया मन का खग अनजान'—वाली पंक्ति कविवर पन्त ने निश्चयपूर्वक मध्यप्रदेश देखकर ही लिखी होगी।

भरती के लिए आये प्रत्याशियों की पहले लिखित परीक्षा हुई और फिर मौखिक। हालाँकि पर्चे मैंने काफ़ी सरल रखे थे पर फिर भी काफ़ी युवक और युवतियाँ उन्हें ठीक उसी हालत में वापस छोड़ आये जिस हालत में वे उन्हें दिये गये थे। कॉपी का शीलभंग करना उन्होंने कदाचित् उचित नहीं समझा। वैसे कुछ लोग ऐसे भी थे जिन्होंने इतना लिखा था और इतने ज़ोरदार ढंग से लिखा था कि भविष्य में उनके जैनेन्द्रकुमार या अज्ञेय बनने की प्रत्येक सम्भावना प्रकट होती थी। मूल प्रश्न को छोड़कर बाक़ी सारी चीज़ों को इतना कसकर पकड़ा था जैसे कि कोई साँड़ किसी गाय को पकड़ता है। स्पेलिंग की ग़लतियाँ इतनी मौलिक थीं कि कहीं-कहीं तो मुझे अपने ज्ञान पर ही सन्देह होने लगा। कुछ लोगों ने अँग्रेज़ी लिपि को ब्राह्मी या पाली लिपि में लिखा था जिसे केवल राहुल सांकृत्यायन ही पढ़ सकते थे। ख़ैर, उत्तर देना उनका काम था, फ़ेल करना मेरा। लिखित परीक्षा में जो लोग दुर्भाग्यवश उत्तीर्ण हो गये, उन्हें अगले दिन इण्टरव्यू के लिए बुलाया गया।

इण्टरव्यू में मेरे अतिरिक्त दो अधिकारी और थे। प्रत्याशियों की अँग्रेज़ी बोलने की क्षमता का पता लगाने के लिए हमें उनसे हिन्दी में ही बातचीत करनी पड़ी। कुछ लोग तो साधारण प्रतिभा के ही निकले और पास हो गये, पर बाक़ी लोग तो इतने मौलिक और मतिमान साबित हुए कि उन्हें देखकर वाणी के पास नयन और नयनों के पास वाणी नहीं रही। भारतीय इतिहास के कई स्नातकों ने मुग़लवंश की चर्चा करते हुए यही बताया कि जहाँगीर जो था वह शाहजहाँ का बेटा था और मुमताज़महल जो थी वह चिरंजीव शाहजहाँ की अम्मीजान थी। और हाँ, ग़रीब हुमायूँ को तो कोई जानता ही नहीं था; सब ने एकमत से यही घोषित किया कि बाबर का जो लड़का था वह अकबर था। हाँ, अलबत्ता एक साहब ने ज़रूर सारे प्रसंग को एक नयी दिशा दी और सूचित किया कि बाबर के लड़के का नाम शेरशाह था। एक लड़की आयी जिसे हिन्दी साहित्य में बड़ी सच्ची रुचि थी। गुलशन नन्दा के सारे उपन्यासों के नाम उसे ज़ुबानी याद थे। इतिहास में भी उसकी गति थी और उसने बड़े ही आत्मविश्वास से हमें सूचना दी कि सन् अठारह सौ सत्तावन की क्रान्ति के नेता दो सगे भाई थे जिनमें से एक का नाम था राममोहन राय और दूसरे भाई

का नाम था लाजपत राय। जब मैंने कुछ दबी ज़ुबान में कहा कि राममोहन राय तो सम्भवतः एक समाज-सुधारक थे जिन्होंने सतीप्रथा को बन्द करने में तत्कालीन वायसराय की मदद की थी तो उसने तपाक से उत्तर दिया कि मैं ग़लती कर रही थी और समाज-सुधारक जो थे वे दो और सगे भाई थं जिनमें से एकका नाम था स्वामी दयानन्द और दूसरे का था स्वामी विवेकानन्द। उसके उत्तर के सामने हम लोग निरुत्तर हो गये। उस बालिका के फ़ेल होने का मुझे हार्दिक अफ़सोम्र रहा क्योंकि वैसे वह काफ़ी शोख़ और हसीन थी—ठीक उस क़िस्म की लड़की जिसके कारण कभी सरकारी दफ़्तरों में ओवरटाइम काम करने की प्रथा का सूत्रपात हुआ होगा। मगर हम लोग क्या करते—हम ऐसा कोई प्रश्न पूछ ही नहीं सके जिसका वह सही उत्तर दे सकती। इसके बाद अँग्रेज़ी के एक विशेषज्ञ आये जो कवि ईलियट को ईडियट कहकर पुकारते थे। उन्होंने शेक्सपियर को सेक्सपीयर कहकर पुकारा और यह भी बताया कि वे सेक्सी उपन्यास लिखने में लाजवाब थे। इन सज्जन के अनुसार सर वाल्टर स्कॉट ने दक्षिणी ध्रुव की यात्रा की थी और जार्ज बर्नार्ड शा जो थे वे जार्ज पंचम के छोटे भाई थे। मैंने किसी सन्दर्भ में ग़लती से ओलिवर गोल्डस्मिथ का नाम ले लिया तो इन्होंने तुरन्त सूचित किया कि वे जाति से स्वर्णकार थे जैसा कि उनके सरनेम से भी ज़ाहिर था। इन महान् आत्माओं के उत्तर सुनकर मेरे साथियों में से एक हत्या करने की सोचने लगा और दूसरा आत्महत्या करने की। मैंने इण्टरव्यू वहीं समाप्त कर दिया। गणित के एक ग्रेजुएट चलते-चलते इतना और बता गये कि ग्रेविटेशन एक बहुत बड़ा वैज्ञानिक था और उसने न्यूटन नामक सिद्धान्त की खोज की थी।

सफल प्रत्याशियों की सूची बनाने और उसे सील बन्द करने के बाद हम लोगों ने चाय पी और पान खाये। बातचीत के दौरान पता लगा कि इस क्षेत्र में आधा वर्ष अध्यापक हड़ताल पर रहते हैं और आधा वर्ष छात्र लोग। शिक्षा का माध्यम हिन्दी है और अँग्रेज़ी साहित्य भी उसी माध्यम से पढ़ाया जाता है। हिन्दी का लेखक होने के नाते मुझे यह सुनकर हर्ष हुआ मगर मैं इस केन्द्रीय सरकार का क्या करूँ जो अभी भी अपने काम-काज के लिए अँग्रेज़ी ही ज़रूरी समझती है? और वह भी इन अनुसूचित जातियों से जिन्हें सदियों तक सारे देश ने दबाये रखा और जिनके बच्चे ख़ुद दिनभर बोझा ढोते थे और रात का कॉलेज अटेण्ड करके किसी तरह हम तक पहुँचे थे। उनके पता नहीं क्या-क्या अरमान रहे होंगे मगर मैं उनके लिए कुछ नहीं कर सका। मैं मजबूर था। और उस लड़की के साथ क्या करता जो हज़ार बार बाबर को शेरशाह का सगा बाप बताती रही? वह तो अच्छा रहा कि सर जदुनाथ सरकार वहाँ नहीं थे। वे होते तो उन्हें दिल का दौरा पड़ जाता और इण्टरव्यू छोड़कर पहले उन्हें अस्पताल ले जाना पड़ता।

मैं उदास हो गया। पहले कवि होने की स्थिति रही और फिर चिन्तक और

दार्शनिक होने की। कायर लोग हमेशा कवि या दार्शनिक ही होते आये। 'वियोगी होगा पहला कवि' वाली बात में मैं कभी यक़ीन नहीं करता। मेरे विचार में पहला कवि वह कायर था जो न तो मुसम्मात को भगा ही सकता था और न उसके बाप के साथ फ़ौजदारी ही कर सकता था। बहरहाल, उदासी दूर करने के लिए हम भेड़ाघाट और धुआँधार देखने गये। पानी जो था वह काफ़ी ऊँचाई से और काफ़ी तबीयत के साथ पतित हो रहा था जिसे देखकर मेरा दुःख और भी बढ़ गया। मैं किसी को पतित होते नहीं देख सकता चाहे वह पानी ही क्यों न हो। मैं अभी तक ऐसे झरने की तलाश में हूँ जिसमें गिरने के बजाय पानी ऊपर जाता हो। ख़ैर, उसके बाद मैं परसाईजी के पास गया मगर वहाँ भी उदासी जो थी वह और गहरी ही हो गयी। इतने बड़े कलाकार ने इस बार अपनी टाँग बिना किसी बाहरी सहायता के खुद ही तोड़ रखी थी और हालत यह थी कि बेचारे छड़ी के सहारे चलते थे। मैं यहाँ भी कुछ नहीं कर सकता था। टूटी टाँग टूटे दिल से कहीं ज़्यादा तकलीफ़ देती है। परसाईजी शायद मुझसे सहमत होंगे। उन्हें टूटी टाँग का अनुभव है तो मुझे टूटे हुए दिल का।

सन्ध्या समय नगर के साहित्य-प्रेमियों ने मेरे सम्मान में एक आयोजन किया। टूटी हुई टाँग के बावजूद परसाईजी सभा का सभापतित्व करने का लोभ सँवरण नहीं कर सके। अपने भाषण में उन्होंने कुछ मामलों में मुझे अपने से बेहतर कलाकार बताया। ईमानदार आदमी हैं, सच ही कह रहे होंगे। मेरे कण्ठ में फूलमालाएँ पड़ीं, फ़ोटो खिंचे, मेरी कविताएँ सुनी गयीं और अगले दिन रेडियो पर मेरा लम्बा इण्टरव्यू भी टेप हुआ। नतीजा यह रहा कि मेरी उदासी एकदम दूर हो गयी। यशःप्रार्थी कवि जो था वह उन सारे ग़रीब और बेसहारा लोगों को भूल गया जो हज़ार मुसीबतों के बाद भी नौकरी में नहीं लिये जा सके थे।

संस्कृत-साहित्य में नारी : एक शोध-प्रबन्ध

मुझे यह जानकर वाक़ई बड़ी प्रसन्नता हुई कि ये जो लड़कियाँ हैं, ये वैदिककाल में भी बदस्तूर पायी जाती थीं। हमारी प्राचीन सभ्यता व संस्कृति वाक़ई बहुत शानदार रहीं। वेदों में लड़कियों को 'कन्या' कह-कर पुकारा गया जिसका अर्थ उस लड़की से होता था जिसे सब कोई चाहे। जो होनहार कन्या शेष ज़िम्मेदारियों के साथ-साथ गाय दुहना भी जानती होती थी, उसे 'दुहिता' की संज्ञा दी गयी। वेदों में स्त्री को पुरुष का आधा भाग स्वीकार किया गया हालाँकि यह कहीं नहीं बताया गया कि वह पुरुष के ऊपर के आधे भाग के बराबर होती थी या कि नीचे वाले आधे भाग के बराबर। 'पत्नी' से अभिप्राय उस स्त्री से होता था जो अपने पति के साथ यज्ञ सम्पन्न करे। इस यज्ञ का विवरण वेदों में नहीं पाया जाता और उसके लिए आपको 'हास्यार्णव प्रहसनम्' नाम की पोथी एकान्त में बैठकर पढ़नी पड़ेगी। इस पोथी में उस यज्ञ की विशद व्याख्या प्रस्तुत की गयी है जो कि पति और पत्नी एक होकर सम्पन्न करते हैं। यह जानकर और भी ख़ुशी होती है कि पुराने ज़माने में युवतियाँ होती ही नहीं थीं, वरन् उनके साथ बलात्कार भी किया जाता था। इन सारे कारणों को ध्यान में रखते हुए महामति मनु ने यह सुझाव दिया था कि स्त्री को सदा पराधीन रखा जाए ताकि न तो वे गन्धर्व विवाह कर सकें और न कोई उनके साथ राक्षस विवाह ही कर सके। और हाँ, वैदिककाल में स्त्रियों को जितने शेष नाम भी दिये गये उनके पीछे भी एक निश्चित अर्थ होता था। क्योंकि बुद्धिमान पुरुष स्त्रियों के पास संसर्ग की भावना से जाते थे, वेदों में स्त्रियों को 'ग्नाः' कहकर पुकारा गया। 'स्त्री' वह युवती कहलाती थी जो कि लज्जा से सिकुड़े, न कि ठण्ड से। अपने आप पुरुष जुटाने वाली प्रतिभावान् युवती को 'योषित्' कहा गया और सौंदर्य बिखेरने वाली स्त्री को 'वामा' कहकर पुकारा गया। जिस युवती को देखते ही पुरुष का तन और मन गीला हो जाए, उसे सुन्दरी की संज्ञा दी गयी और अधिक लालसा वाली बालिका को 'ललना' बताया गया। क्षण-क्षण में रूठने वाली लड़की को 'मानिनी' कहते थे और पूजनीय स्त्री को—यानी कि जिसकी आयु पैंतीस वर्ष से ऊपर हो जाए—'महिला' कहकर पुकारा जाता था। स्त्री को 'जाया'

भी कहा गया क्योंकि वह पुरुष की सहायता से बच्चों को जन्म देती थी। ऋग्वेद के एक मन्त्र में एक पुरुष एक स्त्री से कहता है कि आओ, हम विवाह-सूत्र में बँध जायें और अपने सम्मिलित प्रयत्नों द्वारा सुन्दर व सुयोग्य सन्तान देकर प्रजा की वृद्धि करें। उस स्त्री विशेष ने इस प्रस्ताव पर क्या प्रतिक्रिया दिखाई—यह वेदों में नहीं बताया गया हालाँकि मेरे विचार में वह सुमुखि सन्तान देने वाले प्रस्ताव को तो कम-से-कम मान ही गयी होगी।

वैदिक युग में स्त्रियाँ आजन्म ब्रह्मचारिणी रह सकती थीं पर रामायण-काल में विवाह को अनिवार्य माना गया। रामायण ने दुष्टा स्त्री के परित्याग की भी बात की और मज़े की बात यह है कि दुष्ट पुरुष के परित्याग की चर्चा कहीं नहीं की। इस बात से सिद्ध हो जाता है कि पुरुष जो है वह कभी दुष्ट नहीं होता। इन्द्र ने जो कुछ अहल्या के साथ किया था उसमें भी इन्द्र का इतना ज़्यादा कसूर नहीं था क्योंकि अहल्या यह अच्छी तरह पहचान गयी थी कि जो पुरुष उससे प्रेम की भिक्षा माँग रहा था, वह उसका पति हरगिज़ नहीं था। कुल मिलाकर वाल्मीकि का युग रूपवती युवतियों का युग था क्योंकि कैकेयी, रम्भा, मेनका, अंजना, तारा और मन्दोदरी उसी युग में हुई थीं। स्वयं सीता इतनी ख़ूबसूरत थीं कि उन्हें देखकर रामचन्द्रजी तक अधीर हो उठे थे। वाल्मीकि ने कहा भी है कि स्त्री का रूप जो है वह संसार की एक दुर्लभ वस्तु है। सघन कुन्तल, रोमहीन मुखमण्डल, उठे हुए उरोज, लचीली सुकुमारता और घाव करने वाले नेत्र—ये वे पदार्थ थे जिनके आधार पर स्त्री का सौन्दर्य आँका जाता था। वेश्याएँ समाज का अनिवार्य अंग थीं और वे बाक़ी काम-काज के अतिरिक्त राजकाज में भी सहायता करती थीं। स्त्री को एक ऐसी चल सम्पत्ति माना जाता था जो कि पति की इच्छानुसार किसी को भी दी जा सकती थी। पर्दे की प्रथा का भी कुछ रिवाज़ था और कुलीन-स्त्री के लिए विधवा होना सबसे बड़ी विपत्ति माना जाता था। सुन्दर-स्त्रियों के सन्दर्भ में यह बता देना उचित ही होगा कि लंका-विजय के उपरान्त स्वयं विभीषण ने राम से कहा था कि अब आप स्नान करें, शृंगार की क्रिया में निपुण कमलनयनाएँ आपको विधिवत् स्नान कराने को आतुर खड़ी हैं। कितने खेद की बात है कि ऐसी शास्त्रसम्मत प्रथाएँ राजों और महाराजों के साथ ख़त्म हो गयीं। हमारी संस्कृति में जो कुछ श्रेष्ठ था उसे तो बचाना ही चाहिए था। अब तो यह बताते हुए भी दुःख होता है कि भरद्वाज ऋषि के आश्रम में प्रत्येक सैनिक के लिए सात-सात सुन्दरियाँ नियुक्त रहती थीं जो तेल वग़ैरह मलकर उन्हें नदी में स्नान कराती थीं और बाद में उनके पैर दबाकर उन्हें मदिरा पिलाती थीं।

महाभारत में नारी को नरक का द्वार स्वीकार किया गया और इसी कारण उनका अपहरण भी किया गया। सुभद्राहरण और रुक्मिणीहरण उसी समय में सम्पन्न हुए। द्रौपदी के इतिहास से पता लगता है कि राजा लोगों की पत्नियाँ तक एक से

ज़्यादा पति रखती थीं। परपुरुष की सक्रिय सहायता से बच्चा प्राप्त कर लेने की प्रथा ज़ोरों पर थी और इस प्रथा को नियोग कहकर पुकारा जाता था। पाँचों पाण्डव स्वयं इसी प्रथा के अनुसार उत्पन्न हुए थे। कुन्ती का पुत्र कर्ण सूर्य की सहायता से उत्पन्न हुआ था। मेरे ख़याल से सूर्य में उन दिनों अब की अपेक्षा कहीं ज़्यादा शक्ति होती थी क्योंकि आजकल तो धूप में कितना ही लेट लो, गर्भाधान जो होगा वह किसी और तरह ही होगा। बड़े-बड़े सम्राट दासियों से प्रणय करते थे और दासी की सन्तान को दासी-पुत्र कहकर पुकारा जाता था। दासी-पुत्र विदुर ने बताया था कि जिस प्रदेश में स्त्री, कुमारी या बालक राज्य करता है, वह देश पत्थर की नाव की भाँति नदी में डूब जाता है। उस समय के नीतिकारों के अनुसार राजा को उचित था कि वह मूर्खों और स्त्रियों से परामर्श न करे, उन्हें गुप्त बात न बताये और उन पर विश्वास न करे।

कालिदास को 'श्यामा' क़िस्म की युवतियाँ पसन्द थीं। श्यामा– यौवन मध्यस्था। सोलह साल से ऊपर की तथा चढ़ती हुई जवानी वाली कन्या को 'श्यामा' कहते थे। कालिदास की प्रायः सभी नायिकाएँ यौवनवती थीं और उन सभी के कुच जो थे वे गुरु, पीवर, उन्नत, पीन तथा विशाल थे। कुचविहीना नारी की उपमा जलविहीन सरिता से दी जाती थी। 'मालविकाग्निमित्र' में बताया गया है कि जिस प्रकार बड़ी नदियाँ समुद्र में जाते-जाते दो-चार छोटी-मोटी नदियों को भी अपने साथ ले जाती हैं उसी प्रकार पतिव्रता स्त्रियाँ जो होती हैं वे भी अपने पति को अन्य सुन्दरियों से मिलाती रहती हैं। कालिदास की कृतियों से यह भी पता लगता है कि उन दिनों पत्नी के अलावा बाक़ी क़िस्म की स्त्रियाँ भी इफ़रात के साथ पायी जाती थीं जैसे गणिका, दूती, वारांगना और अभिसारिका इत्यादि। रसिक लोग इन सब प्रकार की सुन्दरियों का पूरा-पूरा प्रयोग करते थे। सीता के वियोग में तड़पते हुए राम का वर्णन तो कालिदास ने भी 'रघुवंश' में किया पर उसमें वह ताज़गी नहीं आ पायी जो कि भवभूति में थी। भवभूति के राम सीता के वियोग में काफ़ी खुलासा तौर पर कहते हैं कि मुझे उन दिनों की याद आती है जब कि मेरी प्रिया में गुणों का विकास हो रहा था। मृगनयनी के स्तनयुगल यौवन के साथ-साथ पीन होते जा रहे थे और आयु की वृद्धि के साथ-साथ कामदेव जो था वह उसके शरीर में शनैः-शनैः प्रवेश करके अपने प्रभाव को उसके अंग-प्रत्यंगों में स्पष्ट कर रहा था। स्त्री को लेकर 'मृच्छकटिक' नाटक में एक स्थान पर कहा गया है कि हाय! जिसमें सौभाग्य का सौदा बिका करता था, वह कामदेव का बाज़ार आज नष्ट हो रहा है। इसी नाटक में एक स्थान पर शूद्रक का विदूषक युवतियों को सम्बोधित करके कहता है कि 'गाड़ी के बारे में क्या पूछना! काम-रूपी सागर के प्रेम निर्मल जल में आप लोगों के कुच, नितम्ब और जंघाएँ ही सर्वश्रेष्ठ गाड़ियाँ हैं।' शूद्रक ने यह भी कहा है कि स्त्री और सम्पत्ति–इन दोनों पर विश्वास नहीं करना चाहिए क्योंकि ये दोनों ही साँपों

की भाँति होती हैं। हसीन लड़कियों की चर्चा छिड़ते ही नाटककार कहता है कि ये हृदय से किसी को चाहती हैं, आँखों के इशारे से किसी और को बुलाती हैं, यौवन का उद्वेग किसी और को दिखाती हैं और अन्त में चलकर भोग जो करती हैं वह किसी और के ही साथ सम्पन्न करती हैं। शूद्रक के समय में स्त्रियाँ अपने स्तन नहीं ढकती थीं। वात्स्यायन के अनुसार यदि किसी स्त्री के कुचों पर नाख़ूनों के निशान मिल जाते थे तो उसे विवाहिता मानकर उसका सम्मान किया जाता था। उन दिनों बहुप्रथा का रिवाज़ था और अविवाहित युवतियों के भी बच्चे जो थे वे कसरत के साथ होते थे। लड़कियों का अपहरण उन दिनों भी बहुत होता था।

बाद में चलकर वात्स्यायन ने वेश्याओं के भी भेद किये और उनके चौदह कुलों का परिचय दिया। महामति चाणक्य ने स्त्रियों को केवल सन्तानोत्पत्ति का साधन स्वीकार किया। उन्होंने पहली बार बताया कि पुरुषों की अपेक्षा स्त्रियों में दुगुना आहार, चौगुनी लज्जा, छह गुना साहस और आठ गुना काम होता है। उन्होंने यह भी बताया कि स्त्रियों में मिथ्या-भाषण, साहस, कपट, मूर्खता, लोभ, अपवित्रता व निर्दयता आदि दोष स्वाभाविक रूप से होते हैं। अन्त में चलकर चाणक्य ने एक बहुत बड़ा नुस्खा बताया और कहा कि ईख, तिल, स्वर्ण, धरती, चन्दन, दही, तम्बाकू और सुन्दर लड़की—इनका जितना भी मर्दन किया जाए, उतना ही गुण बढ़ता है। भर्तृहरि का कहना था कि पत्नी एक होनी चाहिए, चाहे वह अप्सरा की भाँति सुन्दरी हो या गुफ़ा की भाँति भयानक हो। उन्होंने स्त्रियों को अबला कहने पर बहुत एतराज़ उठाया और कहा कि जो युवतियाँ गोवर्धन पर्वत उठाने वाले कृष्ण को भी अपने उरोजों से उठा सकती थीं, वे अबला कैसे कहला सकती हैं? इन सुन्दर युवतियों ने न जाने कितने बुद्धिमान् पुरुषों को कापालिक बना दिया और तुम इन्हें अबला कहते हो? और हाँ, कवि ने यह भी कहा कि स्त्रियों के चरित्र को मनुष्य तो क्या, स्वयं भगवान् भी नहीं जानता। जैसा कि आपको पता होगा, भर्तृहरि की निजी पत्नी चरित्रहीन थी और इसी कारण उन्हें ऐसी घोषणा करने का पूरा अधिकार था। 'वेताल पंचविंशति' में राजा त्रिविक्रम सेन वेताल से कहते हैं कि पुरुष तो कोई ही ऐसा होता है जो कि दुराचारी हो जबकि स्त्रियाँ जो होती हैं वे प्रायः चरित्रहीन होती हैं। राजा के इस उत्तर से वेताल बहुत सन्तुष्ट हुआ था। चाणक्य के अनुसार नारी घृतकुम्भ व पुरुष तप्तांगार के समान है और इसी कारण बुद्धिमान लोगों को चाहिए कि इन्हें साथ-साथ एक स्थान पर न रखें। पंचतन्त्र में 'भार्या रूपवती शत्रु' का नारा बुलन्द किया गया है जो शायद ठीक ही है।

महाकवि दण्डी और बाणभट्ट ने भी स्त्री जाति पर काफ़ी ध्यान दिया है। महाकवि हर्ष के नाटक 'नागानन्द' का नायक अपनी पत्नी के बारे में काफ़ी पते की बातें नोट करता है। वह कहता है कि "चार आँखें होते ही वह अपनी नज़र नीची कर लेती है, कुछ कहने पर भी कोई उत्तर नहीं देती, सिर फेरकर शैया पर

लेटी रहती है, ज़बर्दस्ती बाँहों में भर लिये जाने पर वह काँपने लगती है और जब उसकी सखियाँ बाहर जाने की तैयारी करती हैं तो वह भी वहाँ से चल देने का उपक्रम कर देती हैं। किन्तु इस प्रकार उल्टा व्यवहार करने पर भी मेरी नवविवाहिता पत्नी आज मुझे बड़ी प्यारी लग रही है।" एक अन्य कवि कहते हैं कि जो पयोधर ख़ुद नायिका का हृदय चीरकर बाहर निकल आये वे दूसरों पर क्या दया करेंगे? 'अमरुशतक' की नायिका तो अपनी सखी से भी धीरे-धीरे बात करने को कहती है ताकि उसके हृदय में बसे उसके प्रियतम निद्रा से न जग जाएँ। इसी प्रकार एक स्थान पर एक होनहार दूती का भी ज़िक्र आता है जो नायिका का सन्देश लेकर नायक के पास गयी थी और उससे रमण करके लौटी थी। कवि वररुचि एक नायिका को सम्बोधित करके कहते हैं कि तुझ जैसे चौड़े नितम्बों वाली सुन्दरी को देखकर तो कामदेव का मन भी डावाँडोल हो जायेगा। और जयदेव का तो कहना ही क्या, स्त्री और पुरुष की केलि-लीलाओं का वर्णन जैसा उन्होंने किया, वैसा कोई और कवि कभी नहीं कर पाया। जयदेव की नायिका का पिता बड़ा उदार था, दिन छिपने पर नायक को घर तक पहुँचाने का भार वह अपनी पुत्री पर ख़ुद ही डालता था, रास्ते में नायक और नायिका क्या करते थे, इसे जानने के लिए 'गीतगोविन्द' पढ़िए। राधामाधवयोः जयन्ति यमुनाकूले रहः केलयः। संस्कृत के स्तोत्र-ग्रन्थों में भी स्त्री का वर्णन प्रचुरमात्रा में मिलता है। 'कुट्टनीमतम्' में वेश्याओं का वर्णन है जो कहीं-कहीं वेश्याओं से भी ज़्यादा आकर्षक है। कामिनियों के कुच जो हैं वे पर्वतों के समान हैं और उन्हीं की ओट में कामदेव नाम का चोर बैठा रहता है जो भोले-भाले पथिकों को लूटता रहता है। इस चोर की आदत में अभी तक कोई फ़र्क़ नहीं आया। इस चोर के बारे में ज़्यादा जानकारी ज़रूरी हो तो आप 'भामिनी विलास' पढ़ें। वेश्याओं में जो सबमें अधिक सुन्दरी और गुणशालिनी होती थी उसे ही 'गणिका' कहलाने का गौरव प्राप्त होता था। लिच्छवि राज्य की आम्रपाली व 'मृच्छकटिक' की वसन्तसेना अपने-अपने समय में राज्य और जनता दोनों के लिए गौरव की वस्तु थीं। ऐसी सामाजिक स्थिति में कामदेव नाम का डाकू कैसे पकड़ा जा सकता था? सच बात तो यह है कि यह एक ऐसा डाकू है जिसने बाबू जयप्रकाश नारायण के सामने भी आत्मसमर्पण नहीं किया।

बौद्ध साहित्य में नारी की उपमा नदी, मार्ग, शराबघर, धर्मशाला और प्याऊ जैसी सार्वजनिक चीज़ों से की गयी जिनका कि उपयोग कोई भी कर सके। जातक-काल में तो स्त्रियों को गिरवी रखने तक की प्रथा थी। बुद्ध ने भार्याओं के सात प्रकार बताये। जातक कथाओं में एक ऐसी रानी की कथा है जिसके शारीरिक सम्बन्ध चौंसठ नौकरों से थे। स्त्री का स्वभाव झरने जैसा बताया गया जिसकी कि प्रवृत्ति ही नीचे गिरने की है। जैन धर्म-ग्रन्थों से पता चलता है कि धनी लोग एक से ज़्यादा पत्नी रखते थे। वही व्यक्ति समाज में प्रतिष्ठित माना जाता था जो कि एक से

ज़्यादा पत्नियाँ रखता था। श्रावक लोग भी अनेक पत्नियाँ रखते थे। राजमल द्वारा रचित 'लाठी संहिता' नामक अहिंसावादी पोथी में भारू नाम के श्रावक की चर्चा है, जिसके मेधी, रूपिणी और देविला नाम की तीन पत्नियाँ थीं। समाज के अन्य वर्गों की भाँति जैन लोग दासियाँ भी रखते थे। ख़रीदी हुई युवतियों को दासी कहा जाता था। इसके अतिरिक्त कुछ स्त्रियों को यूँ ही घर में रख लिया जाता था और उन्हें 'चेटिका' कहते थे। चेटिका सूरतप्रिया और भोग्या होती थीं। विवाहिता पत्नियों, दासियों और चेटिकाओं को छोड़कर जो स्त्रियाँ शेष रह जाती थीं उन्हें बहन या माता या बेटी के समान समझा जाता था। यह लोक भी ठीक और परलोक भी ठीक। सादा जीवन, उच्च विचार। जैन साहित्य में स्त्रियों के चालीस भेद गिनाये गये हैं और इन भेदों में जिनकी रुचि हो, सात्विक विचार वाले लोग 'सभा शृंगार' नामक पोथी पढ़ें।

स्त्रियों की चर्चा समाप्त हो गयी। सोचता हूँ कि उस प्रबन्ध की समाप्ति से पहले कुछ चर्चा आभूषणों की भी कर लूँ क्योंकि बिना आभूषणों के स्त्रियों की चर्चा कुछ अधूरी मालूम पड़ती है। संस्कृत के आचार्य शार्ङ्गधर ने स्पष्ट लिखा है कि नारियाँ ही आभूषणों को भूषित करती हैं, आभूषण उन्हें भूषित नहीं करते। बाद में चलकर महाकवि बिहारी ने भी एक ऐसी नायिका पर कटाक्ष किया है जिसके चरण गहनों के भार के कारण सीधे नहीं पड़ते थे। बात भी ठीक है। यदि पैर ही भारी करना है तो शास्त्रसम्मत विधि के अनुसार करो, उसके लिए आभूषणों की सहायता क्यों लेती हो?

'अमरुशतक' के व्याख्याकार रविचन्द्र का कहना है कि जब दिग्विजय क्रम में शंकराचार्य कश्मीर पहुँचे तो वहाँ लोगों ने उनसे कामशास्त्र पर उपाख्यान देने को कहा। शंकराचार्य ने तत्क्षण-मृत राजा अमरुक के शरीर में प्रवेश करके उनकी सौ रानियों से भोग करके कामशास्त्र के ऊपर व्याख्यान दिया जो 'अमरुशतक' नाम से प्रसिद्ध है। बाद में शंकराचार्य ने पूरे शतक की आध्यात्मिक व्याख्या की। ठीक इसी प्रकार मैंने यह जो प्रबन्ध लिखा है वह बाहर से शृंगार-प्रधान लगते हुए भी मूलतः आध्यात्मिक है और पाठकों की आत्मा को पवित्र करने के लिए लिपिबद्ध किया गया है। जो लोग इसे शृंगार-प्रधान समझेंगे वे लेखक के प्रति अन्याय करेंगे।

तीन यात्रियों के बयान

अपने इतिहास से हमें जानकारी मिलती है कि पुराने ज़माने में हमारे यहाँ तीन चीनी यात्री आये थे जिनके विवरणों से हमें पता लगता है कि उस समय देश की क्या स्थिति थी। इनके नाम थे इत्सिंग, फ़ाह्यान और ह्वेनसांग। इत्सिंग ने बौद्ध भारत की यात्रा की थी। उसके दिये गये विवरण के अनुसार लोग ठीक वैसा करते थे जैसा कि उनके पूर्वाधिकारियों ने किया था; किसी भी विषय में अपना निर्णय लेने का कष्ट किसी को भी नहीं उठाना पड़ता था। लोग मुर्गे की पूजा करते थे। खड़ाऊँ पहन कर कोई व्यक्ति पवित्र स्तूप की प्रदक्षिणा नहीं कर सकता था। खाना खाते समय लोग एक-दूसरे से अलग बैठते थे ताकि एक-दूसरे का स्पर्श न हो सके। कुत्ते का स्पर्श होने पर अपनी शुद्धि करनी पड़ती थी। कुल्ला करने के लिए पानी को शंख के प्याले में डालना पड़ता था और यदि वह प्याला हाथ से छू जाता था तो मटर के आटे, सूखी मिट्टी और गोबर से उसे साफ़ किया जाता था। तीसरे पहर जल पीने की आज्ञा नहीं थी। विद्वान् भिक्षु पालकी पर चलते थे, वे घोड़े पर नहीं बैठते थे। बिना शुद्धि किये यदि कोई किसी को प्रणाम करता था तो दोनों को दोषी माना जाता था। दातुन का प्रयोग करना ज़रूरी था और यदि दातुन करते-करते किसी को मज़दूरी में अपने गुरु के पास जाना पड़ता था तो वह बायें हाथ से अपने मुँह को ढक लेता था। तीन वर्ष तक के बच्चे दातुन करते थे। घी, तेल और मलाई सब स्थानों पर मिलती थी। प्याज़, लहसुन और कच्ची तरकारी खाना मना था। भिक्षुओं को जो भोजन दिया जाता था उसमें पदार्थों की संख्या सौ तक होती थी तथा भिक्षु को यह ज़रूरी था कि उसे कितना भी अधिक भोजन दिया जाए, वह उसे खाकर ही उठे। प्रत्येक भिक्षु को तेरह वस्तुएँ ज़रूर रखनी पड़ती थीं और लोग जो थे वे रेशम पहनते थे। तीन प्रकार के मांस पवित्र माने गये थे और उनके खाने से कोई पाप नहीं लगता था। पानी छानकर पीना पड़ता था। खेतों की जुताई और सिंचाई नहीं होती थी क्योंकि उससे जीवों की मृत्यु का ख़तरा था। स्त्रियों से बातचीत करना मना था मगर यह प्रतिबन्ध केवल बातचीत करने पर ही था। लोग या तो नंगे रहते थे या केवल एक ही वस्त्र पहनते थे। छतरी का व्यवहार आवश्यक था। दालान

की दीवारों पर हाथीदाँत की खूँटियाँ लगती थीं। कुछ भिक्षुणियाँ होनहार क़िस्म की होती थीं और वे उपदेशों की परवाह न करके गहनों और कपड़ों से प्यार करती थीं। शोक मनाने के लिए घर में रंगीन कपड़ा बिछाया जाता था। टट्टी जाने के बारे में भी निश्चित नियम होते थे और तालाबों में जल बहुतायत से पाया जाता था। सोते समय लकड़ी का तकिया प्रयोग में लाया जाता था। दातुन करने; जल पीने, शौच जाने, मूत्र करने और चैत्य वन्दन के नियम जानने सबके लिए अनिवार्य थे। चाय पी जाती थी और फूलों का सूँघना मना था। ऐसे-ऐसे विद्वान् भी होते थे जिन्हें एक लाख तक मन्त्र याद होते थे। सिर को मुँड़ाये बिना कोई व्यक्ति शीलवान नहीं माना जाता था। संगीत सुनकर प्रसन्न होना मना था। स्थिति यह थी कि आत्महत्या करने का रिवाज़ आम था। कोई गंगा में डूबता था, कोई पेड़ या पर्वत से कूदता था और कोई उपवास करके ही मृत्यु को प्राप्त करता था।

चन्द्रगुप्त विक्रमादित्य के समय में फ़ाह्यान नामक चीनी यात्री भारत आया। उसने पेशावर, तक्षशिला, मथुरा, कन्नौज, कपिलवस्तु, श्रावस्ती, पाटलिपुत्र, बुद्ध गया, राजगृह, वैशाली तथा अन्य स्थानों की यात्रा की। उसके अनुसार अपराधियों को प्रायः जुर्माने का ही दण्ड मिलता था किन्तु बार-बार अपराध करने पर अंगच्छेद करने की भी व्यवस्था थी। सूअर और मुर्गी कोई नहीं पालता था और मांस और मदिरा की दुकानें कहीं नहीं थीं। राजा की एक प्रमुख विशेषता यह थी कि वह प्रजा के काम में कोई दख़ल नहीं डालता था। फ़ाह्यान के बाद राजा हर्षवर्धन के समय में ह्वेनसांग यात्री आया जो भारत में चौदह वर्ष तक रहा। उसके अनुसार राज्य में दण्ड की कड़ी व्यवस्था थी और विश्वासघात के अपराध के लिए आजीवन कारावास की व्यवस्था थी। घोर अपराधों के लिए लोगों के हाथ, पैर, नाक या कान काट लिये जाते थे। जान-माल की कोई सुरक्षा नहीं थी और ह्वेनसांग स्वयं कई बार डाकुओं के हाथों में पड़ गया था। जाति प्रथा ज़ोरों पर थी और बाल-विवाह ख़ूब होते थे। हर्ष की बहन राज्यश्री का विवाह बारह हर्ष की कच्ची आयु में हुआ था। स्त्री-शिक्षा का प्रचार था और लोग दूध, घी, भुने हुए चने और मीठी रोटी खाते थे। शूद्र लोग गाँव के बाहर रहते थे और दीवारों पर चूने का प्लास्टर किया जाता था। नालन्दा के विश्वविद्यालय में लगभग दस हज़ार विद्यार्थी पढ़ते थे। ह्वेनसांग जब वापस गया तो राजा ने उसकी सुरक्षा के लिए काफ़ी सिपाही उसके साथ भेजे।

इतिहास बताता है कि बीसवीं शताब्दी के उत्तरार्ध में भारत सरकार ने इन तीनों यात्रियों को फिर चीन से बुलवाया ताकि उनके जरिए देश की स्थिति का सही पता लग सके। इस बार ये लोग आये तो उनकी एक कमेटी बनायी गयी जिसे काफ़ी वेतन और भत्ता दिया गया। कोई पाँच वर्ष तक देश की यात्रा करने के बाद इन सयानों ने सरकार को अपनी रिपोर्ट पेश की जो सरकार के ख़िलाफ़ थी। इस बीच सीमा-विवाद को लेकर चीन और भारत के बीच वैसे भी कुछ वाद-विवाद हो गया

था और इस कारण यह भी हो सकता है कि इन यात्रियों की रिपोर्ट एकपक्षी ही रही हो। इनकी इस रिपोर्ट के अनुसार भारत में प्रजातन्त्र आ गया था और शासन का अधिकार उसे ही मिलता था जिसे प्रजा चुनती थी। प्रजा के मत को गुण्डागर्दी, शराब, रिश्वत और फ़ौजदारी द्वारा ज़बर्दस्ती भी लिया जाता था और चुने जाने के बाद विधान सभाओं में बहस होती थी जिसके बाद जूता चलता था। लोग दल-बदल ख़ूब कसरत के साथ करते थे और प्रान्तों की सरकारें प्रायः हर वर्ष बदलती रहती थीं। कुछ लोग ऐसे होते थे कि पार्टी कोई भी सत्ता में आये, वे हमेशा वज़ीर रहते थे और लाखों रुपयों का ग़बन करते थे। न्यायपालिका बेहद ईमानदार थी मगर वह न्याय देने की अपेक्षा क़ानून की रक्षा का कहीं ज़्यादा ध्यान रखती थी। जज लोग प्रायः उसी सरकार के पक्ष में निर्णय दिया करते थे जो कि सत्ता में होती थी। क़ानूनों की तादाद इतनी बढ़ गयी थी कि देश का प्रत्येक व्यक्ति किसी-न-किसी रूप में अपराधी था। न्याय देने की प्रक्रिया काफ़ी लम्बी होती थी और अदालतों में लाखों मामले विचाराधीन पड़े थे। जज लोग प्रायः अदालत देर से आते थे और वकीलों को इतनी आज़ादी थी कि वे भरी अदालत में एक-दूसरे से हाथापाई कर सकते थे। गवाह झूठे होते थे और फ़ैसला सच्चा होता था। कार्यपालिका जो थी वह बेहद सुस्त और डरपोक हो गयी थी क्योंकि हर नयी सरकार अफ़सरों के ख़िलाफ़ कमीशन बिठाती थी। मज़दूरों की यूनियन बड़ी ज़बर्दस्त थी, जिनके कारण उद्योगों में भारी हानि होती थी। स्त्रियों को सरकार की हर नौकरी में जाने का अधिकार था चाहे वे इसके योग्य हों या न हों। अखवार ख़ूब छपते थे और उनकी बिक्री के लिए उनके ऊपर सुन्दर युवतियों के चित्र बहुतायत से छपते थे। कला का विकास ज़ोरों पर था और डाकू और गिरहकट इतने थे कि सूरज छिपने के बाद लोग घरों से बाहर नहीं निकलते थे। शिक्षा की प्रगति इतनी हो गयी थी कि हर ज़िले में एक विश्वविद्यालय था हालाँकि शिक्षा व परीक्षा वहाँ कभी नहीं होती थी। छात्र लोग अध्यापकों की हत्या करते थे और रेल की चेन खींचते थे। अख़बार एकदम स्वतन्त्र थे और उनमें वही छपता था जो सरकार, राजनीतिक पार्टियाँ और सेठजी चाहते थे। स्त्रियाँ भी एकदम स्वतन्त्र थीं और भले घरों की लड़कियाँ भी वेश्यावृत्ति करती थीं। बच्चों पर जनता विशेष ध्यान देती थी और हज़ारों बच्चों को अपंग करके उनसे भीख मँगवायी जाती थी। लेखक लोग दाढ़ी रखते थे और उनमें से काफ़ी तो गुप्त वंश के ही थे। इस सन्दर्भ में मैथिलीशरण गुप्त और जगदीश गुप्त के नाम आदर के साथ लिये जाते थे। लोगों में भक्ति-भावना काफ़ी प्रबल थी और कहीं-कहीं तो रामलीला देखने आदमी क्या, हाथी तक आते थे। आदमी पैदल चलते थे और गधे मोटरों में बैठते थे। शराब और गोश्त की बिक्री ज़ोरों पर थी और स्त्रियाँ आत्महत्या करने के लिए एकदम स्वतन्त्र थीं। देश में ईंधन की काफ़ी कमी थी और इसी कारण हरिजन लोग जलाने के काम में लाये जाते थे। देश का सबसे

ज़िम्मेदार महकमा पुलिस का था जो थाने की चहारदीवारी के भीतर ही असहाय स्त्रियों के साथ बलात्कार कर लेता था। पुलिस इतनी निष्पक्ष थी कि वह अन्धे लोगों पर लाठीचार्ज करने से भी संकोच नहीं करती थी। देश में दूध और दही की कमी थी और बड़े-बड़े नेता अपना मूत्र पीते थे। किसानों की हालत अब भी काफ़ी दर्दनाक थी और बाढ़ या सूखे से वे अभी भी पीड़ित रहते थे। देश में जो कुछ भी ग़लत होता था, उसके लिए सरकार विरोधी दल को और विरोधी दल सरकार को दोषी ठहराता था। बाबू लोग दफ़्तरों में स्ट्राइक करते थे और अफ़सर लोग दौरे पर रहते थे। कुल मिलाकर देश काफ़ी ख़ुशहाल था।

इन तीनों यात्रियों की रिपोर्ट की पुष्टि के लिए सरकार ने एक कमीशन बिठाने का निश्चय किया और यह भी आदेश दिया कि क्योंकि मामला महत्त्वपूर्ण है, इस कारण कमीशन इस पर अपनी राय दस वर्ष की अवधि के भीतर ज़रूर दे दे।

ये तीनों यात्री देहरादून होते हुए हिमालय पार करके अपने देश चले गये। चीन पहुँचकर इन्होंने देहरादून की चर्चा अपने संस्मरणों में विशेष रूप से की। उन्होंने बताया कि देहरादून में जीवन इतना शान्त और दीर्घसूत्री था कि रेल तक वहाँ कभी समय से नहीं पहुँच पाती थी। यदि कोई ट्रेन इत्तफ़ाक से ठीक समय पर पहुँचने की गुस्ताख़ी करती थी तो उसे बिना किसी कारण के आउटर सिगनल पर एक घण्टा रोक लिया जाता था। इन यात्रियों के अनुसार दून घाटी में कभी पारसी लोगों का अधिकार था क्योंकि रज़ाईवाला, बाल्टीवाला और पालकीवाला की तर्ज़ पर देहरादून के पास के क़स्बों के नाम भी रायवाला, डोईवाला और हर्रावाला ही थे। यात्रियों के अनुसार देहरादून की सड़क वही थी जो कि बौद्धकाल में बनायी गयी थी। देहरादून के निवासी इन सड़कों के गड्ढों से बड़ा प्रेम करते थे और प्रायः उनकी पूजा अक्षत और चन्दन से करते रहते थे। जब कोई नया गड्ढा सड़क पर नज़र आता था तो इस तरह खुशियाँ मनायी जाती थीं जैसे कि किसी बाँझ स्त्री ने बच्चे को जन्म दे दिया हो। भारत की संस्कृति इन गड्ढों के भीतर सुरक्षित रहती थी। यदि कोई नागरिक गड्ढे में गिर जाता था तो उसे गड्ढे की गहराई के अनुसार पतितरत्न, पतितविभूषण, पतितभूषण या पतितश्री की उपाधि प्रदान की जाती थी। देहरादून वह नगर था जहाँ भारतीय सेना के कैडेट जन्म लेते थे और जहाँ उसके भूतपूर्व जनरल दफ़नाएँ जाते थे। भाड़े की गाड़ियाँ मीटर रखने का तकल्लुफ़ नहीं करती थीं और इस कारण वहाँ की जनता को पदयात्रा का बड़ा शौक़ था। शहर काफ़ी महँगा था क्योंकि उसके एक ओर मैदान था जहाँ से सामान आता था और दूसरी तरफ़ पर्वतों की रानी मसूरी थी जहाँ कि सामान जाता था। मसूरी की माल रोड बड़ी सुन्दर थी और वहाँ वाक़ई हर तरह का माल बराबर मिलता था। तीनों बूढ़े यात्री मसूरी में रुके और कुत्ता-प्रदर्शनी व कुतिया-प्रदर्शनी देखते हुए ख़ुशी-ख़ुशी अपने देश चले गये।

बड़े साहब

संसार जो है वह सम्भवतः ईश्वर के बिना चल सकता है, मगर सरकार के कार्यालय और विभाग जो हैं वे बड़े साहब के बिना नहीं चल सकते। बड़े से बड़ा नास्तिक भी ईश्वर के अस्तित्व को झूठा साबित कर सकता है मगर बड़े साहब की शान के ख़िलाफ़ वह कोई तर्क नहीं दे सकता। यूँ बड़े साहब के भी तबादले, सेवा-निवृत्ति व किसी-किसी स्थिति में मृत्यु तक भी होती रहती है पर कुल मिलाकर वह आर्य समाज के ईश्वर की भाँति अनादि, अनश्वर, अनन्त, सर्वशक्तिमान, सच्चिदानन्दस्वरूप, न्यायकारी, निर्विकार, अनुपम, सर्वाधार सर्वेश्वर, सर्वव्यापक और उपासना करने योग्य होता है। कण-कण में उसी की छवि परिलक्षित होती है। वही जन्म देता है क्योंकि वही बाबू लोगों को भरती करता है। वही दफ़्तर-रूपी संसार को चलाता है और वही अपने मातहतों को बरख़ासत करके उनका संहार भी करता है। एलीफैण्टा की तीनों मूर्तियों के गुण उसमें विद्यमान हैं। इधर जब से इस देश में देवियाँ भी प्रशासनिक सेवाओं में आने लगी हैं तब से तो स्थिति यह हो गयी है कि बड़े साहब में या उसके स्त्री लिंग में ऐसे गुण भी दिखाई देने लगे हैं जो त्रिमूर्ति में भी नहीं थे। हरि अनन्त, हरिकथा अनन्ता।

मैंने पिछले पचीस वर्षों में अनेक बड़े साहबों के साथ काम किया है और मुझे कहते हुए सन्तोष होता है कि अभी तक मैंने किसी स्त्री अधिकारी के नीचे कार्य नहीं किया। एक बड़े साहब ऐसे थे जिनके पिता हाउस ऑफ़ लार्ड्स के सदस्य थे, एक अधिकारी ऐसे थे जिन्हें सर का खिताब दिया गया था और ऐसे तो कितने ही अधिकारी देखे जो इण्डियन सिविल सर्विस के सदस्य थे। मुझे कहते हुए सन्तोष होता है कि मैं एक सिविल सर्वेण्ट ही रहा, जिसकी गरिमा और कमज़ोरियों का मुक़ाबला सेना या पुलिस या जंगलात के महकमे की नौकरी कभी नहीं कर सकती। अफ़सरशाही के सामने और कोई तानाशाही शायद ही कभी चल सके। वक़्त ज़रूरत एक-दूसरे की सच्ची मदद करना, और वक़्त ज़रूरत एक-दूसरे की गर्दन सफ़ाई से काटना—यह अफ़सरशाही का एक ऐसा गुण है जो उसे शेष सेवाओं से ऊपर उठाता है। मुझे यह कहते हुए गर्व होता है कि काफ़ी युवक और संकोची होने के

बावजूद मैं अफ़सरशाही की ऊपर बतायी गयी ज़िम्मेदारी से कभी पीछे नहीं हटा। मैं भगवान् से हाथ जोड़कर प्रार्थना करता हूँ कि वह मुझे शक्ति दे ताकि मैं अपने ये फ़र्ज़ भविष्य में भी निभाता रहूँ। सेवा-निवृत्त होने के बाद मैं भी झूठी आत्मकथा लिखूँगा, कुत्ते पालूँगा और योगाभ्यास सीखने विदेश जाऊँगा। कुत्तों से जो समय बाक़ी बचेगा, वह भगवान् की पूजा में लगाया जायेगा।

अपने पचीस वर्ष के अफ़सरी जीवन में मैंने काफ़ी किस्म के बड़े साहब देखे। एक साहब थे जो दफ़्तर के वक़्त में चिड़िया मारा करते थे और इसी तरह एक और साहब थे जो एक ओर तो बाबा विश्वनाथ की मूर्ति के सामने साष्टांग दण्डवत् लगाते थे और दूसरी ओर ठेकेदारों से घूस लेते थे। वे भगवान् की प्रार्थना सम्भवतः इसी कारण करते थे कि उसने उन्हें ऐसा पद दिया जहाँ जी भरकर रिश्वत ली जा सके। एक और बड़े साहब थे जिनकी अपनी पत्नी किसी रानी की भाँति शालीन और सुन्दर थी मगर ये थे कि जहाँ किसी क़िस्म की कोई बाई देखी, वहीं इनका दिल जो था वह सूट के बाहर निकल गया। अपने इसी गुण के कारण इनकी एक बार ठुकाई भी की गयी थी और एक बार इनके सामने मेज़ पर जूता भी पेश किया था मगर यह थे कि अगले दिन फिर वही पाइप और वही चिर-विरही दिल। प्रेम जैसी व्यक्तिगत चीज़ का इन्होंने जो राष्ट्रीयकरण किया था वह इतना बड़ा था कि एक कारख़ाने में विदेशों से आयी कुछ युवतियों को इनके पंजों से बचाकर रखने के लिए सरकार को काफ़ी कड़े क़दम उठाने पड़े थे। एक और बड़े साहब थे जो सारी उम्र यह ही तय नहीं कर पाये कि आँखें खोली जायें या कि बन्द रखी जायें और नतीजा यह होता था कि इनकी आँखें हमेशा अधखुली ही रहती थीं। एक और साहब थे जो कि उनसे भी एक क़दम आगे थे। वे सारी उम्र यह ही तय नहीं कर पाये कि वे शादी करें या न करें। फ़िलहाल उनकी आयु कोई साठ वर्ष है मगर वे हैं कि अधेड़ सुन्दरियों से घिरे रहते हैं पर शादी किसी से नहीं कर सकते। आदमी ईमानदार क़िस्म के हैं और जिस प्रकार का अनिश्चय इन्होंने शादी के बारे में दिखाया, उतना ही अनिश्चय उन्होंने फ़ाइलों के बारे में भी दिखाया। खुदा गवाह है कि उन्होंने कभी किसी फ़ाइल पर अपना अन्तिम निर्णय हरगिज़ नहीं दिया।

फ़ाइलों के निबटाने के बारे में भिन्न-भिन्न बड़े साहबों का भिन्न-भिन्न ढंग रहा। कुछ लोग थे कि हर मामले को सरकार के पास भेजने की सलाह देते थे और कुछ साहब थे जो कि सारी फ़ाइल को दो सौ बार पढ़ते थे और फिर उसे कुछ ऐसे प्रश्नों के साथ वापस कर देते थे कि जब तक कोई हातिमताई उनके सात सवालों का जवाब न लाये तब तक फ़ाइल रूपी वह हुस्नबानू कुमारी ही रहे। उनके पास जो भी फ़ाइल जाती थी वह हुस्नबानू ही बनकर लौटती थी। एक और अधिकारी थे जो इण्डियन सिविल सर्विस के सदस्य थे। मैंने उनको कोई तीन साल काफ़ी नज़दीक से देखा। सरकार के काम को इतनी संजीदगी से लेने वाला और कोई अधिकारी

मुझे अभी तक नहीं मिला। जिन दिनों की मैं बात कर रहा हूँ, उन दिनों ये भारत सरकार के संयुक्त सचिव थे और इनका यह निश्चित मत था कि या तो फाइल इतनी मामूली है कि अवर सचिव या उप सचिव ही उस पर फ़ैसला ले लें या फिर वह फ़ाइल इतनी महत्त्वपूर्ण है कि अतिरिक्त सचिव या सचिव के सामने सबमिट की जाए। तीन वर्षों की अवधि में उन्होंने ऐसी फ़ाइल कभी नहीं देखी जिसे कि संयुक्त सचिव को अपने स्तर पर ही निबटाना था। इनसे भी बढ़कर एक और आला अफ़सर थे जो कि हर मामले पर एक मीटिंग बुलाते थे जिसमें वित्त मन्त्रालय के साथ-साथ विधि मन्त्रालय के अधिकारी भी होते थे। मीटिंग शुरू होने से पहले ये किसी जूनियर से पूछते थे कि मुद्दा क्या है और उसके बाद या तो यह सो जाते थे या फिर बाथरूम चले जाते थे जहाँ से वह फिर तभी प्रकट होते थे, जबकि मीटिंग समाप्ति को प्राप्त हो जाती थी। फ़ाइलें निबटाने के बारे में एक और अधिकारी की याद भी आ रही है जो कि फ़ाइल को इस सफ़ाई से निबटाते थे कि यह भी पता नहीं लगता था कि फ़ाइल कैसे निबटायी गयी। हक़ीकत यह थी कि ये फ़ाइलें खो देते थे और वह भी इतनी तत्परता के साथ कि उस शरीफ़ इंसान को ख़ुद यह पता नहीं रहता था कि फ़ाइल कब, कहाँ, कैसे खो गयी। जो लोग उनकी प्रतिभा जानते थे, वे प्रायः उसका फ़ायदा उठाया करते थे। जो ज़रा टेढ़ी-सी फ़ाइल हुई वह उन्हें मार्क कर दी। इसके बाद आप अपनी जगह और फ़ाइल अपनी जगह।

दफ़्तर से ज़्यादा दिलचस्प वह जीवन होता है जो कि दफ़्तर के बाहर कटता है। इस जीवन के काटने के हथियार भी अलग-अलग हैं। कुछ बड़े साहब हैं जो घर आकर लुंगी पहनते हैं, ड्राइंग रूम में पोछा लगाते हैं और फिर अपनी पत्नी के पैर दबाते हैं। कुछ बड़े साहब हैं जो क्लब जाते हैं, बीयर पीते हैं, वुडहाउस पढ़ते हैं और कभी-कभी देश की स्थिति पर भी कुछ चिन्ता प्रकट करते हैं। कुछ बड़े साहब हैं जो कि जूनियर अफ़सरों की जवान पत्नियों से उनके निजी पति की आज्ञा से रोमांस लड़ाते हैं, उन जूनियर अफ़सरों को विदेश भिजवाते हैं और उन्हें अतिरिक्त तरक्की देते हैं। उन जूनियर अफ़सरों की बीवी जो होती है वह प्रायः देश में ही रहती है और बड़े साहब के साथ दौरे पर जाती है। कुछ बड़े साहब हैं जो कि खाली वक़्त में नेताओं की जी-हजूरी करते हैं और कुछ बड़े साहब हैं जो कि अँग्रेज़ी ज़माने के दिन याद करते हैं और ग़म ग़लत करने के लिए दारू पीते हैं। ऐसे एक अफ़सर को मैं व्यक्तिगत रूप से भी जानता रहा; उनका नाम ही दारूवाला था।

साहब कितना भी बड़ा क्यों न हो, लोककथाओं के राक्षस की भाँति उनकी जान जो होती है वह किसी तोते के भीतर ही छिपी रहती है। अगर तोता आपका हो तो बड़े-से-बड़ा साहब भी आपका गुलाम ही रहेगा और ठीक वही करेगा जो कि अलादीन का जिन अलादीन के लिए करता था। यह तोता प्रायः इंसान की ही शक्ल में पाया जाता है और प्रायः यह वह व्यक्ति होता है जिसकी मार्फ़त या तो साहब

घूस लेते हैं, या इश्क़ फ़रमाते हैं, या फिर वह उन्हीं के गाँव के पास का कोई ऐसा मामूली आदमी होता है जो कि उन्हीं की बोली बोलता हो। साहब बीवी की बात टाल सकता है, मगर तोते की नहीं। आप तोते की एक टाँग तोड़ दीजिए, साहब अपने आप लँगड़ा हो जायेगा। वैसे किसी-किसी स्थिति में साहब बीवी की बात भी मान लेता है मगर यह बीवी उनकी अपनी होगी या किसी दूसरे की—यह सवाल आप कम-से-कम ख़ाकसार से नहीं पूछेंगे। बड़े लोग अपने और पराये में भेद नहीं मानते।

बहरहाल, बड़े साहबों के बारे में कुछ भी कह लीजिए, हक़ीक़त यही है कि ये बड़े-बड़े शानदार दफ़्तर और विभाग उनके बिना चल नहीं सकते। ये ही धर्म के वे खम्भे हैं जिनके सहारे प्रशासन का जो आकाश है वह इस आयाराम और गयाराम के युग में भी ठीक तरह खड़ा है। बड़े साहबों की मेरी इस सहसा प्रशंसा के कई कारण हैं। पहला कारण तो यह है कि सब कुछ होने के बावजूद फिर भी ऐसे अनेक बड़े साहब हैं जो पूरी निष्ठा और ईमानदारी के साथ काम करते हैं और बिना किसी तरह के दबाव के सही निर्णय लेते हैं। दूसरा कारण यह है कि मुझे आपको यह सूचना देते हुए हार्दिक व शारीरिक हर्ष होता है कि पिछले कुछ महीनों से मैं खुद एक बड़ा साहब हो गया हूँ और स्थिति यह आ गयी है कि अब मैं यह हर्ग़िज़ बर्दाश्त नहीं कर सकता कि बड़े अफ़सरों की शान के ख़िलाफ़ कोई बात कही जाए। इस सबके अतिरिक्त आप ही सोचिए कि यदि बड़ा साहब नहीं होगा तो ट्रेड यूनियन वाले नंगा किसे करेंगे और वह जो हसीन और शोख़ स्टेनो है वह अपना दिल कैसे बहलाएगी? बकौल शायर के— 'हमीं जब न होंगे तो क्या रंगे महफ़िल, किसे देखकर आप शरमाइगा?' अकबर जैसे प्रतिभावान शहंशाह भी अपने दरबार में नौ रत्न रखते थे। इस सन्दर्भ में मुझे इब्ने इंशा का एक सवाल याद आ गया जो उसने अपनी 'आख़िरी किताब' में लिखा है जो आज के माहौल में काफ़ी सार्थक और महत्त्वपूर्ण है। मैं आप सभी पढ़े-लिखे बुद्धिजीवियों, कलाकारों, अफ़सरों, वकीलों, जजों और सरकार के सचिवों से पूछता हूँ कि सच-सच बताइए कि अगले जन्म में आप सब कुछ पढ़-लिखकर नौ रत्न बनना चाहेंगे या बेपढ़ा रहकर शहंशाह बनना पसन्द करेंगे?

मुंशी प्रेमचन्द की जन्म-शताब्दी

हिन्दी के उपन्यास-सम्राट मुंशी प्रेमचन्द की जन्म-शताब्दी को लेकर काफ़ी गोष्ठियों और समारोहों का आयोजन किया गया। कहीं-कहीं तो उनकी पाण्डुलिपियों, पत्रों तथा चित्रों की प्रदर्शनी भी लगायी गयी। इस सन्दर्भ में सबसे ज़्यादा सफल वह साहित्य सन्ध्या रही जो देहरादून में मनायी गयी और उस सफलता का एकमात्र कारण यह था कि उस गोष्ठी का संचालन ख़ाकसार ने किया था। वैसे समारोह की व्यवस्थापिका श्रीमती शशिप्रभा शास्त्री ने मुझे सभापति बनाने का वचन दिया था, पर ठीक ऐन वक़्त पर एक वयोवृद्ध कहानी लेखिका कहने लगीं कि मेरे रहते नयी पीढ़ी का कोई लेखक सभापति कैसे हो सकता है? इसके बाद उन्होंने असहयोग आन्दोलन की धमकी दी और परिणाम यह रहा कि सभापत्नी वह महिला कथाकार ही बनीं। मैंने गोष्ठी का संचालन किया। बुरा तो बहुत लगा पर 'सर्वनाशे समुत्पन्ने अर्धं त्यजति पण्डितः' वाली वाणी ध्यान में रखते हुए मैंने स्थिति स्वीकार कर ली। प्रेमचन्द की जन्म-शताब्दी के पुण्य-अवसर पर भी हमारा लेखक समुदाय व्यक्तिगत स्वार्थों के ऊपर नहीं उठ सका। बहरहाल गोष्ठी सफल रही। कुलभूषण ने एक कहानी पढ़ी और विष्णु प्रभाकर ने शरत्चन्द्र के बारे में काफ़ी बातें कीं। प्रेमचन्द को छोड़कर बाक़ी सारी चीज़ों की चर्चा की गयी और काफ़ी खुलकर की गयी। कविताएँ पढ़ने वालों में एक सज्जन का नाम अश्वघोष निकला जिसे देखकर मुझे बड़ा आश्चर्य हुआ। मेरी सूचना के अनुसार अश्वघोष जो थे वे तो कालिदास के भी परवर्ती थे। अश्वघोष की कविता के बाद कुछ गर्दभघोष भी हुआ और गोष्ठी समाप्ति को प्राप्त हुई। कुल मिलाकर आयोजन काफ़ी सफल रहा। आयोजन से वापस आते हुए मेरे मन में सहसा यह प्रश्न उठा कि प्रेमचन्दजी यदि आज जीवित होते तो क्या करते? वर्तमान सामाजिक, राजनीतिक, आर्थिक और साहित्यिक वातावरण के बीच उनका क्या हश्र होता? वह दिन है और आज का दिन है कि मैं बराबर इसी बारे में सोच रहा हूँ और दोस्तों से इसी सिलसिले में बातचीत करता चला आ रहा हूँ। मगर समस्या जो है वह इतनी गहरी है कि पकड़ में ही नहीं आती।

मेरे एक दोस्त का कहना है कि प्रेमचन्द के बारे में कुछ भी सोचने से पहले

उनके बारे में कुछ आँकड़े जानना ज़रूरी है। हमें पता होना चाहिए कि प्रेमचन्द के दो नाम और थे। एक था धनपतराय और दूसरा था नवाबराय। साहित्य के प्रति लगाव उन्हें तम्बाकू बेचने वाले एक लड़के की दोस्ती के कारण हुआ था जो उन्हें तिलस्मे होशरुबा, क़िस्सा-ए चहार दरवेश, फ़सानए आज़ाद और चन्द्रकान्ता सन्तति पढ़ने को दिया करता था। प्रेमचन्द के बाल उलझे हुए थे, चित्र साफ़ था, मूँछें घनी थीं। वह खद्दर पहनते थे और गाँधीजी से प्रभावित थे। वह उर्दू और फ़ारसी बखूबी जानते थे और उनकी पहली किताब 'सोज़े वतन' उर्दू में ही छपी थी। उनकी मृत्यु भारत को आज़ादी मिलने से पहले ही हो गयी थी। पेशे से वह स्कूल मास्टर थे और उन्होंने शादियाँ भी एक नहीं वरन् दो की थीं। कुल मिलाकर वे काफ़ी मज़ाक-पसन्द और होनहार क़िस्म के इंसान थे।

जिस मित्र ने मुझे ऊपर लिखी जानकारी दी, उनके अनुसार प्रेमचन्द यदि आज जीवित होते तो वह ऐसे अकेले कलाकार होते जिनकी आयु सौ वर्ष की हो चुकी थी। अब तक उन्हें राज्यसभा की सदस्यता, साहित्य अकादेमी की फ़ैलोशिप और ज्ञानपीठ पुरस्कार जैसी सारी चीज़ें मिल गयी होतीं। इस तमाम राशि से वह भी एक ट्रस्ट खोलते जिसकी सचिव उन्नीस वर्ष की कोई सुन्दर युवती होती। लेखन छोड़कर वह प्रकाशन का धन्धा शुरू करते और किसी लेखक को कभी कोई रॉयल्टी नहीं देते। हिन्दी के जितने भी लेखक बाद में चलकर प्रकाशक बने, उन सभी ने ऐसा ही किया। इन लोगों ने दोस्तियाँ छोड़ दीं, बेइज़्ज़ती सहीं मगर रॉयल्टी न देने वाले सिद्धान्त को कभी नहीं छोड़ा। वह 'कलम का मज़दूर' या 'कलम का सिपाही' कहलाने के बजाय 'कलम के फ़ील्ड मार्शल' कहलाते और फ़ील्ड मार्शल मानिक शॉ की भाँति मूँछें मरोड़ते। वह अपनी किताबों के नाम बदलते और उन्हें लाखों की संख्या में छपवाते। प्रकाशन के लिए सरकार से सस्ता काग़ज़ लेते और फिर उसे ब्लैक में बेचते। आख़िर देश के बड़े-बड़े नेताओं ने अपना ईमान छोड़ दिया तो फिर प्रेमचन्द ही क्यों पीछे रहते? आख़िर वह भी तो आदमी ही थे!

मेरे एक और मित्र हैं जिनका विचार है कि प्रेमचन्द यदि आज ज़िन्दा होते तो वह डी.आर. प्रेमचन्दानी के नाम से डिशुम-डिशुम फ़िल्में बनाते। जीवन के अन्तिम दिनों में उन्होंने वैसे भी अजन्ता सिनेटान कम्पनी में काम किया था। फ़िल्मों का निर्देशन वह खुद करते और उनका नायक अपने पुत्र अमृतराय को बनाते। सारी फ़िल्में स्टण्ट बनायी जातीं क्योंकि पब्लिक की रुचि बिगाड़ना किसी को भी शोभा नहीं देता। फ़िल्मों के डायलॉग श्रीपतराय लिखते, गाने आनन्द बख़्शी के होते और आवाज़ किशोर कुमार की होती। अमृतराय और हेमामालिनी की जोड़ी अमर हो जाती। 'गोदान' की शूटिंग कश्मीर में होती।

मेरे तीसरे मित्र के अनुसार प्रेमचन्द यदि आज ज़िन्दा होते तो वह राजनीति में होते। देश की समस्याओं के सामने उनके लिए और कोई चारा बचता नहीं था।

चौधरी चरणसिंह की भाँति वह भी किसानों के नेता होते। हाँ, अलबत्ता यह बात दूसरी है कि चौधरी चरणसिंह अमीर किसानों के हिमायती हैं तो प्रेमचन्द ग़रीब किसानों के नेता बनते। जनता सरकार उन्हें रूस में भारत का राजदूत बनाकर भेज सकती थी। यदि वह केन्द्रीय मन्त्रिमण्डल में होते तो शिक्षा विभाग सँभालते जिसका उन्हें अनुभव था। वैसी स्थिति में उनके एक सुपुत्र रूस के और दूसरे पुत्र अमेरिका के राजदूत बनाये जा सकते थे। बनारस से लमही तक रेल की लाइन बिछती जैसे कि दिल्ली से सहारनपुर तक एक नयी लाइन चौधरी चरणसिंह ने बिछवायी। यदि वे वज़ीर होते तो वातानुकूलित कोठी में रहते और उनकी पत्नी संसद की सदस्या होती। बजट के अवसर पर वह कोई कहानी पढ़ा करते जैसे कि मैथिलीशरण गुप्त ऐसे अवसरों पर कविता पढ़ा करते थे। वे ऐसा क़ानून पास करवाते कि यशपाल और जैनेन्द्र के उपन्यासों पर प्रतिबन्ध लग जाता और सारे पाठ्यक्रमों में मात्र उन्हीं की पुस्तकें लगी होतीं। भारत के एक सुप्रसिद्ध कवि जब एक विश्वविद्यालय के उपकुलपति हुए थे तो उन्होंने ऐसा ही किया था। वह सत्यजीत रे पर मुक़दमा चलाते कि उन्होंने उनकी कहानी को लेकर उसके साथ अन्याय क्यों किया। सरकार में शामिल होने पर उनकी रचनात्मक प्रतिभा और भी बढ़ जाती क्योंकि जनता सरकार में दो व्यक्ति मन्त्री बनते ही सहसा कवि और उपन्यासकार हो गये थे और उनकी किताबों के संस्करण रातोंरात ख़त्म हो जाते थे। 'हंस' छपता और सरकारी छत्रछाया मैं 'राजहंस' होकर छपता। वह गाँधीजी के बन्दरों की भाँति न कुछ देखते न कुछ सुनते और न कुछ बोलते। आख़िर जब आज़ादी के युद्ध के बड़े-बड़े योद्धा बाद में विलासी और स्वार्थी हो गये तो प्रेमचन्द को ईमानदार रहने का क्या अधिकार बचता था? आख़िर उन्हें भी तो वक़्त के साथ चलना था! दाढ़ी ख़ुदा का नूर है बेशक मगर जनाब, फ़ैशन की इन्तज़ामे सफ़ाई को क्या करूँ? अन्तरिम सरकार में गाँधीजी ने बाबू राजेन्द्र प्रसाद से भंगी कॉलोनी में रहने को कहा था और इस बात को लेकर बाबूजी काफ़ी दुखी हो गये थे। ज़माने के साथ बदलना हमारे नेताओं का कर्तव्य है और ख़ुशी की बात है कि इस फ़र्ज़ से उन्होंने कभी अपना मुँह नहीं मोड़ा। ब्रिटेन के प्रधानमन्त्री डिज़रायली, जो कि राजनीति को एक आवारा आदमी का आख़िरी पड़ाव समझते थे– ख़ुद साहित्य से राजनीति में आये थे। और हाँ, यदि वज़ारत सँभाले हुए मृत्यु को प्राप्त होते तो उनका अन्तिम संस्कार राजकीय ठाट-बाट से होता; निराला या पन्त की भाँति नहीं। उन पर वृत्तचित्र बनते, सरकारी झण्डे झुकते और दफ़्तरों में छुट्टियाँ होतीं। पाकिस्तान में फ़ील्ड मार्शल अयूब खान ने शौक़त थानवी तक के मरने पर सरकारी छुट्टी का ऐलान किया था।

मेरे एक और मित्र हैं जो मेरी ही भाँति प्रेमचन्द के अनन्य भक्त हैं। उनका कहना है कि यदि प्रेमचन्द जीवित होते तो वह अब भी लेखक ही रहते। वह लिखते रहते और एक से बढ़कर एक उत्कृष्ट रचना हिन्दी को देते। सारे माहौल को देखते

हुए यह भी सम्भव था कि व्यंग्यकार हो जाते क्योंकि 'सत्याग्रह' जैसी अनेक रचनाओं से यह पूरा पता लगता है कि व्यंग्य करने की उनमें असीम प्रतिभा और क्षमता थी। यह भी सम्भव है कि वह अपनी पुरानी पोथियों को दुबारा लिखते और नयी 'रंगभूमि' में आयाराम वल्द गयाराम, तस्कर लोग, हरिजनों के हत्यारे और 'जहँतहँ प्रकास' करने वाले नेता लोग रंगमंच पर ज़्यादा प्रवेश करते। वह शायद गाँवों पर ही लिखते जहाँ ज़मींदारी तो ख़त्म हो गयी है पर ज़मींदार अभी भी बाक़ी हैं। यह भी सम्भव है कि आजकल के फ़ैशन को देखते हुए एकाध अश्लील उपन्यास भी लिख डालते जिसे लेकर काफ़ी चर्चा-परिचर्चा चलती। सुमित्रानन्दन पन्त की अन्तिम कृति 'लोकायतन' की असफलता को देखकर यह तो निश्चित है कि प्रेमचन्द अपनी अन्तिम रचना तो कभी भी नहीं लिखते। यह भी सम्भव है कि वह प्रयोगवादी कथाकार हो जाते और 'दो बैलों की कथा' की तर्ज़ पर 'दो गधों की कथा' लिखते ताकि किसी को कोई शिकायत न रहे। सरकार के बयानों के अनुसार भारत के गाँवों की सारी समस्याएँ अब सुलझ गयी हैं और इस कारण यह भी सम्भव था कि प्रेमचन्द भी अपनी कुछ कृतियाँ महानगरों को लेकर रचते। बहरहाल वह कुछ भी लिखते मगर आंचलिक साहित्य कभी नहीं लिखते। जबलपुर के कवि अंचल को छोड़कर और कोई आंचलिक साहित्य लिख ही नहीं सकता।

मैं दोस्तों की राय सुनता हूँ और चुप रहता हूँ। मैं उस तसवीर को देखता हूँ जिसमें प्रेमचन्द कैनवास का एक फटा हुआ जूता पहने बैठे हैं और बीवी-बच्चों के साथ अपनी तसवीर खिंचवा रहे हैं और सोचता हूँ कि प्रेमचन्द यदि आज ज़िन्दा होते तो देश की स्थिति देखकर या तो पागल हो जाते या आत्महत्या कर लेते। जब स्टीफ़न ज़्वैग और हैमिंग्वे ने ऐसा किया था तो प्रेमचन्द जैसा संवेदनशील और सच्चा कलाकार और कर ही क्या सकता था?

जन्मदिन के अवसर पर

कुछ लोग अपनी शादियाँ करते हैं जिनसे मुझे कोई एतराज़ नहीं। प्रेम विवाहों को छोड़कर बाक़ी शादी आमतौर पर महज़ दस्तूर निभाने के लिए ही की जाती हैं; बेटा शादी करता है क्योंकि उसके बाप ने भी कभी शादी की थी और बाप ने शादी सिर्फ़ इसलिए की थी क्योंकि उसके बाप ने भी कभी ऐसी ही ग़लती की थी। ख़ैर, जैसा कि मैंने पहले ही कहा, शादी करने से मुझे कोई एतराज़ कभी नहीं रहा। लोग जितनी चाहे उतनी शादियाँ करें, अपने बाप का क्या जाता है? बतौर रिवाज़ के कुछ लोग शादी करने के बाद 'अधिक अन्न उपजाओ' वाले आन्दोलन के अन्दाज़ में बच्चे पैदा करने में जुट जाते हैं। मुझे इससे भी कोई एतराज़ नहीं। आख़िर पितृऋण की किश्त तो उतारनी है चाहे उसके लिए तीन शादियाँ ही क्यों न करनी पड़ें और चाहे उन तीन शादियों के फलस्वरूप ग्यारह कन्यारत्नों की ही प्राप्ति क्यों न हो। पुत्र का जन्म होने पर कुछ लोग काफ़ी ख़ुश नज़र आते हैं और कभी-कभी उसका जन्मदिन भी मना डालते हैं और ख़ाकसार को उससे भी कभी कोई सैद्धान्तिक मतभेद नहीं रहा। मेरा एतराज़ तो तब शुरू होता है जब कि इस जन्मदिन को गाँधी जयन्ती की भाँति सार्वजनिक रूप से मनाया जाता है, रंग-बिरंगे निमन्त्रण-पत्र छापे और भेजे जाते हैं और उस समारोह में मुझे भी शामिल होने को कहा जाता है। ऐसे निमन्त्रण-पत्र पाकर मुझे कभी ख़ुशी नहीं होती। लड़का किसी दूसरे का है और जन्मदिन वह मना रहा है मगर इस सब के बीच मैं कहा से आ गया, यह मेरी समझ में कभी नहीं आता। ख़ुदा गवाह है, मैंने न तो उस शादी में ही कोई मदद की थी और न पुत्र-रत्न की प्राप्ति में ही। वे चाहे तो पुत्र का क्या, अपनी पत्नी का भी जन्मदिन मनाएँ मगर इसमें मुझे क्यों घसीटते हैं? आख़िर क्यों?

बहरहाल, स्थिति यह है कि जन्मदिन मनाये जाते हैं और काफ़ी ज़ोर से मनाये जाते हैं। निमन्त्रण-पत्र छपते हैं, और छपते ही नहीं बल्कि बँटते भी हैं, आपसे सपत्नीक पधारने की और बच्चे को आशीर्वाद देने की प्रार्थना की जाती है और आपको वहाँ जाना पड़ता है। घटनास्थल पर पहुँचकर आप देखते हैं कि तैयारियाँ इस ज़ोर-शोर से की गयी हैं कि वैसी तैयारियाँ तो शायद उस शादी के लिए भी

नहीं की गयी थीं जिसके फलस्वरूप यह बच्चा प्रकाश में आया। शामियाना लगा है, तोरण टँगे हैं, लाउडस्पीकर पर लता मंगेशकर और मुहम्मद रफी आपके कानों के पर्दे पूरी तरह फाड़ने के लिए हर दिशा में जुटे हैं और लोग जो हैं वे अपनी पिछली टाँगों पर खड़े होकर अपनी पोशाकों और पत्नियों का प्रदर्शन कर रहे हैं। शामियाने के नीचे एक लम्बी-चौड़ी मेज़ लगी है जिस पर केक रखी है और मोमबत्तियाँ जली हैं। बच्चे के माता-पिता अतिथियों द्वारा लाये गये उपहारों को इस प्रकार स्वीकार करते हैं जैसे कि वह उस श्रम का पारिश्रमिक हो जो उन दोनों ने बच्चा पैदा करने के सन्दर्भ में किया था। धीरे-धीरे सारी भीड़ मेज़ के पास आ जाती है और बच्चे से कहा जाता है कि वह एक मोमबत्ती बुझाए। थोड़ी देर बाद 'हैप्पी बर्थ डे टू यू ऊ ऊ ऊ ऊ' का सामूहिक नारा इस प्रकार लगाया जाता है कि तबीयत होती है कि शामियाने का एक बाँस खींचकर उसे इन सबके ऊपर गिरा दिया जाए। मोमबत्ती बुझाने के सन्दर्भ में मुझे एक ऐसे जन्मदिन की याद अभी भी आती है जब कि एक निहायत छोटा बच्चा जलती मोमबत्ती को बुझाने के बजाय उसे खा गया था और स्थिति यह हो गयी थी कि अस्पताल जाना पड़ा था।

मोमबत्तियाँ बुझाते-बुझाते बच्चा जो होता है वह भीड़ से घबराकर रोने लगता है और लोग जो हैं वे नाश्ते की मेज़ों पर इस तरह टूट पड़ते हैं जैसे कि लावारिस लाश पर भूखे गिद्ध। छीना-झपटी शुरू होती है; अनजान स्त्रियों के अनज़ान अंगों को छूना पड़ता है और दावत जो है वह धीरे-धीरे एक गृहयुद्ध की शक्ल अख़्तियार कर लेती है। हर एक प्राणी कम-से-कम उतनी क़ीमत का नाश्ता ज़रूर लेना चाहता है जितनी क़ीमत का उसने उपहार दिया है। अपनी-अपनी प्लेटें भरकर लोग टुकड़ियों में बँट जाते हैं और बढ़ती हुई क़ीमतों और फ़िजूलख़र्ची पर चर्चा करनी शुरू कर देते हैं। पच्चीस रसगुल्ले डकारने के बाद प्रत्येक व्यक्ति इस मुद्रा में आ जाता है कि सन्तुलित आहार के बारे में बातचीत कर सके। लड़कियाँ मुसकराती हैं और बाक़ी युवतियाँ जो हैं वे आपस में इस बात का पता लगाने में जुट जाती हैं कि फलाँ स्त्री जो है वह अगला बच्चा कब देगी। धीरे-धीरे उत्सव समाप्त होता है और मेहमान लोग जो हैं वे मेज़बान से विदा माँगने लगते हैं। शामियाने के बाहर निकलते ही लोग जन्मदिन पर शोक प्रकट करने लगते हैं और उस राशि की चर्चा करनी शुरू कर देते हैं जो उन्होंने उपहार ख़रीदने पर ख़र्च की थी। रास्ते भर आपकी पत्नी इलाक़े की उन सारी युवतियों का विस्तृत विवरण आपको देना शुरू कर देती है जिन्हें या तो शादी के तुरन्त बाद ही गर्भ ठहर गया था या फिर जिनकी शादी को अरसा गुज़र गया और जिनकी पत्नी ने अभी तक बच्चा क्या, अण्डा तक नहीं दिया। और हाँ, जिन कन्याओं को विवाह के पूर्व ही गर्भवती होने का सौभाग्य प्राप्त हो गया था, उनकी चर्चा एक विशेष हावभाव के साथ की जाती है। राजशेखर बेवकूफ़ था जो कहता था कि शृंगार रस सर्वश्रेष्ठ है। निन्दा रस के सामने क्या शृंगार और क्या

करुण—कोई रस घड़ी भर नहीं ठहर सकता। निन्दा रस सदा से सर्वश्रेष्ठ था और सदा सर्वश्रेष्ठ रहेगा।

मैं जन्मदिन से लौटता हूँ और कपड़े बदलते हुए सोचने लगता हूँ कि उत्सव ने किस प्रकार धीरे-धीरे एक शोकसभा का माहौल अख़्तियार कर लिया था। मेरे दिमाग़ में फिर वही सनातन प्रश्न उठने शुरू हो जाते हैं कि आख़िरकार लोग शादी क्यों करते हैं और शादी करते हैं तो फिर बच्चा क्यों पैदा करते हैं और बच्चा पैदा करते हैं तो उसका जन्मदिन क्यों मनाते हैं और जन्मदिन मनाते हैं तो उसमें मुझे क्यों बुलाते हैं? क्या वाक़ई कोई ऐसा क़ानून नहीं बनाया जा सकता जो और चीज़ों पर नहीं तो कम-से-कम जन्मदिन मनाने पर समुचित प्रतिबन्ध लगा सके?

गुलमुहर

आज अरसे बाद इस गुलमुहर के नीचे शीतलपाटी बिछाकर लेटा हूँ। गुलमुहर जो है वह फूलों से लदा है। गुलमुहर भी क्या पेड़ है कि वसन्त के आते ही अपने आप खिल जाता है। वह अशोक की भाँति सामन्तवादी वृक्ष नहीं है कि जब तक दो-चार सुन्दर युवतियाँ उन पर अपने चरणों से प्रहार न करें तब तक वे खिलने का नाम ही नहीं लेते। और हाँ, इन दिनों तो युवतियों के पदप्रहार के बावजूद अशोक नहीं खिलता। लगता है जैसे या तो आजकल की सुन्दरियाँ उतनी सुन्दर नहीं रहीं जितनी कि वे ऋतुसंहार, गीतगोविन्द, अमरुशतक और भामिनी विलास के समय में हुआ करती थीं या फिर वे अशोक के फूल खिलाने के अलावा कुछ और गुल खिलाने लगीं। बहरहाल, मैं लेटा हूँ और गुलमुहर को देख रहा हूँ। सामने की सड़क पर एक सुन्दर बालिका गुज़र जाती है जिसे देखकर मेरा कवि-हृदय पिघल जाता है और मैं संस्कृत का एक श्लोक याद करने लगता हूँ जिसमें नायक नायिका से कहता है कि हे मानिनी, तू अभी अपना जूड़ा न बाँध, तेरे केशपाश में मेरे ये दो अदद नयन जो फँस गये हैं, कम-से-कम इन्हें तो बटोरने का अवसर दे। इसके बाद मैं एक और कवि की वाणी याद कर ही रहा था कि मुझे खटमल काट लेता है और सारा मज़ा किरकिरा कर देता है। सोचता हूँ कि संस्कृत के एक आचार्य ने ठीक ही कहा था कि लक्ष्मी कमल पर, शिव पर्वत पर और विष्णु शेषनाग पर मात्र इस कारण सोते हैं क्योंकि वहाँ खटमल नहीं पाये जाते—कमले कमला शेते, हर शेते हिमालये; क्षीराब्धौ च हरिः शेते, मन्ये मत्कुण शंकया। बहरहाल, मैं खटमलों से ठीक उसी वीरता से लड़ता हूँ जिससे कि जिम कार्बेट कुमाऊँ के चीतों से लड़ा करते थे। मगर खेद के साथ कहना पड़ता है कि खटमल का शिकार शेर के शिकार से कहीं ज़्यादा मुश्किल है क्योंकि इसमें मचान, रायफल या पेड़ से बाँधी गयी बकरी आपकी कोई मदद नहीं करती। भारत के एक स्वतन्त्र नागरिक की भाँति खटमल आता है और आपको काटकर चला जाता है। मीर तकी 'मीर' तक ने भी खटमलों से शिकस्त खायी थी। जो प्रबुद्ध पाठक इस दिशा में और ज़्यादा जानकारी चाहते हों, वे मीर की 'अपने घर का हाल' शीर्षक कविता पढ़ें। ख़ाकसार को तंग न करें।

मैं इस गुलमुहर के नीचे आज अरसे बाद लेटा हूँ। कारण यह है कि पिछले दो महीनों से दफ़्तर में वह माहौल चल रहा था जो महाभारत काल में कुरुक्षेत्र के क्षेत्र में हुआ करता था। सरल शब्दों में स्थिति यह थी कि कुछ गिने-चुने शरीफ़ आदमियों ने इस भक्तिकालीन दफ़्तर में वीरगाथाकाल लाने की कोशिश की थीं। वे कुछ रचनात्मक कार्य करना चाहते थे ताकि दफ़्तर और काँजीहाउस में जो अन्तर है वह समाप्त हो जाए। उन्होंने एक वरिष्ठ अधिकारी को ज़बर्दस्ती उनके कक्ष से बाहर निकालने की कोशिश की, जो किसी हद तक सफल भी रही। नतीजा वही हुआ जो होना था; कुछ लोगों का तबादला हो गया; कुछ के नाम नोट किये गये और कुछ लोगों को समझाया-बुझाया गया। मगर इस सब का कोई ख़ास अंजाम नहीं निकला; लोगों ने नारेबाज़ी की, बाक़ी दफ़्तरों के कर्मचारियों को भी नारे देने के लिए बुलाया और आमरण-अनशन की धमकी भी दी। ख़ैर, कुछ दिनों में सबकी हवा खलास हो गयी; वेतन की प्राप्ति के लिए लोग तबादले पर चले गये और एक साहब ने हाईकोर्ट में याचिका दाखिल की जो यथासमय रद्द कर दी गयी। दो महीने बाद सारी रौनक समाप्त हो गयी, माइक उखड़ गये और दफ़्तर फिर उसी वैराग्यशतक वाली स्थिति में आ गया जिसमें कि वह पहले था। ज़िन्दगी जो थी वह फिर नीरस हो गयी। जिन बाबू लोगों ने चन्द नौजवानों को भड़काया था, वे भी सतर्क होकर बैठ गये। दुष्यन्त के शब्दों में स्थिति यह हो गयी कि 'दुकानदार तो मेले में लुट गये यारो, तमाशबीन दुकानें लगाकर बैठ गये।' मैंने भुवनेश्वर का 'स्ट्राईक' नाम का ड्रामा याद किया और 'हड़तालों का साहित्य के प्रति योगदान' नामक विषय पर सोचना शुरू किया। यह क्रम ज़्यादा देर नहीं चला क्योंकि इस बीच एक खटमल ने मुझे फिर काट लिया। क्या ज़माना आ गया कि समाधि भंग करने के लिए खटमलों को भेजा जाता है। एक यह समय है और एक वह समय था जब कि समाधि भंग करने के लिए तिलोत्तमा, उर्वशी, या मेनका को भेजा जाता था। हम लोगों के रहन-सहन का स्तर कितना गिर गया है, यह सोचकर भी हृदय काँपता है। मैं परमपिता परमात्मा से प्रार्थना करता हूँ कि यदि मेरी नींद ख़राब ही करनी है तो किसी हूर को भेज; इन खटमलों को भेजने से भला क्या फ़ायदा?

खटमलों से राहत पाकर मैं फिर हड़ताल के बारे में सोचने लगा। लगता है जैसे कि हमारे विधान में हड़ताल पर जाने की निश्चित व्यवस्था है। कभी रेल के कर्मचारी हड़ताल पर जा रहे हैं तो कभी बैंकों के। या फिर कोयला खानों के और जीवन-बीमा विभाग के कर्मचारी धरना दिये बैठे हैं और अपने अधिकारियों का घेराव कर रहे हैं। अस्पतालों में डॉक्टर हड़ताल करते हैं तो दफ़्तर में बाबू लोग। ये लोग कभी यह नहीं सोचते कि इनकी इस हड़ताल से लाखों-करोड़ों व्यक्तियों के जीवन पर असर पड़ता है। और फिर सही बात को लेकर कुछ क्रियाकर्म किया जाए तो बात कुछ समझ में भी आती है पर झूठे इलाज के बिल, झूठे यात्रा के बिल और हर

रोज़ वेतन बढ़ाने के मुद्दे को लेकर हड़ताल करना कहाँ तक जायज़ है? मैं जानता हूँ कि सरकारी कर्मचारियों की यूनियन होनी बहुत ज़रूरी है क्योंकि यदि वह न हो तो पता नहीं अफ़सर नाम का पक्षी कितनी उड़ान भरने लगे पर बिना किसी ठोस मुद्दे के सिर्फ़ हड़ताल के लिए हड़ताल करना कहाँ तक उचित है? आज स्थिति यह है कि अनेक संस्थानों के प्रमुख अधिकारी दफ़्तर जाने से पहले हनुमान-चालीसा पढ़ते हैं, शाम को घर सादर और सुरक्षित पहुँचने पर भगवान् की आरती उतारते हैं और यूनियन के लोगों की इतनी इज़्ज़त करते हैं जितनी कि उन्होंने कभी अपने सगे बाप की भी नहीं की थी। पता नहीं कौन यूनियन वाला किस राजनीतिक नेता के नज़दीक है जो पता नहीं कब टेलीफ़ोन पर तबादला रोकने के लिए कह दे। कवि ने ठीक ही कहा है कि 'तुझसे भी दिलफ़रेब हैं ग़म रोज़गार के'। हड़तालों में मुझे सिर्फ़ वकीलों की हड़ताल पसन्द है। इस देश में मुक़दमेबाज़ी रोकने का और कोई ठोस उपाय मुझे नहीं दिखता। बेहतर हो कि वर्ष के आधे समय वकील लोग हड़ताल पर रहें और आधे समय जज लोग। ऐसा करने से यदि मुक़दमेबाज़ी न समाप्त हो तो आप मेरा नाम बदलकर रवीन्द्रनाथ ठाकुर रख दीजिए; मुझे कोई एतराज़ नहीं होगा। और हाँ, जो लोग काव्यपाठ और हड़ताल दोनों में दिलचस्पी रखते हों उनसे मेरा निवेदन है कि वे सैयद मुहम्मद जाफ़री का भंगियों की हड़ताल वाला कलाम ज़रूर पढ़ें। इतनी मार्मिक कविता मेरी निगाहों से दुबारा कभी नहीं गुज़री। अगर इस वक़्त मुझे खटमल तंग नहीं कर रहे होते तो मैं कविता के मार्मिक अंश यहाँ ज़रूर उद्धृत करता। सोचता हूँ कि ये खटमल हड़ताल पर क्यों नहीं जाते? यह क्या रहस्य है कि सिर्फ़ इंसान ही हड़ताल पर बैठता है?

इस दफ़्तर के झगड़े से मुझे कई विपत्तियाँ झेलनी पड़ीं। विपत्ति क्रमसंख्या एक तो यह रही कि मैं यूनियन के अधिकरियों से और ज़िलाधिकारियों से बातचीत में इतना व्यस्त रहा कि पत्नी तक को भूल गया। सारे माहौल में इतना भय, इतनी आशंका और इतनी चिन्ता आ गयी थी कि मैं रहीम के उस दोहे को कतई भूल गया जिसमें उसने कहा था– 'काह करब बैकुण्ठ ले, कल्पवृक्ष की छाँह; रहिमन ढाक सुहावनी जो गल पीतम बाँह।' आप जानते हैं कि कुछ-कुछ ऐसी ही बात कवि उमर ख़ैयाम ने भी अपनी एक रुबाई में कही थी पर पूँजीवादी होने के कारण प्रेमिका के अतिरिक्त उसने एक काव्य-ग्रन्थ, मदिरा की बोतल और डबलरोटी की माँग भी की थी। रहीम जो हैं वे ख़ानख़ाना होते हुए भी सर्वहारा के प्रतीक हैं और सिर्फ़ 'पीतम के गल बाँह' की ही चर्चा करते हैं। दफ़्तर के युद्ध में मुझ पर विपत्ति क्रम-संख्या दो यह आयी कि कई महीने तक मेरा लिखना-पढ़ना बन्द हो गया। यदि मैं लिखता रहता तो सम्भव था कि हिन्दी को कोई कालजयी कृति दे जाता मगर यहाँ फिर मुझे कुछ कवियों की वाणी याद आती है जो आत्म-प्रशंसा से रोकती है। रहीम कहते हैं– 'बड़े बड़ाई ना करैं बड़े न बोलें बोल; रहिमन हीरा कब कहै लाख

टका है मोल।' कहते हैं कि रहीम ने यह दोहा कविवर गंग का दोहा सुनने पर कहा था। गंग का दोहा जो था वह इस प्रकार था– 'सीखे कहाँ नवाबजू ऐसी ऐसी दैन, ज्यों ज्यों कर ऊँचे करो त्यों त्यों नीचे नैन।' पता नहीं कहाँ तक यह बात सच है कि रहीम ने दोहा जो लिखा था वह कवि गंग की वाणी सुनकर लिखा था क्योंकि आज के युग में कवि गंग यह दोहा किसी गोष्ठी में पढ़ते तो रहीम या तो उसे किसी विदेशी कविता की नक़ल बताते या फिर यह कहते कि दोहा तो मेरा लिखा हुआ है और गंग कवि ने उनकी पाण्डुलिपि में से उसे चोरी किया है। आपको याद होगा कि एक लेखक को 'साहित्य अकादमी एवार्ड' मिलने के बाद काफ़ी लोगों ने कहा था कि पुस्तक जो थी वह किसी और की लिखी हुई थी। बहरहाल, मैं इस बहस को छोड़ता हूँ और चन्द खटमलों को वीरगति प्राप्त कराने के बाद पिछले एक महीने के अख़बारों का इकट्ठा सेवन शुरू करता हूँ।

लगता है कि पिछले कुछ समय में काफ़ी कुछ हो गया। एक स्थान पर एक नरपुंगव ने अपनी सगी पत्नी की नाक काट ली और सिद्ध कर दिया कि लक्ष्मण और शूर्पणखा जो हैं वे अभी भी सीन पर मौजूद हैं। हनुमानजी जीवित हैं यह बात तो उसी दिन साबित हो गयी थी जिस दिन राजनारायणजी ने चरणसिंहजी को प्रधानमन्त्री बनवाया था और बाद में दोनों के बीच राम हनुमान युद्ध भी सम्पन्न हुआ था। नरेन्द्र कोहली ने ठीक ही किया जो रामकथा दुबारा लिख डाली। हालाँकि मेरे विचार में उन्हें सारे चरित्र पुरानी रामायणों से नहीं वरन् अपने वर्तमान परिवेश से लेने चाहिए थे। रावण अभी हैं और दस सिर वाले क्या, पचास सिर वाले तक हैं। एक मुख एक बात कहता है और दूसरा मुख दूसरी बात। मुखों के साथ-साथ हाथ भी पचास हैं जो जनता की कमाई को खुलेआम लूट रहे हैं। इस सन्दर्भ में दुख की सबसे बड़ी बात यह है कि मैं स्वयं चाहते हुए भी ऐसा नहीं कर पा रहा। एक और समाचार ऐसा पढ़ा कि मैं हीनभावना से बुरी तरह ग्रस्त हो गया। सत्तर वर्ष के एक युवा ने चौबीसवीं शादी एक सतरह वर्षीय गर्भवती कन्या के साथ सम्पन्न की। यह शुभ काम लास एंजेल्स नामक स्थान पर सम्पन्न हुआ। पति के चालीस बच्चे पिछली पत्नियों से हैं और इंशा अल्लाह, इतने ही बच्चे नयी बीवी से होंगे। ब्रिटेन में राजकुमार चार्ल्स से पुलिस ने इस कारण पूछताछ की क्योंकि उन्होंने एक घोड़े को ठोकर मारी थी जब कि हमारे इस अहिंसा-प्रेमी देश में एक साधु ने पूरा हाथी मार दिया और पुलिस ने कुछ भी तो नहीं किया। इस देश में हाथी क्या, यदि इंसान भी मर जाए तो पुलिस कुछ नहीं करती। पूना में भगवान् रजनीश के कुछ भक्तों ने फ़ौजदारी की और पुलिस चुपचाप देखती रही। ये भक्त नये रहे होंगे और शायद इसी कारण भक्तिकाल से पहले वीरगाथाकाल से गुज़रना चाहते थे। पुलिस के लिए क़ानून बना दिया गया कि उनके ख़िलाफ़ क़ानूनी कार्रवाई कोई नहीं कर सकता और एक बैंक के मैनेजर की स्टाफ ने इतनी तत्परता से सेवा की कि वे

वहीं घटनास्थल पर ही पंचत्व को प्राप्त हो गये। एक अख़बार के अनुसार दिल्ली के चिड़ियाघर में कूलर लगाये गये ताकि शेर और चीते वग़ैरह को गर्मी न लगे। सोचता हूँ कि पुरबिया होने से तो शेर या गीदड़ होना अच्छा क्योंकि उस स्थिति में सत्तू खाकर फ़ुटपाथ पर तो सोना नहीं पड़ता। इसी प्रकार एक समाचार और पढ़ा जिसके अनुसार दिल्ली की एक बरसाती में सोलह व्यक्ति वह जीवन व्यतीत कर रहे हैं जो इंसान कभी आदिमकाल में किया करते थे। ये सोलह विदेशी वाममार्गियों की भाँति सारे काम बग़ैर किसी पर्दे के करते हैं और इन लोगों में एक ऐसी बालिका भी है जिसे किसी भारतीय साधु ने गर्भ भी दिया। पूरा समाचार पढ़ने पर भी यह समझ में नहीं आया कि ये रईस विदेशी ऐसा आदिम जीवन बिताकर क्या प्राप्त करना चाहते हैं। हमारा तो अपना देश ही ऐसा है जिसके पंचानवें प्रतिशत लोग वैसे ही आदिम जीवन व्यतीत करते हैं। वे टूटी हुई झोंपड़ियों में रहते हैं, बच्चे पैदा करते हैं, महाजन का सूद अदा करते हैं और बाद में बिना कफ़न के मर जाते हैं। ये लोग दवा-दारू में से दारू भले ही पी लें, दवा इन्हें कभी मयस्सर नहीं होती। ऐसे होनहार देश में ये सोलह व्यक्ति आदिम जीवन बिताकर न जाने कौन-सा तीर मार रहे हैं, यह मेरी समझ में तो नहीं आता। लगता है, बाक़ी चीज़ों की भाँति इसके पीछे भी राष्ट्रीय स्वयं सेवक संघ का हाथ है। उनका हाथ नहीं होगा तो फिर किसी विदेशी सत्ता का होगा। हमारी जितनी भी समस्याएँ हैं, उन सबका यही निदान हमेशा बताया जाता रहा।

यह दफ़्तर का फ़िसाद क्या हुआ, मैं तो होली तक को भूल गया। बचपन में हम लोग मुहल्ले के सारे घरों से पाँच-पाँच कण्डे इकट्ठा करते थे और लकड़ी चोरी करते थे ताकि होली धूमधाम से जलायी जा सके। एक बार एक रईस की घोड़ागाड़ी भी होली के उपलक्ष में जला दी थी जिसकी याद उम्र भर रहेगी। जलाना तो हम घोड़े को भी चाहते थे पर उस नादान पशु ने हमारे साथ सहयोग नहीं किया। उन दिनों गाँवों के लोग रंग-बिरंगे कपड़े पहनकर आते थे और होली के चारों ओर इस प्रकार घूमते थे जिस प्रकार खटमल जो हैं वे मेरी देह के चारों ओर घूम रहे हैं। जो होली गायी जाती थीं, वे 'कालीचरन दबथुवावासी' या 'घासीराम भटीपुरवासी' की होती थीं। ज़मींदारी के समाप्त होने के साथ-साथ काफ़ी लोक-कलाओं का भी अन्त हो गया। आजकल तो मैं होली के अवसर पर बुन्देलखण्ड के अमर कवि ईसुरी के फाग पढ़ता हूँ या फिर ब्रज का वही लोक-गीत पढ़ता हूँ जो सदियाँ बीत जाने पर भी एकदम युवा है। ब्रज का वह कालजयी लोक-गीत इस प्रकार है :

आज बिरज में होरी रे रसिया
होरी रे रसिया, बरजोरी रे रसिया
आज बिरज में होरी रे रसिया।
अपने अपने महल सों निकलीं

कोई श्यामल, कोई गोरी रे रसिया
आज बिरज में होरी रे रसिया।
कौन गाम के कुँवर कन्हैया
कौन गाम की गोरी रे रसिया
आज बिरज में होरी रे रसिया।
नन्दगाँव के कुँवर कन्हैया
बरसाने की राधा गोरी रे रसिया
आज बिरज में होरी रे रसिया।
कौन के हाथ पिचकारी सोहे
कौन के हाथ कमोरी रे रसिया।
आज बिरज में होरी रे रसिया।
कान्हा के हाथ पिचकारी सोहे
राधा के हाथ कमोरी रे रसिया
आज बिरज में होरी रे रसिया।
चन्द सखी भज बालकृष्ण छवि
चिर जीवेहु ये जोरी रे रसिया
आज बिरज में होरी रे रसिया।

अख़बार पढ़ने के बाद

अपने बचपन की जो चीज़ मुझे सबसे ज़्यादा याद आती है, वह है नौटंकी। मशहूर और मारूफ़ मास्टर मुंशीराम की कम्पनी क़स्बे में हर साल आती थी और कमाल दिखाकर चली जाती थी। खेल जो होते थे वे ऐसे होते थे कि उनके नाम तो हैरतअंगेज होते थे और उपनाम जो होते थे वे सनसनीख़ेज़ होते थे। कुछ नाम तो मुझे अभी तक याद हैं जैसे—'गुलबदन' उर्फ़ 'मुहब्बत का फूल' या 'शैबा की बेग़म' उर्फ़ 'क़ातिल हसीना' या 'सुलताना डाकू' उर्फ़ 'शेरे बिजनौर'। यह बड़े ही दुख की बात है कि सिनेमे के आने से नौटंकी की लोक-कला समाप्ति को प्राप्त हो गयी। शैलेन्द्र की 'तीसरी कसम' में नौटंकी की झलक देखने को मिली तो अपना सारा बचपन वहीदा रहमान की भाँति मेरी आँखों के सामने नाचने लगा।

आज सुबह अख़बार जो खोला तो कुछ ऐसी सनसनीख़ेज़ और हैरत-अंगेज़ ख़बरें पढ़ने को मिलीं कि उनके सामने मैं नौटंकी तक भूल गया। समाचार क्रम-संख्या एक तो यह था कि उड़ीसा में भुवनेश्वर के पास एक पति ने अपनी पत्नी की शादी उसके प्रेमी के साथ स्वयं कर दी। दावत भी दी और दहेज भी दिया। समाचार क्रम-संख्या दो के अनुसार आयरलैण्ड की राजधानी डबलिन में कुछ ऐसे साँड़ का निधन हो गया जिसके कि दो लाख बारह हज़ार बच्चे थे। अधिकारियों के अनुसार उस साँड़ में अद्भुत पौरुप था और उस कर्तव्यपरायण साँड़ ने उसका प्रयोग गायों की सेवा करने में अन्त समय तक किया। समाचार क्रम-संख्या तीन के अनुसार एक स्थान पर एक विशिष्ट नेता ने इतना ओजस्वी और लम्बा भाषण दिया कि उसके सुनते-सुनते ड्यूटी पर तैनात सिपाही को बेहोशी आ गयी। इन तीन समाचारों के झटके से किसी तरह बाहर निकला ही था कि यह पढ़ने को मिला कि एक स्थान पर एक ऐसा काशीफल पाया गया है जो कि मात्र अड़तालीस किलो का वज़न रखता है। इस काशीफल से मुक्ति मिली तो अगले पृष्ठ पर यह हर्षदायक सूचना पढ़ने को मिली कि संसार के सारे देश मिलकर जो ख़र्चा सैन्य कार्यों पर कर रहे हैं उसका औसत दस लाख डालर प्रति मिनट आता है। इन देशों को हमारी मृत्यु की इतनी चिन्ता है, यह जानकर मैंने अख़बार पढ़ना बन्द कर दिया। मैंने चश्मा उतारा और

उस गधे को देखना शुरू किया जो सामने की दीवार को काफ़ी बेतकल्लुफ़ी के साथ कमज़ोर कर रहा था। इतना कार्य-तत्पर गधा इससे पहले मैंने कभी नहीं देखा था।

अख़बार पढ़ना बन्द करने के बाद मैंने सिगरेट सुलगाई और आँखें मींचकर चिन्तन में डूब गया। चिन्तन की प्रक्रिया के लिए सिगरेट उतनी ही ज़रूरी है जितना कि कभी वटवृक्ष के नीचे बैठना या जप करना होता था। चिन्तन की इस प्रक्रिया में मैंने सबसे पहले तो उस नरपुंगव को मन-ही-मन प्रणाम किया जिसने कि अपनी सगी और इकलौती पत्नी को खुलेआम उसके प्रेमी के हवाले कर दिया। आप लोगों में से कितने ही ऐसे हैं जो अपनी पत्नी से निज़ात पाना चाहते हैं पर इतनी हिम्मत किसी में भी नहीं कि खुलेआम वैसा कर सकें। इस सन्दर्भ में मुझे सहसा यह ख़याल भी आया कि यदि इस देश के बीस-पच्चीस व्यक्ति भी इतना साहस बटोर लें तो ख़ाकसार की बची हुई ज़िन्दगी में फिर से वसन्त ऋतु आ सकती है। मेरी निगाह देश की कोई बीस-पच्चीस विवाहित युवतियों पर ही है; बाक़ी स्त्रियाँ जो हैं वे मेरे लिए सदा माता के तुल्य ही रही हैं और मेरी जो निजी पत्नी है वह भी इन बाक़ी स्त्रियों में ही आती है। इसके उपरान्त मेरा ध्यान उस साँड़ पर गया जिसने एक ही जन्म में दो लाख बारह हज़ार बच्चों का पितृत्व हासिल किया। हम लोग दो लाख बारह हज़ार तो क्या, बारह हज़ार बच्चे भी पैदा नहीं कर सकते। यक़ीन न हो तो कोशिश करके देख लीजिए। धृतराष्ट्र के भी सौ ही कुलदीपक थे जिनमें दुर्योधन इतना होनहार था कि यदि वह नहीं होता तो वेदव्यास को महाभारत लिखने की कभी भी ज़रूरत नहीं पड़ती। और तो और, राजा सगर के भी साठ हज़ार ही पुत्र थे। साँड़ से निगाह हटी तो उस अड़तालीस किलोग्राम के काशीफल पर अटक गयी। जितनी उम्र का वह कद्दू था, उतनी उम्र में हमारा खुद का वज़न इतना नहीं था। दूसरे शब्दों में हम एक कद्दू से भी बाज़ी हार गये। कद्दू जो था वह हमें पीछे छोड़कर आगे निकल गया। और उस नेता का तो कहना ही क्या जिसके भाषण को सुनक़र देश की पुलिस फ़ोर्स को भी मूर्च्छा आ गयी। सारी बातें ध्यान में रखकर मैं काफ़ी देर हीनभावना से ग्रस्त रहा और उसके बाद मैंने सहसा महसूस किया कि मुझे हीनभावना का दौरा नहीं पड़ा है बल्कि मैं जो हूँ वह वैसे ही हीन हूँ। हाँ, अलबत्ता इस बात से ज़रूर हिम्मत बढ़ी कि संसार के देश हमारी मृत्यु के प्रति इतने चिन्तित हैं कि प्रत्येक मिनट में दस लाख डालर ख़र्च कर रहे हैं। रूस और अमेरिका को हमारे जीने में भले ही दिलचस्पी न हो, मगर इतना क्या कम है कि वे लोग हमारी मृत्यु के लिए इतने चिन्तित हैं? सारा चिन्तन करने के बाद मेरा सीना जो था वह गर्व से ऊँचा हो गया और गर्दन जो थी वह शर्म से नीचे झुक गयी। इन दोनों कामों को एक साथ कर लेने में ख़ाकसार को कभी कोई विशेष कष्ट नहीं होता।

दूसरी सिगरेट जलाने पर मुझे एहसास हुआ कि मैं भी क्या कठपुतली हूँ जो कि अख़बार की ख़बरों से ही नाचने लगता हूँ। मुझे तो हाथी की भाँति होना चाहिए,

न कि सितार की तरह। मगर मैं अपने स्वभाव से मजबूर हूँ। जैसा हूँ, वैसा हूँ। और फिर मैं अकेला थोड़े ही हूँ जो कि कठपुतली की भाँति नृत्य करता हूँ। जिधर भी देखता हूँ, उधर कठपुतलियाँ ही कठपुतलियाँ नज़र आती हैं। छात्र लोग हैं वे अवसरवादी शिक्षकों के इशारों पर नाचते हैं, शिक्षक हैं वे प्रधानाध्यापक के इशारे पर नाचते हैं और प्रधानाध्यापक जो हैं वे कॉलेज की कार्यकारिणी के इशारे पर कभी कत्थक नृत्य प्रस्तुत करते हैं और कभी भरतनाट्यम्। कार्यकारिणी के सदस्य जो हैं वे इतने होनहार हैं कि बिना किसी बाहरी सहायता के खुद ही नाचते रहते हैं और कभी-कभी तो यह नाच काफ़ी नंगा भी हो जाता है। इसी प्रकार लेखक हैं, वे सम्पादक के इशारे पर नाचते हैं, सम्पादक हैं वे प्रकाशक की आज्ञा से नृत्य करते हैं और प्रकाशक जो है उसके नृत्य का कार्यक्रम या तो पूँजीपति तय करते हैं या फिर कोई विदेशी सत्ता। पूँजीपति जो है वह अपनी पत्नी के इशारों पर नाचता है और तब तक नाचता रहेगा जब तक ऊपर बताये गये उदाहरण के अनुसार वह अपनी पत्नी को उसके प्रेमी के हवाले नहीं कर देता। कर्मचारी हैं वे अफ़सर के आगे नाचते हैं और अफ़सर जो है वह या तो किसी हसीन स्टेनोग्राफ़र के हाथ की कठपुतली है या फिर किसी वज़ीर के इशारों पर नाचता है। वज़ीर जो हैं वे बेचारे पार्टी के गुलाम हैं और पार्टी जो है उसकी स्थिति यह है कि वह एक-दूसरे की टोपी उछालने में ही इतनी व्यस्त हैं कि किसी और रचनात्मक कार्य के लिए समय ही नहीं बचता। सोचता हूँ कि कल से अख़बार पढ़ना हमेशा के लिए बन्द कर दूँ।

हिजड़े

जैसा कि मतिमान पुरुष भली-भाँति जानते हैं, संसार-रूपी इस असार दफ़्तर को ब्रह्मस्वरूप ब्रह्माजी ने खोला। दफ़्तर को दस से पाँच बजे तक चलाने की ज़िम्मेदारी विष्णुस्वरूप विष्णु ने सँभाली और इसे बन्द करने का जो काम था वह शिवस्वरूप शिव को सौंपा गया। इन तीनों देवताओं में शिव जो थे वे सबसे ज़्यादा व्यस्त रहते थे। वे दफ़्तर बन्द करने के अलावा सिर पर चौदहवीं का चाँद धारण करते थे, मस्तक पर स्वर्ग से गिरती गंगा को सँभालते थे, छाती और भुजाओं पर विभिन्न क़िस्म के साँप पालते थे और बाक़ी वक़्त में पार्वती के ज़िद करने पर किसी दीन-हीन व्यक्ति की सहायता भी करते थे। छुट्टी के दिन भंग का सेवन और ताण्डव नृत्य। सवारी के लिए हरियाणा का एक साँड़ रहता था जो बाक़ी वक़्त में अपने प्रदेश की सरकार को दलबदल के द्वारा गिराता रहता था। सृष्टि के निर्माता ब्रह्मा ने सारे स्थावर व जंगम पदार्थों को बनाया और फिर स्त्री और पुरुष की सृष्टि की। काम से बचने के लिए आलसी ब्रह्मा ने स्त्री और पुरुष को कुछ इस तरह गढ़ा कि अगली पीढ़ी के स्त्रीपुरुषों की सृष्टि अपने आप ही होती रहे। स्त्री-पुरुष के निर्माण के बाद ब्रह्मा के पास कच्चा माल कुछ कम रह गया। उन्होंने सरकार की आर्थिक कटौती को ध्यान में रखते हुए बाद के प्राणियों को कुछ अंग कम तादाद में दिये। इन कम अंग वाले प्राणियों को हिजड़ा कहकर पुकारा गया। हिजड़े वे लोग थे जो स्त्री या पुरुष जैसा शरीर धारण करके भी न तो स्त्री ही थे और न पुरुष ही।

पता नहीं क्यों मुझे इन हिजड़ों के प्रति बड़ा आकर्षण है। कभी-कभी तो मैं यहाँ तक सोचता हूँ कि मेरा क्या कसूर था कि ब्रह्मा ने मुझे हिजड़ा नहीं बनाया। मेरे इस आकर्षण का कारण बड़ा साफ़ है और वह यह है कि हिजड़ों को लेकर कभी कोई दंगा-फ़िसाद नहीं होता। जहाँ तक स्त्रियों का प्रश्न है, स्थिति यह है कि आधे दंगे और अपराध उन्हें ही लेकर होते हैं। न सीता होती और न राम और रावण का युद्ध होता। और जब यह युद्ध ही नहीं होता तो फिर मुरादाबाद में वह रामलीला ही कैसे होती जहाँ एक नवयौवना के साथ छेड़खानी करने के सन्दर्भ में लगभग पचास व्यक्तियों के प्राण गये? और जहाँ तक पुरुषों का प्रश्न है, स्थिति यह कि उनके

कारण अहिंसा के अवतार महात्मा गाँधी की समाधि तक पर दफ़ा एक सौ चवालीस लगानी पड़ती है; आँसू गैस छोड़नी पड़ती है और लोगों को हिरासत में लेना पड़ता है। अच्छा हुआ कि गाँधी जी की हत्या हो गयी, यदि वे जीवित रहते तो अपने शिष्यों के आचरणों को देखकर आत्महत्या कर लेते। गाँधी समाधि के सन्दर्भ में मुझे एक नेता की याद आ रही है जो कि इस समाधि को गंगाजल से धोना चाहते थे। उनके इस विचार को सुनकर एक और नेता ने कहा कि नेता क्रमसंख्या एक को यह कहीं ज़्यादा उचित होगा कि वे बजाय समाधि के गंगाजल से अपना मन और मस्तिष्क पवित्र करें। नेता क्रमसंख्या दो की वाणी सुनकर एक तीसरे नेता ने कहा कि जब दिल और दिमाग़ है ही नहीं तो धोएँगे कैसे? नेता क्रमसंख्या एक ने नेता क्रमसंख्या तीन की बात की दाद दी और समाधि को गंगाजल से नहीं धोया। पुलिस की देखरेख में समाधि पर कार्यक्रम सम्पन्न हुआ और सारा काम इतनी शान्तिपूर्वक हुआ कि एक महिला नेता को छोड़कर किसी और को कोई विशेष शारीरिक क्षति नहीं पहुँची। उस स्त्री नेता के अलबत्ता माथे पर एक पत्थर लगा जो कि किसी ने काफ़ी तबीयत के साथ फेंका था।

बाकी मानव जाति की भाँति हिजड़ों का इतिहास भी काफ़ी पुराना है। एक किंवदन्ती है कि मर्यादा-पुरुषोत्तम राम जब बनवास से लौटे तो उन्होंने देखा कि काफ़ी लोग ऐसे हैं जो कि अयोध्या के बाहर ही अपना डेरा लगाये हुए हैं। पूछताछ के बाद पता चला कि वन-गमन के समय जब सारे अयोध्यावासी नगर के बाहर राम, सीता और लक्ष्मण को विदा देने आये तो रामचन्द्रजी ने कहा कि मैं अब सारे नर-नारियों से प्रार्थना करूँगा कि वे नगर लौट जायें और अधिक कष्ट न उठाएँ। रामचन्द्रजी की वाणी सुनकर जो नर और नारी थे वे तो अयोध्या उर्फ़ साकेत को वापस लौट गये पर बाक़ी लोग जो हिजड़े थे, वे वहीं वन में बस गये क्योंकि वे नर या नारी की परिभाषा में नहीं आते थे। रामचन्द्रजी ने सारी गाथा सुनी तो हिजड़ों का त्याग और भक्ति देखकर उनका हृदय द्रवित हो गया। उन्होंने सारे हिजड़ों को आशीर्वाद दिया और कहा कि वत्स! जाओ, तुम सब लोग भारत के आज़ाद होने के बाद कलियुग में इस देश के नेता, मन्त्री और सचिव बनोगे। इतिहासकारों का कहना है कि यथासमय यह आशीर्वाद एकदम सच निकला। महाभारत में वृहन्नला और शिखंडी के प्रसंग हैं जो उस युग में हिजड़ों के अस्तित्व पर काफ़ी प्रकाश डालते हैं। चीन में ईसा के होने से ग्यारह सौ वर्ष पूर्व वहाँ के बादशाह लोग हिजड़ों को अपना सलाहकार बनाया करते थे। हमारी वर्तमान सरकार भी कभी-कभी ऐसा करती है। मुस्लिम काल में हिजड़े लोग सरकारी नौकरियों में लिये जाते थे और शाही हरमों के जो सच्चे मालिक होते थे वे खवास और खाजासरा ही होते थे। कितना अच्छा रहा कि आज की सरकार भी ऐसे व्यक्तियों के हाथ में सत्ता देती है जो दरअसल हिजड़े ही होते हैं। मगर इल्लत यह है कि ऊँचे पदों पर पहुँचकर भी हिजड़ा जो है

वह हिजड़ा ही रहता है। महल के शिखर पर बैठने से कौआ जो है, वह गरुड़ नहीं हो जाता। प्रासादशिखरस्योपि किं काकः गरुड़ायते?

हिजड़ों का अपना एक अलग ही विचित्र समाज है। इनके रस्म-रिवाज़, रहन-सहन का ढंग, वेशभूषा, आपसी झगड़ा हो जाए तो उसके निर्णय करने की प्रक्रिया-सब कुछ अलग है। कोई हिजड़ा थाने में रपट लिखवाने कभी नहीं जाता। इनके अन्तिम संस्कार का ढंग भी निराला ही रहा।

यह ख़ुशी की बात है कि पिछले एक दशक में हिजड़ों में संगठनात्मक गतिविधियाँ बढ़ी हैं। उन्नीस सौ उनहत्तर में इनका अखिल भारतीय सम्मेलन भी हुआ था जिसमें यह माँग रखी गयी थी कि जनगणना के समय इन्हें स्त्रियों में शामिल किया जाए, पुरुषों में नहीं। उन्नीस सौ सत्तर में एक हिजड़े ने विधान सभा का चुनाव भी लड़ा था और कुछ दिनों पहले जब राष्ट्र की राजनीति अनिश्चित-सी थी, तब गोण्डा के हिजड़ों ने राष्ट्रपति से कहा कि वे हिजड़ों को सरकार बनाने का निमन्त्रण दें। उन्होंने वादा किया था कि वे कभी कोई दल-बदल नहीं करेंगे। खेद की बात यह है कि राष्ट्रपति ने इस प्रार्थना पर कोई ध्यान नहीं दिया।

मज़ाक़ छोड़ दें तो हमें यह महसूस होगा कि आख़िरकार हिजड़े भी हमारी तरह जानदार प्राणी ही हैं और उनकी एकदम उपेक्षा करना अनैतिक, अस्वाभाविक व सामाजिक अपराध है। मैं सरकार को सलाह दूँगा कि वह हिजड़ों की स्थिति और समस्याओं का पूरा जायज़ा लेने के लिए एक कमीशन बिठाए जिसका चेयरमैन कोई हिजड़ा हो। कमीशन को उचित होगा कि वह अपनी रिपोर्ट दस वर्ष की अवधि के भीतर ज़रूर पेश कर दे ताकि बाद में उस पर अगला कमीशन बिठाया जा सके। बाक़ी लोगों से मैं प्रार्थना करूँगा कि वे हिजड़ों को इतना पराया न समझें। वे हमीं में से एक हैं। बकौल शायर के—दुश्मनी लाख सही, ख़त्म न कीजै रिश्ता; दिल मिले या न मिले, हाथ मिलाते रहिए।

मुझे यह कहते हुए सन्तोष होता है कि हिजड़ों पर इधर कुछ ध्यान दिया जा रहा है। एक प्रख्यात साप्ताहिक ने हिजड़ों के पटियाला में सम्पन्न हुए शानदार उत्सव का विवरण दिया और दिल्ली दूरदर्शन ने पिछले दिनों कुछ हिजड़ों से मुलाक़ात करवायी। इन हिजड़ों में से एक तो इतना ख़ूबसूरत था कि उसे देखते ही मुझे उससे शादी करने की इच्छा होने लगी। थोड़ी देर बाद ध्यान आया कि ऐसा कभी नहीं हो सकता। बाधा क्रम संख्या एक तो यह है कि वह हसीन जो है वह लड़की नहीं है, बल्कि हिजड़ा है और बाधा क्रमसंख्या दो यह है कि मैं तो पहले से ही शादीशुदा हूँ। इस दूसरी बाधा ने मुझे जो-जो कष्ट दिये हैं, उनका वर्णन स्वयं गणेशजी भी नहीं कर सकते। वे तो लड्डू खाएँगे और चूहे पर बैठकर हिमालय चले जायेंगे। मेरी जो परेशानी है, वह वहीं की वहीं रह जायेगी।

अन्त में चलकर मैं साहित्यकारों से अपील करूँगा कि वे हिजड़ों पर अपनी

कलम चलाएँ। किसी नौजवान हिजड़े को पकड़ लें और उस पर महाकाव्य लिखें। शोध करने वाले जो स्नातक हैं वे इस बात को लेकर शोध कर सकते हैं कि साहित्य और कला के क्षेत्र में हिजड़ों को अब तक उचित स्थान क्यों नहीं दिया गया? स्थिति वाक़ई इतनी नाज़ुक है कि सिवा नज़ीर अकबराबादी के और कोई ऐसा कवि ही नहीं पैदा हुआ जिसने हिजड़ों को लेकर काव्य की सृष्टि की हो। हाँ, अलबत्ता नज़ीर अकबराबादी ने उन पर पूरा ध्यान दिया। उनके कलाम का एक टुकड़ा प्रस्तुत किया जाता है। कवि कहता है—

बेटा हुआ किसी के जो सुन पावें हीजड़े
सुनते ही उसके घर में फिर आ जाएँ हीजड़े
नाचें बजाकर तालियाँ और गावें हीजड़े
ले ले के बेल भाव भी बतलावें हीजड़े
उनके बड़े नसीब जहाँ जावें हीजड़े

बातें भी उनकी साफ़ हैं, मिलना भी साफ़ है
सीना भी उनका आईना, मुखड़ा भी साफ़ है
ज़ाहिर भी उनका साफ़ है, ज्योढ़ा भी साफ़ है
आगा भी उनका साफ़ है, पीछा भी साफ़ है
अब ऐसे ज़िन्दादिल हो तो कहलाएँ हीजड़े

ये जान छल्ले अब जो कहाते हैं ख़ुश सफ़ीर
ये दिल हमारा उनकी मुहब्बत में ख़ब असीर
मुद्दत से हो रहा है इरादा ये दिल पज़ीर
अल्लाह हमें भी देवे जो बेटा तो ऐ 'नज़ीर'
हम भी बुलाके ख़ूब से नचवाएँ हीजड़े।

अफ़सरशाही की अन्त्येष्टि

पुराने ज़माने में अफ़सर को हाकिम कहते थे। हाकिम वह होता था जो कि हुकूमत करता था। उसका बड़ा रौबदाब और दबदबा होता था। कहावत थी कि हाकिम के अगाड़ी और घोड़े के पिछाड़ी कभी नहीं चलना चाहिए। अगर हाकिम घोड़े पर सवार होता था तो शरद जोशी के अनुसार स्थिति यह होती थी कि आप न अगाड़ी चल सकते थे और न पिछाड़ी। ये हाकिम लोग प्रायः अँग्रेज़ होते थे। एक बार एक जागीरदार अपने गुमाश्ते के साथ इंगलैण्ड गये। अपने चारों तरफ़ ही अँग्रेज़ देखकर सीधा-सादा गुमाश्ता अपने मालिक से पूछने लगा कि यहाँ तो सब अफ़सर ही अफ़सर हैं, यहाँ काम कौन करता होगा? धीरे-धीरे काले आदमियों यानी कि भारतीयों को भी ऊँची नौकरियों में लिया जाने लगा हालाँकि इण्डियन सिविल सर्विस की परीक्षा फिर भी काफ़ी वर्षों तक लन्दन में ही होती रही। गोविन्दबल्लभ पन्त के शब्दों में इण्डियन सिविल सर्विस न तो इण्डियन थी, न सिविल थी और न सर्विस ही थी। ब़हरहाल स्थिति कुछ भी रही हो, सत्य यह है कि प्रशासन का सारा ढाँचा इन्हीं ऊँची सेवाओं के सहारे चलता रहा और जब तक आज़ादी मिली तब तक इस अफ़सरशाही ने ही देश पर राज्य किया। आज़ादी के बाद अफ़सरशाही धीरे-धीरे नौकरशाही में तबदील हो गयी जिसकी दास्तान काफ़ी दर्दनाक है। उसकी चर्चा मैं नीचे करूँगा।

जिन काले या गोरे साहबों की चर्चा मैंने ऊपर की है; वे अपने आप में काफ़ी दिलचस्प लोग होते थे। क्लब, गोल्फ़, बिलियर्ड, टैनिस, शराब और शिकार—ये ही वे चीज़ें थीं जो उन्हें ज़िन्दा रखती थीं। अँग्रेज़ लोग काफ़ी उदारमना होते थे और प्रायः देसी रखैलें भी रखा करते थे। एक-दूसरें की बीवी में वैसे भी फ़र्क़ कम ही समझा जाता था। इन लोगों में से कोई-कोई काफ़ी जीनियस क़िस्म का अफ़सर होता था। बिहार के एक आई.सी.एस. थे जो कभी कोई काम नहीं करते थे। एक बार कमिश्नर ने गवर्नर से शिकायत की तो गवर्नर ने उससे रोज़नामचा रखने को कहा। रोज़नामचे में सोकर उठना, नहाना, हजामत बनाना, भोजन करना, शराब पीना और फिर सोना—इन सारे कार्यक्रमों का विस्तृत विवरण दिया गया। काम का कोई ज़िक्र अलबत्ता कहीं नहीं था। गवर्नर ने रोज़नामचा पढ़ा और माथा पकड़

लिया। इसके बाद गवर्नर जब दौरे पर आया तो उसने साहब को तलब किया और हुकुम दिया कि जिस हालत में हो, उसी में फ़ौरन चले आओ। थोड़ी देर बाद चार आदमी एक टब उठाकर लाये जिसमें साहब नंग-धड़ंग पड़े स्नान का आनन्द ले रहे थे। गवर्नर ने उनकी कार्य-तत्परता की दाद दी और बतौर इनाम के उन्हें बर्खास्त कर दिया। कोई-कोई आई.सी.एस. प्रशासन के लिए अनुपयुक्त होता था जैसे कि कीन्स जिन्होंने संसार भर में अर्थशास्त्र के क्षेत्र में अपना नया सिद्धान्त पेश किया और लार्ड का खिताब पाया। आम अफ़सर चुस्त, ईमानदार और दबदबे वाला होता था। मैंने एक ऐसे अफ़सर के साथ काम किया है जिनके पिता लार्ड थे। ये हज़रत सिर्फ़ दस्तख़त करते थे और वुडहाउस पढ़ते थे। इतवार के दिन गुलेल से चिड़िया मारा करते थे। इनके अनुसार ज़िले में गम्भीर समस्याएँ तब खड़ी होती थीं जब कि कप्तान पुलिस और कलक्टर—दोनों की पत्नियों में झगड़ा हो जाता था। उन दिनों दरोग़ाजी के मूत्र से दीपक जलता था। आज़ादी पाने के बाद ऐसा होना बन्द हो गया। दीपक जलाने के स्थान पर कुछ वरिष्ठ देशभक्त उसका पान करने लगे।

आज़ादी के बाद अफ़सरशाही के तेवर बदल गये। अफ़सर लोग खुले गले के कोट के स्थान पर खादी का बना बन्द गले का कोट पहनने लगे। दिमाग़ तो पहले से ही बन्द था, अब गला भी बन्द हो गया। जो कुछ मन्त्री जी कहें वही वेदवाक्य माना जाने लगा। ख़ैर, जब तक वरिष्ठ और देशभक्त नेता लोग सत्ता में रहे तब तक फिर भी काम ठीक-ठाक चलता रहा। मगर बाद में चलकर स्थिति ख़राब हो गयी। खेती की उन्नति पर ध्यान क्या दिया गया, देश में नेता लोगों की पैदावार धान और बाजरे से भी ज़्यादा होने लगी। जो लोग मुसम्मात भगाने के चक्कर में भी सन् बयालीस में जेल काट आये थे, वे भी देशभक्त नेता कहलाने लगे। विधायकों का चुनाव रिश्वत, जातिवाद और जूते के आधार पर होने लगा और विधान सभाओं के भीतर कुश्तियाँ होने लगीं। दल-बदल और 'आयाराम-गयाराम' की कृपा से सरकारें रोज़ बदलने लगीं जिसका अफ़सरशाही पर ख़राब असर पड़ा। उनकी समझ में नहीं आता था कि चमचे बनें तो किसके बनें। कुछ अफ़सर ज़रूर ऐसे थे जो कि स्वतन्त्र रहे और पैसा बनाते रहे। भ्रष्टाचार बढ़ता गया और अफ़सर जो था वह गिरता गया। जो ईमानदार अफ़सर थे वे महँगाई की वजह से ऐसे पिटे कि सारी अफ़सरी भूल गये। केन्द्रीय सरकार के संयुक्त सचिव तक दफ़्तर जाने के लिए बजाय मोटर के सार्वजनिक बस का प्रयोग करने लगे जब कि मन्त्रीजी की स्टाफ कार हज़ारों मील यूँ ही दौड़ती रही। प्रगतिशील देश में मन्त्री की गाड़ी यदि गतिशील नहीं होगी तो प्रगति कैसे होगी? और इस पर भी यह कि अगर कोई काम ग़लत हो गया तो उसकी ज़िम्मेदारी हमेशा अफ़सरों पर ही डाली गयी जिसका नतीज़ा यह हुआ कि उन्होंने काम करना ही बन्द कर दिया। सरकार सच्चे अर्थों में स्थिर हो गयी।

अफ़सरशाही को बाद में चलकर और भी धक्का पहुँचा। एक तो उनके वेतन

इतने अवास्तविक हो गये कि जीवन बीमा निगम और बैंकों में तो लोगों ने अफ़सर होने को ही मना कर दिया क्योंकि बाबू रहकर वेतन ज़्यादा मिलता था। हरियाणा टूरिस्ट कारपोरेशन के बैरे की आमदनी एक प्रथम क्षेणी के अफ़सर से कहीं ज़्यादा बैठती थी। खाना-पीना, रहना-सहना तो अलग से मुफ़्त रहा ही, मात्र ग्राहकों द्वारा दिये गये टिप से ही उनकी आमदनी दो हज़ार प्रतिमाह तक पहुँचने लगी। वेतन जो रहा सो अलग। और हाँ, सुन्दर युवतियों को खाना खिलाने का जो आनन्द रहा उसका तो कहना ही क्या! उसकी क़ीमत ठीक उसी तरह नहीं आँकी जा सकती जैसे कि शिकागो के एक जज के अनुसार उन सेवाओं की क़ीमत नहीं आँकी जा सकती जो कि एक पत्नी पति के लिए करती रही। तलाक़ के इस केस में एक सुन्दरी ने अपनी सारी सेवाओं का मुआवज़ा माँगा था पर वह आँका नहीं जा सका। ग़रीबी के अलावा जिस दूसरी चीज़ ने अफ़सरों पर हमला किया वह थी ट्रेड यूनियन। अफ़सरशाही को नौकरशाही ने खा लिया। चूँकि स्टाफ की संख्या हमेशा ज़्यादा होती है, राजनीतिक तत्त्वों ने भी इन यूनियनों का साथ दिया। यूनियन के तत्त्वावधान में अफ़सरशाही की अन्त्येष्टि की गयी। अफ़सरों का घिराव किया गया, उन्हें पीटा गया और उनकी कार को तोड़ा गया। और घेराव भी एकदम देसी क़िस्म का। अफ़सर को घेरा और धूप में खड़े हो गये। जकार्ता में एक अधिकारी का घिराव हुआ तो लड़कियों ने किया और वह भी पूरी तरह कपड़े उतारकर। पता नहीं हमारा राष्ट्र कब तक पिछड़ा हुआ रहेगा।

बहरहाल! फ़िलहाल स्थिति यह है कि ईमानदार और निष्पक्ष अफ़सर होने की अपेक्षा और कोई कठिन काम इस समय देश में नहीं है। आप हैं कि अपनी अर्जी 'थ्रू प्रॉपर चैनेल' भेजते हैं जब कि यूनियन के लोग हैं वे सीधे बिना तकल्लुफ़ मन्त्रीजी से भेंट करते हैं। जो दुनिया-साज अफ़सर हैं वे यूनियन को कभी नाराज़ नहीं करते। वे अपनी धोती हमेशा ढीली रखते हैं ताकि जब भी यूनियन कहे; उसे खोला जा सके। एक रिश्वतखोर बाबू या अदना अफ़सर भारतीय प्रशासन सेवा या उससे सम्बद्ध सेवाओं के अधिकारियों की अपेक्षा कहीं ज़्यादा कमाता है और इज़्ज़त से रहता है। कुछ गिने-चुने अफ़सरों को छोड़कर जिन्होंने कि राजनीतिक नेताओं से दोस्ती गाँठ ली है बाक़ी सब बड़े लोग फ़ाइलें पढ़ते हैं, रात को काम करते हैं, पैदल चलते हैं और यूनियन से गालियाँ खाते हैं। अब जब यूनियन वाले कैबिनेट स्तर के मन्त्री से मिलकर आते हैं तो बड़े साहब की कौन सुनेगा?

मेरी तो भगवान् से करबद्ध प्रार्थना है कि वह मुझे अगले जन्म में हरियाणा टूरिस्ट कारपोरेशन का बैरा बना दे। इतनी आमदनी और दिनभर रूपवती युवतियों का सहवास। मैं यक़ीन दिलाता हूँ कि मैं एकदम ख़ुश रहूँगा और काम-काज से जो भी समय बचेगा उसमें भगवान् का भजन करूँगा।

मेरा रचना-संसार

श्रीलाल शुक्ल के अनुसार लिखना—यहाँ तक कि घटिया लिखना भी एक नरक है। पिछले लगभग बीस वर्षों से मैं यही नरक—ख़ासतौर पर घटिया लिखने का नरक बराबर भोग रहा हूँ। इस स्थिति के सहन कर पाने के कई कारण हैं। पहली बात तो यह है कि लेखक के लिए न लिखना एक और भी बड़ा नरक है और दूसरी बात यह है कि मैं लेखक होने के साथ-साथ सरकार का एक आला अफ़सर भी हूँ और इस कारण काफ़ी समय ऐसा रहता है कि जो बिना लेखक रहे बीत जाता है। अफ़सरी के अन्दाज़ से लेखक के स्तर पर आने के लिए काफ़ी समय लगता है और इस सन्दर्भ में ये पंक्तियाँ काफ़ी सटीक प्रतीत होती हैं—

पिन खुली, टाई खुली, कालर खुला, बकलस खुला
खुलते खुलते डेढ़ घण्टे में कहीं अफ़सर खुला

(जाफ़री)

बहरहाल स्थिति यह है कि मैं बराबर लिख रहा हूँ। इक्कीस किताबें छप चुकी हूँ, एक प्रेस में है और दो के मसौदे तैयार हैं। स्थिति यह है कि जब ख़ुश होता हूँ तो हास्य-व्यंग्य लिखता हूँ, उदास होता हूँ तो हास्य-व्यंग्य लिखता हूँ और जब नॉर्मल होता हूँ तब भी हास्य-व्यंग्य ही लिखता हूँ। बाक़ी वक़्त जो बचता है वह मैं कविता को देता हूँ। निरन्तर हास्य-व्यंग्य लिखते-लिखते भी मूलतः मैं एक सौन्दर्यवादी कवि ही रहा। स्थिति यह है कि :

हुस्न है ज़ात मेरी, इश्क़ सिफ़त है मेरी
हूँ तो मैं शम्मा पर भेस है परवाने का

(फ़ानी)

लिखते-लिखते स्थिति यह आ गयी कि लोग मेरी प्रतिभा का लोहा मानने लगे। मैं तो अपनी प्रतिभा का लिखने से पहले भी क़ायल था। ऐसी ग़लतफ़हमी मेरे अतिरिक्त कुछ और कलाकारों को भी गाहे-बगाहे होती रही है। उदाहरण के लिए इन शेरों पर एक या दो अदद निगाहें डालिए :

कल जो 'ताबां' के शेर उनको सुनाये तो कहा

हाय कम्बख़्त ने क्या तर्ज़े बयाँ पायी है

(ताबाँ)

उर्दू है जिसका नाम, हमीं जानते हैं दाग़
हिन्दोस्ताँ में धूम हमारी ज़ुबाँ की है

(दाग़)

होने को तो दुनिया में हैं सखुनवर बहुत अच्छे
कहते हैं कि ग़ालिब का है अन्दाज़े बयाँ और

(ग़ालिब)

'नूह' की क़द्र कोई क्या जाने
कहीं ऐसे अदीब होते हैं

(नूह नारबी)

ख़ैर, धीरे-धीरे यह स्थिति आ गयी कि जो रचनाएँ खेद व अभिवादन सहित वापस आया करती थीं, वे अब छपने लगीं। लोग-बाग साहित्यिक गोष्ठियों में भी बुलाने लगे। किसी ने आटोग्राफ़ लिये तो विद्याव्रत ने फ़ोटोग्राफ़ लिया। एक सम्पादक ने सवाल किया कि आपकी रचना-प्रक्रिया क्या है? दूसरे सम्पादक ने पूछा कि आप व्यंग्य को एक स्वतन्त्र विधा मानते हैं या नहीं? तीसरे सम्पादक ने पूछा कि आप व्यंग्य और कविता—इन दोनों को साथ-साथ कैसे निभाते हैं? समझ में नहीं आता कि इन लोगों को क्या जवाब दूँ। आख़िर ये सवाल पूछे क्यों जाते हैं?

हंगामा क्यों है बर्पा, थोड़ी-सी जो पी ली है?
डाका तो नहीं मारा, चोरी तो नहीं की है?

(अकबर)

अब रचना-प्रक्रिया को ही ले लीजिए। मैं अपने वातावरण के प्रति सचेत रहता हूँ। काफ़ी पढ़ता-लिखता हूँ, काग़ज़-कलम और टेबुल का इन्तज़ाम करता हूँ और बस लिखने बैठ जाता हूँ। आमतौर से वही लिखता हूँ जो कि लिखना चाहता हूँ, पर कभी-कभी इरादा होता है विद्यापति पर लिखने का और लेख का अन्त होता है मेंढक पर। ठीक वही बात जो एक शायर ने मॉडर्न पेण्टिंग देखकर कभी कही थी :

एक तसवीर जो देखी तो यह सूरत निकली
जिसको समझा था अनन्नास, वह औरत निकली

(जाफ़री)

मगर इससे कोई फ़र्क़ नहीं पड़ता। कर्म पर अपना अधिकार है, फल पर नहीं। जहाँ तक अपने कर्मों का प्रश्न है स्थिति यह है कि :

शोख़ी से हर शिगूफ़े के टुकड़े उड़ा दिये
जिस गूँचे पर निगाह पड़ी दिल बना दिया। (रियाज़)

हमारे हुस्न का शोख़ी ने पर्दाफ़ाश किया
यह रंग छुपने ही वाला तहे-निक़ाब न था

(जलाल)

नज़र में ढलकर उभरते हैं दिल के अफ़साने
यह और बात है, दुनिया नज़र न पहचाने

(तबस्सुम सूफ़ी)

नज़र न पहचानने वाले दुनिया में कम नहीं। पिछले बीस वर्षों से एक से एक उम्दा व्यंग्यकार अपनी सैकड़ों-हज़ारों रचनाएँ पेश करते चले आ रहे हैं पर आलोचक प्रवर हैं कि वे हमेशा यही कहेंगे कि हिन्दी में कलापूर्ण हास्य-व्यंग्य का अभाव है। मैं इन आलोचकों की कमर का निचला हिस्सा देखता हूँ और यह कलाम याद करता हूँ:

एक दिन की बात हो तो उसे भूल जाएँ हम
नाज़िल हों दिल पर रोज़ बलाएँ तो क्या करें

(अख़्तर शीरानी)

दिल पै जो गुज़री है कोई क्या जाने
यह या तो हम जाने या ख़ुदा जाने
दिल को कल तक तो चैन हासिल था
आज क्या हो गया, ख़ुदा जाने

(जोश मलसियानी)

ऐसे बिगड़े कि फिर जफ़ा भी न की
दुश्मनी का हक़ भी अदा न हुआ

(हसरत मोहानी)

पाऊँ तो इन हसीनों का मुँह चूम लूँ रियाज़
आज इनकी गालियों ने बहुत ही मज़ा दिया

(रियाज़)

न छेड़िएगा, न बोलिएगा, कि अब है कुछ दिन से और आलम
जिसे सताते थे आप हँसकर, असर वह पहला 'असर' नहीं है

(असर)

इन आलोचकों के कारण कभी-कभी सोचता हूँ कि लिखना बन्द कर दूँ। अपनी अन्तिम रचनाएँ कोई पचास के लगभग तो हो भी गयी हैं। बात दरअसल यह है कि

हर नफ़स उम्रे गुज़श्ता की है मैयत फ़ानी
ज़िन्दगी नाम है मर-मर के जिये जाने का

(फ़ानी)

बहरहाल, कभी-कभी सोचता हूँ कि जितना लिख चुका हूँ उतना भी कम नहीं है। तीन सौ के लगभग व्यंग्य रचनाएँ और लगभग उतनी ही कविताएँ। इतना तो

पद्माकर, बिहारी और देव ने भी नहीं लिखा था। दूसरे शब्दों में अब वह वक़्त आ गया कि मैं अपनी रूपवती युवती पाठिकाओं से यह अर्ज़ कर सकता हूँ कि :

दोनों रुखसार इनायत करें इक-इक बोसा
अब मेरे वास्ते सरकार से चन्दा हो जाए

(जगत)

मुमकिन नहीं कि 'मिस' तेरा नोटिस न लिया जाए
गाल ऐसे परीज़ाद हों और 'किस' न लिया जाए

(अकबर)

बस, इसे यहीं ख़त्म करता हूँ। रचना-प्रक्रिया के सन्दर्भ में कुछ चर्चा साहित्य गोष्ठियों की भी करना चाहता था मगर वह बहुत स्थान ले लेगी। मैं सलाह दूँगा कि इस सन्दर्भ में आप फ़ुर्कत काकोरवी की 'कुत्तों का मुशायरा' और ग़ुलाम अहमद फुर्कत की 'गधा कान्फ्रेंस' नाम की नज़्में पढ़ लें। वैसा करने से हिन्दी की जो साहित्यिक गोष्ठियाँ होती हैं, उनका जायज़ा आपको मिल जायेगा।

क्या लिखूँ?

पिछली अमर रचना लिखे कोई पन्द्रह दिन हो गये और स्थिति यह है कि उसके बाद कुछ भी नहीं लिख सका। मैं उन प्रतिभावान् कलाकारों में से हूँ जो लगातार लिखते रहना चाहता है और इसी कारण जब कभी भी चन्द दिन बग़ैर लिखे गुज़र जाते हैं तो ऐसा लगने लगता है कि बस, अब मैं और कुछ नहीं लिख पाऊँगा। मुझे जो कहना था, मैं कह चुका। अब इज़्ज़त इसी में है कि अपना जाल समेटूँ और आत्मकथा लिखनी शुरू करूँ। वाक़ई बड़ी दर्दनाक स्थिति है। शिलांग के क्षेत्र में भयंकर दंगे हो रहे हैं, चाँदनी चौक में खुलेआम डकैती पड़ रही है, पटना के पास दानापुर में एक कन्या के साथ बलात्कार किया गया है और एक विधान सभा में एक महिला विधायिका ने विपक्ष पर अपना पदत्राण यानी जूता फेंक कर मारा है और मैं हूँ कि कुछ लिख ही नहीं पा रहा। मुझे इन परिस्थितियों से मात्र इतनी दिलचस्पी है कि उनको लेकर मैं एक निबन्ध लिख सकूँ। इसके अलावा मुझे इन परिस्थितियों से क्या लेना था? मैं तो लेखक हूँ, कलाकार हूँ और इस कारण मुझे तो तटस्थ ही रहना है। जूता चलता है चले, अपने बाप का क्या जाता है? कन्या के साथ बलात्कार हो गया तो क्या नयी बात हो गयी? कन्या के साथ बलात्कार नहीं होगा तो क्या पुलिस के थानेदार के साथ होगा? इन छोटे-छोटे देसी मसलों को लेकर मेरे जैसा बड़ा लेखक परेशान नहीं होता। वह परेशान तब होता है जब कि ये घटनाएँ हो रही होती हैं और वह फिर भी कुछ लिख नहीं पाता। यही स्थिति रही होगी जब शमशेर बहादुर सिंह ने 'अभी भी चुका नहीं हूँ मैं' नाम की पोथी लिखी होगी। और हाँ, जब महाप्राण निराला ने 'अभी न होगा मेरा अन्त' वाली कविता लिखी होगी तब भी शायद यही हालत रही होगी। दूसरे शब्दों में मैं पहला मसिजीवी नहीं हूँ जिसे ऐसी चुक जाने जैसी स्थिति से सामना करना पड़ा है। आप लोगों में से जो बुद्धिमान् लोग हैं वे यह भी समझ ही गये होंगे कि इस दिशा में मेरा दर्जा यदि शमशेरजी नहीं तो निरालाजी के बराबर तो ज़रूर ही बैठता है। कम-से-कम किसी सन्दर्भ में तो महाप्राण के साथ बराबरी करने का मौक़ा मिला।

असलियत यह है कि जिस परेशानी का मैंने ज़िक्र किया, वह प्रायः प्रत्येक

कलाकार को पड़ती है। लड़की चाहे कितनी भी उर्वरा क्यों न हो, बच्चा देने में नौ महीने तो लेगी ही। अब यदि इन नौ महीनों को लेकर ही वह परेशान रहने लगे तो उनका पति या प्रेमी या दोनों, आप ही यह बताइए क्या कर सकते हैं? अर्थात् वे कुछ नहीं कर सकते। उनसे जो निष्काम कर्म अपेक्षित था, वह उन्होंने कर दिया। अब लड़की अपने दिन गिने और वे लोग देश की बाक़ी स्त्रियों का उद्धार करें। मगर बर्नार्ड शॉ थे कि कलाकार को छुट्टी पर जाने के सख़्त ख़िलाफ़ थे। वे रोज़ सवेरे पाँच पेज लिखते थे और बाक़ी काम बाद में करते थे। वे यह बात हर्गिज़ नहीं मानते थे कि किसी कलाकृति के सृजन के लिए कुछ अवधि की, कुछ व्यवधान की या कुछ छुट्टी की ज़रूरत होती है। बहरहाल, मेरे ख़याल में ज़मीन अगर लगातार जुतती रहे तो वह कभी भी फ़सल न दे, उसे उर्वरा रखने के लिए ज़रूरी है कि कुछ समय तक उससे कोई भी फ़सल न ली जाए। सच्ची बात तो यह है कि बाक़ी चीज़ों की कान्तिसृजन का भी एक दौर होता है। यह नहीं कि आप जब चाहें तब बैठ जायें और 'अभिज्ञान शाकुन्तल' या 'मृच्छकटिक' लिख लें। पुराने ज़माने में लोगों की कितनी ज़्यादा आयु होती थी मगर फिर भी सारी सुविधाएँ प्राप्त होने के बावजूद कवि-कुल कमल शिरोमणि कालिदास केवल तीन नाटक और चार काव्यग्रन्थ ही लिख पाये। इधर जनप्रिय लेखक डेविड और कर्नल रंजीत हैं जो हर तीसरे महीने एक क्लासिक लिख जाते हैं। दूसरे शब्दों में कुछ युवतियाँ हैं जो काफ़ी मात्रा में पति या प्रेमी होने के बावजूद कोई बच्चा नहीं दे पातीं जबकि दूसरी ओर ऐसी सुमुखी बालाएँ भी सीन पर मौजूद हैं जो कि बिना किसी पति के जब चाहें तब आपको एक बच्चा पेश कर सकती हैं। इनकी इस प्रतिभा का रहस्य इन युवतियों को खुद मालूम नहीं है। आपको जानकर खुशी होगी कि इस क़िस्म की कुछ कलाकार युवतियों को मैं काफ़ी नज़दीक से जानता हूँ। मगर सिर्फ़ जान-पहचान से क्या होता है, मैं इनसे वह रहस्य तो नहीं सीख पाया जिसके कारण अलेक्ज़ेण्डर ड्यूमा जब चाहते थे तभी कुर्सी पर बैठकर, जितना चाहते थे उतना लिख डालते थे। मैं सोचता हूँ कि काश, ऐसी जादूभरी कुर्सी कहीं से मुझे मिल गयी होती!

बात लड़की से शुरू हुई थी और कुर्सी पर आ गयी। नये साहित्यिक मूल्यों के अनुसार यह सरासर अस्वाभाविक है क्योंकि उनके मुताबिक बात यदि किसी बालिका से शुरू हो तो उसका अन्त या तो पलँग पर होना चाहिए या फिर अदालत में। सच्चा स्नेह जो है वह सिर्फ़ इन्हीं दो स्थानों पर प्रकट होता है, बाक़ी जो है वह सब फ़िज़ूल है। लुकमान अली जो है वह बाक़ी बकवास में यक़ीन नहीं रखता। बहरहाल जिस प्रकार कुछ लेखकों को लड़कियों से प्रेरणा मिलती है ठीक उसी प्रकार शेष कलाकार बाक़ी और चीज़ों से प्रेरणा ग्रहण करते हैं। प्रयाग में नयी पीढ़ी के एक लेखक थे जो अपनी ठुकाई हो जाने के बाद काफ़ी अच्छा लिख डालते थे।

आपने इधर इनके मुख-रूपी कमल पर एक थप्पड़ जमाया, उधर इन्होंने मार्मिक कहानी का सृजन शुरू कर दिया। सुमित्रानन्दन पन्त ने अपना सर्वश्रेष्ठ तभी तक लिखा जब तक कि वे आर्थिक संघर्ष में जुटे रहे और अव्यवस्थित जीवन गुज़ारते रहे। हिन्दी के एक और महान् कलाकार हैं जिन्हें बीमारी से प्रेरणा मिलती है। प्रसव के अतिरिक्त और कोई ऐसी व्याधि शेष नहीं रही जो इन्हें न हुई हो। इसी प्रकार के नयी पीढ़ी के एक और लेखक हैं जो तभी लिखते हैं जब कि उन्हें गुप्त रोग हो गया हो। इधर इनका रोग प्रकट हुआ, उधर उनकी लेखनी जो थी वह चलनी बन्द हो गयी। एक और लेखक थे जो निहायत गलीज़ और गन्दे वातावरण में रहते थे और बढ़िया लिखते थे। अज्ञेय ने ख़तरा भाँप लिया, उन्होंने उस लेखक को एक ऊनी कोट सिलवा दिया, एक अच्छी नौकरी दिलवा दी और लेखक महोदय जो थे उन्होंने लिखना बन्द कर दिया। साहित्य के स्थान पर उन्होंने दाढ़ी उगानी शुरू कर दी। दाढ़ी क्या है, एकदम खुदा का नूर है। भगवान् ने चाहा तो एक दिन आयेगा कि इनकी वह दाढ़ी इनके साहित्य से भी आगे निकल जायेगी।

बहरहाल, असली बात वहीं है जहाँ थी। स्थिति यह है कि मुझे लिखने को कोई टॉपिक नहीं मिल रहा। कुछ लेखक हैं जो हर कन्या में एक उपन्यास का चलता-फिरता प्लॉट पकड़ लेते हैं पर मैं हूँ कि वैसा कुछ नहीं कर पा रहा। मुझे न बीमारी से राहत मिलती है, न दाढ़ी बढ़ने से। पिटने का व्यक्तिगत अनुभव मुझे अभी तक नहीं। पर लगता है कि उससे भी स्थिति में कोई विशेष सुधार होगा नहीं। मैं आपसे प्रार्थना करता हूँ कि आप सब लोग मुझ पर तरस खाएँ और यह बताने की कृपा करें कि मैं अगला लेख किस विषय पर लिखूँ। और हाँ, विषय कुछ ऐसा बताइए जो कि आम आदमी से ताल्लुक रखता हो और उनके दुख-दर्द कहता हो। मैं असाधारण विषय पर असाधारण ढंग से कभी नहीं लिखना चाहता। वह काम तो अर्नेस्ट हैमिंग्वे और स्टीफ़ेन ज़्वेग किया करते थे जिसका कि अंजाम आपको मालूम ही है। दोनों लेखकों को नोबुल पुरस्कार प्राप्त हुआ और दोनों ने बाद में आत्महत्या कर ली। मैं आप लोगों से पूछता हूँ कि इस क़िस्म के लेखन से क्या फ़ायदा?

❑

पद-यात्रा

(1985)

मेरा दुखी जीवन

तालस्ताय ने अपने उपन्यास 'एना कैरिनीना' के प्रारम्भ में कहा है कि संसार में जो सुखी लोग हैं, उन सभी की ख़ुशी के कारण लगभग एक से हैं मगर इसके बरख़िलाफ़ जो लोग दुखी हैं, उनके दुख के कारण अलग-अलग होते हैं। इसी सिद्धान्त के अनुसार मैं जो दुखी रहता हूँ, उसके कारण भी औरों से अलग ही हैं। आज मैं उन्हीं कारणों की चर्चा करूँगा।

मेरे दुख का प्रथम कारण तो यह है कि मुझे लिखते-लिखते क़रीब बीस वर्ष हो गये और वैसे भी मैं पचास वर्ष का हो गया पर जो सम्मान मुझे मिलने चाहिए थे, वे अभी तक नहीं मिले। मुझे न तो कोई आनरेरी डॉक्टरेट ही मिली और न मुझे राज्यसभा का सदस्य ही मनोनीत किया गया। न मेरा कोई अभिनन्दन ही किया गया और न मुझे ज्ञानपीठ का पुरस्कार ही मिला। मैं कितने ही ऐसे घटिया लेखकों को जानता हूँ जिन्हें एक से ज़्यादा विश्वविद्यालयों ने क्षेत्रीय और जातीय आधार पर मानद डॉक्टरेट दी है या जिन्हें नेताओं की ख़ुशामद करने पर राज्यसभा में लिया गया है। कहते हैं कि राज्यसभा के वातानुकूलित हाल में बैठकर बड़े ऊँचे दर्जे का लेखन किया जा सकता है। जहाँ तक अभिनन्दन का प्रश्न है, वह शायद मुझे ख़ुद ही आयोजित करना पड़ेगा। सोचता हूँ कि इस सन्दर्भ में उपेन्द्रनाथ 'अश्क़' से परामर्श करूँ। बहरहाल, फ़िलहाल तो स्थिति यह है कि पन्त और निराला तो अमर हो गये और मैं अभी तक भवभूति के बराबर ही हो पाया हूँ। भवभूति को भी अपने जीवन काल में कोई विशेष यश नहीं प्राप्त हुआ था। सोचता हूँ कि यदि भवभूति को भी ज्ञानपीठ पुरस्कार नहीं मिला, तो मैं ही उसके बारे में क्यों चिन्ता करूँ? इतना क्या कम है कि उत्तर प्रदेश सरकार ने चार बार एक सहस्र मुद्राओं का पुरस्कार दिया? भगवान उत्तर प्रदेश सरकार को सद्बुद्धि दे ताकि अगले वर्ष वे मुझे दस हज़ार रुपयों वाला पुरस्कार दें। इस सन्दर्भ में वे मुझसे कितनी ही ख़ुशामद करवा लें, मैं करने को तैयार हूँ। यदि चपरासी तक के चरण छूने पड़े, तो मैं उसे भी कर लूँगा। पुरस्कार के सन्दर्भ में मैं अपने कर्तव्य से भी पीछे नहीं हटूँगा।

मेरे दुख का दूसरा कारण यह है कि नये-नये कवि और नये-नये व्यंग्यकार

निकलकर बाहर आ रहे हैं और उनमें से कुछ ऐसे भी हैं जिनकी रचनाओं में ज़रूरत से ज़्यादा ताज़गी और कशिश है। नयी पीढ़ी के प्रतिभावान लेखकों की समाप्ति करना ज़रूरी है। यह शुभ काम यदि सीनियर लेखक खुद नहीं करेंगे तो और कौन करेगा? सवाल इस बात का नहीं है कि आप खुद कितना अच्छा लिखते हैं; असली मुद्दा तो यह है कि बाक़ी लोग कितना घटिया लिखते हैं। मेरे विचार में नयी पीढ़ी में जो कचरा है उसे तो प्रोत्साहन देना चाहिए क्योंकि कचरा लेखक तो आपके प्रति कृतज्ञता प्रकट करते हुए भी खुद-ब-खुद ख़त्म हो जायेंगे। ख़तरा तो उनसे है जो नयी पीढ़ी के भी हैं और प्रतिभावान भी हैं। हे गंगा मैया, तू मुझ पर रहम कर और इस नयी पीढ़ी के उत्तम लेखकों का सत्यानाश कर दे। यदि तुझसे भी यह कार्य सम्पन्न नहीं हुआ तो फिर कौन करेगा? कार्य सम्पन्न होने पर मैं सवा रुपये का प्रसाद चढ़ाऊँगा। तुम इन नये प्रतिभा सम्पन्न लेखकों और कवियों का नाश कर दो तो मैं घटिया लेखकों को लेकर 'पाँचवाँ सप्तक' निकाल लूँ।

मेरे उदास रहने का एक कारण यह भी है कि मैं ऐसे महकमों में क्यों नहीं गया जिनमें कि ऊपर की आमदनी का दस्तूर होता। यूँ मेरी तनख़्वाह चार हज़ार रुपये प्रतिमाह है और बाक़ी सुख-सुविधाएँ भी हैं मगर जो मज़ा घूस लेने में है, वह मज़ा तनख़्वाह में कहाँ है? कहाँ पत्नी और कहाँ प्रेयसी? वेतन तो नीचे की आमदनी को कहते हैं जबकि घूस जो है वह ऊपर की आमदनी कहलाती है। मैं एक उच्च अधिकारी हूँ मगर फिर भी कभी कोई ठोस काम नहीं कर पाया जबकि मेरे दोस्त हैं जिनका वेतन तीन सौ रुपया है पर जिनकी पत्नियाँ फिर भी हीरे-जवाहरातों से लदी रहती हैं और विलायती कपड़े पहनती हैं। रिश्वत के महकमे में न जाने का दुख जो मुझे है वह अनन्त है। काश, रिश्वत प्राप्त करने के लिए मैं कुछ कर सकता। जब आत्मा परमात्मा से मिल सकती है तो रिश्वत मुझे क्यों नहीं मिल सकती? मैं तो मरते वक़्त भगवान से यही प्रार्थना करूँगा कि हे प्रभु, मुझे अगले जन्म में ऐसा पद देना जिस पर बैठकर मैं दोनों हाथों से पैसा बटोर सकूँ। यह प्रार्थना मैं इस कारण भी कर रहा हूँ कि रिश्वत जो है वह तो हमारी संस्कृति का एक अंग है। मनुस्मृति तक में इसकी चर्चा है और बाद में चलकर तो स्थिति यह हो गयी कि तुग़लक वंश के काल में अकाल पीड़ितों को दी गयी सहायता भी सरकारी अमला खा गया। शेरशाह सूरी जैसे महान शासक भी घूस को पूरी तरह नहीं हटा सके। वारेन हेस्टिंग्ज पर तो नाजायज रुपया इकट्ठा करने के लिए मुक़दमा तक चलाया गया और यही स्थिति लार्ड क्लाइव के साथ रही। वारेन हेस्टिंग्ज एक वीर पुरुष था, वह मुक़दमो के बाद भी जीता रहा जबकि क्लाइव एक कायर था जिसने कि मुक़दमो से बरी होने के बाद भी आत्महत्या कर ली। बहरहाल, स्थिति यह है कि घूस लेने की परम्परा सदा से चली आयी और मेरे जैसे भाग्यहीन लोग भी सदा से होते आये। विधाता के लिए उचित होगा कि मेरे इस जन्म की ईमानदारी देखकर अगले

जन्म में मुझे घूस लेने की पूरी-पूरी व्यवस्था करे। मैं तो अगले जन्म में 'जीप पर सवार इल्लियों' में शामिल होना चाहूँगा। सरकार ने गाँवों के विकास पर जो करोड़ों रुपये ख़र्च किये उनमें से गाँववालों तक शायद ही कुछ पहुँचा। शेष सारा धन उन लोगों ने खा लिया जो जीप पर सवार होकर गाँवों का दौरा करते रहे। काश, मैं भी इनमें से एक होता। भ्रष्टाचार से मुझे कोई शिकायत नहीं है, मेरी पीड़ा तो यह है कि मैं उसमें शामिल क्यों नहीं हुआ।

कभी-कभी मैं यह सोचकर उदास हो जाता हूँ कि मेरे साथी कहाँ से कहाँ पहुँच गये और मैं हूँ कि अफ़सरी के जाल में फँसा हुआ वहीं खड़ा हूँ जहाँ पच्चीस वर्ष पहले खड़ा था। एक सज्जन तो ऐसे होनहार निकले कि भगवान की स्थिति को प्राप्त हो गये। शानदार आश्रम, सुन्दर युवतियाँ और लाखों रुपये। एक और सज्जन महर्षि और योगी हो गये। वातानुकूलित दफ़्तर, वायुयान से यात्रा और विदेशों में स्थित आश्रम की शाखाएँ। इन दोनों सज्जनों ने कुण्डलिनी उठाने और भावातीत ध्यान कराने के द्वारा अपने भी दुख दूर किये और विदेशी भक्तों को भी आनन्द दिया। एकदम सेवा के लिए समर्पित जीवन। मेरे कुछ दोस्तों ने अख़बार निकाले, हज़ारों रुपयों के विज्ञापन बटोरे और न जाने कितने बेवकूफ़ों को आजीवन सदस्य बनाया। सम्पादक का पद अपने लड़के को दिया और प्रबन्ध सम्पादिका अपनी निजी पत्नी को बनाया। अख़बार की मर्यादा को देखते हुए अपने पुत्र और पत्नी को हज़ारों में वेतन दिया जिसका नतीजा यह रहा कि लेखकों को देने के लिए कुछ नहीं बचा। मैं दोस्त हूँ इस कारण बीस या पच्चीस रुपये का मनीऑर्डर कभी-कभी आता है जिसे मैं काफ़ी दुःख के साथ स्वीकार करता हूँ। दुख इस बात का है कि अगर सिद्धान्त पर चलूँगा तो ये पच्चीस रुपये की महान राशि भी हाथ से निकल जायेगी। मेरे कुछ दोस्त जूता और चप्पल फेंकने की समुचित शिक्षा लेने के बाद राजनीति में चले गये और कुछ दोस्तों ने आत्महत्या कर ली। सोचता हूँ कि मैं कितना कायर हूँ कि सारे दुःखों के बावजूद फिर भी ज़िन्दा हूँ। एक बार भी आत्महत्या कर लेता तो सारे कष्ट दूर हो जाते। कहते हैं कि यदि आत्महत्या एक बार पूरी तरह कर ली जाए तो उसके दुबारा करने की ज़रूरत नहीं पड़ती।

मैं जो 'नीर भरी दुःख की बदली' का पुल्लिंग संस्करण चल रहा हूँ उसका एक कारण यह भी है कि मेरी बीवी ठीक वही मुसम्मात चली आ रही है जिससे कि छब्बीस वर्ष पहले मैंने शादी करने की ग़लती की थी। इतना पुराना माडल कलाकारों को शोभा नहीं देता। कलाकार को बीवी हमेशा बदलते रहना चाहिए। अर्नेस्ट हैमिंग्वे और अज्ञेय की सफलता का असली कारण यही है। मेरे चन्द दोस्त तो कला के प्रति इतने ईमानदार निकले कि उन्होंने अपनी पुरानी बीवी को मिट्टी का तेल डालकर खुद ही जला दिया। एक और कलाकार हैं जिनकी शादी में रघुवीर सहाय और मैं साथ-साथ गये थे। बाद में पता चला कि वर महोदय की एक अदद

पत्नी और कई अदद बच्चे पहले से ही थे।

मेरे दुखी रहने का अन्तिम कारण यह है कि एक ओर तो देश की लड़कियाँ ग़ज़ब की रफ़्तार से जवान होती जा रही हैं और दूसरी तरफ़ मैं जो हूँ वह धीरे-धीरे बूढ़ा होता जा रहा हूँ। 'केशव केसन अस करि', वाली स्थिति तो नहीं आती क्योंकि मैं खिजाब लगाता हूँ पर फिर भी हर एक बात की एक सीमा होती है। गाड़ी चलाते हुए मैं इन लड़कियों को देखता हूँ और मेरी पत्नी मुझे वैसा करते हुए आँख फाड़-फाड़कर देखती है। कार के भीतर ही हाथापाई शुरू हो जाती है। अन्त में चलकर स्थिति वही रहती है कि मैं हाथ जोड़कर पत्नी को माता कहकर पुकारता हूँ, उसके चरण छूता हूँ और माफ़ी माँगता हूँ। जब पत्नी साथ नहीं होती तब ज़रूर महसूस होता है कि हिन्दुस्तान वाक़ई आज़ाद हो गया है। उस वक़्त मैं इन रूपवती युवतियों को देखता हूँ और शायर का कलाम याद करता हूँ :

आया करो इधर भी मेरी जाँ कभी-कभी,
निकलें हमारे दिल के भी अरमाँ कभी-कभी।

गाँधी जयन्ती : एक संस्मरण

पिछली गाँधी जयन्ती के अवसर पर नगर की एक प्रमुख संस्था ने गाँधीजी की यादगार में एक सांस्कृतिक सन्ध्या मनाने का निश्चय किया। इस सन्दर्भ में दो ग़लतियाँ हुईं। संस्था ने तो यह ग़लती की कि समारोह में मुझे भी निमन्त्रित कर डाला और मैंने यह ग़लती की कि वह शानदार निमन्त्रण स्वीकार कर लिया।

समारोह का आयोजन नगर के एक प्रख्यात क्लब में किया गया था जो कि बिलियर्ड टेबुल, शोख़ लड़कियाँ, तहज़ीबयाफ़्ता बैरे और विलायती शराब के कारण काफ़ी उपयुक्त स्थान था। स्थान को चुनते समय इस बात का पूरा-पूरा ध्यान रखा गया था कि यदि किसी को गाँधीजी की याद से किसी तरह का कोई ग़म पैदा हो तो उसे ग़लत करने की सामग्री भी वहाँ तत्परता के साथ उपलब्ध हो। मैंने देखा कि तेल की क़ीमत बढ़ जाने के बावजूद, ज़्यादातर लोग गाड़ियों से ही आये थे। क्लब के बरामदे में गाँधीजी के तीन बन्दर बाक़ायदा ज़मीन पर बैठे थे और अपने-अपने धन्धे में जुटे थे। एक सज्जन चर्खा चला रहे थे, दूसरे सज्जन हथकरघे पर जुटे थे, और तीसरे सज्जन जो थे वे गीता का पाठ कर रहे थे। तीनों व्यक्ति खादी पहने थे। उन तीन व्यक्तियों के ठीक सामने बरामदे के दूसरे छोर पर कुछ युवतियाँ रामधुन का कार्यक्रम प्रस्तुत कर रही थीं। उन युवतियों में से एक को मैंने काफ़ी घूरकर देखा क्योंकि वह ज़रूरत से ज़्यादा ख़ूबसूरत थी। किसी तरह मैंने अपने दिल को काबू में किया और उसके बाद मैं क्लब के भीतर चला गया। कुल मिलाकर सब लोग गाँधी जी की स्मृति में काफ़ी ख़ुश दिखाई पड़ते थे।

क्लब के भीतर मैंने एक सोफ़े पर स्थान ग्रहण किया और अपने चारों तरफ़ देखना शुरू किया। काफ़ी बड़े-बड़े आदमी आये हुए थे और उनकी पत्नियाँ जो थीं वह भी इतनी सजी-धजी थीं कि लगता था जैसे कि वे गाँधी जयन्ती समारोह भी इतनी ही लगन से मनाना चाहती थीं जितनी कि किसी सौन्दर्य प्रदर्शनी या किसी कुत्तों की नुमाइश देखने के लिए अपेक्षित थी। क्या स्त्री और क्या पुरुष— सभी खादी में थे और वह भी इतनी क़ीमती खादी में जिसका अनुमान महात्मा गाँधी स्वप्न में भी नहीं कर सकते थे। महात्माजी ने तो अपनी सारी उम्र छोटे ही लोगों के

बीच रहकर गुज़ारी थी और इस कारण उनके लिए तो यह कल्पना करना भी कठिन था कि खादी बेचने के लिए इतने शानदार और वातानुकूलित खादी ग्रामोद्योग भवन खुलेंगे और उनमें इतनी शोख़ और हसीन लड़कियाँ काम करेंगी।

मैं बैठा रहा और ख़यालों में डूबा रहा या फिर अपनी पिछली टाँगों पर खड़ा रहा और बाक़ी विशिष्ट व्यक्तियों से मिलता रहा। एक घिसे-पिटे समय सिद्ध कविजी को छोड़कर मैं प्रायः सभी लोगों से अपरिचित ही था क्योंकि इस नगर विशेष में मेरी नियुक्ति जो थी वह हाल ही में सम्पन्न हुई थी। कविजी मेरी बग़ल में बैठे रहे और दुबले होते रहे। मैं उनकी निरन्तर दुबली होती देह को देखता रहा और हिन्दी कविता के भविष्य के बारे में सोचता रहा। इसी बीच एक सज्जन सहसा मेरे पास आये और बिना किसी प्रोत्साहन के मुझसे गले मिलने लगे। यही कृपा उन्होंने शेष अतिथियों पर भी दिखायी। हाँ, अलबत्ता हम लागों की पत्नियों को उन्होंने दुर्भाग्यवश ज़रूर छोड़ दिया और एकाध पत्नी ने तो उनके इस संकोच पर शोक भी प्रकट किया। पूछने पर बाद में पता लगा कि इन हज़रत के दो ही शौक़ थे : एक था चन्दा उगाहना और दूसरा था उसका ग़बन करना। सारा जीवन इन्हीं दो कुटीर उद्योगों को समर्पित था। आज का जो शानदार समारोह था, उसके लिए भी चन्दे का प्रबन्ध इन्होंने ही किया था। पैसा दूसरों का था, मेज़बान ये खुद थे।

कुछ देर बैठने के बाद शरबत और शराब के गिलास सामने आने लगे। किसी ने छोटा पेग लिया तो किसी ने बड़ा। स्त्रियाँ भी मदिरापान में अपने समान अधिकारों का प्रयोग करने लगीं। गाँधीजी के प्रति अपना स्नेह दिखाने के लिए शराब जो थी वह देसी ही रखी गयी थी। उधर सोडे की बोतल का कार्क खुलता था और इधर मुझे लगता था कि जैसे किसी ने गाँधीजी पर एक गोली और चला दी हो। मैं शरबत पीता रहा, नमकीन काजू खाता रहा और अपने चारों ओर देखता रहा। एक राजनीतिक नेता दिखाई पड़े— जिन पर पिछली सरकार ने एक जाँच कमीशन बिठाया था और बाद में चलकर दूसरी सरकार ने उन्हें वज़ीर बना दिया था। इन नेताजी को और एक ठेकेदार को शराब कुछ ज़्यादा चढ़ गयी और स्थिति यह हो गयी कि नशे के दौरान वे गाँधीजी को ही गन्दी-गदी गालियाँ देने लगे। क्लब के जो खादीधारी बैरा लोग थे, उन्होंने उन दोनों को वहाँ से बटोरा और एक ऐसे कक्ष में बन्द कर दिया जहाँ कि खादी के बेशक़ीमती पर्दे टँगे हुए थे और जहाँ विदेशी मदिरा व देसी लड़की इत्मीनान के साथ मिल सकती थीं। बाक़ी लोग वही हाल में शराब पीते रहे और अपने-अपने खाली गिलास उसी कानस पर रखते गये जिसके ऊपर गाँधीजी का चित्र टँगा हुआ था।

शराब के बाद नाच का कार्यक्रम था। फ़र्श पर पाउडर बिखेरा गया ताकि नाचते वक़्त कोई सम्भ्रान्त व्यक्ति किसी दूसरे की पत्नी के साथ धराशायी न हो सके। नाच काफ़ी देर चला और काफ़ी मज़ेदार रहा। कोई-कोई बाई अकेली नाच रही थी तो

कोई-कोई युवती किसी पराये पुरुष की बाँहों में सिमटी हुई अपनी कला का प्रदर्शन एक साथ ही करने में संलग्न थी। कुछ के केश लम्बे थे तो कुछ युवतियों के बाल इस तरह कटे हुए थे कि वे या तो किसी आश्रम की तपस्विनी लगती थीं या फिर किसी एक ऐसी भेड़ का मज़ा देती थीं जिसकी ऊन एक दिन पहले ही काटी गयी हो। कुछ युगल तो इस तरह नाच रहे थे कि लगता था कि दो इंसान नहीं बल्कि कोई चौपाया ही अपना नाच प्रस्तुत कर रहा था। एक युगल ऐसा था कि उसके नृत्य को देखकर ऐसा लगता था कि जैसे कोई गधा किसी हंसिनी के साथ नाच रहा हो। और हाँ, एक शूर्पणखा क़िस्म की नौजवान कन्या थी जिसके साथ नाचने को कोई भी तैयार नहीं था। अन्त में चलकर वह मेरी शरण में आयी। मैं सुमित्रानन्दन पन्त द्वारा वर्णित 'ग्राम्या' में दिये गये पिछड़ी जातियों के नृत्यों के बारे में सोचता रहा और नाचता रहा। बहरहाल, एक कोने में विदेशी संगीत चलता रहा तो दूसरी ओर नाच का देसी कार्यक्रम भी काफ़ी सफल रहा। होटल के बैरा और खानसामा लोग भी दरवाज़ों में खड़े थे और अपने मालिकों का नाच देख रहे थे। इस नृत्य के बीच में बस एक छोटा-सा हादसा हो गया और वह यह था कि एक सामाजिक कार्यकर्ता की धोती किसी अफ़सर की पतलून में ऐसी फँसी कि उनको अलग करने के लिए बत्ती बन्द करनी पड़ी।

रोशनी वापस आने पर कविजी से 'बापू के प्रति' नाम की रचना को गाकर सुनाने का अनुरोध किया गया जिसे कविजी ने स्वीकार कर लिया। कविता इतनी मर्मस्पर्शी निकली कि उसे सुनकर कविजी स्वयं ही रोने लगे।

कवितापाठ के बाद डिनर 'सर्व' किया गया। स्त्रियों को पहले और पुरुषों को बाद में। डाइनिंग हाल में पहुँचकर देखा कि मेरे जैसे शाकाहारी वैष्णव के लिए वहाँ चपातियाँ और शीतल जल के अतिरिक्त शायद और कुछ नहीं था। मैंने दही और अचार के सहारे कुछ रोटियाँ खायीं, दो गिलास पानी पिया और बाद में कुछ फल खाये। बाक़ी लोग पता नहीं कौन-कौन से गोश्त का मज़ा लेते रहे और गाँधीजी के साथ-साथ मुझ पर भी तरस खाते रहे। डिनर के बाद कॉफ़ी की प्याली आयी और उसके साथ-ही-साथ संस्था की वार्षिक रिपोर्ट भी पढ़कर सुनायी गयी। रिपोर्ट में बताया गया था कि गाँधी जयन्ती के पवित्र अवसर पर एक बड़े व्यापारी ने ग़रीबों में आठ कम्बल बाँटे थे, जबकि एक-दूसरे सेठ ने विधवा आश्रम की बीस स्त्रियों को खादी की गोटी धोतियाँ बाँटी थीं। एक दयावान पुरुष थे जिन्होंने उस पवित्र दिन को और पवित्र बनाने के लिए बीस अन्धों को गरम-गरम दूध पिलवाया था। सादा जीवन, उच्च विचार। लखपति लोग भी ग़रीब हो सकते हैं; इस सत्य का पता मुझे उसी दिन लगा। दीवार पर टँगी हुई गाँधीजी की बुलन्द तस्वीर हम सब को देखती रही।

रात के लगभग बारह बजे हम लोग वापस लौटे। बरामदे में बैठे गाँधीजी के

तीन बन्दर अब भी अपने कार्य में उसी तरह व्यस्त थे। एक आदमी चर्खे के सहारे रुई को सूत का रूप दे रहा था, दूसरे सज्जन हथकरघे के सहारे सूत को कपड़े की शक्ल दे रहे थे और तीसरे महानुभाव गीता को इस तरह पढ़कर सुना रहे थे कि किशनचन्दर पहलवान की नौटंकी का मज़ा आता था। जैसा कि बाद में पता लगा, वे तीनों गाँधीजी के भक्त वहाँ भाड़े पर बिठाये गये थे और व्यक्तिगत जीवन में वे इतने होनहार थे कि भारतीय दण्ड संहिता के पता नहीं कौन-कौन से अनुच्छेदों के भीतर काफ़ी दिनों की जेल भी काट चुके थे। गाँधीजी के प्रति उनका प्रेम जेल की दीवारों के भीतर ही विकसित हुआ था। और हाँ, वे लड़कियाँ बरामदे में बैठी रामधुन अभी भी बराबर गा रही थीं और इस तरह गा रही थीं कि कव्वाली का आनन्द आ रहा था। वह युवती जो पहले मुझे ख़ूबसूरत लगी थी, अब भी उतनी ही ख़ूबसूरत थी। मेरे एक साथी ने कहा कि यदि यह लड़की यहाँ रोज़ रामधुन गाये, तो वे रोज़ गाँधी जयन्ती मनाने को तैयार थे। मैं चुप रहा और गाँधीवाद के विकास में रूपवती युवतियों के योगदान के बारे में और ज़्यादा गहराई से सोचने लगा।

एक पुराना क़र्ज़

हमारे प्राचीन ग्रन्थों के अनुसार एक पितृ ऋण नाम की कोई वस्तु होती थी जिसे उतारने का एक ही उपाय था और वह था किसी अविवाहित कन्या का पता लगाना, उससे अपना विवाह करना और उसके उपरान्त उसके सहयोग से एक पुत्र को जन्म देना। वैसे तो ऋण की अदायगी के लिए एक अदद पुत्र ही पर्याप्त माना जाता था पर फिर भी जो ज़्यादा ईमानदार क़िस्म के इंसान होते थे वे एक से ज़्यादा भी पुत्र पैदा करते थे ताकि मूल के साथ-साथ सूद का भी भुगतान हो सके। राजा सगर के सम्भवतः साठ हज़ार पुत्र थे और धृतराष्ट्र के सौ। दशरथ ने पुत्रों की प्राप्ति के लिए यथाविधि यज्ञ सम्पन्न किया जिसका परिणाम उन्हें यथासमय भली-भाँति प्राप्त हुआ। कवि कालिदास की सूचना के अनुसार इक्ष्वाकुवंश के राजा तो वैसे भी मात्र सन्तान के ही लिए विवाह करते थे, नारी जाति में उनकी वैसे कोई विशेष रुचि नहीं थी। सादा जीवन, उच्च विचार। लक्ष्मण अलबत्ता ज़रूर कुछ रसिक स्वभाव के थे और इस सन्दर्भ में कुमारी शूर्पणखा के साथ जो कोमल व्यवहार उन्होंने किया था, वह भक्तजनों को भली-भाँति विदित ही है। ब्राह्मण ग्रन्थों के अनुसार पुत्र के स्पर्श के समान और कोई सुख नहीं होता और संस्कृत के एक कवि ने निःसन्तान युवती की उपमा एक ऐसी हरी-भरी झाड़ी से दी है जिसमें अभी फूल नहीं लगा। बालिका के फूल खिलाना ज़रूरी था चाहे वह गोभी का फूल ही क्यों न हो। व्याकरण के अनुसार गर्भ से निकला हुआ फूल गोभीफूल ही कहलाएगा, न कि कर्णफूल। सन्तान की प्राप्ति का और आँखों देखा हाल जानना हो तो कीचक बन्धु, कौरव, स्कन्द और कर्ण इत्यादि विभूतियों के जन्म का विवरण पढ़ें। मतिमान लोग इन गाथाओं से आज भी प्रेरणा ग्रहण करते हैं और पुत्र की प्राप्ति के लिए पूजा-पाठ और यज्ञ वग़ैरह ही नहीं वरन महन्तों और पुरोहितों से और भी सक्रिय सहयोग प्राप्त करते हैं। बच्चे ईश्वर की देन हैं। 'लाई हयात आये, कजा ले चली चले; अपनी खुशी न आये, न अपनी खुशी चले।' उर्दू के शेर का भावार्थ गोस्वामी तुलसीदास ने बाद में चलकर हिन्दी में प्रस्तुत किया: 'हानि लाभ जीवन मरण, यश अपयश विधि हाथ'।

भवभूति ने जो कहा था कि सन्तान स्नेह की सर्वोच्च सीमा होती है उसका

पालन विदेशियों ने भी किया। दक्षिणी ट्यूनीसिया के एक सम्भ्रान्त व्यक्ति ने केवल सोलह षोडशियों से शादी की और एक सौ बत्तीस वर्ष के क्षणभंगुर जीवन में इतने बच्चे पैदा किये कि उनकी सही गिनती का पूरा पता उस ग़रीब को ख़ुद कभी नहीं लगा। संयोग देखिए कि जनसंख्या के मसले पर वैज्ञानिक चिन्तन करनेवाला, सर्वप्रथम व्यक्ति भी एक विदेशी ही था और वह भी एक पादरी। माल्थस ने पहली बार इस महान रहस्य को पकड़ा कि आबादी बढ़ने का प्रमुख कारण जो है वह है बच्चों का ज़्यादा पैदा होना। आप बच्चों की तादाद कम कर दीजिए और फिर देखिए कि जवान, अधेड़ और बूढ़े लोग धीरे-धीरे अपने आप कम हो जायेंगे। माल्थस ने कहा कि मृत्यु का कारण जन्म है और यदि हम लोग आबादी रोकने के लिए क़दम नहीं उठाएँगे तो फिर वही अकाल, युद्ध और उस क़िस्म की बाक़ी विपत्तियाँ आयेंगी और अपना पुश्तैनी धन्धा सँभालेंगी। एकदम वही शास्त्रोंवाली बात– यदि पुरुष कुछ नहीं करेगा तो प्रकृति अपना काम करेगी। हमारे पड़ोसी देश के एक शासक ने एक बार कहा था कि यदि बढ़ती हुई आबादी को न रोका गया तो वह दिन दूर नहीं जबकि इंसान इंसान को खाएगा। पता नहीं, आप लोगों पर इस घोषणा की क्या प्रतिक्रिया हो पर कम-से-कम मुझे तो इस स्थिति से डर ही लगता है। मैं न तो इंसान को खाना पसन्द करता हूँ और न उसके द्वारा खाया जाना। हो सकता है, मुझे इंसान से कुछ कम मुहब्बत हो।

पत्नियों के अधिक उर्वर होने के कारण जो परेशानियाँ पैदा होती हैं वे काफ़ी दिलचस्प हैं। अगर घराना अमीर है तो घर में आया रखनी पड़ती हैं क्योंकि जहाँ तक बच्चों की ममी का प्रश्न है, वे तो अगला विकेट गिराने के लिए अस्पताल गयी हुई होती हैं। आया यदि जवान और हसीन होती है तो घर में चुपके-चुपके आयावाद का पदार्पण होता है जो छायावाद की अपेक्षा कहीं अधिक रंगीन होता है। इसका अगला विकास रहस्यवाद, प्रयोगवाद और प्रगतिवाद में कुछ इस प्रकार होता है कि इलाक़े के सारे लोग क़िस्सा तोता मैना की रंगीन और दिलफ़रेब दास्तान याद करना शुरू कर देते हैं। जब तक घर की मालकिन जनाने अस्पताल से लौटती है, तब तक आया जो होती है वह वहाँ पहुँचने की स्थिति में आ जाती है। जो मध्यमवर्ग के लोग हैं वे पितृ ऋण के उतारने के सन्दर्भ में घरेलू नौकरों की मदद अभी भी प्राप्त करते हैं। पत्नी जो होती है वह स्वामिभक्त सेवक के साथ तीर्थयात्रा पर निकल जाती है और भगवान की कृपा से एक अदद बच्चा लेकर ही लौटती है। जब तक पत्नी पवित्र होकर वापस आती है, तब तक पति महोदय जो होते हैं वे गृहस्थाश्रम को अस्थायी तौर पर किसी और गली कूचे में खोल लेते हैं। इन सबके बरख़िलाफ़ जो ग़रीब हैं और जिनकी घरवालियाँ महाप्राण निराला की सूचना के अनुसार इलाहाबाद के पथ पर पत्थर तोड़ती पायी जाती हैं, उनका तो कहना ही क्या! तीन बच्चे पीठ पर, दो-तीन सड़क पर, दो-तीन इधर-उधर बिखरे हुए और बाक़ी निर्माणाधीन।

उद्योगपति और पतिउद्योग का अन्तर एकदम साफ़। भगवान है कि छप्पर फाड़ता है और बच्चा पकड़ा जाता है। जहाँ छप्पर नहीं होते, वहाँ अलबत्ता कुछ परेशानी ईश्वर को भी होती है। ऐसी स्थिति में बच्चा या तो कुएँ के पास पड़ा मिलता है या फिर किसी सुनसान चौराहे पर। बड़े-बूढ़े सब कुछ देखते हैं पर कुछ नहीं कहते। स्त्रियाँ देखतीं कुछ नहीं, पर कहती सब कुछ हैं। बहरहाल, बच्चों के होने पर इस सबका कोई प्रभाव नहीं पड़ता। उनकी रूपवती माताएँ अलबत्ता ज़रूर प्रभावित होती हैं। वही एक बूढ़े शायर का जवान कलाम—औलाद ने लीद बना दी उसकी, छोकरी वरना वह ख़ूबसूरत थी।

इधर सरकार ग़रीबों को भाँति-भाँति के ऋणों से मुक्त कर रही है। क्या कोई ऐसा ठोस क़दम नहीं उठाया जा सकता कि हम सबके पितृ ऋण के चुकाने की ज़िम्मेदारी भी सरकार ही सँभाल ले? वियोग से तो नियोग ही अच्छा।

मेरी रचना-प्रक्रिया

प्रत्येक लेखक की एक रचना-प्रक्रिया होती है जिसके बिना वह अपने साहित्य का सृजन नहीं कर सकता। घटिया लेखक भी अपनी एक रचना-प्रक्रिया रखता है क्योंकि यदि वह ऐसा न करे तो उसका लेखक जीवन समाप्ति को प्राप्त हो जाए। 'उत्तर प्रदेश' के लिए ज़रूरी है कि वह उत्तर में स्थित रहे; प्रदेश वाला भाग ख़त्म भी हो जाए तो कोई विशेष चिन्ता की बात नहीं। ठीक इसी प्रकार रचना-प्रक्रिया में प्रक्रिया का होना आवश्यक है; रचना का निर्माण हो या न हो यह दीगर बात है। हमें उचित होगा कि मूल और क्षेपक को शुरू से ही अलग रखें।

रचना-प्रक्रिया का क्षेत्र बहुत विस्तृत है। कलम उठाकर काग़ज़ पर लिखना और फिर उसका संशोधन करना तो रचना-प्रक्रिया का सबसे अन्तिम चरण है। बच्चा पैदा करने के लिए जिस प्रकार कभी-कभी वाग्दान और शादी की ज़रूरत पड़ती है, ठीक उसी प्रकार लिखने से पहले न जाने और कितनी ही क्रियाएँ सम्पन्न करनी होती हैं। पात्रों की तलाश, प्लाट के बारे में पूरा निर्णय, किस पुस्तक से क्या और कितना चोरी करना है यह निश्चित करना, तनाव और कुण्ठा से ग्रस्त होना, रचना के प्रारम्भ, मध्य और अन्त की रूपरेखा बनाना और अन्त में चलकर प्रेरणा पाने के लिए एक अदद प्रेयसी रखना– ये ऐसी चीज़ें हैं जो कुछ भी लिखने से पूर्व सम्पन्न करनी पड़ती हैं। यदि ये न हों तो सिर्फ़ काग़ज़ और कलम से साहित्य की सृष्टि नहीं हो सकती। वुडहाउस– जिसने शायद तिरानबे वर्ष की छोटी-सी आयु में केवल पंचानवे पुस्तकें लिखीं– कहा करता था कि यदि एक बार उपन्यास का ढाँचा दिमाग़ में साफ़ हो जाए तो किताब लिखना तो चन्द घण्टों का काम है। ऊपर बतायी गयी चीज़ों में सबसे काम की चीज़ जो है वह प्रेयसि है। यदि प्रेयसि न हो तो एक ओर तो साहित्य की सृष्टि बन्द हो जायेगी और दूसरी ओर जैनेन्द्र कुमारजी नाराज़ हो जायेंगे। मैं इन दोनों स्थितियों से हमेशा बचना चाहता हूँ। पुरुष लेखकों के लिए जैसे प्रेयसि रखना ज़रूरी है वैसे ही स्त्री लेखकों के लिए प्रेयसि का पुल्लिंग रखना ज़रूरी है। प्रेयसि का पुल्लिंग रूप क्या है यह आचार्य किशोरीदास वाजपेयी से पूछना पड़ेगा। जैसे प्रेमिका का पुल्लिंग प्रेमी होता है, ठीक उसी प्रकार प्रेयसि का

भी पुल्लिंग रूप कुछ-न-कुछ ज़रूर होता होगा। ख़ैर, जब तक उसका पता लगे, मैं लिखनेवाली युवतियों और महिलाओं को नेक सलाह दूँगा कि वे प्रेमी से ही काम चलाएँ। इस सन्दर्भ में यदि ख़ाकसार किसी काम आ सके तो हमेशा हाज़िर है। भारत का इतिहास गवाह है कि परोपकार से मैंने कभी भी मुख नहीं मोड़ा।

मुझे आपको यह सूचना देते हुए हार्दिक व शारीरिक हर्ष होता है कि रचना-प्रक्रिया के ऊपर बताये गये दौर से मैं भी पूरी तरह गुज़रता हूँ। पात्रों की मुझे कभी कमी नहीं रही। मेरे ख़याल में सड़क पर चलती हर हसीन लड़की एक कथानक का प्लाट है; कथानक दुखान्त होगा या सुखान्त– यह इस बात पर निर्भर करता है कि उस कन्या के पति या पिता की सेहत कैसी है। चोरी करना मैं समर्पित साहित्यकार के जीवन का एक प्रमुख अंग स्वीकार करता हूँ। हमारे अपने ही देश में एक उसी रामकथा को लेकर वाल्मीकि और कालिदास से लेकर गोस्वामी तुलसीदास तक न जाने कितने महान कवि हो गये। मैथिलीशरण गुप्त ने इस दिशा में दो काम किये। पहला काम तो यह कि रामकथा को लेकर उन्होंने खुद भी एक महाकाव्य लिख डाला और दूसरा काम यह कि 'राम तुम्हारा चरित स्वयं ही काव्य है, कोई कवि हो जाए सहज सम्भाव्य है' वाली पंक्ति लिखकर कालिदास वग़ैरह जितने भी परवर्ती कलाकार थे, उनकी सारी इज़्ज़त उतार ली। शेष कलाकारों की भाँति मैं भी चोरी करता हूँ और इस विधा में मैं इतना सिद्ध हो गया हूँ कि कभी-कभी अपनी ही शेष रचनाओं से चोरी कर लेता हूँ और वह भी इस तरह कि खुद मुझ तक को पता नहीं लगता। प्रेयसि के सन्दर्भ में मुझे अपनी सगी पत्नी से ज़रूर डर लगता है जो ज़रा-ज़रा-सी बात पर किशनचन्द्र पहलवान की भाँति चौबोलों पर उतर आती है। इस सबके अलावा सरकारी नौकर होने के कारण मुझे और भी सतर्क रहना पड़ता है। कुल मिलाकर मैं भी एक यातना से गुज़रने के बाद ही कुछ लिख पाता हूँ। सन्तोष यही है कि मेरे लिखे को पढ़ने से पाठक को जो यातना होती है वह और भी कहीं ज़्यादा होती है। यही स्थिति काफ्का के साथ भी थी। कुण्ठा की कमी अलबत्ता मुझे कभी नहीं रही; मैं वैसे ही सदा से कुण्ठित व्यक्तित्व रहा।

रचना की रूपरेखा बनाने के बाद उसे काग़ज़ पर उतारना अपेक्षाकृत एक सरल काम है पर शायद उतना नहीं जितना कि आप समझते हों। इस सन्दर्भ में मैं अपने कुछ सहधर्मियों के उदाहरण प्रस्तुत करने की आज्ञा चाहूँगा। आपको जानकर खुशी होगी कि डॉक्टर जानसन सिर्फ़ तभी लिखते थे जबकि उनकी पालतू बिल्ली मेज़ पर बैठी होती थी और जर्मन कवि शिलर तभी रचना करते थे जबकि उनके पेट में मदिरा होती थी और उनके पाँव पानी के टब में होते थे। तालस्ताय सिर्फ़ सुबह को ही लिखते थे और उनका निश्चित मत था कि दोपहर के बाद श्रेष्ठ साहित्य लिखा ही नहीं जा सकता। विक्टर ह्यूगो खड़ा होकर लिखते थे और जैसे-जैसे पृष्ठ भरते जाते थे, वे उन्हें नीचे फेंकते जाते थे। मार्क ट्वेन लेटकर लिखते थे क्योंकि

बैठकर लिखने से उन्हें नींद आ जाती थी। फ्रान्स के अमर कलाकार अलेक्ज़ेण्डर ड्यूमा उपन्यास नीले काग़ज़ पर लिखते थे, कविताओं के लिए पीले काग़ज़ का प्रयोग करते थे और बाक़ी रचनाएँ गुलाबी रंग के काग़ज़ पर लिखते थे। चेस्टर्टन पोस्टकार्ड के साइज़ के काग़ज़ पर ही कुछ लिख पाते थे क्योंकि बड़े साइज़ के काग़ज़ से उन्हें डर लगता था। पुश्किन भयंकर सर्दी में ही लिखता था। रामचन्द्र शुक्ल लेटकर ही लिखते थे और वह भी पेंसिल से। रवीन्द्रनाथ ठाकुर, जेम्स थर्बर और काफ्का लिखते-लिखते चित्र भी बनाते जाते थे। बहरहाल, मैं लिखने के मामले में कोई सनक नहीं रखता। मैं किसी भी पोज में, किसी कलम से, किसी भी काग़ज़ पर शाश्वत रचना लिख सकता हूँ। हाँ, अलबत्ता इतना ज़रूर है कि शीर्षासन करते समय मैं कुछ नहीं लिख पाता। औरों का तो मुझे पता नहीं पर अपने साथ यह छोटी-सी मजबूरी सदा से रही। यदि मैं भवभूति का समकालीन होता तो भोजपत्र पर लिखता और शायद इतना अच्छा लिखता कि भवभूति को करुण रस पर दो-चार श्लोक और लिखने पड़ते।

मुझे लिखते-लिखते अब लगभग बीस वर्ष हो गये हैं। इस अवधि में मैंने लगभग तीन सौ ललित निबन्ध और लगभग तीन सौ कविताओं को जन्म दिया है। मेरे विचार में ऐसे कलाकार बहुत कम होंगे जिन्होंने अपनी प्रतिभा का विभिन्न विधाओं में इतनी ईमानदारी से बँटवारा किया हो। मेरे निबन्ध हल्के-फुल्के होते हैं और कविताएँ एकदम सीरियस। मगर मैं ऐसे प्रबुद्ध पाठकों को जानता हूँ जो मेरी कविताएँ पढ़कर हँसते हैं और मेरे निबन्ध पढ़कर रोते हैं। मैं इस घटना को अपने लेखकीय जीवन की विशिष्ट उपलब्धि मानता हूँ। इस प्रसंग में यह भी आपको बता दूँ कि मेरे लेखन के सर्वश्रेष्ठ अंश वे हैं जहाँ मैंने किसी और महान् साहित्यकार की कृतियों में से उद्धरण दिये हैं। बहरहाल, स्थिति कुछ भी रहे, इतना निश्चित है कि आख़िरी साँस तक मैं इसी तरह लिखता रहूँगा। जैसा कि उपेन्द्रनाथ अश्क़ का कहना है, लगा रहना जो है वह एक बहुत बड़ी बात है। इसी लगे रहने के कारण उपेन्द्रनाथ अश्क़ जो हैं वे आज शेक्सपियर के बाद संसार के सबसे बड़े दूसरे लेखक हैं। अश्क़जी मेरे आत्मीय हैं और उनकी सफलता को मैं अपनी सफलता मानता हूँ।

रचना के समाप्त करने से पूर्व यह उचित ही होगा कि दो शब्द ईमानदार लेखन के बारे में भी कह दिये जाएँ। वैसे लेखक तो हमेशा ईमानदार ही होता है क्योंकि बेईमान होने का ठेका तो प्रकाशकों, आलोचकों और सम्पादकों ने ले रखा है पर फिर भी कुछ लेखक ईमानदार नहीं होते– ठीक उसी प्रकार जैसे कुछ आलोचक और सम्पादक बेईमान नहीं होते। मैंने कुछ ईमानदार आलोचक और सम्पादक देखे हैं और ये वे लोग हैं जिन्होंने मेरी रचनाओं की प्रशंसा की है और उन्हें छापा है। बहरहाल, मज़ाक़ छोड़ दें तो पता लगेगा कि ईमानदार लेखन दो तरह का होता है। एक ओर तो वह ईमानदार लेखन है जिसके कारण हरिशंकर परसाई की पिटाई की

गयी, वाल्तेयर को जेल भेजा गया और एक प्रख्यात लेखक को रूस छोड़ना पड़ा। इस प्रकार के ईमानदार लेखन से ख़ाकसार को सख़्त एतराज़ है। मैं दूसरी तरह के ईमानदार लेखन में विश्वास रखता हूँ जिस पर सरकार पुरस्कार देती है, पुस्तकें पाठ्यक्रमों में सम्मिलित की जाती हैं, राज्यसभा की सदस्यता और साहित्य अकादेमी का पुरस्कार मिलता है और अन्त में चलकर मानद डॉक्टरेट की उपाधि और ज्ञानपीठ पुरस्कार प्राप्त होता है। मेरी निगाह इन सब चीज़ों पर है। हिम्मते मरदाँ, मददे ख़ुदा।

रचना समाप्त हो रही है। सिर्फ़ तीन बातें और कहनी हैं और बस। पहली बात, तो यह कि मेरी रचनाएँ जो लोग पढ़ते हैं वे बेवकूफ़ हैं और जो लोग पढ़कर उनकी प्रशंसा करते हैं, वे ज्ञानी हैं। दूसरी बात, यह कि मेरी रचनाएँ अमर होंगी या नहीं, यह इस बात पर निर्भर करता है कि भावी पीढ़ियाँ कितनी बेवकूफ़ होंगी। और अन्तिम बात यह कि कभी मुझे ज्ञानपीठ पुरस्कार मिला तो मैं भी एक ट्रस्ट स्थापित करूँगा और उसका सचिव किसी ऐसी रूपसि को बनाऊँगा जो मुझसे पचास वर्ष छोटी हो। इस ट्रस्ट में से नवयुवक और प्रतिभावान लेखकों को अनुदान दिया जायेगा और वह भी इस शर्त पर दिया जायेगा कि वे आगे कुछ नहीं लिखेंगे। अपनी स्थिति मज़बूत करने की चिन्ता किसको नहीं होती?

हमारे कुटीर उद्योग

गाँधीजी हमेशा यह चाहते थे कि देश में और विशेषकर देहाती क्षेत्र में कुटीर धन्धों का निरन्तर विकास हो। उनके कहने पर लोगों ने करोड़ों रुपयों के विदेशी वस्त्र चौराहों पर जला दिये और उनके स्थान पर खादी को अपनाया। मुझे आपको यह सूचित करते हुए हार्दिक व शारीरिक हर्ष होता है कि इस महान् देश की जनता ने बापू के साथ विश्वासघात नहीं किया और चटाई बुनना, मिट्टी के बर्तन बनाना इत्यादि के साथ-साथ कुछ ऐसे भी धन्धों का विकास किया जो कि गाँधीजी की कल्पना से आगे थे। इन धन्धों के लिए न ज़्यादा पूँजी की ज़रूरत थी और न किसी दलाल की और इसी कारण इन धन्धों का विकास काफ़ी तेज़ी से हुआ। आज मैं इन घरेलू धन्धों में से कुछ की चर्चा करूँगा।

बैंकों का दिन दहाड़े लूटना एक ऐसा धन्धा है जो धीरे-धीरे काफ़ी विकसित होता जा रहा है। हर हफ़्ते कोई-न-कोई बैंक खुले आम लूटा जाता है और मुझ जैसे मध्यवर्गीय लोगों को यह जानकर सुख होता है कि धन का इकट्ठा करना कितना बड़ा पाप है। सयानों का मत है कि इस धन्धे से देश में समाजवाद लाने की दिशा में ठोस मदद मिलेगी और इसी कारण पुलिस भी जो है, वह भी इन मामलों में ज़्यादा हस्तक्षेप नहीं करती। वैसे भी पुलिस की एक निश्चित संख्या है : अब आप चाहे उससे बैंकों की सुरक्षा करवा लो या फिर उसे हत्या, बलात्कार और अपहरण जैसे बड़े कामों पर लगा दो। कुछ नवयुवक एक झूठी दाढ़ी लगाते हैं और नकली पिस्तौल से हवाई फ़ायर करते हुए बैंक में प्रवेश करते हैं। नकली पिस्तौल के सामने बैंक का असली मैनेजर जो होता है वह डर जाता है और सारी तिजोरियाँ खोल देता है। देश के वे होनहार नवयुवक लाखों रुपये लेकर टैक्सी में बैठते हैं और अन्तर्धान हो जाते हैं। जितनी देर में यह सारा सांस्कृतिक कार्यक्रम सम्पन्न होता है, उतनी देर में बैंक का चौकीदार यही पता लगाता रहता है कि उसके पास जो शानदार बन्दूक है वह चलती किधर से है। बन्दूक भी शायद वही होती है जो कि अठारह सौ सत्तावन के ग़दर में इस्तेमाल की गयी थी। बहरहाल, स्थिति यह है कि अब तक इतने बैंक लूटे गये पर चौकीदार ने अपनी बन्दूक को कहीं तकलीफ़ नहीं दी। इस अहिंसा

से गाँधीजी की आत्मा कितनी ख़ुश होगी, इसका अन्दाज़ कोई नहीं लगा सकता।

नेता का धन्धा भी ऐसा चला कि लोग बाग़ बाक़ी सारे काम भूल गये। पहनने के लिए खादी का कालरवाला कुर्ता, खादी की धोती और टोपी और हाथ में लेने के लिए चमड़े का बैग। जो लोग विधायक हो गये, उनका तो कहना ही क्या। चुनाव में जितना ख़र्च किया था उसका दुगुना तो बना ही लिया। ग्रामीण क्षेत्रों के विकास के लिए सरकार ने जो भी अनुदान दिया उसका तीन-चौथाई हिस्सा ज़िले के हुक्काम और स्थानीय नेता मिलकर खा गये। अगर कहीं कोई ईमानदार और सख़्त अफ़सर आया, तो उसकी शिकायत ऊपर कर दी। हरिजन लोगों को खुले आम जलाया गया क्योंकि उनकी समस्याओं के निबटाने के लिए शायद और कोई रास्ता ही नहीं मिला। गाँव-गाँव चकबन्दी और सहकारिता के धन्धे खोले गये जिनमें तबीयत भरकर भ्रष्टाचार किया गया। गाँवों में ऐसे स्कूल खोले गये जिनमें मास्टर नहीं थे और ऐसे अस्पताल खोले गये जिनमें डॉक्टर नहीं थे। बाढ़ और सूखे की समस्याएँ वहीं रहीं जहाँ कि वे पहले थीं। चुनाव जाति के आधार पर हुए और फ़ौजदारी व गुण्डागर्दी को समुचित प्रतिष्ठा दी गयी। बहरहाल, कुल मिलाकर स्थिति यह रही कि किसान और मज़दूर तो प्रायः वहीं रह गये जहाँ उन्हें मुंशी प्रेमचन्द छोड़ गये थे और नेताजी की धूल उड़ाती जीप कहीं आगे निकल गयी। कोई गाँव यदि वाक़ई विकसित हो गया तो नेताजी ने उसमें शराब की भट्ठी खुलवा दी।

बच्चे पैदा करने के धन्धे का भी काफ़ी विकास हुआ और बिना किसी और देश की सहायता लिये हम लोग देसी ढंग के बल पर ही कोई सत्तर करोड़ हो गये। ख़ाकसार ने भी यथाशक्ति इस आन्दोलन को पूरा सहयोग दिया। देश की आबादी इतनी बढ़ गयी कि सब कुछ कर लेने के बावजूद राष्ट्र की औसत आय कोई ज़्यादा नहीं बढ़ी। स्थिति यह है कि तमाम कोशिशों के बावजूद जिस तरफ़ देखो, बच्चे ही बच्चे नज़र आते हैं। विधवा होने, देर से शादी करने और पति और पत्नी के सर्वथा अलग होने पर भी बच्चों की पैदावार पर कोई आँच नहीं आयी। और कोई ऋण उतरा हो या नहीं, पितृ ऋण सूद के साथ बराबर निपटता गया। पूरी ख़ुराक न मिल पाने के कारण लाखों बच्चे रोगी या विकलांग हैं। ग़रीब बच्चों को पकड़ा जाता है, उन्हें विकलांग किया जाता है और फिर उनसे भीख मँगवायी जाती है। निचले तबके के बच्चों को देखकर मैं तो भगवान से यही प्रार्थना करता हूँ कि अगले जन्म में मेरे साथ कोई भी दुश्मनी निकाल ली जाए पर मुझे इस भारतवर्ष में बच्चा बनाकर न भेजा जाए। पुनर्जन्म होने पर मैं कुत्ते की योनि में पैदा होना कहीं ज़्यादा पसन्द करूँगा और अगर कहीं अलसेशियन हो गया तब तो फिर कहना ही क्या। मैं समझूँगा कि मेरा भाग्य खुल गया। जितने भी सम्पादक या समीक्षक ऐसे हैं जो मेरे साहित्य की प्रशंसा नहीं करते उन सबको एक-एक करके काटूँगा। कोई रूपवती युवती होगी जो मुझे प्यार से चूमेगी और मुलायम गद्दों पर अपने पास

सुलाएगी। देश में हज़ारों कुत्ते ऐसे हैं जो एक आम हिन्दुस्तानी से ज़्यादा आराम और सुख से रहते हैं। किसी सन्दर्भ में रमेश बक्षी ने भी कहा था कि अगले जन्म में वे भी कुत्ता बनना पसन्द करेंगे।

साहित्य के क्षेत्र में कवि-सम्मेलनों के कारोबार का काफ़ी विकास हुआ। कुछ विशिष्ट लोग इसी धन्धे के बल पर सारा परिवार सँभालते हैं और कुछ जनप्रिय कवि तो ऐसे रहे कि जो इसी धन्धे के बल पर मुझसे और शायद आपसे भी कहीं ज़्यादा अमीर और सम्पन्न हो गये। ये लोग बेहद व्यस्त रहते हैं। कभी कलकत्ता जा रहे हैं तो कभी इन्दौर। आज जम्मू से लौटे तो कल देहरादून के लिए प्रस्थान। प्रथम श्रेणी का भाड़ा वसूल करना और दूसरे दर्जे में यात्रा करना। इन कवि सम्मेलनों में कला का काम गला करता है। जो भी कवि फ़िल्मी धुन पर कविता सुना देता है वही मंच का मालिक हो जाता है। कविताओं के बीच में संचालक महोदय जो होते हैं वे आपको लतीफ़े सुनाते हैं जो कभी-कभी अश्लील भी होते हैं। यह कितने सौभाग्य की बात है कि इन सांस्कृतिक समारोहों में भी प्रमुख अतिथि जो होता है वह प्रायः ज़िले का कलेक्टर या कोई राजनीतिक व्यक्ति ही होता है जिसे इतना भी पता नहीं होता कि साहित्य किसी चिड़िया का नाम है या किसी नदी का। राजस्थान के एक मुख्यमन्त्री ने लेखकों को काफ़ी खरी-खोटी सुनाई पर समारोहों के अध्यक्षों पर शायद कोई असर नहीं पड़ा। एक कवि सम्मेलन में तो मन्त्रीजी ने कवियों की इतनी पिटाई करवायी कि बेचारों की हालत खस्ता हो गयी। मन्त्रीजी ने यह भी कहा कि कवियों के मुख में पेशाब कर दिया जाए। यह सुझाव मोरारजी देसाई के जीवन दर्शन का प्रभाव खुले रूप से प्रकट करता है। वाक़ई देसाई साहब का भी जवाब नहीं; एक ओर शराब बन्दी और दूसरी ओर मूत्र को राष्ट्रीय पेय के स्तर पर लाने की कोशिश। बहरहाल, कवियों की कसकर पिटाई करने से छायावाद जो था वह कायावाद पर आ गया। कवि-सम्मेलनों के सन्दर्भ में इतना और बता दूँ कि उनका आयोजन करना स्वयं में एक धन्धा है। कवि लोग घाटे में रह जायें पर आयोजक जो है वह कभी घाटे में नहीं रहता।

जिस ओर उद्योग को पिछले दिनों विशेष प्रोत्साहन दिया गया है वह है लड़कियों को लकड़ियों की तरह जलाना। कभी दहेज की कमी से लड़की जलाई जाती है तो कभी इस कारण कि पुराने मॉडल से छुट्टी हो तो नये मॉडल की पत्नी घर को पवित्र करे। कितने ही पति इतने स्वावलम्बी होते हैं कि जो पत्नी को जलाने का कठिन काम स्वयं ही कर डालते हैं हालाँकि ऐसे पति भी हैं जो अपनी पत्नी से इतना स्नेह करते हैं कि उन्हें स्वयं नहीं ख़त्म करते बल्कि उस काम के लिए पेशेवर हत्यारों की मदद लेते हैं। दिल्ली में कुछ वर्ष पहले एक प्रख्यात डॉक्टर ने ऐसा ही किया था। एकाध मामले को छोड़कर, बाक़ी मामलों में पुलिस भी कोई विशेष हस्तक्षेप नहीं करती। पुलिस जानती है कि शरीर के मरने से कुछ नहीं होता क्योंकि गीता के

अनुसार बड़ी चीज़ तो आत्मा है जो कि अजर और अमर है। मुझे भी इन हत्याओं के सुनने से कोई विशेष दुख नहीं होता क्योंकि लड़कियाँ जो हैं उनके लिए जलना तो एक नियति है। शादी के पहले वे विरह में जलती हैं और शादी के बाद मिट्टी के तेल में। जलना तो स्त्रियों का स्वभाव ही ठहरा।

और भी कितने ही कुटीर उद्योग ऐसे हैं जिनका कि विकास किया जा रहा है। उनका ज़िक्र फिर कभी करूँगा।

कविचर्या

आप चाहे सहमत हों या नहीं, संस्कृत के शास्त्रकारों का यह निश्चित मत था कि संसाररूपी विषवृक्ष के दो ही फल हैं जो कि मधुर हैं और बाक़ी जितने फल हैं, वे बेकार हैं। गीता में इसी कारण 'मा फलेषु कदाचन' कहकर फलों के खाने पर आपत्ति उठायी गयी। जिन दो मीठे फलों की चर्चा ऊपर की गयी है वे हैं काव्यामृत का रसास्वाद और सज्जनों का सहवास। कुछ विशिष्ट पत्र-पत्रिकाओं के सम्पादकों को छोड़कर जो कि मेरी रचनाएँ नियमित रूप से छापते हैं, बाक़ी कोई सज्जन तो बचा नहीं; हाँ, अलबत्ता काव्य का अमृत अभी भी विद्यमान है और आप चाहे जितना उसका पान कर लें और बाक़ी दूसरों के लिए छोड़ दें। मगर काव्यामृत का आनन्द लेना भी कुछ रसिक लोग ही जानते हैं, सब नहीं। एक शास्त्रकार के अनुसार अधरों की मधुरता, स्तनों की दृढ़ता, नेत्रों की चंचलता व कविता के परिपाक को केवल अनुभवसिद्ध रसिक ही जानते हैं, शेष नहीं। आप ऊपर बताये गये क्रम से अपना अनुभव प्रारम्भ करें और बाक़ी चीज़ों से छुट्टी पाकर कविता पर आयें। साहित्यदर्पण के अनुसार कविता का जो आनन्द है वह अलौकिक है और इसी कारण उसे ब्रह्मानन्द सहोदर कहा गया है। ब्रह्मानन्द से अर्थ जो है वह ईश्वर से है न कि स्वामी ब्रह्मानन्द सरस्वती से जिन पर कि एक प्रतिष्ठान की कुछ राशि ग़बन करने पर सेशन जज ने कुछ साल का कड़ा कारावास दिया। सुबन्धु के अनुसार अच्छे कवि की वाणी तो सुनते ही आप पुलकित हो उठते हैं, उसका अर्थ समझने की ज़रूरत ही नहीं पड़ती। जो तुकबन्द हैं, उनकी बात अलग है; वे कभी कवि नहीं कहला सकते। यदि वे भी कवि कहलाने लगे तो कभी कुम्हार भी अपनी तुलना ब्रह्मा से कर सकता है क्योंकि मोटे तौर पर दोनों ही सृष्टि करते हैं। विल्हण ने कहा था कि राजा लोगों को उचित होगा कि वे कवियों को कभी अप्रसन्न न करें। अच्छे कवि की पहचान बताते हुए शास्त्रकारों ने कहा कि श्रेष्ठ कवि वे हैं जिन्हें अपनी कविता के अतिरिक्त और कवियों की कविताएँ भी अच्छी लगती हों। यदि इस मापदण्ड को पकड़ा जाए तो कम-से-कम हिन्दी में तो कोई श्रेष्ठ कवि इस वक़्त है नहीं, पहले रहा हो वह दीगर बात है। 'जे पर भनिति सुनत हरषाहीं, ते नरवर थोरे जग माहीं।' जो कवि दूसरे

कवियों के काव्य से चोरी करते हैं– जैसा कि फ़िलहाल मैं कर रहा हूँ– वे भी दूसरे श्रेष्ठ कवियों को कोई हानि नहीं पहुँचा सकते क्योंकि देवताओं ने समुद्र से इतने रत्न निकाल लिये पर वह है कि अभी भी रत्नाकर कहलाता है। प्रतिभाहीन कवि की चर्चा करते हुए शास्त्रकार कहता है कि जिस प्रकार वेश्या का प्रेमी गालियों की परवाह नहीं करता, उसी प्रकार जो कविसम्मेलनी तुक्कड़ कवि है वह भी कविता रचते हुए, छन्द या अर्थ, किसी का भी ध्यान नहीं रखता। कवित्वहीन कवि जो हैं वे तोते के समान हैं, वे केवल दूसरों की उक्तियों को दुहराते हैं। एक शास्त्रकार के अनुसार कवितारूपिणी युवती वैयाकरण के पास नहीं जाती क्योंकि वह उसका पिता है, नैयायिक को नहीं वरती क्योंकि वह भाई है, मीमांसा में निपुण को भी वह छोड़ देती है क्योंकि वह नपुंसक होता है और मात्र छन्द जाननेवाले के पास भी नहीं जाती क्योंकि वह कुम्हार है। कवितारूपी जो युवती है वह इस लेख के लेखक जैसे काव्य और अलंकार जाननेवाले को ही वरती है, आप जैसे लोगों को नहीं। श्रेष्ठ कविता की परिभाषा करते हुए शास्त्रकार जो हैं वे नितान्त प्रान्तीयता के स्तर पर उतर आते हैं और कहते हैं कि कविता गुजराती सुन्दरी जैसी नहीं होनी चाहिए क्योंकि उसके पयोधर एकदम छिपे रहते हैं, और उसे आन्ध्र प्रदेश की कन्या जैसा भी नहीं होना चाहिए जिसके कि पयोधर एकदम खुले रहते हैं। अच्छी कविता को तो महाराष्ट्र की ललना की भाँति होना चाहिए जिसके कि कुच आधे खुले हों और आधे छिपे हों। इस बार महाराष्ट्र जाऊँगा तो किसी ललना को ध्यानपूर्वक देखूँगा। हिम्मते मरदाँ, मददे खुदा।

अँग्रेज़ी में एक कहावत है जिसके अनुसार कवि जो हैं वे पैदा होते हैं, बनाये नहीं जाते। संस्कृत के शास्त्रकार भी यही मानते हैं। उनका कहना है कि रसीली, अलंकारों से सजी, सुन्दर गतिवाली और स्वर्ण के समान आकर्षक, वाणी और पत्नी बड़े पुण्यकर्म करने के उपरान्त ही प्राप्त होती हैं। 'सरसा सालंकारा सुपदन्यासा सुवर्णमयमूर्ति; आर्या तथैव भार्या च न लभ्यते पुण्यहीनेन।' मैं इस उक्ति पर प्रायः विचार करता हूँ और सोचता हूँ कि पिछले जन्म में मैंने न जाने कितने पुण्यकर्म किये होंगे जो मुझे क्या आर्या और क्या भार्या– दोनों ही अद्वितीय मिलीं। सुमित्रानन्दन पन्त थे जिनकी आर्या तो निश्चित रूप से अनुपम थी पर भार्या उन्हें क्या अच्छी और क्या बुरी, किसी प्रकार की भी नहीं मिली। इसके अतिरिक्त ऐसे भी कलाकार सीन पर मौजूद हैं जिनके पास न तो काम की आर्या है और न काम की भार्या है जबकि ऐसे भी कुछ लेखक हैं जिनकी भार्या तो लाजवाब है पर आर्या तो ऐसी है कि उनका साहित्य पढ़कर उनकी ठुकाई करने की इच्छा होती है और वह इच्छा कभी-कभी इतनी प्रबल होती है कि यदि उनकी भार्या का ध्यान न आये, तो उसे रोकना काफ़ी कठिन काम होता है। अपने अतिरिक्त मुझे एक और ऐसे कलाकार मिले हैं जिनकी आर्या और भार्या, दोनों सुन्दर थीं। इस स्थिति का कारण यह था

कि उनकी नवविवाहिता और परम सुन्दरी भार्या का नाम ही आर्या था। मैं इस चर्चा को यहीं समाप्त करता हूँ ताकि यह रचना भार्या की दिशा में कम और कविता की दिशा में ज़्यादा अग्रसर हो।

पुराने ज़माने में कवि लोग जो होते थे, उनका रहन-सहन, शिक्षा-दीक्षा व दिनचर्या काफ़ी नियमित और निश्चित क़िस्म की होती थी। शास्त्रकारों ने उनकी वेशभूषा और काव्य सृष्टि वग़ैरह की दिशा में काफ़ी कठोर नियम बना रखे थे जिनका पालन करना उतना ही कठिन था जितना कि आजकल किसी हिन्दी लेखिका का पतिव्रता होना। राजशेखर की 'काव्यमीमांसा' में कविचर्या का काफ़ी विशद वर्णन किया गया है। इस कविचर्या के अनुसार कवियों को ज़रूरी था कि वे हर स्थिति में साफ़ और सुथरे रहें उनके कपड़े लत्ते ऐसे हों कि देखते ही लोग उन्हें पहचान जायें और उनका परिचय देने की किसी को ज़रूरत न पड़े। उनके हाथ और पैरों के नाख़ून भली-भाँति कटे होने चाहिए और मुख में ताम्बूल का बीड़ा होना चाहिए। शरीर पर प्रेमराग होना उचित था और यह भी ज़रूरी था कि कविजी बेशक़ीमती सुन्दर वस्त्र धारण करें और गले में सुगन्धित पुष्पों की माला डालें। वे जब बोलें तो मुस्कुराहट के साथ बोलें, शब्दों में वक्रोक्ति हो और बातचीत में सरसता हो। वस्त्रों के साथ-साथ कविजी का घर भी साफ़-सुथरा होना ज़रूरी था। यह ज़रूरी था कि उनके विविध स्थान हों जो छहों ऋतुओं में सुख देनेवाले हों। घर के सामने रमणीय वृक्षों की वाटिका होनी ज़रूरी थी जिसमें झरने, कमल, मोर, चक्रवाक और हंस इत्यादि होने ज़रूरी थे। स्थान ऐसा होना चाहिए था कि वहाँ रहकर कोई भी कवि हो जाए। ठीक वही– 'राम तुम्हारा चरित स्वयं ही काव्य है' वाली स्थिति। घर की स्त्रियों को ज़रूरी था कि वे संस्कृत और प्राकृत भाषा जानती हों। दासियाँ मागधी भाषा बोलती हों और कवि के सारे मित्र सभी भाषाओं के पूर्ण जानकार हों। इन तमाम मापदण्डों को देखते हुए ऐसा लगता है कि आधुनिक भारत में तो रवीन्द्रनाथ ठाकुर और सुमित्रानन्दन पन्त को छोड़कर और कोई शास्त्रसम्मत कवि हुआ ही नहीं। ये दोनों भी शायद पूरे कवि नहीं उतरते।

शास्त्रकारों के अनुसार कवि को ज़रूरी था कि वह दिन-रात को चार भागों में बाँटे और उनमें नियमित रूप से अपना जीवन काटे। यह नहीं कि जब भी कविता लिखने की इच्छा हुई, तभी लिखने बैठ गये। प्रातःकाल सन्ध्यावन्दन और विद्याभ्यास को दिया जाता था। मध्याह्न जो था वह स्नान और भोजन के लिए था। तीसरा पहर काव्यगोष्ठी को देना उचित था और रात को काव्य की सृष्टि या पहले से लिखी हुई रचना की काट-छाँट की जाती थी। एक और रस-शास्त्री ने काव्य की सृष्टि के लिए ब्राह्ममुहूर्त को श्रेष्ठ ठहराया है और यह भी सलाह दी है कि अधूरी रचना कवि किसी भी मित्र को न सुनाये। कवि के लिए यह भी ज़रूरी माना जाता था कि वह अपनी रचनाओं की आलोचना सुने और उन्हें ध्यान में रखते हुए अपनी कला को

और परिमार्जित करे। निरालाजी जो अपने आलोचकों को पीट दिया करते थे, वह ठीक नहीं था। नयी पीढ़ी की कुछ लेखिकाएँ जो अपनी पुस्तकें छपने पर सम्पादकों को डिनर देती हैं, आकाशवाणीवालों की ख़ुशामदें करती हैं, पत्रकारों को बुलाती हैं, अपना और अपने ग्रन्थों का विमोचन करवाती हैं, वह एकदम शास्त्र सम्मत है। ऐसी प्रतिभाओं के डैफोडिल कभी नहीं जलेंगे। वे सदा हरे रहेंगे। सारी कविचर्या लिखने के बाद राजशेखर ने कवियों के मिज़ाज को ध्यान में रखते हुए उन्हें चार भागों में बाँटा। 'असूर्यम्पश्या' कवि वह व्यक्ति कहा जाता था जो अपने भूमिगृह में घुसकर कविता रचा करता था। उसके लिए समय का कोई बन्धन नहीं था, जब इच्छा हुई तभी कविता करने बैठ गये। 'निषण्ण' कवि वह था जो कि काव्य की सृष्टि निश्चित दिनचर्या के अनुसार करता था। 'दत्ताअवसर' मेरे जैसे उस कवि को कहते थे जो काव्य सृष्टि के अतिरिक्त शेष काम भी करते थे और अवसर मिलने पर ही काव्य की रचना करते थे। चौथी क़िस्म के कवि 'प्रायोजनिक' कहलाते थे और वे सिर्फ़ वक़्त ज़रूरत ही लेखनी को कष्ट देते थे। इधर आकाशवाणी से अनुबन्ध आया, उधर एकदम शाश्वत साहित्य लिख डाला। कवि सम्मेलन का निमन्त्रण आया और कवि और कविता दोनों तैयार। आज भोपाल जा रहे हैं तो कल कलकत्ता और परसों बम्बई। इन विविध कार्यक्रमों से जो समय मिला, उसमें एक-दूसरे की टाँग खींची या दारू पी ली। ज़्यादा वक़्त मिला तो किसी कन्या को छेड़ दिया। आख़िर अपनी देह के लालच में बेचारे कविधर्म को तो नहीं छोड़ सकते। पुराने कवि ऐसा कभी नहीं करते थे। इस सन्दर्भ में कवि राजशेखर का परिचय देते हुए, क्षेमेन्द्र कहते हैं कि कर्नाटक देशों की रमणियों के दन्तक्षतों से युक्त, महाराष्ट्र देश की रमणियों के तीव्र कटाक्षों से जर्जर, आन्ध्र देश की प्रौढ़ स्त्रियों के स्तनों से पीड़ित, अपनी प्रियाओं के भ्रूभंगों से व्यथित, लाटदेश की कामिनियों के आलिन्गानों से युक्त और मलय देश की सुन्दरियों की तर्जनी अँगुलियों से निर्भर्त्सित राजशेखर कवि वृद्धत्व प्राप्त होने पर काशी निवास की अभिलाषा कर रहे हैं। सादा जीवन, उच्च्च विचार। इस परिचय से यह भी प्रकट होता है कि हमारे प्राचीन कवि, प्रान्तीयता से एकदम ऊपर थे। सन्तोष की बात है कि कुछ ऐसे कलाकार हिन्दी में भी मौजूद हैं। भगवान उन्हें लम्बी आयु और ज्ञानपीठ पुरस्कार प्रदान करे।

अन्त में चलकर शास्त्रकारों ने आलोचक नामक पक्षी की भी चर्चा की है। एक तरफ़ तो यह काफ़ी ज़ोर देकर कहा गया है कि श्रेष्ठ काव्य की सृष्टि के लिए आलोचक का होना ज़रूरी है क्योंकि कवि जो है वह अपनी रचना की कमियाँ स्वयं नहीं देख सकता। कवि तो अपनी रचना का पिता है, वह कन्या के सच्चे सौन्दर्य का उपभोग कैसे कर सकता है? सच्चा सौन्दर्य जानने के लिए तो पाठक या आलोचक चाहिए जो कि उस रचना का पति है। 'कविः करोति काव्यानि, पण्डितो वेत्ति तद्रसम्, कामिनी कुचकाठिन्यं पतिर्जानाति नो पिता।' दूसरी तरफ़ यह भी बराबर बताया

गया है कि ईमानदार आलोचक बहुत मुश्किल से मिलते हैं। एक कवि ने कहा है कि ऐसा व्यक्ति जो कविता के गुण-दोष ठीक प्रकार जानता हो, स्वयं भी कवि हो और साथ ही साथ द्वेषी न हो– बड़ी कठिनता से मिलता है। जैसा कि आप लोगों को पता होगा, महाकवि भवभूति तक को आलोचकों ने कष्ट पहुँचाया था और उन्हें विवश होकर लिखना पड़ा था कि काल अनन्त है, और पृथ्वी विपुल है और इसी कारण सम्भव है कि कभी कोई ऐसा भी रसिक व्यक्ति पैदा हो जो मेरी रचनाओं को भली प्रकार समझ सके। 'उत्पत्स्यतो हि मम् कोपि समानधर्मा, कालोह्ययं निरविधिः विपुला च पृथिवी।' जब तक ऐसा समानधर्मा मिले, तब तक चुपचाप लिखते जाओ और निश्चित रहो। ज़्यादा जल्दी हो तो समान्तर कहानी आन्दोलन में शामिल हो जाओ और ठाठ से शिविर लगाओ।

संस्कृत के एक आचार्य के अनुसार आलोचक और उल्लू दोनों एक तुल्य होते हैं और उनके अनुसार यह निश्चय करना कठिन है कि इन दोनों में कौन श्रेष्ठ है। जिस प्रकार उल्लू जो है वह दिन में केवल अन्धकार ही अन्धकार देखता है, उसी प्रकार आलोचक जो है वह कवि की कृति में केवल दोष ही दोष खोजता है। एक और पशुप्रेमी आचार्य हैं जो आलोचक की तुलना ऊँट से करते हैं क्योंकि ऊँट जो है वह परम सुन्दर केलिवन में जाकर भी काँटों की ही खोज करता है, फलों की नहीं। ऐसे आलोचक प्रवरों पर प्रहार करता हुआ एक कवि कहता है कि हे समालोचक महोदय, तुम मुझे धान की भाँति समझो; मुझ पर जितने भी मूसल पड़ेंगे मैं उतना ही और साफ़ होता जाऊँगा। पण्डितराज जगन्नाथ कहते हैं कि जो कवि जितना अधिक श्रेष्ठ होगा, उसके काव्य में दोष पाना उतना ही अधिक सरल होगा क्योंकि वस्त्र जितना भी धुला हुआ होगा, उस पर पड़े हुए काजल के धब्बे उतनी ही सरलता से देखे जा सकेंगे। राजशेखर कहते हैं कि यद्यपि आलोचक प्रायः दुष्ट और द्वेषी होते हैं पर फिर भी उनका होना आवश्यक है क्योंकि उनके अभाव में यह कौन बता पाएगा कि कौन कवि बड़ा है और कौन छोटा? उनके अनुसार आँधी एक बुरी चीज़ है पर यदि वह न चले तो यह पता कैसे लगे कि कौन-सा दीपक तेल का है और कौन-सा मणि का? रत्नदीप की पुष्टि करने के लिए आलोचक का सहारा लेना ही पड़ेगा। फ़ारसी के एक विद्वान् के अनुसार यह एक ऐसी दवा है जो कड़वी होने पर भी पीनी ही पड़ेगी। श्रेष्ठ आलोचक की परिभाषा में बताया गया है कि वह निष्पक्ष हो, काफ़ी कवियों की वाणी पढ़ चुका हो, स्वयं काव्य करने में असमर्थ हो और मन से रसिक हो। स्वयं काव्य करने में असमर्थता का गुण आलोचकों में प्रायः पाया जाता रहा जो कि एक सन्तोष की बात रही। एक शास्त्रकार के अनुसार निष्पक्ष आलोचक और चरित्रवती युवती मिलना कठिन है। इस उक्ति से पता लगता है कि पुराने ज़माने में भी गुटबन्दी चलती थी और कसकर चलती थी। सुबन्धु कहते हैं कि एकमात्र सच्चा आलोचक समय है। काल जो है वह अपने आप यह निश्चित

कर देता है कि कौन कवि श्रेष्ठ है और कौन सामान्य। उनका कहना है कि सुन्दर और सच्चा प्रेम करनेवाली युवती को अपने माता-पिता या पति से नहीं डरना चाहिए और उसी प्रकार सच्चे कलाकार को भी यह उचित होगा कि यह आलोचक की एकदम उपेक्षा करे और चरित्रवती युवती की भाँति सबके सामने अपने काव्य की सृष्टि करता रहे। चरित्रवती युवती से अर्थ उस युवती से है जो निर्भय होकर अपने प्रेमी से खुले आम मिलती है और इस सन्दर्भ में अपने मातापिता या पति तक की परवाह नहीं करती। यह दुःख की बात है कि ऐसे कवि और ऐसी युवतियाँ आजकल प्रायः कम देखने को मिलती हैं। श्रेष्ठ वस्तुएँ सदा से मात्रा में कम होती आयी हैं।

कविचर्या सम्बन्धी इस प्रबन्ध को समाप्त करने से पूर्व यह उचित ही होगा कि सरस्वती का स्मरण उचित रूप से कर लिया जाए। एक अनुभवी शास्त्रकार के अनुसार सरस्वतीजी जो हैं उनके एक स्तन में संगीत छिपा है और दूसरे में साहित्य। कितनी सुन्दर परिभाषा है। यदि आपको कहीं कोई रूपवती युवती दिखाई पड़े तो आप सिर्फ़ उसके स्तन मल कर देख लीजिए। ऐसी क्रिया करने पर यदि एक स्तन से संगीत और दूसरे से साहित्य निकलने लगे तो समझ लीजिए कि वह निश्चित रूप से सरस्वती है। यदि संगीत और साहित्य के स्थान पर कहीं दूध निकलने लगे तो मान लीजिए कि वह सरस्वती नहीं वरन सरस्वती नाम की पत्रिका में छपने वाले बाबू मैथिलीशरण गुप्त की अबला है जिसके कि आँचल में दूध और आँखों में पानी रहा करता था। जो लोग मेरी नीयत पर शक करते हों, उनका संशय मिटाने के लिए मैं नुस्खे का मूल रूप नीचे देता हूँ :

संगीतमय साहित्यं सरस्वत्याः स्तन द्वयम्,
एकमापात मधुरमन्यादालोचनामृतम्।

शादी के पहले और उसके बाद

सयाने लोगों का विचार है कि प्रत्येक लड़की के लिए यह उचित होगा कि वह जल्दी से जल्दी किसी से विवाह कर ले। सही क़िस्म का गधा रोज़-रोज़ नहीं मिलता। हाँ, अलबत्ता जहाँ तक लड़कों का प्रश्न है, सयाने लोगों का कहना है कि वे लोग या तो शादी करें ही नहीं और यदि करनी ही पड़ जाए तो जितनी भी देर में करें, उतना ही उनके हित में होगा। और हाँ, जहाँ तक प्रेयसियों का प्रश्न है, वहाँ सारे शास्त्रकारों का एक ही मत है कि प्रेमी लोगों को उनसे शादी कभी नहीं करनी चाहिए। स्थिति यह रहती है कि इधर शादी हुई, उधर प्रेम जो था वह समप्ति को प्राप्त हो गया। मियाँ और बीवी में वह प्यार कभी नहीं हो सकता जो प्रेमी और प्रेयसी के बीच में होता है। कहाँ मौलश्री के वृक्ष के नीचे किया गया अभिसार और कहा यह ज़रा-ज़रा-सी बातों पर शादी के बाद की तकरार। कवि कहता है कि "तआल्लुक आशिकों माशूक का जो लुत्फ़ रखता था, मज़े अब वह कहाँ बाक़ी रहे बीवी मियाँ होकर।" प्रेयसी तो शादी के बाद भी रहेगी और बराबर मुलाक़ात भी करती रहेगी बशर्ते कि उसका मकान जो है वह ज़्यादा दूर न हो। कवि कहता है कि "बंगलाए जानाँ सवा दो कोस है, चल नहीं सकते बड़ा अफ़सोस है।" जब तक आपकी प्रेयसी अलसेशिन कुत्ते ही न पालने लगे, तब तक आपको कोई ख़तरा नहीं। वैसे मैं एक अदद ऐसी हस्ती को भी बखूबी जानता हूँ जो कि कुत्तों के डर से कोठी की पिछली दीवार कूदकर आया करते थे। इस हादसे में एक बार उनकी पतलून पीछे से काफ़ी फट गयी थी।

सब कुछ कह लेने के बावजूद, यह भी बात शायद कुछ सच्ची ही है कि इंसान को एक-न-एक दिन शादी कर ही डालनी चाहिए। शादी के बहुत फ़ायदे हैं जिनमें घर में बच्चा पैदा होना भी किसी हद तक शामिल किया जा सका है। वैसे इक्ष्वाकु वंश के जो राजा होते थे वे केवल सन्तान के लिए ही विवाह किया करते थे। इस प्रथा के कुछ अपवाद भी थे। रघुवंश में इन्दुमती के मर जाने पर राजा अज ने फ़रमाया था कि मेरी पत्नी गृहिणी थी, सलाहकार थी, एकान्त में सखा थी और ललित कलाओं के सन्दर्भ में प्रिय शिष्या भी थी। एकान्त में सखा हो जाने वाली

जो बात है उस पर विशेष ग़ौर दीजिए क्योंकि कवि कालिदास जो थे वे कम शब्दों में ज़्यादा बात कह डालने की कला में उतने ही माहिर थे जैसे कि उपमाएँ इकट्ठी करने में। बहरहाल, अज का कहना था कि मृत्यु ने उनसे इन्दुमती को छीनकर उनका सब कुछ छीन लिया। जो लोग संस्कृत नहीं जानते, उनके लिए बता दूँ कि अज एक राजा का नाम था और वे राजा दशरथ के क़ानूनी पिता होते थे। अज का स्त्रीलिंग अजा होता है जिसका अर्थ बकरी होता है। आजकल जो स्थिति है वह ऐसी है कि बकरी का होना जो है वह पत्नी के होने से कहीं ज़्यादा ज़रूरी है। बकरी दूध देती है जबकि पत्नी जो है वह तो कुछ भी नहीं देती।

बहरहाल, काफ़ी लोगों की यह निश्चित धारणा है कि दूध न देने पर भी पत्नी की कुछ और ऐसी उपयोगिताएँ हैं कि इंसान के लिए शादी करना ज़रूरी है। उदाहरण के लिए घर में यदि पत्नी है और भारी भरकम फ़र्नीचर वग़ैरह इधर से उधर रखना है तो मज़दूर बुलाने की ज़रूरत नहीं रहती। बीवी जो है वह दूधवाले से दूध लेती है जबकि आप लोग जो हैं वे लिहाफ़ में छिपे-छिपे चाय की गर्म प्याली को याद करते रहते हैं। विवाह होने के बाद अविवाहित व्यक्ति का यह ख़तरा भी हमेशा के लिए कभी टल जाता है कि एक दिन कभी उसका भी विवाह होगा। शादी होने के दीगर फ़ायदों में एक बड़ा फ़ायदा यह भी है कि विवाहित होने के बाद आस-पास की सुन्दर लड़कियों को मुफ़्त देखने का लाइसेंस आपको प्राप्त हो जाता है। विवाहित होते ही आप ख़ुद-ब-ख़ुद चरित्रवान बन जाते हैं। इस लाइसेंस का फ़ायदा मैं भी उठा रहा हूँ और मेरे मस्तक पर यह जो घाव का निशान है यह इसी लाइसेंस का सबूत है। प्रेम यात्रा का यदि यह सबूत न होता, तो पता नहीं कि सरकारी काग़ज़ों में मेरी शिनाख़्त का निशान क्या दर्ज़ किया जाता। गंजा होने के कारण मैं तो यह भी नहीं जानता कि मेरी गर्दन कहाँ ख़त्म हुई और कमरवाला जो भाग है वह कहाँ से शुरू हुआ। शादी का एक बहुत बड़ा फ़ायदा यह भी है कि इसके करने से जीवन की नीरसता मिट जाती है और उसके स्थान पर तनाव आ जाता है। घर के पर्दे फाड़े जाते हैं, क्राकरी तोड़ी जाती है और जूतों को उसी तरह पटका जाता है जैसे कि कभी ख़ुश्चेव ने संयुक्त राष्ट्र की एक बैठक में खुले आम किया था। मुझे पूरा विश्वास है कि वह ऐतिहासिक जूता विश्व के किसी अजायबघर में ज़रूर रखा गया होगा। मगर इन छोटी-मोटी बातों से परेशान होने की कोई ज़रूरत नहीं। संस्कृत के एक कवि ने कहा है कि शिवजी का जो साँप है वह गणेशजी के चूहे को खाना चाहता है, कार्तिकेय का जो मयूर है वह उस साँप का नाश्ता करना चाहता है और पार्वतीजी का जो शेर है वह उस मयूर को खाना चाहता है। अब यदि स्वयं महादेवजी के घर की यह स्थिति है तो बताइए कि आप अपने गृहस्थ जीवन को मंगलमय कैसे रख सकते हैं। हाँ, यदि पानी सिर पर से उतरने लगे तो पत्नी पर मिट्टी का तेल डालिए और माचिस लगा दीजिए। सारी चकचक हमेशा के लिए

ख़त्म। यक़ीन कीजिए कि इस महान् देश की पुलिस ऐसे छोटे-मोटे मामलों में कभी कोई हस्तक्षेप नहीं करती।

पत्नी की उपयोगिता समझने के बाद यह उचित ही होगा कि उनकी क़िस्मों की भी कुछ विवेचना की जाए। शाकाहारी लोग जानते होंगे कि गोभी की सब्ज़ी की भाँति पत्नियों के भी प्रकार होते हैं और फूल गोभी, पत्ता गोभी और गाँठ गोभी की भाँति उनकी भी क़िस्में होती हैं। कुछ पत्नियाँ बड़ी शालीन, रूपवती और आज्ञाकारी क़िस्म की होती हैं और जब वे आपके शयन कक्ष में पहुँचती हैं तो सबसे पहले आपके चरण छूती हैं। बाक़ी अंग बाद में छुए जाते हैं। 'ठुकरा दो या प्यार करो' वाले अन्दाज़ की ये पत्नियाँ रुद्र प्रयाग के नरभक्षी तेन्दुओं से कहीं ज़्यादा ख़तरनाक होती हैं। ये धीरे-धीरे आपकी तिजोरी, चैकबुक, आपका दिल और पूरा का पूरा घर इस होशियारी से अपने क़ब्ज़े में करती हैं कि आपको जब तक होश आता है तब तक ईस्ट इण्डिया कम्पनी जो है वह प्लासी का युद्ध जीत चुकी होती है। ऐसी गहरी चाल चलनेवाली पत्नियों के अतिरिक्त कुछ पत्नियाँ ऐसी भी होती हैं जो दोनों समय कसरत करती हैं और शादी के तुरन्त बाद काफ़ी ईमानदारी से आपकी ठुकाई इस तरह करती हैं कि हड्डियाँ टूट जाती हैं। इसके बाद आप उनको माता कहकर पुकारते हैं, घर का सारा कामकाज ख़ुद करते हैं और उन सुनहरे दिनों की याद करते हैं जब कि कुमारी सुरसा और कुमारी शूर्पणखा से आपका विवाह नहीं सम्पन्न हुआ था। कुछ पत्नियाँ निरक्षर होती हैं तो कुछ इतनी ज़्यादा पढ़ी होती हैं कि कवि के अनुसार कहना पड़ता है कि "उनकी पत्नी ने फकत स्कूल की ही बात की, यह न बतलाया कहाँ रखी थी रोटी रात की।" जहाँ कुछ शर्मीली पत्नियाँ साड़ी में गठरी की भाँति बँधी हुई तब तक बैठी रहती हैं जब तक कि पति महोदय यथाविधि उनका उद्घाटन नहीं कर देते, वहाँ ऐसी भी शोख़ लड़कियाँ हैं कि कवि के अनुसार स्थिति यह रह जाती है कि "नाचे ख़ुशी से दुल्हन अपनी बरात में।" कुछ युवतियाँ बाँझ होती हैं और कुछ उर्वरा। दोनों स्थितियों में आप कितना भी प्रयास कर लें, उनकी स्थिति पर कोई प्रभाव नहीं पड़ता। मैं एक ऐसी युवती को व्यक्तिगत रूप से जानता हूँ जो कि हज़ार सावधानियाँ के बाद आठ बच्चों की माँ है और स्थिति यह है कि अभी उनके काफ़ी बच्चे और भी होंगे। 'हया से सर झुका लेना, अदा से मुस्करा देना; हसीनों को भी कितना सहल है बिजली गिरा देना।' बिजली की जगह ये बच्चे पैदा करती हैं। देश में अगर हसीन औरतें न रहें तो आबादी की समस्या अपने आप हल हो जाए।

एक सफल पति बनने के लिए कुछ बातें जानना ज़रूरी है। पहली बात तो यह है कि यदा-कदा पत्नी की पिटाई ज़रूर करते रहना चाहिए। पिटाई का कोई कारण न भी हो तो भी इस कार्यक्रम को नियमित रूप से जारी रखना चाहिए। कला के लिए कलावाला सिद्धान्त। पत्नी को कभी भी न पीटनेवाले पति जो हैं, वे स्त्री के

मूल अधिकार छीन रहे हैं। तुलसीदास ने काफ़ी स्पष्ट भाषा में कहा है कि ढोल, गँवार, शूद्र, पशु और नारी जो हैं वे ताड़न के यानी कि पिटने का अधिकार रखते हैं। उनका यह पुश्तैनी अधिकार छीन लेना हमें कहाँ तक शोभा देता है? वैसे भी मनोवैज्ञानिकों का कहना है कि स्त्री भी उसी पति से ज़्यादा प्रेम करती है जो कि उसे यदा-कदा झापड़ रसीद करता रहे। वही "केव मैन" वाला सिद्धान्त जो आज भी बदस्तूर उतना ही असर रखता है। अलबत्ता जो गाँधीवादी लोग पत्नी से डरते हों और एकान्त में उन्हें माता कहकर पुकारते हों, उन्हें यह जानना ज़रूरी है कि आधे मिनट की अवधि में पलँग के नीचे कैसे घुसा जाता है और उतनी ही अवधि में बड़ी अलमारी के ऊपर कैसे चढ़ा जा सकता है। जो कायर पति इन दो कामों को जानता है, उसका विवाहित जीवन सफल होना निश्चित है। सफल पति बनने के लिए पति के लिए यह भी ज़रूरी है कि वह कल्पनाशील हो और रोज़ देर से आने के लिए ताज़ा बहाना ढूँढ़ने की शक्ति रखता हो। पत्नी की आलोचना सुनने के लिए कभी-कमी चुप रहना भी ज़रूरी है। आख़िर पत्नी के शरीर में भी तो एक अदद हृदय है और उसे शान्ति पहुँचाने के लिए ज़रूरी है कि कभी वह भी आपको डाँटे, मैके जाने की धमकी दे या फिर दुखी होकर आत्महत्या ही कर ले। आख़िर पति होने के नाते हमारा यह भी तो कर्तव्य है कि पत्नी का शारीरिक ही नहीं, वरन् मानसिक और आत्मिक विकास भी हो। भगवान रजनीश ने कहा है कि शरीर के ऊपर टिका हुआ विवाह जो है वह अपवित्र है। शरीर के नीचे टिका विवाह कैसा होता है यह बात भगवान रजनीश विदेश से लौटने पर बतलाएँगे।

विवाह एक दुर्घटना है जिसमें गधा जो होता है वह घोड़े पर बैठता है। इधर स्थिति यह हो गयी है कि ये सलमा सितारोंवाले होटल भी इन दुर्घटनाओं को सरल करते जा रहे हैं। पण्डित, यज्ञ, चूड़ियाँ, आलता, कुंकम यानी कि सारी की सारी चीज़ों का इन्तज़ाम होटलवाला ख़ुद करता है। कोई-कोई होटल तो इतनी होनहार क़िस्म का होता है कि वक़्त ज़रूरत और सामान तो क्या आपके लिए वर और वधू तक पेश कर सकता है। मुद्रा से कौन-सा राक्षस नहीं मारा जा सकता?

आप में से जो विवाहित हैं, उनके लिए मैं ईश्वर से विशेष प्रार्थना करूँगा कि आपको इसकी ज़रूरत है। आमीन।

मिट्ठू बाबू

आज मैं सिर्फ़ सच बोलूँगा और सच के सिवा कुछ नहीं बोलूँगा।

मिट्ठू बाबू से मेरी पहली मुलाक़ात उन्नीस सौ बावन की जुलाई में हुई थी। मैंने इण्टरमीजिएट की परीक्षा प्रथम श्रेणी में पास की थी और उत्तर प्रदेश में सफल विद्यार्थियों में मेरा सातवाँ स्थान था। ऐसी स्थिति में आगे पढ़ने की इच्छा होना उतना ही स्वाभाविक था जितना कि जवान होने पर शादी करने की इच्छा होना या शादी के बाद बच्चा पैदा करने की इच्छा होना। मेरी आर्थिक स्थिति इतनी नाज़ुक थी कि यदि सारे समुद्रों की स्याही बने, सारे वृक्षों की कलम बने और सरस्वतीजी यदि उसे ख़ुद ही वर्णन करने बैठें तो भी शायद सफलता को प्राप्त न हों। मगर हिम्मत थी कि मैं किसी तरह फिर भी चौबीस घण्टे का सफ़र तय करके इलाहाबाद पहुँच ही गया। वहाँ मैं जैन छात्रावास में प्रवेश पाना चाहता था। कारण कई थे। एक तो मैं शाकाहारी था, दूसरे और छात्रावासों की अपेक्षा जैन छात्रावास काफ़ी सस्ता था और तीसरी बात यह कि वहाँ मेरे ही क़स्बे के दो और दोस्त भी रहते थे। मिट्ठू बाबू जैन छात्रावास के वार्डन थे और छात्रावास के ठीक सामने उनका बँगला था। जैन छात्रावास में जैन छात्रों को तरजीह दी जाती थी और क्योंकि मैं जैन नहीं था और न निकट भविष्य में वैसा होने की कोई आशा ही थी, मुझे प्रवेश पाने में काफ़ी परेशानी उठानी पड़ी। जब और कोई चारा नहीं बचा तो मैं मिट्ठू बाबू से मिलने गया।

मिट्ठू बाबू का मकान क्या था, एक अजायब घर था। एक कमरा था जिसमें तरह-तरह के सैकड़ों हुक्के रखे थे। जिधर निगाह डालिए, उधर हुक़्क़ा ही नज़र आता था और कुछ नहीं। एक कमरा था जो किताबों से छत तक लदा था। इसी तरह किसी कमरे में छड़ियाँ ही छड़ियाँ थीं और किसी में जूते ही जूते। एक मेज़ थी जिस पर अनगिनत फाउण्टेन पेन रखे थे। क़ीमती और पुराने ज़माने के फ़र्नीचरों से लदे इस बँगले के एक कमरे में मुझे मिट्ठू बाबू से मिलने का सौभाग्य प्राप्त हुआ। मँझला कद, कोई सत्तर वर्ष के लगभग आयु और चेहरे से टपकता हुआ आभिजात्य आवारागर्दी और विलासितापूर्ण जीवन नियमित रूप से व्यतीत करने के

कारण उनके सुन्दर बंगाली चेहरे पर काफ़ी गहरी रेखाएँ पड़ गयी थीं जिन्हें देखकर आस्कर वाइल्ड की 'दी पिक्चर ऑफ़ दी डोरियन ग्रे' की याद आती थी। उस वक़्त उन्होंने धोती और मिरजई पहन रखी थी। कुल मिलाकर वे 'दादा' क़िस्म के जागीरदार प्रतीत होते थे, जो कि असलियत भी थी। मिट्ठू बाबू घर में अकेले ही रहते थे। परिवार शायद नहीं था। कोई नौकर वग़ैरह था जो खाना वग़ैरह पकाता था। इतने विशाल मकान में उनके पास अकेले बात करते मुझे एक अजीब तरह का खौफ़ लगा। ख़ैर, उन्होंने मेरी बात सुनी और 'हूँ' की एक रौबदार आवाज़ निकाली। अगले दिन जैन छात्रावास के सचिव ने मुझे बुलाया और बताया कि मेरा एडमिशन हो गया है, किराया, बिजली और पानी भी माफ़ हो गया है और अब मैं ध्यान लगाकर पढ़ सकता हूँ। मैं बेहद ख़ुश हुआ मगर इतनी हिम्मत नहीं हुई कि मिट्ठू बाबू का धन्यवाद अदा करने उनके पास जा सकूँ।

धीरे-धीरे मिट्ठू बाबू का इतिहास हम लोगों पर प्रकट हुआ। जैसा कि ज़ाहिर था वे एक रईस के लड़के थे जो पुराने जन्म के पवित्र कर्मों के कारण बचपन में ही बिगड़ गये थे। उनकी बहुमुखी प्रतिभा का पता इसी बात से चलता था कि वे अपने छात्र जीवन में सात बार युनिवर्सिटी से निकाले गये थे। एक बार तो स्थिति यह हो गयी थी कि कोई और होता तो शायद जेल जाना पड़ता। बात यह हुई थी कि वे परीक्षा पास कर चुके थे और गवर्नर से डिग्री लेनी थी। यार लोगों ने कहा कि मिट्ठू बाबू यदि तुम लाट साहब के सामने नंगे हो जाओ तो हम सब तुम्हें पाँच-पाँच रुपये देंगे। मिट्ठू बाबू तैयार हो गये। नियमित समय पर जब सीनेट हाल में समारोह शुरू हुआ तो 'मिट्ठू बाबू' ने कपड़े उतारने शुरू किये और एकदम नंगे होकर हाल में चक्कर मारने लगे। गवर्नर की मेम साहब ने समझा कि डिग्री लेने का भारतीय तरीका शायद यही है। बहरहाल, उनकी डिग्री जो थी वह जप्त कर ली गयी। पैंतीस वर्ष की आयु में उन्होंने किसी तरह बी.एस-सी. और एल-एल.बी. की परीक्षाएँ पास कीं। पिता के प्रभाव से सरकार ने उन्हें रायसाहब का खिताब दिया और गवर्नर ने उन्हें प्रोविंशल सिविल सर्विस के लिए मनोनीत कर दिया। अब वे मजिस्ट्रेट हो गये और वे भी इतने धाकड़ क़िस्म के कि सन् उन्नीस सौ तीस में महात्मा गाँधी के बाद शायद वे दूसरे आदमी थे जिन्हें इलाक़े की पब्लिक इतना जानती थी। दो-चार साल के बाद उन्होंने चलती रेलगाड़ी में एक मेम को छेड़ दिया और नतीजा यह रहा कि नौकरी उन्हें छोड़नी पड़ी। वे फ़ौजदारी के वकील हो गये और प्रैक्टिस करने लगे। बार एसोसिएशन के हाल में उनकी कुर्सी पर लिखा था कि इस पर या तो कोई जीनियस बैठ सकता है या कोई ईडियट। मिट्ठू बाबू हमेशा उसी कुर्सी पर बैठते थे। अपना हँसोड़पन और प्रैक्टिकल जोक करने की आदत वे कभी नहीं छोड़ पाये। अदालत की मान-हानि के जितने मुक़दमो उनके ख़िलाफ़ चले उतने शायद और किसी वकील के ख़िलाफ़ कभी नहीं। एक जज से एक बार भरी

अदालत में कह दिया कि तुमने सिर्फ़ किताबें पढ़ी हैं जबकि मैंने जुर्म किये हैं। जुर्म का जितना तजुर्बा मुझे है, उतना तुम्हें कभी नहीं हो सकता। इसी प्रकार हाईकोर्ट के एक नितान्त शालीन जज ने जब उनके ख़िलाफ़ कुछ कहा तो उन्होंने वहीं उस जज को याद दिलायी कि उस दिन का बदला मत लेना जिस दिन बरसों पहले मैंने तुम्हारी कमर के नीचे तारकोल लगाया था।

मिट्ठू बाबू ने सारी उम्र ऐश, आराम, शरारत, शराब, रखैल और किताबों के बीच गुज़ारी। पढ़ने का इतना शौक़ीन आदमी मैंने कम ही देखा। हिम्मत की यह हालत कि कर्नलगंज की एक औरत रात को एक गहरे कुएँ में कूद पड़ी। बाक़ी लोग तो हाय-हाय ही करते रहे मगर मिट्ठू बाबू थे कि अधेड़ अवस्था में भी कुएँ में छलाँग लगा गये और उसे बचा लिया। गन्दी गालियों का उनके पास इतना बड़ा भण्डार था कि चाहते तो मुल्कराज आनन्द भी उससे लाभ उठा सकते थे। मगर उन गालियों का कोई बुरा नहीं मानता था। मुसीबत के वक़्त वे हमेशा हर-एक के काम आते थे।

मेरे साथ एक बार एक अजीब हादसा हुआ। मुझे सरकार से वज़ीफ़ा भी मिलता था और युनिवर्सिटी में मेरी फ़ीस भी माफ़ थी। क़ानून के मुताबिक दोनों चीज़ें एक साथ नहीं हो सकती थीं– ठीक उसी तरह जैसे सरकारी नौकर चाहते हुए भी दो बीवियाँ नहीं रख सकता। मगर मज़े की बात यह रही कि इस स्थिति का पता युनिवर्सिटी के दफ़्तर को शनिश्चर को लगा जबकि सोमवार से फ़ाइनल के इम्तहान शुरू होने थे। घोर परेशानी की हालत में मैं मिट्ठू बाबू के पास गया। उन्होंने एक सौ तीन बुख़ार होते हुए भी तुरन्त एक पत्र वाइस चांसलर के नाम लिखा और कहा कि या तो इसे इम्तहान में बैठने दो नहीं तो मैं हाईकोर्ट से 'रिट' लेता हूँ। मेरी हिम्मत बढ़ाते हुए कहा कि तुम जाओ, काम हो जायेगा। यह वाइस-चांसलर का छोकरा जब नया-नया आया था तो मैंने इसकी मूँछें रात को काट दी थीं और उस एहसान के लिए वह मेरा अब तक शुक्रगुज़ार है। और अगर काम नहीं करता है तो हाईकोर्ट तो कहीं गया नहीं। इतवार के दिन जो जज पेटिशन लेगा वह भी उन्हें बखूबी जानता था। जब कभी वह सेशन जज था तब मिट्ठू बाबू ने उसे एक फ़ाइल दी थी जिसमें दो तन्दुरुस्त क़िस्म के मेंढक बन्द थे। मैं वाइस-चांसलर से मिला और उसने मिट्ठू बाबू का नाम सुनते ही मेरी परेशानी हल कर दी। बी.ए. में मेरी प्रथम श्रेणी आयी और युनिवर्सिटी में दूसरी पोज़ीशन मिली। वैसे पोज़ीशन चौथी थी पर मुझसे ऊपर दो लड़कियाँ थीं। उनका क्या गिनना?

धीरे-धीरे मैं मिट्ठू बाबू के नज़दीक आता चला गया। इतिहास, क़ानून, अपराध– इन तीनों चीज़ों में मेरी रुचि उतनी ही गहरी थी जितनी उनकी। एक बार नज़दीक आ जाने पर जो क़िस्से सुनने को मिले उनसे पोथी तैयार हो सकती है। उनका असली नाम लाल मोहन बनर्जी था जिसे शायद ही कोई जानता था। सारे क़िस्से

कहानी मिट्ठू बाबू के ही नाम से जुड़े थे। उन्होंने एक दिन बताया कि बरसों पहले गवर्नमेंट इण्टर कॉलेज के अँग्रेज़ प्रिंसिपल ने उनको एक बार लिखा था कि; उनके लड़के ने टीचर की मेज़ पर पेशाब कर दिया है और आप बताएँ कि उसे क्या सज़ा दी जाए। मिट्ठू बाबू ने जवाब में लिखा कि आप एकदम नाकारा प्रिंसिपल हैं जो यह भी तय नहीं कर सकते कि लड़कों को क्या सज़ा दी जाए! बहरहाल, जहाँ तक पेशाब करने का प्रश्न है, आपको सूचनार्थ निवेदन है कि पेशाब मैंने भी किया था पर वह मेज़ पर करने के बजाय मौलवी साहब की सुराही में किया था। प्रिंसिपल ने जब यह ख़त पढ़ा तो बेहद हँसा और अपने कोच पर बैठकर मिट्ठू बाबू से मिलने आया। उस दिन से वे दोस्त हो गये। इसी तरह जब वे मजिस्ट्रेट थे तो बिहार से आयी एक युवती के साथ एक पण्डे ने बलात्कार किया जिसका अदालत में साबित होना मुश्किल था। इन्होंने एक दारोग़ा से मिलकर उसे किसी और केस में फँसा दिया और जब जेल हो गयी तो जेलर से कहकर महन्तजी की कोकीन बन्द करा दी। वह पण्डा जेल के भीतर ही मर गया।

और भी न जाने कितनी बातें याद आ रही हैं। उस शाम की याद आती है जबकि ईवन क्रिश्चियन कॉलेज के एक उत्सव में मिट्ठू बाबू ने खुले आम यह ऐलान किया था कि उस कॉलेज की लेबोरेटरी शुरू करने का श्रेय सिर्फ़ उन्हें जाता है और किसी को नहीं। स्थिति स्पष्ट करते हुए उन्होंने बताया कि बरसों पहले वे म्योर कॉलेज के काफ़ी एपेरेटस जो वहाँ धूप में सूख रहे थे, चोरी से ताँगे में लदवाकर क्रिश्चियन कॉलेज ले आये थे और वे अभी तक काम दे रहे थे। उनकी इस बात को सुनकर सारा कॉलेज हँसी से खिलखिला उठा। सभा के सभापति डॉक्टर अमरनाथ झा ने अपने भाषण में तीन-चौथाई समय मिट्ठू बाबू की प्रतिभा के वर्णन में गुज़ारा और बाक़ी हँसने में। मुझे वह दोपहर भी याद है जबकि मैं उन्हें एक बार सर गंगानाथ झा होस्टल में लेक्चर देने ले आया था। (बी.ए. के बाद मैंने जैन छात्रावास छोड़ दिया था और झा होस्टल में चला आया था) होस्टल के क़रीब-क़रीब सारे लड़के उपस्थित थे। हमारे होस्टल के सुपरिण्टेण्डेण्ट– जो सदाचार और व्यक्तिगत निष्ठा को लेकर हमें हमेशा उपदेश दिया करते थे, सभा के सभापति थे। मिट्ठू बाबू ने उन्हें देखा और पूछा कि तुम्हारी शक्ल मैंने पहले भी कभी देखी है। क्या तुम वही लड़के हो जो एक बार साइकिल की चोरी के सिलसिले में तीस वर्ष पहले मेरी अदालत में हाज़िर हुए थे और मैंने तुम पर रहम खाकर सिर्फ़ जुर्माना ही किया था? यह सुनना था कि चरित्र के ठेकेदार हमारे वे सुपरिण्टेण्डेण्ट फटे गुब्बारे की तरह पिचक गये और कुछ नहीं बोले। मुझे वह शाम भी याद है जबकि एक भयंकर सर्दी की रात में उन्होंने एक रिक्शेवाले को कसकर गालियाँ सुनायी थीं और बाद में अपना नया मफलर उतारकर उसे ऐसे दे दिया था जैसे कि वह उनका लड़का या सगा भाई हो।

युनिवर्सिटी छोड़ने के बाद मैं कई बार प्रयाग गया और मिट्ठू बाबू से मिलता

रहा। सन् उन्नीस सौ उनहत्तर में हम दोनों ने आख़िरी बार साथ-साथ खाना खाया। उस दिन वे मेरी पत्नी के लिए एक क़ीमती किताब भी बतौर उपहार के लिए तो लाये थे। इसके बाद मेरा तबादला हो गया। जब मैं दिल्ली में था तो जल सेना के ले. कमाण्डर निर्मल कुमार राय ने बताया कि मिट्ठू बाबू की मृत्यु हो गयी। मैं सन्न रह गया। मिट्ठू बाबू जैसा ख़ुशदिल और बच्चों जैसा शरारती इंसान कभी मर भी सकता है– यह तो मैंने सपने में भी नहीं सोचा था। राय ने यह भी बतलाया कि मरने से दो दिन पहले ही उन्होंने एक आयकर अधिकारी को अपने कुत्ते से कटवाया था।

तलाश

जिस प्रकार लड़की के सयाने हो जाने पर उसके वास्ते योग्य लड़के की तलाश करनी पड़ती है, ठीक उसी प्रकार मकान बनवाने के बाद उसमें रहने के लिए किरायेदार की खोज करनी पड़ती है। यह तलाश ब्रह्म की तलाश से भिन्न होती है क्योंकि ब्रह्म की तलाश में तो आप समाधि लगाकर किसी एक अदद वृक्ष के नीचे बैठते हैं और वाल्मीकि या गौतम बुद्ध बनते हैं जबकि किरायेदार की तलाश के लिए आपको दौड़धूप करनी पड़ती है, दलाल रखना पड़ता है और स्थिति यह रहती है कि सर्वगुणसम्पन्न किरायेदार फिर भी नहीं मिलता। कितना अच्छा होता कि इस पुनीत क्रिया के लिए स्वयम्वर करने की प्रथा होती।

शादी के बाद मैंने कसम खायी थी कि इस जीवन में और कोई दूसरी ग़लती नहीं करूँगा मगर यह बँगला बनवाने की ग़लती मुझसे फिर भी हो ही गयी। देहरादून के नीले पहाड़ों, धान के पीले खेतों और यहाँ की गड्ढेवाली सड़कों ने कुछ ऐसा खींचा कि मैंने एक बड़े प्लाट में काफ़ी शानदार बँगला बनवा ही डाला। जब बँगला बन गया तो किरायेदार की तलाश शुरू हो गयी क्योंकि मेरे तो सेवानिवृत्त होने में कोई छः साल और बाक़ी हैं जिनमें पता नहीं मुझे कहाँ-कहाँ जाना पड़े। और वैसे भी मेरे लिए तो हर जगह सरकारी कोठी मिलेगी जिसका कि लॉन बड़ा होगा और किराया कम। ऐसी स्थिति में मकान या उसका कुछ भाग यदि किराये पर उठा दिया जाए तो कम-से-कम वह क़र्ज़ तो उतर ही सकता है जो मैंने मकान बनवाने के लिए लिया है। गुरु-ऋण और पितृ-ऋण इत्यादि जो ऋण हैं वे तो मात्र शास्त्रीय हैं जबकि सरकार से लिया गया ऋण एकदम ठोस क़िस्म का ऋण है। इस ऋण के लेने और अदा करने के नियम इतने पेचीदा हैं कि आत्महत्या करने की इच्छा होती है। बहरहाल, एक दिन ऐसा भी आया कि लोग-बाग मेरा मकान देखने पधारने लगे और मुझे ऐसा महसूस होने लगा कि मकान की समस्या जो है वह हल हो जायेगी। अलबत्ता, मकान देखने जो लोग आये उनमें से कुछ इतने दिलचस्प थे कि मुझे यह लेख लिखने के लिए विवश होना पड़ा।

कुछ किरायेदार ऐसे आये जो परिवार-नियोजन के अनुयायी थे और इसी कारण

इन्हें मेरा मकान ज़रूरत से कहीं ज़्यादा बड़ा लगा। इसके बरख़िलाफ़ कुछ किरायेदार ऐसे आये जिनके दो-तीन पत्नियाँ और दस से ज़्यादा बच्चे थे और जिनके लिए मकान ज़रूरत से वाक़ई छोटा पड़ता था। इतने इन्होंने मकान का मुआयना किया, उतने ही समय में बच्चों ने सारे फूल तोड़ डाले और मकान की दीवार पर खजुराहो शैली में कला का विकास किया। मेरी पत्नी के मना करने पर एक पत्नी ने बच्चों को पीटना शुरू किया और भारत के इतिहास के इसी क्षण में दूसरी पत्नी ने पहली पत्नी से हाथापाई शुरू कर दी। बात यह थी कि बच्चे एक पत्नी के थे और पीट दूसरी पत्नी रही थी। गृहयुद्ध ने थोड़ी देर में नया रंग लेना शुरू किया और बजाय बच्चों के उस भावी किरायेदार की पत्नियों ने आपस में ही लड़ना शुरू कर दिया। बच्चे नेपथ्य में रह गये और सारा का सारा रंगमंच उन दो देवियों ने क़ब्ज़ा लिया। एक की सूरत कुमारी शूर्पणखा से मिलती थी दूसरी की मिस सुरसा से। पति महोदय ने कुछ हस्तक्षेप करना चाहा मगर वैसा करते ही पत्नियों ने एक ऐसा चरणक्षेप किया जो कि हस्तक्षेप से कहीं ज़्यादा प्रभावशाली था। दोनों देवियाँ लड़ती रहीं और पतिदेव बेचारे फ़र्श पर पड़े-पड़े सारा कत्थक देखते रहे। जैसे ही युद्ध ने कुछ और उग्र रूप धारण किया वैसे ही उनके बच्चों ने हथेलियाँ पीटनी शुरू कर दीं।

कुछ सम्भ्रान्त सज्जन ऐसे भी आये जो अविवाहित थे और इसी कारण उनके न तो पत्नी ही थी और न बच्चे ही। जैसा कि पता लगा कि ये तो "वसुधैव कुटुम्बकम्," वाली प्रथा में विश्वास करते थे और मुहल्ले की सारी पत्नियों और लड़कियों से घनिष्ठ सम्बन्ध रखते थे या रखना चाहते थे। इसी सन्दर्भ में इनकी कई बार ठुकाई भी सम्पन्न की जा चुकी थी और न जाने कितने मकानों से इन्हें बाइज़्ज़त निकाला भी जा चुका था। मैंने उन्हें मकान देने से साफ़ इनकार कर दिया मगर वे थे कि एक युवती के पास गये और उसकी ख़ुशामद करने लगे। उस युवती को इन्होंने मेरी पत्नी समझा था जो कि सरासर ग़लत था। जहाँ तक उस युवती विशेष का प्रश्न था, स्थिति यह कि यदि मेरी एक अदद निजी पत्नी मेरे साथ न होती तो मैं तो उस युवती को मुफ़्त ही कोठी में रख लेता। बला की ख़ूबसूरत थी। मैंने तो उसे देखा और अकबर इलाहाबादी का शेर याद करने लगा : 'ख़ुदाया कैसी-कैसी सूरतें तूने बनायी हैं, कि हर सूरत कलेजे से लगा लेने के क़ाबिल है।' मैंने तय कर लिया कि मकान किराये पर देने में कोई जल्दी हर्गिज़ नहीं करूँगा। अगर मकान को किरायेदार मिल गया तो हमको ये रूपसियाँ देखने को कहाँ मिलेंगी?

एक सज्जन और तशरीफ़ लाये जिनके पीछे कोई पन्द्रह कुत्तों की पलटन थी। प्रत्येक क़िस्म का कुत्ता उनके पास था। कुत्तों की भाँति इन्हें भी शास्त्रीय संगीत का शौक़ था। जितनी देर ये चुप रहते थे, उतनी देर कुत्ते रियाज करते थे। जब ये मेरे यहाँ पधारे तो कुत्तों ने कव्वाली गानी शुरू कर दी। मैं कुत्तों से बेहद घबराता हूँ। पुश्तैनी कायर होने के कारण मैं तो कमरे में घुस गया और उस कुत्ते के बारे

में सोचने लगा जिसको लेकर एक हाईकोर्ट ने एक याचिका स्वीकृत की है। यह वारदात ऐसी है जो क्या अदालत और क्या कुत्ते दोनों के इतिहास में शायद पहली है। मामला इस बात पर अटका है कि उस कुत्ता विशेष का स्वामित्व जो है वह किसके पास है। बहरहाल, जैसे ही कुत्तों ने अपना कार्यक्रम समाप्त किया, मैं फिर किसी शूरवीर की भाँति बाहर आ गया और बरामदे में खड़े होकर उस कुत्ता प्रेमी व्यक्ति को देखने लगा। श्याम कल्याण या मालकोस– इन दो में से किसी एक का रियाज करते हुए वे अब वापस जा रहे थे। उनके चारों ओर फैले कुत्ते कुछ इस तरह का वातावरण पैदा कर रहे थे जैसा कि किसी नेता के चारों ओर फैले पिछलग्गू करते हैं। नेता के चारों ओर चक्कर लगानेवाले कार्यकर्ता और कुत्ते– इन दोनों चीज़ों में मात्र इतना अन्तर है कि कुत्ता जो होता है वह ज़्यादा वफ़ादार होता है। अतिरिक्त कुत्ते का जो दूसरा गुण मुझे प्रभावित करता है वह यह है कि वर्ष के एक या दो महीनों को छोड़कर बाक़ी समय वह पूरी तरह परिवार-नियोजन करता है। पिछलग्गू तो इतना भी नहीं करते।

मेरे एक दोस्त थे जो कभी फ़ौज में कर्नल थे। उनकी मूँछें वाक़ई इतनी लम्बी थीं कि रेल के गार्ड साहब की झण्डी को मात करती थीं। जैसे-जैसे वे मूँछें बढ़ाते गये, वैसे ही वैसे सेना में उनकी तरक्की होती गयी। मैं उनका जब कभी भी बग़लगीर हुआ, मेरा चश्मा हमेशा उनकी मूँछ में फँसता गया। वे आराम कुर्सी पर बैठे रहते और सिगार पीते रहते। किरायेदार मकान देखते थे और ये थे कि किरायेदारों को देखते थे। मूँछों के पालने के साथ-साथ इन्हें फिसलने का बहुत शौक़ था। जहाँ कहीं कोई युवती मकान देखने आयी, वहीं ये उठते और उसे मकान दिखाने लगते। मकान दिखाने की इस प्रक्रिया में हमेशा कुछ ऐसा संयोग होता था कि ये फिसल जाते थे और वह बेचारी युवती भी उनकी मूँछों में फँसकर ऐसा गिरती थी कि दोनों को अलग-अलग करना काफ़ी कठिन हो जाता था। मेरी तरह वे भी पक्के समाजवादी थे। हम दोनों का विश्वास था कि हमारे पास शानदार कोठी हो, बैंक में काफ़ी रक़म जमा हो, बच्चे विदेश में रहें, घर में काफ़ी नौकर-चाकर हों और उसके बाद शानदार सूट पहनकर हम लॉन पर बैठें और समाजवाद की प्रशंसा करें। ऐसे सच्चे समाजवादी मुझे ज़िन्दगी में कुछ और भी मिले पर उनकी चर्चा मैं फिर करूँगा।

बहरहाल, स्थिति यह है कि कोठी अभी भी खाली पड़ी है और मन का किरायेदार कोई नहीं मिला। आप लोगों को यदि कोई ख़ूबसूरत बाई मिले तो मुझे ख़बर करना।

मेरी पहली नौकरी

उर्दू के प्रख्यात हास्य कवि हाजी लकलक ने एक जगह अपना परिचय देते हुए फ़रमाया है कि "सुनकर हाजी का कलाम आपको आयेगी हँसी, मिडिल पास है कोई गँवार नहीं।" ठीक उसी तरह शायद मेरा यह कलाम सुनकर कि मैं एक काफ़ी पढ़ा-लिखा इंसान हूँ, आप में से कुछ को हँसी ही नहीं आयेगी वरन सम्भवतः आश्चर्य भी होगा। बहरहाल, असलियत यह है कि मैंने उसी प्रयाग विश्वविद्यालय से सर्वप्रथम उत्तीर्ण होने का सौभाग्य प्राप्त किया है जहाँ से कभी कैलाशनाथ काटजू, गंगानाथ झा, अमरनाथ झा, तेज़बहादुर सप्रू, लियाकत अली खान, गोविन्द बल्लभ पन्त, रघुपति सहाय फ़िराक़, सुमित्रानन्दन पन्त और न जाने कितने बड़े-बड़े लोग अपनी शिक्षा प्राप्त करके जीवन के विभिन्न क्षेत्रों में महान् होने के लिए निकला करते थे। उन दिनों यही रिवाज़ था। लोग-बाग प्रयाग विश्वविद्यालय जाते थे और बाद में महान् बन जाते थे। जो लोग महान् नहीं बनना चाहते थे वे आई.सी.एस. की परीक्षा पास करते थे और बड़ा आदमी बनते थे। बड़ा आदमी वह होता था जो कि महान् व्यक्तियों को गिरफ़्तार करता था और उनको सज़ा देता था। जिन दिनों मैं उस विश्वविद्यालय में था, उन दिनों भी वहाँ हर विभाग में एक-से-एक धुरन्धर विद्वान् वर्तमान थे और कुल मिलाकर माहौल कुछ ऐसा था कि ख़ुद-ब-ख़ुद पढ़ने को तबीयत होती थी। दुष्यन्त कुमार और कमलेश्वर भाग्यशाली लोग थे जो कि मेरे साथ पढ़ते थे और धर्मवीर भारती तथा बच्चन भाग्यवान अध्यापक थे जो कि मेरे जैसे मेधावी और होनहार छात्र को पढ़ाते थे। बहरहाल, वे दिन ऐसे थे जोकि देश के इतिहास में अमर रहेंगे। विश्वविद्यालय में कभी जवाहरलाल नेहरू आते थे तो कभी जयप्रकाश नारायण। फ़िलहाल, तो स्थिति यह है कि विश्वविद्यालय में सिर्फ़ पुलिस आती है, लड़के नक़ल करते हैं, अध्यापक लोग आपस में हाथापाई करते हैं और बाक़ी वक़्त युनिवर्सिटी जो है, वह बन्द रहती है। पिछली बार प्रयाग गया तो यूनियन हाल के बाहर एक टूटी हुई पत्थर की बेंच पर बैठकर युनिवर्सिटी की शानदार घड़ी को देखता रहा जिसका कि एक तरफ़ का शीशा आधा टूटा हुआ था। घर आकर वाइस-चांसलर को एक पत्र लिखा। मगर स्थिति यह रही कि जब तक वह पत्र उन

तक पहुँचता, तब तक वे मुअत्तल कर दिये गये। मैंने अख़बार पढ़ा और चुप हो गया। बीत गयी सो बात गयी। बच्चन की वाणी सार्थक सिद्ध हो गयी। यहाँ यह बात भी बताने योग्य है कि मेरे विश्वविद्यालय छोड़ने के कुछ बाद ही धर्मवीर भारती व बच्चन ने भी युनिवर्सिटी छोड़ दी। मेरा विचार है कि मेरे न रहने से इन लोगों को बड़ा सूना-सूना लगा होगा। इसी तरह प्रोफ़ेसर रुद्रा नैनीताल की झील में डूब गये और डॉक्टर गोरख प्रसाद वाराणसी की गंगा में। मुझे यह पता होता कि मेरे युनिवर्सिटी छोड़ने के बाद यह सब कुछ होगा, तो मैं युनिवर्सिटी कभी नहीं छोड़ता।

मैंने स्नातकोत्तर परीक्षा में सर्वप्रथम स्थान जो पाया उसका रहस्य यह था कि मैंने उस विषय में दाखिला लिया था जिसमें मेरे अतिरिक्त बाक़ी सब तीसरे दर्जे के मुसाफ़िर थे। ऐसी स्थिति प्राप्त करने के लिए मुझे काफ़ी खोज करनी पड़ी, विषय के बाद विषय बदलने पड़े पर अन्त में चलकर जीत मेरी ही हुई। मगर इस बात का मुझे हमेशा हार्दिक दुख रहेगा कि सर्वप्रथम आने पर भी विश्वविद्यालय में मुझे अध्यापक की जगह नहीं मिली। मेरी बड़ी इच्छा थी कि मैं लेक्चरर बनूँ। पढ़ने के लिए हर वर्ष वही पुरानी पोथी और पढ़ाने के लिए हर वर्ष नयी-नयी लड़कियाँ। न कोई तबादला और न कोई और परेशानी। इस सन्दर्भ में आप लोग यह नहीं भूलिएगा कि उन दिनों विश्वविद्यालय शिक्षा संस्थान होते थे, लाठी चार्ज, नक़ल या हाथापाई के अड्डे नहीं। आजकल तो जितने ख़तरे शिक्षा-विभाग में हैं उतने शायद पुलिस विभाग में भी नहीं हैं। यह बात दीगर है कि पुलिसवालों को कभी-कभी निहत्थे अन्धों पर लाठी चलानी पड़ती है या किसी भद्र महिला को बाज़ार में नंगा करके निकालना पड़ता है पर कुल मिलाकर एक शिक्षक का जीवन आजकल कहीं ज़्यादा ख़तरे में रहता है। बहरहाल, मैं शिक्षक नहीं बन सका। इस स्थिति के कारण तो कई थे पर मुख्य कारण शायद यह था कि मेरे विभाग के अध्यक्ष एक ऐसी लड़की को भक्तिकालीन भावना से देखा करते थे जिसे मैं रीतिकालीन दृष्टि से देखा करता था। इन दोनों कालों ने मिलकर वीरगाथाकाल को जन्म दिया और मेरी अपने प्रोफ़ेसर से झड़प हो गयी। फ़ौजदारी के लिए त्यागी लोग वैसे भी काफ़ी प्रसिद्ध हैं। महावीर त्यागी भी पण्डित जवाहरलाल नेहरू जैसे महान् नेता से उलझ जाया करते थे। इस तमाम स्थिति का परिणाम यह रहा कि मैं भारतीय प्रशासनिक सेवाओं की प्रतियोगिता परीक्षा में बैठा और बाद में उनमें से एक सेवा के लिए चुन भी लिया गया। मगर उस सेवा में अधिकारी बनने तक की जो लगभग एक वर्ष की अवधि थी, उसमें मुझे एक छोटी-सी नौकरी करनी पड़ी। घर की हालत खस्ता थी, एक अदद बीवी भी घर में आ गयी थी और शादी के अगले दिन ही यह डर लगने लगा था कि पता नहीं पहली सन्तान कब प्रकाश में आ जाए। बूढ़े माँ-बाप थे, शादी के लिए तैयार एक छोटी बहन थी और जीवन की महान् यात्रा तय करने के लिए परम आदरणीय ससुर साहब की दी हुई एक ऐसी पुरानी साइकिल थी कि

पतरस बुख़ारी ने 'मरहूम की याद में' नामक अमर निबन्ध शायद उसी साइकिल को देखकर लिखा था।

अपनी इस अस्थायी नौकरी को प्राप्त करने के लिए मुझे कोई ख़ास दौड़-धूप नहीं करनी पड़ी। मेरी भूतपूर्व पत्नी (जो इत्तफ़ाक से वर्तमान पत्नी भी है) के मामा भारत सरकार के एक बेहद सीनियर संयुक्त सचिव थे और उन्होंने मुझे एक चिट्ठी देकर एक आईसीएस अफ़सर के पास भेजा। ये आईसीएस अफ़सर राष्ट्रपति भवन के एक कक्ष में बैठते थे और प्रायः सारा काम रात को ही निबटाया करते थे। कोई आठ-दस बार जाने के बाद उन्होंने मुझे अपने से मिलने का अवसर दिया और मेरे साथ इतनी सहनशीलता बरती कि उसे मैं कभी नहीं भूल सकता। बात यह थी कि वे हज़रत दाढ़ी मूँछ रखते थे, पगड़ी बाँधते थे पर इल्लत यह थी कि उनकी आधी मूँछ चेहरे से ग़ायब थी। मैंने इनका चेहरा जो देखा तो मैं अपनी निरीहता भूल गया और हँसने लगा। मगर उन्होंने बुरा नहीं माना अपनी एक मूँछ को मरोड़ा और मुझे नियुक्ति का आदेश दे दिया। अगले दिन मैंने नौकरी पर जाना शुरू कर दिया। उनकी एक मूँछ जन्म से ही पूरी तरह नहीं उगी थी।

जिस महकमे में मुझे नौकरी मिली वह एक नया-नया महकमा था और अकबर रोड स्थित एक भवन में काम करता था। उसके प्रमुख अधिकारी एक ऐसे अँग्रेज़ थे जिन्हें कभी कांग्रेस के नेताओं के ऊपर लाठी चार्ज न करने के कारण आई.सी.एस. से निकाल दिया गया था। आज़ादी के बाद भारत सरकार ने उन्हें विलायत से बुलाया और नये राष्ट्र की प्रगति करने में उनकी मदद माँगी। वे बीयर और वुडहाउस के शौक़ीन थे और जिमखाने में रहते थे। उनका जो स्टेनोग्राफ़र था वह पुलिस का एक डिपुटी सुपरिण्टेण्डेण्ट था जो शायद उन्हीं के साथ नौकरी से बर्खास्त कर दिया गया था। कुल मिलाकर वे दो अदद इंसान उस पूरे महकमे को चलाते थे। हमारे वज़ीर एक ऐसे गाँधीवादी क़िस्म के आदमी थे कि फ़ाइलों पर नोट पेंसिल से लिखा करते थे। मुझे ठीक याद है कि मेरे एक साथी ने एक बार उनके नोट को रबर से मिटा दिया था जिसका कि नतीजा यह रहा कि अन्त में चलकर उस पूरी फ़ाइल को ही ग़ायब करना पड़ा था। कुल महकमे में शायद दो सौ आदमी काम करते थे जिसमें औरतें भी शामिल थीं। एक युवती मेरे सेक्शन में भी थी जिसे उसको मेरे 'दीदी' कहने पर बेहद गुस्सा आता था। वह आमतौर पर एक और अधिकारी के साथ रहा करती थी जो बेहद होनहार था। उसका नाम बंगाली था, बोलता वह पंजाबी था और असलियत में वह दक्षिण भारत का निवासी था। उसने उस युवती के व्यक्तित्व का काफ़ी विकास किया। शादी बहरहाल उसने एक और घरेलू लड़की से की। प्रेम और विवाह कभी साथ-साथ नहीं चलता।

मेरे सेक्शन में गिने-चुने आदमी थे और प्रायः सभी कम उम्र के थे। एक हज़रत थे जो हर वर्ष भारतीय प्रशासन सेवा की परीक्षा में बैठते थे और हर बार

स्वयम्वर में हार जाते थे। धीरे-धीरे उनकी स्थिति यह हो गयी कि वे खुलेआम कहने लगे कि यूनियन पब्लिक सर्विस कमीशन में सिफ़ारिश चलती है। थोड़े दिनों बाद वे पागल हो गये। एक और सज्जन थे जो मुझसे कभी बातें नहीं करते थे क्योंकि मैं ग़रीब था पर लंच होते ही वे मेरे पास आ जाते थे और मेरे लंच के डिब्बे को इस तरह पहचानते थे जैसे कभी दुष्यन्त ने शकुन्तला को पहचाना था। नतीजा यह होता था कि मैं प्रायः भूखा रह जाता था। सबसे मज़ेदार सज्जन एक थे जो ज़रूरत से ज़्यादा सीधे थे। उनका विवाह तय हो गया था और वे अपनी मंगेतर के नाम प्रेम-पत्र मुझसे लिखवाया करते थे। अगर मेरा पत्र कहीं अश्लील होने से रह जाता था तो उसे वे ठीक कर देते थे। मंगेतर से जो उत्तर आता था, वह मुझे बाक़ायदा दिखाया जाता था ताकि अगला पत्र मैं और भी ज़ोरदार क़िस्म का लिख सकूँ। मैंने भी जितना पत्र साहित्य था, सारा पढ़ डाला। 'संसार के महान् प्रेम-पत्र', 'फैनी के नाम कीट्स की चिठ्ठियाँ' और 'पिता के पत्र पुत्री के नाम' तक कुछ भी तो नहीं छोड़ा। शादी होने के बाद मेरे ये साथी मुझे अपनी पत्नी से मिलाने ले गये और वहाँ यह भी बताने लगे कि तुम्हें जो प्रेम-पत्र लिखा करता था वह यह चिड़ीमार है। लड़की जो थी वह शरमा गयी।

मुझे कुल वेतन दो सौ पचास रुपये मिलता था। रहता मैं विनयनगर में था जहाँ मैंने पच्चीस रुपये प्रतिमाह पर एक कमरा किराये पर ले रखा था। उसी एक कमरे में मैं और मेरी नवविवाहिता वधू, मेरी माँ और मेरी बहन रहते थे। किचिन, ड्राइंग रूम, डाइनिंग रूम वग़ैरह सब कुछ उसी कमरे में था। दफ़्तर आने के लिए आठ मील वह फटीचर साइकिल चलानी पड़ती थी जिसका कि ज़िक्र मैंने ऊपर किया है। साहित्य का प्रेम उन दिनों भी था और इतवार को मैं और मेरी पत्नी प्रायः कुतुबमीनार देखने भी जाया करते थे। जब कभी कोई अच्छी...। किताब ख़रीदने की इच्छा होती थी और पास में मुद्रा नहीं होती थी तो कुतुबमीनार के ऊपर से कूदकर आत्महत्या करने को तबीयत किया करती थी। ऊपर से कूद कर आत्महत्या करने की चर्चा इस कारण कर रहा हूँ क्योंकि कुतुबमीनार के नीचे से कूदकर तो आप आत्महत्या कर नहीं सकते। ऐसे वक़्त मेरी पत्नी मेरी हिम्मत बढ़ाया करती थी और बाद में खुद रोने लगती थी।

जिन दिनों की मैं बात कर रहा हूँ, उन दिनों वह विभाग जिसमें मैं काम करता था, बहुत छोटा था। समय के साथ-साथ पार्किन्सन का क़ानून अपना पुश्तैनी काम करता गया और जब तक मैंने वह अदना नौकरी छोड़ी तब तक वह एक गर्भवती महिला की छटा देने लगा था। इन दिनों तो स्थिति यह है कि वह विभाग शायद भारत सरकार से भी आगे है। यह विभाग मात्र सलाह देता है और बाक़ी सारी ज़िम्मेदारी प्रशासन पर छोड़ देता है। सलाह भी ऐसी होती है जिसके एक से ज़्यादा अर्थ निकाले जा सकते हैं। इस विभाग का अपना एक विशाल और शानदार भवन

है, सैकड़ों अफ़सर हैं, हज़ारों कर्मचारी हैं और स्थिति यह है कि बग़ैर इसकी सलाह लिये बाक़ी देश जो है वह चाहते हुए भी आगे नहीं बढ़ सकता। इत्तफ़ाक देखिए कि इस विभाग की प्रगति भी मेरे नौकरी छोड़ने के बाद ही हुई। मेरे त्यागपत्र देने के थोड़े दिनों बाद उस भूतपूर्व आई.सी.एस. अँग्रेज़ ने भी अपनी नौकरी छोड़ दी और वह विलायत चला गया जहाँ महारानी ने उसे 'सर' का खिताब दिया। सोचता हूँ कि यदि नौकरी छोड़कर मैं भी उनके साथ विलायत चला जाता तो शायद मेरे साथ भी ऐसा ही व्यवहार किया जाता।

लगभग एक वर्ष के बाद मैं अखिल भारतीय सेवाओं के लिए चुन लिया गया और रातों-रात मैं एक बाबू से अफ़सर हो गया। बीवी जो थी वह उसी पुरानी साड़ी में मेम साहब कही जाने लगी और जो लोग मुझसे बात करने में भी अपना अपमान समझते थे, उन्होंने मुझे पार्टियाँ दीं। किताबों के उपहार मिले। सिनेमा दिखाया गया। मैंने नौकरी ज्वाइन कर ली और धीरे-धीरे सारे दोस्तों को भूल गया। अब मैं हवाई जहाज़ से सफ़र करता हूँ और आकाश से उसी कुतुबमीनार को देखता हूँ जिस पर से मैं कभी आत्महत्या करने की सोचा करता था। शानदार कोठी में रहता हूँ और मोटर में घूमता हूँ। ग़रीब नवयुवकों को देखता हूँ और कहता हूँ कि यह सब कर्मों का फल है। मैं कभी किसी ग़रीब की कोई मदद नहीं करता क्योंकि मेरे विचार में ऐसा करना विधि के विधान में ख़लल डालना है। पुराने ज़माने का कोई दोस्त मुझे ज़बर्दस्ती पहचान लेता है तो मैं आह भरता हूँ और कहता हूँ कि ओह, वे ग़रीबी के दिन भी कितने सुन्दर थे। मेरे विचार में नम्रता से बड़ा और कोई झूठ नहीं। यक़ीन न हो तो आप मुझसे मिल लें।

मेरा अभिनन्दन

आप सभी को यह सूचना देना मेरा फ़र्ज़ है कि अगले वर्ष मैं पचास साल का हो जाऊँगा। यह ज्ञापन मैं आपको काफ़ी पहले दे रहा हूँ ताकि आप समुचित ढंग से मेरा अभिनन्दन जुटा सकें। अभिनन्दन समारोह होना चाहिए और शानदार ढंग से होना चाहिए। समारोह में विशिष्ट अतिथि जो होंगे वे ऐसे होंगे जिनका कि साहित्य से दूर-दूर तक का कोई रिश्ता कभी नहीं रहा हो। उदाहरण के लिए, कोई राज्यपाल, मुख्यमन्त्री या इसी क़िस्म की कोई और विभूति। राजगोपालाचारी तक ने अपनी कहानियों की किताब की भूमिका महात्मा गाँधी से लिखवायी थी। इस अवसर पर एक अभिनन्दन ग्रन्थ भी निकलेगा जिसमें तीन-चौथाई स्थान जो होगा वह शराब, सिगरेट, गुप्तांगों से बाल हटाने वाले साबुन और खिजाब जैसी चीज़ों के विज्ञापनों को दिया जायेगा। बहरहाल, मैं यक़ीन दिलाता हूँ कि यह सौदा आपको घाटा किसी हालत में नहीं देगा।

लगता है आप मेरे इस वक्तव्य को गम्भीरता से नहीं ले रहे। आप में से कुछ यदि भागलपुर जेल में अन्धे किये गये क़ैदियों को लेकर उत्तेजित हैं तो कुछ लोग ऐसे हैं जो पुलिस की ताज़ी हरकतों को देखकर उदास हैं। काफ़ी लोग महँगाई से पीड़ित हैं तो काफ़ी लोग साम्प्रदायिक दंगों के कारण बेचैन हैं। कुछ लोग उन लड़कियों के बारे में चिन्तित हैं जिन्हें दहेज न लाने के अपराध के कारण ससुरालवालों ने ज़िन्दा ही जला डाला। कुछ जागरूक लोग इस मुद्दे को लेकर परेशान हैं कि हमारे इस देश में अमेरिका जैसी राष्ट्रपति की सरकार बने या जो वर्तमान संघीय ढाँचा है, वही चलता रहे। बुद्धिजीवी लोग जो हैं वे धर्मेन्द्र और हेमामालिनी के विवाह को लेकर काफ़ी शास्त्रीय क़िस्म की बहस में अभी तक उलझे हैं। मैं आपको सलाह देता हूँ कि इन बेकार की बातों को छोड़िए और मेरे अभिनन्दन की तैयारियाँ शुरू कीजिए। ऐसे पवित्र कार्यों में देर करना आपको शोभा नहीं देता।

भागलपुर के क़ैदियों को अन्धा करने के कारण चिन्तित होने की कोई ज़रूरत नहीं। अन्धे लोग हमारे देश में सदा से होते आये हैं। एक उपनिषद् में 'अन्धेनैव नीयमाना यथान्धाः' कहा गया है जिसका अर्थ यह है कि उस ज़माने में अन्धे लोगों

को वही लोग रास्ता दिखाया करते थे जो ख़ुद अन्धे होते थे। संस्कृत के एक नाटक में ऐसे व्यक्तियों की चर्चा की गयी है जो राम के वनवास जाते समय इतना ज़्यादा रोये थे कि अन्धे हो गये थे। महाभारत का तो कहना ही क्या जिसमें महाराज धृतराष्ट्र स्वयं ही अन्धे थे और जिनकी पत्नी जानबूझकर आँखों पर पट्टी बाँधती थी। दोनों के अन्धे रहने पर भी उन्होंने सौ पुत्रों को जन्म दिया और कभी-कभी मैं सोचता हूँ कि यदि वे आँखोंवाले होते तो न जाने कितने बच्चे देते। फ़िलहाल तो अन्धों का रहना वैसे भी काफ़ी आवश्यक हो गया है क्योंकि यदि अन्धे न रहे तो पुलिस लाठी चार्ज किस पर करेगी? बुद्धकालीन भारत में कुणाल अन्धा किया गया था और मुग़ल काल में तो जहाँगीर ने अपना बेटा ख़ुसरो तक अन्धा करवाया था क्योंकि उसने बादशाह के ख़िलाफ़ बगावत कर दी थी। बाद में चलकर सैयद भाइयों ने सम्राट फर्रुखसियर को अन्धा करवाया और उसी तरह गुलाम कादिर रूहेले ने शहंशाह शाहआलम को भरे दरबार में अन्धा करवाया और इसके बाद तख़्ते-ताऊस पर बैठकर हुक़्क़ा पिया। इन तमाम दलीलों को देखते हुए यह कहना कठिन है, कि पुलिस जो कर रही है, वह ग़लत है। अन्धा करने के अतिरिक्त जनता की जो और सार्वजनिक परेशानियाँ हैं उनके हटाने के क्षेत्र में भी पुलिस नये मापदण्ड स्थापित करती जाती रही है। उदाहरण के लिए, पहले कोई भी पुरुष किसी युवती को छेड़ दिया करता था मगर इन दिनों क़ानून और व्यवस्था की स्थिति इतनी सुदृढ़ हो गयी है कि पुलिस को छोड़कर शेष कोई भी व्यक्ति किसी स्त्री से बलात्कार कर ही नहीं सकता। मेरा अभिनन्दन पीछे रह गया और पुलिस जो थी वह आगे निकल गयी।

जैसा कि मतिमान लोग जानते ही हैं, साम्प्रदायिक दंगे और महँगाई वे समस्याएँ हैं जिन्हें विपक्षी दल ठीक नहीं करने देता। प्रजातन्त्र में विपक्षी दल का होना बेहद ज़रूरी है क्योंकि यदि वह नहीं होगा तो अपनी ग़लतियों के लिए सरकार दोष किसे देगी? विपक्षी दलों के अलावा दूसरी जो चीज़ हमारी प्रगति के मार्ग में बाधा बनकर खड़ी है, वह है हमारी शासन प्रणाली। अमेरिका जैसी राष्ट्रपतिवाली सरकार हमारे देश में बन जाए तो देश स्वर्ग हो जायेगा और यहाँ के निवासी सच्चे अर्थों में स्वर्गवासी कहला सकेंगे। इस समय देश में अनगिनत सरकारें हैं जिनमें रोज़-न-रोज़, कोई-न-कोई झगड़ा होता ही रहता है। अमेरिका जैसी सरकार बनने पर न तो विधानसभाएँ रहेंगी और न प्रान्तीय सरकारें। करोड़ों रुपयों की बचत होगी। छोटे-छोटे राज्यों में भी चालीस-पैंतालीस मन्त्री हैं, उनका व्यक्तिगत स्टाफ है, टेलीफ़ोन के बिल हैं, हवाई यात्रा के शानदार अवसर हैं और वेतन व पेंशन वग़ैरह जो है वह अलग। मेरे ख़याल में राष्ट्र के सामने करने के लिए सिर्फ़ दो ज़रूरी काम हैं। एक काम तो है अमेरिका जैसी शासन प्रणाली बनाना और दूसरा काम है मेरा अभिनन्दन करवाना। यदि ऐसा नहीं किया गया तो मैं किसी सुन्दर युवती को देखकर अपना 'चिपको-आन्दोलन' शुरू कर दूँगा।

कुछ लोग हैं जो निराशावादी होने के कारण सती की प्रथा के लौटने पर चिन्तित हैं। मेरे ख़याल में तो सती-प्रथा के वापस आने पर हमें प्रसन्न होना चाहिए क्योंकि यह क़दम जो है वह परिवार-नियोजन को बल प्रदान करता है। जनसंख्या जो बढ़ती है वह स्त्री के कारण ही बढ़ती है क्योंकि जहाँ तक पुरुष का प्रश्न है वह बच्चा तो क्या, अण्डा तक नहीं देता। और इन दिनों जो सती-प्रथा चली है वह तो नितान्त शास्त्र सम्मत है और उसे लेकर किसी भी पतिव्रता स्त्री को दुखी होना शोभा नहीं देता। पुराने ज़माने में स्त्री जो सती होती थी वह पति के मरने के बाद होती थी। कितने ही लोग लड़की का हाथ किसी मरणासन्न व्यक्ति के हाथ में थमा देते थे ताकि उधर पति मरे और इधर पत्नी जो है वह सती हो जाए ताकि उसकी जायदाद वग़ैरह पर क़ब्ज़ा किया जा सके। राजा राममोहन राय औेर लार्ड विलियम वेण्टिक ने इस प्रथा को बन्द करवाया। सती होने की यह पुरानी प्रथा थी। नयी प्रथा जो है वह यह है कि पत्नी पति के मरने की प्रतीक्षा नहीं करती वरन् उसके जीते-ही-जीते सती हो जाती है। दहेज कम लाने के जुर्म में पति जो है वह पत्नी के वस्त्रों पर मिट्टी का तेल छिड़कता है और इसके बाद अपने ही हाथों से पत्नी के कपड़ों में अग्नि देता है। नयी पत्नी आयेगी तो नया दहेज आयेगा। स्त्रियों को उचित है कि वे पति को सच्चे अर्थों में भगवान स्वीकार करें और उसके पवित्र हाथों द्वारा मरकर स्वर्ग का सुख लूटें। मरने का इससे ज़्यादा आदर्श ढंग और कोई हो ही नहीं सकता। और हाँ, बड़ी बात तो यह है कि शरीर जलने से होता ही क्या है– वह तो वस्त्रों के समान है जिन्हें आप कभी भी बदल सकते हैं। बड़ी चीज़ तो आत्मा है जो न तो आग में जलायी जा सकती है और न शस्त्रों से घायल ही की जा सकती है। आप लोग आत्मा की चिरन्तनता पर ग़ौर फ़रमाइए और मेरे अभिनन्दन की तैयारी कीजिए।

दहेज की बात क्या चली कि एक के बाद एक बात याद आने लगी। बाक़ी प्रथाओं की भाँति यह प्रथा भी काफ़ी पुरानी है और विदेशों तक में पायी जाती है। हमारे चक्रवर्ती सम्राट काफ़ी दहेज दिया करते थे। आपको शायद यह भी जानकर ख़ुशी होगी कि इतिहास में एक ऐसा काल भी आया कि हमारे देश में एक साथ और एक ही समय में अड़तालीस चक्रवर्ती सम्राट थे। चार्ल्स द्वितीय को फ्रांस के महाराज ने बम्बई का टापू दहेज में ही दिया था। खेद का विषय है कि दहेज की प्रथा अब धीरे-धीरे कम होती जा रही है। उत्तर प्रदेश के एक छोटे क़स्बे में बतौर दहेज के एक नयी कार, सैकड़ों चाँदी के बर्तन, विलायती टेलीविज़न, सबसे बड़े साइज़ का रेफ्रिजिरेटर, क़ीमती कपड़ों से भरे बावन सूटकेस तो दिये ही गये, साथ में चाँदी के गहनों से सजी एक भैंस और चार नौकर भी दिये गये जिनकी तनख़्वाह सारी उम्र लड़की का बाप ही देगा। भैंसा नहीं दिया गया पर उसका इन्तज़ाम भैंस ख़ुद कर लेगी। ऐसी इक्की-दुक्की ख़बरों के अलावा दहेज अब लुप्त ही होता जा रहा

है जो शर्म की बात है। हाँ, अलबत्ता जितना दहेज ऊपरवाली शादी में दिया गया, उतना यदि मुझे कहीं से मिल जाता तो मैं तो कन्या तक को छोड़ देता। अरे, जब भैंस ही आ गयी तो भला कन्या क्या करेगी? राजमहिषी से तो महिषी ही अच्छी।

बहरहाल, मैं आपको फिर याद दिलाता हूँ कि मेरे अभिनन्दन की तैयारी शुरू करें। फिर न कहना कि मैंने ख़बर नहीं दी। ईरान और इराक, रीगन की विदेशी नीति और हिन्द महासागर में लगाये गये जहाज़ों के बेड़े— इन सबको भूलिए और मेरे अभिनन्दन ग्रन्थ की तैयारी में जुट जाइए। काम ज़्यादा और वक़्त कम है। यहाँ मैं यह बात भी साफ़ कर दूँ कि यदि इस दिशा में आपने कोई ढील बरती, तो सारा इन्तज़ाम यह ख़ाकसार ख़ुद ही करेगा। मैं ऐसे कई वरिष्ठ और यशस्वी लेखकों को निकट से जानता हूँ जिन्होंने अभिनन्दन का सारा ख़र्चा ख़ुद ही उठाया। प्रशस्ति पत्र भी ख़ुद ही लिखा, पार्टी भी अपने आप ही आयोजित की और अपनी प्रशंसा में रचनाएँ भी ख़ुद ही लिख डालीं। रवीन्द्रनाथ ठाकुर का 'एकला चलो रे' वाला आन्दोलन। कनात से लेकर फूलमाला तक, सारा ख़र्चा इन्होंने ख़ुद ही उठाया। अब यदि मेरे से सीनियर साहित्यकार ऐसा कर सकते हैं तो 'महाजनो येन गतः स पन्थाः' वाली वाणी को ध्यान में रखकर मैं ही संकोच क्यों करूँ?

एक उदास रविवार

रविवार मेरा प्रिय दिन है। कवि रसखान की पदावलि की तर्ज़ पर रविवार वह दिन है जिसके लिए मैं सप्ताह के शेष छह दिन खुले हाथों न्यौछावर कर सकता हूँ। रविवार को मैं पूरी नींद सोकर कोई ग्यारह बजे उठता हूँ और तबीयत के साथ नहाता हूँ। इसके बाद कुछ पढ़ता हूँ, खाना खाता हूँ और फिर बिस्तर पर पहुँच जाता हूँ। दुपहर की नींद के बाद अख़बार पढ़ता हूँ, घूमने जाता हूँ; दूरदर्शन देखता हूँ और बीवी से गप्पें मारता-मारता फिर निद्रामग्न हो जाता हूँ। अल्ला ताला भी छः दिनों में दुनिया बनाने का छोटा-सा काम करके इतवार को छुट्टी मनाते थे। इतवार का दिन वास्तव में ईश्वर का दिन है। रविवार का मुक़ाबला और कोई दिन नहीं कर सकता। मगर इल्लत यह है कि रविवार को बाक़ी लोगों की भी छुट्टी रहती है और इस कारण वे लोग भी सहसा अपनी ड्यूटी पर जुट जाते हैं जिनका काम ही यह है कि बाक़ी लोगों के रविवार को ख़राब कैसे किया जाए। अगर स्थिति यह न होती तो इस निबन्ध के लिखने की कोई ज़रूरत नहीं थी।

पिछला रविवार बड़ा भयानक गुज़रा। प्रलय के अतिरिक्त सब कुछ सम्पन्न हो गया। मेरे मित्र 'पागल' जी आ गये और तीन घण्टे ख़राब कर गये। ये हज़रत पहले कविता लिखा करते थे और गा-गाकर उन्हें सुनाया करते थे। उन दिनों इनका उपनाम 'पायल' था। एक बार किसी युवती के पति ने इनकी सार्वजनिक तौर पर ठुकाई कर दी तो इन्होंने क्या काव्य और क्या उपनाम, दोनों को तिलांजलि दे दी। वे 'घायल' उपनाम रखकर कहानियाँ लिखने लगे। इत्तफ़ाक देखिए कि कहानीकार होने के बाद भी इनकी पिटाई की गयी और अब स्थिति यह है कि ये 'पागल' उपनाम से एकांकी नाटक लिखते हैं। पिछले पाँच वर्ष से यह एक एकांकी ही लिख रहे हैं पर रचना है कि समाप्त होने को ही नहीं आती। एकांकी के कोई सात सौ पृष्ठ लिखे जा चुके हैं पर नाटक है कि ख़त्म होने को ही नहीं आ रहा। इतना बड़ा एकांकी शायद और कहीं नहीं लिखा गया। पाण्डुलिपि इतनी भारी हो गयी है कि मैं उन्हें प्रायः सलाह देता रहता हूँ कि वे एक छोटा-सा गधा ख़रीद लें। आगे-आगे गधे पर लदी उस महान् नाटक की पाण्डुलिपि और पीछे-पीछे गधे की सूरतवाले

कलाकार। 'रत्नं समागच्छतु कांचनेन' वाली बात। मगर ये हैं कि मेरी सलाह कभी नहीं मानते। इनका ख़याल है कि जब वे खुद ही सारा काम कर सकते हैं तो बाक़ी गधों को परेशान करने से क्या फ़ायदा? मैं इनसे हार्दिक अनुरोध करता हूँ कि अगर नाटक ख़त्म होने में नहीं आ रहा तो कम-से-कम खुद ही को ख़त्म कर लो। मगर मैं जो हूँ वह शायद ग़लती पर हूँ। आत्महत्या जो है वह अन्त में चलकर मुझे ही करनी पड़ेगी। आत्महत्या नहीं करूँगा तो रविवार को अपनी तबीयत के मुताबिक कैसे गुज़ारूँगा?

कलाकार के मंच पर से विदा लेने के पश्चात् स्थिति यह हो गयी कि मुझे विवश होकर अख़बार पढ़ना पड़ा। अख़बार में ख़ास समाचार दो थे। पहला समाचार तो यह था कि ईरान में भूकम्प से सात सौ व्यक्ति मर गये और दूसरा समाचार यह था कि ब्रिटेन के राजकुमार का विवाह सम्पन्न हो गया। मेरे ख़याल में नव दम्पती को उचित होगा कि वह अपने जीवन में सात सौ बच्चे पैदा करें ताकि ईरान के भूकम्प की क्षति निबटी जा सके। कलाकार 'पागल' की भाँति जीवित रहने से क्या लाभ कि साहित्य में इतने उलझे रहे कि पत्नी जो थी वह कभी की भाग गयी। राजकुमार की शादी के बारे में यह भी पढ़ा कि जहाँ संसार में इतनी ग़रीबी है वहाँ इस शादी के केक तैयार करने का ख़र्चा ही लगभग दस हज़ार पौण्ड आया। हमारा देश चूँकि ज़्यादा ग़रीब है, इसी कारण हमारे राष्ट्रपति के आने-जाने वग़ैरह का ख़र्च सिर्फ़ पचास लाख रुपये ही रहा। अब इससे ज़्यादा और क्या किफ़ायत की जा सकती थी? शादी की कुछ और बातें भी काफ़ी दिलचस्प रहीं। राजकुमार ने अपनी पुरानी प्रेमिकाओं को भी शादी में बुलाया और उस हैडमास्टर को भी निमन्त्रण दिया जो स्कूल के दिनों में राजकुमार को पीटा करता था। आशा है, भारतीय लड़कियाँ भी पतियों की प्रेमिकाओं के प्रति इतनी ही उदारता बरतेंगी। फ़िलहाल तो स्थिति यह है कि शादी के पच्चीस वर्ष बाद भी यदि मैं किसी परायी लड़की या युवती के बारे में कुछ कहता हूँ तो पत्नी जो है वह मेरी पृष्ठभूमि पर ऐसी लात जमाती है कि गधे की दुलत्ती का मज़ा आ जाता है। बहरहाल, मैं आशा करता हूँ कि राजकुमार अपनी पत्नी को हर तरफ़ से प्रसन्न रखेंगे और दहेज की रक़म वग़ैरह को लेकर पत्नी को मिट्टी के तेल से नहीं जलायेंगे। इन चीज़ों को वे हमारे मुल्क के लिए ही छोड़ दें तो कहीं ज़्यादा अच्छा रहेगा।

मैंने अख़बार बन्द कर दिया और पत्नी से गप्पें लगानी शुरू कर दीं। बातचीत के दौरान वह नादान लड़की इसी बात को लेकर उत्तेजित हो गयी कि एक नगर में पुलिस ने एक पत्रकार को उसके पानी माँगने पर, उसे पेशाब से भरा गिलास पेश किया। मैंने बहुत समझाया कि आख़िर पुलिस ने अपने अतिथि को कुछ पेश तो किया हालाँकि वह हिरासत में था। रही पेशाब वाली बात तो स्थिति यह है कि हमारे देश के एक बड़े नेता अपना मूत्र रोज़ प्रातःकाल पीते हैं और अस्सी वर्ष की

अवस्था में पूरी तरह स्वस्थ हैं। जब वे प्रधानमन्त्री बने थे तो पेशाब की गिनती राष्ट्रीय पेय जैसी होने लगी थी। अगर कहीं वे और कुछ समय तक गद्दी पर रहते तो शायद सारे देश की जनता को विवश होकर वैसा करना पड़ता। शादी विवाह के अवसर पर बरातियों के लिए सारे मुहल्ले का मूत्र इकट्ठा करना पड़ता ताकि 'सर्वे भवन्तु सुखिनः, सर्वे सन्तु निरामयाः।' आलीशान होटलों में मूत्र का भण्डार इकट्ठा किया जाता ताकि अतिथियों को हर समय ताज़ा माल उचित दर पर दिया जा सके। पण्डित लोग प्रार्थना किया करते कि "यं मूत्रं देवगणाः पितरश्चौपयास्ते, तेन मामद्य मूत्रेण अग्ने मेधाविनं कुरूँ" पत्नी ने मेरे प्रवचन को सुना और बाथरूम चली गयी। आत्मनिर्भरता का परम सिद्धान्त शायद वह समझ गयी थी।

निबन्ध समाप्त करने से पूर्व मैं आपको बता दूँ कि पुलिस ने पत्रकार के साथ जो कुछ किया, वह ठीक ही किया। अब या तो प्रेस की स्वतन्त्रता ही ले लो या फिर पुलिस के साथ बैठकर हलुआ और पूड़ी ही खा लो। मेरे ख़याल में पत्रकारों को उचित होगा कि वह पुलिस से घनिष्ठ सम्पर्क रखें और ठीक वही छापें जिसकी कि वह आज्ञा दे। हमारे देश की पुलिस जितनी मुस्तैद, शरीफ़, बुद्धिमान, ईमानदार और दयालु है उतनी शायद किसी देश की पुलिस नहीं है। हर थाने में हनुमान मन्दिर है ताकि पुलिस का कोई मनचला सदस्य नास्तिक न हो जाए। जस्टिस मुल्ला ने जो पुलिस के ख़िलाफ़ अपना फ़तवा दिया था वह एकदम एकांगी था। अपनी पुलिस की शालीनता का इससे बड़ा क्या सबूत होगा कि इतनी गालियाँ खाने के बाद भी उसने जस्टिस मुल्ला से कोई बदला नहीं लिया। पुलिस है कि खतावार को पकड़ती है, हवालात में रखती है, सबूत इकट्ठे करती है और फिर यह कोशिश भी करती है कि अपराधी जो है वह अदालत से बरी हो तो कैसे हो। अब आप ही बताइए कि पुलिस से आप और क्या चाहते हैं? और अब तो स्थिति इतनी विकट हो गयी है कि कुछ कहा ही नहीं जा सकता। हथकड़ियाँ डालने से पहले दारोग़ा जी पन्द्रह दिन तक तो यह पता लगाते हैं कि अभियुक्त जो है वह किसी मन्त्री का पिता या पुत्र तो नहीं है। स्थिति यह है कि जिसे पुलिस आज पकड़ती है उसे अगले दिन रिहा करने पर विवश हो जाती है। और जहाँ तक रिश्वत का प्रश्न है, मैं खुले आम यह घोषणा करता हूँ कि भारतीय पुलिस को अपने सांस्कृतिक इतिहास का पता है और रिश्वत की तरफ़ तो वह आँख उठा कर भी नहीं देखती। अपराधी जो बरी होते हैं वे तो पुलिस के दयालु होने के कारण होते हैं न कि रिश्वत देने से।

निबन्ध समाप्त करता हूँ। पिछला इतवार वाक़ई बेकार गया।

पक्षी-प्रसंग

इंसानों के बारे में पढ़ते-पढ़ते जब मैं थकावट महसूस करने लगा तो मैंने पिछले कई सप्ताह उन किताबों के सहारे गुज़ारे जो पशु-पक्षियों के बारे में थीं। यह सब कुछ ठीक उसी तरह किया जैसे कि पति और पत्नी एक-दूसरे से ऊबकर कुत्ते को जलेबी खिलाने लगते हैं। इन किताबों से मुझे बड़ी ताज़गी महसूस हुई। पहली बार इतनी गहराई से एहसास हुआ कि पशु-पक्षियों का हमारी कला, संस्कृति, साहित्य और लोकगीतों में इतना महत्त्वपूर्ण स्थान है। शिवजी साँड़ पालते थे तो विष्णु गरुड़। गणेशजी की नाक को कुछ क्षति पहुँची तो उन्होंने एकदम हाथी की नाक फ़िट करवा ली। ऐसा उन्होंने इस कारण किया क्योंकि हाथी जो होता है वह बेहद बुद्धिमान होता है और बुद्धिमान की नाक हमेशा कटती है। हाथी यदि बुद्धिमान जीव न होता तो चिरंजीव गणेश भालू, तोता या किसी और पशु-पक्षी की नाक लगवाने के बारे में सोचते। सरस्वती ने हंस को वाहन बनाया क्योंकि उसका स्वर बहुत मधुर था। ये जितने भी मधुरभाषी होते हैं, सब एक-न-एक दिन किसी का वाहन बनते हैं। गाय को तो हमने हमेशा अपनी माता ही माना हालाँकि साँड़ को हमने अपना बाप क्यों नहीं स्वीकार किया, यह बात ख़ाकसार की समझ में कभी नहीं आयी। वेदों तक में पक्षियों की चर्चा है। मध्यकालीन चित्रकला में तो शायद ही ऐसी कोई कृति नज़र आये जिसमें नायिका अकेली हो; उसके पास या तो नायक होगा या कोई और पक्षी। जहाँगीर ऐसे चित्रों को अपनी देख-रेख में बनवाता था। रात को वह नूरजहाँ की देखभाल करता था और दिन में इन चित्रों की। राजकाज हमेशा की तरह वज़ीर लोग सँभालते थे। कबूतर का तो कहना ही क्या– बाबरनामा और अकबरनामा की तर्ज़ पर कबूतरनामा भी लिखा गया। बाक़ी साहित्य में भी पक्षी हमेशा छाये रहे। हंस, काग, तोता, चातक, खंजन, चकोर और मयूर– इन पक्षियों ने कवियों का उतना ही समय लिया जितना कि नायक और नायिकाओं ने लिया। मेघदूत में कालिदास तक को विवश होकर कहना पड़ा कि "सम्पत्स्यन्ते नमसि भवती राजहंसाः सहायाः"।

पक्षियों के बारे में बाक़ी कुछ बताने से पहले दो बातें अर्ज़ कर देनी ज़रूरी हैं। पहली बात तो यह कि मादा को रिझाने के लिए नर को यहाँ भी उतनी ही

उछल-कूद, बेहूदा हरकतें और झूठे वादे करने पड़ते हैं जितना कि देसी फ़िल्मों में नायिका से नायक करता है। नतीजा वही होता है जो होना था; मादा जो होती है वह बेवकूफ़ होने की वजह से फँस जाती है और इसके बाद जो कुछ होता है उसे बच्चा कहा जाता है। दूसरी बात यह कि लोक साहित्य के अनुसार पक्षियों में भी ब्राह्मण, क्षत्रिय, वैश्य और शूद्र होते हैं। इस वर्ण-भेद के बाद गोत्र वग़ैरह भी होता है या नहीं, यह खोज का विषय है। बाक़ी मामलों में हर पक्षी की अपनी अलग खासियत है। मिसाल के तौर पर सारस और कबूतर— ये दोनों नादान पक्षी एक ही पत्नी रखने में विश्वास रखते हैं। इनमें से यदि एक मर गया तो दूसरा फिर कभी जोड़ा नहीं बनाता। कबूतर जो है वह सैकड़ों मील उड़कर भी फिर अपने घर वापस आ जाता है। हंस की भाँति वह भी प्रेमी के पत्र प्रेमिका के पास ले जाया करता था। इस सन्दर्भ में एक कबूतर के पर प्रेमिका ने नोच लिये थे जिससे शिक्षा मिलती है कि प्रेमिका अपनी हो या दूसरे की, उसके पास चिट्ठी लेकर जाओ तो कोई ख़तरा नहीं। रीतिकाल हो जाए तो ठीक है वरना वीरगाथाकाल तो कहीं गया ही नहीं।

भारतीय पक्षियों में जो स्थान कौए को प्राप्त है वह और किसी पक्षी को नहीं। कागभुशुण्डि जैसे पण्डित भी इसी जाति में पैदा हुए। यह एक अकेला ऐसा पक्षी है जो सारे चराचर जगत् को एक ही आँख से देखता है। लोकगीतों से पता लगता है कि उसका कार्यक्रम सदा काफ़ी व्यस्त रहा। इस बेचारी चिड़िया की सारी ज़िन्दगी प्रेमियों का सन्देश एक-दूसरे के पास ले जाने में ही बीत गयी। किसी नायिका ने इसे उत्तर को भेजा तो किसी ने दक्षिण को। सब दिशा जाइयो, जाइयो रे पिया जी के देस। न जाने कितनी सुन्दरियों ने इसकी चोंच सोने से मढ़वाने का वायदा किया पर माशूक के बाक़ी वादों की भाँति यह वादा भी सिर्फ़ वादा ही रहा। एक कुलवन्ती कन्या ने कौए से प्रार्थना की थी कि उसके मरने पर वह उसका सारा शरीर खा ले मगर आँखों को छोड़ दे। 'दो नैना मत खाइयो, पिया मिलन की आस'। विश्वस्त सूत्रों से पता चला है कि ऐसी विरह व्याकुल युवतियाँ अपनी अन्तिम इच्छा प्रकट करने के बाद पाँच पति और पन्द्रह बच्चों का सुख प्राप्त किया करती थीं। कौआ अकेला ऐसा पक्षी है जो न्यायपालिका में विश्वास रखता है। अपराध किये जाने पर कौओं की बाक़ायदा अदालत बैठती है और अपराधी को प्राणदण्ड तक दिया जाता है। कौआ वैसे भी पश्चिमी सभ्यता का पक्षपाती है और मादा की ज़रूरत से ज़्यादा इज़्ज़त करता है। कौए को लेकर कितने ही लोकगीत याद आ रहे हैं पर मैं इस प्रबन्ध को चम्पू काव्य नहीं बनाना चाहता। हाँ, अलबत्ता एक गीत का ज़िक्र ज़रूर करूँगा जिसमें एक विरहिणी कुमारी या विवाहिता या विधवा अपने प्रियतम से कहती है कि हे प्रियतम, अब तो आ जाओ, मैं तो कौए उड़ाते-उड़ाते थक गयी।

कौए के बाद दूसरा महत्त्वपूर्ण स्थान तोते का है और इसी कारण पण्डित रंगीलाल ने क़िस्सा तोता मैना (आठों भाग की) रचना की। अविवाहित लड़कों और लड़कियों को यह पोथी ज़रूर पढ़नी चाहिए; ऐसा करने से उनके विचार पवित्र होंगे। शंकराचार्य से शास्त्रार्थ करनेवाले मण्डन मिश्र घर के बाहर एक ऐसा तोता टाँगते थे जो शास्त्रों पर वाद-विवाद करता था। सिकन्दर जब हिन्दुस्तान से गया तो चन्द तोते भी अपने साथ ले गया और इस प्रकार यह पक्षी यूनान पहुँचा। अठारह सौ सत्तावन के ग़दर में जब हज़ारों लोगों ने दिल्ली छोड़ी तो भी वे तोते का पिंजरा उठाना नहीं भूले। क्या राष्ट्रप्रेम था! उधर कम्पनी की सेनाएँ देश पर क़ब्ज़ा करती आ रही थीं और इधर दिल्ली के बाशिन्दे बजाय तलवार के अपने हाथों में तोतों के पिंजरे लिये शहर छोड़ रहे थे। कहते हैं कि मुमताज़महल और नूरजहाँ भी अपने हाथों पर तोता बिठाये घूमा करती थीं। उन दिनों यही रिवाज़ था कि जो लड़की हाथ पर तोता बिठाकर इधर-उधर घूमे, उसे सुन्दरी समझा जाए।

दाम्पत्य प्रेम के लिहाज़ से सारस और कबूतर तो उल्लेखनीय हैं ही पर इस सन्दर्भ में फाख़्ता भी कुछ पीछे नहीं। अगर कोई शिकारी फाख़्ता के जोड़े में से एक को मार देता है तो बची हुई फाख़्ता भी शिकारी का निशाना बनने के लिए वहीं आ बैठती है। फाख़्ता की जगह कोई आजकल की युवती होती तो बजाय मरने के उस शिकारी से शादी कर लेती और उम्र भर उसका एहसान मानती। इसके बरख़िलाफ़ बया जो है वह एक से ज़्यादा पति या पत्नी रखने की प्रथा में विश्वास रखता है जो एकदम वाजिब है। इसका घोंसला तो संसार के आश्चर्यों में से एक है। इस घोंसले के दो कक्ष होते हैं; एक सोने का कमरा और एक ड्राइंगरूम। एक से ज़्यादा पत्नी होगी तो ज़ाहिर है कि मकान में कमरे भी कई रखने पड़ेंगे। वाजिद अलीशाह ने बया को सोने के तार दिये थे ताकि वह सोने का घोंसला बना सके। जो लोग समझते हैं कि अवध के राज्य का पतन यूँ ही हो गया था, वे ग़लत हैं। वैसा करने के लिए अवध के नवाबों को काफ़ी परिश्रम करना पड़ा था। जहाँ एक ओर बया इतना ख़ूबसूरत घोंसला बनाती है, वहाँ दूसरी तरफ़ कवियों की चहेती कोयल जो है वह गाने बजाने में इतना मस्त रहती है कि घोंसला बनाती ही नहीं। इसके बच्चे कौआ पालता है। दुष्यन्त ने शकुन्तला को ताना देते हुए कहा था कि यदि कोयल अपने बच्चे किसी दूसरे के ऊपर थोप देती है तो क्या सबूत है कि तुम भी वैसा ही नहीं कर रहीं? शकुन्तला ने सरकारी वकील के इस सवाल का क्या उत्तर दिया था यह मुझे पता नहीं। मैं उस वक़्त सीन पर मौजूद ही नहीं था।

शेष पक्षियों में न जाने कितने ऐसे हैं जो काफ़ी दिलचस्प हैं। क्रौंच का तो कहना ही क्या; न बहेलिया उसे छेड़ता और न वाल्मीकि कविता के चक्कर में पड़ते। लड़कियों के इश्क़ में न जाने कितने लोग कवि हो गये पर एक घायल पक्षी को देखकर महाकवि होने का ऐसा उदाहरण इतिहास में शायद दूसरा नहीं

मिलता। अगर पक्षियों के घायल हो जाने से सभी लोग कवि हो जाया करते तो साहित्य की क्या दशा हो जाती इस पर विचार किया जा सकता है। भागवत पुराण में कुरर नामक पक्षी का उदाहरण देते हुए कहा गया है कि इस पक्षी से हमें यह सीखना चाहिए कि प्रिय वस्तुओं का जो संचय है वह दुःख का कारण है। इस प्रबन्ध के पाठकों में से जो आस्तिक भाई अपनी प्रिय वस्तुओं से मुक्ति पाना चाहता हो वह उन्हें मुझ तक पहुँचा दे। दूसरों के लिए मैंने कभी व्यक्तिगत कष्टों की परवाह नहीं की। बाज एक ऐसा पक्षी है जो दूसरे पक्षियों को पकड़ने में ठीक वैसी ही सहायता करता है जैसा कि एक आदमी दूसरे आदमी के पकड़वाने में। 'जिस तरह बाज लाये कबूतर को मारकर, यों लाता आस्माँ से है मजमूँ उतार कर।' गुरु गोविन्दसिंह और महारानी एलिज़ाबेथ (प्रथम) बाज की सहायता से शिकार किया करते थे। टेनीसन की कविताओं में भी बाज की चर्चा है। चीन के लोग हैं कि चिड़ियों के घोंसलों तक का शोरबा बनाते हैं। एक पक्षी है जिससे नाराज़ होकर भगवान ने उसका मुँह काला कर दिया था। गधे पर बिठाकर उसे गाँव में नहीं घुमाया गया क्योंकि आस-पास शायद कोई गधा था नहीं। हुदहुद नाम के पक्षी को पैगम्बर सुलेमान ने सम्मानित किया था और इसी कारण वह यहूदियों को प्रिय है। हिटलर अलबत्ता उससे ज़रूर नफ़रत करता होगा। गरुड़ है जो वह विष्णु का वाहन होकर भी वैष्णव नहीं बना, मांसाहारी ही रहा। मोर का तो कहना ही क्या, उसके पंख भगवान कृष्ण तक धारण करते थे। इतना ही नहीं, बम्बईवालों ने एक बार मयूरपंख नाम की फ़िल्म भी बनायी थी। कहते हैं यह पक्षी घण्टों तक नाचता रहता है पर जैसे ही अपने गन्दे पैरों को देखता है, वैसे ही नाचना बन्द कर देता है। ठीक उसी तरह जैसे एक नर्तकी रूपसी तब तक नाचती रहती है जब तक कि उसकी निगाह अपने पति पर नहीं पड़ती। शेष कलाकारों की भाँति मोर भी बहुपत्नीवाद में आस्था रखता है। नृत्य कला के जो सच्चे पारखी हैं वे मोर का मांस खाते हैं। कला की इससे ज़्यादा क़द्र और क्या होगी? कहते हैं कि मोपाँसा ने भी अपनी प्रेयसी का गोश्त खाया था।

अब मैं सिर्फ़ दो पक्षियों की चर्चा और करूँगा और बस। एक पक्षी है बगुला और दूसरा है उल्लू। बगुला कितना बड़ा भक्त होता है इसका पता हम सबको है ही। रामायण में रामचन्द्रजी ने लक्ष्मणजी को बगुला दिखाते कहा था– 'पश्य लक्ष्मण, पम्पायाँ बकः परम धार्मिकः'। बगुले में एक ख़ास बात यह है कि हिन्दी के आलोचकों की भाँति यह दिन में तो शान्त रहता है पर रात्रि के समय झगड़ालू हो जाता है। मिस्र के सुलतान ने नेलसन को जो पगड़ी दी थी उसमें बगुले के पर लगे थे। बाद में तो यूरोप की सुन्दरियों के बीच बगुले के पर लगाने का ऐसा फ़ैशन चला कि पूछिए ही नहीं। बाक़ी आदतों में वे बगुले से मिलती ही थीं। जहाँ तक उल्लू का प्रश्न है, स्थिति यह है कि शालीनता, भद्रता और बड़प्पन जितना उसमें

पाया जाता है उतना और किसी पक्षी में नहीं। आदतों का इतना संयमी कि पति पत्नी भी घण्टों तक बिना किसी बातचीत के आस-पास बैठे रहते हैं। इस जानकारी के बाद अब यदि कोई युवती आपको कभी उल्लू या उसका पट्ठा कहकर पुकारे तो आशा है, आप बुरा नहीं मानेंगे।

पश्चिम में पक्षियों का निरीक्षण करना एक बहुत लोकप्रिय शौक़ है। न जाने कितने भद्रपुरुष दूरबीन, पेंसिल और काग़ज़ लिये पक्षियों को ध्यानपूर्वक देखते रहते हैं। हमारे देश में भी काफ़ी पक्षी प्रेमी हुए। मिस्टर ह्यूम ने एक ओर तो इण्डियन नेशनल कांग्रेस की नींव डाली और दूसरी ओर हमारे पक्षियों पर 'स्ट्रे फैदर्स' के ग्यारह भाग लिखे। सन्तुलित विचारों के व्यक्ति थे; उन्होंने देश के इंसानों पर भी ध्यान दिया और यहाँ के पक्षियों पर भी। इसके बाद भी काम चलता रहा। कुँवर सुरेशसिंह और बाबू राजेश्वर प्रसाद नारायणसिंह ने हमारे पशु-पक्षियों पर अनेक ग्रन्थ लिखे। इधर पक्षी-प्रेम का ज़रूर ह्रास हुआ है। आज की दमयन्ती नल के पास हंस नहीं भेजती, वह उसे टेलीफ़ोन करती है। आज की शकुन्तला हिरन नहीं पालती बल्कि अलसेशियन कुत्ते रखती है जिनके कि कई उपयोग हैं। पक्षी भी धीरे-धीरे ख़त्म होते जा रहे हैं जो दुर्भाग्यपूर्ण है क्योंकि कीड़े-मकोड़ों और चूहों से ये हमारी रक्षा करते थे। चूहे की पंचवर्षीय योजना यह होती है कि मात्र एक जोड़ा भी पाँच वर्षों की अवधि में 9,40,36,99,69,112 चूहे पैदा कर सकता है। इतनी प्रजनन शक्ति मुझमें तो है नहीं, हिन्दी के किसी और लेखक में हो तो मुझे पता नहीं। पक्षियों के लोप होने की ज़िम्मेदारी रस्किन जैसे विद्वानों पर भी जाती है जिन्होंने लिखा है कि संसार की सुन्दरतम वस्तुएँ– जैसे कि मोर के पंख और लिली के फूल– भी अन्त में चलकर निकम्मी ही निकलती हैं। लगता है रस्किन की प्रेमिका कुछ ज़्यादा ही संगदिल थी।

मुझे यह कहते हुए हर्ष होता है कि पक्षी और पक्षी-प्रेमी कम ज़रूर हो गये मगर एकदम ख़त्म नहीं हुए। मैं ख़ुद काफ़ी बड़ा पक्षी-प्रेमी हूँ। कार में बैठकर सड़क पर आती-जाती हर चिड़िया पर निगाह डालता हूँ चाहे वह शलवार कमीज़ में हो चाहे साड़ी में। कोई-कोई चिड़िया तो ऐसी होती है कि निगाह हटाए नहीं हटती। ठीक़ वही 'अनाघ्रातं पुष्पं' और 'अनाबिद्धं रत्नं' वाली बात। कभी-कभी मेरे साथ और पक्षी-प्रेमी भी इन बुलबुलों को देखते हैं जो एकदम ठीक है। कवि के शब्दों में 'हजूमे बुलबुल हुआ चमन में, किया जो गुल ने जमाल पैदा'। इस विहंगावलोकन की प्रक्रिया में कभी-कभी जूता वग़ैरह भी खाने को मिल जाता है पर सच्चे कलाकार ऐसी छोटी-मोटी बाधाओं की कभी परवाह नहीं करते। साधना का पथ हमेशा काँटों भरा होता है। एक बार तो एक पहाड़ी स्टेशन पर एक ऐसी रूपवती बालिका को देखा था कि आज तक नहीं भुला पाया। जब कभी भी उसकी याद आती है तो कवि की ये पंक्तियाँ दिमाग़ में, जैसे कौंध जाती हैं :

के तुमि
तुमि कि आमार सेइ
हृदय मोहिनी?
एस जाई सेई देशे
फूल टूटे, चाँद हासे
दोयल, कोयल गाय
प्राणेर रागिनी

एक रिटायर्ड आदमी

गोस्वामी तुलसीदास के अनुसार इस असार संसार में लोग जो होते हैं वे भाँति-भाँति के होते हैं। दूसरे शब्दों में, जैसे फूलों की या जानवरों की क़िस्में होती हैं और जैसे गोभियाँ और लड़कियाँ भी एक से ज़्यादा तरह की पायी जाती हैं, ठीक उसी प्रकार आदमी जो होते हैं, वे भी कई नस्ल के होते हैं। इन्हीं में से एक नस्ल उन आदमियों की होती है जो सेवानिवृत्त या रिटायर्ड कहलाते हैं। ये लोग बाक़ी आदमियों से इतने भिन्न होते हैं कि कभी-कभी तो इन्हें आदमी कहने में भी संकोच होता है। मगर संकोच करने से फ़ायदा क्या, उसके दिन तो अब लद गये। आप किसी भी महानगर के जनपथ पर विचरण करती युवतियों को देख लीजिए, न वस्त्र दिखाई देंगे और न संकोच। दोनों पदार्थ न जाने कब के गिर गये और यह तो आर्यावर्त की ललनाओं का त्यागपूर्ण चरित्र है कि इनके बिना भी ये हँसती-बतियाती चली जा रही हैं। एक दार्शनिक के अनुसार स्त्री जाति की सबसे बड़ी समस्या सदा से यही रही कि वे अपने कपड़े और अपना शरीर– इन दोनों को ज़्यादा से ज़्यादा और एक साथ कैसे दिखाएँ।

जिस आदमी की मैं चर्चा करने जा रहा हूँ वह भी बिना किसी संकोच के कभी रिटायर हो गया था। उसका और कोई कसूर मुझे कभी दिखाई नहीं पड़ा। देखने भालने में एकदम मेरी ही भाँति वह भी भद्र पुरुष लगता था : दूसरे की पत्नी को देखकर निगाहें नीची करता था, अपने बच्चों से बेहद मुहब्बत करता था, उनकी अम्माँ को गाहे-ब-गाहे कसकर पीटता रहता था, छोटी-मोटी रिश्वत को रिश्वत नहीं समझता था, प्रत्येक मंगलवार को व्रत रखता था और भक्तिभावना के ज़्यादा तीव्र हो जाने पर छावनी के किसी सिनेमाघर में घटे दामों पर कोई आशिकाना पिक्चर भी देख आता था। पर जैसे ही वह मेरे पास कुछ देर बैठा, मुझे अपने और उसके बीच के मौलिक अन्तर का पता लग गया। असलियत यह थी कि सेवानिवृत्त होने के बाद उसके पास दुनिया का सारा वक़्त था जबकि मेरे पास सेवा तो क्या, किसी भी क्रिया से निवृत्त होने के लिए मुश्किल से वक़्त बाक़ी था। वह वक़्त का बादशाह था, मैं वक़्त का ग़ुलाम। उसका सारा भविष्य वर्तमान था जबकि मेरा सारा वर्तमान

जो था वह भविष्य में निहित था। वह आया और बैठा तो बस बैठा ही रहा। हज़रत दाग़ भी शायद किसी महफ़िल में इतनी तबीयत के साथ नहीं बैठे होंगे। वह बैठा रहा और बोलता रहा। उसकी यही नियति थी।

जैसा कि आमतौर पर होता है, पहले उसने मेरी बीवी और बच्चों के बारे में बातचीत की। इसके बाद उसने अपनी बीवी और बच्चों के बारे में मुझे पर्याप्त सूचना दी। इस कार्यक्रम के उपरान्त उसने बाक़ी लोगों की बीवियों के बारे में तफसरा शुरू किया जिसमें उन बीवियों पर ज़्यादा ग़ौर दिया गया जो कि हसीन थीं। काफ़ी क़िस्से सुनाये और काफ़ी जानकारी दी। उसकी बातों को सुनकर मुझे ऐसा लगा जैसे कि उस क्षेत्र में उसकी और मेरी पत्नी के अतिरिक्त और कोई स्त्री चरित्रवती थी ही नहीं। सबकी सब नगरवधू थीं। इन सबकी चर्चा कर लेने के बाद उस बूढ़े इंसान ने एक अदद आह भरी और अपनी जवानी की यादगार में चन्द शेर अर्ज़ किये। लगता था कि यौवन उनका काफ़ी सक्रिय रहा था। इलाक़े में शायद ही ऐसा कोई शरीफ़ इंसान रहा हो जिसने इन्हें दो-चार झापड़ न रसीद किये हों। उन्होंने बीते दिनों को कुछ इस तरह याद किया कि मुझे करुणा आने लगी। ठाकुरप्रसाद सिंह की कविता याद आ गयी : 'करता वह बड़ी भारी भूल है, जाता जो बीते पल थामने'। सन्तोष की बात यही थी कि यदि इनका यौवन स्त्रियों की सेवा में गुज़रा था तो इनकी वृद्धावस्था भगवान की सेवा में समर्पित थी। माथे पर तिलक, गले में रुद्राक्ष, जेब में गीता और पैरों में जूते। भगवद् भक्ति के शृंगार प्रधान लोकगीत इकट्ठा करने के इतने शौक़ीन कि लगता था जैसे पूर्व जन्म में जयदेव या विद्यापति के निकट सम्पर्क में रहे हों। कभी-कभी कीर्तन भी करते थे और उस प्रक्रिया में एक बार तो इतने भक्ति विह्वल हो गये थे कि नाचने भी लगे थे। उस दिन इनकी धोती वहीं खुल गयी थी मगर ये थे कि फिर भी नाचते रहे। भगवान से क्या छिपाना? तुम्हारी वस्तु है और तुम्हें ही समर्पित है ठुकरा दो, या प्यार करो।

अपने इस चिरभंगुर जीवन में मेरी मुलाक़ात और भी अनेक सेवानिवृत्तों से हुई। कोई नये-नये इस जमात में शामिल हुए थे और कोई सज्जन जो थे वे एकदम समयसिद्ध थे। एक हज़रत थे जो हफ़्ता भर पहले ही रिटायर हुए थे और स्थिति यह थी कि अभी भी उतनी ही तत्परता के साथ सही समय पर उठते थे, हजामत बनाते थे, और सूट पहनकर रोज़ बदस्तूर दफ़्तर जाते थे। दफ़्तर के गेट पर जब चौकीदार इन्हें भीतर जाने से रोकता था तो इन्हें याद आती थी कि नौकरी तो कभी की खलास हो गयी। इनके बरख़िलाफ़ कुछ ऐसी भी सेवानिवृत्त आत्माएँ मिलीं जिन्हें यह याद भी नहीं रहा था कि वे कभी नौकरी करती थीं। ये आत्माएँ सिर्फ़ जार्ज पंचम और लार्ड कर्ज़न के क़िस्से सुनाती थीं और बताती थीं उनके ज़माने में बादाम कितना सस्ता था, भैंस कितना प्यारा दूध दिया करती थी और इनकी बीवी कितनी आसानी से बारह बच्चे पैदा करती थी। इसके बाद अगर याद आ गयी तो कभी

अपने महकमे की बात भी हो गयी जिसमें कभी मिस्टर डिकिन्सन और सर एडवर्ड सेक्रेटरी हुआ करते थे। डिकिन्सन साहब की पत्नी जो थी वह किसी काले बाबर्ची के साथ भाग गयी थी और इस बात को लेकर लेडी एडवर्ड ने इतना अपमानित महसूस किया था कि जब वे भागीं तो एक गोरे बटलर के साथ भागीं। कुछ पुराने रिटायर्ड पुलिस के अफ़सर ऐसे भी मिले जो उन दिनों की हुकूमत के विरह में रोते थे। इनमें से कुछ तो अब भी कहते थे कि हिन्दुस्तान जो है वह आज़ाद होने के लायक़ हर्गिज़ नहीं है। इनसे अगर किसी ने कह दिया कि मुल्क तो कभी का आज़ाद हो गया तो तड़ाक से कहते थे कि गवाह झूठ बोलता है; अभी इसके दो तगड़े थप्पड़ लगा दो तो छठी का दूध याद आ जायेगा और सच उगल देगा।

सेवानिवृत्त लोगों को मैंने भिन्न-भिन्न नगरों में देखा और पाया कि उनके शौक़ भी जलवायु के अनुसार बदलते हैं। प्रयाग में ये लोग पाँच मील पदयात्रा करेंगे, संगम में स्नान करेंगे, कल्पवास भी करेंगे और फिर समय मिल गया तो कम्पनी बाग़ में किसी सही साबुत बेंच पर पल्थी मारकर खुसरोबाग़ के अमरूद खाएँगे। पटना के रिटायर्ड व्यक्ति गाँधी मैदान में घूमेंगे, गोलघर पर चढ़ेंगे और बच्चों को बताएँगे कि इस इमारत को वारेन हेस्टिंग्ज ने अपनी बीवी के मरने की खुशी में बनवाया था और क्योंकि इसके बनवाने में सार्वजनिक निर्माण विभाग ने काफ़ी गोलमाल किया था, इसका नाम भी गोलघर पड़ गया। दिल्ली के रिटायर्ड लोग प्रायः चिड़ियाघर में पाये जाते हैं जहाँ वे नयी-नयी चिड़िया दूरबीन लगाकर देखते हैं और जो बहुत पुराने समयसिद्ध सेवानिवृत्त हैं वे राष्ट्रीय संग्रहालय के सोफ़ों पर पड़े मिलते हैं। वैसे बड़े नगरों में सेवानिवृत्त व्यक्ति एक-दूसरे का वक़्त क़त्ल नहीं करता; वह किसी बड़े अफ़सर या नेता की परिक्रमा लगाता है और कोई छोटा-मोटा धन्धा खोल लेता है। ठीक वही गणेशज़ीवाली बात जिन्होंने धरती पर राम नाम लिखा था और फिर मात्र उसीकी परिक्रमा लगाकर तीनों लोकों का चक्कर लगाने की प्रतियोगिता जीत ली थी। न चूहे को कोई मशक्कत करनी पड़ी और न अपनी तोंद को ही कोई विशेष कष्ट पहुँचा। ट्राफी जीत ली और फिर अपनी उसी शान्त मुद्रा में आ गये और मोदकों का संहार करने लगे।

एक दिन एक ऐसी सेवानिवृत्त आत्मा के दर्शन हुए कि भगवान बुद्ध की वह उक्ति सच लगने लगी कि संसार जो है वह दुःखों का सागर है। उनकी सरस्वती ऐसी मुक्त होकर प्रवाहित हुई कि मेरी पूरी दिनचर्या ही खलास हो गयी। मैंने कई बार इनकी चाबी पकड़ने की कोशिश की मगर ये थे कि उठने का नाम ही न लेते थे। जापान में दो सौ किलोमीटर की गति से दौड़नेवाली एक रेल हाल ही में मात्र एक टायलेट पेपर के कारण रुक गयी थी मगर ये थे कि मैं भी इन्हें नहीं रोक पाया। मैं अपने को टायलेट पेपर से कम मानने को हर्गिज़ तैयार नहीं था और इसी कारण अन्त में चलकर मुझे इन्हें अपने बाहुबल के सहारे बाहर करना पड़ा। मगर

चलते-चलते इन्होंने एक ऐसी बात कही जो विषदग्ध बर्छी की भाँति मेरे कोमल हृदय में लग गयी। इन्होंने कहा कि ऐ दोस्त, तुम मुझे इसलिए सनकी, आवारा, ठलुआ, निकम्मा और गप्पी समझते हो क्योंकि मैं रिटायर हो गया हूँ मगर याद रखो कि एक दिन ऐसा भी आयेगा कि तुम भी रिटायर होंगे और मेरी स्थिति में होंगे। तुम्हारे बीवी बच्चे, मुहल्लेदार और दोस्त तुमसे भी इतनी ही नफ़रत करेंगे जितनी कि मुझसे करते हैं। इतना गरूर अच्छा नहीं।

इनकी यह बात मुझे सचमुच लग गयी। सोचने लगा कि क्या एक दिन मैं भी सेवानिवृत्त हो जाऊँगा? क्या एक दिन मुझे भी पुराने फ़र्नीचर की तरह किसी तलघर में फेंक दिया जायेगा जहाँ मुझे कोई नहीं देखेगा? क्या एक दिन दफ़्तर की यह आलीशान इमारत, ये शानदार सरकारी कोठी, ये अर्दली और चपरासी, ये दावतें और ये रिश्वत, यह हसीन स्टेनो और हज़ारों मातहत मेरी मुट्ठियों में से निकल जायेंगे और मैं भी अपने पुराने सूट में फटा छाता लेकर किसी साथी की तलाश में भटकता फिरूँगा? मैं घबरा गया। मैंने एक मतिमान मित्र से पूछा कि हे तात, रिटायर होने के बाद मेरा क्या हश्र होगा, यह तुम खुलासा कहो। उस मतिमान मित्र ने एक दार्शनिक की भाँति मेरा प्रश्न सुना, चारमीनार की राख मेरी पतलून पर जमा की और आगा हश्र काश्मीरी के स्टाइल में मेरा हश्र बताता हुआ बोला कि हे वत्स, तुम्हारे साथ भी वही होगा जो प्रत्येक सेवानिवृत्त व्यक्ति के साथ होता आया। जानते हो वह अन्तिम परिणति क्या है? ख़ैर, मैं बताता हूँ, तुम ध्यान से सुनो। अन्त में चलकर प्रत्येक सेवानिवृत्त प्राणी मृत्यु को प्राप्त होता है और ईश्वर ने चाहा तो यह गति एक दिन तुम्हारी भी होगी।

मैंने उसकी वाणी सुनी और सन्तोष की साँस ली। कम-से-कम राहत का एक रास्ता तो मिला। रिटायर होने से तो मौत ही भली।

एक अफ़सर की मौत

काफ़ी दिनों पहले चेखव ने एक साधारण क्लर्क की मौत को लेकर एक रचना लिखी थी। वह ज़माना ही ऐसा था कि ग़लती हो या न हो पर क्लर्क बेचारा जो होता था वह ज़रूर ख़ुदक़ुशी करता था। बहरहाल, अब वह ज़माना ख़त्म हो गया। इन दिनों अगर कोई मरता है तो वह क्लर्क नहीं होता वरन् अफ़सर होता है। चेखव यदि आज सीन पर मौजूद होते तो क्लर्क की मौत के बजाय अफ़सर की मौत को लेकर अपनी रचना लिखते। उनकी ग़ैरहाज़िरी में उनका काम मैं करूँगा।

सारी कहानी बेहद साधारण है। एक बड़ा अफ़सर था जो कि रविवार के दिन घटे दामों पर चलचित्र देखने गया था। अफ़सर की उम्र कोई पचास वर्ष रही होगी। वह अकेला था; उसकी पत्नी उसके साथ नहीं थी। हाल में भीड़ काफ़ी थी और दर्शक लोग अपनी-अपनी सीट तलाश करने में इधर-उधर भाग रहे थे। इसी अस्त-व्यस्त वातावरण में अफ़सर ने अपनी दोनों बाँहों से भीड़ को हटाना शुरू किया ताकि वह भी अपनी सीट तक पहुँच सके। इसी प्रक्रिया में उसका एक हाथ एक सुन्दर स्त्री के वक्ष पर जा पड़ा जिसकी प्रतिक्रिया यह हुई कि युवती जो थी वह थोड़ा गर्म हुई और अफ़सर को डाँटने लगी। ठीक इसी क्षण युवती के पति ने अफ़सर को देखा और वह डर के मारे सहम गया। वह उसी दफ़्तर में काम करता था जहाँ कि वह आला अफ़सर दफ़्तर का सबसे बड़ा अधिकारी था। उसने अपनी पत्नी को चुप रहने का आदेश जारी किया और इसके बाद वह उस अफ़सर से माफ़ी माँगने लगा। उसने यह भी बताया कि वह उन्हीं के दफ़्तर में काम करता था और इस नाते अफ़सर को उसकी पत्नी को स्पर्श करने का पूरा अधिकार था। वह चाहता तो ऐसा दुबारा कर सकता था। अफ़सर ने क्लर्क का नाम और पता पूछा और सारी घटना पर हार्दिक खेद व्यक्त किया। इसी बीच हाल में अँधेरा हो गया और तस्वीर जो थी वह शुरू हो गयी।

अफ़सर ने तस्वीर पर ध्यान नहीं दिया। वह यही सोचता रहा कि यह क्लर्क मेरे चरित्र के बारे में क्या सोचेगा। वह सोचेगा कि अफ़सर वैसे चाहे कितना भी बड़ा क्यों न हो, व्यक्तिगत जीवन में वह आवारा, लम्पट और चरित्रहीन है। वह

इसकी चर्चा अपने साथियों से भी करेगा और वे लोग भी उसे एक गिरा हुआ इंसान समझेंगे। अफ़सर वाक़ई चिन्तित हो गया और उसे ठण्डा पसीना आने लगा। वह इतनी गम्भीरता से सारी स्थिति को ले बैठा कि उसे यह भी पता नहीं लगा कि हाल में रोशनी जल गयी, मूँगफली और चायवाले अपने-अपने नारे बुलन्द करने लगे और फ़िल्म जो थी वह आधी ख़त्म हो गयी।

रोशनी होने के कारण अफ़सर यह देख सका कि क्लर्क और उसकी पत्नी, दोनों उसकी तरफ़ निगाहें लगाकर बैठे हैं। वह उठा और उन दोनों के पास गया। उसने क्लर्क और उसकी पत्नी से हाथ जोड़कर माफ़ी माँगी और उसके आँसू आ गये। क्लर्क व उसकी पत्नी ने उन्हें बार-बार समझाया कि वह उस छोटी-सी घटना को भूल जायें और उस सन्दर्भ में कुछ भी न सोचें। साहब ने रूमाल से आँखें पोंछीं, चश्मा साफ़ किया और थियेटर के बाहर जाकर एक सिगरेट सुलगाई। बाक़ी तस्वीर उसने नहीं देखी। वह मोटर में बैठा और काफ़ी हाउस चला गया। वह सोचता रहा कि अभी तक तो क्लर्क का व्यवहार ठीक है मगर जब वह इस घटना को कल दफ़्तर में सुनायेगा तब क्या होगा। यह भी तो सम्भव है कि वह लोगों के उकसाने पर भूख हड़ताल पर बैठ जाए और उनकी मिट्टी ख़राब करे। अफ़सर ने सोचा कि वह दफ़्तर से कुछ दिनों की छुट्टी ले ले पर फिर उसे ख़याल आया कि उसका छुट्टी लेना सारी स्थिति को और भी गम्भीर बना देगा। वह सिगरेट के बाद सिगरेट पीता गया और उसी तरह पसोपेश में पड़ा रहा। अन्त में चलकर उसने निश्चय किया कि वह शाम को उस बाबू के घर जायेगा और वहाँ माफ़ी माँगेगा।

शाम होने पर अफ़सर ने अपनी गाड़ी निकाली और बाबू के घर का अता पता पूछते-पूछते एक गन्दे से मुहल्ले में उसके घर जा पहुँचा। क्लर्क कहीं बाहर गया हुआ था मगर उसकी पत्नी ने उसे पहचान लिया और बैठने को कुर्सी दी। मुहल्ले में रहनेवाले बाक़ी बाबू लोग भी उसकी कार को पहचानकर घटना स्थल पर पहुँच गये। साहब की स्थिति विचित्र हो गयी। वह बात को छिपाना चाहता था और यहाँ स्थिति यह थी कि वह खुद ही अपने पाँवों में कुल्हाड़ी मार रहा था। बाबू लोगों में कितने ही ऐसे थे जो यूनियन के मेम्बर थे और चाहते तो सारे दफ़्तर में हड़ताल करा सकते थे। उन्होंने पहले भी कई अफ़सरों का तबादला करवाया था। साहब ने उन्हें देखा, एक लम्बी साँस ली और चुपचाप घर को वापस चला गया। उस शाम उसने खाना नहीं खाया और न उसे नींद ही आयी। वह रात-भर यही सोचता रहा कि ये लोग उस बाबू के घर जाने का और अकेले में उसकी युवा पत्नी के हाथों चाय पीने का क्या मतलब निकालेंगे। वे कल पोस्टर चिपकाएँगे जिनमें मोटे-मोटे अक्षरों में यह लिखा जायेगा कि साहब जो हैं वह अपनी स्टेनो से इश्क़ करते हैं, रिश्वत लेते हैं और बाबू लोगों के घरों को अपमानित करते हैं। वह बुरी तरह घबरा गया और शराब पीने लगा।

अगले दिन जब वह दफ़्तर गया तो उसका मन काम में नहीं लगा। उसके चपरासी से लेकर ऊपर तक जो भी उसके सम्पर्क में आया, उसे ऐसा लगा कि बड़े साहब ने कोई ख़ून किया है जिसे वह छिपा नहीं पा रहा है। अपने वातानुकूलित कक्ष में बैठे-बैठे साहब जो था वह पाइप सुलगाता रहा और सोचता रहा कि अब क्या होगा। उसके मन में अजीब-अजीब तरह के ख़याल आने लगे। वह सोचने लगा कि अब यूनियन की मीटिंग होगी, फिर जुलूस निकलेगा और फिर ख़बर जो है वह अख़बारों, विधानसभाओं और उनके उच्च अधिकारियों तक पहुँचेगी। उसका साँस फूलने लगा और हाथ-पैर ठण्डे होने लगे। उसे इतना भी ख़याल नहीं रहा कि इस समस्या पर किसी दोस्त या साथी से सलाह ही कर ले। वह बैठा रहा और सोचता रहा। फ़ाइलें आती गयीं और मेज़ पर इकट्ठी होती गयीं।

उसका व्यक्तिगत सहायक आया और कहने लगा कि एक बाबू है जो उनसे मिलना चाहता है। साहब का चेहरा सफ़ेद हो गया। बाबू आया और माफ़ी माँगकर कहने लगा कि यह उसका दुर्भाग्य था कि कल जब वे उसके क्वार्टर पर गये थे तो वह ग़ैर-हाज़िर था। वह पूछने लगा कि साहब वहाँ क्यों गये थे और उसके योग्य सेवा क्या थी।

साहब सोफ़े पर से उठा और उस बाबू के चरणों पर गिर पड़ा। वह रोता रहा और बाबू से माफ़ी माँगता रहा। शोर सुनकर चपरासी, स्टेनोग्राफ़र और कुछ अफ़सर भी अपने-अपने स्थानों से हटे और बड़े साहब के कक्ष में घुसे। सबने मिलकर बड़ी मुश्किल से उसे उठाया और सोफ़े पर लिटाया। डॉक्टर को लाने के लिए स्टाफ कार अस्पताल की दिशा में भागी और दफ़्तर के अनेक बाबू अपने-अपने कमरों से बाहर आ गये। डॉक्टर आया और उसने बतलाया कि बड़े साहब का जो दम था वह काफ़ी देर पहले टूट चुका था। वह मर चुका था।

सनक

अँग्रेज़ी भाषा में एक शब्द है 'सिनिक'। ठीक इसी से मिलता-जुलता शब्द हमारे यहाँ है जिसे 'सनक' कहते हैं। सनकी से हमारा अभिप्राय प्रायः ऐसे व्यक्ति से होता है जिसकी आदतें कुछ अजीब-सी होती हैं या जो साधारण बात को भी इतनी लम्बी सीमा तक खींचता है कि वह असाधारण हो उठती है। सनकी लोग सभी कालों में और सभी देशों में होते आये हैं। सनकीपन जो है वह राष्ट्र या समय का बन्धन कभी स्वीकार नहीं करता। इस प्रबन्ध में मैं कुछ सनकी लोगों की ही चर्चा करूँगा।

स्टॉकहोम में एक नर्स को इस कारण गिरफ़्तार किया गया कि उसने दस व्यक्तियों की हत्या जानबूझकर की थी। नर्स का कहना था कि वे व्यक्ति बच नहीं सकते थे और उन्हें इतना कष्ट था कि नर्स की आत्मा उसे सहन नहीं कर सकती थी। नारी का हृदय लेकर वह नर्स उन रोगियों को उनकी पीड़ा से मुक्त कराना चाहती थी। ठीक इसी तरह एक और करुणा से भरी नारी थी जिसने इकसठ वर्ष की आयु में एक इक्कीस वर्ष के नवयुवक से शादी की। शादी के समय इस स्त्री के चार बच्चे, बारह पोते-पोतियाँ और एक पड़पोता था। उसका सबसे बड़ा पोता उसके इस पति से दो वर्ष बड़ा था। इसी प्रकार एक और सच्चा और पवित्र प्रेम तब प्रकाश में आया जबकि इक्यासी वर्ष के एक कुमार ने बयानवे वर्ष की एक कुमारी से अस्पताल में शादी की। इसके बाद दोनों ने सुहागरात का कार्यक्रम तैयार किया जो काफ़ी दिलचस्प रहा होगा। न्यूयार्क के एक बैंक में उस समय तहलका मच गया जब एक सम्भ्रान्त व्यक्ति दस हज़ार डालर जमा करने आया क्योंकि इस पुनीत कार्य के लिए वह दस लाख पैनी (एक छोटा सिक्का) लेकर आया था जिनका गिनना एक भयंकर काम था। ये सिक्के— जिनका वज़न कोई साढ़े तीन टन था— उसने पिछले बीस वर्षों में इकट्ठे किये थे।

कुछ मुक़दमोबाज़ व्यक्ति इतने सनकी होते हैं कि कुछ कहा नहीं जा सकता। हमारे देश में एक बड़े जागीरदार थे जिन्हें सरकार ने सर का खिताब भी दिया था। एक बार ईस्ट इण्डियन रेलवे ने इनसे एक पाई क़ानून से ज़्यादा ले ली और इस सिद्धान्त प्रेमी व्यक्ति ने उस मुद्दे को लेकर प्रिवी काउंसिल तक अपील की।

अन्त में चलकर वे जीत गये। वह एक पाई भी मिली और एक लाख रुपया और भी मिला। यह रुपया वह था जिसे वे मुक़दमोबाज़ी में ख़र्च कर चुके थे और जिस क्षति की पूर्ति करना न्यायालय ने उचित समझा। एक पाई का मुक़दमा लाखों की क़ीमत का हो गया जैसे कभी-कभी इश्क़ जो होता है वह अफ़साना बन जाता है। इसी प्रकार हमारे देश में इस बात को लेकर हाईकोर्ट तक मुक़दमोबाज़ी की गयी कि मन्दिर के भीतर काटे गये केश मन्दिर की सम्पत्ति है या नाई की। हाईकोर्ट ने अपना निर्णय मन्दिर के पक्ष में दिया। अमेरिका में एक व्यक्ति ने एक प्रसिद्ध जासूस पर मुक़दमा चलाया जिसकी रिपोर्ट के आधार पर उस व्यक्ति ने अपनी सगी पत्नी को तलाक़ दिया था। मुक़दमा इसलिए चलाया गया क्योंकि उस व्यक्ति को बाद में पता चला कि जिस नवयुवती के बारे में जासूस ने रिपोर्ट दी थी वह उसकी अपनी न होकर एकदूसरे व्यक्ति की पत्नी थी। मैसाच्युसेट्स के दो निवासियों ने रेलवे कम्पनी के ख़िलाफ़ दस हज़ार डालर का दावा किया था क्योंकि एक ट्रेन के लेट हो जाने के कारण वे उस घुड़दौड़ के मैदान तक नहीं पहुँच सके थे जहाँ उन्हें उतनी राशि जीतने की पूरी-पूरी आशा थी। स्पेन के एक कवि ने अपने मकान मालिक के ख़िलाफ़ इसलिए मुक़दमा चलाया था क्योंकि उसका गधा उसकी कविताओं की पाण्डुलिपि को खा गया था। काश, ऐसे गधे इस देश में भी होते! न्यू इंग्लैण्ड के एक व्यापारी ने अपने डॉक्टर के विरुद्ध घाटापूर्ति का काफ़ी बड़ा दावा-किया था। इस डॉक्टर ने कहा था कि वह व्यक्ति फलाँ तारीख़ तक ज़रूर मर जायेगा और उसके आधार पर उस व्यक्ति ने अपनी सारी सम्पत्ति काफ़ी कम दामों पर बेचकर ऐश करने में ख़र्च कर दी थी। मगर इल्लत यह रही कि डॉक्टर की बतायी तारीख़ बीत गयी और वह बराबर जीता रहा।

मुक़दमोबाजों की भाँति जज लोग भी कभी-कभी सनकी होते हैं। एक जज ने एक स्त्री का बयान स्वीकार करने को इस कारण मना कर दिया था क्योंकि वह बेहद ख़ूबसूरत थी। जज का कहना था कि इतनी सुन्दर युवती कभी सच बोल ही नहीं सकती। एक जज थे जिन्होंने एक हाथी को अदालत में पेश होने का सम्मन जारी किया था और एक जज थे जिन्होंने कालका मेल के इंजन को ही अटैच कर दिया था। एक और जज थे जो नट की तरह पैरों में बाँस बाँधकर अदालत तक आते थे। उनकी कोठी में अन्दर आने का दरवाज़ा अलग था और बाहर जाने का अलग। अगर कोई आदमी ग़लत दरवाज़े से भीतर आ जाता था तो वे उससे कभी नहीं मिलते थे। इसके अलावा उन्होंने अपने निजी लड़के को घर में घुसने से मना कर दिया था क्योंकि वह बग़ैर इत्तला दिये बाहर से आ गया था। लड़का बेचारा सामान उठाकर स्टेशन वापस गया, वहाँ से टेलीफ़ोन किया और तब ये जज साहब गाड़ी लेकर उसे बाक़ायदा रिसीव करने गये। इस विशिष्ट जज ने एक बलात्कार के मुक़दमो में ऐसा अद्वितीय निर्णय दिया था कि सरकार को उन्हें सेवामुक्त करना पड़ा।

बाकी लोगों की भाँति लेखक लोग भी कम सनकी नहीं होते। डॉक्टर जानसन सिर्फ़ तभी लिखते थे जबकि उनकी पालतू बिल्ली मेज़ पर बैठी हो। तालस्ताय सिर्फ़ सुबह को ही लिखते थे और उनका कहना था कि दोपहर के बाद अच्छा साहित्य लिखा ही नहीं जा सकता। जर्मन कवि शिलर तभी लिखते थे जबकि उनके पेट में मदिरा हो और उनके पाँव ठण्डे पानी के टब में। विक्टर ह्यूगो खड़ा होकर लिखते थे और जो पृष्ठ भर जाता था उसे नीचे फेंकते जाते थे। मार्क ट्वेन लेटकर लिखते थे क्योंकि बैठकर लिखने में उन्हें नींद आती थी। अलेग्ज़ेण्डर ड्यूमा अपने उपन्यास सिर्फ़ नीले रंग के काग़ज़ पर ही लिखते थे, कविताओं के लिए पीला काग़ज़ प्रयोग होता था और बाक़ी रचनाएँ गुलाबी रंग के काग़ज़ पर लिखी जाती थीं। इस विधा में एक बड़ा फ़ायदा यह था कि वे काग़ज़ का रंग देखकर ही बता देते थे कि इस पर उपन्यास लिखा है या कि कविता। चेस्टर्न पोस्टकार्ड के साइज़ के काग़ज़ पर ही लिखते थे क्योंकि बड़े साइज़ के काग़ज़ से उन्हें डर लगता था। पुश्किन सिर्फ़ भयंकर सर्दी में ही लिखता था और निरालाजी कविता लिखते समय उसे गुनगुनाते भी रहते थे। रामचन्द्र शुक्ल प्रायः लेटकर ही लिखते थे और वह भी पेंसिल से। रवीन्द्रनाथ ठाकुर अपनी रचनाओं को इस तरह काटते थे कि चित्र बन जाता था।

इस चर्चा को यहीं समाप्त करता हूँ। ज़्यादा लम्बी करूँगा तो शायद आप मुझे भी सनकी कहेंगे और मेरी भी तुलना उस फ्रेंच अमीर से करने लगेंगे जो अपने जूतों में आइसक्रीम और अपने हैट में सलाद रखा करता था।

हिन्दी साहित्य में आलोचना की अन्त्येष्टि

किसी भी भाषा के साहित्य के विकास के लिए यह आवश्यक है कि एक या दो अदद आलोचक सीन पर ज़रूर मौजूद रहें। हंस की ग़ैर-हाज़िरी में नीर-क्षीर-विवेक कभी नहीं हो सकता। संस्कृत के शास्त्रकारों ने तो एकदम स्पष्ट भाषा में कहा है कि आलोचक का होना ज़रूरी है क्योंकि कवि अपनी रचना के दोष स्वयं कभी नहीं देख सकता। वह तो अपनी रचना का पिता है; वह भला अपनी कन्या का आनन्द ख़ुद कैसे उठा सकता है? रचना के गुण-दोष विवेचन के लिए दामाद का होना ज़रूरी है और वह कार्य केवल आलोचक ही कर सकता है। 'कविः करोति काव्यानि, पण्डितो वेत्ति तद्रसम्; कामिनी कुचकाठिन्यम् पतिर्जानाति नो पिता।' इतना स्पष्ट करने के उपरान्त संस्कृत के आचार्यों ने यह भी स्वीकार किया कि अच्छे शालीन कुलवाले कुत्ते की भाँति निष्पक्ष आलोचक का मिलना भी सदा से कठिन ही होता आया।

संस्कृत के एक और आचार्य हैं जो आलोचक की तुलना कुत्ते से नहीं परन्तु उल्लू से करते हैं। उनका कहना है उल्लू और आलोचक के बीच यह निश्चय करना कठिन है कि इनमें कौन श्रेष्ठ है। जिस प्रकार उल्लू को अँधेरा ही अँधेरा नज़र आता है वैसे ही आलोचक जो है वह रचना के दोष ही दोष पकड़ता है। एक और पशुप्रेमी आचार्य हैं जो आलोचक की तुलना ऊँट से करते हैं क्योंकि ऊँट जो है वह परम सुन्दर कदलीवन में जाकर भी काँटों की ही खोज करता है, फलों की नहीं। राजशेखर कहते हैं कि यद्यपि आलोचक प्रायः दुष्ट और द्वेषी होते हैं पर फिर भी उनका रहना ज़रूरी है। श्रेष्ठ आलोचक की परिभाषा करते हुए कहा गया है कि वह निष्पक्ष हो, काफ़ी कवियों की वाणी पढ़ चुका हो, मन से रसिक हो और सबसे बड़ी बात यह है कि वह स्वयं काव्य करने में असमर्थ हो। अन्तिम गुण जो है वह काफ़ी क़ाबिलेग़ौर है। एक और शास्त्रकार हैं जिनके अनुसार चरित्रवती युवती और निष्पक्ष आलोचक इस संसार में मिलने कठिन हैं। जिस प्रकार सच्चा प्रेम करनेवाली हसीन लड़की अपने परिवारवालों से नहीं डरती, उसी प्रकार सच्चे कलाकार को उचित है कि वह रचना करता जाए और आलोचक की तरफ़ ध्यान ही न दे। सबसे बड़ा समीक्षक तो काल है जिसकी चर्चा भवभूति ने की है। मल्लिनाथ ने कालिदास

तक के लिए लिखा है कि 'भारती कालिदासस्य दुर्व्याख्या विष मूर्च्छिता'। अब अगर कालिदास तक के साथ व्याख्याकारों ने पूरी ईमानदारी नहीं बरती तो मेरा और आपका तो कहना ही क्या?

बाकी विधाओं की भाँति हिन्दी समालोचना का प्रारम्भ भी भारतेन्दु हरिश्चन्द्र के समय में हुआ। बदरी नारायण जी चौधरी ने यह धन्धा शुरू किया जिसे बाद में चलकर मिश्रबन्धु, महावीर प्रसाद द्विवेदी, बाबू श्यामसुन्दर दास बी.ए. और रामचन्द्र शुक्ल ने विकसित किया। मिश्रबन्धुओं ने हिन्दी साहित्य का इतिहास मात्र अपने मनोरंजन के लिए लिखा और इसी कारण पोथी का नाम 'मिश्रबन्धुविनोद' रखा गया। अकबर के नौ रत्नों की भाँति इन्होंने भी 'हिन्दी नवरत्न' नामक ग्रन्थ लिखा जो अभी भी मील का पत्थर है। पद्मसिंह शर्मा सारी उम्र इसी बात को कहते रहे कि बिहारी जो है वह देव से बड़ा है। आलोचना में कव्वाली का मज़ा देनेवाले ये प्रथम व्यक्ति थे। महावीर प्रसाद द्विवेदी ने 'कालिदास की निरंकुशता' की रचना की जिसे कवि कालिदास दुर्भाग्यवश नहीं पढ़ सके। रामचन्द्र शुक्ल इतने ईमानदार थे कि उन्होंने अपने इतिहास में सबलसिंह चौहान, बेताल, आलम, लालकवि, सूदन, बोधा, सम्मन, ठाकुर और पजनेस जैसे कवियों की भी चर्चा की जिन्हें शायद उनके समकालीन भी नहीं जानते थे। आलम जो थे वे ब्राह्मण थे पर उन्होंने शेख़ नामक रँगरेजिन से प्रेम किया और इतनी तत्परता से किया कि उसी सन्दर्भ में वे मुसलमान भी हो गये। इन पुराने आलोचकों के बाद नयी पीढ़ी आयी जिसमें नन्द दुलारे वाजपेयी, प्रकाशचन्द्र गुप्त और रामविलास शर्मा इत्यादि लोग शामिल थे। इन लोगों में से अन्तिम नाम को छोड़ बाक़ी सबने इस असार संसार को छोड़ दिया। इसके बाद कोई तगड़ा आलोचक नहीं रहा। लोग गुटबन्दी करने लगे और प्रयाग में पण्डों ने तो आलोचना की वाक़ई अन्त्येष्टि ही कर दी।

फ़िलहाल स्थिति यह है कि हिन्दी में एक के बाद एक नयी प्रतिभा लेखक या लेखिका का रूप धारण करके अपनी शानदार कृतियों के साथ प्रकट हो रही हैं पर आलोचक हैं कि अपनी चुप्पी ही नहीं तोड़ते। पहले तो कोई सर्वगुणसम्पन्न आलोचक ही नहीं है जिसके निर्णय को सब लोग विश्वास के साथ स्वीकार कर सकें और जो कुछ आलोचक बचते हैं वे इतने ईमानदार नहीं हैं कि श्रेष्ठ ग्रन्थ की भी सही आलोचना कर सकें। वह तो सिर्फ़ अपने गुट की तारीफ़ करेंगे और बाक़ी लोगों के बारे में या तो मौन धारण कर लेंगे या फिर कुछ ऐसी बात करेंगे कि वह ग़रीब लेखक जो अभी नया है और जो अपने को ज़माने के हथकण्डे नहीं जानता; वह हमेशा के लिए अपना लिखना बन्द कर देगा। चश्मा लगानेवाले ये तथाकथित आलोचक– जो इतने गिरे हुए हैं कि उनका और गिरना मुश्किल है– यह विश्वास रखते हैं कि बिना इनके सिगनल दिये आपकी गाड़ी आगे जा ही नहीं सकती। ये वे लोग हैं जो समझते हैं कि कनुप्रिया जो है वह इनके बाप की जायदाद है और इनके

गुट के बाहर जो कुछ है वह सब अन्धायुग है। विनोद चन्द्र पाण्डेय, मणि मधुकर, अमृता भारती, जगदीश चतुर्वेदी और रवीन्द्रनाथ त्यागी कितनी ही अच्छी कविता लिख लें और उसे पढ़कर इन्हें कितना भी सुख प्राप्त हो जाए, ये लोग उनके बारे में अपने होठों को बन्द रखेंगे और इनके स्नाब गुट का कोई व्यक्ति कठोपनिषद् का हिन्दी में मात्र पद्यानुवाद ही कर दे तब भी उसकी कृति की तुलना कामायनी से करेंगे जिसे कम-से कम मैं तो कविता की पुस्तक ही स्वीकार नहीं करता। (एक दिन आयेगा और जल्दी ही आयेगा जब लोग मैथिलीशरण गुप्त और जयशंकर प्रसाद को कवि मानने से ही इनकार कर देंगे।) इस सन्दर्भ में एक रोचक घटना का विवरण प्रस्तुत करना असंगत न होगा। दिल्ली में एक साहित्यिक संस्था थी 'भारती'। इसकी गोष्ठियों में अज्ञेय जैसे महान् लेखक और मेरे जैसे छोटे लेखक—सब शामिल थे। इसकी एक गोष्ठी में मैंने एक लम्बी कविता पढ़ी जिसकी अज्ञेय तक ने प्रशंसा की। शमशेर बहादुर सिंह का नम्बर आया तो उन्होंने कुछ ऐसा कहा कि यह समझना कठिन था कि वे प्रशंसा कर रहे थे या कि कविता की कमियाँ बता रहे थे। बड़ी घुमावदार और शास्त्रों के समान पल्ले न पड़नेवाली निरर्थक भाषा। ख़ैर, बात यहीं ख़त्म हो जाती तो भी गनीमत थी। सभा की समाप्ति के बाद शमशेरजी मुझे एक तरफ़ ले जाकर कहने लगे कि मेरी कविता बहुत उम्दा थी। मैंने उन्हें वह दुलत्ती दी जो वे भी याद रखेंगे। अरे भाई, अगर कविता अच्छी थी तो सबके सामने तारीफ़ करने से क्या आपकी इज़्ज़त जाती थी?

ऊपर लिखे विवरण के कुछ अपवाद भी हो सकते हैं। उदाहरण के तौर पर यदि आप सिनेमा के कलाकार हैं तो आपकी चर्चा होगी और कसकर होगी। सारी स्नाबरी एक तरफ़ और दीप्ति नवल की कविता एक तरफ। वैसे कविताएँ काफ़ी अच्छी हैं पर यदि दीप्ति नवल सिनेमा की कलाकार न होतीं तो उनकी चर्चा तक नहीं होती। यही बात मीना कुमारी की शायरी के बारे में कही जा सकती है। दीप्ति नवल के कविता संग्रह की चर्चा हिन्दी की सभी पत्रिकाओं ने की और कुछ ने तो उसे पूरा एक पेज दिया। अब आप ही बताइए कि इस माहौल में नये लेखक का भविष्य क्या है? ज़ाहिर है कि वह पहले दिलीपकुमार या राजकपूर बने और बाद में साहित्य की सृष्टि करे।

सारी परेशानियों के बाद मैं फिर भी नयी प्रतिभाओं से कहना चाहूँगा कि वे बस लिखते रहें, लिखते रहें। ख़ुदा का शुक्र है कि चीज़ अगर अच्छी है और जानदार है तो इन चश्माधारी समीक्षकों के बावजूद अपनी जगह बना लेगी और यथासमय इतिहास में शामिल होगी। कोई शक्ति ऐसी नहीं जो इस प्रक्रिया को रोक सके। आलोचक रूपधारी इन गधों को पता नहीं कि सुबह ज़रूर होती है चाहे मुर्गा बोले या न बोले। निबन्ध में आक्रोश आ जाने के लिए मैं क्षमा प्रार्थी हूँ। यह आक्रोश मैं अपने लिए नहीं कर रहा बल्कि उन सारे नये लेखकों की तरफ़ से कर रहा हूँ

जो नये हैं, बढ़िया लिख रहे हैं मगर जिन्हें कोई ऐसा भारतेन्दु नहीं मिलता जो उन्हें शाबाशी दे सके, ईमानदारी से उनकी कमियाँ बताये और फिर उन्हें आगे लाने में मदद करे। आपको यदि कहीं भारतेन्दु या उनकी नस्ल की कोई विभूति मिले तो मुझे ख़बर करना।

अन्त में चलकर मैं असली मुद्दे पर आता हूँ। कहना सिर्फ़ इतना है कि व्यंग्य और कविता तो मैंने इतनी लिख ली जो आलोचकों के बाद भी सीन पर मौजूद रहेगी और इस कारण अब जो समय बचा है उसे मैं आलोचक के रूप में बिताना चाहता हूँ। मैं सोचता हूँ कि अब इस विधा का पूर्णरूप से व्यवसायीकरण हो जाना चाहिए। एक ऐसा ब्यूरो खुलना चाहिए जो गोगिया पाशा के जादूघर या जैमिनी के सरकस का मज़ा दे। पुस्तकें आयेंगी और आलोचना छपेगी। पुस्तक के साथ लेखकों को चेक भेजना पड़ेगा और जो जितना बड़ा चेक भेजेगा, उसकी उतनी ही लम्बी और उम्दा आलोचना छपेगी। नये लेखकों को अलबत्ता पूरी रियायत दूँगा और इसके बदले में वे मेरे लिए आयी हुई पुस्तकों की समीक्षा मुफ़्त लिखेंगे। मेरा अपना अख़बार होगा ताकि तबीयत के साथ ब्लैकमेल किया जा सके। अज्ञेय ने विदेशों से काफ़ी माल लिया है और असाध्यवीणा जैसी कविताएँ भी विदेशी कविताओं की नक़ल हैं। मेरे अख़बार का भी प्रथम लक्ष्य यही होगा कि लेखकों को बता सकूँ कि या तो इतनी मुद्रा दो या फिर मैं पर्दाफ़ाश करता हूँ। आलोचना का पुस्तक से कोई सम्बन्ध नहीं होगा क्योंकि वह तो सिर्फ़ चेक की राशि, लेखिका के सौन्दर्य और बढ़िया होटलों में दिये गये डिनर वग़ैरह दीगर चीज़ों पर आधारित होगी। गुटबन्दी का प्रश्न ही नहीं उठता। मेरे इस "हिन्दी रिव्यू ब्यूरो" का शानदार दफ़्तर होगा, हसीन रिसेप्शनिस्ट होगी और प्रतीक्षाकक्ष में चमड़े के सोफ़े होंगे। प्रकाशकों के यहाँ जितना भी चमड़ा काम में लाया जाता है वह ग़रीब लेखकों का होता है। जैसा बाक़ी प्रकाशक करते हैं, वैसा ही मैं भी करूँगा। आलोचना करते समय मैं इस बात को भी ध्यान में रखूँगा कि कटु आलोचना के कारण टामस हार्डी ने अपना लिखना हमेशा के लिए बन्द कर दिया था और आलोचना के ही कारण अँग्रेज़ी के कवि चैटर्टन ने आत्महत्या कर ली थी।

एक सौदागर के बेटों की कथा

कहनेवाला कहता है कि एक गाँव में एक सौदागर रहता था जिसके तीन पुत्र थे। बड़ा लड़का पढ़ने-लिखने में होशियार था, मझला लड़का हुकूमत करना चाहता था और छोटा लड़का जो था वह धूर्त था और झूठ बोलने की आदत रखता था। सौदागर ने अपनी सारी ज़िन्दगी गाँव में ही बितायी थी जहाँ उसकी एक दुकान थी और जहाँ वह ब्याज पर रुपया उधार देने का धन्धा भी करता था। वह स्वयं तो निरक्षर और कूपमण्डूक क़िस्म का इंसान था पर उसकी यह हार्दिक अभिलाषा थी कि उसके पुत्र पढ़ें-लिखें, दुनिया देखें और दुकान की गद्दी पर बैठने के बजाय कोई धन्धा करें। इसी कारण जब लड़के जवान हो गये तो उस सौदागर ने उन सभी को अशर्फियों से भरा एक-एक थैला दिया और उनसे कहा कि अब तुम लोग जाओ, देश-विदेश का भ्रमण करो, कुछ ज्ञान प्राप्त करो और कोई उम्दा पेशा अख़्तियार करो। लड़कों ने माता-पिता के चरण छुए और एक शुभ मुहूर्त में घर छोड़ दिया। घर छोड़ने के बाद वे वन की ओर चले और एक ऐसे स्थान पर पहुँचे जहाँ से कि तीन रास्ते फटते थे। उस तिराहे पर वे एक-दूसरे के गले मिले और अलग-अलग रास्तों पर चले गये। जाने से पहले उन्होंने यह वादा भी किया कि अब वे ठीक दस वर्ष बाद लौटेंगे।

वे अपने रास्ते पर चलते गये, चलते गये। वे ज़्यादा चले या कम, यह तो नहीं कहा जा सकता पर इतना ज़रूर मालूम है कि काफ़ी सफ़र तय करने पर वे भिन्न-भिन्न नगरों में पहुँचे। बड़ा लड़का जो था वह एक विद्यालय में गया और ज्ञान प्राप्त करने लगा। दूसरा लड़का जो था वह सरकार की ऊँची नौकरियों में लिए जाने की कोशिश करता रहा और सबसे छोटा लड़का जो था वह राजनीति में भाग लेने लगा।

कहनेवाला कहता है कि ऋतुएँ आयीं और चली गयीं और एक दिन वह भी आया जबकि लड़कों को बाहर गये दस वर्ष बीत गये। उस दिन सौदागर की पत्नी ने घर की सफ़ाई करायी, बढ़िया क़िस्म के भोजन बनाये और ब्राह्मणों को दक्षिणा प्रदान की। तीनों लड़के शाम होने तक वापस आ गये और सौदागर के घर में ऐसी रौनक आ गयी जैसी कि शादी विवाह के अवसर पर होती है। लड़कों ने

अपने माता-पिता का और एक-दूसरे का अभिवादन किया। उन्होंने स्नान किया, भोजन किया और सफ़र की थकान दूर करने के लिए वे अपने-अपने पलँगों पर चले गये। अगले दिन उन्होंने अपने पिता के सामने अपनी-अपनी दास्तान पेश की।

सबसे पहले बड़ा लड़का बोला। उसने बताया कि वह एक बहुत बड़े शिक्षा-संस्थान में पढ़ा, उसने सबसे ऊँची शिक्षा प्राप्त की और उसकी प्रतिभा और ज्ञान को देखकर उसे विद्यालय में ही नौकरी भी मिल गयी। नौकरी मिलने का एक कारण यह भी था कि एक बहुत बड़े अध्यापक की इकलौती लड़की उससे इश्क़ करती थी। लड़के ने बताया कि इतना सब कुछ होने पर भी उसका जीवन सुखी नहीं रहा क्योंकि विद्यालय में शिक्षा देने या पाने का कोई वातावरण नहीं रह गया था। छात्रों की कृपा से विद्यालय प्रायः बन्द ही रहता था और शहर का कोतवाल अपने सिपाहियों के साथ शिक्षकों की रक्षा करता था। परीक्षा होती ही नहीं थी और यदि होती भी थी तो छात्र लोग खुले आम नक़ल करते थे और अगर उन्हें कोई कुछ कहता था तो वे उसे चाकू दिखाते थे। इस अनुशासन के संकट के अतिरिक्त दूसरा दुख यह था कि इतना ज्ञानी होते हुए भी उसका वेतन बहुत कम था। कुल मिलाकर स्थिति यह थी कि वह लड़का अपने जीवन से दुखी हो चुका था और आत्महत्या करने की सोचता था। सौदागर ने उसकी बात सुनी और सिर पकड़ लिया।

बड़े भाई की कथा समाप्त होने पर दूसरे लड़के ने अपनी कहानी सुनानी शुरू की। उसने बताया कि वह ख़ूब मन लगाकर पढ़ा और देश की सबसे बड़ी नौकरी में ले लिया गया। वह सच्चे दर्जे में हाकिम हुआ और उसने ईमानदारी और परिश्रम से ख़ूब नाम हासिल किया। बड़े अफ़सर उसके नाम से ख़ुश थे मगर स्थिति यह हो गयी कि इसी बीच मुल्क जो था वह आज़ाद हो गया। गाँव-गाँव के नेता उस पर रौब झाड़ने लगे और अगर उसने उनकी कोई बात नहीं मानी तो उन छोटे-छोटे नेताओं ने उसकी झूठी शिकायतें करनी शुरू कर दीं। वज़ीर लोग भी देशी नेताओं की बात मानते थे और किताब और क़ानून की जगह अपने चुनाव-क्षेत्र का ध्यान रखते थे। धीरे-धीरे ईमानदारी और मेहनत की कोई क़ीमत नहीं रह गयी और हालत यह आ गयी कि अगर कोई काम ठीक हो जाता तो वज़ीर की तारीफ़ सारे अख़बार करते थे और अगर कभी कहीं कोई काम ग़लत हो गया तो उसकी सारी ज़िम्मेदारी अफ़सरों पर डालते थे। ख़ुशामदी अफ़सरों के अलावा बाक़ी सारे अफ़सर उस हालत में आ गये जिसमें चिराग़ खोने के बाद अलादीन आया था। जादू का चिराग़ वज़ीरों और छोटे-छोटे नेताओं के हाथ में चला गया जिसके कारण नेता लोगों के बीच भी जूता चलने लगा। सारा काम अफ़सर करते थे और वज़ीर जो थे वे या तो चील गाड़ी में बैठकर बाढ़-पीड़ित क्षेत्र का मुआयना करते या फिर शराब पीते, बाक़ी भ्रष्ट काम करते और कभी-कभी अपनी स्थिति मज़बूत करने के लिए दंगे भी करवा देते। प्रेस को बुरी तरह दबाया गया जिसका नतीजा यह हुआ कि वज़ीरों को ख़ुद

यह पता नहीं लगता था कि रिआया पर जो ज़ुल्म हो रहे हैं वे कितने संगीन हैं। कुल मिलाकर स्थिति यह थी कि वह बहुत दुखी था और वह भी आत्महत्या करना चाहता था। उसकी कहानी सुनकर सौदागर जो था रोने लगा।

दोनों भाइयों की कथा समाप्त होने के बाद तीसरा लड़का आगे आया और अपनी कहानी सुनाने लगा। उसने बताया कि चलते-चलते वह एक नगर में पहुँचा और साँझ हो जाने के कारण जो मकान पहले मिला, उसी में रात गुज़ारने के लिए ठहर गया। इत्तफ़ाक से वह मकान एक ऐसी स्त्री का था जो बेहद हसीन और जवान होने के साथ-साथ काफ़ी अमीर और अकेली भी थी। वह लड़के को देखकर बेहद खुश हुई और उससे कहा कि वह मकान को अपना ही समझे और जब तक चाहे तब तक वहीं रहे। उस स्त्री का पति एक अख़बार का सम्पादक था जो हुकूमत के ख़िलाफ़ कुछ छापने के कारण जेल काट रहा था। औरत इस लड़के को दिन में गधा बना देती और अख़बार के दफ़्तर भेज देती और रात को उसे नवयुवक बनाकर उसके साथ ऐश करती। सुबह होते ही वह उसे फिर गधा बना देती और अख़बार के दफ़्तर में सम्पादक का काम करने भेज देती। लड़के ने बताया कि गधा होकर सम्पादक बनने में उसे कोई दिक्कत नहीं होती थी क्योंकि काफ़ी बड़े-बड़े अख़बारों के सम्पादक भी गधे ही थे। उस अख़बार से उस औरत को बड़ी अच्छी आमदनी थी और वह उन सूचनाओं के कारण थी जो कि अख़बार में कभी नहीं छपती थीं। वह औरत जासूस रखती थी जो बड़े-बड़े लोगों की कमज़ोरियों का पता लगाते थे। पता लग जाने पर वह औरत उन बड़े-बड़े लोगों से मिलती थी और सौदा करती थी कि वे या तो इतनी अशर्फियाँ दें या फिर अख़बार के अगले अंक में अपनी काली करतूतों का विस्तृत विवरण पढ़ें। बड़े लोग डर जाते थे और वह औरत उन ख़बरों को दबा लेती थी और अशर्फी इकट्ठी करती जाती थी।

छोटे लड़के ने यह ज़िन्दगी एक या दो साल तक व्यतीत की और फिर वह देश की राजनीति में कूद पड़ा। प्रचार के लिए उसका अपना अख़बार था और पैसे की उसे कमी नहीं थी। धीरे-धीरे वह एक नेता बन गया मगर उसने चुनाव वग़ैरह कभी नहीं लड़ा। वह उन लोगों को ख़रीदने लगा जो कि चुनाव जीत चुके थे। धीरे-धीरे उसका अपना एक गुट हो गया जो सरकार बनाने में दख़ल देने लगा। वह गुट जिस पार्टी से भी मिल जाता था, उसी की सरकार बनती थी जो उसे रुपया देती थी ताकि गुट दूसरे दल से मिलकर नयी सरकार न बना दें। इस धन्धे से उसे करोड़ों रुपयों की आमदनी हुई और वह हर प्रकार से ख़ुश रहा।

छोटे लड़के की सफलता की कथा सुनकर सौदागर जो था वह खुश हुआ। छोटे लड़के ने बताया कि वह अपने दो बड़े भाइयों की तरह आत्महत्या नहीं करना चाहता था क्योंकि उसका विश्वास आत्महत्या में न होकर हत्या में था। अपने राजनीतिक धन्धे में उसने कई लोगों को ग़ायब करवाया था और कई का काम ख़त्म करना

अभी बाक़ी था। कहानी सुनाकर उस छोटे लड़के ने यह भी बताया कि वह अपने भाइयों को अपने साथ काम करने की सलाह देगा ताकि उनके संकट भी दूर हो सकें। उसकी यह बात सुनकर दोनों बड़े भाई बड़े ख़ुश हुए और उन्होंने छोटे भाई के नीचे काम करना स्वीकार कर लिया।

कहनेवाला कहता है कि इस प्रकार ज्ञान, विद्या और चरित्र इत्यादि जो गुण थे वे भ्रष्ट राजनीति के गुलाम हो गये और दुनिया उसी तरह चलती रही जैसी कि वह चलती आ रही थी। शरीफ़ लोग ग़रीबी में रहते रहे और धूर्त लोग उनके ऊपर हुकूमत करते रहे। कहनेवाला यह भी कहता है कि जैसा सच्चा प्यार उन तीन भाइयों में था, भगवान करे कि ऐसा सच्चा प्रेम सभी भाइयों में हो।

एक आवारा रचना

आज मैं एक आवारा रचना लिखने बैठा हूँ। व्याकरण के अनुसार रचना जो होती है वह स्त्रीलिंग होती है और इसी कारण आवारा होने से उसका वैसे भी काफ़ी घनिष्ठ सम्बन्ध रहता है। जैसा कि मैंने पहले भी कहीं कहा है, चरित्रहीन जो होती है वह हमेशा लड़की ही होती है; लड़का जो है वह कभी भी चरित्रहीन नहीं होता। बहरहाल, एक आवारा युवती की भाँति इस रचना का भी सम्बन्ध किसी एक व्यक्ति से नहीं होगा; जो भी सामने आयेगा, उसी को पकड़ लिया जायेगा।

मेरी रचना की आवारगी के कई कारण हैं। स्थिति यह है कि एक ओर तो मैं कोई श्रेष्ठ रचना लिखना चाहता हूँ और दूसरी ओर नया काव्य संग्रह छपा है जिसकी प्रतियाँ किसी भी समय प्रकाशक के यहाँ से आ सकती हैं। नयी पुस्तक की प्रतीक्षा में मैं इतना व्याकुल हूँ कि कुछ कह नहीं सकता। वैसे यह शायद मेरी चौबीसवीं किताब है मगर मुझे फिर भी इतनी उत्सुकता है जितनी कि रीतिकालीन नवयुवतियों को अपने प्रेमी या पति के विरह में ग्यारह बच्चों की माँ होने के बाद भी रहा करती थी। प्रतीक्षा के इस सन्दर्भ में मात्र आवारा साहित्य ही लिखा जा सकता है; बाक़ी कुछ नहीं। वैसे आवारा होना भी कोई बुराई नहीं है क्योंकि लार्ड बायरन के अनुसार आवारगी जो होती है वह व्यक्तित्व के विकास की चरमसीमा होती है। मैं बायरन की पंक्तियाँ याद करता हूँ और सोचता हूँ कि काश, आवारगी के इस महत्त्व का पता थाना लालकुर्ती के दरोग़ाजी को भी होता।

थाना लालकुर्ती जो है वह ठीक मेरी कोठी के सामने है। इन दिनों जो दरोग़ा हैं वे काफ़ी होनहार क़िस्म के इंसान हैं और कुल मिलाकर वे इतने कर्मठ अधिकारी हैं कि उनके जैसा उत्साही पुलिस अधिकारी मैंने पहले कभी नहीं देखा। इनका यह दस्तूर है कि किसी-न-किसी शरीफ़ इंसान को रोज़ पकड़ा जाता है और पकड़ने के बाद उसे आवारगी के जुर्म में हिरासत में रखा जाता है। कुल मिलाकर स्थिति इतनी नाज़ुक हो गयी है कि इधर आपने अपनी बुशर्ट के बटन खोले और उसके बाद पतलून की जेब में हाथ डालकर माल रोड पर घूमना शुरू किया कि उधर दरोग़ाजी की जो मोटर सायकिल है वह भी दरोग़ाजी के साथ गतिशील होने लगी। आप और

कुछ हैं या नहीं हैं पर दरोग़ा जी की निगाह में आवारा ज़रूर हैं और उनकी निगाह में आपको हिरासत में लेने के लिए इतना जुर्म काफ़ी है। बाक़ी जो कुछ होगा, वह बाद में देख लिया जायेगा। और अगर आप अपनी पत्नी के साथ घूमते पकड़े जाते हैं तो स्थिति यह होती है कि दरोग़ाजी के सामने उसे माता कहकर पुकारा जाता है। दरोग़ाजी की निगाह में सिवा अपनी माता के, कोई शरीफ़ आदमी किसी और स्त्री को लेकर सड़क पर घूम ही नहीं सकता।

इत्तफ़ाक की बात यह है कि इतने होनहार दरोग़ा ने अभी तक मुझे नहीं पकड़ा है और यह उसी का परिणाम है कि मैं यह रचना लिख रहा हूँ। थोड़ा-बहुत लिखने के बाद आराम करने के लिए बरामदे में पड़ी आरामकुर्सी पर बैठ जाता हूँ, सामने पड़ी पत्र-पत्रिकाओं को उलट-पुलट कर देखने लगता हूँ या फिर उसी पुराने पोस्टमैन को याद करने लगता हूँ जो कि मेरी नयी किताब लायेगा। मेरी स्थिति मेघदूत के यक्ष से भी ज़्यादा दयनीय हो जाती है। अगर कालिदास आज जीवित होता तो मेघदूत काव्य मुझको लेकर लिखता और यक्ष-यक्षिणी को हर्ग़िज़ भूल जाता। अपनी नयी पोथी की प्रति को देखने की व्याकुलता विरही यक्ष की व्याकुलता से कहीं ज़्यादा होती है। प्रेम की पीड़ा तो केवल उन्हीं को होती है जिन्हें और कोई कष्ट नहीं होता।

मैं अख़बार उठा लेता हूँ और उसे पढ़ना शुरू करता हूँ। पहले ही पृष्ठ पर पढ़ता हूँ कि दहेज की प्रथा को दूर करने के लिए बिहार में आजकल 'दामाद भगाओ आन्दोलन' काफ़ी तेज़ी से ज़ोर पकड़ रहा है। ठीक वही स्थिति जो कि नगेन्द्रनाथ सेन के अमर उपन्यास 'ब्रजनाथ का विवाह' में चित्रित की गयी है। उस उपन्यास को पढ़े हुए मुझे कोई तीस वर्ष हो गये पर उसकी कथा को मैं कभी नहीं भूला। इस स्थिति का एक कारण यह भी है कि उपन्यास की नायिका इन्दुलेखा अतीव रूपवती लड़की थी। इस समाचार के पढ़ने के बाद एक दूसरी ख़बर पढ़ता हूँ जिसके अनुसार एक व्यक्ति बिना किसी कारण के सैंतीस वर्ष तक जेल काटता रहा और इस अवधि में उस पर कोई मुक़दमा कभी नहीं चलाया गया। मैं सोचता हूँ कि कितना भाग्यवान व्यक्ति था जो बिना किसी अदालती हुक्म के इतने वर्षों तक जेल के भीतर अपनी युवावस्था को व्यतीत करता रहा। न कोई दुख, न क़ोई चिन्ता। पूरी की पूरी ज़िन्दगी बिना किसी कसूर के जेल में काट दी। आप ही बताइए कि इससे ज़्यादा आनन्द और क्या होगा?

इन ख़बरों के आगे और भी कुछ ऐसे समाचार पढ़ने को मिले कि तबीयत जो थी वह बगीचा-बगीचा हो गयी। एक चरित्रवान व्यक्ति ने उच्चतम न्यायालय में दावा किया है कि यदि शेष धर्मों के भीतर एक से अधिक विवाह करने की छुट्ट्री है तो हिन्दू धर्म ही कब तक पिछड़ा रहेगा? इस मुद्दे को लेकर कभी-कभी मैं भी परेशान हो जाता हूँ और इसी कारण इस मुक़दमो का अगला विवरण और भी ध्यान से पढ़ूँगा। इसके बाद मैंने वह खबर पढ़ी कि जिसके अनुसार पटना का गाँधी मैदान

और रेलवे स्टेशन रिज़र्व बैंक के यहाँ बन्धक रखे गये हैं। सोचता हूँ कि ये दो चीज़ें क्या, सारा का सारा देश ही बन्धक पड़ा है और न जाने कितनी पीढ़ियाँ आयेंगी जो इसे मुक्त करेंगी। दिल्ली में एक मन्त्रीजी के पालतू कुत्ते ने विरोधी पक्ष के नेता को काट खाया और इस समाचार ने हृदय को जितना सुख पहुँचाया उतना और किसी समाचार ने कभी नहीं किया। जब ऐसी ख़बरें छपती हैं तो वे कौन-सी ख़बरें हैं जिन्हें छापने के लिए 'प्रेस की स्वतन्त्रता' को लेकर फ़ौजदारी की जा रही है? मैं पूछता हूँ कि राम और कृष्ण के समय में कौन-सा अख़बार छपता था?

सबसे बाद में अख़बार में पढ़ा कि एक ख़त को अपने पते पर पहुँचने में चार वर्ष से कुछ ऊपर समय लगा। डाक विभाग को करबद्ध प्रणाम है कि उसने चार वर्ष की अवधि में भी चिट्ठी नहीं खोयी और उसे गन्तव्य स्थान पर पहुँचा कर ही दम लिया। इतनी लगन और कर्तव्यपरायणता का उदाहरण शायद किसी और देश में ढूँढ़ने पर भी न मिले। चार वर्ष की अवधि में पत्र भेजनेवाला व्यक्ति यदि चाहता तो स्वयम् भी सन्देश लेकर वहाँ पहुँच सकता था जहाँ कि चिट्ठी जानी थी। मगर वैसा करना हमारी परम्परा के विपरीत होता। हमारे देश में सन्देश जो हैं वे सदा किसी के द्वारा ही भेजे जाते हैं। नल-दमयन्ती के कथानक में हंस जो है वह सन्देश ले जाता है और जायसी के नायक व नायिका के पास सन्देश लेकर जाने की जो ज़िम्मेदारी है वह हीरामन तोता सँभालता है। कबूतर भी खाली वक़्त में सन्देश ले जाने का काम किया करते थे। बहरहाल, किसी और के हाथों सन्देश भेजने की प्रथा मेघदूत से लेकर उद्धवशतक तक चलती रही। वैसे जहाँ तक मेरा प्रश्न है वह चिट्ठी भेजने के सख़्त ख़िलाफ़ है क्योंकि यदि चिट्ठी जो है वह कन्या के बजाय उसके बाप के हाथ में पड़ गयी तो रीतिकाल जो है वह वीरगाथाकाल में बदल जायेगा। चिट्ठी भेजने में और भी कुछ ख़तरे हैं। उदाहरण के लिए, एक सज्जन थे जो किसी कारण अपनी सगी पत्नी से अलग हो गये थे और बिना किसी व्यतिक्रम के उसे रोज़ एक चिट्ठी लिखा करते थे। आप जानते हैं कि इस चिट्ठी लिखने की आदत का अन्तिम परिणाम क्या निकला? अन्तिम परिणाम यह निकला कि उनकी प्यारी और पतिव्रता पत्नी पोस्टमैन के साथ भाग गयी।

बाहर किसी ने गेट खोला। शायद मेरी नयी किताब लेकर डाकिया आ गया।

अगली पीढ़ी का सवाल

इस असार-संसार में वर्तमान पीढ़ी जो होती है वह भावी पीढ़ी को लेकर सदा से चिन्तित रहती आयी है। वर्तमान पीढ़ी ने सदा से यह सोचा है कि भावी पीढ़ी जो होगी वह सभ्यता व संस्कृति का नाश करेगी। मिस्र देश में खुदाई के दौरान एक शिलालेख प्राप्त हुआ है जो ईसा से भी कोई पाँच सौ वर्ष पहले का है। इस शिलालेख का शिलावाला भाग छोड़ भी दें तो लेखवाला जो भाग है वह काफ़ी दिलचस्प है क्योंकि वह कहता है कि आनेवाली जो पीढ़ियाँ हैं वे इतनी अशक्त व पतित क़िस्म की होंगी कि संसार की सारी सभ्यता और संस्कृति आगामी तीन सौ वर्षों में समाप्त हो जायेगी और मनुष्य जो है वह फिर से जंगली जानवरों की स्थिति में पहुँच जायेगा। कितने दुःख की बात है कि ढाई हज़ार वर्ष पहले शिलालेख पर अंकित यह भविष्यवाणी सच नहीं निकली। गीता के अनुसार हम लोग अभी तक इतने अनैतिक व पतित नहीं हुए कि भगवान को फिर से अवतार लेने की ज़रूरत पड़े। मगर इस सारी स्थिति के बावजूद हर एक पीढ़ी भावी पीढ़ी के बारे में सदा से निराश व दुखी ही रहती आयी—ठीक उसी तरह जिस तरह कि नयी पीढ़ियाँ जो हैं वे पुरानी पीढ़ियों को सदा से नफ़रत और दयाभाव से देखती आयीं। चार्ल्स लैंब ने कहा था कि सन्तान का अपने माता-पिता के प्रति एक ही कर्तव्य है और वह कर्तव्य यह है कि सन्तान जो है वह अपने माता-पिता को माफ़ कर दे। पुरानी पीढ़ी को लेकर चार्ल्स लैंब ने और भी काफ़ी दिलचस्प बातें कही हैं और उनमें से सबसे ज़्यादा मर्मस्पर्शी उक्ति यह है कि माता-पिता जो हैं वे अपने बच्चों की शादी मात्र इस कारण करते हैं क्योंकि वे अपनी शादी दुबारा नहीं कर सकते। चार्ल्स लैंब जो था वह सदा अविवाहित ही रहा जिससे ज़ाहिर होता है कि वह माता और पिता के बग़ैर ही पैदा हुआ था। माता-पिता होते तो उस ग़रीब की शादी किये बिना हर्गिज़ नहीं रहते।

देश की बाक़ी जनता की भाँति, बच्चों की प्राप्ति के लिए मैंने भी अपनी सगी पत्नी की सहायता की जो उसने सहर्ष स्वीकार की और इस सारे सहकारी अभियान का परिणाम यह निकला कि मेरे घर में भी दो बच्चे प्रकाश में आये। जिस प्रकार

मैंने साहित्य में दो विधाओं का विकास किया और एक ओर ललित निबन्ध लिखे तो दूसरी ओर काव्य सृष्टि भी की, ठीक उसी प्रकार मैंने बच्चों के सन्दर्भ में भी दो विधाओं का पालन किया जिसकी परिणति यह रही कि मेरे यहाँ एक पुत्री हुई तो दूसरा बच्चा पुत्र रहा। दोनों बच्चे इस निबन्ध के लिखने की तिथि तक शरीफ़ हैं, प्रतिभावान हैं और इसी कारण उनके भविष्य के बारे में मेरा चिन्ता करना स्वाभाविक है। यह वाक़ई बड़ी अजीब बात है कि चिन्ता जो होती है वह भले बच्चों के सन्दर्भ में ही होती है; जो धूर्त और अपराधी बच्चे होते हैं उनकी चिन्ता कोई नहीं करता। वे बच्चे अपने पैरों पर ख़ुद खड़े होते हैं, बैंक लूटते हैं और अपना सारा जीवन हवालात, अदालत और जेल में आराम से काटते हैं और बाक़ी वक़्त में भगवान का भजन करते हैं। ये तो शरीफ़ बच्चे हैं जिन्हें लेकर माता-पिता को चिन्ता होती है और वह भी विशेषकर इस मुद्दे को लेकर होती है कि वे बच्चे अपने जीवन में बड़े होकर पेशा अख़्तियार करें तो कौन-सा करें।

पुराने ज़माने में 'चाकरी' करने को 'अधम' काम समझा जाता था मगर देश की जो वर्तमान स्थिति है उसमें नौकरी करने को नीच काम नहीं कहा जा सकता। अब तो स्थिति यह है कि भारतीय प्रशासन सेवा में चुना जाना किसी भी नवयुवक के लिए जीवन की सबसे बड़ी उपलब्धि कहा जा सकता है। मगर इल्लत यह है कि इस सेवा में भी काफ़ी ख़तरे उत्पन्न हो गये हैं और कभी-कभी तो अफ़सरों को छोटी-छोटी बातों पर तंग किया जाता है। अभी कहीं डिनर हो रहा था कि एक स्थानीय नेता ने मजिस्ट्रेट के ऊपर अपनी प्लेट फेंककर मारी। अब आप ही बताइए देश की वर्तमान स्थिति को देखते हुए क्या इस व्यवहार को उचित कहा जा सकता है? हादसे में अगर कहीं वह विदेशी प्लेट टूट जाती तो राष्ट्र को कितनी हानि पहुँचती। साहित्यकार का जीवन बिताना तो सदा से कष्टप्रद रहा। चाणक्य तक ने कहा है कि विद्वान् लोग धनी नहीं होते। यह ख़ुशी की बात है कि आज़ादी के बाद भी इस स्थिति में कोई विशेष अन्तर नहीं आया और प्रशासकों ने इस बात का पूरा ध्यान रखा कि चाणक्य द्वारा बतायी गयी परम्परा को कोई धक्का न पहुँचे। प्रोफ़ेसर का पेशा भी इधर काफ़ी ख़तरनाक हो गया है क्योंकि पता नहीं शिक्षा-संस्थान में पुलिस को गोली चलाने के लिए कब विवश होना पड़े। मरने के डर के कारण ही सेना में जाना भी लोकप्रिय नहीं रहा वरना वैसे वहाँ स्थिति इतनी सुखद हो गयी है कि कर्नल तक को राशन जो है वह मुफ़्त दिया जाता है। सम्पादक होने की स्थिति में जो आकर्षण हैं वे भी अन्दर से खोखले हैं। यह तो सच है कि सम्पादक देश-विदेश की मुफ़्त यात्रा करते हैं और प्रायः रूपवती युवतियों से घिरे रहते हैं मगर यह भी सच है कि उनकी सारी गरिमा क्षणभंगुर है। इधर सेठजी ने उँगली उठायी, उधर सम्पादकजी दफ़्तर के बाहर जाते दिखाई पड़े।

कुल मिलाकर सच्चाई की बात तो यह है कि देश में फ़िलहाल एक होनहार

व्यक्ति के लिए दो ही धन्धे ऐसे बचे हैं जिनमें कुछ करके दिखलाया जा सकता है। एक धन्धा है चित्रपट का अभिनेता बनना और दूसरा धन्धा है राजनीति में भाग लेना। इन दोनों धन्धों में व्यक्ति को चेहरा बदलना पड़ता है और अभिनय करना पड़ता है। देश में फ़िलहाल स्थिति यह है कि दोनों धन्धे मिलकर एक हो गये हैं और दो प्रदेशों के मुख्यमन्त्री जो हैं वे व्यक्तिगत जीवन में चित्रपट के लोकप्रिय अभिनेता ही हैं। आन्ध्र प्रदेश में तो एक ऐसा संस्थान खोला जा रहा है जहाँ कि राजनीतिक नेताओं और कार्यकर्त्ताओं को शिक्षा दी जायेगी और बताया जायेगा कि उनके भावी आचरण किस प्रकार के हों। इस संस्थान को ठीक उसी प्रकार चलाया जायेगा जिस प्रकार कि पूना में चित्रपटों के अभिनेताओं को शिक्षा देनेवाला संस्थान चलाया जा रहा है। आशा की जाती है कि आन्ध्र प्रदेश के इस कॉलेज में शिक्षा प्राप्त करने के बाद विधानसभा में जूता जो चलाया जायेगा वह शास्त्रीय पद्धति के अनुसार ही होगा। राजनीति का धन्धा इतना उम्दा है कि सर्वश्री बाबू जगजीवन राम, पण्डित कमलापति त्रिपाठी और शेख़ अब्दुल्ला ने अपने पुत्रों को अपने ही जीवन में इस धन्धे में लगा दिया था। नाम तो कुछ और भी होंगे, मगर वे इस वक़्त याद नहीं आ रहे। हाँ, चौधरी चरणसिंह ने अपने पुत्रों कि शायद राजनीति में नहीं डाला पर वे भी अपनी निजी पत्नी को लोकसभा तक ले आये। सच्ची बात यह है कि देश की सेवा करने का धन्धा घर में अगर एक बार जम जाए तो वह एक ऐसी पवित्र ज़िम्मेदारी बन जाता है कि अगली पीढ़ी अपने आराम वग़ैरह के लिए उसे त्यागकर देश के साथ विश्वासघात नहीं कर सकती। राजतन्त्र का उत्तराधिकार और वंश परम्परा से वैसे भी सदा सम्बन्ध रहा है।

जहाँ तक लड़कियों का प्रश्न है, स्थिति यह है कि मैं भी उन सभी लड़कियों को हिक़ारत और सहानुभूति के साथ देखता हूँ जो कि पेशा करती हैं। पेशेवर युवतियों में से केवल वे ही युवतियाँ मुझे अच्छी लगती हैं जो या तो डॉक्टर हों या प्रोफ़ेसर हों। मेरे विचार में ये दोनों पेशे ऐसे हैं कि जिनमें युवतियाँ अपना और दूसरों का पूरी तरह विकास कर सकती हैं और सेवा व सफलता के नये मापदण्ड स्थापित कर सकती हैं। मगर देश की लड़कियों को देखिए तो पता लगेगा कि वे प्रत्येक क्षेत्र में पुरुषों का मुक़ाबला करने की कोशिश में जुटी हैं। कितने दुःख की बात है कि हमारे देश की कोमल और कान्त कन्याएँ भारतीय पुलिस सेवा में भर्ती हो रही हैं जिसकी क़ीमत इस देश को एक दिन ज़रूर चुकानी पड़ेगी। पुलिस की अधिकारी एक युवती को तो मैंने खुद देखा है और स्थिति यह है कि वह इतनी सुन्दर और कोमल थी कि उनके सामने डाकू तो क्या, ख़ाकसार खुद आत्मसमर्पण करने को तैयार था। मेरे इस बयान में चौंकानेवाली कोई बात नहीं है क्योंकि लड़कियों का जो इतिहास होता है वह हमेशा उनके भूगोल के ही आधार पर बनता है। ऐसा सदा से होता आया है।

देश की बालिकाओं, लड़कियों और युवतियों से मेरा करबद्ध निवेदन है कि वे नौकरी वग़ैरह का चक्कर छोड़ अपना जीवन अपने घर की चहारदीवारी के भीतर ही गुज़ारें। शौहर एक रखें, बच्चे दो पैदा करें और सास-ससुर की सेवा करें। वह स्थिति न आये जिसे लेकर अकबर इलाहाबादी को मजबूरन कहना पड़ा था कि 'उनकी बीवी ने फकत स्कूल की ही बात की, यह न बतलाया कहाँ रक्खी है रोटी रात की।' और आप लोगों में से कोई अगर डॉक्टरनी हैं तो मेरी सलाह मानें और दिन छिपे के बाद मरीज़ देखने के लिए घर के बाहर क़दम न रखें। समाचारपत्रों के अनुसार एक कर्तव्यपरायण रूपवती डॉक्टरनी फ़ोन पर समाचार पाने के बाद गाड़ी लेकर बाहर निकली और उस पते पर पहुँची जो कि टेलीफ़ोन पर बताया गया था। स्थिति यह रही कि वहाँ मरीज़ तो कोई था नहीं, हाँ, अलबत्ता अपने दिल का दर्द ठीक करने के लिए चन्द नवयुवक वहाँ ज़रूर मौजूद थे। डॉक्टरनी बेचारी उनका क्या इलाज करती, उन नवयुवकों ने ही डॉक्टरनी की प्राकृतिक चिकित्सा कर दी।

इस रचना का भरत वाक्य यह है कि मेरी बतायी गयी बातें सही हों या ग़लत हों, इतना निश्चित है कि हमसे अगली पीढ़ी देश और समाज को आगे ले जायेगी। भावी पीढ़ी को लेकर मेरे मन में न कोई सन्देह कभी था और न कभी रहेगा। और हाँ, लड़कियों को लेकर मैंने जो कुछ लिखा है वह काफ़ी हद तक मेरे व्यक्तिगत अनुभव पर आधारित है। अपने लम्बे जीवन में (जिसके कि लगभग तीस वर्ष ऊँची सरकारी नौकरी करने में निकल गये) मैं अनेक युवतियों के सम्पर्क में आया हूँ और उनको मैंने बड़े ध्यान से देखा और परखा है। मैंने जो सलाह ऊपर दी है वह इसी व्यक्तिगत अनुभव पर आधारित है। अब आप ही बताइए कि मेरे जैसे चरित्रवान और ईमानदार व्यक्ति के अनुभवों पर आधारित जो सलाह होगी वह क्या ग़लत होगी?

पद-यात्रा

इन दिनों जनता पार्टी के अध्यक्ष श्री चन्द्रशेखर की पद-यात्रा की बड़ी चर्चा है। वैसे इतिहास में यायावर लोग पहले भी होते रहे हैं जिनमें इब्नबतूता, मार्को पोलो, फ़ाह्यान, हुएनस्वांग, इत्सिंग, सर फ्रांसिस ड्रेक, कैप्टन कुक, स्वेन रेडिन, पियरी, कैप्टेन स्काट और माओ की लालसेना की महान यात्रा को हमेशा याद रखा जायेगा। मगर ये सब यात्राएँ बतौर पिकनिक की गयी थीं जबकि चन्द्रशेखरजी की पद-यात्रा एक मिशन को लेकर सम्पन्न की गयी थी। इसी महान् अन्तर के कारण चन्द्रशेखर की पद-यात्रा को मानव जाति के इतिहास में निश्चित स्थान मिलेगा। मुझे इसमें कोई सन्देह नज़र नहीं आता। विश्व के इतिहास में अलबत्ता एक और ऐसी यात्रा भी बचती है जो कि चन्द्रशेखरजी की यात्रा की भाँति शाश्वत क़िस्म की है। इस यात्रा को स्टीवेन्सन ने एक गधी पर बैठकर यूरोप में सम्पन्न किया था। इस यात्रा को लेकर बाद में उन्होंने 'ट्रैवेल्स विद ए डंकी' नाम से उसका विवरण भी लिखा जिसे भावी पीढ़ियाँ ठीक उसी तरह पढ़ती रहेंगी जैसा कि वह चन्द्रशेखरजी के यात्रावृत्तान्त के साथ करेंगी।

चन्द्रशेखरजी की पद-यात्रा का कुछ विवरण दे दिया जाए तो वह समीचीन रहेगा। चन्द्रशेखरजी ने यह यात्रा कन्याकुमारी से प्रारम्भ की और राजघाट पर समाप्त की। कुल मिलाकर यात्रा की टोटल लम्बाई कोई चार हज़ार किलोमीटर रही। यात्रियों की एक छोटी-सी टोली थी जो तड़के ही निकल जाती थी, दोपहर को कहीं विश्राम करती थी और रात को जो भी गाँव आ गया, उसी में अपना डेरा डाल देती थी। पार्टी के साथ-साथ एक जीप गाड़ी, दो ट्रक और एक अन्य गाड़ी भी थी जो चन्द्रशेखरजी के साथ पद-यात्रा करती थी। जीप में जल होता था, ठेलों में मुख़्तलिफ़ तरह का सामान होता था और बाक़ी जो गाड़ी बचती थी उसमें चन्द्रशेखरजी का चलता-फिरता दफ़्तर रहता था। पार्टी के साथ डॉक्टर भी शायद रहता था जिसके रहने के बावजूद चन्द्रशेखरजी एक बार बीमार भी पड़े और एक बार उन्हें कुछ चोट भी आ गयी। पार्टी जिस स्थान पर पहुँचती थी, वहाँ रूपवती युवतियाँ चन्द्रशेखरजी की आरती उतारती थीं और उन्हें दान-दक्षिणा भी प्रदान की जाती थी। पूरी यात्रा के दौरान उन्होंने कोई दस लाख रुपया जमा किया। यदि पद-यात्रा में इतना सब कुछ

आनन्द छिपा है तो मैं भी इस दिशा में गम्भीरता से विचार करूँगा। मैं तो मज़ाक़ में कह रहा हूँ पर ये सच्चाई की बात है कि पद-यात्रा में यदि इतनी आमदनी होती है तो सरकार उसका राष्ट्रीयकरण ज़रूर कर देगी।

इस ऐतिहासिक यात्रा का मिशन क्या था— इस मुद्दे को लेकर आपस में जद्दोज़हद की जायेगी, युनिवर्सिटियाँ रिसर्च कराएँगी और शायद इस छोटी-सी बात को लेकर एक-आध जगह दंगे भी हो जाएँ। इस देश में सब कुछ चलता है। पद-यात्रा भी चलती है, जूता भी चलता है और यात्रा करनेवाले की प्रशंसा में नारेबाज़ी भी चलती है। बहरहाल, यदि हम चन्द्रशेखरजी की वाणी ही पकड़ें तो स्थिति यह है कि "इस पद-यात्रा के कई उद्देश्य थे। जनता से प्रत्यक्ष सम्बन्ध स्थापित करना, उनकी स्थिति का सच्चा जायज़ा लेना, लोगों में जागरूकता पैदा करना और देश की नाज़ुक व बुनियादी समस्याओं के प्रति जनशक्ति का दबाव तैयार करना— यह सब यात्रा करने का उद्देश्य रहा। देश में बदलाव की ज़रूरत है और इसी बदलाव के प्रति जागरूकता लाना, शोषण-दमन के प्रति समाज में प्रतिकार शक्ति पनपाना और देश के सामने खड़ी महान समस्याओं के सुलझाव के लिए सामर्थ्य जुटाना— इन सभी बातों की ओर इस पद-यात्रा ने अपना नम्र प्रयास किया।" पद-यात्रा का ऊपर दिया गया दावा यदि ठीक है तो योजना आयोग, रिज़र्व बैक, और सरकार के मन्त्रालय वग़ैरह एकदम बेकार की चीज़ हैं। सरकार को चाहिए कि सारे धन्धे बन्द कर दे और पदयात्रा को शुरू करे। सचिवालय में क़ानून बनाओ कि यदि उप-सचिव से संयुक्त सचिव बनना है तो बाहर जाओ और एक हज़ार मील पैदल चलने की सनद लाओ। सनद पर नायब तहसीलदार और दरोग़ाजी की मुहर लगनी ज़रूरी है। जवाहरलाल नेहरू सीधे आदमी थे जो देश का उद्योगीकरण करना चाहते थे, लालबहादुर शास्त्री पिछड़े हुए थे क्योंकि वे जवान और किसान दोनों का भला चाहते थे। सबने प्रयत्न किये मगर वह सफलता किसी को नहीं मिली जो चन्द्रशेखरजी को मिल गयी। सारी बीमारियों का एक प्राकृतिक इलाज— पद-यात्रा। मुझे डर तो यह है कि कहीं थोड़े समय में वाक़ई ऐसा न होने लगे कि यूनियन पब्लिक सर्विस कमीशन, अदालतें और चुनाव आयोग वग़ैरह पद-यात्रा के आधार पर ही अपने फ़ैसले न देने लगें। इस देश में जो हो जाए वही कम है। पद-यात्रा को लेकर महाकाव्य लिखा जायेगा—इसमें तो किसी को सन्देह हो ही नहीं सकता। आगे चलकर साहित्य अकादेमी एवार्ड और ज्ञानपीठ पुरस्कार भी पद-यात्रा के आधार पर ही मिला करेंगे। चन्द्रशेखरजी ने सम्भावनाओं के जो अनन्त कपाट खोले हैं उनके लिए देश उनके सामने हमेशा झुका रहेगा।

चन्द्रशेखरजी ने अपनी लम्बी पद-यात्रा में क्या देखा— यह भी एक ऐसा मसला है जिस पर ध्यान देना ज़रूरी है। सबसे पहले तो उन्होंने यह स्वीकार किया कि हमारे देश की जो नौकरशाही है वह शायद सारे संसार में सर्वश्रेष्ठ है। उन्होंने देखा कि देश जो है वह उनके अपने बलिया ज़िले से भी पिछड़ा हुआ है। उन्होंने देखा कि देश में

एशियार्ड के लिए एक हज़ार करोड़ रुपये ख़र्च किये गये जबकि दक्षिण भारत, मध्य प्रदेश व राजस्थान साफ़ पानी को पीने के लिए तड़पते रहे। अकेले मध्य प्रदेश में ही लगभग पचपन हज़ार गाँव ऐसे हैं जिनमें पानी नहीं है। अपनी यात्रा के दौरान उन्होंने यह भी एहसास किया कि शासक जो हैं वे प्रायः ऐसी पृष्ठभूमि से आते हैं जिसमें ग़रीबी का सच्चा अनुभव नहीं है। चन्द्रशेखरजी ने यह भी बताया कि देश की राष्ट्रएकता को कोई ख़तरा नहीं है और राजनीतिक लोग जो हैं वे जनता के मित्र नहीं बल्कि लुटेरे हैं। मैं चन्द्रशेखरजी के बयान पढ़ता जाता हूँ और सोचता हूँ कि इनकी लम्बी पद-यात्रा में क्या इनके हाथ इतना ही लगा; इतना तो मुझे बिना पद-यात्रा के ही मालूम है। पानी की समस्या के बारे में मैं उन्हें यह भी सूचित करना चाहता हूँ कि हमारी सरकार उस तरफ़ से उदासीन नहीं है। अकेले संसद सदस्यों के बँगलों में पानी की स्थिति ठीक करने के लिए तीस लाख रुपयों की राशि अधिकृत की है। कहते हैं कि एक स्थान पर एक नापित ने उनकी हजामत बनाने की इच्छा प्रकट की मगर चन्द्रशेखरजी उसकी प्रार्थना को स्वीकार नहीं कर सके। सिद्धान्त की जो बात ठहरी।

कुछ लोग सोचते थे कि पद-यात्रा के बाद श्री चन्द्रशेखरजी राजनीति से संन्यास ग्रहण कर लेंगे। मगर जब चन्द्रशेखरजी ने इस धारणा को ग़लत बताया तो काफ़ी लोग उदास हो गये। बहरहाल, मैं तो उनकी पद-यात्रा को काफ़ी सन्तुलित निगाह से देखता हूँ और यह स्वीकार करता हूँ कि ऐसी पदयात्राओं से सरकार पर कोई प्रभाव नहीं पड़ना चाहिए। सरकार को उचित होगा कि पदयात्राओं को नज़रअन्दाज़ कर दे और बाक़ी मन्त्रियों और सचिवों को भी विदेश भेज दे। बाहर जाने से प्रशासकों का जो नज़रिया है वह चौड़ा होता है। देश में आप कितनी ही पद-यात्रा कर लो मगर उससे आपके दिल और दिमाग़ पर कोई असर नहीं पड़ता। जहाँ तक चन्द्रशेखरजी का प्रश्न है, स्थिति यह है कि मेरी उनसे एक ही विनती है और वह यह कि यदि वे यात्रा के दौरान मिले लाखों रुपयों की राशि के साथ कुछ करना चाहें तो ख़ाकसार मदद के लिए हाज़िर है। एक वरिष्ठ सरकारी अधिकारी होने के नाते इस दिशा में मेरा गहरा अनुभव होना स्वाभाविक है कि लाखों-करोड़ों रुपयों को इधर से उधर कैसे किया जाए। मज़ाक़ छोड़ दूँ तो इस बात पर दिमाग़ अटक जाता है कि आख़िर इस ग़रीब चन्द्रशेखर को क्या चिन्ता है जो यह अपनी सेहत ख़राब कर रहा है। योग वासिष्ठ कहता है कि जैसे ईंधन डालने से आग बढ़ती है उसी प्रकार चिन्ता जो है वह सोचने से ज़्यादा बढ़ती है। न सोचने से चिन्ता वैसे ही नष्ट हो जाती है जैसे ईंधन के बिना अग्नि नष्ट हो जाती है। मूल पाठ इस प्रकार है :

चिन्तनेनैधते चिन्ता, त्विन्धनेनैव पावकः।
नश्यत्यचिन्तनेनैव, विनेन्धनमिवानलः।।

❑❑

परिशिष्ट

(अ) जीवन-वृत्त : रवीन्द्रनाथ त्यागी

1.	जन्म	:	9 मई, 1930 (क़स्बा : नहटौर, ज़िला-बिजनौर, उत्तर प्रदेश)।
2.	देहावसान	:	4 सितम्बर, 2004 (देहरादून, उत्तराखण्ड)।
3.	शिक्षा	:	एम.ए. (अर्थशास्त्र), प्रयाग विश्वविद्यालय (गोल्ड मेडलिस्ट), 1954।
4.	विवाह	:	सुश्री शारदाजी से, 24 जून, 1955।
5.	आजीविका	:	12 दिसम्बर, 1955 को 'इण्डियन डिफेंस एकाउण्ट्स सर्विस' में नौकरी आरम्भ की और 1 सितम्बर, 1989 को 'कण्ट्रोलर ऑफ़ एकाउण्ट्स' के पद से सेवानिवृत्त हुए।
6.	परिवार	:	पिता : पं. मुरारीदत्त शर्मा, माता : श्रीमती चमेली देवी, पत्नी : श्रीमती शारदा त्यागी, पुत्र : अशोक (जन्म : 17 अगस्त, 1962), पुत्री : इन्दु (जन्म : 9 जुलाई, 1966), पुत्र-वधू : दीपा, पौत्री : पल्लवी, पौत्र : प्रणव, दामाद : राजय, दौहित्री : कोपल राजे।

(आ) पुरस्कार-सम्मान

1. उत्तर प्रदेश हिन्दी संस्थान, लखनऊ : 1977-1978-1979 में प्रति वर्ष तीन अलग-अलग पुस्तकों पर पुरस्कृत।
2. सरस्वती सम्मान, सहारनपुर।
3. नागरिक सम्मान, मेरठ।
4. चकल्लस पुरस्कार, मुम्बई, 1985।

5. टेपा पुरस्कार, उज्जैन, 1988।
6. श्रीनारायण चतुर्वेदी पुरस्कार, उत्तर प्रदेश।
7. पदुमलाल पुन्नालाल बख्शी पुरस्कार, मध्य प्रदेश।
8. अट्टहास शिखर सम्मान, 1997।
9. व्यंग्यश्री पुरस्कार, दिल्ली, 1998।
10. लीलावती स्मृति पुरस्कार, 1999।
11. शरद जोशी सम्मान, 1999।
12. हरिशंकर परसाई पुरस्कार, हरदा, 2001।
13. स्नेहलता गोइन्का व्यंग्य-भूषण पुरस्कार, 2002।

(इ) रवीन्द्रनाथ त्यागी का साहित्य

(क) हास्य-व्यंग्य संग्रह (मौलिक)

	पुस्तक	प्रकाशक	प्रकाशन-वर्ष
1.	खुली धूप में नाव पर	लोकभारती प्रकाशन, इलाहाबाद	1963
2.	भित्ति-चित्र	राजकमल प्रकाशन, नयी दिल्ली	1966
3.	मल्लिनाथ की परम्परा	लोकभारती प्रकाशन, इलाहाबाद	1968
4.	कृष्णवाहन की कथा	नेशनल पब्लि. हाउस, नयी दिल्ली	1971
5.	देवदार के पेड़	नेशनल पब्लि. हाउस, नयी दिल्ली	1973
6.	शोक-सभा	नेशनल पब्लि. हाउस, नयी दिल्ली	1974
7.	अतिथि-कक्ष	राजपाल एण्ड संस, दिल्ली	1977
8.	सुन्दरकली	सम्भावना प्रकाशन, हापुड़	1978
9.	फूलों वाले कैक्टस	पराग प्रकाशन, दिल्ली	1979
10.	ऋतु-वर्णन	नेशनल पब्लि. हाउस, नयी दिल्ली	1988
11.	भद्र-पुरुष	पराग प्रकाशन, दिल्ली	1980
12.	इस देश के लोग	पराग प्रकाशन, दिल्ली	1982
13.	पदयात्रा	नेशनल पब्लि. हाउस, नयी दिल्ली	1985
14.	पराजित पीढ़ी के नाम	पराग प्रकाशन, दिल्ली	1988
15.	प्रसंगवश	पराग प्रकाशन, दिल्ली	1988
16.	आत्मलेख	नेशनल पब्लि. हाउस, नयी दिल्ली	1988
17.	विष-कन्या	भारतीय ज्ञानपीठ, नयी दिल्ली	1990
18.	गणतन्त्र दिवस की शोभा-यात्रा	नेशनल पब्लि. हाउस, नयी दिल्ली	1991

19. चम्पाकली	किताब घर, नयी दिल्ली	1992
20. इतिहास का शव	राजकमल प्रकाशन, नयी दिल्ली	1993
21. देश-विदेश की कथा	किताब घर, नयी दिल्ली	1994
22. भाद्रपद की साँझ	राजकमल प्रकाशन, नयी दिल्ली	1996
23. लाल पीले फूल	किताब घर, नयी दिल्ली	1997
24. बादलों का गाँव	अभिरुचि प्रकाशन, दिल्ली	1999
25. शेष-अवशेष	भारतीय ज्ञानपीठ, नयी दिल्ली	2011

(ख) हास्य-व्यंग्य संकलन (पूर्व प्रकाशित निबन्धों के संकलन)

1. उर्दू-हिन्दी हास्य-व्यंग्य	पराग प्रकाशन, दिल्ली	1978
	दूसरा संस्करण : राजकमल प्रकाशन, नयी दिल्ली	1991
2. फुटकर	सम्भावना प्रकाशन, हापुड़	1979
3. मेरी श्रेष्ठ व्यंग्य रचनाएँ	नेशनल पब्लि. हाउस, नयी दिल्ली	1979
4. प्रतिनिधि रचनाएँ (सम्पादक : कमल किशोर गोयनका)	पराग प्रकाशन, दिल्ली	1988
5. पूरब खिले पलाश	भारतीय ज्ञानपीठ, नयी दिल्ली	1998
6. कबूतर, कौए और तोते	भारतीय ज्ञानपीठ, नयी दिल्ली	2001
7. एक चिरन्तन कथा	मेधा बुक्स, दिल्ली	2004
8. यक्ष-प्रश्न	मेधा बुक्स, दिल्ली	2005
9. वसन्त से पतझर तक	भारतीय ज्ञानपीठ, नयी दिल्ली	2005
10. सिन्दबाद की अन्तिम यात्रा (सम्पादक : कमल किशोर गोयनका)	प्रभात प्रकाशन, नयी दिल्ली	2008
11. ग़रीब होने के फ़ायदे (सम्पादक : कमल किशोर गोयनका)	प्रभात प्रकाशन, नयी दिल्ली	2008
12. 51 व्यंग्य रचनाएँ (सम्पादक : कमल किशोर गोयनका)	डायमण्ड बुक्स, नयी दिल्ली	2011

(ग) कविता-संग्रह

1.	सूखे और हरे पत्ते	भारती भण्डार, प्रयाग	1962
2.	कल्प-वृक्ष	राजकमल प्रकाशन, नयी दिल्ली	1965
3.	आदिम राग	राधाकृष्ण प्रकाशन, नयी दिल्ली	1967
4.	आख़िरकार	नेशनल पब्लि. हाउस, नयी दिल्ली	1978
5.	सलीब से नाव तक	पराग प्रकाशन, दिल्ली	1983
6.	अन्तिम वसन्त	पराग प्रकाशन, दिल्ली	1988
7.	कृष्ण-पक्ष की पूर्णिमा	किताब घर, नयी दिल्ली	1996

(घ) कविता-संकलन (पूर्व प्रकाशित कविताओं का संकलन)

1.	पीले पाल वाली बूढ़ी नाव (श्रेष्ठ कविताएँ)	मेधा बुक्स, दिल्ली	2003

(ङ) उपन्यास-कहानी

1.	अपूर्ण कथा	सम्भावना प्रकाशन, हापुड़	1980
2.	अपूर्ण कथा (पेपरबैक)	राजपाल एण्ड संस, दिल्ली	1985

(च) पत्र-संग्रह

1.	मेघदूत उवाच	गीतांजलि प्रकाशन, देहरादून	2008

(छ) बाल-साहित्य

1.	मास्टर भोलाराम	पराग प्रकाशन, दिल्ली	1979
2.	हमारे मास्टर साहब	जनप्रिय प्रकाशन, दिल्ली	1987
3.	खेल गाँव	अभिरुचि प्रकाशन, दिल्ली	1991
4.	सुन्दर वन	अभिरुचि प्रकाशन, दिल्ली	1995

(ई) अप्रकाशित-असंकलित रचनाएँ

रवीन्द्रनाथ त्यागी के दिवंगत होने के बाद उनकी पत्नी श्रीमती शारदा त्यागी को

निम्नलिखित ऐसी रचनाएँ मिलीं जो अप्रकाशित एवं असंकलित थीं। ये रचनाएँ निम्नलिखित हैं–

1. आठ कविताएँ : झंडे के प्रति, पनघट, कवि से...., शाम हो गयी..., बेला, मेरा देश और साँझ।
   शारदाजी के अनुसार इनका रचना-काल 1948-52 के बीच का है। इनमें कुछ 'सरस्वती' (प्रयाग) पत्रिका में छपी थीं। उनकी एक पाँच पंक्ति की कविता उनकी डायरी में मिली, वह भी प्रस्तुत है। यह सम्भवतः उनकी अन्तिम कविता है।
2. उनके तीन असंकलित लेख भी संकलित हैं। पहला लेख तो उन्होंने मुझ पर लिखा था, दूसरा 'कुछ व्यंग्य संस्मरण' उन्होंने देहावसान के दिन ही 'उमर उजाला' को प्रकाशनार्थ भेजा था, जो उनके देहान्त के तीन दिन बाद श्रद्धांजलि के रूप में 'अमर उजाला' ने प्रकाशित किया। तीसरा लेख 'नयी पीढ़ी' फ़ाइल में दबा रखा था जो 'इण्डिया टुडे' ने उनकी पहली पुण्य-तिथि को प्रकाशित किया था।

आठ कविताएँ

(1) झंडे के प्रति

जय भारत के प्राण तिरंगे,

बिखर रही थी भारत सुषमा
सदियों से था कितना जर्जर
रही नीरसा धरा उर्वरा
रोता सा रहता था पतझर
सूने से उस ही उपवन में
मचवादी पिकतान तिरंगे!
जय भारत के प्राण तिरंगे।

स्वतन्त्रता की बलिवेदी पर
प्राणों से था खेल निरन्तर
आज सत्य हैं जिनके सपने
अमर हुए जाने वे कितने
भगत सिंह जैसे अनेक उन
वीरों के अभिमान तिरंगे।

जय भारत के प्राण तिरंगे।

जहाँ रही कल सन्ध्या काली
खिली चाँदनी है उजियाली।
वर्षों से अभिशप्त पुनीता,
पुष्प धरा पर है हरियाली
लूटी हुई भारतमाता के
हो सुहाग की शान तिरंगे।
जय भारत के प्राण तिरंगे।

(2) पनघट

ग्राम अलका अप्सराएँ
पनघट पर नीर भरे।

सुन्दर सजीले अंग,—
अचल हिले, खुले पंख,
वस्त्र कसे, कसे व्यंग
अधर रस बूँद झरे!

अंचल हिलाता मरुत्,
धीरे धीरे बजे नूपुर,
उर उर में मधुर मधुर,
अंग में उमंग भरे!

मधुर हास स्नेह सने,
खींच वारि कर थमे,
घूँघट तूणीर, तने—
नयनों के वाण चले!

आर्द्र-द्रुम छाया सघन,
नभ नील - उज्ज्वल घन,
हँसती सी मलयज पवन,
पुष्पों के पंख हिले!

उच्च नील शैल झलक
देता; था घट में छलक
होती फिर हास किलक
काम कल चाप धर!

विहँस उड़ी विहग वधू—
नीड़, चली ग्राम वधू,
प्राणों की वीणा में
जीवन का राग भरे!

(3) कवि से...

ओ शब्दों के चित्रकार तुम,
मृत वर्णों में भर देते हो
अपने प्राणों के जीवित कण!

जीवन की इस मौन डगर पर
तुम काँटों की कुंचित छाया
में भी जाने सुलग रहे हो—
कैसे अपनी कोमल काया!

सोये स्वर में प्राण जगा कर,
शुष्क शब्द से गान बना कर,
तुम जाने कैसे ले आते,
शापों से वरदान बना कर!

तुम जाने कैसे भर देते
स्वप्नों से जीवन का प्याला!
तुम कैसे मूर्च्छित कर देते
जीवित भावों से यह अन्तर!

कैसे जाने देव तुम्हारी
पीड़ा हो जाती है हाला
कैसे जाने सज जाती रे
अनजाने भावों की माला!

तुमने जीवन के क्रन्दन को
मधुर स्वरों के पात्रों में भर
पिला दिया रे अनायास ही
कैसे तुमने अपना अन्तर?

तुमने वर्णों की रेखा में
बाँध दिया सन्ध्या प्रभात को
तुमने पद लय के बन्धन में
बाँध दिया नश्वर जीवन को!

देव, तुम्हारे कल्पित जग की
अजर अमर सुन्दर कुटिया में
मैं भी आकर देख सकूँगा
क्या वे सारे संचित सपने?

(4) शाम हो गयी...

शाम हो गयी,
छिप गये पेड़,
जंगल से लौट आये
बैल, बकरी, भेड़!
पीपल पर लाल लाल
परियाँ रहीं नहीं,
दूर उधर वन में ही
छिप गयीं कहीं!

शब्द एक आता था
किसी के गाने का,
बन्द हो गया; दीप
मन्दिर पर जल गया,
पोखरों से होकर के
घेरों के पास तक
अँधेरा बढ़ आया
चुपके लपक!

डगरों से धूल भरे
बच्चे गये,
क़स्बे के व्यापारी
वापस गये,
पेड़ों के डैनों में
पंछी सोये,
तारों की छाया में
पेड़ सो गये!

सरिता के आसपास
तीर सो गया,
रात की उन बातों में
तम खो गया,
अधरों के बिस्तर पर
गान सो गये।

(5) बेला

आधी रात, जगे तुम बेला,
किसको देख रहे हो पथ पर?
सोया तम भी, सोया नभ भी
और सो गयी वह श्रान्त डगर!
ओ, कवि से तुम भी खिलते हो
गाते शैशव सा मृदु गाना।
सो जाता संसार सभी जब
एकाकी केवल मनमाना।
कौन खिला जाता है जाने
आकर तुमको धीर-धीरे;
नीरव तम में मधुर मौन वह
पंखुरियों पर मृदु स्पर्श दे!
तुम फूलों के राजा, वह भी
होगी रे परियों की रानी।
सबसे छिपकर आ जाती जो
तुम्हें सुनाने प्रेम कहानी।
तुमने यामा के विषाद में
ढूँढ़ा कैसे अमर हास रे?
तुमने कैसे जान लिया प्रिय,
आधी ठीक हुई रात रे?
बोलो, मेरे प्रिय बेला तुम,
मुझे सिखा दी खिलते रहना;
यामा के नीरव विषाद में भी
वृन्तों पर हँसते रहना।
आधी रात हो गयी बेला,
मैं जाता हूँ; तुम हो योगी!

प्रिय-माला-हित लेने कोई
जगी रात भर, आती होगी!

(6) मेरा देश

मेरा देश
मेरा देश
मेरा देश
नदियों का देश
कवियों का देश
छवियों का देश
यह देश—
कि वन-वन गाती-फिरती परियों का

खेतों का देश
गीतों का देश
दीपों का देश
यह देश—
कि शत-शत ऋतुओं का—उन रंगों का

पर्वत का देश
झीलों का देश
सागर का देश
यह देश—
पाल बर्फ़ के : माँझी के सन्देशों का

मेघों का देश
हंसों का देश
कमलों का देश
यह देश—
कि रंग-बिरंगे पंखों उड़ते पाखी का

सोने का देश
चाँदी का देश
मिट्‌टी का देश
यह देश—
कि लम्बे-लम्बे दिन औ गहरी रातों का

गीता का देश
अयोध्या का देश
मुग़लों का देश
यह देश–
राम, कृष्ण औ गाँधी, बुद्ध, जवाहर का
सन्तों का देश
महन्तों का देश
तीर्थों का देश
यह देश–
मन्दिर, मस्जिद, और शिवाले, गिरजे का
यौवन का देश
जीवन का देश
चिरन्तन देश
यह देश–
आशाओं का, विश्वासों का, आदर्शों का
मेरा देश
मेरा देश
मेरा देश
यह देश–
कि नाम एक बस केवल मेरे प्राणों का

(7) साँझ

धीरे-धीरे साँझ हो गयी!
अब बेला के फूल हिल गये,
नभ में कितने दीप जल गये,
मन में जगा भाव वह नये,
जग भर को मृदु-स्वप्न दे गयी!
ग्राम-डगर पर खिसका अंचल,
स्वर्ण विहग ले सोता पीपल,
उठ जल से यह रेखा चंचल
अभी-अभी नभ में खो गयी।
उधर सो गया धीरे, सविता

नभ में फैला कोमल कविता
जो बिखरे बादल की सन्ध्या
नीरव पग धर मुझे दे गयी!

(8) अन्तिम अप्रकाशित कविता

जो करता हो प्रतीक्षा पावस की
जिसके गीत से उगते हों बादल
जिसके कण्ठ से निकलता हो वसन्त
ऐसा रूपवान शव क्या
आपने कहीं देखा है?

तीन लेख

(1) कमल किशोर गोयनका : एक निश्छल व परिश्रमी प्राण

कुछ लोग ऐसे होते हैं कि आप उन्हें कतई नहीं जानते पर पहिली ही मुलाक़ात में कुछ ऐसा लगता है कि हम दोनों न जाने एक-दूसरे को कितने वर्षों से जानते हैं। डॉ. गोयनका इसी प्रकार के व्यक्ति हैं। मैं उनसे देहरादून में कोई सात वर्ष पहिले पहिली बार मिला था और उस एक भेंट में ही मैं उनका मुरीद हो गया, उनका भक्त हो गया। इतना सरल, निष्कपट, सात्विक और स्नेही बन्धु पाकर मैं वास्तव में भगवान के प्रति हृदय से आभारी हूँ। इस 'दुर्घटना' के बाद वे मेरे यहाँ जम्मू आये और मेरी 'प्रतिनिधि रचनाओं' के सम्पादन के सम्बन्ध में कोई सप्ताह भर रुके। तब मैंने उनका समीक्षक व शोधकर्म वाला व्यक्तित्व देखा, जो मेरे लिए पहला अनुभव था। वे इतने 'सिस्टैमैटिक' हैं, इतने परिश्रमी हैं और इतने पारखी हैं कि बड़े से बड़े प्रोजेक्ट को भी वे कम समय में समाप्त कर सकते हैं। उनके पास बैठ कर लगता है कि रामचन्द्र शुक्ल, हज़ारी प्रसाद द्विवेदी व बाबू श्यामसुन्दर दास किस प्रकार के व्यक्ति रहे होंगे। मैं अतिशयोक्ति कर रहा हूँ पर ज़्यादा नहीं।

डॉ. गोयनका ने मुंशी प्रेमचन्द पर काम किया और बड़ी निष्ठा व लगन के साथ किया। 'प्रेमचन्द विश्वकोश' एक ऐसा विशद ग्रन्थ है कि उसके कारण गोयनका जी की प्रसिद्धि देश में ही नहीं वरन् विदेशों में भी हुई। उन्हें कई पुरस्कार भी मिले। उन्होंने प्रेमचन्द की ऐसी रचनाओं को भी ढूँढ़ा जिनका किसी को पता भी नहीं था। प्रेमचन्द के जीवन के ऐसे प्रसंगों और घटनाओं का विवरण भी तैयार

किया जिन्हें कोई नहीं जानता था। हालाँकि इन प्रसंगों में कुछ ऐसे पहलू भी आये जिन्हें प्रेमचन्द के 'अन्ध-भक्तों' ने पसन्द नहीं किया। बात यह है कि तुलसीदास की भाँति प्रेमचन्द भी करोड़ों पाठकों के लिए मात्र लेखक ही नहीं हैं वरन् उनके परिवार के सदस्य हैं, उनके अपने हैं। ऐसे लोग ऐसी कोई बात नहीं जानना चाहते जो उस चित्र पर नया प्रकाश डाले जिसे वे वर्षों से अपने हृदय पर अंकित किये हुए हैं। मैं ख़ुद इन अन्ध-भक्तों में से एक हूँ। मगर इस सब से गोयनका जी के शोध-कार्य पर कोई अन्तर नहीं पड़ता।

प्रेमचन्द पर किये गये काम से जैसे ही कुछ अवकाश मिला, वैसे ही वे उन चर्चित साहित्यकारों की प्रतिनिधि रचनाओं के संकलन में लग गये, जिन्होंने एक से ज़्यादा विधाओं में काम किया था। यह काम उन्होंने उसी निष्पक्षता, कुशलता और लगन के साथ किया जो उन्होंने प्रेमचन्द के सन्दर्भ में दिखाई थी। वे एक ऐसे समीक्षक हैं जो भावुक तो हैं पर निष्पक्ष भी हैं, स्नेही तो हैं पर स्पष्ट वक्ता भी हैं, प्रशंसक तो हैं पर कमियों पर प्रकाश डाले बिना रह नहीं पाते।

गोयनका जी की निश्छलता कभी-कभी ऐसे कमाल दिखाती है कि आप परेशानी में पड़ सकते हैं। उन्होंने मेरी एक अच्छी-ख़ासी किताब एक ऐसे प्रकाशक को दिलवा दी कि उसने मुझे अभी तक एक पैसा भी रॉयल्टी के रूप में नहीं दिया। यदि मेरा यह नुक़सान न हुआ होता तो मैं उनकी और ज़्यादा प्रशंसा करता।

(11 फ़रवरी, 1989)

(2) कुछ व्यंग्य-संस्मरण

मेरी शादी जून 1955 में हुई। उस समय मेरी आयु 25 वर्ष की थी और पत्नी की आयु 16 वर्ष की थी। उसी वर्ष, मैं केन्द्रीय सरकार की एक बड़ी नौकरी के लिए चुन लिया गया। दफ़्तर जाने पर मैंने साइकिल ख़रीदने के लिए एडवांस की अर्ज़ी दी जो अस्वीकृत कर दी गयी, क्योंकि मैं प्रथम श्रेणी का अधिकारी था और मुझे मोटर ख़रीदने का एडवांस तो मिल सकता था, पर साइकिल का नहीं। एक मित्र अधिकारी ने मुझे दस रुपये प्रति माह के किराये पर एक नयी साइकिल दिलवा दी। कोई डेढ़ वर्ष बाद मैंने अपनी साइकिल ख़रीदी, जिसकी क़ीमत डेढ़ सौ रुपया थी। साइकिल शानदार थी; उसमें घण्टी थी, चेन कवर था, स्टैण्ड था, आगे की तरफ़ बेंत की टोकरी थी और पिछली तरफ़ सामान रखने का क्लिप था। मैंने कोई बारह वर्ष बाद नयी मोटर ख़रीदी, जिसकी सारी क़ीमत साढ़े अठारह हज़ार थी। पत्नी गोरी थी और इसी कारण मोटर मैंने काले रंग की ली। अब तक वही मोटर है और वही पत्नी है। मोटर ख़रीदने के बाद मैंने अपनी साइकिल सौ रुपयों में बेच दी। अब तो हालत यह है कि मेरे निजी परिवार में छह मोटर हैं जिनमें मेरी मोटर सबसे पुरानी

है। मोटर उतनी ही चमकती है जितनी कि वह सैंतीस वर्ष पहले चमकती थी। चार दुर्घटनाएँ हो चुकी हैं, जिनमें एक दुर्घटना भयंकर थी और मेरी जान कैसे बच गयी, यह मैं खुद नहीं जानता। यह दुर्घटना मेरी अपनी लापरवाही के कारण हुई थी।

मुन्नीलाल ने मुझे मोटर चलाना सिखाया। वह मेरे ही दफ़्तर में चतुर्थ श्रेणी का कर्मचारी था। उसके साथ मेरा परिवार सारनाथ, वाराणसी, कौशाम्बी, चित्रकूट, चुनार, मिर्ज़ापुर, विन्ध्याचल, लोअर खजूरी डाम, अपर खज़ूरी डाम, चचई फ़ाल, टाँडा फ़ाल, विंढम फ़ाल, रीवाँ, गोविन्द गढ़, कानपुर व लखनऊ गये। मुन्नीलाल शराब बहुत पीता था और इसी कारण वह तीस-पैंतीस वर्ष की आयु में ही मर गया। कौशाम्बी में कभी राजा उदयन राज करते थे और उनकी चर्चा कालिदास ने 'मेघदूत' में की।

1950 में जब मैं इलाहाबाद युनिवर्सिटी गया तो मैंने देखा कि लगभग सारे बड़े प्रोफ़ेसर या तो रिक्शे से चलते थे या फिर साइकिल चलाते थे। कुछ बड़े लोग (जैसे डॉ. ईश्वरीप्रसाद और रघुपतिसहाय 'फ़िराक़') युनिवर्सिटी पैदल ही आते थे, क्योंकि उनके बँगले युनिवर्सिटी के पास ही थे। हिन्दी-विभाग में केवल डॉ. रामकुमार वर्मा ही एक ऐसे अध्यापक थे जो मोटर रखते थे। बाद में चलकर डॉ. धर्मवीर भारती ने एक ऐसी फटीचर मोटर ख़रीदी थी जिसके भोंपू को छोड़कर, सारे पुर्ज़े आवाज़ निकालते थे। भोंपू की ज़रूरत कभी नहीं पड़ती थी, क्योंकि उनकी मोटर की आवाज़ इतनी बुलन्द थी कि वह दूर तक पहुँचती थी। उनकी उस मोटर को स्टार्ट करने के लिए क़रीब छह विद्यार्थी धक्का लगाते थे। कभी-कभी वह मोटर एकदम चल पड़ती थी और पीछे से धक्का लगाने वाले छात्र धराशायी हो जाते थे, जबकि उनकी वह शानदार मोटर प्रायः रोज़ ही काफ़ी धक्के लगाने के बाद ही गतिशील हो पाती थी। कॉमर्स विभाग के प्रोफ़ेसर घोष और अँग्रेज़ी विभाग के प्रोफ़ेसर सतीशचन्द्र देव ताँगे में बैठकर युनिवर्सिटी आते थे, जबकि अर्थशास्त्र के प्रोफ़ेसर रुद्रा साइकिल से ही युनिवर्सिटी आते थे। प्रोफ़ेसर देव एक दिलचस्प आदमी थे। उनके बारे में बच्चन ने लिखा है—

प्रोफ़ेसर देव थे गोलमटोल
मानो विश्व-ज्ञान के ढोल,
विनम्रता के थे अवतार
और विनम्रतर बन जाने में
उन्हें नहीं लगती थी बार,
कर सकते थे वे हाफ़िज़ का
सेनोलूल का, हलवे का
एक साँस में शंखोच्चार।

(3) नयी पीढ़ी

मैं एक निम्न मध्यवर्गीय परिवार में पैदा हुआ, जो मेरे पिता की घोर अकर्मण्यता के कारण भयंकर ग़रीब था। मेरी प्रारम्भिक शिक्षा संस्कृत में हुई। किसी तरह मैं अपने क़स्बे के हाई स्कूल में भर्ती हुआ जिसका सारा श्रेय एक परम दयालु हैडमास्टर को जाता है, जिन्होंने मेरी फीस माफ करवाई और कोर्स की किताबें स्कूल की लाइब्रेरी से दिलवाईं। मैं क्लास में हमेशा प्रथम आता था और इसी कारण मुझे छात्रवृत्ति हमेशा मिलती थी। ट्यूशन करके सौ रुपये जमा किये और उन्हीं के बल पर मैं प्रयाग विश्वविद्यालय गया और वहाँ से एम.ए. की परीक्षा में टॉप करके लौटा। वहाँ भी मैंने पाँच रुपये मासिक की नौकरी की, छात्रवृत्ति पायी, प्रूफ़ पढ़े, डिस्पैच का काम किया और सुन्दर व अमीर लड़कियों के ट्यूशन भी किये। प्रयाग उन दिनों साहित्य का गढ़ था और पन्त, निराला, महादेवी वर्मा, फ़िराक़ और बच्चन वहीं रहते थे। अगर मैं प्रयाग न जाता तो साहित्यकार कभी नहीं बनता। प्रयाग में ही मैंने देश की सर्वोच्च सिविल सर्विसेज़ की प्रतियोगिता-परीक्षा पास की और 'इण्डियन डिफेंस एकाउण्ट्स सर्विस' के लिए चुन लिया गया। मैं रातों-रात एक बड़ा आदमी बन गया। नौकरी के सात वर्ष मैंने विभिन्न महत्त्वपूर्ण पदों पर केन्द्रीय सचिवालय में गुज़ारे। जब चौधरी बंसीलाल रक्षा मन्त्री बने, तो उन्होंने पहला ख़ास काम यह किया कि बिना किसी ठोस कारण के मुझे मुअत्तिल कर दिया। मैं उन दिनों रक्षा-मन्त्रालय में उपसचिव था। मुअत्तिली का ग़लत ऑर्डर उन्हें पिछली तारीख़ से वापस लेना पड़ा। कुछ परेशानियों को छोड़कर, मेरा सारा सेवा-काल शान्ति से गुज़रा। मैं बहुत भाग्यशाली था। यदि मैं इन दिनों 'भारतीय प्रशासन सेवा' या 'भारतीय पुलिस सेवा' में होता तो कुमारी मायावती, श्रीमती राबड़ी देवी या कुमारी जयललिता द्वारा, पता नहीं कब और कहाँ फेंक दिया गया होता। कुमारी मायावती की माया अनन्त है। यह कुमारी तो जब भी चाहे तभी चीफ़ सेक्रेटरी या डाइरेक्टर जनरल (पुलिस) को मुअत्तिल कर दें या उनका ट्रांसफर कन्याकुमारी को कर दें, हालाँकि कन्याकुमारी इनके राज्य के बाहर है। हरि अनन्त, हरि कथा अनन्ता...।

मैं तो फ़िलहाल देहरादून जैसे रमणीक और महत्त्वपूर्ण नगर में एक बड़े बँगले में रहता हूँ जिसमें (रोमन क़ानून के विधाता सिसरो के कथनानुसार) लाइब्रेरी व उपवन दोनों हैं। घूमना, लिखना, पढ़ना और निद्रा लाभ—इनको छोड़कर और कोई काम नहीं करता। डिप्रेशन, डायबिटीज और रिश्वत न लेने के दुःख ज़रूर सालते हैं, पर इस असार संसार में ऐसा कौन है जो पूर्णतया सुखी हो? नानक दुखिया सब संसार। मगर असली बात यह है कि इतना सब कुछ पाने के बाद भी मेरी नीयत नहीं बदली। कुली तभी करता हूँ जबकि, सामान रेल में रखने के लिए, वैसा करना अनिवार्य हो और कुली कर भी लिया तो उससे मज़दूरी देने पर जो बहस चलती है,

वह तभी ख़त्म होती है जबकि रेल चलने लगती है। प्रतिदिन पाँच सिगरेट पीता हूँ, और प्रत्येक सिगरेट की क़ीमत चालीस पैसे होती है। जूते खुद पालिश करता हूँ, किताबों की जिल्दें खुद बाँधता हूँ और अपनी हजामत खुद ही बनाता हूँ। कपड़ों को तब तक पहनता हूँ जब तक वे इतने न फट जायें कि मेरे गुप्तांग ही दिखने लगें। मैं एक गंजा व्यक्ति हूँ और जो थोड़े से बाल हैं, वे सिर के पिछले हिस्से पर ही हैं। इन बालों को प्रायः मैं पत्नी से कटवा लेता हूँ या खुद ही काट लेता हूँ। श्री महावीर त्यागी और श्री मुरारजी देसाई भी ऐसा ही करते थे। कार वही है जो पैंतीस वर्ष पहले ख़रीदी थी। उन दिनों नयी फिएट कार मात्र अठारह हज़ार में मिली थी और पेट्रोल का दाम निन्यान्वे पैसे प्रति लीटर था। गाड़ी ख़रीदने के लिए मैंने बारह हज़ार का कर्ज़ा तो सरकार से लिया और बाक़ी पैसा पुत्र के मुंडन-संस्कार के नाम पर अपने प्रोविडेण्ट फण्ड से निकाला। टेलीविज़न 'ब्लैक एण्ड ह्वाइट' ही रहा, रंगीन नहीं। पत्नी भी वही है जिसे मैंने लगभग अड़तालीस वर्ष पहले प्राप्त किया था। सभी चीज़ें आज भी लगभग उतनी ही नयी हैं जितनी कि वे प्राप्ति के समय थीं। मैं अब भी उतना ही दक़ियानूसी और किफ़ायती हूँ, जितना पचास वर्ष पहले था। सादा जीवन व सादे विचार। मगर नयी पीढ़ी ने मुझ पर जो हमला बोला है, उसका अन्त नज़र नहीं आता।

मेरा पुत्र एक अमेरिकन मल्टीनेशनल में ऊँचे पद पर है। उसका सही वेतन तो मैं नहीं जानता, मगर इतना ज़रूर जानता हूँ कि उसको जो वेतन, बोनस व अतिरिक्त सुविधाएँ मिलती हैं, उन पर उसे साढ़े बाईस लाख आय कर प्रत्येक वर्ष देना पड़ता है। उसकी सुन्दर पत्नी भी केन्द्रीय सरकार के टेलीफ़ोन विभाग में एक बहुत ऊँचे पद पर है। दोनों की अपनी अलग गाड़ियाँ हैं और दोनों ने विश्व के लगभग सभी देशों का दौरा किया है। दोनों इतने व्यस्त हैं कि उनके दो बच्चे आया पालती है। दो ड्राइवर हैं, एक कम्पनी का दिया पहरेदार है और बाक़ी घरेलू नौकर अलग हैं। सब कुछ है, पर बच्चों को कहानियाँ सुनाने का समय उनके पास नहीं है। मेरी पुत्री और दामाद बिहार के एक मुफ़स्सिल नगर में एक शानदार कान्वेंट चलाते हैं और इतने ठाठ से रहते हैं कि दामाद जो है वह लगभग एक हज़ार रुपयों की तो टाई ही लगाता है। कान्वेंट में छुट्टी होते ही अपनी-अपनी गाड़ियों में अपनी सुन्दर बच्ची के साथ वे दोनों भारत-दर्शन को निकल पड़ते हैं। उन्होंने सारे दर्शनीय स्थान देखे हैं और अपनी मोटरों के सहारे ही देखे हैं। इन दर्शनीय स्थानों में देहरादून भी शामिल है जहाँ वर्ष में एक या दो बार वे ज़रूर आते हैं। वे पाँच सितारों वाले होटलों में ठहरते हैं और वहाँ के बैरों को इतना 'टिप' देते हैं कि मुझे किसी बड़े होटल के बैरा बनने की इच्छा सालने लगती है। महाकवि मिल्टन की यह पंक्ति याद आने लगती है जिसमें उसने कहा है कि 'दे आलसो सर्व, हू स्टैण्ड एण्ड वेट'। दोनों बच्चे फ़िजूलख़र्च होने के साथ-साथ दयालु भी बहुत हैं। कुली, मज़दूर व भिखारी

तबके के लोगों को वे खुले हाथ देते हैं। यो न ददाति न भुक्ते, तस्य तृतीया गतिः भवति (भर्तृहरि)।
मेरे दोनों बच्चे जब भी आते हैं तभी उन्हें मेरे रहन-सहन में खामियाँ-ही-खामियाँ नज़र आती हैं। पिछले कुछ वर्षों में उन दोनों ने मेरे मकान में कपड़े धोने की मशीन, मकान के सारे पर्दे, क़ीमती किताबें, दो कूलर, एक एयर-कण्डीशनर, एक कॉर्ड-लैस, दो रंगीन टेलीविज़न, एक वीडियो, एक मोबाइल टेलीफ़ोन, एक इन्वर्टर और विदेशों से लायी विभिन्न वस्तुएँ इस प्रकार लगायी हैं, मेरा मकान एक अजायबघर लगता है जिसका कि मैं चपरासी लगता हूँ। अपने ही घर में अब मैं प्रवासी हो गया। (वह अपने घर में प्रवासिनी—पन्त) मेरा पुत्र और मेरा दामाद मेरी सुविधा के लिए एक-एक मोटर यहाँ भी छोड़ना चाहते हैं। अगर ऐसा हो गया तो मेरा घर एक गराज़ लगेगा और आयकर विभाग की एक टीम मेरे घर की तलाशी लेगी। पता नहीं कि मैं उन्हें कैसे सन्तुष्ट करूँगा कि छापे में डेढ़ लाख की अतिरिक्त सम्पत्ति जो मिली है, वह कहाँ से आयी और कब आयी। उन्होंने एक ड्राइवर भी लगा दिया है और मेरे जूतों की पालिश व हजामत बनाने का काम उस व्यक्ति को सौंप दिया है जो अब तक सिर्फ़ मेरा माली ही था। यह व्यक्ति एक कलाकार है जिसके लिखे और गाये हुए पहाड़ी गीत उत्तरांचल के रेडियो पर प्रसारित होते हैं। मैं हजामत बनवाते समय उसकी कला को किसी तरह दबाये रहता हूँ, ताकि मेरा गला सुरक्षित रहे।
आज सारे बच्चे हमें 'हाय' कहकर किसी बड़े होटल में खाना खाने गये हैं। मैं और मेरी निजी और एकमात्र पत्नी बरामदे में चाय पी रहे हैं और वर्षा का आनन्द ले रहे हैं। मैं सिगरेट सुलगाता हूँ और अपने प्रियतम कवि अकबर इलाहाबादी का एक शेर याद करता हूँ :

हम ऐसी सब किताबें क़ाबिले-ज़ब्ती समझते हैं
कि जिनको पढ़कर बच्चे बाप को ख़ब्ती समझते हैं।

(उ) कमल किशोर गोयनका का साहित्य

(क) प्रेमचन्द पर पुस्तकें

1. **प्रेमचन्द के उपन्यासों का शिल्प-विधान** : सरस्वती प्रेस, 2/43, अंसारी रोड, दरियागंज, नयी दिल्ली-110002, प्र.सं. 1974, मूल्य : 50.00 रुपये
2. **प्रेमचन्द : कुछ संस्मरण** : सरस्वती विहार, जी.टी. रोड, शाहदरा, दिल्ली, प्र.सं. 1980, मूल्य : 25.00 रुपये
3. **प्रेमचन्द (पाकेट बुक)** : हिन्द पॉकेट बुक्स प्रा.लि., जी.टी. रोड, शाहदरा, दिल्ली, प्र.सं. 1980, मूल्य : 10.00 रुपये
4. **प्रेमचन्द और शतरंज के खिलाड़ी** : पूर्वोदय प्रकाशन, 7/8, दरियागंज,

नयी दिल्ली-110002, प्र.सं. 1980, मूल्य 45.00 रुपये

5. **प्रेमचन्द : अध्ययन की नयी दिशाएँ** : साहित्य-निधि, सी-38, ईस्ट कृष्णा नगर, दिल्ली, प्र.सं. 1981, मूल्य : 50.00 रुपये
6. **रंगभूमि : नये आयाम** : नचिकेता प्रकाशन, 9187/4, मुल्तानी ढांडा, पहाड़गंज, नयी दिल्ली-110055, प्र.सं. 1981, मूल्य : 50.00 रुपये
7. **प्रेमचन्द-विश्वकोश (खण्ड एक एवं दो)** : प्रभात प्रकाशन, 205, चावड़ी बाज़ार, दिल्ली-110006, प्र.सं. 1981, मूल्य : 300.00 रुपये
8. **प्रेमचन्द–चित्रात्मक जीवनी** : पीताम्बर पब्लिशिंग कम्पनी प्रा.लि., 888, ईस्ट पार्क रोड, करोलबाग, नयी दिल्ली-110005, प्र.सं. 1986, मूल्य : 75.00 रुपये
9. **प्रेमचन्द का अप्राप्य साहित्य (खण्ड एक एवं दो)** : वाणी प्रकाशन, 21-ए, दरियागंज, नयी दिल्ली-110002, प्रथम संस्करण, 2016, मूल्य : प्रत्येक खण्ड 2000.00 रुपये
10. **प्रेमचन्द की हिन्दी-उर्दू कहानियाँ** : भारतीय ज्ञानपीठ, 18, इंस्टिट्यूशनल एरिया, लोदी रोड, नयी दिल्ली-110003, प्र.सं. 1990, मूल्य : 130.00 रुपये
11. **प्रेमचन्द-रचना संकलन** : साहित्य अकादेमी, 35, फ़िरोजशाह मार्ग, नयी दिल्ली-110001, प्र.सं. 1994, मूल्य : 300.00 रुपये
12. **प्रेमचन्द–देश-प्रेम की कहानियाँ** : निर्मल पब्लिकेशन्स, ए-139, कबीर नगर, गली नं.-3, शाहदरा, दिल्ली-110032, प्र.सं. 2002, मूल्य : 400.00 रुपये
13. **प्रेमचन्द के नाम पत्र** : अनिल प्रकाशन, 2619-20, न्यू मार्केट, नयी सड़क, दिल्ली-110006, प्र.सं. 2002, मूल्य : 250.00 रुपये
14. **प्रेमचन्द–बाल साहित्य समग्र** : मेधा बुक्स, एक्स-11, नवीन शाहदरा, दिल्ली- 110032, प्र.सं. 2002, मूल्य : 400.00 रुपये
15. **प्रेमचन्द की अप्राप्य कहानियाँ** : अनिल प्रकाशन, 2619-20, न्यू मार्केट, नयी सड़क, दिल्ली-110006, प्र.सं. 2005, मूल्य : 300.00 रुपये
16. **प्रेमचन्द और 'रगभूमि' उपन्यास** : अनिल प्रकाशन, 2619-20, न्यू मार्केट, नयी सड़क, दिल्ली-110006, प्र.सं. 2004, मूल्य : 200.00 रुपये
17. **प्रेमचन्द–पत्रकोश** : अमित प्रकाशन, के.बी.- 97, कविनगर, ग़ाज़ियाबाद-201002, प्र.सं. 2007, मूल्य : 600.00 रुपये
18. **प्रेमचन्द–नयी पहचान** : (प्रेस में)
19. **प्रेमचन्द : कहानी रचनावली** (6 खण्डों में) : साहित्य अकादेमी, 35, फ़िरोजशाह मार्ग, नयी दिल्ली-110001, 2010, मूल्य : 1500.00 रुपये

(सम्पूर्ण)

20. **प्रेमचन्द : अनछुए प्रसंग** : मानसी पब्लिकेशंस, 1569, पहली मंज़िल, चर्च रोड, कश्मीरी गेट, दिल्ली-110006, प्र.सं. 2012
21. **प्रेमचन्द : वाद-प्रतिवाद-संवाद** : अयन प्रकाशन, महरौली, नयी दिल्ली, प्र. सं. 2012
22. **प्रेमचन्द (मोनोग्राफ)** : साहित्य अकादेमी, 35, फ़िरोजशाह मार्ग, नयी दिल्ली-110001, प्र.सं. 2013, मूल्य : 50 रुपये
23. **प्रेमचन्द : प्रतिनिधि संचयन** : सस्ता साहित्य मण्डल, नयी दिल्ली-110001, प्र.सं. 2013, मूल्य : 350.00 रुपये
24. **'गोदान' प्रथम संस्करण** (प्रेस में)
25. **'कफ़न' कहानी : आत्मा की तलाश** (प्रेस में)
26. **प्रेमचन्द : सम्पूर्ण दलित कहानियाँ** : सस्ता साहित्य मण्डल, नयी दिल्ली-110001, 2014
27. **प्रेमचन्द : राष्ट्र-प्रेम की कहानियाँ** : अनिल प्रकाशन, दिल्ली, 2014
28. **प्रेमचन्द का कहानी-दर्शन** : अनिल प्रकाशन, दिल्ली, 2014

(ख) अन्य साहित्यकारों पर पुस्तकें

1. **प्रभाकर माचवे–प्रतिनिधि रचनाएँ** : साहित्य-निधि, सी-38, ईस्ट कृष्णा नगर, दिल्ली, प्र.सं. 1984, मूल्य : 80.00 रुपये
2. **जगदीश चतुर्वेदी–एक विवादास्पद रचनाकार** : पल्लवी प्रकाशन, ए-35, निर्माण विहार, दिल्ली-110092; प्र.सं. 1985, मूल्य : 200.00 रुपये
3. **मन्मथनाथ गुप्त–प्रतिनिधि कहानियाँ** : जनप्रिय प्रकाशन, 29/60, गली नं. 11, विश्वास नगर, दिल्ली-110032, प्र.सं. 1985, मूल्य : 65.00 रुपये
4. **जिज्ञासाएँ मेरी–समाधान बच्चन के** : किताब घर, 24/4866, अंसारी रोड, दरियागंज, नयी दिल्ली-110002, प्र.सं. 1985, मूल्य : 60.00 रुपये
5. **रवीन्द्रनाथ त्यागी–प्रतिनिधि रचनाएँ** : पराग प्रकाशन, 3/114, कर्ण गली, विश्वास नगर, दिल्ली-110032, प्र.सं. 1987, मूल्य : 100.00 रुपये
6. **हज़ारीप्रसाद द्विवेदी–कुछ संस्मरण** : किताब घर, 24/4866, अंसारी रोड, दरियागंज, नयी दिल्ली-110002, प्र.सं. 1988, मूल्य : 100.00 रुपये
7. **विष्णु प्रभाकर–प्रतिनिधि रचनाएँ** : प्रभात प्रकाशन, 205, चावड़ी बाज़ार, दिल्ली-110006; प्र.सं. 1988, मूल्य : 150.00 रुपये
8. **यशपाल–कुछ संस्मरण** : पराग प्रकाशन, 3/114, कर्ण गली, विश्वास नगर, दिल्ली-110032, प्र.सं. 1990, मूल्य : 80.00 रुपये

9. **रामकुमार वर्मा नाटक रचनावली (तीन खण्डों में)** : किताब घर, 24/4866, अंसारी रोड, दरियागंज, नयी दिल्ली-110002, प्र.सं. 1990, मूल्य : 600.00 रुपये (सम्पूर्ण)
10. **लघुकथा का व्याकरण** : किताब घर, 24/4866, अंसारी रोड, दरियागंज, नयी दिल्ली-110002, प्र.सं. 1998, मूल्य : 200.00 रुपये
11. **दिनेशनंदिनी डालमिया से बातचीत** : हिन्दी बुक सेंटर, 4-5 बी, आसफ अली रोड, नयी दिल्ली-110002, प्र.सं. 2002, मूल्य : 160.00 रुपये
12. **मंजुल भगत–समग्र कथा-साहित्य (खण्ड एक एवं दो)** : किताब घर, 24/4866, अंसारी रोड, दरियागंज, नयी दिल्ली-110002, प्र.सं. 2004, मूल्य : 900.00 रुपये (सम्पूर्ण)
13. **ग़रीब होने के फ़ायदे एवं अन्य व्यंग्य रचनाएँ (रवीन्द्रनाथ त्यागी की व्यंग्य-रचनाओं का संकलन)** : प्रभात प्रकाशन, 4/19, आसफ अली रोड, नयी दिल्ली-110002, प्र.सं. 2008, मूल्य : 300.00 रुपये
14. **आपातकाल की प्रतिनिधि कविताएँ** : धारिका पब्लिकेशंस, 319, आर.जी. कॉम्प्लेक्स-1, सेक्टर-14, रोहिणी, दिल्ली-110085, प्र.सं. 2007, मूल्य : 400.00 रुपये
15. **गाँधी : पत्रकारिता के प्रतिमान** : नटराज प्रकाशन, ए-98, अशोक विहार, फेज-प्रथम, दिल्ली-110052, प्र.सं. 2008, मूल्य : 400.00 रुपये
16. **बालशौरि रेड्डी कथा-रचनावली** : मानसी पब्लिकेशंस, 1569, पहली मंज़िल, चर्च रोड, कश्मीरी गेट, दिल्ली-110006, प्र.सं. 2012
17. **रवीन्द्रनाथ त्यागी रचनावली (आठ खण्ड)** : वाणी प्रकाशन, 21-ए, दरियागंज, नयी दिल्ली-110002, प्र.सं. 2016

(ग) हिन्दी के प्रवासी साहित्य पर पुस्तकें

1. **अभिमन्यु अनत–एक बातचीत** : ज्ञान भारती, 4/14, रूपनगर, दिल्ली-110007, प्र.सं. 1985, मूल्य : 45.00 रुपये
2. **अभिमन्यु अनत–प्रतिनिधि रचनाएँ** : नटराज प्रकाशन, ए-98, अशोक विहार, फेज-प्रथम, दिल्ली-110052, प्र.सं. 1999, मूल्य : 350.00 रुपये
3. **मॉरिशस की हिन्दी कहानियाँ** : साहित्य अकादेमी, 35, फ़िरोजशाह मार्ग, नयी दिल्ली-110001, प्र.सं. 2000, मूल्य : 250.00 रुपये
4. **अभिमन्यु अनत : समग्र कविताएँ** : इरावती प्रकाशन, सी-487, विकासपुरी, नयी दिल्ली-110018, प्र.सं. 1998, मूल्य : 350.00 रुपये
5. **मॉरिशस के राष्ट्रकवि ब्रजेन्द्र कुमार भगत 'मधुकर' काव्य-रचनावली** : नटराज प्रकाशन, ए-98, अशोक विहार, फेज-प्रथम, दिल्ली-110052,

प्र.सं. 2003, मूल्य : 600.00 रुपये

6. **हिन्दी का प्रवासी साहित्य :** अमित प्रकाशन, के.बी.-97, कविनगर, ग़ाज़ियाबाद- 201002, प्र.सं. 2011, मूल्य : 600.00 रुपये

(घ) कमल किशोर गोयनका पर प्रकाशित पुस्तकें

1. **'समीचीन' पत्रिका का 'डॉक्टर कमल किशोर गोयनका अंक' :** सम्पादक–देवेश ठाकुर, मुम्बई
2. **प्रेमचन्द-साहित्य के अध्येता–डॉ. कमल किशोर गोयनका :** सम्पादक–देवेश ठाकुर, संकल्प प्रकाशन, ए-34, बिल्वकुंज हाउसिंग सोसाइटी, लालबहादुर शास्त्री मार्ग, मुलुंड (पश्चिमी), मुम्बई-400082, प्र.सं. 1990, मूल्य : 55.00 रुपये
3. **डॉ. कमल किशोर गोयनका का साहित्य-संसार :** निर्मला सैनी, अनिल प्रकाशन, 2619-20, न्यू मार्केट, नयी सड़क, दिल्ली-110006, प्र.सं. 2006, मूल्य : 200.00 रुपये
4. **'कल्पांत', फ़रवरी 2009, कमल किशोर गोयनका विशेषांक :** सम्पादक–मुरारीलाल त्यागी, 1962/151, त्रिनगर, दिल्ली-110035
5. **'समावर्तन', नवम्बर 2009, कमल किशोर गोयनका अंक :** सम्पादक–प्रभात कुमार भट्टाचार्य, 129, दशहरा मैदान, उज्जैन-456010
6. **'अभिनव इमरोज', जुलाई 2013, प्रेमचन्द विशेषांक :** सम्पादक–कमल किशोर गोयनका
7. **'पाण्डुलिपि' प्रवासी विशेषांक, रायपुर :** सम्पादक–कमल किशोर गोयनका, 2013